1 MONTH OF
FREE
READING

at
www.ForgottenBooks.com

By purchasing this book you are eligible for one month membership to ForgottenBooks.com, giving you unlimited access to our entire collection of over 1,000,000 titles via our web site and mobile apps.

To claim your free month visit:
www.forgottenbooks.com/free1234107

ISBN 978-0-332-73117-9
PIBN 11234107

Beiheft
zum
Militair-Wochenblatt

herausgegeben

von

A. Vorbstaedt,

Oberst z. D.

1871.

Zweites Heft.

Berlin 1871.

Ernst Siegfried Mittler und Sohn,

Königliche Hofbuchhandlung.

Kochstraße 69.

Studien über Frankreich.

Die überraschenden Erscheinungen des letzten Krieges: — die schnelle
Vernichtung der großen französischen Armee, die stumpfe Gleichgültigkeit des
Volkes bei dem jähen Sturze der Dynastie, der lange Widerstand von Paris,
die schnelle Schöpfung großer Heere, der Kampf für die Republik, die im
größten Theile des Landes gefürchtet wird — das Alles sind Widersprüche,
die zu näherer Betrachtung auffordern. Im Beginn des Jahres 1870 zeigte
sich überall Haß und Mißachtung des Kaisers, dem doch das Plebiscit bald
darauf 7 Millionen Stimmen gab, die Napoleon dem Glauben des Bauern
und Bürgers verdankte, daß sein Kaiserreich der Friede sei und, daß es sie
gegen die Gefahren der sozialen Republik schützen werde. Und als im Sommer der Krieg ausbrach, schien ihm ganz Frankreich zuzujubeln. Freilich
schien es nur so; nur die Stimmführer, theils Diener der Regierung, theils
salarirte Journalisten, wünschten den Krieg, — die Masse des Landvolks
ward kaum dadurch berührt, sie erwartete einen Krieg, wie den in der Krimm
oder in Italien, den das Heer führte, der aber wenig Einfluß auf die Interessen des Landvolkes hatte. Die dem widersprechenden Berichte der napoleonischen Präfekten, die später veröffentlicht worden, sind ohne allen Werth;
sie berichteten der Regierung, was diese hören wollte, um zeigen zu können,
daß der Krieg den Wünschen des Landes entspräche. Als der Kaiser sich
ergeben hatte, die Kaiserin und der Prinz sich nach London geflüchtet, — da
waren die Franzosen höhnisch; selbst die Schmach des Heeres, der Sturz
des Mannes, den sie gewählt und der sie 20 Jahre beherrscht hatte, küm-
merte die Masse des Volkes nicht und auch die politisch erregbaren Kreise
in Paris und in den großen Provinzialstädten vergaßen es bald über der
Freude an der neu geschaffenen Republik. Denn am 4. September hatten
einige Männer, darunter mehrere, wie Trochu, keine Republikaner waren,
die Republik erklärt, welche die große Mehrheit der Franzosen wahrlich nicht
wollte; aber Frankreich gehorchte schweigend dem von Paris gegebenen

18

Impuls. Das Komité der nationalen Vertheidigung dekretirte den Volkskrieg, neue Heere sollten geschaffen werden; aber das Land verharrte in seiner
Indolenz; da — am 9. Oktober — trifft Gambetta in Tours ein und nun
wachsen die Heere aus dem Boden, werden bewaffnet und schlagen sich, theilweise opferwillig, für die Republik und für Frankreich. Paris hält sich wider
alles Erwarten Monate lang — da fällt Metz, alle Ersatzarmeen werden
geschlagen; endlich fällt auch Paris, — seine Vertreter schließen einen Waf-
fenstillstand und Frankreich wählt eine Versammlung, — wohl nie wurde
dort so frei gewählt — die überwiegend friedlich und monarchisch gesinnt,
doch unter Führung des alten Orleanisten Thiers vorläufig die Republik erhalten will. Noch vor dem definitiven Abschluß des Friedens wird Paris
eine Beute der wildesten Pöbelherrschaft und fast 2 Millionen erdulden widerstandslos das Joch des bewaffneten Proletariats, einer Bande von Abenteurern und exaltirten Socialisten.

Solche Erscheinungen, wie sie Frankreichs Geschichte seit 80 Jahren
zeigt, liegen nicht in den Fehlern einzelner Persönlichkeiten, in einzelnen Irrthümern und Maßregeln der Regierungen, sie können nur aus der Geschichte,
dem Nationalcharakter und aus den bleibenden Institutionen, wie aus den
gesellschaftlichen Zuständen erklärt werden, in welchen sich der Charakter des
Volkes so ausprägt, wie die Geschichte ihn entwickelt.

Gerade der Nationalcharakter der Franzosen ist am meisten mißverstanden;
aus ihm erklärt sich die Geschichte Frankreichs, wie eben sie ihn fast nothwendig
so hat ausbilden müssen. Hat die unendliche geistige Lebendigkeit, die sich
schnell für politische Ideale enthusiasmirt, der Heroismus, die opferbereite
Vaterlandsliebe, die den Franzosen seit Jahrhunderten à la tête de la civilisation gezeigt hat, sich auch in diesem letzten Kriege bewährt? Oder ist
er noch, wie Voltaire sagt, halb Tiger, halb Affe? Etwa der französische
Arbeiter, Bauer, épicier, Fabrikbesitzer und Handwerker, dem wir das Vieh
wegnahmen, in dessen Betten wir schliefen, der uns Suppen kochte und Hüh-
ner briet? der unserer Armee unsäglich viel Vorspanndienste leistete, den
drückenden Requisitionen genügte und dem siegenden Feinde ohne Widerstand
Steuern und Straf-Kontributionen zahlte?

Unsere landläufige Anschauung des französischen Nationalcharakters ist
grundfalsch. — Wir sehen vor Allem den Pariser, und in Paris die population flottante von 100,000 Menschen, die sich flanirend auf den Straßen
und in öffentlichen Orten zeigen, lärmend, schwatzend, immer beweglich, oft
geistreich, meist frivol, — großentheils allen Nationen angehörig; dann sehen
wir das vornehme und geringe Gesindel jeder Weltstadt, dann urtheilen wir
nach der Journalistik, den Theatern, nach der Literatur, die wir lesen,
nämlich nach Dumas père et fils, nach Sue und sogar nach Feydeau!
Denn die Barante, Tocqueville, Villemain und Thierry sind in weiteren Kreisen bei uns kaum gekannt, wenigstens nicht gelesen. Denselben Fehler bege-

hen die Franzosen seit alter Zeit; wenn sie von Frankreich reden, meinen sie
Paris. Timon-Cormenin sagt, „Frankreich ist ein Land, das wesentlich durch
die Einbildungskraft bestimmt wird, sie tritt überall hervor, und beherrscht
die Geister. Die Nation ist étourdie, will immer beschäftigt und durch das
Schauspiel großer Thaten geblendet sein." Das gilt durchaus für den die
Politik bestimmenden Theil der gebildeten Bevölkerung großer Städte; aber
nur für diese. Es sind meist jüngere Leute voller Phrasen, voll forcirten
Enthusiasmus, gemachter (factice) Leidenschaft. Die treffliche französische
Wendung — se payer de mots — ist sehr bezeichnend.

Selbst in Paris ist die Zahl solider épiciers, die fleißig arbeitend verdienen wollen, um bald Rentier zu werden, die aber ohne alles politische
Interesse sind, überwiegend groß. Ebenso ist es in den wenigen Großstädten;
ganz allgemein trifft es zu in den kleinen Städten und auf dem Lande. Hier
hat der Franzose nur das Interesse für sich und sein Haus, seine Familie,
seine Gemeinde; er will erwerben, ohne angestrengt zu arbeiten, will gut
leben, ohne zu verschwenden, l'individualisme et l'esprit de clocher beherrschen ihn ganz. Wer hat, wenn er im In- und Auslande mit Franzosen verkehrte, klare, energische, zähe Naturen, wie wir sie in Nordamerika,
Deutschland, England finden, kennen gelernt? Liebenswürdige, gutmüthige,
gescheute, selbst geistreiche Menschen wohl, aber Mollusken, keine thatkräfti-
gen, sich selbst bestimmenden, herrschenden Männer. Und eine Nation ist
eine Summe von Individuen, und der Nationalcharakter kann keine Züge
tragen, die sich nicht in den Einzelnen wiederfinden.

Zahlreiche Citate aus den besten Schriftstellern Frankreichs, viele Beispiele aus den Erfahrungen der letzten Monate werden diese Ansicht vom
Nationalcharakter der Franzosen beweisen. Auch Cäsars Schilderung der
Gallier, die wohl öfter erwähnt als gelesen wird, paßt nur noch in sehr wenigen Zügen. Das an sich nicht thatkräftige Volk ist durch die nach
jedem Wechsel der Dynastie und der politischen Form gesteigerte Centralisation entnervt und jeder Initiative entwöhnt; bei seiner weichen, heiteren Natur, seinem leichtlebigen Temperament ist ihm der politische Mannesmuth er-
storben. Daß die Centralisation so früh und leicht alle politische Eigenthümlichkeit, alle provinziellen Formen und Einrichtungen unterdrücken konnte, zeigt,
daß der Bretagner, Normanne, Champagnard und Gascogner nicht den Drang
und die Kraft hatten, Sitte, Staat und Gesellschaft eigenthümlich zu gestalten, so konnten sie leicht zu unterschiedsloser Gleichheit zusammengeschmolzen
werden. Was der Deutschen und Italiener Ruhm und Preis ist, das ist
auch ihre Schranke und ihre Gefahr.

Reich geworden in den letzten Jahrzehnten, banquerott geworden an
allen politischen Idealen, ohne Liebe und Treue zu einer der Dynastien, die
Prätendenten aufstellen kann, will die Masse des Volkes nichts als Ruhe,
Schutz des Eigenthums und Sicherheit der Person.

„Weßhalb drängt sich das Volk? Es will sich ernähren,
Kinder zeugen und die nähren soviel es vermag,
Merk' es Dir Frembling genau und thue zu Hause desgleichen.
Weiter bringt es kein Mensch, stell' er sich wie er auch mag."
Für die Masse der Franzosen gilt das Wort durchaus.

Ein großes Unglück ist die Schwäche jeder einzelnen Partei, daher kann keine zu bauernder Ueberlegenheit gelangen. Man kann unterscheiden:

Legitimisten,

Orleanisten,

Napoleoniden,

Clericale, die im Allgemeinen monarchisch gesinnt, doch die dynastische Frage dem kirchlichen Interesse unterordnen,

Gemäßigte Republikaner,

Republikaner,

Socialisten und Communisten.

Diese letzteren würden, sobald sie zur Herrschaft gekommen, sich in viele Sekten spalten und sich aufs Heftigste bekämpfen. Sie sind vielleicht die einzigen, die zum Theil noch an ihre Ideale glauben, welche freilich noch keine Probe bestanden haben. Der Fabrikarbeiter von Paris, Lyon, Reims &c. glaubt wirklich, daß ein gesellschaftlicher Zustand einzuführen sei, in dem ihm der Vollgenuß aller materiellen und geistigen Güter der Erde mit einem Schlage gewährt werden könne; für diesen Glauben entbehrt er und wird auch für ihn kämpfen. Nationales Interesse hat er durchaus nicht, noch weniger als die population rurale; was bei dieser Indolenz, ist bei ihm bewußter Widerspruch. — Der Individualismus zeigt sich auch in den communalen wie in den communistischen Strömungen der jetzigen Pariser Revolution. Das Programm der Commune will den Staat abschaffen, jede Regierung beseitigen, nur das Individuum soll souverän sein. Die bisherige byzantinische Beamtenwirthschaft, die straffe Centralisation hat den staatlichen Organismus schon aufgelöst, nur der äußere Mechanismus hat die Atome gewaltsam zusammengehalten, und sowie dieser Mechanismus zerstört wird, ist die volle Freiheit des Individuums da; der Staat, die Nation wird in einzelne Communen oder gar Individuen aufgelöst. Die Communalisten sind keineswegs Communisten — diese letzteren wollen den Staat auflösen um eine despotische Gesellschaftsform einzuführen, in der jedem Einzelnen die materiellen Bedürfnisse garantirt werden. Der letzte Zweck ist ihnen nicht die Idee des Staates, der Nationalität oder der Freiheit, sondern das materielle Wohlsein des Einzelnen — das heißt des Fabrikarbeiters der großen Städte.

Alle Bewegungen, die in Frankreich auf Decentralisation, Selfgovernment und communale Freiheit zielen, lassen sich an Tocqueville's großen Namen knüpfen. Die Nothwendigkeit einer administrativen Reform ist dort allgemein erkannt; selbst in den verbrecherischen Kämpfen der Pariser Commune liegt ein folcher Keim der Berechtigung, — nur freilich ift das Räthfel auch dort nicht gelöft, ftrenge Kontrole und geordnete Verwaltung mit Decentralifation zu verbinden.

Wie viel wir Preußen der Stein-Hardenbergfchen Reform und der Städteordnung verdanken, die Unverftand und böfer Wille fo oft angegriffen, das zeigt das heutige Frankreich mit einem Blicke. Gerade des franzöfifchen Volkes Charakter war am wenigften geeignet, den entnervenden Wirkungen der Centralifation zu widerftehen, gerade an ihm mußten alle Gefahren der Demokratie fich am verderblichften zeigen, weil ihm die entgegenwirkenden Elemente, vor Allem die Fähigkeit zur Selbftverwaltung und die Spontaneität des Charakters fehlen.

Von den Franzofen fagt Tocqueville im ancien régime: „Betrachte ich diefe Nation, fo finde ich in ihrer Gefchichte nichts, das fo erftaunlich wäre, als fie felber. Sah man je auf Erden ein Volk, fo reich an Kontraften, fo leicht von einem Extrem zum anderen getrieben, fo oft durch augenblickliche Eindrücke, fo felten durch fefte Grundfätze geleitet, fo daß es bei all' feinen Handlungen fich ftets beffer oder fchlimmer bewährte, als man vermuthete. Bald unter dem allgemeinen Niveau, dann wieder hoch über demfelben ftehend — ein Volk, das an feinem Heerde und an feinen Gewohnheiten mehr als jedes andere hängt, fo lange man es fich felbft überläßt, und das, fobald man es feiner Heimath und feinen Gewohnheiten unfreiwillig entriffen hat, bis an das Ende der Welt vorzudringen und Alles zu wagen vermag; feinem Temperament nach ungern gehorchend, jedoch der willkürlichen, ja tyrannifchen Herrfchaft eines Fürften lieber fich fügend, als der regelmäßigen und freien Regierung feiner angefehenften Bürger; heute ein gefchworener Feind allen Gehorfams, morgen entflammt von einer Leidenfchaft zu dienen, die auch von den für die Knechtfchaft begabteften Nationen nicht erreicht wird; an einem Fädchen geführt, fo lange Niemand widerftrebt, unregierbar, fobald das Beifpiel des Widerftandes irgendwo gegeben; feine Herren fo immer täufchend, die es bald zu viel, bald zu wenig fürchten; niemals in dem Maße frei, daß man es aufgeben müßte, es zu knechten, und nie in dem Grade geknechtet, daß es nicht feine Feffeln noch fprengen könnte; für Alles begabt, aber nur im Kriege ausgezeichnet, dem Zufall, der Gewalt, dem Erfolge, dem Glanz und Geräufche mehr als dem wahren Ruhme leidenfchaftlich ergeben, mehr mit Heldenmuth als mit Tugend, mehr mit Genie als mit gefundem Menfchenverftand begabt, eher geeignet, ungeheure Pläne zu entwerfen, als große Unternehmungen nach allen Seiten hin auszuführen; die glänzendfte und gefährlichfte Nation von Europa, beftimmt, allen übrigen abwechfelnd ein Gegenftand der Bewunderung, des Haffes, des Mitleidens, des Schreckens, aber nie der Gleichgültigkeit zu werden."

Bei diefer geiftvollen Schilderung ift zu berückfichtigen, daß fie vor mehr als 40 Jahren unter dem frifchen Eindrucke der Napoleonifchen Feldzüge geschrieben worden und daß seitdem die Revolution von 1848, das Kaiserreich und der Krieg von 1870/71 über Frankreich hingegangen sind. Wer die Wandelungen betrachtet, die das Volk seit 90 Jahren erfahren hat, und sieht, daß die Bewegung immer nur von einer verschwindend kleinen Minorität ausging, der wird den Grund dieses rastlosen Umschwunges nicht in der geistigen Lebendigkeit der Nation, sondern in ihrer Energielosigkeit und politischen Indolenz suchen. Wer sich in der Familie, der Kommune, dem Departement, dem Staate, zum Herrn aufwerfen will, der ist es, also zunächst der Beamte, der employé, als solcher so anmaßend und widerwärtig, als der Franzose im Allgemeinen liebenswürdig und freundlich ist.

Was die Franzosen durch Anmaßung und Despotismus der Employé's auf Bahnhöfen, Steuerämtern, Omnibuslinien erdulden, das ertrüge kein Deutscher, und der Staat hat nach einer französischen Angabe etwa 500,000 Beamte. Ein sehr achtbarer Freund, Maire in den Ardennen, der Vater seiner Gemeinde, sagte mir: „Das ist das Unglück Frankreichs, daß in jeder Kommune 1—2 schlechte Gesellen sich zu Herren machen und alle Anderen tyrannisiren können." Aber warum leidet Ihr Anderen das? „Ah, on pourrait subir des inconvénients assez graves." Freilich wohl:

1789—92 war die Nation in fieberhafter Erregung, eigentlich ganz Europa; wer daran zweifelt, mag nur lesen, wie damals Deutsche, wie Claudius, Stolberg, Klopstock, Fichte dichteten und über die Revolution urtheilten. Damals war es eine Bewegung des ganzen Volkes, — der Gegensatz von Stadt und Land, der sich im heutigen Frankreich so deutlich zeigt, fehlte ganz. Der Kampf der Commune in Paris, die früheren Bewegungen in Lyon und Marseille lehren uns die Schreckenszeit der Jahre 1793 und 1794 begreifen. Keineswegs billigte und wollte die Masse des Volkes die vom Wohlfahrtsausschusse und seinen Satelliten verübten Gräuel, — aber wenn Verbrecher wie Collot d'Herbois und Carrier nach großen Städten wie Lyon und Nantes gesendet wurden und sich dort mit den Affiliationen des Jakobinerklubbs in Verbindung setzten, hungernde Proletarier und entlassene Sträflinge mit Piken bewaffneten, so duldete das weichliche, durch Jahrhunderte lange Centralisation und durch den Absolutismus entnervte Volk alle Gräuel in starrem Entsetzen. Die Franzosen haben seit alter Zeit wohl Feuer im Blute, aber keinen Stahl. Gerade so war es jetzt in Lyon und Paris; als ein unglücklicher Polizeiagent zu Tode gequält wurde, als man General Thomas und Andere schändlich ermordete, wurde das Verbrechen von wenigen Hunderten gebilligt, von Einzelnen nur verübt, — aber Tausende sahen zu, mitleidig Theil nehmend, aber thatlos, ohne den Muth einen Entschluß zu fassen.

Die ganze spätere Reihenfolge von Revolutionen und Reaktionen, der 18. Brumaire, Mallets Versuch, Ludwigs XVIII. Thronbesteigung, Napoleons Rückkehr von Elba, die Juli- und Februar-Revolution, der Staatsstreich Napoleons III., zu dem, wie Kinglake zuerst nachwies, Morny, Fleury, St.

Arnaud und Magnan den späteren Kaiser drängten, — die Revolution vom 4. September, Gambetta's Diktatur, — das Alles war das Werk weniger Einzelnen, das die Nation in schweigendem Gehorsam ertrug. So schildert es die Georges Sand, die gerade mit dem Landvolke zu denken und zu fühlen versteht, in ihrem während des Krieges geführten Tagebuche.

Georges Sand schreibt am 4. November:

„Dans beaucoup de lettres que je reçois, de paroles que j'entends, de journaux que je lis — c'est l'exaltation qui domine — mauvais symptôme à mes yeux. L'exaltation est un état exceptionel qui doit subir la réaction d'un immense découragement. On invoque les souvenirs de 1792, on les invoque trop, et c'est à tort et à travers qu'on s'y reporte. La situation est aujourd'hui l'opposé complet de ce qu'elle était alors. Le peuple voulait la guerre et la république, aujourd'hui il ne veut ni l'un ni l'autre. Villes et campagnes marchaient ensemble, aujourd'hui la campagne fait sa protestation à part, et le peuple plus ardent des villes ne l'influence dans aucun sens — nous sommes déjà loin de 1848 sous ce rapport — combien plus nous le sommes de 1792..... On pourrait dire des républicains d'aujourd'hui qu'ils sont comme les royalistes de la restauration — ils n'ont rien appris et rien oublié..... La prétendue réaction, c'est donc toute une France par le nombre, une majorité flottante entre trois drapeaux et prête à se rallier autour de celui qui lui offrira plus de séourité — ce qui est prévoyant et rassis, commerçant, ouvrier, industriel, fonctionnaire, artiste, paysan. C'est qu'on appelle la masse des honnêtes gens, c'est qu'il faudrait appeller ni honnête, ni malhonnête, c'est la race calme et craintive dont à mes yeux le tort et le malheur sont de manquer d'idéal ou de s'y refuser de parti pris, car tout français est idéaliste malgré lui. Tout français veut être bien d'abord, mieux en suite et toujours mieux."

Von der ländlichen Bevölkerung und dem Gebrauch, welchen dieselbe vom allgemeinen Stimmrechte macht, schreibt Georges Sand:

„Nous n'avons pas compris, dès le principe, ce qu'il y avait de terrible et de colossal dans le suffrage universel. Pour mon compte, c'est avec regret que je l'ai vu s'établir en 1848 sans la condition obligatoire de l'instruction gratuite. J'ai appris à le respecter après l'avoir craint comme un grave écheo à la civilisation. On pouvait croire et on croyait qu'une population rurale, ignorante choisirait exclusivement dans son sein d'incapables représentants de ses intérêts de clocher. Elle fit tout le contraire, elle choisit d'incapables représentants de ses intérêts généraux. Elle a toujours voté pour l'ordre pour la paix, pour la garantie du travail. On l'a trompé, on lui a donné le contraire de ce qu'elle demandait, ce qu'elle croyait être un vote de paix, était un vote de guerre. Si Jacques Bonhomme (der Bauer) avait un organe fidèle de ses idées, voici ce qu'il dirait: „Je suis le peuple souverain de la première république, et en même temps le peuple impérialiste du second empire. Vous (aux républicains des villes) croyez que je suis changé, c'est vous qui l'êtes. On nous a dit: „l'empire c'est la paix, nous avons voté l'empire. Arrangez-vous que le fait parle en votre faveur, et nous retournerons à vous.“

Le fait, le paysan ne croit pas autre chose; dix années de prospérité matérielle et de repos lui donnent la mesure d'un bon gouvernement. Laissez moi mon champ, dit-il, je ne vous demande rien, il se passe volontiers du secours et des encouragements de la science, il ne les repousse pas, mais il veut accomplir lui même et avec lenteur son progrès relatif. Nul n'est plus facile à gouverner, nul n'est plus impossible à persuader. Son idéal, s'il en a un, c'est l'individualisme, il le pousse à l'excès et longtemps il en sera encore ainsi. Il est un obstacle vivant au progrès rapide......, nous devons à la brutalité de ses appetits la remarquable oblitération (das Verlöschen, die Abnahme) qui s'est faite depuis 20 ans surtout dans notre sens moral.“

Und am 21. Dezember schreibt Georges Sand in ihr Tagebuch: „En ce moment le peuple ne réprésente pas l'héroïsme — il aspire à la paix, il n'est pas en train de comprendre la gloire — en quelques points il trahit le patriotisme — il aurait bien des excuses à faire valoir là où l'indiscipline des troupes et les exactions des corps francs lui ont rendu la défense aussi préjudiciable et plus irritante que l'invasion. Entre deux fleaux le malheureux pays à du chercher quelquefois le moindre sans le trouver. Généralement il blâme l'obstination que nous mettons à sauver l'honneur, il voudrait que Paris eût déjà capitulé, il voit dans le patriotisme l'obstacle de la paix — si nous étions aussi foulés, aussi à bout de ressources que lui, le patriotisme nous serait peut-être passablement difficile. Pauvre Jacques Bonhomme à cette heure de détresse et d'épuisement tu es certainement en révolte contre l'enthousiasme, et si on t'appellerait à voter aujourd'hui, tu ne voterais ni pour l'empire qui a entamé cette guerre, ni pour la république qui l'a prolongé.

T'accuse et te méprise qui voudra, je te plains, et à dépit de tes fautes, je t'aimerai toujours.“

Das sind treffliche Worte, und wer im letzten Feldzuge Gelegenheit gefunden, mit der Landbevölkerung zu leben, wird sie unterschreiben. Sie sind um so bemerkenswerther, als die Georges Sand die deutsche, namentlich die preußische Kriegführung sehr hart beurtheilt, voll republikanischer Sympathien ist und sich nur den Thatsachen, die sie umgeben, nicht verschlossen hat. So apathisch, im engen Kreise des Familien-Interesses, des materiellen Erwerbs und Genusses lebt der französische Bauer, wie die Mehrzahl der Bürger in den Städten, und so mußten sie werden bei dem lähmenden Einflusse der Demokratie, die wie ein alle Schranken und Ungleichheiten zerstörender Strom sich über ein Volk ergoß, in dem die despotische Centralisation dreier Jahrhunderte alle Selbstständigkeit, Energie und Schnellkraft des Charakters gebrochen hatte. Nicht die Freiheit, die Selbstbestimmung des Individuums, nur die Gleichheit hatte die Revolution den Franzosen gebracht. Wie ein Seher des alten Bundes hat Tocqueville diese Folgen des Sieges der Demokratie in einem centralisirten, der Selbstverwaltung unfähigen Volke vorhergesagt (de la démocratie en Amérique).

„Nur die Freiheit allein kann demokratische Gesellschaften auf der abschüssigen Bahn zurückhalten und die ihnen natürlichen Gefahren siegreich bekämpfen. Sie allein kann die Bürger aus der Vereinzelung herausziehen, in welcher eben die Unabhängigkeit ihrer Stellung sie leben heißt, kann sie bewegen, sich einander zu nähern. Sie ist es, welche sie alle erwärmt und alltäglich zusammenführt durch das Bedürfniß, sich untereinander zu berathschlagen, einander zu überreden, sich wechselseitig hilfreich zu sein in der Leitung der gemeinsamen Geschäfte. Sie allein hat die Macht, den Bürger vor Vergötterung des Geldes zu bewahren, ihn von den kleinlichen Plagen des Tages, von den engen Sorgen des Hauses zu befreien und ihn jeden Augenblick das große gemeinsame Vaterland um ihn und über ihm sehen und fühlen zu lassen. Die Freiheit allein kann an die Stelle behaglichen Wohlseins, kräftigere, männlichere Leidenschaften setzen und dem Ehrgeize würdigere Gegenstände bieten, als Gold und Reichthümer. Demokratische Gesellschaften, die nicht frei sind, können reich, raffinirt, gebildet, ja glänzend und durch die Wucht ihrer zusammenhängenden Masse gewaltig sein, man kann dort manchen Privattugenden begegnen, guten Hausvätern, ehrlichen Kaufleuten, sehr achtbaren Grundbesitzern; man wird dort auch gute Christen sehen, denn ihr Reich ist nicht von dieser Welt, und der Ruhm ihrer Religion besteht eben darin, auch mitten in den Zeiten der größten Sittenverderbniß und unter den schlechtesten Regierungen gute Christen zu erziehen, — das römische Reich zur Zeit seines Verfalls war voll solcher Leute — aber was man niemals in solchen Zeiten finden wird, das ist ein großer Bürgersinn, ein großes Volk. Das gewohnte Niveau des Gemüthes und Geistes muß unaufhaltsam fallen, so lange Despotismus und Gleichheit gleichzeitig unter einem Volke auftreten."

Das ist der Individualismus, dessen Georges Sand das französische Volk anklagt, den Tocqueville schon vor 50 Jahren als nothwendige Folge der égalité und der despotischen Centralisation voraussah, die alle wechselnden

Dynastien, wie die Revolutionen, befördert hatten, nur daß die Revolution mit größerer Kraft und Rücksichtslosigkeit, auch mit mehr Verstand, das Werk vollführte.

Sehr charakteristisch ist folgende Stelle aus Sarcey's Siège de Paris, die beweist, daß die Anschauungs- und Empfindungsweise des Landvolkes mindestens in vorübergehenden Stimmungen von den Parisern getheilt wurde. Und Sarcey hat das Verdienst, überall die Wahrheit sagen zu wollen. Am Morgen des 1. Jannar schildert er die allgemeine Sehnsucht nach den fernen Frauen und Kindern, welche an anderen Tagen „cette insouciante philosophie, qui est le fond de notre caractère national" vergessen ließ. Aber der festliche Tag ruft alle die Erinnerungen zurück — cette maudite guerre, ne sera-t-elle pas bientôt finie? Und wie er seine Kinder so klagen hört, erbebt sein Herz vor Zorn, und er schmäht die deutschen Sieger. „Elende, Hunnen, Barbaren, Ihr habt uns Alles geraubt, wir sind zu Grunde gerichtet, ausgehungert, und bald werden wir bombardirt, und wir haben das Recht, Euch gründlich zu hassen. Und doch — all' dies Elend, Eure Räubereien und Morde, die Plünderung unserer Städte, Euer Verrath (?), Eure plumpen Späße — wir hätten es Euch vielleicht verziehen. Elle est si bonne enfant cette race française.... ce qui ne sortira jamais de notre souvenir, c'est ce jour de l'an, passé sans famille et sans nouvelles, ce jour désolé, ce jour à qui manquera le baiser de la femme et le rire du bébé à la tête blonde." Das ist rührend und zeigt ein inniges Familiengefühl; gewiß so war an jenem Morgen die Stimmung der meisten Franzosen. Daß aber in so furchtbarer Krisis das Schicksal des Vaterlandes, die Vernichtung des Heeres und alle drohenden Schrecken zurücktreten können gegen so idyllische Stimmungen, das zeigt den Mangel an Nationalgefühl, das Vorherrschen des Individualismus.

Es soll versucht werden, den Charakter der Nation im Einzelnen zu schildern und zu zeigen, wie sich dieser Individualismus, dieser Mangel an Vaterlandsgefühl, an Kraft und Energie des Charakters, im Leben der Familie, in der Gemeinde, in den Verhältnissen der Schule, Kirche, des Staates und des Heeres ausspricht. — Wer unbefangen das Volksleben in Frankreich beobachtet, wird viele achtungswerthe, liebenswürdige Seiten in dessen Charakter, manches Nachahmungswerthe in den Sitten finden; aber das Alles gilt dem Einzelnen und seinem Verhältniß zur Familie, zu seinem Geschäft, seiner Gemeinde. Nichts ist unbegründeter, als der Anspruch der Franzosen, la grande nation zu sein; wenn man unter Vaterland mehr als den Grund und Boden versteht — den Heimathsort liebt der Franzose und verläßt ihn schwer — so möchte man fragen, ob der Bauer und Kleinbürger dort wirklich ein ideales Vaterland hat. Nach der Georges Sand besteht der jedem Franzosen innewohnende Idealismus darin, — de vouloir être bien d'abord, mieux ensuite et toujours mieux.

Das Familienleben eines Volkes richtig zu beurtheilen, ist für den Reisenden schwer, und Lustspiele, Romane, geben oft ein richtigeres Bild, als die einzelnen Beispiele, die sich der flüchtigen Beobachtung darbieten. Dagegen giebt der Krieg, so paradox es klingen mag, bessere Gelegenheit in die Geheimnisse des Familienlebens einzudringen. Man lebt tage- und wochenlang mit den Bauern, Fabrikanten, Gutsbesitzern, ißt an ihrem Tische und theilt oft ihr Familienleben, ihre Häuslichkeit, wenigstens hat man sie unmittelbar vor Augen.

Am auffallendsten erscheint in Frankreich die Stellung der Frau; die bürgerliche Emancipation ist dort großentheils vollendet; es liegt das einmal in dem wenig energischen Charakter der Männer, welcher dem lebhaften Temperament der Frau leicht das Uebergewicht zuerkennt, die Franzosen haben, wie die Polen, viel Weibliches in ihrem Charakter. Auch Sarcey sagt (siège de Paris), nachdem er mit Anerkennung von der kleinen Bourgeoisie gesprochen, daß die Frauen sich noch entschlossener gezeigt haben, als die Männer. „Ich kenne nichts Rührenderes, nichts Bewunderungswertheres, als die männliche Einfachheit, mit der diese braven Leute ihre Leiden ertrugen. Auf den Frauen ruhte die größte Last. Ihnen lag die Versorgung des Hausstandes ob, sie mußten bei den Fleischern, den Kaufleuten, den Volksküchen Queue machen. Sie überließen das mühsam erworbene Stückchen Fleisch dem Manne, versorgten die Kinder und bemühten sich noch, den traurigen Heerd zu erheitern. Welcher Schatz der Hingebung, der Selbstverläugnung und der moralischen Kraft liegt in dem Herzen der Frauen Frankreichs, wenn man nur die rechte Seite zu berühren weiß. Nur die oberen Schichten waren verdorben durch den Luxus, die Verweichlichung und die Benôitonerie*) des zweiten Kaiserreichs." Auch den feindlichen Truppen gegenüber, bei Einquartierungen oder Requisitionen zeigten die Frauen mehr Muth als die Männer, leisteten bisweilen aktiven Widerstand, während diese schweigend im Winkel saßen; dagegen waren sie meist mitleidig und pflegsam gegen Kranke und Verwundete."

Wer hat nicht in Paris die dame du comptoir herrschend auf ihrem Throne gesehen; in den kleineren Läden führt die Frau Buch und Geschäft, kauft ein und verkauft — monsieur sitzt fleißig arbeitend in der Hinterstube. Als Eisenbahn-Kassirer, Banquiers, im bureau de tabac sieht man ebenso viel Frauen als Männer. Wittwen, unvermählte Damen findet man sehr oft als Guts- oder Fabrikbesitzer. Das ist theilweise Folge des Erbrechts nach dem Code Napoleon, der wesentlich auf die Gesetzgebung der Jahre 1792 und 1793 zurückging, und dies Erbrecht hat auf das Verhältniß der Ehegatten zu einander, wie auf das der Kinder und Eltern, eingewirkt. Wenn das menschliche Wirken meist an die Gegenwart gebunden ist, so erstreckt sich der Einfluß der Gesetzgebung über das Erbrecht in ferne Zukunft hinein. Nach dem

---

*) Anspielung auf das Schauspiel la famille Benôiton.

Code Napoleon muß jeder Vater, jede Mutter ihr Vermögen zu gleichen Theilen unter alle Kinder vererben, sie dürfen keinen Einzelnen bevorzugen. Nur grobe Verbrechen machen eine Ausnahme.

Daher steht die Schwester dem Bruder, die Frau dem Manne ganz anders gegenüber, als bei uns, wo theilweise Lehn und Fideikommiß die Töchter fast enterben, wo der Bauerhof einem der Söhne zufällt, wo der Kaufmann oder Fabrikherr den Sohn bevorzugt, der das Geschäft fortführen soll. Die Schwestern sehen von vornherein im Bruder das Familienhaupt, er erscheint ihnen als der Reichere, Bevorzugte, dessen Schutz und Hilfe sie bedürfen werden. In Frankreich bringt die Frau, in Folge des Erbrechts, dem Manne durchschnittlich eine höhere Mitgift, sie ist auch in der Verfügung über das Eingebrachte und später Ererbte weit weniger beschränkt, als bei uns.

Die Familienpietät hat theilweise durch das Prinzip gleicher Erbtheilung gelitten; der Sohn weiß, daß ihm das väterliche Erbtheil gesichert ist, mag er ein liebevoller, dankbarer Sohn, ein fleißiger, sparsamer Mann sein oder das Gegentheil. Die Folge dieser Gesetze ist ferner die große Beweglichkeit alles Eigenthums, mithin die Leichtigkeit, Grundbesitz, Häuser, Fabrikanlagen zu erwerben. Das fesselt einerseits den Franzosen an seine Heimath; auch dem geringen Vermögen bietet sich oft und leicht die Gelegenheit, ein Stückchen Land, Häuser zu kaufen, und es ist überall, und vielleicht in Frankreich am meisten, die Sehnsucht jedes Menschen, Haus und Garten sein eigen nennen zu können. Andererseits hat es den großen Nachtheil, daß bei jedem Todesfall des Besitzers sein Grundstück, seine Anlage verkauft, sein Geschäft aufgelöst werden muß, um das Vermögen gleichmäßig unter die Kinder zu theilen. Daher tous les vingt ans roulement général des fortunes. Mehr als ein Franzose wollte in diesen Erbgesetzen den tieferen Grund des revolutionären Geistes in Frankreich, der Lockerung der Familienbande, des Schwankens jeder Autorität erkennen, da die väterliche Autorität, die Grundlage jeder anderen, dadurch untergraben werde. Gegen kleinere Kinder sind die Väter sehr weich und zärtlich, sie verhätscheln sie; — schwach sind sie gegen alle. Die Mütter sind ernster und strenger; ich habe viel öfter die Männer, als die Frauen die kleinen Kinder auf dem Arm oder Rücken tragen sehen. Der halb erwachsene Sohn erhält — wie in Amerika — zu früh eine selbstständige Stellung, besonders in reichen Familien. Der Vater scheint freiwillig auf jede Autorität verzichtet zu haben, und in diesem Lebensalter erscheint der junge Franzose unbeschreiblich unliebenswürdig. Le petit crévé, den einige Lustspiele vorführen, ist eine widerwärtige Erscheinung und Resultat dieser Erziehung. Er findet sich aber nur in großen Städten, das Landvolk und der niedere Bürgerstand ist davon frei geblieben.

Die große sexuelle Erregbarkeit der Franzosen mag ebenfalls dazu beitragen, den Frauen eine überlegene Stellung zu geben. Ueber die eheliche

Treue wage ich kein Urtheil zu fällen; mir ist nichts bekannt geworden, was mich zu dem Schlusse berechtigte, daß die Moralität des Landvolkes und der Stadtbewohner tiefer stände, als in Deutschland. Und nur Ungerechtigkeit kann verkennen, daß die Haltung der französischen Frauen dem siegreichen Feinde gegenüber durchweg würdig gewesen ist. Auch leben die Franzosen meist häuslich, sie sind sparsam und gute Beutelwirthe. Das stete Bedürfniß der Konversation und die unerschöpfliche Fähigkeit dazu führt sie oft in die Cafés, wo sie Domino spielen, Kaffee mit Cognak trinken und vor Allem schwatzen; aber sie verzehren dort nicht viel. Und ebensoviel sitzen sie mit der Frau plaudernd am Kamin oder in der Küche am Heerde, wo bisweilen selbst wohlhabende und gebildete Leute den Morgenkaffee trinken, im bequemen Hausrock und mit der Schlafmütze auf dem Kopfe. Dann werden die Obstbäume im Garten beschnitten, im Sommer jede Birne oder Traube in eine Papierdüte gesteckt — und so verfließen dem französischen Rentier, denn das sind sie Alle, oder sie wollen es werden, seine friedlichen Tage. Ich habe das Bild auszumalen versucht, weil der Franzose wirklich als ein Philister erscheint; er ist fleißig und ordentlich, aber er hat weniger Freude am Erwerben, als am Erworbenen und steht darin im schroffsten Gegensatze zum Angloamerikaner. Er arbeitet willig und viel, um einst nicht mehr arbeiten zu müssen, das heißt um unthätig auf einer kleinen ländlichen Besitzung oder auf einer Villa der Vorstädte leben zu können. Und gerade die Freude an der Arbeit ist ein Merkzeichen tüchtiger Naturen. L'individualisme, l'esprit de clocher, die Beschränkung des geistigen Horizonts, die Enge, nicht die Kälte des Herzens, sind die charakteristischen Eigenthümlichkeiten des französischen Philisters. Wenn unsere Bataillone während des Waffenstillstandes mit Sang und Klang durch die Dörfer zogen, standen Männer und Frauen vor den Thüren, ließen die Kinder auf dem Arme nach der Musik tanzen, die Frauen erwiderten lachend unsere Grüße, die Männer standen indolent in ihren Sabots da, die kurze Pfeife im Munde, die blaue Zipfelmütze bis über die Ohren gezogen. Und das war die Nation, die sich in glühendem Patriotismus erhoben, um den verhaßten Feind von dem heiligem Boden Frankreichs zu vertreiben!

Je näher man die Franzosen kennen lernt, je mehr Privattugenden und achtbare, liebenswürdige Seiten ihres Charakters wird man finden, aber man wird um so geringer von ihren öffentlichen Tugenden denken lernen. Auch der französische Bauer ist keineswegs dumm, er spricht lebhaft, ist heiter, eingehend, freundlich, spricht im Nordosten grammatisch richtig, man hört selten Patois, er weiß sich mit staunenswerther, fast philosophischer Fassung in das Unvermeidliche zu fügen, sucht, so lange es geht, die schweren Lasten, die gerade ihm der Krieg auferlegt, abzuwälzen, aber wenn es nicht glückt, fügt er sich de bonne mine und ohne Rachegedanken in das uns unerträglich Dünkende. Das ist eine Eigenthümlichkeit, die die französischen Soldaten in

Algerien, der Krimn und Mexiko so gut gezeigt haben, wie die meist kläglich ausgerüsteten Korps in Chanzy's, Faidherbe's, selbst in Bourbaki's Armee. Sie ertrugen Hunger, Kälte, schlechte Verpflegung, nachlässige Verwaltung leichter, heiterer, als die Soldaten der meisten anderen Armeen.

Wenn wir von dem Mangel aller Familienpietät, der allgemeinen moralischen Fäulniß in Frankreich reden hören, so können wir auf folgende Thatsachen aufmerksam machen. Prozesse zwischen Eltern und Kindern, wie sie bei uns leider wegen der Abfindung der Eltern im Bauernstande so zahlreich vorkommen, sind dort weit seltener, nur der Normand zeichnet sich durch vieles Prozessiren aus. Zwischen Brüdern und Schwestern ist das Verhältniß in Frankreich meist inniger und zarter, als bei uns; daß alte Junggesellen sich der Familie eines Freundes anschließen, dessen Kinder wie Eltern lieben und für sie sorgen, daß Dienstboten, männliche und weibliche, das ganze Leben treu bei einer Familie ausharren, und wie ein Glied zu ihr gehören, habe ich oft gefunden. Sie vererben dann wohl ihre kleinen Ersparnisse den Kindern ihrer Herrschaft, die sie haben aufwachsen sehen und erziehen helfen, und werden von ihnen im Alter gepflegt. So könnte ich eine Menge solider, echt konservativer Züge aus dem Privatleben der Franzosen anführen und jeden durch eine Anzahl von Beispielen belegen. Es spricht dieser Zug der Solidität sich übereinstimmend in der Bauart der Häuser, der Einrichtung der Wohnungen, der Art der Gärten, in der Kleidung, in Tisch und Bett aus. Von außen sind die Häuser unscheinbar, oft in Lothringischen Dörfern wie unförmliche Steinklumpen, von großer Tiefe; im Innern sind wohnliche Zimmer mit immer guten Betten.

In den Städten bewohnt jede wohlhabende Familie ihr eigenes Haus, das von außen sehr unscheinbar aussieht, im Innern sind schöne, oft glänzend meublirte Zimmer; die ganze Einrichtung ist auf das Behagen des täglichen Lebens, nicht auf Schaustellung und glänzende Geselligkeit berechnet. Die von hohen Mauern eingefaßten Gärten sind voller Spaliere und Obstbäume, Mistbeete, Glasglocken x., selten sieht man grüne Rasenflächen und Blumenpartien, Bosquets; das ist nicht schön und anmuthig, aber praktisch und solide. Die Kleidung der Männer ist einfach, ohne allen Prunk, goldene Ketten, Siegelringe und dergleichen sah ich weniger, als in Deutschland. Die Blouse wird von Vielen getragen, die sich bei uns scheuen würden, anders als in städtischer Tracht zu erscheinen. An Mobiliar, Geschirr, hübschem Porzellan ist auch der Bauer und kleinste fermier reicher als bei uns; die größere Wohlhabenheit des Landes, selbst nach einer Mißernte, nach der Rinderpest und nach einem vernichtenden Kriege hat jeden deutschen Soldaten frappirt. Daher ist die Belegungsfähigkeit der Dörfer viel größer, als in Preußen, ihre Vorräthe und besonders ihr baares Geld waren beim Ende des Krieges noch keineswegs überall erschöpft.

Wenige Landstriche Deutschlands würden im Stande gewesen sein, das zu leisten und zu ertragen, was die Hälfte von Frankreich in diesem Kriege geleistet und ertragen hat.

Der größere Reichthum des Landes und die ältere Kultur zeigt sich bei dem ersten Blicke. In den meisten Städten Nordfrankreichs, besonders in der Normandie, prachtvolle gothische Kirchen, auch in den Dörfern schöne massive, zum Theil neue Kirchen, sehr ansehnliche Mairien, gute und wohl ausgestattete Schulhäuser, praktische Waschhäuser in fast jedem Dorf, und überall, auch von Dorf zu Dorf, vortreffliche Chausseen. Gerade die Vicinalwege sind in Frankreich in sehr viel besserem Zustande, als in Preußen, theils weil überall treffliches Baumaterial in der Nähe ist, theils ist es Folge der dortigen Gemeindeverhältnisse. Denn diese einfachste und fast elementare Grundform des staatlichen Lebens ist dort noch so kräftig, daß sie leicht zu einem falschen Urtheil über die Anlage des Franzosen zum Selfgovernment verleitet. Die Landgemeinden, namentlich in Lothringen, haben bedeutendes Vermögen, meist in Wäldern, Ackerflächen oder Wiesen bestehend, die oft auf Lebenszeit des Pächters verpachtet werden. Aus dem Gemeindevermögen werden die Kosten für Armenanstalten und öffentliche Bauten, wie Kirchen und Schulhäuser, bestritten. An der Spitze der Gemeinde steht der von ihr gewählte, von der Regierung bestätigte, unbesoldete Maire und zu diesem, mit Geschäften überhäuften Ehrenamte erbietet sich fast überall der reichste, angesehenste Mann des Ortes. Marquis und reiche Fabrikherren, angesehene Aerzte und große Bauern übernehmen willig das immer lästige und in Kriegszeiten so gefährliche Amt, und meist ist die Gemeindeverwaltung eine vortreffliche. Nur mit wahrer Achtung kann ich von den Maires in Frankreich reden; sie gingen während des Krieges überall der Gemeinde voran, wenn es galt, Opfer zu übernehmen; was sie durch eigene Leistungen, durch ihre Thätigkeit von der Gemeinde abwenden konnten, geschah bereitwillig, sie waren die unvermeidlichen, meist liebenswürdigen Vermittler zwischen dem siegreichen feindlichen Heere und den Einwohnern. Das französische Volk ist ihrer Haltung großen Dank schuldig; wären sie geflohen wie die Präfekten, so hätte das Landvolk viel Schwereres erdulden müssen. An der Seite des Maires steht der adjoint du maire und ein Communalrath, der in den Landgemeinden ohne jede Bedeutung ist. Denn im Grunde ist der Maire nur der intelligente, gehorsame Beamte des Präfekten oder Unterpräfekten, und dieser erhält seine Befehle unmittelbar vom Ministerium. Die Minister, vielmehr seine Büreauchefs, wollen von Paris aus jedes kleine Detail durch die Präfekten nicht blos leiten und überwachen, sondern anordnen; — ob und wie ein Kirchendach in einem Dorfe der Picardie reparirt werden, wie groß die Schulstube gebaut, ob eine Laufbrücke über irgend einen Graben der Champagne geschlagen werden soll — das Alles befiehlt der Minister des Innern und läßt es durch seine Präfekten ausführen.

Wie weit dieser geistlose, den Willen und allen Gemeinsinn ertödtende Mechanismus geht, das kann man in Odillon Barrot's centralisation und in Randot's décadence de la France nachlesen. Der angesehenste Mann der Gemeinde übernimmt das Amt zum Theil, weil er lieber Herr im Orte sein, als einen Herrn haben will. Denn hinter dem Maire und dem Präfekten steht die Allgewalt der Administrationsmaschine, und der Franzose, der von Natur pedantisch ist, nach Schema und Reglement zu handeln geneigt und gewöhnt, wird als Beamter leicht so herrisch und exakt, wie er als Gehorchender lenksam und willig war. Aber man muß einräumen, daß dieser Verwaltungsmechanismus materiell viel Gutes und Nützliches geschaffen hat; im Allgemeinen sind die Gemeindeeinrichtungen in Dörfern und Städten in trefflichem Zustande. Die Rechnungen werden selbst da, wo der Maire ein Bauer ist, sehr sorgsam geführt, oft führt der Schulmeister die Korrespondenz, und ich habe immer die gute Handschrift und die gewandte Ausdrucksweise der Briefe bewundert, was ich nicht von allen Briefen preußischer Schulzen sagen kann. In den größeren Städten ist die Gemeindeverwaltung etwas unabhängiger von der Regierung, ebenso ist der Communalrath einflußreicher. Napoleon III. hat mehrfach mißliebigen Wahlen die Bestätigung versagt und die Maires ernannt; viel einflußreicher war seine indirekte Beeinflussung aller Wahlen.

Aus der Passivität des Volkes, seinem Mangel an aller Initiative, seiner Gewöhnung, in öffentlichen Angelegenheiten nur auf Befehl zu handeln, daraus erklärt es sich, daß Gambetta im Oktober und November 1870 Heere aus dem Boden des Frankreich stampfen konnte, das den Frieden wünschte und weit entfernt von glühenden Rachegefühlen und heißer Kampfeslust war. Die wenigen ehrlichen Patrioten oder die exaltirten Journalisten und Politiker von Fach, die in der Bretagne, in Lyon und Marseille zum Kriege drängten, haben jene Heere wahrlich nicht gebildet. Denn schon im Dezember repräsentirte, wie Georges Sand schreibt, das Volk den Heroismus nicht, es war nicht en train, den Ruhm zu begreifen und sehnte sich nach dem Frieden. Von den Lasten, die ihm der Feind, und denen, die ihm die Indisziplin der eigenen Truppen und die Ausschweifungen der Franktireurs auferlegten, schienen ihm die ersten die geringeren.

Nicht anders war nach Sarcey die Stimmung der Mobilgarden; sie waren plötzlich von ihren Arbeiten fortgerissen, hatten geglaubt auf höchstens 14 Tage ihre Heimath zu verlassen, und sehnten sich nach ihren Häusern, ihren Feldern, ihren Familien. Sie zürnten den Parisern, zu deren Vertheidigung sie gekommen waren. Umsonst sagte man ihnen, daß an diese Stadt das Heil Frankreichs geknüpft sei. Aber diese abstrakte Idee berührte sie weniger, als das Heimweh und die erduldeten Entbehrungen.

Es gilt, wie Randot treffend sagt, nur durch eine Emente in Paris den Maschinisten zu versagen und den Knopf der Maschine, die Handhabe des

Mittel, zu fassen, so gehorcht ganz Frankreich dem leisesten Druck unbedingt und widerstandslos. Darin liegt zum Theil der überwiegende Einfluß von Paris, dem Sitze der großen Centralisationsmaschine, wo sich der Reichthum, das Wissen, der Einfluß des Landes konzentrirt, so daß der père Lammenais schon unter Louis Philipp sagen konnte „apoplexie au centre, paralysie aux extrémités."

Das bestätigen die Revolution vom 4. September und der Versuch einer Revolution vom 31. Oktober in gleicher Weise. Am Morgen früh wurde Generalmarsch geschlagen, gegen 11 Uhr zogen die Bataillone der National-garde nach dem Stadthause. „Savaient ils bien ce qu'ils y allaient faire? Quelquesuns, sans doute, la grande masse flottait irrésolue. On allait, elle allait, on criait, elle criait" (Sarcey). Ein Ba-taillon der Bretagne befreite nachher fast ohne Kampf die von der Emeute gefangenen Mitglieder der Regierung, denen das Plebiscit bald darauf die imposante Majorität von 340,000 Stimmen gegen 54,000 gab; und am drit-ten Tage nach dieser Stimmabgabe wurden fast nur Emeutiers vom 31., wie Delescluze, zu Maires und Adjoints gewählt!

Bei der Vortrefflichkeit der Gemeindeverwaltung, selbst in kleinen armen Dörfern, bin ich oft zweifelhaft geworden, ob der Unterricht, namentlich der des Volkes, wirklich auf sehr niedriger Stufe steht. Die Unwissenheit in Ge-schichte und Geographie des eigenen Landes, wie fremder Länder, ist staunens-werth, selbst bei Gebildeten, aber es ist unrichtig, das in der Schule erlernte Wissen zum alleinigen Maßstabe der Bildung und geistigen Befähigung zu machen.

Karl der Große und selbst Otto der Große haben nie schreiben gelernt. — So ist der französische Bauer und Kleinbürger wohl geistesträge, sehr be-schränkt und unwissend, wer ihn aber in eine lebhafte Konversation zu ver-wickeln weiß, wird ihn so wenig als die Frauen ungebildet oder gar einfältig nennen dürfen. Und selbst die Schulbildung in den nordöstlichen Departements steht nicht so sehr hinter der unsrigen zurück, wie wir annehmen; sie hat sich durch Guizot, der als Kultusminister den Unterricht der Aufsicht des Staates übergeben, gehoben; durch la loi Beugnot, 1850, wurde der Unterricht wieder frei und kam dadurch großentheils in die Hände des katholischen Clerus. Dnrch Duruy wurde der Unterricht unentgeltlich, die Gemeinden wurden ver-pflichtet, Schulhäuser zu bauen, Lehrer zu halten und ihnen Wohnungen zu geben, aber die Eltern wurden nicht verpflichtet, ihre Kinder in die Schule zu schicken. Die Schulbildung steht am niedrigsten in den Departements im Innern von Frankreich und in der Bretagne, im Departement de l'Indre, Vienne, Morbihan, Finisterre, wo die Bevölkerung am wenigsten mit germanischen und anderen fremden Elementen vermischt ist, was der Statistiker Block durch eine Karte versinnlicht, in der die Mitte des Landes in tiefem Dunkel liegt, während die Schattirung der Grenzen von Deutschland, Belgien, der Schweiz, selbst

nach Spanien zu, immer heller wird. — Ernst Rénan hat in einem bemerkens-
werthen Aufsatze der Revue des deux mondes den höheren wissenschaftlichen
Unterricht in Frankreich besprochen. Er sieht den Grund des Verfalls seit
mehreren Jahrhunderten in der Vertreibung der Protestanten, der Herrschaft
der Jesuiten, der Centralisation und in Napoleons I. Versuch, die wissenschaftliche Bewegung zu reglementiren. „Seit dem Widerruf des Ediktes von
Nantes wurde es entschieden, daß Frankreich vor Allem eine Nation geistreicher
Leute bilden würde, die gut schreiben, vortrefflich plaudern, aber Leute von
geringer Kenntniß und allen Etourderien ausgesetzt, denen man nur durch
ausgebreitetes Wissen und reifes Urtheil entgeht.*) — Während Frankreich
mit seinen geistreichen Weltleuten die Philosophie des 18. Jahrhunderts schuf,
den vollendeten Ausdruck des oberflächlichen gesunden Menschenverstandes,
ohne Methode, ohne Möglichkeit des Fortschrittes, haben Deutschland und
seine Gelehrten die Geschichte geschaffen, nicht die anekdotische Geschichte, amü-
sant, geistreich, deklamatorisch, sondern die Geschichte betrachtet als Parallele
der Geologie, welche die Vergangenheit untersucht, wie die Geologie die Um-
formungen des Planeten. Noch in unseren Tagen ist das geistige Leben der
deutschen Universitäten — obwohl im Abnehmen — noch sehr bedeutend und
bildet den größten Theil der positiven Erwerbungen des menschlichen Geistes.
In den physischen und mathematischen Wissenschaften haben diese große Schulen
vielleicht Rivalen, in den historischen und philologischen Wissenschaften ist die
Ueberlegenheit Deutschlands so groß, daß es allein mehr thut, als das ganze
übrige Europa."

Rénan tadelt besonders die Art des höheren Unterrichts, die in öffentlichen Vorträgen ertheilt wird, wenn die Hörsäle à deux battants Allen
geöffnet werden. Solche Vorträge seien deklamatorischer Natur, es sei Sache
der Mode; der Professor suche viel Zuhörer zu haben. Saltavit et placuit.
Die besondere Art des französischen Geistes trüge noch mehr dazu bei, den
höheren Unterricht den oratorischen Uebungen zuzuneigen. Im Gebiete des
Geistes sei es eine Gefahr für den Franzosen, eine Nation von Sprechern
und Phrasenmachern zu werden, unbekümmert um das Wesen der Dinge. —
Das paßt vortrefflich auf den gebildeten Theil der Bevölkerung der großen
Städte, der seit 80 Jahren die politische Führung Frankreichs usurpirt hat.
Dieses Frankreich steht unter der Herrschaft der Phrase, es lebt und kämpft
nur für den momentanen Effekt, und in Paris hat die Centralisation fast
alles politische und wissenschaftliche Leben des Landes zusammengedrängt.
„Paris, sagt Rénan, ist das glänzende Centrum; wenn man von dort in die
Provinz geht, — welche Wüste! Mit wenigen Ausnahmen geht von den
Fakultäten in den Provinzen nichts Originelles aus, Straßburg allein, in

---

*) So sagt das Journal France am 22. Oktober 1870: „Wir sind herabgesunken zu
einem Volk von Schwätzern, Sybariten und Redenhaltern."

Folge seiner proteftantifchen Inftitutionen, hat eine Tradition ernfter Studien und folider Methode bewahrt. Mit diefer einen Ausnahme konzentrirt fich alle wiffenfchaftliche Thätigkeit in Paris. Dies glänzende Alexandrien ohne Nebenbuhler ängftigt mich, man muß diefer Oafe in der Wüfte mißtrauen, ewige Gefahren umlagern fie; wenn ein Windftoß die Palmenbäume niederwirft, wenn eine Quelle verfiegt, fo tritt die Wüfte in ihr altes Recht." Klingt das nicht wie eine bange Vorahnung der heutigen Tage?

Bei der Atonie des geiftigen und politifchen Lebens ift es natürlich, daß der gefchloffene Organismus der katholifchen Kirche einen großen Einfluß ausübt. Aber der Einfluß ift, namentlich auf die Männer, mehr äußerlicher Art. Der Clerus leitet großentheils den Schulunterricht, beeinflußt die Wahlen; für die Kirchen und Klöfter werden reiche Gaben gefpendet, im füdlichen Frankreich werden prachtvolle Prozeffionen veranftaltet, aber doch glaube ich, daß die Macht der Kirche über die Gemüther gering ift. Die Indolenz zeigt fich hier wie im politifchen Leben. In den Kirchen der großen Städte und felbft der Dörfer fah ich Männer nur an hohen Fefttagen, wo le divin office mit fchöner Mufik aufgeführt wurde; in den Beichtftühlen fah ich fie nie. Mit der Unterdrückung des Janfenismus, der echteften und edelften Form katholifchen Chriftenthums, hat die Religiofität in Frankreich den fittlichen Ernft, den Geift und die Tiefe verloren. Der dann herrfchende Jefuitismus hat dafür ein Chriftenthum geboten, was bald ftarrer, äußerlicher Formelkram, bald füßliche Sentimentalität ift, was Gefühl und Phantafie anregt und den Frauen und ihrem Herzensbedürfniß konform ift. — In diefer Weife find die Frauen Frankreichs aufrichtig fromm und kirchlich, und durch fie übt der Clerus indirekt großen Einfluß. Rénan fagt in Beziehung auf die religiöfen Ueberzeugungen der Franzofen: „Frankreich ift zur Stunde noch ziemlich unwiffend und glaubt kühne Wahrheiten zu hören, wenn man ihm die erften Elemente mittheilt." Rénan fagt das mit Beziehung auf die großen Erfolge feiner Schrift „la vie de Jésus", die faft verfchlungen und als etwas Neues, Unerhörtes angefehen wurde, während fie nichts enthielt, was nicht der Rationalismus in Deutfchland feit 100 Jahren vielfach ausgefprochen hatte. Revolutionären Haß gegen die Kirche oder gar gegen das Chriftenthum habe ich nirgends gefunden, aber ebenfowenig lebendige Theilnahme oder — mit Ausnahme der Frauen — warme Religiofität; es ift überall diefelbe Indolenz, die vor dem Kriege dem Clerus, befonders den Jefuiten (oder ihrer Spielart, den Maratiften) einen tiefgreifenden Einfluß auf den Unterricht zu gewinnen verftattete und die heute in Paris den Erzbifchof und die Geiftlichen durch eine Rotte von Fanatikern und Verbrechern einkerkern und ermorden läßt.

Barrot und Randot fehen in der geringen Bevölkerungszunahme von Frankreich einen Beweis der geiftigen, wie der körperlichen Depravation; die Zunahme trifft faft nur Paris und die großen Städte, und meift find Deutfche.

Schweizer und Belgier dorthin eingewandert, — so daß das Anwachsen der Bevölkerung nicht durch sie selbst bedingt ist.

Die Volkszahl Frankreichs ist von 1821—56 von 30,461,875 nur auf 36,039,364 Einwohner gestiegen. Nach Neckers Schätzung hatte Frankreich 1784 26 Millionen, nach Randot sogar 30—32 Millionen Einwohner. — Ueberdem ist die Auswanderung aus Frankreich sehr gering; der Franzose liebt seinen Heimathsort und kehrt selbst zu dem durch die Schrecken des Krieges verwüsteten Dorfe zurück, um sich wieder anzubauen. Mit Rührung habe ich gesehen, daß schon im November einzelne der entflohenen Bewohner nach dem grauenhaft zerstörten Bazeille zurückkehrten, zwischen Schutt und Trümmern ihre Gärten wieder bepflanzten und sich in den verfallenen Mauern eine Wohnung herzurichten suchten. Dieser echt konservative Zug des Landvolkes hat Deutschland nach dem dreißigjährigen Kriege vor Veröbung bewahrt. Die Kolonisation von Algerien hat auffallend geringe Fortschritte gemacht und zeigt, wie wenig der französische Geist geeignet ist, selbst solche Völker dauernd zu beherrschen und zu kultiviren, denen er weit überlegen ist. Seit 40 Jahren gehört Algerien zu Frankreich; die Regierung hat die Einwanderung dahin bis auf Napoleons letztes Kolonisations-Projekt lebhaft befördert, und dennoch waren 1856 nur etwa 190,000 Europäer in Algerien, von denen kaum die Hälfte aus Franzosen bestand. 1857 wanderten aus Frankreich 18,000 Menschen aus, inklusive der Einwanderung nach Algerien; dagegen wanderten schon damals jährlich in Deutschland durchschnittlich 120,000 aus; seit 15 Jahren sind aus Großbritannien und Irland 2,750,000 Menschen ausgewandert. Theilweise liegt die geringe Auswanderung in Frankreich an der unbegrenzten Theilbarkeit des Bodens, der Beweglichkeit aller Eigenthumsverhältnisse, die es Jedem leicht machen, Grund und Boden in der Heimath zu erwerben. Und der Trieb, ein Stückchen Erde, Raum für Garten und Haus sein eigen nennen zu dürfen, liegt tief und unvertilgbar in des Menschen Brust. Mehr noch widerspricht es dem Charakter des Franzosen, der la belle France ungern verläßt, dem überhaupt ein Wagen und Daransetzen von Leben und Eigenthum, um mehr und Großes zu erringen, wenig zusagt, er arbeitet fleißig und spart, aber läßt sich ungern in weit aussehende Unternehmungen ein. Odillon Barrot sagt: „Ist unseren Arbeitern Amerika mehr verschlossen, als den deutschen und irländischen Arbeitern, die massenhaft hinüberziehen? Es ist weder die Arbeit noch das Land, das ihnen fehlt, es ist die Stärke des Willens, die Energie, einen Entschluß zu fassen und durchzuführen, deren Keim die Centralisation in unserem Volke erstickt hat.“

Von aller Theilnahme am öffentlichen Leben der Gemeinde, des Departements, des Staates ausgeschlossen, muß der Masse der Franzosen das politische Interesse fehlen. Nur an den Wahlakten betheiligt sich selbst das Landvolk lebhaft und würde sich das allgemeine Stimmrecht schwer entreißen lassen, obgleich es erfahren, wie wenig die Resultate desselben seinen Wünschen und

Bedürfnissen entsprochen haben. Sehr zu unterscheiden ist in Frankreich die Fabrikbevölkerung der großen Städte: Paris, Lyon, Rouen, Lille, Reims; — unter den 2 Millionen Einwohnern von Paris gehören mehr als die Hälfte zur Fabrikbevölkerung.

Unsere europäischen Residenzen sind leider zugleich die Mittelpunkte der Verwaltung, des gesammten Verkehrs, die Eisenbahn-Centren und große Fabrikstädte mit zahlreichem Proletariat. Von jeder Schwankung der politischen und industriellen Lage berührt, die ihnen leicht Geschäftsstockung und Arbeitsnoth bringt, sind diese von sozialistischen Propheten unterwühlten, vollständig organisirten Schichten der Bevölkerung immer zu Ementen bereit. Die Weber der Vorstadt Croix-rousse in Lyon leben mit ihren Familien oft im sechsten, selbst im achten Stockwerke der hohen Häuser, Mann und Frau betreten oft monatelang nicht die Straße, alle Bedürfnisse werden von den Kindern eingekauft. In diese Höhlen der Armuth und des Elends senden die sozialistischen Klubs ihre Emissäre und Brochüren; die Arbeiter sind, namentlich in Paris, nicht ohne geistiges Interesse, nicht ohne idealen Schwung, sehr verschieden von dem épicier, der immer ein dürrer Philister bleibt. Den sozialistischen Führern folgen sie unbedingt, selbst ihre Träumereien haben für sie die Stärke religiöser Ueberzeugungen, und sie wissen, daß sie den Revolutionen, die an ihnen und ihren Vätern vorübergegangen, die Gleichheit vor dem Gesetze, die Möglichkeit, jeden Besitz und jede gesellschaftliche Stellung erringen zu können, verdanken. Daher glauben sie, daß jede folgende Revolution ihre Lage noch mehr verbessern werde; konstitutionelle Tagesfragen berühren den Arbeiter so wenig, als Nationalgefühl in ihm lebt; aber er erhebt sich, sobald eine Bewegung seine Devisen auf ihre Fahnen schreibt, und kämpft für die vermeinten Rechte, an welche er die Hoffnung der Verbesserung und Veredelung seines Zustandes knüpft. Von jeher haben ehrgeizige Demagogen den Verführten das Ziel ihrer Wünsche als etwas Edles und Erhabenes darzustellen gesucht, denn jeder Mensch will lieber unter dem Antriebe seiner idealen, als seiner materiellen Natur zu handeln scheinen. Je weniger Gedanken ein Kopf hat, desto mächtiger bestimmen sie den ganzen Menschen, und wer unter der Herrschaft einer wahren oder falschen Idee lebt, ist immer bereit, für sie in den Tod zu gehen.

Da sind auch, wie Sarcey sagt, die Abgründe des Elends und des Hasses, die immer durch die Gährungsstoffe des Neides, der Fantheit und des Zorns bewegt werden, immer drohend zur Emeute überzugehen. Ehrgeizige deuten diese Leidenschaften und Bedürfnisse aus, die einen vielleicht überzeugt, das Glück der Gesellschaft zu vermehren, wenn sie diesen Schlamm in die Höhe bringen, die anderen, in einer wilden Begier zu herrschen, schrecken vor nichts zurück, um die oberste Gewalt zu ergreifen und zu besitzen, wäre es auch nur für einen Tag. Das Alles bewähren die letzten schmachvollen Ereignisse in Paris, zu einem ernsten Kampf sind diese frazenhaften Kopien der Danton und Hébert nicht einmal fähig. Aber der Pariser ertrug ihr entwürdigendes Joch, so leicht es abzuschütteln war.

Die decentralisirende Bewegung, die heute durch Frankreich geht, will namentlich das Landvolk von dem übermächtigen Einflusse von Paris und dem der großen Städte, wie von dem der Regierung auf die Gemeindeverwaltung befreien. In den großen Städten aber gab das allgemeine Stimmrecht den politisch theilnehmenden, organisirten Fabrikarbeitern ein entscheidendes Uebergewicht; die erste Bedingung einer Aenderung ist freilich die fehlende politische Aktivität, das Staats- und Vaterlandsgefühl des ganzen Volkes, in dem noch der individualisme, der esprit de clocher herrscht. Was seine materiellen Interessen fördert, weiß auch der Bauer sehr wohl; er weiß, daß die Revolution von 1789—94 die Stellung des Landvolkes wesentlich verbessert hat, und er hat nicht die geringste Sehnsucht nach den Zuständen des ancien régime. Was aber über den engen Kreis seiner persönlichen und lokalen Interessen hinausgeht, das berührt ihn nicht.

Die Organisation der Heere und der Geist derselben steht überall mit der politischen Form und dem Geiste des Volkes in enger Verbindung. So war das französische Heer ohne Nationalgefühl, ohne Patriotismus, ohne Energie und geistige Regsamkeit. Die Ereignisse haben gezeigt, wie richtig Trochu's armée française 1867 den Geist des Heeres und die Fehler seiner Organisation geschildert hatte. In einem so reichen Lande entfernte die Stellvertretung alle gebildeteren, eines patriotischen Interesses fähigen Elemente aus dem Heere; es war Napoleons Bestreben, ein Heer von Berufssoldaten zu bilden und allein an seine Person, seine Dynastie zu ketten. Mit Absicht wurde der Soldat von seinem Heimathsort, seiner Provinz ferngehalten, um ihn Frankreich zu entfremden und nur zum napoleonischen Soldaten zu machen. Marschall Niel's Reformen wurden nur theilweise durchgeführt und die Zeit bis zum Ausbruche des Krieges war zu kurz, als daß sie auf den Geist des Heeres hätte wirken können. Die Gefahren der Centralisation zeigten sich auch in der Armee; der Kriegsminister und seine Büreauchefs leiteten Alles, auch das Detail der Ausbildung. Die Stellung der Generale — mit Ausnahme einzelner, dem Hofe nahe stehender Marschälle — war höchst unbedeutend; der Regiments-Kommandeur erhielt vom Kriegsminister seine Befehle. Eine feststehende Mobilmachungsordre existirte nicht, bei Ausbruch des Krieges mußten alle Ernennungen und Einrichtungen von Paris aus detretirt werden. Die Offiziere des Generalstabes, in Folge guter Schulexamina oder in Folge von Protektion bei der Ernennung zum Offizier oder bald nachher dahin versetzt, blieben außer jedem Zusammenhange mit der Truppe. In den Regimentern und Bataillonen leiteten Spezialitäten die Ausbildung, l'officier du tir, l'adjutant major etc., alle wirklichen Autoritäten, besonders die Kompagniechefs, waren fast einflußlos.

So begegnen wir überall, wie in der Ministerial- und Präfektenwirth-
schaft, anstatt eines lebenskräftigen Organismus, einem starren, geistlosen Mechanismus, mithin völliger Unfähigkeit der Theile, zu handeln und sich zu
bewegen, sobald die Maschine durch irgend einen Stoß außer Kraft gesetzt
worden. Und keineswegs konnte der Geist des Heeres diese Mängel der Organisation ersetzen. In den Offizierkorps ging ein großer Theil aus den
Soldaten hervor, hatte also im Ganzen Sinn und Bildung des Landvolkes.

Für den Ruhm der Armee waren Alle, für den des Vaterlandes nur
ein Theil begeistert; trotz aller Proteste, die belgische Zeitungen nach der Kapitulation von Sedan veröffentlichten, glaube ich, daß die Mehrzahl der französischen Offiziere, namentlich die höheren, der napoleonischen Dynastie aufrichtig ergeben gewesen ist. Viele der Soldaten und Unteroffiziere hatten als
Remplacents vielleicht 3—4 mal gedient, sich ein Kapital erworben, das ihnen
bei der Entlassung ausgezahlt werden sollte. Sie konnten dann mit Hilfe
der Pension als Rentier leben, — das Ziel aller Wünsche für den Franzosen.
Diese zahlreichen Elemente wünschten den Krieg nicht, denn sie wollten das
mühsam Ersparte friedlich genießen; noch weniger wollten sie die Republik,
die schwerlich geneigt war, ihre Pensions- und Dotations-Ansprüche zu erfüllen.
In den auf Gambetta's Befehl neu gebildeten Armeen war aber kein anderer
Geist, als im Volke oder in dem größeren Theile der alten Armee. Ich
werde das durch eine Reihe von Zeugnissen französischer Zeugen zu bewähren
suchen. Selbst in Paris war im September und Anfangs Oktober der Wunsch
nach einer Fortsetzung der Vertheidigung, nach Sarcey's Schilderung, keineswegs allgemein, man hoffte auf eine Vermittelung, welche die Lasten und
Opfer des Kampfes ersparen würde. Aber sie gehorchten dort, wie in ganz
Frankreich, der Partei, selbst den wenigen Einzelnen, welche die Zügel der
Herrschaft ergriffen. Wie wenig die Nation zur Führung eines Volkskrieges
geeignet ist, geht aus Allem hervor, was hier über ihren Geist und Sinn
gesagt ist. Auch haben Gambetta's Proklamationen in dieser Hinsicht geringen
Erfolg gehabt; nur Haß des Feindes und Rache, Geist der Initiative, glühender Patriotismus, Freude am Kampfe, an Abenteuern, die Gewöhnung an ein
hartes Leben voll Entbehrungen, werden einen solchen Krieg möglich machen,
wie er etwa von den Guerillas in einigen spanischen Provinzen geführt sein
mag.

Und von all' diesen Bedingungen war und ist im französischen Volke
nicht eine zu finden. Wenn Massena's zuchtlose, schlecht verpflegte Truppen
die Bauern in Portugal, wie Marmont erzählt, aufhingen, um Lebensmittel
zu erpressen, so erweckte die ruchlose Grausamkeit Haß und Rache — on pendait en rouge — et on pendait au bleu, et puis la mort arrivait. —
Bei den deutschen Truppen wurden im Allgemeinen die großen Härten jedes
Krieges durch die Gutmüthigkeit unserer Soldaten, die Bildung der Offiziere
gemildert. Es hat daher *ein Volkskrieg in Frankreich an sehr wenigen Punkten*

und in seltenen Fällen stattgefunden, weil die inneren und äußeren Elemente fehlten, die ihn allein hervorrufen können. Er läßt sich, selbst in Frankreich, nicht dekretiren. Aber wenn kein Volkskrieg in dem Sinne bestand, daß das Volk freiwillig die Waffen ergriffen hätte, um den Feind überall anzugreifen, ihm zu schaden, seine Verbindungen zu zerstören, um den Krieg zu führen, wie es Scharnhorst während der napoleonischen Herrschaft für die Mark, Ols- hausen 1848 für Holstein projektirten, und wie etwa Hofer und Speckbacher in Tyrol gekämpft haben, — so ist doch auf Befehl der Regierung ein kleiner, oft erfolgreicher Krieg mit den Mitteln des Volkskrieges geführt worden. Die mangelhaft oder gar nicht organisirten und uniformirten corps francs, meist ohne Disziplin, wurden von den überall verstreuten Festungen ausgeschickt und suchten Posten und Kouriere zu überfallen, Eisenbahnen und Brücken zu zer- stören, wie es das Wesen des kleinen Krieges seit alter Zeit fordert. Bei der Auflösung der polizeilichen und gerichtlichen Ordnung, welche nothwendige Folge einer Invasion ist, bildeten sich auch Räuberbanden, ohne allen poli- tischen und militairischen Zweck, die, zum Theil uniformirt, selbst noch wäh- rend des Waffenstillstandes Räubereien ausgeführt haben. Wer Gelegenheit gefunden, während des Krieges Orte zu betreten, in die Gambetta's Macht- gebot nicht reichte, die aber ebenso wenig von deutschen Truppen berührt wurden, der sah zu seinem Erstaunen eine Menge junger kräftiger Männer, die friedlich ihre Feldarbeit trieben oder vor den Thüren der Häuser standen und den Gruß des Vorüberreisenden harmlos erwiderten. Und alle die streit- baren Männer hielt nichts ab, sich nach einer der nahen Festungen zu be- geben, um bei den Franktireurs oder Mobilgarden einzutreten.

Was soll denn den Bauer, der kein Vaterland hat, das über sein Kirch- spiel hinausgeht, dem keine politische Form Ideal ist, der keine Dynastie liebt, der nur erwerben und genießen will, — was kann ihn veranlassen, sein Haus, Weib und Kind zu verlassen, das Gewehr zu ergreifen, dem Feinde aufzu- lauern und alle Mühen und Gefahren eines Guerillakrieges zu übernehmen. Das könnte nur der Befehl der Regierung, aber der wirkt nur, so lange Zwang und Kontrolle da ist; aus dem Geiste des französischen Landvolkes konnte eine solche Kriegführung unmöglich hervorgehen. Wie die folgenden Citate die Volksstimmung während des Krieges schildern, wie sich das Volk dem unbefangenen Auge zeigte, — so hat es bei seiner weichen, bestimmbaren, wenig energischen Anlage, unter der Jahrhunderte langen Centralisation, unter der geistigen Führung des jesuitischen Katholicismus, in Folge der Revolutio- nen und des steten Wechsels der Dynastien werden müssen.

„Und wenn ich sieben Söhne hätte — sagte mir ein sonst achtbarer Maire — keiner dürfte Soldat werden." Auch nicht um das Vaterland zu vertheidigen? „Que voulez vous, ce n'est pas son affaire." Der Krieg war den Franzosen nur das Geschäft ihres Heeres, und sie waren reich genug, es zu bezahlen, sich ein gutes, schlagfertiges Heer zu halten. Wo solche Ge-

finnung auch unter den Befferen verbreitet ift, wird fein energifcher Volfskrieg
geführt werden, da wird das Volf den Frieden wünfchen, fobald die Leiden
des Krieges es treffen. „L'état militaire est une servitude brutale, qui
depuis longtemps répugne à notre civilisation" fagt Georges Sand, als
fie Mitte Oftober auf den Straßen von La Châtre die neu Ausgehobenen
„ivres morts", begleitet von den weinenden Verwandten fieht, um Waffen
zu empfangen und wider Willen nach den Stellungsplätzen zu eilen; da hört
fie die Enthufiaften fagen: „Le peuple est lâche et réactionnaire. Mon
coeur le défend, il est ignorant et malheureux, si vous ne savez rien
faire pour l'initier à les nouvelles vertus, vous les lui rendrez odieu-
ses." Dann fieht fie Truppen, die von einem Depot zum andern ziehen:
„Nur in den Bergen Cataloniens fah fie 1839 Soldaten in einem ähnlichen
Zuftande des Elends und der Entblößung; die Pferde waren halb gefchunden,
die Menfchen halb nadt, „on dit que tous sont désertés avant Sedan."
— Das Volf will, fo fährt fie fort, weder den Krieg noch die Republif, es
bedauert, daß Paris noch nicht gefallen, und fieht in deffen Patriotismus das
Hinderniß des Friedens. Nach den erften Gefechten bei Orleans fchreibt fie:
„nos jeunes troupes civiles sont rédoutés autant que l'ennemi, elles
sont indisciplinées, mal commandées, ou pas commandées du tout."
Und von Garibaldi's Helden fagt fie im Dezember: „s'il y a des héros dans
ce corps, il y a aussi, et malheureusement en grand nombre, d'in-
signes bandits, qui sont la honte et le scandale de cette guerre."

Das Journal d'un officier de l'armée du Rhin veröffentlicht, nach
einer parteilofen und flaren Darftellung des Feldzuges bis zur Kapitulation
von Sedan, das Tagebuch des Commandant David, der bei Beaumont den
Heldentod fand. Es ift dies ein gewiß unverdächtiges Zeugniß, da der Commandant nur feine unmittelbaren Eindrücke niederfchrieb, ohne an eine Veröffentlichung zu denken. Als die Truppen nach der Niederlage bei Wörth in
Unordnung, ohne geregelte Verpflegung zurückgingen, fchrieb er am 8. Auguft:
„Et cependant, malgré notre défaite la démoralisation n'est pas sen-
sible chez nos soldats, et s'ils avaient de quoi manger, ils chanteraient
volontiers. Les braves gens ne sentent pas ce que notre défaite
peut avoir de désastreux pour notre pays. Pauvres paysans, sans
éducation et sans instruction, le mot de patrie ne fait vibrer
aucune corde en eux."

Und er fügt hinzu: „voilà les vices d'un système de recrutement
dans lequel toutes les classes de la société ne concourent pas également. La décadence de la nation commence dès que ceux qui possè-
dent s'affranchissent, moyennant finance, des charges militaires." Wer
fönnte heute noch den großen Segen allgemeiner Volfsbewaffnung für die
Erziehung des Volfes verfennen! Dennoch geht David zu weit, wenn er im

dem Ersatzsystem den Hauptgrund jenes Mangels an Patriotismus sieht. Als die Schweden 1675 in die Mark einfielen, trat ein Landsturm der Bauern freiwillig zusammen; ebenso sammelten sich während des siebenjährigen Krieges in Pommern, der Uckermark, Preußen, unter der Führung von Edelleuten und pensionirten Offizieren National = Regimenter und von einer Erziehung des Volkes durch die Wehrpflicht konnte damals noch keine Rede sein. Aber der Charakter des Volkes war energischer und zäher, keine Reihe von Revolutio= nen hatte den staatlichen Organismus dort zerbröckelt, die centralisirende Ad= ministration hatte nicht von jeder Initiative, von jeder Betheiligung am öffent= lichen Leben entwöhnt.

So schilderte selbst Persigny das kaiserliche Frankreich in einer Rede, die er 1863 im cercle des arts et du commerce in St. Etienne hielt: „An Stelle einer großen Aristokratie, die den in große Domainen getheilten Boden besaß, unbeweglich durch die Art der Erbfolge und über bedeutende Mittel des Einflusses verfügend, haben wir eine administrative Hierarchie, die für sich allein den ganzen politischen Organismus unserer Demokratie darstellt und außerhalb deren es nur Sandkörner, ohne Halt und Zusammen= hang, giebt — au dehors de laquelle il n'y a que des grains de sable sans cohésion et sans adhérence."

Das ist wechselwirkend Ursache und Folge des Individualismus, des esprit de clocher, dem aller Gemeinsinn, alle Fähigkeit zum Selfgovern= ment fehlt, in dem die Centralisation allen Geist der Initiative, alle Stärke des Willens ertödtet hat. Im engen Kreise des Familienlebens, der Sorge um den Erwerb und das tägliche Genießen verengt der Sinn, und das Gefühl für das Vaterland stirbt ab.

Alles, was Tocqueville vorhergesagt, hat sich erfüllt; die Gefahren der Demokratie, welche Gleichheit, nicht Freiheit erstrebt, zeigen sich vor Allem ver= derblich in einem zur Selbstverwaltung unfähig gewordenen, der Theilnahme am politischen Leben entwöhnten Volke. So ist Frankreich die Beute jedes Abenteurers geworden, jeder Emeute, die in Paris einige Führer an die Spitze bringt. Und unter Allen ist noch kein Mirabeau, kein Danton, noch weniger ein Napoleon gewesen; die gewaltige Bewegung der letzten 10 Monate hat nicht einen einzigen bedeutenden Charakter erzeugt, sie beweist nur die allge= meine sittliche Erschlaffung, die geistige Oede und Armuth.

Das Recht, durch die Wahlen die Politik im Großen zu bestimmen, an der Regierung des Staates Theil zu nehmen, ohne alles Recht, die Angelegen= heiten des eigenen Hauses, der Gemeinde, des Departements zu ordnen, hat keinen lebendigen Gemeinsinn erzeugen können. Bei der Masse der Franzosen fehlt jedes politische Interesse, selbst das Vaterlandsgefühl, und die jähen Uebergänge von einer Verfassungsform zur anderen, der Wechsel der Dy= nastien, die aufflammende Kriegswuth und die bald folgende Erschöpfung bestätigen nur dieselbe Erscheinung des Mangels an Selbstthätigkeit, an nationalem Interesse und zeigen, daß im heutigen Frankreich der Wunsch zu besitzen und zu genießen das patriotische Gefühl unterdrückt hat.

23.

Das Völkerrecht und der Krieg von 1870—71.

Nach französischer Auffassung.

Die „Revue des deux mondes" bringt in ihrem Heft vom 1. Februar aus der Feder des Mr. Charles Giraud de l'institut einen längeren Aufsatz, betitelt „le droit de gens et la guerre de la Prusse." Der Verfasser wiederholt darin die aus der französischen Tagespresse genugsam bekannten gehässigen Anschuldigungen, welche nichts anderes bezwecken, als vor dem Richterstuhl Europas das harmlose Frankreich von jedem Frevel rein zu waschen und dagegen Preußen der Barbarei in der Kriegführung und der geflissentlichen Verletzung des Völkerrechtes anzuklagen.

Eine eingehende Widerlegung dieser von kompetenter Seite oft und schlagend widerlegten Anklagen verlohnt sich nicht der Mühe, da die Zeit einer unbefangenen Verständigung fürerst und noch auf lange hin nicht gekommen ist und der Beschuldigungen und Gegenbeschuldigungen genug gewechselt worden sind. Es bleibt aber dennoch von Interesse, einige der eigenthümlichen Behauptungen und Anschauungen des Herrn Verfassers in möglichst objektiver Weise zu beleuchten und zu erörtern.

„Das Völkerrecht und der preußische Krieg", was soll damit gesagt sein, was kann darunter anders verstanden werden, als daß Preußen allein den Krieg gegen Frankreich geführt hat.

Um so mehr Ruhm und Ehre für Preußen, könnte man zugeben, wenn es nur wahr wäre. Aber es ist nicht wahr. Frankreichs Eroberungsgelüste haben, als im Monat Juli vorigen Jahres die entscheidende Stunde kam, nicht nur Preußen, den Norddeutschen Bund, sie haben ganz Deutschland unter die Waffen gerufen, zu Schutz und Trutz gegen den herrsch- und vergrößerungssüchtigen Nachbarstaat vereinigt.

Preußen hat die Führung und, seiner Machtstellung nach, den hervorragendsten, den Hauptantheil an der schweren Kriegsarbeit gehabt; aber ihm zur Seite haben Bayern, Sachsen, Württemberg, Baden, Hessen, sämmtliche Staaten und freien Städte Deutschlands diese Arbeit getheilt, gleiche Opfer gebracht, gleichen Ruhm erworben, welcher ihnen nach dem Wahlspruch: „Jedem das Seine" nicht geschmälert werden darf. Es kann daher auch nicht von einem preußischen, sondern nur von einem deutschen Kriege gegen Frankreich die Rede sein, wenn es auch im Interesse einer arglistigen Politik liegen mag, diese Thatsache beharrlich zu ignoriren, um allen Haß, alle Wuth, alle Schmähungen über Preußen allein ergießen, alle angeblichen Verletzungen des Völkerrechts ihm allein zur Last legen zu können.

Aber wie der deutsche Kaiser, der König von Preußen für Deutschland siegreich den Krieg geführt hat, so hat er nun auch für Deutschland einen ruhmvollen Frieden geschlossen, und die Geschichte kann daher nicht zweifelhaft sein, wie sie diesen Krieg zu benennen haben wird.

Herr Giraud beginnt seine Abhandlung mit einer schönen aber hohlen Phrase, indem er am Eingange sagt:

„Trois siècles de progrès avaient enfin accrédité en Europe un droit des gens, dont elle s'enorgueillissait a juste titre, qui faisait l'honneur de l'ère moderne."

„Drei Jahrhunderte des Fortschritts hatten endlich in Europa ein Völkerrecht zur Geltung gebracht, auf das es mit Recht stolz sein durfte und das die Ehre der neuen Aera ausmachte." Der Verfasser scheint den Anbruch dieser neuen Aera in das 17. Jahrhundert zu verlegen; er belehrt uns, daß zur Zeit Gustav Adolphs ein berühmtes Buch erschienen sei: „le Traité du droit de la guerre et de la paix", ein Buch, welches das Völkerrecht begründete, in dem der junge Schwedenkönig blätterte und dessen Lehren zur Richtschnur seines Handelns nahm (et le jeune vainqueur de Leipzig se faisait gloire d'y accomoder ses pratiques).

Wir möchten das gern glauben, wenn nicht die Geschichte der letzten Jahrhunderte uns leider auf jedem Blatte eines anderen belehrte. Gleichviel, jedenfalls ist heute die schöne Zeit der neuen Aera vorüber, und „Europa bietet heute ein ganz anderes Schauspiel als früher dar."

Man höre, was Herr Giraud zur Begründung dieser seiner Ansicht sagt: „Der Minister eines christlichen Fürsten hat sich nicht gescheut zu proklamiren, daß in Kriegszeiten Gewalt vor Recht gehe (qu'en temps de guerre la force primait le droit) und eine Armee steht vor unseren Thoren, die beauftragt scheint (semble chargée) die Anwendung dieser Doktrin zu unterstützen." Diese Doktrin scheint uns sehr alt zu sein, so alt wie der Krieg selbst, und eine siegreiche französische Armee vor den Thoren von Berlin dürfte sicher auch beauftragt worden sein, die Anwendung derselben zu unterstützen. Aber die Phrasen bei Seite, wie es der Ernst der Sache erfordert, die deutschen Heere waren im raschen Siegeslaufe bis Paris vorgedrungen, nicht um Doktrinen zu unterstützen, sondern um einen ehrenvollen dauernden Frieden zu erkämpfen, der, wie es der Ausgang gezeigt hat, erst nach Bewältigung der Hauptstadt möglich wurde.

Herr Giraud beklagt freilich sehr, „daß dieses Attentat gegen die allgemeine Moral (cette atteinte à la morale universelle) möglich gewesen sei am Ende des 19. Jahrhunderts, welches seit 50 Jahren die entgegenstehenden Akte eines früheren Zeitalters verurtheilt hat; nach den Kriegen in der Krimm und Italien, wo große Völker sich geehrt haben durch Milderung der unheilvollen Wirkungen des Krieges" (après les guerres de Crimée et d'Italie, où de grands peuples se sont honorés par l'adoucissement des effets désastreux de la guerre). Wir sehen es nun ein, wir haben uns geirrt, die neue Aera ist nicht so alt, wie wir annahmen, sie datirt erst seit den letzten 50 Jahren, streng genommen erst vom Krimkriege her, dem Kriege der Civilisation gegen die Barbarei, wie ihn die Franzosen zu bezeichnen pflegten, welche um Phrasen nie verlegen sind, uneigennützig nur für Ideen und Doktrinen kämpfen und obenein sich brüsten, ihren eigenen Ruhm bezahlen zu können.

Wie beschämend aber ist es für die Deutschen, daß sie neben anderen großen Kulturvölkern in der Milderung der unheilvollen Wirkungen des Krieges so zurückstehen, daß sie sich überhaupt eines solchen Attentats gegen die allgemeine Moral schuldig gemacht haben, welche uns freilich wie eine besondere französische Moral erscheinen will. Es folgen auf diese Klagen Deklamationen über den Friedensschluß von 1856, die Weltausstellung 1867, die Völkerverbrüderung, die Fortschritte der Civilisation, die Utopie des ewigen Friedens und die Nothwendigkeit des Krieges, „welcher immer gerecht, begründet und maßvoll sein muß, und nur legitim ist, wenn er nothwendig ist."

Uebergehen wir diese und ähnliche Phrasen, um bei der folgenden zu verweilen. „L'Allemagne était même devenue pour nous, depuis la paix générale de 1815, la plus sympathique des nations, la plus affectionnée de toutes les classes de la population européenne. La postérité pourra-t-elle croire au revirement si brusque et si peu motivé de l'Allemagne à notre égard?"

„Deutschland war seit dem allgemeinen Frieden von 1815 die Nation, für die wir die meisten Sympathien fühlten (?!), für welche wir unter allen Klassen der europäischen Bevölkerung die größte Neigung hatten (?!). Wird die Nachwelt an den plötzlichen unbegründeten Umschwung Deutschlands in Betreff unserer glauben können?"

Gewiß! sie wird daran glauben und ihn sehr gerechtfertigt finden. Es kann auch streng genommen von einem Umschwunge gar nicht die Rede sein, denn Deutschland war seit Jahrhunderten der ewigen Bevormundung und Belästigung von Seiten Frankreichs überdrüssig und verzichtet daher gern auf die schwesterlichen Sympathien, welche sich in der Austreibung und Verfolgung der Deutschen so herrlich bewährt haben, und neuerdings in der Bildung der patriotischen Liga.

Aber Achtung! jetzt rückt der Herr Verfasser den Hunnen — er meint
die Preußen — ernstlich zu Leibe. Er fragt: „Nach Sedan, welchen einge-
ständlichen Zweck könnte die Fortsetzung des Krieges haben? War es Frankreich oder seine Regierung, welche den Krieg erklärt hatte? Die Regierung,
einmal gestürzt, wo blieb da der Vorwand für die Verlängerung der Feind-
seligkeiten? Das moderne Völkerrecht verdammt als ungerecht einen Krieg,
welcher vermieden werden kann. Konnte die Verlängerung desselben vermieden
werden? Ja, nach den Gesetzen der Mäßigung, also war sie ungerecht. Man
hat, wird gesagt, eine legitime Anforderung Deutschlands verweigert, und der
Krieg hat seinen Verlauf nehmen müssen. War diese Anforderung legitim?
Da liegt das Problem. Das Recht nennt sie unbillig, die öffentliche Meinung unpolitisch, der gesunde Menschenverstand unverständig, und die Geschichte
wird urtheilen." (Sicher und hart wird sie urtheilen über ein Volk von Ko-
mödianten und Schönrednern.) Schöpfen wir Athem, um alle diese Fragen
in Kürze zu beantworten.

Ja, nach Sedan konnte Deutschland einen annehmbaren Frieden schließen,
wenn ihm ein solcher angetragen wurde vom Kaiser Napoleon oder der kaiserlichen Regentschaft, oder von irgend einer stabilen Regierung, wofür wenigstens
zunächst die improvisirte vom 4. September, das gouvernement de la défense nationale, nicht gehalten werden konnte.

Es war allerdings Kaiser Napoleon und seine Regierung, welche wie
herkömmlich den Krieg erklärt hatten, aber es war die Bevölkerung ganz
Frankreichs, welche dieser Erklärung zugestimmt und zugejubelt hatte, mit
Ausnahme einiger Staatsmänner, welche, an sich dem Kriege geneigt, ihn
nicht für zeitgemäß hielten, unter ihnen vor Allem der Chef der gegenwärtigen
Exekutive. Es bedurfte daher nach Sedan keines Vorwandes zur Fortsetzung
des Krieges, die Verlängerung des Kampfes war unvermeidlich, die Forderung
Deutschlands nach gesicherten Grenzen gegen künftige Angriffsgelüste war
mäßig, gerecht, legitim, politisch und verständig.

So, denken wir, wird die Geschichte urtheilen, ne deplaise à Mr. Giraud. Derselbe unterläßt auch nicht anzuführen, daß unser Kaiser, König und
Herr in seiner Proklamation St. Avold 11. August gesagt habe:

„Ich führe Krieg mit den französischen Soldaten und nicht mit den Bür-
gern Frankreichs", aber verschweigt wohlweislich, was folgt, nämlich: „Diese
werden demnach fortfahren, einer vollkommenen Sicherheit ihrer Person und
ihres Eigenthums zu genießen, und zwar so lange, als sie Mich nicht durch
feindliche Unternehmungen gegen die deutschen Truppen des Rechts berauben
werden, ihnen Meinen Schutz angedeihen zu lassen."

Die doppelköpfige Regierung zu Paris und zu Tours organisirte aber
bekanntlich nach Sedan neue republikanische Heere, Franktireurs und Freischaaren unter Garibaldi, woraus ihr kein Vorwurf gemacht werden soll, da
unbestritten jedes Volk das Recht hat, den Krieg à outrance und wenn es

will, um mit Herrn Gambetta zu reden, - bis zur Vernichtung fortzuführen. Wir verargen Herrn Giraud auch nicht, daß er sich auf Preußens Beispiel im Jahre 1813 beruft, aber wir müssen darüber lachen, daß er uns die Verwendung unserer Landwehr im letzten Kriege als einen Rechtsbruch vorhält. (La landwehr et le landsturm ne devaient avoir d'emploi, d'après le droit du pays, que pour la défense du sol allemand.) Wir wollen ihm beiläufig sagen, daß der Landsturm nicht aufgeboten worden ist. Eine Lehre aber können die Franzosen, können alle Nationen aus der letzten Periode des deutsch=französischen Krieges ziehen, daß wohldisziplinirten und organisirten Armeen gegenüber, die improvisirten Volksheere, Milizen, Freischaaren, Mobilgarden keinen nachhaltigen Widerstand zu leisten vermögen, im offenen Felde überall geschlagen werden.

Mit Recht sagte daher Herr Thiers in der Sitzung der National=Versammlung am 15. März:

> „Merken Sie wohl! man kann nicht plötzlich Armeen schaffen"

und weiterhin:

> „Nun, in dieser Lage möge Jemand kommen und mir sagen, daß wir einer regulären Armee von 500,000 Mann widerstehen können, dann werde ich ihm antworten: Nein."

Da aber Frankreich nach Sedan, selbst nach der Kapitulation von Metz zu dieser Einsicht noch nicht gelangt war, so irrt Herr Giraud, wenn er meint: „la Prusse pouvait faire à Ferrières une paix triomphante et magnanime; il en fût resté pour la France la mémorable leçon de mieux surveiller à l'avenir la direction de ses affaires."

Wie doch die Ansichten auseinander gehen, wir Deutschen würden einen Frieden nach dem Programm von Ferrières: „keinen Fuß breit Landes, keinen Stein einer Festung" einen Frieden ohne Erlangung einer, unsere Grenzen sichernden Gebietsabtretung, einen Frieden unter Abfindung mit einem Reu= und Blutgelde von etlichen Milliarden, entschieden für schmachvoll und kleinmüthig, also für unmöglich gehalten und erklärt haben. Es kam uns auch wirklich gar nicht darauf an, Frankreich eine denkwürdige Lehre zu geben, auf daß es in Zukunft die Leitung seiner Angelegenheiten besser überwache, es kam uns einzig und allein darauf an, uns für die Zukunft gegen Angriffsgelüste sicher zu stellen.

Wo in der Welt hat man je gehört und behauptet, daß nach einem großen und blutigen Kriege zweier Völker der Sieger sich neben einer Geldabfindung damit begnügen solle, dem Besiegten eine denkwürdige Lehre gegeben zu haben? Ist es denn nicht der Zweck eines jeden Krieges, den Gegner auf möglichst lange Zeit hin unschädlich zu machen?

Wir wollen des Herrn Giraud gründliche Studien im Staats= und Völkerrecht von Hugo Grotius bis zu Heffter und Bluntschli herab, nicht bezweifeln, vermuthen aber, daß er darüber die kriegswissenschaftlichen und kriegsgeschichtlichen Studien allzusehr vernachlässigt habe, da er andern Falls gesundere Ansichten über Kriegführung, Kriegsrecht und Kriegsgebrauch haben müßte. Er würde dann wissen, daß das Endziel eines jeden Krieges die Vernichtung, die völlige Niederwerfung des Gegners ist, so lange dieser im Widerstande beharrt; er würde wissen, was jeder Kanonier weiß, daß die Tragweite der Geschütze eine begrenzte ist, daß heller Sonnenschein (un splendide soleil d'hiver) bei einem Bombardement einem undurchdringlichen Nebel vorzuziehen ist, während andererseits dichter Nebel Ausfälle begünstigt; er würde ferner wissen, daß die Entfernung der deutschen Batterien von der Enceinte und von den inneren Stadttheilen von Paris eine viel zu große war, um bestimmte Zielobjekte ins Auge fassen zu können, er würde sich selbst sagen, daß es im Kriege darauf ankommt, die Truppenkolonnen, die Forts, die Wälle, die Vorrathshäuser, die feindlichen Batterien zu Zielobjekten zu wählen, nicht aber wehrlose Greise, Weiber und Kinder, nicht die Kirchen, die Bibliotheken, die Kunstinstitute, die Schulen, die Meisterwerke der christlichen Kunst u. s. w. Das Geschoß, sobald es das Rohr verlassen hat, verfolgt, blind und eisern wie das Fatum, in einer gewissen Richtung seinen Lauf, aber auf Entfernungen von 6 bis 10,000 Schritt ihm ein genau vorherberechnetes, bestimmtes und unfehlbares Ziel zu geben, liegt außer dem Bereich der Möglichkeit.

Endlich und vor Allem sollte Herr Giraud wissen, daß nach französischem Kriegsgesetz und Recht jeder Kommandant verpflichtet ist, die ihm anvertraute Festung aufs Aeußerste und noch hinter der zweiten Bresche zu vertheidigen, was natürlich sich auch nicht wohl mit Rücksichten der Menschlichkeit vereinigen läßt.

Nun wohl, wie der Vertheidiger einer Festung Alles daran setzt, sie zu erhalten, so setzt der Angreifer Alles daran, sie einzunehmen; er beginnt mit der Einschließung, wählt die Angriffsfront, erbaut seine Batterien, eröffnet seine Laufgräben, beginnt das Bombardement und schreitet zum Sturm, sobald die Bresche gelegt ist.

Das ist der Verlauf einer jeden erfolgreichen Belagerung, das Gouvernement und die Bevölkerung von Paris scheinen auch darauf gefaßt gewesen zu sein, die Errichtung von Barrikaden im Innern der Hauptstadt und alle Vorbereitungen zum Straßenkampf beweisen das. Es muß also doch das Bombardement und die Erstürmung einer Festung weder dem Völker= noch dem Kriegsrecht entgegen sein.

Die Hauptstadt der Welt und des heiligen Frankreichs darf aber über Verletzung des Völkerrechts und über Barbarei in der Kriegführung sich am wenigsten beklagen; von Alters her haben die Franzosen, insbesondere die Herren Pariser, in dieser Hinsicht ein übles Beispiel gegeben, und bei ihren brudermörderischen Barrikaden= und Straßenkämpfen, die sich periodisch wiederholen, haben sich leider unter den Opfern auch stets Greise, Weiber und Kinder befunden.

Es ist schmerzlich, hier an die schmachvollste Periode in der Geschichte Frankreichs und seiner Hauptstadt, an die Vorgänge vor und in Paris während der letzten drei Monate erinnern zu müssen, aber unerläßlich, wenngleich wenig Aussicht ist, daß hiernach Herr Giraud und seine Landsleute ihre Anschauungen über die Barbarei der deutschen Kriegführung berichtigen werden, vielmehr schon jetzt in der französischen Presse Stimmen laut werden, welche die Mitschuld an diesen Verwüstungen und Gräueln, den Preußen, den Deutschen, als den Lehrmeistern zur Last zu legen versuchen.

Ein Herr Simonin sagt in einem anderen Artikel in derselben Nummer der Revue des deux mondes „Le bombardement de Paris":

„Comme il faut qu'en tout le plaisant se mêle au sévère, on a bientôt couru après les obus on en a recherché les éclats; les femmes, toujours curieuses, sont venues eu nombre à ces spectacles, si bien qu'il a fallu en quelques endroits décréter des mésures de sécurité. Somme toute, chacun a supporté d'un coeur vaillant la situation nouvelle, qui lui était faite, et s'est dit qu'au demeurant les Allemands faisaient là beaucoup de bruit pour peu de besogne."

Nehmen wir mit einem Achselzucken und mit Bedauern über solche Leichtfertigkeit hiervon Akt. Die einzelnen Fälle geflissentlicher Verletzungen des Völkerrechts, welche Herr Giraud vorbringt, sind bereits von unseren großen Staats- und Kriegsmännern gewürdigt und widerlegt worden in einer Weise, daß darüber nichts weiter gesagt zu werden braucht. Aber wir wollen Herrn Giraud ein Zugeständniß machen und ihm zugeben, daß in jedem Kriege von Seiten beider kriegführenden Theile, gelegentlich und meist wohl unabsichtlich Verletzungen des Völkerrechts, des Kriegsrechts und des Kriegsgebrauchs vorkommen werden und müssen, weil eben die Friktion eine zu gewaltige ist und im Völker- wie im Kriegsrecht sich Lücken finden, wie im Rechte der Neutralen, worüber in diesem Kriege auch wieder recht lehrreiche Erfahrungen gemacht worden sind.

Gegen den Schluß sagt Herr Giraud:

„Frédéric II., le grand et suprême fondateur de la puissance prussienne eût désavoué l'explosion passionnée qui s'est produite à notre époque.

Sa vie et ses ouvrages attestent le profond attachement qu'il professait pour la France, à laquelle il avait de grandes obligations. La guerre de sept ans n'avait rien changé à ses sentiments à ce sujet." (Friedrichs des Großen Werke bekunden, daß er Frankreich seine großen Verpflichtungen schuldete, und hätte er sie geschuldet, er würde doch nicht ... gekonnt haben, die Franzosen mit seinen Preußen bei Roßbach zu ...) „Il avait fait de Berlin une ville presque française."

(Warum denn dieses bescheidene presque? Warum nicht lieber: il avait fait
de Berlin une ville française?)

„Son esprit supérieur n'aimait et ne cultivait que la littérature
de la France, et il a manié notre langue comme l'instrument le plus
familier de sa pensée."

(Die französische Literatur dominirte damals überall, die deutsche war in
der Entwickelung begriffen.)

Herr Giraud scheint die Werke Friedrichs des Großen nur oberflächlich
gelesen zu haben, er hätte gründlicher sein sollen und würde dann gefunden
haben, daß dieser König bei aller Vorliebe für die französische Literatur und
den französischen Esprit doch nicht selten recht scharfe, beißende Urtheile über
den französischen National = Charakter gefällt und mit prophetischem Blick den
nahenden Verfall Frankreichs vorhergesehen hat.

Endlich beschäftigte König Friedrich II. in seinen letzten Regierungsjahren
eine große Idee, die Stiftung eines Fürstenbundes zum Schutze Deutschlands
und Preußens, zur Aufrechthaltung der Reichsverfassung gegen alle Angriffe,
von welcher Seite sie auch kämen. Der Fürstenbund verfiel, es folgten für
Deutschland und Preußen schwere Tage, schwere Zeiten.

Aber heute, unter Wilhelms des deutschen Kaisers, des preußischen Kö=
nigs mächtigem Scepter, ist eine größere Idee verwirklicht, das Werk der
Einigung vollbracht, Deutschlands Integrität gesichert, nach langem, heißem
Kampfe ein glorreicher, wir hoffen ein dauernder Frieden errungen und er=
stritten worden.   134.

Druck von E. S. Mittler und Sohn, Wilhelmstraße 122

Beiheft
zum
Militair-Wochenblatt

herausgegeben

von

A. Vorbstaedt,

Oberst z. D.

1871.
Drittes Heft.

Berlin 1871.

Ernst Siegfried Mittler und Sohn,

Königliche Hofbuchhandlung.

Kochstraße 69.

Einladung zur Subscription
auf grosse Schlachtenbilder aus dem letzten Kriege.

Viele mir von den beachtenswerthesten Seiten zugegangene Aufforderungen: hervorragende, den letzten Franzosenkrieg behandelnde Gemälde in vollendetstem Oelfarbendrucke und in grösserem Massstabe zu vervielfältigen und zu einem billigen Preise den weitesten Kreisen zur Erinnerung an die jüngst durchlebten grossen Zeiten zugänglich zu machen,

haben mich veranlasst, die Ausführung dieses Gedankens mit lebhaftem Interesse in die Hand zu nehmen und Alles aufzubieten, um dem Publikum wirkliche Kunstblätter von dauerndem Werthe und dem bezüglichen Zwecke vollständig entsprechend zuzuführen. Nachdem alle Vorbereitungen getroffen sind, welche eine glückliche Durchführung dieses Unternehmens sichern, empfehle ich dasselbe der Gunst der Herren Militairs, Folgendes bemerkend: als

Motive

für die beiden zuerst erscheinenden Bilder sind die Schlachten bei Gravelotte und Wörth gewählt. Beide figurenreiche Bilder führen uns eine Reihe hervorragender Persönlichkeiten in grösster Portraitähnlichkeit vor, auf ersterem die Gestalten des Kaisers Wilhelm, des Grossherzogs von Sachsen-Weimar-Eisenach, des Prinzen Carl von Preussen, des Fürsten v. Bismarck, des Kriegsministers v. Roon, des Feldmarschalls v. Moltke etc. im Granatfeuer; auf letzterem die des Kronprinzen Friedrich Wilhelm, des Herzogs von Sachsen-Coburg und Gotha, der Prinzen Otto von Bayern und Wilhelm von Württemberg, der Generale v. Blumenthal und v. Hartmann etc., begrüsst durch ein zum Sturm vorgehendes bayerisches Bataillon. Holzschnittskizzen derselben liefern auf Wunsch gratis und franco.
Die

Originale

zu diesen Bildern sind von dem Historienmaler Friedr. Kaiser gemalt, rühmlichst bekannt durch seine Schlachtenbilder aus den Jahren 1864 und 1866, die er im Auftrage Sr. Majestät des Kaisers Wilhelm studienhalber mitmachte. Se. Majestät der Kaiser Wilhelm hat dem vorliegenden Unternehmen in huldvollster Weise sein Interesse zugewendet und nicht nur die Vorlage der Entwürfe zu diesen Originalen befohlen, sondern auch Allerhöchstselbst Aenderungen bestimmt, die diesem Unternehmen einen bedeutsamen historischen Werth verleihen.
Die

Vervielfältigung

dieser Originale findet in vollendetstem Oelfarbendruck statt; die ersten Künstler meiner Anstalt sind an der Herstellung derselben thätig. Für die möglichst beste Ausführung dieser Bilder bürgen ferner die vielen schmeichelhaften Anerkennungen, die aus meinem Atelier hervorgegangenen Oelfarbendrucke allseitig gefunden haben. Auf Wunsch sende ich Copien von 79 höchst anerkennenden Recensionen, die meine Erzeugnisse in den letzten Jahren in den ersten deutschen Blättern gefunden haben gratis und franco. Das

Format

in welchem diese Bilder erscheinen werden, ist das grösste, in dem bisher ausgeführte Oelfarbendrucke hergestellt wurden, es hat eine Bildfläche von 24½ Zoll = 64 Centimeter Höhe zu 33½ Zoll = 87 Centimeter Breite und wurde gewählt, damit diese Bilder nicht nur schon durch ihre Grösse imponiren, sondern um auch die vielen darauf dargestellten Figuren zur vollen Wirkung bringen zu können.
Um dieselben zu einem äusserst niedrigen

Preise

zu liefern, erfolgt der Verkauf auf dem Wege der Subscription. Subscribenten erhalten diese Bilder zu dem Preise von 8 Thlrn. pro Exemplar, welcher Preis bei Vollendung der Bilder erlischt und, falls noch Abdrücke für den Handel übrig bleiben, auf ca. 15 Thlr. erhöht wird. Die

Herausgabe

soll im Frühjahre 1872 erfolgen. Ein bestimmter Tag derselben kann nicht angegeben werden, damit ich nicht ev. gezwungen bin, durch Innehaltung eines solchen die Fertigstellung zu forciren und dadurch dem ganzen Unternehmen zu schaden; es handelt sich bei demselben ja nicht darum, der ersten Nachfrage nach Schlachtenbildern nachzukommen, sondern Bilder von dauerndem Werthe zu ediren. Ich bitte ferner, die

Die Dampfgewehre und Dampfgeschütze.

Als die Technik einmal dahin gelangt war, die gewaltigen Kräfte, welche den aus erhitztem Wasser sich entwickelnden Dämpfen innewohnen, für gewerbliche Zwecke dienstbar zu machen und sie mittelst der Dampfmaschine in nutzbringende „Arbeit" umzusetzen, da lag auch der Gedanke nicht mehr allzufern, statt die Riesenkraft des Schießpulvers durch diesen mächtigen Motor zu verdrängen und ihn zum Forttreiben von Raketen, sowie zum Schießen von Geschossen aus Kanonen und Gewehren zu verwenden.

Schon im Jahre 1745 soll, wie das Mechanics Magazine mittheilt, in Kensington bei London ein Dampfkanon existirt haben, welches in 2 Minuten 25 Mal feuerte; ferner konstruirte, ebenfalls nach dem Mechanics Magazine, der Engländer Hornblower in den neunziger Jahren bereits eine erste Dampfrakete.

Ihm folgte im Jahre 1805 der berühmte Ahnherr unserer heutigen Dampfmaschinen, James Watt selber, welcher Dampfgeschütze zur Vertheidigung der Hafen in Vorschlag brachte und auch praktische Versuche damit anstellte.*)

Der französische General Girard ließ im Jahre 1814 mehrere Dampfmaschinen ausführen, welche zur Vertheidigung von Paris bestimmt waren, nachweislich noch vor dem Angriff der preußischen Truppen vernichtet. Sie bestanden aus je sechs, mit einem fahrbaren Dampfkessel verbundenen Gewehrläufen, die am Boden mit entsprechenden Ventilen versehen, um die für jeden Schuß erforderliche Menge Wasserdampf nebst der Luft entnehmen zu können; diese Orgelgeschütze oder Espignols mit Dampf angeblich 180 Schuß in einer Minute verfeuern.

General Girard haben sich noch Viele mit demselben schwierigen der Dampfgeschütze beschäftigt und zum Theil sehr viel Talent, Zeit

---

*) Band II., Seite 284.
Juni 1871.

und Geld an deſſen Löſung verſchwendet, ohne doch ſchließlich etwas Anderes hervorzubringen, als mehr oder minder vollkommene Dampfmaſchinen, die als Maſchinen mitunter höchſt ſinnreich konſtruirt waren, dagegen als Geſchütze, alſo für den Kriegsgebrauch, nichts weniger, als geeignet erſcheinen.

Von ſolchen ausſichtsloſen Erfindern, welche darauf ausgingen, Artillerie- und Infanterie-Geſchoſſe durch Dampfkraft fortzutreiben, ſind unter anderen namentlich zu nennen: General Chaſſeloup, der Oeſterreicher Beſetzny und vor allen der Amerikaner James Perkins, welcher einer endlichen, praktiſch brauchbaren Verwirklichung ſeiner chimäriſchen Ideen und Entwürfe mit der meiſten Energie und Beharrlichkeit obgelegen, deſſenungeachtet aber auch kein beſſeres Endergebniß ſeines Strebens, als die Uebrigen, erzielt zu haben ſcheint.

Perkins trat zuerſt im Jahre 1824 mit der Erfindung einer Dampfrakete vor die Oeffentlichkeit.*)

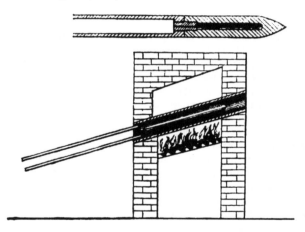

Die Rakete (ſ. die Skizze), beſteht aus einem ſtarken ſchmiedeeiſernen Rohr, welches vorn eine ogivale Spitze hat und deſſen hintere Oeffnung durch eine eiſerne Bodenſchraube geſchloſſen wird; letztere iſt in ihrer ganzen Länge mit einem engen Kanal verſehen und der aus dem Rohr hervorragende Gewindetheil dient zugleich zur Aufnahme eines Ringes mit zwei parallelen Raketenruthen.

Soll die Rakete verſchoſſen werden, ſo füllt man ihre innere Höhlung mit Waſſer, ſchließt den Kanal in der Bodenſchraube durch einen feſt eingetriebenen Meſſingpfropf und legt die Rakete in einen gußeiſernen Cylinder, welcher an beiden Enden offen und in einen Ofen aus Mauerwerk in ſchräg nach oben geneigter Lage eingemauert ist. Die Hitze im Ofen theilt sich durch den gußeisernen Cylinder der Rakete mit und bringt schließlich den Messingpfropfen zum Schmelzen. Das unter sehr hoher Spannung in der Rakete befindliche erhitzte Wasser wirft den schmelzenden Pfropfen vollends hinaus, bringt selbst mit großer Gewalt nach und verwandelt sich, von dem auf ihm lastenden mächtigen Druck befreit, augenblicklich in Dampf, dessen Reaktion nun die Rakete in der Richtung des Cylinders forttreiben soll. James Perkins wollte indeß auf diese Weise nicht Raketen allein, sondern überhaupt Geschosse aller Art verfeuern.

Man sieht auf den ersten Blick, daß sich diese Vorrichtung vielleicht zu mannichfachen physikalischen Versuchen über das Wesen des Dampfes und andere anziehende Gegenstände sehr wohl eignen mag; als Geschütz oder als Schießmaschine aber vom artilleristischen Gesichtspunkt aus betrachtet, ist sie selbstredend vollkommen unbrauchbar.

Man darf zwar gern zugeben, daß sich der Ofen, anstatt in Mauerwerk, ebenso gut auch in Eisen ausführen und fahrbar machen, sowie der gußeiserne Cylinder darin beweglich anbringen ließe, um ihm beliebig verschiedene Höhenrichtungen geben zu können. Wenn aber damit auch zwei Grundbedingungen für die Einrichtung eines Geschützes Genüge geleistet würde, so blieben doch immer noch mehrere andere wesentliche Fehler unbeseitigt, denen man auch nicht abzuhelfen vermag, ohne das Prinzip dieser Maschine überhaupt aufzugeben.

Es liegt namentlich auf der Hand, daß man weder den Augenblick der Entladung des Schusses, noch auch das Maß der aufzuwendenden Triebkraft mit einiger Sicherheit in der Gewalt hat, denn beides hängt lediglich von dem Grade der Festigkeit und Schmelzbarkeit des Messingpfropfens, sowie von der Intensität der Wärmeentwickelung im Ofen ab; dies sind aber eben Dinge, welche sich in keiner Weise mit der durchaus erforderlichen Genauigkeit regeln oder vorherbestimmen lassen.

Ueberdies ist auch die Gefahr nicht zu unterschätzen, welche darin liegt, daß theils schon die hohe Spannung des eingeschlossenen, überhitzten Wassers, theils aber auch die Dampfentwickelung, welche nach Entfernung des Pfropfens vielleicht im Verhältniß zu der geringen Weite des Ausflußkanals zu plötzlich und stoßweise eintreten dürfte, die Rakete selbst zertrümmern und so möglicherweise Geschoß, Geschütz und Mannschaft zugleich der Vernichtung preisgeben kann.

Ob James Perkins seine Dampfrakete wirklich im Großen ausgeführt und auch einen eigenhändigen Schießversuch damit angestellt hat, wissen wir nicht. Sei dem aber, wie ihm wolle, so viel ist sicher, daß James Perkins unter dem 15. Mai 1824 in England ein Patent auf seine Erfindung erhielt.

4*

Dies darf auch nicht im geringsten Wunder nehmen, denn man muß berücksichtigen, daß das englische Patent heut, wie damals, für den wirklichen Werth des patentirten Gegenstandes absolut gar keine Bedeutung hat. Das englische Patent (wie übrigens auch das französische) beweist vielmehr im Grunde genommen nur zweierlei: erstlich, daß der Erfinder die vorgeschriebenen, nicht unbedeutenden Gebühren dem Patentamt baar entrichtet hat, und zum andern, daß die Erfindung vom Patentamt für „neu und eigenthümlich" befunden worden ist. Daß aber James Perkins Dampfrakete nicht nur neu, sondern auch obenein sehr eigenthümlich war, wird sicherlich Niemand bestreiten wollen.

Perkins scheint übrigens selbst bald genug von einer weiteren Verfolgung und Ausbeutung dieses artilleristischen Unsinns zurückgekommen zu sein, denn schon ein Jahr später (1825) führte er der staunenden Mitwelt eine ebenfalls von ihm erfundene Dampfkugelspritze vor, welche auf wesentlich anderen Konstruktionsprinzipien beruhte, als seine patentirte Dampfrakete.

Die vom Glasgow Mechanics Magazine gegebene Abbildung dieser Maschine ist in allen Beziehungen so unklar gehalten und befindet sich mit der zugehörigen Erläuterung so wenig in Uebereinstimmung, daß wir es vorgezogen haben, sie hier ganz fortzulassen und uns mit einer kurzen Beschreibung der Maschine zu begnügen, die ihren Zweck vielleicht auch erfüllen dürfte.

Perkins Dampfkugelspritze oder Dampfflinte besteht aus einem Gewehrlauf, der, um ihm jede beliebige Höhen- und Seitenrichtung geben zu können, am Bodenstück durch eine Art Universalgelenk mit dem Dampfzuleitungsrohr in Verbindung gesetzt ist. Ueber der Kammer des Laufs befindet sich eine senkrechte Röhre, welche oben eine trichterförmige Erweiterung hat und die zu verfeuerden Bleikugeln enthält. Die untere Oeffnung dieser Röhre wird unmittelbar über dem Lauf durch eine Klappe abgeschlossen, welche außerhalb der Röhre in einem Handgriff endet. Ein Druck an diesem Griff, der auch durch die Drehung eines Kurbelrades bewegt werden kann, öffnet nicht nur die Klappe der Füllröhre, sondern auch ein hinter der Kammer liegendes Ventil des Dampfzuleitungsrohrs; jede Bewegung des Griffs läßt also gleichzeitig eine Bleikugel (vermöge deren eigener Schwere) und hinter dieser die zu ihrer Forttreibung erforderliche Dampfmenge in die Kammer des Laufs eintreten.

Am 6. Dezember 1825 fand in Gegenwart des Herzogs von Wellington und vieler Sachverständiger ein Versuch mit dieser Schießmaschine statt, von dem das London Journal of Arts und das Glasgow Mechanics Magazine ziemlich übereinstimmend Folgendes berichten.

Man schoß zuerst auf 35 Yards oder 32 m. Entfernung gegen eine eiserne Scheibe, an der die Bleikugeln bei sehr niedrigem Dampfdruck platt gequetscht wurden, bei höherem Druck aber „in Atome zerstäubten".

Ferner beschoß man 12 mit Zwischenräumen von je 1 Zoll hinter einander aufgestellte einzöllige Bretter von hartem Tannenholz; die Kugel durchschlug deren eilf.

Eine eiserne Platte von ¼ Zoll Stärke, die eigens zu dem Zweck von Woolwich herbeigeschafft worden war, um die Dampfflinte hinsichtlich ihrer Kraftäußerung mit der gewöhnlichen zu vergleichen, wurde von dem Dampfgeschoß mit Leichtigkeit durchschlagen, während das gewöhnliche Gewehr sie nur unter Anwendung der größtmöglichen Pulverladung zu durchbringen vermochte.

Endlich wurde noch gegen einen 2 Fuß breiten, in horizontaler Lage an einer Mauer befestigten Pfosten unter fortwährender Aenderung der Seitenrichtung gefeuert; die Kugeln durchbohrten den Pfosten von einem Ende bis zum andern mit erstaunlicher Regelmäßigkeit; die Abstände zwischen den benachbarten Kugellöchern betrugen immer nur wenige Zolle.

Bei allen diesen Versuchen belief sich der Dampfdruck in der Flinte auf ungefähr 900 Pfund pro Quadratzoll oder 65 Atmosphären; Perkins versicherte aber, ihn ohne Gefahr für seine Maschine bis auf 200 Atmosphären steigern zu können, wodurch natürlich die lebendige Kraft der Kugeln und die Rasanz ihrer Flugbahnen auch einen entsprechenden Zuwachs erfahren würde.

Die Feuergeschwindigkeit betrug 250 Schuß in der Minute, oder 15000 pro Stunde, und es waren zu einer einstündigen Dampfspeisung der Maschine nur 5 Bushels Kohlen erforderlich, welche 100 Mal wohlfeiler sind, als die zu 15000 Gewehrschüssen ausreichende Pulvermenge.

Bei einem späteren Schnellfeuerversuch wuchs indeß die Schußzahl pro Minute sogar bis auf nahezu 2000.

Diese Versuchsergebnisse, welche für den Werth und die Brauchbarkeit der Dampfflinte als Kriegswaffe im Grunde noch gar nichts beweisen, begeistern das sonst so nüchterne Glasgow Mechanics Magazine zu einem förmlichen Jubel-Dithyrambus!

„Ein einziger Gewehrlauf," heißt es darin, „kann also auf diese Weise eine ganze Kompagnie Infanterie, die ihm gegenüber in Linie aufgestellt ist, binnen wenigen Sekunden niederschmettern; er vermag fast dreimal soviel Kugeln in einer Sekunde zu schleudern, als 90 Mann, welche ihre Gewehre vorher geladen haben und, dieser Maschine gegenüber, gewiß nicht zum zweiten Mal laden werden. Was würde man erst mit 50 dieser Flinten ausrichten!

Zehn Dampfkanonen können in einer Schlacht mehr leisten, als 200 gewöhnliche Geschütze.

Ein Linienschiff mit sechs solcher Kanonen wird furchtbarer sein, als ein Dreidecker mit 74 Geschützen des bisherigen Systems.

Wenn von 500 in jeder Minute aus der Dampfflinte verfeuerten Kugeln auch nur unter zwanzig trifft (!), so tödten oder verwunden zehn solcher Gewehre täglich 150,000 Mann.

Für die Vertheidigung wird diese Erfindung noch weit werthvoller sein, als für den Angriff. Festungen sind dadurch uneinnehmbar geworden, und keine Bresche (wenn sich eine solche unter dem Feuer von Dampfkanonen überhaupt herstellen ließe) kann mehr erstürmt werden.

Noch läßt es sich gar nicht ermessen, welche Veränderungen diese Erfindung in den Geschicken der Völker hervorbringen wird.

Unsere (d. h. die englische) Regierung legt übrigens einen lobenswerthen Eifer an den Tag, sich in den Besitz dieser furchtbaren Anwendung des Dampfes zu setzen; wir können durchaus beruhigt sein: diese Erfindung wird uns nicht verloren gehen!"

Und eine andere englische Zeitschrift fügt diesem Panegyrikus noch in salbungsvoller Weisheit hinzu: „Es sind dies Resultate, die eine neue Epoche in der Kriegskunst begründen und vielleicht das Zeitalter des ewigen Friedens herbeiführen werden, indem kein Heer gegen so furchtbare Waffen Stand zu halten vermag!"

Wir haben diesen an sich völlig werthlosen Ergüssen einer offenbar im höchsten Maße überreizten Einbildungskraft hier nur deshalb einen Raum gönnen zu sollen geglaubt, weil sich auch heutzutage vielfach wieder ganz ähnliche überschwängliche und chimärische Urtheile über die modernen Wunder von Kartätschgeschützen in den Organen der öffentlichen Meinung möglichst breit zu machen suchen, — Urtheile, welche die Vorzüge und Mängel ihrer Günstlinge gerade so darzustellen bemüht sind, wie man sie durch die, bekanntlich nach Bedarf unendlich vergrößernde oder verkleinernde Brille des Erfinders zu sehen pflegt, — Urtheile endlich, die ebenso, wie die hyperbolischen Phrasen des Glasgow Mechanics Magazine über James Perkins Dampfflinte, eine unbedingte und vollkommene Unkenntniß der wirklichen Verhältnisse des Krieges verrathen und denen man deshalb nicht entschieden genug entgegentreten kann, um ihren schädlichen Einfluß auf die ohnehin so leicht erregbare und lenksame öffentliche Meinung möglichst zu paralysiren.

Ermuntert durch die augenfälligen Erfolge seiner Dampfflinte, sowie durch die übertriebenen Lobsprüche seiner Freunde und Bewunderer, fuhr Perkins unermüdlich fort in seinen Bestrebungen, nicht nur die vorhandene Maschine weiter zu vervollkommnen, sondern dasselbe Prinzip auch auf Kanonen zu übertragen.

Seine desfallsigen Versuche scheinen ebenfalls nicht ohne praktisches Resultat geblieben zu sein; wenigstens spricht sich in dieser Hinsicht ein Schreiben vom Jahre 1827, welches Perkins an den ihm befreundeten Dr. Jones, Herausgeber des Franklin Journal, richtete, mit ebensoviel Selbstbewußtsein, wie Zuversichtlichkeit aus.*)

---

*) Technical Repository.

„Ich bin aufgefordert worden," heißt es darin, „Dampfkanonen und Dampfgewehre für die französische Regierung anzufertigen.

Auch die englische Regierung würde vermuthlich von dieser Erfindung Gebrauch machen, wenn nicht gewisse Ingenieure die Behauptung aufgestellt hätten, meine öffentlich und auf Verlangen der Regierung ausgeführten Versuche seien lediglich Täuschungen gewesen, ich habe noch niemals einen dauerhaften Generator herzustellen vermocht und ich könne den Dampf jedesmal höchstens 2 bis 3 Minuten halten.

Diese Angaben fanden um so leichter Eingang, als in allen anderen Ländern eher, als in England, ein Fortschritt in der Kriegskunst gutgeheißen wird, welchen sich auch andre Mächte aneignen können und der dahin führt, den Schwächeren auf gleiche Stufe mit dem Stärkeren zu stellen.

Die französische Regierung wünschte eine Prüfung meines Systems. Es wurden deshalb zu Greenwich eine Reihe von Versuchen angestellt, zu denen der Herzog von Angoulême einen seiner Adjutanten, den Fürsten von Polignac und mehrere französische Ingenieure abordnete.

Der Bericht über diese Versuche fiel so günstig aus, daß unmittelbar darauf zur Abschließung eines Kontraktes geschritten wurde. Ein englischer Ingenieur von großem Rufe, dessen sich die englische Regierung häufig bedient, hat sich mit mir für die in England noch zuweilen bezweifelten Leistungen meiner Maschine verbürgt, nämlich: vollkommene Sicherheit und Dauer des Generators; die Möglichkeit, den Dampf beliebig lange und bei jedem Wärmegrade zu halten und endlich bedeutende Kostenersparniß.

Das Kanon soll in einer Minute 60 Bleikugeln von je 4 Pfd. Gewicht (dies würde einen Seelendurchmesser von 7 Cm. entsprechen) mit der Treffähigkeit eines gezogenen Laufs und auf verhältnißmäßige Entfernungen verfeuern.

Mit demselben Dampferzeuger ist zugleich ein Gewehr verbunden, welches einen Bleikugelstrom von den Wällen einer Festung herabzugießen vermag und dessen Handlichkeit es mit leichter Mühe von einem Werk in das andere zu schaffen gestattet. Dies Gewehr kann beliebig lange Zeit hindurch 100 bis 1000 Kugeln pro Minute verschießen.

Den Herzog von Wellington hörte ich sagen, es könne kein Land, wenn von einer solchen Artillerie vertheidigt, überhaupt angegriffen werden*) — und diese seine Meinung theile ich vollkommen (!).

Sobald die Maschine vollendet ist, werde ich sie der französischen Regierung, sowie auch den Ingenieuren anderer Mächte übergeben, welche sich zu diesem Behuf hier aufhalten.

---

*) Sollte sich Wellington aus Höflichkeit für den Erfinder wirklich zur Aeußerung einer so sonderbaren Ansicht haben hinreißen lassen?

Des Erfolges bin ich ebenso sicher, wie unser Freund, Herr ░░░, welcher den genannten Versuchen beiwohnte.

Er sah, wie die Dampfflinte gegen 1000 Kugeln in der Minute abschoß, ohne daß währenddem das Ausblasen des Dampfes aus dem Sicherheitsventil einen Augenblick nachließ. Lukens ist mit mir überzeugt, daß man Dampf genug halten kann, um einen ganzen Tag über die Kugeln stromweis zu verschießen.

Was die Kostenersparniß anbelangt, so kann ich in Wahrheit behaupten, daß mein Gewehr im Schnellfeuer mit einem Pfund Steinkohlen ebenso viel leistet, wie ein gewöhnliches Gewehr mit 4 Pfund Schießpulver.

Man hat mir eingewendet, daß im Fall eines Angriffs zu viel Zeit vergehen würde, bevor man Dampf hat. Auf diesen Einwurf entgegne ich, daß schon ein sehr kleines Feuer genügt, um den Generator hinlänglich zu heizen, so lange kein Wasser darin ist; solch eine schwache Feuerung muß aber eben fortwährend unterhalten werden, wenn ein Angriff überhaupt möglich ist. Diese mäßige Heizung des Generators ist für den ersten Anlauf völlig ausreichend, um wenigstens so lange Dampf machen zu können, bis die Feuer dermaßen verstärkt sind, daß der Generator dann anhaltend Dampf liefern kann.

Auf Kriegsschiffen, welche ohnehin unausgesetzt Dampf halten müssen, kommt jener Vorwurf gar nicht in Betracht.

Der Admiral Lord Exmouth, als er einige meiner Bleiregen gesehen hatte, meinte, es werde noch die Zeit kommen, wo ein Dampfkanonenboot mit nur zwei Dampfkanonen das größte Linienschiff zu überwinden vermöge, und Sir Georg Cockburn führte an, daß die Dampfgeschütze für den Krieg der Völker dieselbe Bedeutung haben, wie die Pistolen für den Zweikampf einzelner Männer, indem sie den Schwächsten ebenso stark machen, wie den Stärksten!" —

Soweit dieser von offenbaren Illusionen strotzende Perkins'sche Brief.

Die darin berührten Schießversuche mit einem Dampfkanon wurden im Januar 1828 bei Greenwich noch einmal wiederholt. Das Geschütz verfeuerte bei einem Dampfdruck von ungefähr 200 Atmosphären 28 bis 30 Kugeln in einer Minute gegen eine 660 Fuß entfernte Scheibe;[*] der Seelendurchmesser des Kanons ist nicht angegeben; er betrug aber wahrscheinlich ebenfalls 7 Cm.

Erst 1830 begab sich Perkins mit seiner Erfindung, die in England nun einmal nicht die erstrebte Anerkennung und Unterstützung finden konnte, nach Frankreich, machte aber bei dieser Gelegenheit ein entschiedenes Fiasko. Bei den zu Vincennes ausgeführten Versuchen fand man den Mechanismus der Maschine für eine Kriegswaffe viel zu künstlerich und ihre Kraftäußerung völlig ungenügend; beispielshalber vermochten vierpfündige Kugeln, welche sie

---

[*] Mechanics Magazine.

auf nur 40 Schritt Entfernung gegen ein Schiffsgerippe schoß, dies nicht zu durchschlagen.*)

Ob sich James Perkins durch diesen ernsten Mißerfolg von einer weiteren Ausbildung seiner Idee abschrecken ließ, oder nicht, ist uns unbekannt geblieben; da er aber ein echter und in der Wolle gefärbter Erfinder war, so ist mit ziemlicher Bestimmtheit anzunehmen, daß er das letztere vorzog.

Keinenfalls wurde indeß sein beharrliches Streben von so bedeutenden und unanfechtbaren Resultaten gekrönt, daß sich irgend ein Kriegsministerium der Welt zur Einführung des Dampfkanons, oder auch nur der Dampfflinte, bewogen gesehen hätte, und dem ursprünglichen Modell des Perkins'schen Dampfgewehrs war schließlich das traurige Schicksal beschieden, im Staube und Wust eines Londoner Museums ruhmlos zu verkommen.

Ein Zeitgenosse von James Perkins, der englische Mechaniker Curtis, nahm im Jahre 1827 ein Patent auf eine Dampf-Windbüchse, die er für die Verwendung auf Kriegsdampfern und bei der Vertheidigung von Festungen in Vorschlag brachte.**) Seine Maschine hat in ihren Grundzügen große Aehnlichkeit mit Perkins Dampfflinte, nur daß die treibende Kraft hier durch Dampf, dort aber durch verdichtete Luft vertreten ist.

Eine starke Luftpumpe, deren Kolbenstange mit dem Balancier einer Dampfmaschine in Verbindung steht, verdichtet die Luft in einem geräumigen Windkessel, aus dem dann immer die zu dem einzelnen Schuß erforderliche Luftmenge durch einen Hahn mit doppeltem Weg in den Gewehrlauf eintritt. Dieser Hahn, der mittelst eines Kurbelrades gedreht wird, ist so eingerichtet, daß, während durch den einen horizontal und in der Verlängerung des Laufes liegenden Kanal die verdichtete Luft in ersteren eintritt und die darin befindliche Kugel hinaustreibt, zugleich die obere Oeffnung des anderen senkrechten Kanals eine neue Kugel aus dem über dem Bodenstück des Laufs angebrachten Fülltrichter aufnimmt.

Nach des Erfinders eigener Berechnung soll diese Maschine, um pro Minute 120 Bleikugeln von halbzölligem Durchmesser verfeuern zu können, eine Spannung der im Windkessel verdichteten Luft von 201 Atmosphären oder von fast 3000 Pfd. auf den Quadratzoll, ferner einen lichten Durchmesser des Luftpumpenstiefels von $26\frac{1}{4}$ Zoll, sowie einen Luftverbrauch (für 120 Schuß) von 4860 Kubikzoll und endlich eine Dampfmaschine von nicht weniger als 85 Pferdekräften bedürfen.

Diese Angaben genügen wohl schon vollständig, um darzuthun, wie wenig der ungeheure Aufwand an Mitteln zu der mit einer solchen Schußwaffe zu erzielenden Leistung im richtigen Verhältniß stehen würde, selbst wenn man den günstigsten, aber gewiß höchst unwahrscheinlichen Fall annimmt, daß sie all'

---

*) Journal de Commerce und United Service Journal.
**) Repertory of Patent-Inventions.

den glänzenden Erwartungen wirklich zu entsprechen vermag, welche das nur zu leicht bestochene und geblendete Urtheil des Erfinders von ihrer Wirkung erwarten zu dürfen vermeint.

Trotz alledem und alledem aber hat das Problem einer Dampf-Kugelspritze niemals aufgehört, unter den verschiedenartigsten Gestalten in der Welt umherzuspuken, die Köpfe der fähigsten Mechaniker wieder und wieder dauernd und angestrengt zu beschäftigen und schließlich doch abermals einer Seifenblase gleich resultat- und aussichtslos zu zerplatzen.

Schade um die viele Zeit und Arbeit, die man schon ohne den mindesten bleibenden Erfolg in das unersättliche Danaidenfaß dieser unfruchtbaren Aufgabe geworfen hat, — einer Aufgabe, die viel umworben und doch bisher ungelöst, wie sie ist, bereits eine gewisse verhängnißvolle Aehnlichkeit mit dem übel berufenen perpetuum mobile besitzen dürfte!

Nichtsdestoweniger tritt in der allerneuesten Zeit wieder ein Bewerber um den nie errungenen Preis auf, und zwar ist es diesmal eine Größe ersten Ranges auf technischem Gebiet, nämlich der Erfinder des allbekannten und viel verbreiteten, eigenthümlichen Verfahrens der Stahlbereitung, welches auch nach ihm seinen Namen erhalten hat. Es ist Henry Bessemer, der die neueste Dampf-Kugelspritze in Vorschlag bringt! Mit seiner Maschine, deren Konstruktion und Einrichtung uns noch unbekannt ist, will er, wie die Zeitungen berichten, in einer Minute 2540 Enfield-Gewehrkugeln (zusammen 181³/₄ Pfd. schwer), oder 1000 vierlöthige Kugeln, oder endlich, wenn man drei parallele Läufe anwendet, aus dem mittleren 1000 vierlöthige und gleichzeitig aus den beiden Seitenläufen 2000 zweilöthige Kugeln mit einer Anfangsgeschwindigkeit verfeuern, welche der senkrechten Steighöhe von einer geographischen Meile im luftleeren Raum entspricht, also 384,2 M. betragen muß.

Wie man sieht, hat sich Herr Bessemer gar keine kleine Aufgabe gestellt, sondern gedenkt die Sache, besonders was die Feuergeschwindigkeit anbelangt, offenbar gleich ins Große zu treiben.

Als wesentliche Vortheile der Erfindung werden wieder ganz dieselben geltend gemacht, die man nun schon unzählige Male zu Gunsten der Dampfgewehre angeführt hat: große Schußzahl in geringem Zeitraum; gefahrlose und durch Regen, Feuchtigkeit u. f. w. unzerstörbare Munition; Wohlfeilheit des Treibmittels u. dgl. m.

Von den allenfallsigen Nachtheilen und Schwierigkeiten des Dinges verlautet vorläufig natürlich noch nichts; aber diese pflegen sich bei der Anfertigung des Modells und der Ausführung von Versuchen in der Regel schon von selbst mit größter Sicherheit und in mehr als genügender Anzahl einzustellen.

Wie weit Herr Bessemer in dieser Hinsicht bereits gelangt ist, wissen wir ebenfalls nicht; aber die nächste Zukunft muß ja lehren, was eigentlich an der

Sache ist und ob ihr wirklich ein gewisser praktischer Werth beigemessen werden darf. —

Bevor wir indeß unsere Besprechung der Dampfgeschütze schließen, dürfte
es sich wohl verlohnen, auch die nackte, nüchterne Theorie und Praxis dieser
eigenthümlichen Spielart der Dampfmaschinen einmal ihren wesentlichsten
Grundzügen nach ins Auge zu fassen und sie von all den unklaren Begriffen
und überspannten Anschauungen möglichst zu säubern, durch die so manche Erfinder bemüht gewesen sind, sie zu verdunkeln, zu verwirren und ihren besonderen Zwecken und Wünschen dienstbar zu machen.

Nehmen wir an, man wolle dem Geschoß eines Dampfgewehrs (gleichgültig ob Kugel oder Langgeschoß) eine Anfangsgeschwindigkeit von 1500 Fuß
oder 470 Meter ertheilen und das Geschoß habe ein Gewicht von $1^1/_2$ Loth
oder 25 Gramm.

Die Anfangsgeschwindigkeit eines geworfenen Körpers von 1500 Fuß
entspricht einer senkrechten Steighöhe von anderthalb geographischen Meilen
oder 11,3 Kilometern im luftleeren Raume.

Wir nehmen ferner an, daß in einer Minute 240 Kugeln, oder 6 Kilo
= 12 Pfd. Blei aus dem Dampfgewehr verschossen werden sollen.

Um einen Körper von 12 Pfd. Gewicht im luftleeren Raum anderthalb
Meilen senkrecht empor zu treiben, bedarf man einer Arbeit von 432,000 Fußpfund.

Nach der mechanischen Wärmetheorie soll die Verbrennung von einem
Pfund Steinkohlen 7500 Wärmeeinheiten liefern, die einer mechanischen Arbeit
von 10,132,500 Fußpfunden entsprechen.

In Wirklichkeit sind aber bisher niemals mehr als höchstens 4 Prozent
der theoretischen Wärmeleistung erzielt worden, so daß sich jene 10,132,500
in der Praxis auf nur 405,300 Fußpfund reduziren.

Mithin sind ein Pfund und zwei Loth Steinkohlen, wenn
rationell angewendet, ausreichend, um 240 anderthalblöthige
Kugeln mit einer Anfangsgeschwindigkeit von 1500 Fuß aus dem
Dampfgewehr zu verschießen.

Wollte man dieselbe Arbeitsleistung (abgesehen von der Schnelligkeit des
Feuers) mit einem gewöhnlichen Gewehr erzielen, dessen Treibmittel Schießpulver ist, so würden dazu gegen 4 Pfund Pulver erforderlich sein, denn die
verlangte Anfangsgeschwindigkeit bedingt das ungefähre Ladungsverhältniß
von 1:3. Mit völliger Bestimmtheit läßt sich dies nicht angeben, weil es sowohl von der zu verwendenden Pulversorte, als auch wesentlich davon abhängig ist, ob man sich eines glatten, oder eines gezogenen Laufs bedient.

Da nun 1 Pfd. 2 Loth Steinkohlen nur 1,25 Pfennig, dagegen 4 Pfd.
Pulver 18 Groschen kosten, so liegt es auf der Hand, daß an und
für sich der Dampf als Treibmittel der Theorie nach 172mal
wohlfeiler sein würde, als Schießpulver.

Soweit neigt sich also der Vergleich offenbar und entschieden zu Gunsten des Dampfes, und die Angaben, welche Perkins und andere Erfinder in dieser Beziehung gemacht haben, müssen im Großen und Ganzen als nicht übertrieben, sondern dem wirklichen Sachverhältniß entsprechend bezeichnet werden.

Nun aber gelangen wir zu dem anderen Theil der Frage, welcher zugleich die Kehrseite der Medaille vorstellt.

In zweiter Reihe handelt es sich selbstredend darum, den mit einem Aufwande von 1,07 Pfd. Steinkohlen entwickelten Dampf nun auch in analoger Weise, wie die bei der Zersetzung des Schießpulvers sich bildenden Gase, durch Vermittelung des Laufs auf das Geschoß einwirken zu lassen, um ihn als Triebkraft nutzbar zu machen.

Da aber die Wasserdämpfe nicht, wie die Pulvergase, im Laufe selbst sich bilden können, so handelt es sich ferner darum, sie in einem abgesonderten Gefäß zu entwickeln und ihnen in diesem zugleich die erforderliche Spannung zu geben, welche für die verlangte Kraftäußerung genügt und unter der sie demnächst in den Lauf eintreten sollen.

Die Spannungen, welche die Pulvergase in Kanonen und Gewehren erhalten, sind von einer Menge heterogener Einflüsse abhängig und deshalb unter verschiedenen Verhältnissen auch sehr wesentlich verschieden.

Allen desfallsigen Erfahrungen, Messungen und Rechnungen nach zu urtheilen, wird man sie indeß für das Ladungsverhältniß von 1 : 3 und die Anfangsgeschwindigkeit von 1500 Fuß keinesfalls unter 2000 Atmosphären annehmen dürfen.

Wollte man dem Wasserdampf eine gleiche Spannung ertheilen, so würde man die ihn erzeugende Wärme bis auf ungefähr 700 Grad R. (also noch über die Rothglühhitze hinaus) steigern müssen; selbst um eine Spannung von nur 1000 Atmosphären zu erzielen, würden immerhin noch gegen 550 Grad R. nothwendig sein.

Daß so überaus hohe Wärmegrade in Verbindung mit dem unvermeidlichen kolossalen Gewicht eines Generators, wie er zur Entwickelung von Wasserdämpfen so mächtiger Spannung ausschließlich brauchbar sein würde, von der praktischen Anwendung bei Dampfgewehren und Dampfgeschützen überhaupt ausgeschlossen bleiben müssen, bedarf wohl keiner weiteren Erörterung.

Andererseits aber liegt es in dem Wesen der Dampfschießwaffen begründet und ist als eine ihrer charakteristischen Besonderheiten gegenüber den gewöhnlichen Feuergewehren zu betrachten, daß sie eine wesentlich geringere Spannung ihres Treibmittels bedingen, als letztere.

Dieser scheinbar befremdende Umstand findet eine sehr einfache Erklärung eben darin, daß bei dem gewöhnlichen Feuergewehr die Zersetzung des Schießpulvers immer nur in der für den einzelnen Schuß erforderlichen Menge und in der nach allen Seiten hin abgeschlossenen Rohrseele selbst stattfindet; die treibenden Gase, deren vollständige Entwickelung in den ersten Zeittheilchen der begonnenen Geschoßbewegung bereits beendet ist *), müssen sich deshalb fortdauernd ausdehnen und einen immer größeren Raum einnehmen, während das Geschoß den Lauf durcheilt; in Folge dessen verlieren sie natürlich, bis das Geschoß die Mündung verlassen hat, sehr bedeutend an Spannkraft, da ein Ausgleichen des erlittenen Verlustes durch frische, von anderwärts her nachströmende Gase nicht eintreten kann.

Bei den Dampfgewehren hingegen geschieht die Entwickelung des Treibmittels in einem besonderen Generator und vollständig abgesondert von dem Raum (der Rohrseele), worin es seine Kraft äußern soll; dadurch ist aber die Möglichkeit gegeben, auch nachdem das Geschoß seine Bewegung bereits begonnen hat, noch fortwährend neuen Dampf in den Lauf einzuführen und so die Dampfspannung bis zu dem Augenblick, wo das Geschoß die Mündung verläßt, stets nahezu auf ihrer ursprünglichen Höhe zu erhalten, indem sich die Abnahme, welche durch die allmälige Vergrößerung des hinter dem forteilenden Geschoß entstehenden leeren Raumes im Lauf bedingt sein würde, bei geöffnetem Dampfzuleitungsventil unausgesetzt von selbst ergänzt und ausgleicht.

Das Wesen dieser prinzipiellen Verschiedenheit zwischen dem Feuer- und Dampfgewehr läßt sich mit kurzen Worten dahin zusammenfassen, daß, wenn auch der Wasserdampf eine geringere Spannung hat, als die Pulvergase, und daher dem Geschoß in den ersten Zeittheilchen seiner Bewegung im Rohr eine geringere Geschwindigkeit ertheilt, als diese, dennoch das durch Dampf fortgetriebene Geschoß die Mündung mit gleicher oder auch größerer Anfangsgeschwindigkeit verlassen kann, als das andere, weil es auf seinem Wege durch das Rohr fortwährend einen verhältnißmäßig größeren Zuwachs an Geschwindigkeit erhält.

Wie groß nun unter gegebenen Verhältnissen die Dampfspannung im Dampfgewehr sein muß, um damit eine einigermaßen bedeutende Anfangsgeschwindigkeit zu erzielen, wollen wir an einem bestimmten Beispiel zu erläutern versuchen.

Wir bedienen uns dabei, der größeren Einfachheit halber, wieder derselben Annahmen wie oben; es soll also ein Bleigeschoß von 1½ Loth oder 25 Gramm Gewicht durch das Dampfgewehr eine Anfangsgeschwindigkeit von 1500 Fuß oder 470 Meter erhalten, und es fragt sich, wieviel Atmosphären Druck der Dampf besitzen muß, um dieser Aufgabe gewachsen zu sein.

In diesem Fall spielen aber auch die nutzbare Länge des Laufs oder die Länge seiner Bohrung, sowie der Geschoßquerschnitt, eine wesentliche Rolle; erstere giebt die Länge des Weges an, den das Geschoß unter dem Dampf-

---

*) Bei gezogenen Hinterladern und langsam zusammenbrennendem Pulver tritt die vollständige Zersetzung allerdings ein wenig später ein.

druck zurückzulegen hat, und letzterer die Größe der Fläche, auf welche der das Geschoß vor sich herschiebende Dampf einwirken kann.

Wir ergänzen also unsere obigen Annahmen insofern, als wir die Länge der Laufbohrung = 1 Meter oder 3,19 Fuß setzen und unter dem Geschoß eine bleierne Rundkugel verstehen, die somit bei 25 Gramm Gewicht einen Durchmesser von 0,61 Zoll und einen größten Querschnitt von 0,29 Quadrat-zoll haben muß.

Da das Gewicht und die Anfangsgeschwindigkeit der Kugel gegeben sind, so kennen wir auch das Maß der „lebendigen Kraft", welche sie an der Mündung des Laufes haben wird, denn unter „lebendiger Kraft" (K) eines Körpers versteht man bekanntlich das Produkt aus dem Gewicht (P) mal dem Quadrat der Geschwindigkeit (v²), dividirt durch das Doppelte der beschleuni-genden Kraft der Schwere (2 g), also im vorliegenden Fall ist

$$K = \frac{P \cdot v^2}{2\,g} = \frac{0,05 \cdot 2250000}{62,5} = 1800 \text{ Fußpfund.}$$

Da nun diese lebendige Kraft von 1800 Fußpfunden ausschließlich durch den Druck des Dampfes gegen das Geschoß auf einem Wege von der Länge der Laufbohrung hervorgebracht ist, so muß sie auch offenbar gleich sein einem Produkt aus dem Dampfdruck mal dem Wege des Dampfes. Folglich ist der Dampfdruck selbst gleich der lebendigen Kraft der Kugel, dividirt durch den zurückgelegten Weg, also

$$= \frac{1800}{3,19} = 564 \text{ Pfd.}$$

Wenn aber der Dampf auf 0,29 Quadratzoll mit 564 Pfd. drückt, so würde er mithin bei derselben Spannung auf 1 Quadratzoll mit 1945 Pfd. drücken, was einer Spannung von 137,5 Atmosphären entspricht (eine Atmosphäre = 14,14 Pfd. per Quadratzoll.)

Also ein Dampfgewehr, dessen Bohrung einen Meter lang ist und das Bleikugeln von 25 Gramm Gewicht mit einer Anfangsgeschwindigkeit von 470 Metern schießen soll, bedarf dazu schon (ganz abgesehen von der Schnellig-keit des Feuers, die wir unten gesondert besprechen wollen) die ungeheure Dampfspannung von 137½ Atmosphären!

Betrachten wir nun noch an einigen anderen Beispielen, wie sich die Sache stellt, wenn der Dampf nicht nur für Gewehre, sondern auch für Ka-nonen als Treibmittel dienen soll.

1) Ein Rohr von 78,5 Millimeter (3 Zoll) Durchmesser*) und 2 Meter (6,37 Fuß) Länge der Seele soll eiserne Vollkugeln (von 1,84 Kilo Gewicht) mit einer Anfangsgeschwindigkeit von 377 Metern oder 1200 Fuß ver-schießen.

---

*) Kaliber der preußischen 8-Cm.-Kanone.

Eine völlig analoge Rechnung, wie oben, ergiebt, daß die nutzbare Druckfläche 7,1 Quadratzoll, die lebendige Kraft der Kugel 84,557 Fußpfund, der
erforderliche Druck 13,274 Pfd. und die Dampfspannung somit 132,2
Atmosphären betragen müßte.

2) Ein Rohr von 20,9 Millimeter (8 Zoll) Durchmesser*) und 4 Meter
(12,74 Fuß) Länge der Seele soll seiner eisernen Vollkugel (von 34,7 Kilo
Gewicht) eine Anfangsgeschwindigkeit von 440 Metern (1400 Fuß) ertheilen.

In diesem Fall würde die nutzbare Druckfläche 50,27 Quadratzoll, die
lebendige Kraft der Kugel 2,176,384 Fußpfund, der erforderliche Druck
170,831 Pfd. und sonach die Spannung des Dampfes 240,3 Atmosphären betragen.

Es könnte an diesen drei Beispielen vielleicht auffallen, daß die Dampfspannung in dem 72-Pfbr. noch nicht einmal doppelt so groß, wie in dem
4-Pfbr., und in letzterem sogar noch geringer sein soll, als in dem Dampfgewehr von nur 0,61" Bohrungsdurchmesser.

Diese scheinbare Anomalie ist indeß vollkommen gesetzmäßig und wird
(abgesehen von der für die beiden Kanonen gewählten kleineren Anfangsgeschwindigkeit der Kugel) lediglich durch die viel größere nutzbare Druckfläche
(die bekanntlich mit dem Seelendurchmesser im quadratischen Verhältniß wächst)
und durch den längeren Weg des Dampfes bei den schwereren Kalibern bedingt.

Uebrigens bedarf es wohl kaum des Hinweises, daß die Dampfspannung,
von der hier allein die Rede ist, in gar keiner Beziehung steht zu der erforderlichen Dampfmenge, welche mit der Feuergeschwindigkeit, dem Seelendurchmesser und der Seelenlänge in beträchtlichem Maße wächst und auf die
wir unten noch einmal zurückkommen werden.

Indeß scheint uns auch schon das Resultat der obigen Beispiele insofern
nicht ohne Werth zu sein, als es wohl zur Genüge darthut, welche ungeheuren
Schwierigkeiten sich allen Versuchen entgegenthürmen müssen, das System der
Dampfgewehre und -geschütze aus dem unfruchtbaren Gebiet der todten Theorie
in eine brauchbare und nutzbringende Praxis zu übertragen. Denn Dampf-
spannungen von 130—240 Atmosphären überschreiten so sehr das Maß alles
bisher in dieser Hinsicht bei Dampfkraftmaschinen für anwendbar Befundenen
und wirklich Angewendeten**), daß die zugehörigen Feuerungs-Anlagen,
Kessel u. s. w. ganz anderen und viel höheren Anforderungen würden genügen müssen, als man nach den bisherigen Erfahrungen im Bereich der
Dampftechnik überhaupt noch für zulässig, um nicht zu sagen möglich halten darf.

---

*) Kaliber der preußischen 21-Cm.-Kanone.
**) Bei den stärksten Dampfmaschinen pflegt man nie eine höhere Spannung, als
Atmosphären, anzuwenden.

Um aus der Fülle von Hemmniſſen, die bei ſo hohen Spannungen erſter Reihe Berückſichtigung erheiſchen würden, nur ein vorzugsweiſe drohendes herauszugreifen, wollen wir anführen, wie völlig ungenügend die Liberung aller gegenwärtig gebräuchlichen Ventilarten gegenüber einem Druck von 130 Atmoſphären ſein muß und wie überaus ſchwer es halten möchte, eine andere Ventilkonſtruktion zu finden, die derartigen Bedingungen zu entſprechen vermag, ohne mit ſonſtigen prinzipiellen Nachtheilen und Fehlern behaftet zu ſein.

Ferner darf nicht überſehen werden, daß wohl kein Generator und keine Wärmequelle denkbar iſt, die vereint eine ſo mächtige, aber auch ſo gleichmäßige Dampfentwickelung erzielen laſſen, daß der Dampfverbrauch, welchen die einzelnen Schüſſe verlangen, immer wieder in gleichen Zeiten und gleichen Mengen erſetzt wird.

Wenn dies aber nicht geſchieht (was offenbar ein Ding der Unmöglichkeit iſt), ſo folgt daraus unmittelbar, daß mit der verſchiedenen Dampfm e n g e auch die Dampfſpannung im Generator fortwährend wechſeln und man ſomit nie im Stande ſein wird, zwei aufeinanderfolgende Schüſſe mit demſelben Dampfdruck abzugeben; ſelbſtredend würde unter dieſen Umſtänden auf eine einigermaßen befriedigende Trefffähigkeit, die von einer möglichſt gleichmäßigen Wirkung der Triebkraft ſo weſentlich abhängt, nicht mehr im entfernteſten zu rechnen ſein.*)

„Aber,“ werden uns hier vielleicht die Anhänger und Vertheidiger der Dampfgeſchütze einwenden, „man bedarf ja gar nicht die hier errechneten ungeheuren Dampfſpannungen, um die gewünſchte Arbeit in unverkürztem Maße zu erhalten.

Da unter ſonſt gegebenen Verhältniſſen der erforderliche Dampfdruck ſich umgekehrt verhält, wie die Länge des Weges, welchen die Kugel im Lauf unter jenem Druck zurückzulegen hat, ſo kann es ja augenſcheinlich kein einfacheres und näher liegendes Auskunftsmittel geben, als die Rohrſeelen möglichſt zu verlängern und auf dieſe Weiſe an Dampfſpannung entſprechend zu ſparen. Man verlängere doch die Bohrung des Dampfgewehrs von 1 auf 4 Meter; dann wird man anſtatt 137$\frac{1}{2}$ nur noch 34$\frac{1}{2}$ Atmoſphären nöthig haben; oder man verdreifache die Seelenlänge des glatten 4-Pfdr.-Rohrs, und 44 Atmoſphären werden ebenſoviel leiſten, wie jetzt 132.“ —

Dieſer Vorſchlag hat ſcheinbar vieles für ſich und iſt doch thatſächlich faſt werthlos!

---

*) Wir ſahen bereits oben (vgl. S. 57), daß auch die Gegner der Perkins'ſchen Entwürfe dieſem einwarfen, „ſein Generator könne höchſtens 2—3 Minuten Dampf halten“, eine Aeußerung, die ſich doch auch wohl nur auf die ungleichmäßige Spannung des im Generator enthaltenen Dampfes beziehen dürfte.

Wollte man auch absehen von den immerhin nicht unwesentlichen Nachtheilen, welche eine übermäßige Verlängerung und die damit verbundene Gewichtszunahme der Röhre für deren Gebrauch im Gefolge haben würde, so kann man sich doch keinenfalls der Ueberzeugung verschließen, daß die verheißenen Vortheile auf dem angedeuteten Wege nur in viel bescheidenerem Maße zu erreichen sind, als es jener Theorie zufolge den Anschein hat.

Wenn man freilich außer Acht läßt, daß mit der Vergrößerung der Seelenlänge auch die Reibung des Geschosses an den Seelenwandungen entsprechend zunimmt, daß ferner der Dampf einen um so größeren Theil seiner Wärme an den Lauf abgeben und folglich um so mehr an Spannung verlieren muß, je weiter sein Weg im Laufe wird und je länger er mit diesem in Berührung bleibt, und daß der Dampf endlich über ein gewisses Maß der Seelenlänge hinaus der fortwährend wachsenden Bewegung der Kugel nicht mehr schnell genug zu folgen vermag, um ihr überhaupt noch einen Zuwachs an Geschwindigkeit ertheilen zu können, — wenn man diese Verhältnisse, welche in der vorliegenden Frage sämmtlich sehr entschieden mitzureden haben, durchaus unberücksichtigt lassen will, dann freilich darf man behaupten, daß mit der Seelenlänge oder mit dem Wege des Geschosses im Rohr sich in gleichem Verhältniß auch die Einwirkung der Dampfkraft auf das Geschoß vervielfachen wird!

Wie für die gewöhnlichen Feuerwaffen, so muß es auch für die Dampf-Schießwaffen eine bestimmte Seelenlänge geben, welche für die größtmögliche Kraftentwickelung des Schusses am vortheilhaftesten ist und die hier wie dort lediglich von der anzuwendenden Pulverladung oder Dampfspannung, dem Geschoßgewicht und der Art der Seele (ob glatt oder gezogen) bedingt wird.

Eine Ueberschreitung dieser Grenze · auch ins zu Große führt unfehlbar nicht nur nicht zur Vergößerung, sondern sogar zur Verringerung der Anfangsgeschwindigkeit des Geschosses.

Was ferner die Feuergeschwindigkeit der Dampfgewehre anbelangt, so läßt sich deren Maximalgrenze leicht bestimmen, wenn man von der offenbar unerläßlichen Bedingung ausgeht, daß sich niemals zwei Kugeln zugleich im Laufe befinden dürfen, sondern daß immer die vorhergehende Kugel bereits die Mündung verlassen haben muß, bevor die folgende durch die Füllöffnung in den Lauf eintreten kann.

Das mögliche Maximum der Feuergeschwindigkeit (F) ist dann unmittelbar abhängig von der Anfangsgeschwindigkeit der Kugel (v) und der Länge der Seele (l).

Beim Beginn ihrer Bewegung ist die Geschwindigkeit der Kugel gleich Null, sobald sie die Mündung erreicht hat, aber = v. Da sich nun der Dampfdruck im Rohr während des Schusses ungefähr gleichbleiben dürfte, so muß auch die durch ihn hervorgerufene Bewegung der Kugel im Rohr eine gleichförmig beschleunigte sein, und die Kugel wird also mit einer mittleren

Geſchwindigkeit von $\frac{v}{2}$ durch die Seele laufen, oder mit andern Worten: ſie wird zu dieſem Theil ihrer Bahn das Doppelte der Zeit gebrauchen, die erforderlich ſein würde, wenn ihre Bewegung, anſtatt von Null zu beginnen, ſchon von vornherein die Geſchwindigkeit v beſäße.

Folglich iſt

$$F = \frac{v}{2\,l},$$

d. h. man erhält das Maximum der Schußzahl, welche ſich in einer Sekunde überhaupt leiſten läßt, wenn man die Anfangsgeſchwindigkeit der Kugel durch die doppelte Länge der Seele dividirt.

Auf unſere obigen Beiſpiele angewendet, würde ſich aus dieſem Reſultat ergeben, daß das Dampfgewehr $\frac{470}{2}$ oder 235 Schuß, das 4=Pfdr.=Rohr $\frac{377}{2 \cdot 2} = 94$ Schuß und endlich das 72=Pfdr.=Rohr $\frac{440}{2 \cdot 4} = 55$ Schuß pro Sekunde abzugeben vermag.

Selbſtredend ſollen dieſe Beiſpiele einer ſo ungeheuren und alle Grenzen praktiſcher Anwendbarkeit weitaus überſchreitenden Feuergeſchwindigkeit lediglich darthun, was in dieſer Beziehung die Benutzung des Dampfes als Triebkraft an ſich noch als überhaupt möglich erſcheinen läßt.

In Wirklichkeit dürften ſowohl der mit dem normalen Funktioniren des Verſchluß= und Lademechanismus unvermeidlich verbundene Zeitaufwand, als auch die faſt unüberwindlichen Schwierigkeiten einer andauernden und genügend ſchnellen Entwickelung ſo gewaltiger Dampfmengen der Feuergeſchwindigkeit der Dampfgewehre viel engere Schranken ziehen, als ſie die oben dargelegte Theorie zu geſtatten ſcheint.

Immerhin aber erſehen wir, daß man weder Perkins, noch Beſſemer ohne weiteres der Uebertreibung zeihen darf, wenn der Eine 1000 und der Andre gar 2540 Kugeln pro Minute aus ſeiner einläufigen Dampfflinte verſchießen will.

Um ſchließlich auch noch einen Blick auf den Dampfverbrauch zu werfen, welchen Dampfgewehre und =geſchütze von verſchiedener Größe und Leiſtungsfähigkeit bedingen würden, wollen wir als Maßſtab für dieſe Ermittelung die Anzahl von Pferdekräften benutzen, die erforderlich iſt, um der innerhalb eines gewiſſen Zeitabſchnitts zu verſchießenden Kugelzahl die gewünſchte Anfangsgeſchwindigkeit zu ertheilen.

Wir knüpfen zu dieſem Behuf abermals an die oben benutzten Beiſpiele an.

Die Rechnung hatte ergeben, daß der Dampf auf die 25 Gramm ſchwere Bleikugel der Dampfflinte einen Druck von 564 Pfd. ausüben muß, während der Weg, welchen er im Lauf zurückzulegen hat, 3,19 Fuß beträgt. Das

Produkt dieser beiden Größen betrug 1800 Fußpfund und stellte die lebendige Kraft einer Kugel in dem Augenblick vor, wo sie die Mündung verläßt. Da nun das Dampfgewehr 240 Schuß in der Minute oder 4 in der Sekunde thun soll, so beträgt die pro Sekunde zu leistende Arbeit viermal 1800 Fußpfund. Eine „Pferdekraft" ist aber gleich 480 Fußpfund, oder, mit andern Worten, sie entspricht einer Kraft, die 480 Pfd. in einer Sekunde einen Fuß hoch zu heben vermag.

Sonach wird das Dampfgewehr denselben Kraft- und Dampfaufwand beanspruchen, wie eine Dampfmaschine von $\frac{1800}{480} = 15$ Pferdekräften.

Bei dem glatten 4-Pfdr.-Rohr ferner, welches dem zweiten Beispiel zu Grunde lag, beläuft sich die lebendige Kraft der Kugel an der Mündung auf 84,557 Fußpfund, die Schußzahl pro Minute auf 3, also pro Sekunde auf 0,05 und sonach die in einer Sekunde von der Maschine zu leistende Arbeit auf $\frac{84557}{20 \cdot \frac{480}{8}} = 8,46$ Pferdekräfte.

Für unser drittes Beispiel endlich, das sich auf ein glattes 72-Pfdr.-Rohr bezog, betragen die analogen Größen: 2,176,384 Fußpfund als lebendige Kraft des Geschosses an der Mündung; ein Schuß in der Minute, also $\frac{1}{60}$ pro Sekunde; folglich eine Arbeitsleistung von $\frac{2176384}{60 \cdot 480} = 75,5$ Pferdekräften in einer Minute.

Im Anschluß an diese Beispiele läßt sich offenbar der Kraft- und Dampfverbrauch, den andere Dampfgewehre oder -geschütze von beliebiger Leistungsfähigkeit erfordern würden, mit Leichtigkeit feststellen, da er stets mit der lebendigen Kraft des Geschosses und mit der Anzahl der Schüsse in geradem Verhältniß zu- und abnehmen muß.

Wir haben bisher alle unsere Darlegungen und Beispiele ausschließlich auf Röhre mit glatter Bohrung bezogen, obwohl es klar auf der Hand liegt, daß deren kriegerische Rolle für alle Zeiten ausgespielt ist und daß die Zukunft nur noch den gezogenen Feuerwaffen, gleichviel ob Gewehre oder Geschütze, angehören kann.

Wir haben dies indeß lediglich in der Absicht gethan, möglichst Alles von unseren Erörterungen auszuschließen, was die Einfachheit des Gegenstandes und sich irgendwie trüben und verdunkeln könnte, ohne dafür durch wesentliche Bereicherung der gewonnenen theoretischen und praktischen Resultate eine entsprechende Gegenleistung zu verheißen.

Soviel aber darf man unzweifelhaft auch ohne weitläufige Beweisführung behaupten, daß die größten und gewichtigsten Hindernisse, welche der Anwendung des Wasserdampfes als Triebkraft für glatte Röhre im Wege bei gezogener Bohrung (besonders wenn die Führung des Geschosses durch gewaltsames Eindrücken seines Mantels in die Züge bewirkt wird, wie bei allen Hinterladungsgewehren und bei dem preußischen Geschützsystem) sich noch in viel höherem Maße geltend machen würden.

Denn einmal besitzt das Langgeschoß (welches dem gezogenen Rohr erst seinen wahren Werth verleiht und daher unbedingt als dessen natürliche Ergänzung zu betrachten ist) schon an für sich gegenüber der Rundkugel bei gleichem Seelen- und Geschoßquerschnitt, also auch bei gleicher Druckfläche, ein zwei- bis dreimal so großes Gewicht, wie jene, und bedarf deshalb auch eine zwei- bis dreimal größere Spannung des treibenden Dampfes, um eine gleiche Anfangsgeschwindigkeit zu erhalten, wie die Rundkugel von demselben Durchmesser.

Einen ferneren, und zwar sehr bedeutenden Zuwachs an Dampfspannung bedingt dann aber auch noch der erhebliche Widerstand, welchen besonders ein Hinterladungsgeschoß mit Bleiführung in den Zügen findet und der bei gewöhnlichen Feuerwaffen nur vortheilhaft einwirkt, indem er die Pulvergase zur vollständigeren Entwickelung und Verwerthung zwingt und somit ihre nutzbare Arbeit steigert; bei Dampfgewehren hingegen kann ein derartiger Vortheil, wie wir schon oben sahen, gar nicht in Betracht kommen, vielmehr stellt sich hier das Verhältniß der Kraft zur Last einfach so, daß man unter allen Umständen bei gegebener Druckfläche eine um so größere Dampfspannung bedarf, je größer der Widerstand ist, welchen das Geschoß, sei es durch sein Gewicht, oder durch die Reibung an den Seelenwandungen, oder endlich durch das gewaltsame Einpressen seines Mantels in die Züge, dem Dampfdruck entgegenstellt.

Für diese bedeutende Steigerung des erforderlichen Kraftaufwandes vermag aber der einzige Gewinn, welcher ihr andrerseits gegenübersteht, nämlich der Fortfall des Spielraums zwischen Geschoß und Bohrung und des dadurch bedingten Dampfverlustes, offenbar nicht im entferntesten einen genügenden Ersatz zu bieten.

Wenn wir das Gesammtresultat der vorstehenden Untersuchungen über den wahren Werth der Dampfgewehre und -geschütze noch einmal in kurzen Worten zusammenfassen wollen, so würde dies füglich in folgenden Sätzen seinen Ausdruck finden können:

1) An eine praktische Durchführung des Systems der Dampf-Schußwaffen kann erst dann gedacht werden, wenn es der Technik gelungen sein wird, die großen Schwierigkeiten erfolgreich zu überwinden, welche hinsichtlich der sicheren Entwickelung und Zuleitung einer genügenden Dampfmenge von der erforderlichen hohen Spannung noch obwalten.

2) Sollte diese Aufgabe gelöst werden (was auf dem gegenwärtigen Standpunkt der Dampfmaschinentechnik besonders für die größeren Kaliber und die gezogenen Hinterlader mindestens höchst zweifelhaft erscheint), so würde doch.

eine Verwendung der Dampf-Schußwaffen im Feldkriege, sowie auch im Be-
lagerungskriege auf Seiten des Angreifers immerhin unbedingt ausgeschlossen
bleiben, weil die Schwerfälligkeit derartiger Maschinen so groß werden dürfte,
daß sie entweder überhaupt nicht mehr beweglich sind, oder sich nur unter
einem unverhältnißmäßig großen Aufwande von Zeit und Mitteln fortschaffen
lassen.

3) Dagegen würde ohne Zweifel die Möglichkeit gegeben sein, sie zur
Vertheidigung von Festungen, sowie namentlich zur Bewaffnung von Kriegsdampfern zu verwenden, zumal sich auf letzteren die Generatoren der Dampfgeschütze in vortheilhafter Weise mit den Kesseln und Feuerungsanlagen der
Schiffsmaschine verbinden lassen dürften.

4) Aber selbst in diesen Fällen darf man sich von den Dampfschußwaffen
keinen hervorragenden Vortheil gegenüber den gewöhnlichen Feuerwaffen versprechen.

Was in früherer Zeit die von ihrer eigenen Erfindung natürlich entzückten
Erfinder gewöhnlich als deren bedeutendsten Vorzug zu rühmen pflegten, die
ungemein große Feuergeschwindigkeit nämlich, ist für die kleinen (Gewehr-) Kaliber neuerdings durch die modernen Kartätschgeschütze schon in völlig befriedigendem Maße erreicht worden, während diese Eigenschaft andrerseits für
die großen (Kanonen-) Kaliber durchaus überflüssig und werthlos erscheint, weil
bei diesen sowohl das sorgfältige Nehmen der Richtung, als auch die sehr
wesentliche Rücksicht auf den möglichen Munitions-Verbrauch und -Ersatz eine
größere Feuergeschwindigkeit, als sie gegenwärtig schon erreicht ist, durchaus
nicht wünschenswerth machen.

5) Ein anderer Vortheil, den man zu Gunsten der Dampf-Schußwaffen
häufig geltend macht, die viel größere Wohlfeilheit des Wasserdampfes als
Triebkraft im Vergleich mit dem Schießpulver, ist allerdings unbestreitbar
vorhanden, fällt aber gegenüber den hohen Preisen der Geschütze und Geschosse
zu wenig ins Gewicht, um durch ihn allein einen so durchgreifenden System-
wechsel begründen zu können, wie ihn die Annahme und Einführung der
Dampfgeschütze offenbar bedingen würde.

6) In Betreff einer der wesentlichsten Eigenschaften gezogener Hinterlader, der bedeutenden Treffsähigkeit, fehlen für die Dampf-Schußwaffen noch
alle Erfahrungen.

Wir deuteten indeß oben bereits an, daß der mit jedem Schuß unvermeidlich eintretende (allerdings nur geringe) Wechsel in der Dampfspannung,
sowie die wohl niemals vollständig zu beseitigende Ungleichmäßigkeit in der
Dampfentwickelung in dieser Hinsicht ernste Zweifel an einer befriedigenden
Leistung der Dampfgeschütze aufkommen lassen. —

Aus diesem Allen geht also unzweideutig hervor, daß es unter
den gegenwärtigen Verhältnissen noch äußerst gewagt sein würde,
den Dampfgeschützen eine günstige Zukunft prophezeien zu wollen.

Deffenungeachtet aber, oder vielmehr eben deshalb, hielten wir es
für lohnend, ihnen an dieser Stelle eine so ausführliche Besprechung zu widmen,
um diesem Gespenst, welches fast seit Entdeckung der Dampfkraft in der Welt
umherspukt, einmal gründlich ins Auge zu sehen und die übertriebenen Vor-
stellungen von seinem Werth und seiner Bedeutung möglichst auf ein bescheideneres
Maß zurückzuführen.

Die namhaftesten Ingenieure und Mechaniker haben jahrelang die Kraft
ihres Geistes, die Fülle ihres Wissens und Könnens einer glücklichen Lösung
des Problems der Dampfgeschütze gewidmet; die von ihnen erzielten scheinbaren Erfolge hatten immerhin großentheils eine so bestechende und gewinnende
Außenseite, daß selbst Fachmänner von vielerprobtem Ruf sich davon blenden
und täuschen und zu übereilten Lobpreisungen der Erfindung verleiten ließen.

Wenn aber auch alle diese Bestrebungen und Versuche aus den von uns
besprochenen Gründen schließlich immer mißlingen und an unausweichbaren
Klippen scheitern mußten, so liegt es doch andererseits durchaus nicht im Bereich der Unmöglichkeit, daß vielleicht schon in naher Zukunft irgend eine an
sich höchst unscheinbare Entdeckung auf dem Gebiete der Naturwissenschaften
(wie einst Galvanis glücklicher Fund) alle bisher über das Wesen und die
Verwerthung des Wasserdampfes geltenden Normen und Gesetze vollständig
umwerfen und alle Hemmnisse, die eine praktische Durchführung des Prinzips
der Dampfgeschütze vorerst noch unmöglich erscheinen lassen, mit einem Schlage
von Grund aus beseitigen mag.

Wir dürfen uns deshalb überzeugt halten, daß in dieser Angelegenheit
bei weitem noch nicht das letzte Wort gesprochen worden, sondern daß immer
wieder von Zeit zu Zeit Entwürfe und Vorschläge zur Verwirklichung der
Idee eines Dampfgeschützes auftauchen und möglicherweise auch dereinst mit
Erfolg gekrönt sein werden. 131.

Seydlitz.

„Jam Daedaleo tutior Icaro!"
(Horaz.)

In Deutschlands Reitergeschichte ist das Jahr 1871 ein Gedenkjahr für
drei hochwichtige Ereignisse, die vor ein und einem halben Säculum Statt
[ha]nden. Ein in allen Welttheilen bekannter glorreicher Reiterführer, ein für
[al]le Zeiten mustergültiger Reiterei-Lehrmeister, wurde im Jahre 1721 geboren:
Seydlitz. Im gleichen Jahre trat das Preußische „Husaren-Korps" ins Leben.
[D]er Epoche machende Einfluß dieser Truppengattung auf die erhöhete Leistungs-
[fä]higkeit der Küraffiere und Dragoner König Friedrich des Großen steht in
[en]gstem Zusammenhang mit dem eifrigen, verdienstlichen, glanzvollen Seydlitz-
[sch]en Wirken.

Beide, Seydlitz und die Husaren, sind armeegeschichtlich untrennbar von
[ein]ander; denn sie verdankten sich gegenseitig viel. Seydlitz machte bei den
[Hu]saren (als jugendlicher Schwadronschef) seine eigentliche Kriegsschule und
[sei]n Soldatenglück. Die husarische Grundlage erleichterte es ihm, die
[M]eisterschaft zu erlangen bei den anderen Reitertruppen.*) Somit ist denn
[S]eydlitz schließlich als „Kavallerissimus" d e r Manu geworden, dessen Name
[ve]rerbt von einer Reitergeneration zur anderen, als ein Impuls für jedwedes
[u]msichtig-kühne kavalleristische Beginnen.

„Es hat Ihn sein würdiger Ruhm bis an den Himmel erhoben."**)

Eine ausführliche Seydlitz-Biographie soll (und kann füglich) hier nicht
[ni]edergelegt werden. Auch müssen wir es uns versagen, einzugehen auf die
[Ein]zelnheiten der Seydlitz'schen Kriegsaktionen und auf die Specialia des
[S]eydlitz'schen Friedensdienstes. Es wird sich in dem Folgenden neben Be-

---

*) Warnery, Seidlitz's Waffengefährte bei den „weißen Husaren", empfiehlt in seinen
[17]93 niedergeschriebenen „Bemerkungen über die Kavallerie", zuerst bei der leichten Ka-
[valle]rie zu dienen, „sie ist am geeignetsten, dem Offizier das métier gründlich zu lehren.

**) So heißt es in einer Seydlitz-Ode.

kanntem einiges Unbekannte und Berichtigende vorfinden, zur Erneuerung und Vervollständigung des Andenkens an den unsterblichen Reiterheros.

Friedrich Wilhelm Freiherr v. Seydlitz ward geboren am 3. Febr. 1721*) zu Calcar, wo sein Vater, Königl. Preuß. Rittmeister, zur Zeit auf Werbekommando. Schon frühzeitig lernte Seydlitz, zu Pferde sicher und gewandt zu sein. Bei des Vaters Tode achtjährig, wurde er von der Mutter (geb. v. Ilow), die sich wohl oft in Angst befunden haben mag wegen des kleinen Kavalleristen, fortgeschickt aus der pommerschen Reitergarnison in die Schule zu Freienwalde, in der Mark Brandenburg. Ungefähr 14 Jahre alt, kehrte Seydlitz zurück ins Reiterleben. Der Markgraf Friedrich v. Brandenburg-Schwedt, Chef des Kürassier-Regiments, in welchem Seydlitz's Vater gedient, nahm den „kecken Knaben" zu sich als Page.**) Das Hauptvergnügen dieses Prinzen bestand in den verschiedensten und (à la Szandor) absonderlichsten Muth- und Kraftproben zu Pferd und zu Wagen. An diesen Belustigungen nahm Seydlitz pflichtgemäß Theil, erlitt jedoch keinen Schaden dabei. Es giebt einen Kupferstich, welcher, zur Charakteristik des Seydlitz'schen Pagenlebens, den nachmaligen Centauren darstellt, auf einem Hirsch ins Weite eilend, durch Dick und Dünn.

Seydlitz eignete sich bei den glücklich bestandenen Gefahren und Abenteuern eine Geschicklichkeit und Geistesgegenwart, eine Kühnheit und Unternehmungslust an, die ihn in späteren und spätesten Jahren verleitete und begünstigte, als Reiter Dinge zu probiren und zu vollführen, welche von Anderen als halsbrecherisch oder donquijotisch gemieden wurden. Seydlitz unternahm dergleichen aber nicht aus egoistischer Glanz- oder Gewinnsucht; sondern er machte in seiner Sorge für persönliche Reiterehre das eigene Können und Wagen dem höheren Zwecke dienstbar: durch sein Beispiel die Reiterthatenlust innerhalb des Berufskreises zu vervielfältigen.

Als Kürassierkornet setzt er über das Geländer der Berliner Zeughausbrücke in die Spree, um den Beweis zu liefern, daß ein Kavallerist auf gesundem Pferde, wenn er die Besinnung behält, nicht so ohne Weiteres „abgeschnitten" werden könne. Als Husarenrittmeister ritt er oft querfeld über Hohlwege und langsam einherfahrendes Fuhrwerk, eine tollkühn-verwegene Jagd mit jüngeren Kameraden, um das hurtige, rücksichtslose Vorwärtskommen zu dociren. Als Kürassieroberst sprengte Seydlitz bei Prag in die Moldau, um zu erproben, ob das Flußbett wirklich triebsandig und man durch den Ausbleib des Pontonbrückenmaterials thatsächlich behindert sei, an der Schlacht theilzunehmen.

---

*) Nicht 1720, wie hie und da angegeben wird.

**) Zeitgenossen bezeichnen diesen Prinzen (Enkel des großen Kurfürsten aus 2. Ehe, geb. 1700, gest. 1771 zu Wildenbruch) als den „wilden" Markgrafen. Von seiner, wegen frühen Verlustes des Vaters, vernachlässigten Erziehung spricht König Friedrich der Große in der Instruktion für den Gouverneur der beiden Söhne des „Prinzen von Preußen", Major v. Borke (1751).

In dieser Weise erzielte Seydlitz in jeder einzelnen Rangstufe, die er bekleidete, durch Reiterkühnheit den Reiterstolz und die Freudigkeit des Reiterdienstes. Ein unermüdlicher Anwalt und Mehrer des „Reitergeistes".

Einundzwanzig Jahre alt, vom Kürassier-Kornet direkt zum Husaren-Rittmeister befördert, führte Seydlitz vor dem 2. Schlesischen Kriege bei seiner Schwadron Manches ein, was durch das „Reglement" nicht vorgeschrieben, später aber allgemeine Gültigkeit erhielt. (Warnery berichtet dies.) Jedoch Seydlitz mißachtete trotz dem Streben, außergewöhnliche Leistungen hervorzurufen, eine inhumane Lehrmethode. Er selbst fand unter einem rohen Vorgesetzten (v. Schütz, bewährter Parteigänger, früher in österreichischem und russischem Dienst) die Gelegenheit, gründlich die husarische Kriegskunst zu erlernen. Der Königliche General-Adjutant von Winterfeld empfahl, als Höchstkommandirender im Gefecht von Landshut, Seydlitz dem König in emphatischer Weise als einen Haupthelden des Tages (22. Mai 45). Uebrigens verdiente sich Seydlitz des Königs Aufmerksamkeit durch seinen sehr sachgemäßen Vorschlag des Rallirens nach vorn.

Obwohl Seydlitz seine Beförderung zum Major innerhalb der Reihe erhielt (28. Juli 45), Notabene zur Zeit erst 24 Jahre alt, so ist doch sein „Husarenstück" bei Landshut der Anlaß gewesen zu späterem raschen Aufrücken. Der König nahm Seydlitz inzwischen, so zu sagen, in petto.

In der Hohenfriedberger Schlacht executirte Seydlitz einen neuen Husarenstreich, und Ende November 1745 bei Zittau einen noch besseren. Im Reitergetümmel bei Striegau (sive Hohenfriedberg) hieb Seydlitz dem Sächsischen General v. Schlichting die Zügel vor der Hand ab, ergriff dessen Pferd und entführte ihn eiligst als Gefangenen. Bei Zittau, auf vernichtender Hetzjagd, revanchirte sich Seydlitz bei der feindlichen Arrieregarde für einen während der Schlacht von Soor in den linken Arm empfangenen Karabinerstreifschuß. Es war dieser Zittauer Ritt eine klassische Verfolgung.

Wir werden weiterhin noch ein Mal Seidlitz unseren Respekt zu zollen haben für seine bei Zittau ad usum Delphini dargethane Unternehmungslust. Seydlitz's Leistungen bei Roßbach und Zorndorf sind weltkundig; leider aber sind die schönen Zittauer Antecedentien vergessen.

Zum Oberstlieutenant wurde Seydlitz 1752 ernannt und einige Wochen später (im gleichen Jahre) zum Kommandeur eines Dragoner-Regiments — „Prinz Württemberg", Stabsgarnison Treptow —, bei welchem der Dienstbetrieb nicht so emsig, wie der König es verlangte. Seydlitz sollte hier nachhelfen; er scheint dabei kategorisch aufgetreten zu sein, denn schon Anfang 1753 übertrug der König ihm das Kommando eines Kürassier-Regiments („v. Rochow", zu Ohlau). Ob auch dieses Regiment reparaturbedürftig, ist uns nicht aufbehalten. Dagegen wissen wir, daß Seydlitz's Beförderung zum Obersten 1755 erfolgte. — Nun, genau bekannt mit den Eigenthümlichkeiten aller (drei) Reitertruppen, war er in der Lage, mit älteren Reiterführern erfolgreich konkurriren zu können.

Seydlitz wurde zwei Tage nach der Koliner Schlacht außer der Reihe zum General - Major befördert. Außer dem Avancementssprung erwarb sich Seydlitz bei Kolin für seine glorreiche Führung von 15 Eskadrons, den „pour le mérite."*)

Bisher hatte Seydlitz nur im engeren Wirkungskreise sein Licht leuchten lassen können; seit seiner Verwendung als Brigadier macht sich sein Werth und sein Streben bei der gesammten Kavallerie geltend. Es war unserm Seydlitz beschieden, die in einer aufs fleißigste benutzten Friedensperiode trefflich „eingehetzte" Preußische Reiterei durch Waffenerfolge zu überzeugen, wie befähigt sie sei zu den eminentesten Leistungen. Ein geniales Verständniß und ein praktischer Eifer für Erledigung kavalleristischer Aufgaben prädestinirten Seydlitz zur Vollbringung einer Reihe von Wunderwerken.

Die zweite Hälfte des Feldzugs 1757 eröffnete Seydlitz die Arena. — Auf dem Rückmarsch von Böhmen nach Sachsen wagte Seydlitz mit einem Kavallerie-Regiment bei Zittau am hellen Mittag sich Bahn zu brechen durch einen Feind, der ihm alle Wege verlegt zu haben glaubte. Beim Vormarsch gegen die Franzosen 2c., im August 57, wählte der König Seydlitz zum Avantgardenführer.**) Am 7. September stürmte Seydlitz mit abgesessenen Husaren das Brückenthor des von 2 Infanterie-Bataillons besetzten Städtchens Pegau, warf jenseit des Orts 2 österreichische Husaren-Regimenter, verfolgte dieselben bis Zeitz und machte dabei einige Hundert Gefangene. — Den 19. September executirte Seydlitz bei Gotha ein Avantgarden-Meisterstück.

Er selbst spricht von diesem herrlichen Coup in sehr bescheidener Weise, indem er am Schluß des Gefechtsberichts, den König um nochmalige Verstärkung bittend, äußert: „Das heutige Manöver wird schwerlich zwei Mal gelingen." Der große König anerkennt in Seinen nachgelassenen Schriften, daß das Gelingen jenes Manövers nichts weniger als Glückssache war; Er hat der Seydlitz'schen „Fähigkeit und Entschlossenheit, weil sie entscheidender als die Zahl der Truppen", ein armeegeschichtliches Denkmal errichtet (Oeuvres, Tome IV., pag. 146***).

Eine offizielle Nachricht über das Reitergefecht bei Gotha wurde aus

---

*) Außer Seydlitz hat, unseres Wissens, nur noch ein Infanterie-Offizier das Verdienstkreuz zum Andenken an jenen Unglückstag erhalten.

**) In dieser Eigenschaft schließt Seydlitz seinen ersten Meldebrief, aus der Gegend von Leipzig, den 8. September, an den König: „und werde ich mit größtem empressement die Gelegenheit suchen, die Treue thätlich zu beweisen, mit der ich bin 2c."

***) Am 18. September meldete Seydlitz dem König, nachdem dieser die Seydlitz'sche Avantgarde (20 Schwadronen, Husaren und Dragoner) um 5 Dragoner-Eskadrons verstärkt: „Ich habe den Feind obligirt, an seine eigene Sicherheit zu denken." — Dennoch lockte sich Seydlitz den numerisch weitaus überlegenen Gegner am folgenden Tage ins Garn.

dem Königlichen Hauptquartier, d. d. Kirschleben, 20. September, der Berliner (Boffischen) Zeitung zugefertigt und durch diese am 24. veröffentlicht.

Die Herzogin von Gotha erzählte Seydlitz, als er am 19. Abends von der Verfolgung des verjagten Feindes zurückkehrte, der Prinz von Soubise sowie die übrigen Generäle hätten durch den heutigen Vorfall „eine so gute Idee von den Königlich Preußischen Husaren und Dragonern bekommen, daß sie mit deren Lobeserhebung noch beschäftigt gewesen, als sie aufs eiligste vom Schloß und zum Thor hinausmußten."

Seydlitz machte am 17. Oktober an der Spitze des „grünen" Husaren-Regiments einen 7½ meiligen Ritt von Kloster Zinna nach Berlin, wegen der Haddik'schen Razzia. Abends 8 Uhr in Berlin eingetroffen, eilte Seydlitz am folgenden Tage, „so viel als es mit überaus müden Pferden möglich ist", dem am 17. vor Sonnenaufgang schon abgezogenen Feinde nach, konnte aber von dessen Arrieregarde nur noch den Adjutanten des Husaren-Regiments „Haddik" nebst 30 Mann und einen Geldwagen erwischen.

Seydlitz's rascher, entscheidender Angriff in der Schlacht bei Roßbach (5. November) erregte die französische Bewunderung in dem Maße, daß die gefangenen Generale nicht die Bemerkung unterdrücken konnten, „que ce garçon était né général." Der preußische Grenadierliedssänger (Gleim) rief aus in seinem Roßbacher Siegeslied:

> „Hervor mit seiner Reiterei brach Seydlitz mörderlich.
> Welch ein Gemetzel, welch Geschrei: „Wer kann, der rette sich!""

Von der panique bei der wirklichen oder vermeintlichen preußischen Verfolgung berichtet der damalige Pastor des Dorfs Gleina, er nebst anderen Ortsbewohnern sei am Tage nach der Schlacht Augenzeuge gewesen, wie 400 bewaffnete Franzosen vor z w e i preußischen grünen Husaren geflohen und die Gewehre weggeworfen.*) In einem Bericht aus dem französischen Hauptquartier Duderstadt, den 20. November, heißt es, die Aktion am 5. d. Mts. verdiene nicht den Namen einer (regulairen) „Schlacht", sondern nur den einer (regellosen) „Flucht".

War Seydlitz von seinem Monarchen ausgezeichnet worden vor dem Roßbach-Getümmel durch Ertheilung der Hauptrolle, unter Wegfall von Anciennetäts-rücksichten und bindender taktischer Vorschriften, so empfing er nach demselben gleichmäßig, in außergewöhnlicher Weise, die lohnende Königliche Anerkennung. Seydlitz, obwohl nur General-Major und nur Regiments-Kommandeur, wurde zum Ritter des Schwarzen Adler-Ordens ernannt.

---

*) Die grünen Husaren sind die Seydlitz'schen „Schreckensmänner" von Pegau und

Die Berliner „privilegirte" Zeitung vom 17. November 57 meldete amtlich: „Se. Majeſtät haben aus Höchſteigener Bewegung allergnädigſt geruhet, den General-Major von der Kavallerie Herrn v. Seydlitz wegen ſeiner in der Schlacht bei Roßbach bezeigten ungemeinen bravour Dero großen Schwarzen Adler-Orden zu ertheilen."

Dem mit Empfang des höchſtens Ordens verbundenen Excellenztitel folgte die Beförderung zum General-Lieutenant und die Ernennung zum Regiments-Chef am 20. reſp. 11. November 1757.

Eine in der Roßbacher Schlacht empfangene Verwundung behinderte Seydlitz während des Winters 1757/58 Dienſt zu thun. Von des Königs Leibarzt Cothenius behandelt, mußte Seydlitz ſtille ſitzen in Leipzig. Im März 1758 finden wir ihn zwar wieder aktiv, aber (vermuthlich wegen ungenügender Befolgung der ärztlichen Vorſchriften) noch nicht geſund, in den Händen eines ſehr einfachen empiriſchen Heilkünſtlers. Aus Pförten, in der Lauſitz, ſchreibt Seydlitz dem König: „Ich bediene mich jetzt des Müllers aus Buchdorf."

Am Tage von Zorndorf begegnen wir Seydlitz wieder in voller Kraft. Hier (den 25. Auguſt 1758) brauſte er mit ſeinen Geſchwadern einher wie der Orkan. Den ſtandfeſteſten Gegner des Fridericianiſchen Heeres zu Boden werfend, entſchied Seydlitz die Schlacht. „Ohne Dieſen würde es ſchlecht ausſehen," äußerte der große König, auf Seydlitz zeigend, als der in Seiner Umgebung befindliche britiſche Geſandte zum Siege gratulirte. Noch lange nach beendetem Kriege wiederholte der Monarch dieſe dankbaren Worte. Uebrigens hat Er Höchſtſelbſt das Andenken an die Seydlitz'ſche Großthat verzeichnet in den Annalen preußiſchen Reiterruhms. (Kavallerie-Inſtruktion vom 14. April 1778.)

Der nächſte große Dienſt, welchen Seydlitz dem Heere leiſtete, war die Deckung des Rückzuges nach der Niederlage bei Hochkirch. „La cavalerie autrichienne fut vigoureusement repoussée," ſagt König Friedrich in ſeinem kriegsgeſchichtlichen Bericht.

Während des Winters 1758/59 befand ſich Seydlitz im Königlichen Hauptquartier zu Breslau. Im Frühjahr wurde er für den „kleinen" Krieg in Schleſien verwendet.*) Im Sommer ſchützte Seydlitz, beobachtend in der Lauſitz, Berlin vor ruſſiſcher Invaſion; übrigens ließ der König — auf den Reſpekt rechnend, den ſich Seydlitz ruſſiſcherſeits erworben bei Zorndorf — dem ruſſiſchen Hauptquartier gerüchtweis die Kunde unterbreiten, Seydlitz werde ihnen „drüben" einen Beſuch machen. Thatſächlich aber ſahen die Ruſſen Seydlitz erſt bei Kunersdorf wieder (12. Auguſt 59).

---

*) Der König eigenhändig, d. d. Volkenhayn, 8. April 59, an Seydlitz: „Ich werde was in Oberſchleſien tentiren laſſen, um an einem Ort Luft zu machen; und dann hier und an den ganzen Grenzen herunter wird das Projekt der großen Peruquen derangirt werden."

., Das Beiheft zum 1. Quartal 1860 des Militair-Wochenblatts enthält
den authentischen Nachweis über Seydlitz's Verhalten in dieser Schlacht. Zur
Heilung seiner hier empfangenen schweren Verwundung begab sich Seydlitz nach
Berlin. Aus den Briefen des großen Königs an seinen ebenfalls dort als
Patienten weilenden Bruder Ferdinand vom 5., 10. und 24. September 1759
ist des Monarchen lebhafte und herzliche Theilnahme für Seydlitz's Befinden
ersichtlich (Oeuvres T. 26). Im Januar 1760 übersandte der König dem
genannten Prinzen und Seydlitz als Krankenlektüre jedem ein Exemplar Seiner
neuesten militairliterarischen Produktion, „eine kleine Aufmerksamkeit, die ihnen
vielleicht Freude machen wird."*)

Seydlitz kam während der sich verzögernden Genesung auf Heiraths-
gedanken und erbat sich d. d. Berlin, 12. März 60 den Königlichen consens,
„einen Tag zuvor, ehe ich zur Armee abgehe, die jüngste Gräfin Hacke hei-
rathen zu dürfen." (Eine Hofdame, Tochter des 1754 verstorbenen, vom
König sehr hochgeschätzten General-Lieutenants.) Abschläglicher Antwort vor-
beugend, motivirt Seydlitz sein Gesuch: „Bei einer künftigen Blessur nicht
wieder gänzlich der Diskretion der Domestiken ausgesetzt zu sein, ist nicht der
geringste Beweggrund. Der König dekretirte eigenhändig: „Ich wünsche Ihm
Glück dazu." Die Hochzeit fand am 18. April Statt.

Sieben Tage später traf Seydlitz in Meißen beim Heere ein, obwohl
seine bei Kunersdorf durch eine Kartätschkugel schwer beschädigte rechte Hand
noch gelähmt war und eine Schwäche der Kinnlade ihn am Kommandiren
hinderte. Der König schickte demgemäß Seydlitz zurück nach Berlin. Hier
aber machte Seydlitz Rückschritte in der Rekonvalescenz. Die Seitens des
Königs ihm verkündete frohe Botschaft des Liegnitzer Sieges (15 August 60)
beantwortete Seydlitz „im Bett liegend". Jedoch beim Herannahen eines
russisch-österreichischen Einbruchs in Berlin, Anfang Oktober, ließ Seydlitz sich
durch seinen Leidenszustand nicht behindern, Tag und Nacht beim Batteriebau
und der Thorvertheidigung auf Posten zu sein. Seydlitz ein „Garnison-
bataillonist!"**) Der Sieg bei Torgau (3. November) wurde Seydlitz durch
eigenhändiges Königliches Schreiben avisirt.***)

Anfang 1761 hatte sich Seydlitz's Befinden derart gebessert, daß er selbst
meinte, bald im Stande zu sein, sich wieder bei der Armee einzufinden. Der

---

*) Der Müßre Autor sagt von diesem, seinem nur in 20 Exemplaren für die Brüder,
einige befreundete Gelehrte und die ausgezeichnetsten Generale gedruckten, 33 Quartseiten
zählen opusculum „Sur les talents militaires et sur le caractère de Charles XII."
(In seinem Brief an Marquis d'Argens): „Ich habe den Stoff zu einem dicken Buch reducirt auf eine Quintessenz, welche den Leuten vom Handwerk genügt."
**) Brief des Marquis d'Argens vom 19. Oktober 60 an den König.
***) Brief des Königs an d'Argens 16. November 60.

König rieth, nach Leipzig zu kommen (z. Zt. Königliches Hauptquartier), wo Euer Medicus (Cothenius) jetzt anwesend." Seydlitz schreibt dagegen am 13. Januar, seine Gesundheitsumstände hätten sich verschlechtert. Der König aber wiederholte bennoch den Rath, nach Leipzig zu kommen; er schreibt eigenhändig: „Die Leipziger Luft wird Ihm gesünder sein, wie die Berliner." Seydlitz blieb in Berlin; und dies veranlaßte den König zu befürchten, Seydlitz sei inzwischen Hypochonder geworden.*) Um so erfreulicher war ihm daher Seydlitz's Eintreffen bei der Armee in Sachsen, den 20. Mai 61. Auf dem dortigen Kriegsschauplatz, unter Oberbefehl des Königlichen Bruders Heinrich, tritt Seydlitz in eine neue Phase seines ruhmreichen militairischen Wirkens. Er thut sich jetzt hervor als Führer von Detachements, die aus allen Waffen zusammengesetzt.

Während die Preußische Hauptarmee keine Schlacht mehr lieferte, war es Seydlitz vergönnt, beim Nebenheere in der letzten „Bataille" des langen Krieges noch einmal an der Spitze der Reiterei den Ausschlag zu geben. Warnery bezeichnet Seydlitz als „Hauptperson" für Einleitung und Entscheidung des Sieges bei Freiberg (29. Oktober 62). Prinz Heinrich berichtete un- mittelbar nach der Schlacht dem noch in Schlesien beschäftigten Monarchen: „Le lieutenant-général de Seydlitz a rendu les plus grands services."

Seydlitz kehrte nach Abschluß des Hubertsburger Friedens zurück in die Stabsgarnison seines Küraffier-Regiments (Ohlau), obgleich er d. d. Leipzig, 15. Februar 63 zum „commissaire-inspecteur" sämmtlicher Reiter-Regimenter in Schlesien ernannt worden. Nach damaligem Brauch befand sich nämlich, mit sehr wenigen Ausnahmen, jeder preußische General im Regimentsverband und in der betreffenden Regiments-Garnison.

Durch Seydlitz's Diensteifer gestaltete sich die Kavallerie in Schlesien (70 Schwadronen) zum Muster der gesammten preußischen Reiterei, und wurde das Ideal der Kühnheit, des Ungestüms und der mit genauester Ordnung gepaarten Schnelligkeit.

Als Beispiel für letztere sei erwähnt, daß bei den Exercitien des Seydlitz'schen Kü- raffier-Regiments eine Flügel-Eskadron, um rasch ins Alignement zu kommen, einen Hohl- weg wie ein Mann übersprang. War dieses Hindernißobjekt, des damaligen schmalspurigen Gleises halber, nicht allzubreit, so will die Sache doch „gemacht sein".

Wenn fremde Offiziere die Ohlauer Leib-Eskadron, von Seydlitz kom- mandirt, Unglaubliches ausführend gesehen hatten und nun ihrem Erstaunen Ausdruck gaben, erwiderte Seydlitz: „Meine Herren, ich wollte ihnen nur zeigen, was Kavallerie zu leisten vermag, wenn sie Betriebsamkeit und guten Willen besitzt." Allerdings besaß sie Beides in hohem Grade. Der große König und Seydlitz forderten unnachsichtlich eine unermüdliche „Dienst-Appli-

---

*) Brief des Königs an Prinz Heinrich, Kgl. Hoh., vom 24. Mai 61.

tation". Das in anderen gleichzeitigen Armeen nicht vorhandene Beurlaubungs-
wesen und Grasungssystem erzeugte außerdem manchen scharfen Arbeitstag.

In einem Seydlitz'schen General-Inspektions-Cirkulair d. d. Ohlau, 20. September
1771 heißt es: „Es ist Sr. Majestät Wille, daß kein gesund Pferd 2 Tage im Stall stehen
soll, und daß beständig darauf gedacht werde, wie man den Soldaten adroiter und sicherer
im Gebrauch seines Pferdes und seiner Waffen mache. Ich ersuche demnach . . . . . ."

Kaiser Joseph II. war bei seinem Besuch des Königs in Neisse, August
69, über die Maßen entzückt von der Art, wie Seydlitz die Kavallerie tum-
melte. Er überhäufte Seydlitz mit Schmeicheleien. „Sie zeigten uns ein
Stückchen Roßbach" (soll der Kaiser gesagt haben) und dergl. Lob mehr.

Der große König anerkannte vor aller Welt die Tüchtigkeit der Seydlitz-
schen Regimenter, sowie die gute Manier, mit der Seydlitz seine Untergebenen
beeiferte und über das Wesen der kavalleristischen Sache aufklärte. Königlichem
Befehl zufolge mußten Kavallerieoffiziere aus anderen Provinzen zur Schlesischen Kavallerie bei Seydlitz in die Schule gehen; aber während Seydlitz's
Lebzeiten ließ der König nie Kavallerie-Offiziere aus Schlesien zu ihrer Belehrung an den Berliner und Potsdamer Manövern theilnehmen. Persönlich
empfing Seydlitz mannigfache Königliche Aufmerksamkeits-, Fürsorge- und Dank-
barkeitsbeweise. Während der Revue 1765, bei Lissa, stürzte Seydlitz mit
dem Pferde; der König schickte nicht nur schleunigst nach seinem Wagen und
nach einem Breslauer Arzt, sondern besuchte auch Seydlitz täglich, so lange
die Revue noch dauerte, und examinirte den Arzt genau nach Seydlitz's Zustand. Nach der Revue 1766 erhielt Seydlitz eine reich mit Brillanten besetzte
Taschenuhr, und 1767 ein „ansehnlich" Jahrgehalt (eine extraordinaire Erhöhung der mit 2000 Thlr. jährlich etatsmäßig festgesetzten Generalinspecteur-
Functionszulage). Uebrigens empfing Seydlitz Königliche Beihülfe zum Bau
eines Schlosses in Minskowsky (Seydlitz's Landgut bei Namslau). An Sine-
curen wurden an Seydlitz ertheilt die Drostei Blotho und die Amtshaupt-
mannschaft Limburg.

„Mein Glück ist gemacht," so konnte Seydlitz, 46 Jahr alt, General der
Kavallerie, wohl sagen. Er äußerte dies auch im Kreise der Offiziere seines
Regiments, mit dem Zusatz: „Um Euertwillen aber, zu Eurer Ehre und zum
Besten des Staates arbeite ich." Seydlitz, der das Höchste geleistet, was
mit und für Kavallerie geleistet werden konnte, hielt sich die Feierabends-
Gedanken fern. Er widmete sich der Wahrnehmung des Dienstinteresses, im
Großen und Kleinen, mit einer Ausdauer und Emsigkeit, als wenn er seine
„Fortüne" noch zu begründen hätte.

Seydlitz, der dem soldatischen Beruf leidenschaftlich ergeben, verstand es
meisterhaft, Andere dahin zu bringen, daß auch ihnen der Dienst lieb und
werth, leicht und lohnend. Den Talent- und Verdienstvollsten hat er in freund-
schaftlicher Weise nachhaltigen „Vorspann" geleistet zu ihrem Vorwärtskommen.

Dagegen, stets gerecht und grabsinnig die „wahre Ambition" fordernd und fördernd, wies Seydlitz kühl und satyrisch diejenigen zurecht und zurück, welche sich bei ihm durch Klatscherei oder Schmeichelei in Gunst bringen wollten, oder cavalièrement Sr. Majestät Dienst in süßer Bequemlichkeit zu betreiben geneigt waren.

Bei einer Inspicirung machte ein Ordonanz-Offizier Seydlitz darauf aufmerksam, daß ein Rittmeister das befohlene „Husarenmanöver" nicht der Disposition gemäß ausführe. Seydlitz antwortete (auf diese Anklage wegen schwacher Fassungsgabe): „Lassen S i e ihn nur machen; er hat dergleichen vor dem Feind mehr gemacht, wie wir Beide." Ein Regiments-Chef wollte sich der Seydlitz'schen Besichtigung entziehen durch den Hinweis auf das dem Ausrücken „doch wohl hinderliche Regenwetter"; Seydlitz erwiderte: „Ich hoffe, es wird wohl gehen; das Regiment hat sich ja durch schlechteres Wetter nicht in den Bataillen geniren lassen."

Seidlitz kränkelte seit Oktober 1771. Im April 72 traf ihn ein rechtsseitig lähmender Schlaganfall; er konnte der gnädigen Königlichen Einladung zur Potsdamer Frühjahrsrevue nicht Folge leisten. Der König schrieb sogleich an Seydlitz, wie leid es ihm thäte, „des Plaisirs verlustig zu gehen," ihn bei sich zu sehen, tröstete Seylitz bestens und wünschte „mit aufrichtigem Herzen" eine vollkommene Wiederherstellung durch den Karlsbader Brunnen „und andere Bäder". Seydlitz erhielt hierzu einen unbegrenzten Urlaub. Zuvörderst aber fertigte der Monarch einem früher von ihm in eigenen Leibesnöthen consultirten berühmten Breslauer Arzt den Befehl zu, baldigst nach Ohlau zu reisen und „zur Wiederherstellung des Generals der Kavallerie v. Seydlitz nicht das Mindeste zu verabsäumen."

Die Kur in Karlsbad und sodann in Aachen brachte zwar die Beweglichkeit des rechten Armes und rechten Fußes zurück; auch besserte sich das Gesammtbefinden; Seydlitz konnte Ende August 72 zur Revue bei Breslau eintreffen; jedoch er muthete sich zu viel Fatiguen zu und mußte am 3. September nach Ohlau zurückkehren. Der König nahm erneut den liebevollsten Antheil an Seydlitz's Ergehen.*) Im März 73 trat eine wesentliche Verschlimmerung ein. Wiederum war es der König, welcher Seydlitz Trost und Vertrauen zur ärztlichen Hülfe gab. Prinz Heinrich, Kgl. Hoh., bethätigte ebenfalls dem schwer leidenden Waffengefährten seine Fürsorge. Der König verweilte, auf der Rückreise von der Neisser Revue, während einer Stunde an Seydlitz's Krankenlager und ließ sich von obenerwähntem Breslauer Doktor (Jagwitz) eine „zuverlässige und ausführliche" Prognose nach Potsdam einsenden. Aus

---

*) Specielles darüber in der Säkularschrift für den Hubertsburger Frieden: „Vom großen König", Potsdam bei Ed. Döring; zum Besten bedürftiger Krieger des Kreises Bunzlau.

dieser entnahm der Monarch die Hoffnung, Seydlitz „könne noch aus der affaire gezogen werden, wenn auch sehr langsam."

Der Patient aber verlor die Geduld (25. September 73) und weigerte sich, Medizin zu nehmen. Seydlitz starb in Ohlau am 8. November 1773, „an gänzlicher Entkräftung und Austrocknung der Säfte". Mit diesen Worten schildert ein Anverwandter, und demnächst Vormund der beiden Seydlitz'schen Töchter, den Lebensausgang des großen Todten.*)

Auf die Todesanzeige seitens des Dr. Jagwitz erwiderte der König am 14. November: „Ich ersehe aus den von Euch angezeigten Umständen, daß keine Hülfe möglich war. Indeß ist es sehr schade, indem Ich an Meinem gewesenen General der Kavallerie v. Seydlitz einen rechtschaffenen braven General verloren habe." In besonderer Zuschrift, d. d. Potsdam, 12. September, Seinen Bruder Heinrich von Seydlitz's Ableben benachrichtigend, beklagt der König den „wahrhaften Verlust für die Armee". Gleichzeitig befahl er, daß die Offiziere aller Schlesischen Reiterregimenter, sowie die Regimenter Gardes du corps, Gensd'armes und Zieten-Husaren (die Reiterei in der Residenz) mit einem Flor um den Arm 14 tägige Trauer anlegten, für Seydlitz. Prinz Heinrich, Kgl. Hoh., schreibt d. d. Rheinsberg, 14. November dem König: Ich theile, mein sehr lieber Bruder, Ihr Leid wegen Seydlitz. Ich habe ihn geachtet und geliebt; ich war überzeugt von der Redlichkeit seines Charakters, von seinem Berufseifer und hochachtete den hohen Dienste, welche er geleistet hat. Er war in seinem métier ein außerordentlicher Mann. — Die Trauer, welche Sie die Kavallerie anlegen lassen, ist eine seinem Andenken erwiesene Ehre, aber dieser Auszeichnungsbeweis bringt in die Herzen Aller, die das Verdienst schätzen."

Diese interessante Korrespondenz zwischen beiden Hohenzollern-Feldherrn betreffs der gemeinsamen Hochachtung für Seydlitz ergänzt sich durch einige am 14. Mai 1773 nach Rheinsberg expedirte Königliche Zeilen: „Heureusement le général Seydlitz n'est pas aussi mal qu'on le débite. — Vous avez bien raison de dire qu'il ne faudrait pas troquer Seydlitz contre Lacy — —. Lacy est peut-être meilleur quartier-maître que Seydlitz; mais en revanche le général de Seydlitz est déterminé, et sait très-bien saisir les moments pour profiter de l'occasion qui se présente; et quant à la cavalerie, il en sait plus que Lacy n'en apprendra de sa vie."

Am 2. Mai 1781**) besichtigte der König die Bildsäule auf dem Wilhelmsplatz in Berlin, welche er Seydlitz errichtet hat. Sie ist, der Chronologie nach, die dritte unter den Statuen, durch welche der große König das kriegerische Verdienst monumental hervorhob.***) Dem Kunstwerth nach, nimmt das

---

*) In einigen Büchern wird irrthümlich der siebente November als Sterbetag angegeben.

**) Nicht 1784; ein oft reproduzirter Druckfehler.

***) Seinem „Tribonian" Cocceji widmete Er (1766) eine Marmorbüste, im Kammer-

Seydlitz-Denkmal (z. Zt. im Hofe des Königlichen Kadettenhauses zu Berlin)
die erste Stelle ein; denn dasselbe ist ein Seydlitz-Portrait, lebenswahr in
Kostüm, Gesichtszügen und Körperhaltung.

Prinz Heinrich glorificirte die Erinnerung an Seydlitz durch folgende Inschrift auf dem 1791 im Rheinsberger Park gegründeten Heldenmonument:
„Der General v. Seydlitz zeichnete sich aus von Jugend an, und diente in
allen Feldzügen des 7jährigen Krieges. Bei allen Gelegenheiten erwarb er
sich Ruhm. Seine Geschicklichkeit und sein unerschrockener Muth, verbunden
mit Geschwindigkeit und Klugheit, machten alle seine Unternehmungen dem
Feinde schädlich. Lowositz, Kolin, Roßbach, Hochkirch, Zorndorf, Kunersdorf
und Freiberg sind ihm Siegeszeichen schuldig. — Er ward oft gefährlich verwundet. Man erkannte in ihm beständig den großen Feldherrn. Die Preußische
Kavallerie verdankt ihm die Vollkommenheit, welche die Fremden an ihr bewundern. Dieser seltene Mann, welcher so viele Gefahren überlebte, starb im
Schoß des Friedens."

Ein Offizier des Seydlitz'schen Regiments hielt am Sarge des ent-
schlafenen Chefs eine Rede, vom Herzen kommend, zum Herzen bringend.
Neun Geschütze und drei Eskadrons salutirten in Ohlau bei Fortführung der
Leiche nach Minkowsky, wo Seydlitz sich in seinem Garten den Ruheplatz gewählt hatte. Zwölf narbenbedeckte Küraffiere senkten am 12. November (1773)
den Sarg in die Gruft. Drei Salven ertönten als Abschiedsgruß. Eine
große Zahl Leidtragender war zur Stelle: der Oberst und sämmtliche Offiziere des Küraffier-Regiments „Seydlitz", nebst vielen anderen Offizieren,
Rittergutsbesitzer &c.

Leider besitzen wir über Seydlitz wenig Nachrichten; und von diesem Wenigen ist Einiges zu subtrahiren, was durch Irrthum oder Böswilligkeit, von
Lästerzungen und Geschichtsverfälschern hineingebracht worden ist in die land-
läufigen Seydlitz-Biographien. Da wird z. B. eine seltsame Replik citirt, die
Seydlitz einem Königlichen Befehl gegeben haben soll, während der Kunersdorfer Schlacht. Ferner wird behauptet, der König sei seit Zorndorf „jaloux"
auf Seydlitz gewesen und seit Kunersdorf „erkältet". Und dergleichen Unsinn
mehr.*)

Daß des großen Königs persönlicher Verkehr mit Seydlitz in und nach
dem siebenjährigen Kriegen fortdauernd ein sehr gnädiger — und, wir können
wohl sagen, ein wahrhaft kamerabschaftlicher — gewesen ist, steht thatsächlich fest.

---

gerichtsgebäude. Das Denkmal für den Feldmarschall Schwerin datirt aus dem Jahr 1769,
das für Winterfeld aus 1777; das für Keith wurde am 5. Mai 1786 aufgestellt.

*) Anekdotenkrämer haben einen vielfältigen Mißbrauch getrieben mit dem Umstand,
daß Friedrich der Große seine Offiziere daran gewöhnte, nie wegen einer treffenden Antwort
in Verlegenheit zu sein.

Es sind uns Einzelnheiten aufbehalten. Beispielweis eine Scene nach der Roßbacher Schlacht: Der König in Freiburg an der Unstrut, die kalte Küche, welche man ihm brachte, mit Seydlitz theilend. Ferner vor der Schlacht bei Zorndorf: Der König nahm in der Lebuser Vorstadt von Frankfurt sein Absteigequartier im Hause einer Predigerwittwe; dies war Abends; es wurde ihm eine Bierkaltschale zubereitet; er verzehrte sie in Gemeinschaft mit Seydlitz. Am 11. September 58 sagte der König sich und Seydlitz bei seinem Bruder Heinrich an zum Mittagessen in Dresden; ein in Eile abgehaltenes solennes Mahl zur Feier des Sieges und des Siegers von Zorndorf; der König schrieb am 11. dem Prinzen: „Nous pourrons diner tous trois ensemble, cela fait, aller et vaquer chacun de son côté à sa besogne," und am 13.: „Je vous rends mille grace de l'agréable journée que vous m'avez fait passer hier."

D. d. Breslau, 22. Dezember 57 macht der Königliche Sieger von Leuthen dem ebenso wie Seydlitz, einer Roßbacher Armwunde halber, in Leipzig verweilenden Prinzen Heinrich Mittheilungen über den glücklichen Stand der Dinge in Schlesien, und sagt schließlich: „Ayez la bonté de communiquer toutes ces nouvelles au cher Seydlitz, qui, j'en suis sûr en prend une part sincère. Ajoutez que je lui défends de sortir avant que ses plaies soient guéries, et qu'il ne doit monter à cheval sans en avoir la permission de la Faculté." — Am 23. Juni 60 schrieb der König an Seydlitz (auf die Kunersdorfer Blessur bezüglich): „Der Ihr noch bis dato zu Meinem Leidwesen krank seid und es nicht von Euch dependiret, Eure Genesung zu beschleunigen, Ihr aber zu Meißen übel in Euren nothwendigen Kommoditäten seid und mir demohngeachtet daselbst in Nichts helfen könnt, so habe Ich Eurer eigenen Ueberlegung und Entschließung anheimgeben wollen, ob Ihr nicht besser thun werdet, nach Berlin wieder zurückzukehren, um Euch daselbst zuförderst mit mehrerer Bequemlichkeit und Succeß, wie hier, völlig kuriren zu lassen, woran Ich fast nicht zweifle und daß es dort um so eher als hier geschehen werde, wenn zumalen Ihr Euch inzwischen alles dessen, so Eurem Retablissement hinderlich sein kann, enthaltet. Habet also nach Eurem Gutbefinden Euren Entschluß desfalls zu nehmen."

Man hat Seydlitz verläumdet wegen mangelhafter Orthographie, Kalligraphie und Stylistik; ihn wie andere Fridericianische Koryphäen, um sie zu einfach glücklichen sabreurs zu degradiren. Der geniale Seydlitz pflegte, sich sehr klar und deutlich auszudrücken; auch war seine Handschrift korrekt und sauber. Eine schöne Namensunterschrift unter dem im Direktorzimmer des Königlichen Reitinstituts zu Hannover befindlichen Seydlitz = Portrait ist ein genaues Facsimile. Wunden und Krankheit werden diese zierliche Handschrift allerdings wohl ab und zu ein wenig verändert haben. — Wenn Seydlitz's Sinn für die Wissenschaften bestritten worden ist, so liegt darin eine ursachlose Verunglimpfung. Seydlitz war weder Bücherwurm, noch Poet, aber er kaufte Bücher, las sie, und schätzte diejenigen hoch, welche ihre Geisteskraft und Zeit der Vermehrung des nützlichen Wissens und der Veredelung des Herzens widmeten.

Da Seydlitz in den fernsten Tagen noch als Ideal jedem Reiteroffizier gegenwärtig zu sein verdient, so ist es wohl wünschenswerth, daß man die Bekrittelungen und Verdunkelungen eines phänomenalen Glanzes ignorire. Seydlitz würde in jedem Jahrhundert ein hervorragender Reiter und Reiterführer geworden sein; daß er als Reiterei-Lehrmeister zur Berühmtheit gelangt

9, konnte nur Statt finden bei der Anleitung und Verbesserung, welche ihm ein „Friedrich" zu Theil werden ließ. Mancher unter den Paladinen des großen Königs mag den Zeitgenossen wohl kleiner erschienen sein, als er, im Einzelnen und in der Nähe betrachtet, wirklich war. Ueberragte doch der Königliche Reitersrief alle Mitlebenden. Uns aber dürfen 150 Jahre nach ihrer Geburt gigantische Männer nicht um eines Haares Breite verkleinert werden, wenn wir mit Horaz zu rufen: „Fortes creantur fortibus et bonis!"

Anmerkung. In Calcar wie in Minkwitz huldigte man am 100jährigen Gedenktag der Roßbach-Schlacht dem Namen des großen Reiterführers. Sein Geburtshaus ist seit 1846 mit einer Inschrift versehen; auch ist in Calcar 1860 ein Seydlitz-Denkmal errichtet worden.

(Gr. L.)

Berlin, gedruckt bei G. G. Wendt.

Beiheft
zum
Militair-Wochenblatt

herausgegeben

von

A. Borbstaedt,
Oberst z. D.

1871.
Viertes Heft.

Berlin 1871.
Ernst Siegfried Mittler und Sohn,
Königliche Hofbuchhandlung.
Kochstraße 69.

ift, fonnte nur Statt finden bei der Anleitung und Beeiferung, welche ihm
ein „Friedrich" zu Theil werden ließ. Mancher unter den Paladinen des
großen Königs mag den Zeitgenoffen wohl kleiner erfchienen fein, wie er,
im Einzelnen und in der Nähe betrachtet, wirklich war. Ueberragte doch der
Königliche Geiftesriefe alle Mitlebenden. Uns aber dürfen 150 Jahre nach
ihrer Geburt gigantifche Männer nicht um eines Haare Breite verkleinert werden; denn (um mit Horaz zu rufen): „Fortes creantur fortibus et bonis!"

    Anmerkung. In Calcar wie in Minkowsky huldigte man am 100jähri-
gen Gedenktag der Roßbach - Schlacht dem Namen des großen Reiterführers.
Sein Geburtshaus ift feit 1846 mit einer Infchrift verfehen; auch ift in
Calcar 1860 ein Seyblitz-Denkmal errichtet worden.

(Gr. L.)

Berlin, gedruckt bei C. S. Mittler u. Sohn, Wilhelmftr. 122.

Beiheft
zum
Militair-Wochenblatt

herausgegeben

von

A. Vorbstaedt,
Oberst z. D.

1871.
Viertes Heft.

Berlin 1871.
Ernst Siegfried Mittler und Sohn,
Königliche Hofbuchhandlung.
Kochstraße 69.

Die II. Kavallerie-Division im Feldzuge 1870|71.

In faſt allen Darſtellungen des oben bezeichneten Feldzuges, welche uns bis unter Augen gekommen, iſt die Thätigkeit der II. Kavallerie-Diviſion zum Theil fälſchlich oder gar nicht geſchildert.

Zur Steuer geſchichtlicher Wahrheit, und im Intereſſe dieſes Truppen-welcher gewiß nicht minder, als die übrigen Abtheilungen des großen Heeres ſeine Schuldigkeit in jenen glorreichen Kämpfen gethan hat, geſtattet, — vorbehaltlich einer ſpäteren ausführlicheren Darſtellung — ein gedrängtes Bild ſeiner Erlebniſſe und Leiſtungen zu geben.

In gleicher Weiſe, wie alle die übrigen Kavallerie-Diviſionen der preu-ßiſchen Armee, durch die Allerhöchſte Ordre vom 18. Juli ins Leben gerufen, hat die II. Kavallerie-Diviſion nachſtehende Ordre de bataille erhalten.

Kommandeur: General-Lieutenant Graf zu Stolberg-Wernigerode.

3. Brigade: General-Major von Colomb.

Leib-Küraſſier-Regiment (Schleſiſches) Nr. 1 (Küraſſier-Regiment).

Schleſiſches Ulanen-Regiment Nr. 2 (Ulanen-Regiment).

4. Brigade: General-Major von Barnekow.

1. Leib-Huſaren-Regiment Nr. 1 (Leib-Huſaren).

Pommerſches Huſaren - Regiment (Blücherſche Huſaren) Nr. 5.

5. Brigade: General-Major von Baumbach.

1. Schleſiſches Huſaren-Regiment Nr. 4 (braune Huſaren).

2. Schleſiſches Huſaren-Regiment Nr. 6 (grüne Huſaren).

reitende Batterie Pommerſchen Feld-Artillerie-Regiments Nr. 2 (Bat-terie Elenſteen).

reitende Batterie Schleſiſchen Feld-Artillerie-Regiments Nr. 6 (Bat-terie Welz). *)

Wir haben hier die ordre de bataille der Diviſion in ſolcher Ausführlichkeit ge- weil auch nach dieſer Richtung Irrthümern und Verwechſelungen begegnet ſind.

*) Mil. Wochenbl. 1871.

7

Der größeren Bequemlichkeit und Kürze wegen, wurden innerhalb des Divisions-Verbandes die Brigaden und Batterien, nach den Numen ihrer Kommandeure resp. Chefs, die Regimenter in der Weise bezeichnet, wie es in vorstehender ordre de bataille hinter jedem Regiment in Klammern ange- geben worden. Wir werden dasselbe Verfahren auch in der folgenden Dar- stellung beibehalten.

In der angegebenen Zusammensetzung sollte die Division sich in den er- sten Tagen des Monats August bei Mainz sammeln, dort ihre weitere Be- stimmung erhalten. Der Stab derselben, durch das General-Kommando VI. Armee-Korps zu Breslau mobil gemacht, fuhr mit seinen Branchen und dem Feld-Lazareth am 3. August von hier per Eisenbahn nach Mainz, de- barkirte dort am 4. Abends und bezog Quartier in Hechtsheim. Im Laufe desselben Tages und des 5. langten die Stäbe der Brigaden Colomb und Baumbach nebst den zugehörigen Regimentern, so wie die Batterie Welz bei Mainz per Bahn an und wurden in der Umgegend von Hechtsheim dislozirt, der Stab der Brigade Barnekow so wie das Leib-Husaren-Regiment schifften bei Bingen aus. Der Brigade-Stab verblieb dort, das Leib-Husaren-Regiment marschirte nach Alzey.

Laut Allerhöchster Bestimmung vom 5. August wurde die Division der III. Armee zugetheilt und ihr gleichzeitig die Weisung, sich mit dieser Armee so bald als möglich zu vereinigen. Deshalb brachen die um Mainz ver- einigten Theile der Division am 7. August von hier auf und marschirten bis Odernheim. Das Leib-Husaren-Regiment wurde vorläufig der Brigade Baumbach zugetheilt und verblieb um Alzey. Da mittlerweile die Nachrichten über die Siege des Kronprinzen bei Weißenburg und Wörth eingetroffen, wurde die Division in der Absicht, die III. Armee so bald als möglich zu er- reichen, auf der Linie Kaiserslautern — Pirmasenz instradirt und marschirte am 8. August bis Albisheim. Ein hier eingehender Befehl des Ober-Kom- mandos der III. Armee, — der erste, welchen die Division erhielt, die bis dahin ganz selbstständig und nach eigenem Ermessen gehandelt hatte — ver- wies dieselbe auf die Linie Weißenburg — Sulz. Es wurde in Folge dessen noch am Nachmittage des 8. bis Herzheim marschirt.

An demselben Tage debarkirten das Blücher'sche Husaren-Regiment und die Batterie Ekensteen bei Bingerbrück und marschirten mit dem Stabe der Brigade Barnekow bis Alzey.

In den folgenden Tagen marschirte die Division stets in 3 Kolonnen, brigadeweise über Roschbach am 9., Ober Otterbach am 10., und vereinigte sich am 11. zum erstenmale südlich Weißenburg, um von hier aus in kriegs- mäßiger Formation die feindliche Grenze zu überschreiten. Am Abend des 11. wurde die Gegend von Saarburg erreicht, dort den 12. über Ruhe gehalten.

Der weitere Marsch führte am 13. bis Bourwiller; 14. über die Vo- gesen in zwei Kolonnen durch das Zinzel-Thal und bei la petite Pierre vorüber nach Drulingen; 15. über Saarburg nach St. Georges; 16. nach Ogéviller. Somit war die III. Armee erreicht. Se. Königliche Hoheit der Kronprinz ertheilte der Division in Anerkennung ihrer vorzüglichen Marsch-leistungen — in 9 Tagen 35 Meilen — den ehrenvollen Auftrag, die linke Flanke der von Lunéville gegen die Maas vormarschirenden III. Armee zu decken. Es hieß, General de Failly habe sich mit 2 Divisionen seines Korps und den Trümmern des Korps Mac Mahon südlich in die Vogesen geworfen; hierüber sichere Kunde zu schaffen war vornehmlich die der Division gestellte Aufgabe. Mit der Brigade Baumbach in der linken Flanke, der Brigade Barnekow an der Tete, welche beide ein weit hinausgreifendes Patrouillen-Netz um sich zogen, der Brigade Colomb und den beiden Batterien in Reserve ging der Marsch am 17. bis Gerbéviller, 18. Charmes, 19. Vaudémont, 20. Martigny.

Die Patrouillen, welche über Rambervillier, Epinal und Mirécourt hin-aus, bis Chaumont, Bologne und Donjeux gestreift, so wie zu Charmes auf-gefundene französische Original-Befehle, hatten zweifellos festgestellt, daß ein Abmarsch jener feindlichen Truppentheile in südlicher Richtung durchaus nicht stattgefunden, dieselben sich vielmehr durchweg und zwar größtentheils unter Benutzung der Eisenbahn nach dem Lager von Chalons zurückgezogen hatten.

Dies erforderte neue Dispositionen; die Armee und mit ihr die Division blieb daher den 21. und 22. über stehen.

Am 23. ging es in der Richtung auf Chalons weiter, die Division er-reichte in ihrem Verhältniß als linke Deckung Cirfontaines; am 24. Vassy; am 25. Chavanges. Am 26. sollte ursprünglich Arcis sur Aube das Ziel des Marsches sein; ein Avis des Ober-Kommandos, es könnte in nächster Zeit ein Rechts-Ab-marsch der Armee nothwendig werden, veranlaßte den Divisions-Kommandeur jedoch auf dem rechten Aube-Ufer Halt zu machen und die Division um Aulnay zu dislociren. Ein Detachement des Leib-Husaren-Regiments nebst Pionieren, unter Major von Bünting, ging bis zur Seine vor und zerstörte die Eisen-bahn zwischen Troyes und Méry sur Seine. Gleichzeitig wurden in Arcis sur Aube Requisitionen vorgenommen.

In der Nacht zum 27. August ging Befehl ein, der III. Armee zu fol-gen, welche zur Verfolgung der unter Mac Mahon aus dem Lager von Chalons aufgebrochenen feindlichen Korps nach Norden abmarschirt war.

Die Division erreichte am selben Tage Coole, bivouakirte die Nacht über, marschirte am 28. über Chalons s. M. bis Suippe und nahm am 29. in der Gegend von Manre Bivouaks, um von hier aus je nach Bedürfniß in einer Richtung auf Vouziers oder Grand Préver wendet zu werden. Sie hatte in diesen drei Tagen über 14 Meilen, größtentheils auf einer Straße hin-gelegt.

Am 30. früh brach die Division auf, überschritt die Aisne bei Senuc, nahm gegen Mittag Stellung bei Busancy, betheiligte sich von hier aus an

7*

den Gefechten des linken Flügels der III. Armee und bezog am Abend bei Oches Bivouaks.

Am 31. August bezog die Division Kantonnements in der Umgegend von Chateau la Caffine; den 1. September mit Tages-Anbruch wurde der Marsch über Vendresse, Boutaucourt auf Dom le Mesnil gerichtet, dort auf einer von den Württembergern geschlagenen Schiffbrücke die Maas überschritten und gegen 11 Uhr Vormittags westlich Brigne Meuse, als Rückhalt der Württembergischen Division, Stellung genommen. Bald nach 2 Uhr brach die Division von hier auf, folgte der 4. Kavallerie-Division bis zu dem steilen Thalrande der Maas, gegenüber Iges, und ging dann, jene Division links überflügelnd über Champ de la Grange bis über Fleigneux hinaus vor. Hier wurde durch höheren Befehl ihrem weiteren Marsche Halt geboten. Die Brigaden Barnekow und Colomb mußten Kehrt machen und bei Donchery Stellung nehmen, Brigade Baumbach und die Batterien verblieben bei St. Monges, in welchen Stellungen auch für die Nacht Bivouaks bezogen wurden.

Am 2. September vereinigte die Division sich in einem Bivouak bei Donchery und gab 2 Züge des Leib-Kürassier-Regiments zur Eskorte des gefangenen Kaisers Napoleon von Donchery nach Chateau Bellevue. Am Nachmittage besuchte der König auch die Bivouaks der Division, mit endlosem Jubel empfangen und geleitet.

Am 3. Marsch nach Poix, mit dem Auftrage, die rechte Flanke der Armee gegen Mezières zu decken. Eine kombinirte Eskadron des 1. Leib-Husaren-Regiments, Rittmeister von Trampe, eskortirte den Kaiser Napoleon bis zur belgischen Grenze.

In den folgenden Tagen erreichte die Division über Givry 4., Heutrégiville 5. und 6., Mourmelon le grand und le petit 7., am 8. Vertus und übernahm von hier aus auf dem weiteren Marsche gegen Paris wieder die Deckung der linken Flanke der III. Armee, und zwar über Etoges 9., Vieils Maisons 10. und 11., Rebais 12., Coulommiers 13., 14. Die weit vorgesendeten Patrouillen waren bei Meaux und den Orten südlich davon bis zur Forêt de Crecy auf feindliche Abtheilungen gestoßen, auch machte sich hier die Volks-Bewaffnung bemerkbar. Ein Zug des braunen Husaren-Regiments warf zu Fuß eine Abtheilung Mobilgarden und Franctireurs aus dem Bahnhof von Mortcerf. Dasselbe Regiment, welches am 14. bis Tournan, am 15. bis Brie comte Robert vorgeschoben worden, um von hier aus die Uebergänge der Seine von Choisy bis Corbeil zu rekognosziren, fand dieselben sämmtlich zerstört und hatte verschiedentliche Rencontres mit kleineren Kavallerie-Abtheilungen und Franktireur-Banden des Feindes. Die Division folgte dem Regiment am 15. nach Tournan, am 16. nach Brie comte Robert. Von hier aus wurde die Brigade Baumbach mit der Batterie Elensteen gegen die Seine vorgeschoben, um die auf dem linken Ufer des Flusses führende Eisenbahn zu zerstören. Es gelang dies gegenüber Ablon durch Einschießen eines

Durchlasses. Die Truppen kamen dabei in wirksames Gewehrfeuer feindlicher Infanterie-Abtheilungen, welche den Schutz der Bahn versuchten, aber vor den Granaten der Batterie bald das Weite suchten.

Am 17. sammelte die Division sich bei Chateau Frayé, südlich Villeneuve St. Georges, überschritt bei letzterem Orte am Nachmittag die Seine auf einer durch das V. Korps geschlagenen Brücke und nahm Quartiere auf dem linken Ufer des Flusses von Villeneuve le Roi bis Juvisy. Während des Marsches am 18. nach Saclay stießen die Patrouillen, welche in der rechten Flanke gegen Paris vorgeschoben waren, wiederholt auf feindliche Abtheilungen beider Waffen, welche aber nirgends Stand hielten. Die Brigade Barnekow besetzte den Knotenpunkt Villeras. Für den 19. war ein Vorschieben zahlreicher Patrouillen gegen die Süd- und West-Front von Paris angeordnet. Dieselben wurden von sämmtlichen Regimentern der Division gegeben, während die Brigade Barnekow ihnen als Rückhalt nachrückte, wobei sie mit in das Gefecht des V. Armee-Korps bei petit Bicestre verwickelt wurde. Die gegen die Westfront entsendeten Patrouillen gelangten bis Sèbres, St. Cloud und gegen Surène und brachten sehr gute Meldungen über den Stand der Vertheidigungs-Werke. Sie waren nirgends auf ernstlicheren Widerstand gestoßen, nur vereinzelte Abtheilungen Nationalgarden hatten sich ihrem Marsche, aber vergeblich entgegenzustellen versucht. Alle Wege waren durchstochen, verbarrikadirt und in den zahlreichen Waldungen verhauen.

Am Nachmittage des 19. bezog die ganze Division ein Bivouak bei Saclay, verließ dasselbe am Nachmittage des 20. und bezog Kantonnements in den Orten um Epinay sur Orge, Viry, Juvisy und Morsang, um hier dem vor ihr stehenden VI. Armee-Korps als Rückhalt zu dienen.

In diesen Stellungen wurde die Division 2mal, am 22. und 30. September durch Ausfälle allarmirt, welche die Pariser Garnison auf das VI. Armee-Korps machte, kam jedoch nicht zur Verwendung. Am 5. Oktober hatte sie die Ehre vor dem Könige die Revue zu passiren.

Vom 24. September ab hatte die Division täglich ein Regiment nach Süden detachirt, um durch Requisitonen das Magazin zu Corbeil zu füllen. Diese Regimenter stießen wiederholt auf bewaffneten Widerstand der durch Franktireur-Banden unterstützten Einwohner. So das Leib-Husaren-Regiment am 26. bei Milly, das Blüchersche Husaren-Regiment am 29. bei Sivry, das Ulanen-Regiment am 3. Oktober im Walde von Fontainebleau.

Am 7. Oktober brach die Division aus ihren Kantonnement auf, um in Gemeinschaft mit dem 1. Bayrischen Armee-Korps, der 22. Infanterie- und 4. Kavallerie-Division der neu gebildeten französischen Loire-Armee entgegenzutreten. Sie marschirte bis Marolles bei Arpajon, setzte ihren Marsch am 8. bis Marolles in der Höhe von Etampes fort und wurde hier in ein Gefecht mit Mobilgarden und Franktireurs verwickelt, welche ein aus Corbeil entsendetes Detachement zurückgedrängt hatten. Die Batterien der Division

ist, konnte nur Statt finden bei der Anleitung und Beeiferung, welche ihm ein „Friedrich" zu Theil werden ließ. Mancher unter den Paladinen des großen Königs mag den Zeitgenossen wohl kleiner erschienen sein, wie er, im Einzelnen und in der Nähe betrachtet, wirklich war. Ueberragte doch der Königliche Geistesriese alle Mitlebenden. Uns aber dürfen 150 Jahre nach ihrer Geburt gigantische Männer nicht um eines Haare Breite verkleinert werden; denn (um mit Horaz zu rufen): „Fortes creantur fortibus et bonis!"

Anmerkung. In Calcar wie in Minkowsky huldigte man am 100jährigen Gedenktag der Roßbach = Schlacht dem Namen des großen Reiterführers. Sein Geburtshaus ist seit 1846 mit einer Inschrift versehen; auch ist in Calcar 1860 ein Seydlitz-Denkmal errichtet worden.

(Gr. L.)

Berlin, gedruckt bei E. S. Mittler u. Sohn, Wilhelmstr. 122.

Beiheft
zum
Militair-Wochenblatt

herausgegeben

von

A. Borbstaedt,
Oberst z. D.

1871.
Viertes Heft.

Berlin 1871.
Ernst Siegfried Mittler und Sohn,
Königliche Hofbuchhandlung.
Kochstraße 69.

Die II. Kavallerie-Division im Feldzuge 1870|71.

In fast allen Darstellungen des oben bezeichneten Feldzuges, welche uns bis unter Augen gekommen, ist die Thätigkeit der II. Kavallerie-Division zum Theil fälschlich oder gar nicht geschildert.

Zur Steuer geschichtlicher Wahrheit, und im Interesse dieses Truppentheils, welcher gewiß nicht minder, als die übrigen Abtheilungen des großen Heeres seine Schuldigkeit in jenen glorreichen Kämpfen gethan hat, sei gestattet, — vorbehaltlich einer späteren ausführlicheren Darstellung — ihr ein gedrängtes Bild seiner Erlebnisse und Leistungen zu geben.

In gleicher Weise, wie alle die übrigen Kavallerie-Divisionen der preußischen Armee, durch die Allerhöchste Ordre vom 18. Juli ins Leben gerufen, hatte die II. Kavallerie-Division nachstehende Ordre de bataille erhalten.

Kommandeur: General-Lieutenant Graf zu Stolberg-Wernigerode.
3. Brigade: General-Major von Colomb.
    Leib-Kürassier-Regiment (Schlesisches) Nr. 1 (Kürassier-Regiment).
    Schlesisches Ulanen-Regiment Nr. 2 (Ulanen-Regiment).
4. Brigade: General-Major von Barnekow.
    1. Leib-Husaren-Regiment Nr. 1 (Leib-Husaren).
    Pommersches Husaren - Regiment (Blüchersche Husaren) Nr. 5.
5. Brigade: General-Major von Baumbach.
    1. Schlesisches Husaren-Regiment Nr. 4 (braune Husaren).
    2. Schlesisches Husaren-Regiment Nr. 6 (grüne Husaren).
2. reitende Batterie Pommerschen Feld-Artillerie-Regiments Nr. 2 (Batterie Ekensteen).
3. reitende Batterie Schlesischen Feld-Artillerie-Regiments Nr. 6 (Batterie Welz).*)

_____

*) Wir haben hier die ordre de bataille der Division in solcher Ausführlichkeit gegeben, wie uns nach dieser Richtung Irrthümern und Verwechselungen begegnet sind.

Unterſtützung oder Rückhalt rechnen konnte, da von Poupry im Weſten bis Pithiviers im Oſten außer ihr kein Mann ſtand.

Die Brigade Barnekow hatte den Tag über ihre Stellungen unangefochten behauptet. Gegen Abend verſuchte das Leib-Huſaren-Regiment gegen die zurückgehenden feindlichen Diviſionen von Aſchères aus vorzugehen, mußte dies Vorhaben aber der dicht mit Tirailleurs beſetzten Weingärten halber aufgeben.

Am 3. vereinigte die Diviſion ſich bei Poupry und füllte die Lücke zwiſchen der Armee-Abtheilung des Großherzogs von Mecklenburg und dem IX. Armee-Korps aus, welches auf der Chauſſee Paris — Orleans gegen Chevilly vorging. Die Batterien betheiligten ſich lebhaft an dem Geſchützkampf. Die Diviſion kam nicht zur Aktion, wurde aber wiederholt von den feindlichen Granaten erreicht. Die Nacht zum 4. wurde bei ſchauderhaftem Wetter neben den Fermes Beaugency bivouakirt. Am 4. ſollte die Diviſion, der 22. Infanterie-Diviſion folgen; ein perſönlicher Befehl des Großherzogs von Mecklenburg, unter deſſen Kommando ſie wieder geſtellt worden, wies ſie aber auf die Rückzugslinie des Feindes in der Richtung auf Ormes. Die Diviſion trabte querſeldein zwiſchen den vorliegenden Wäldern hindurch auf das ihr bezeichnete Objekt zu. In dieſen Wäldern wurden mehrere feindliche Feldwachen aufgehoben. Die Avantgarden-Eskadron*) des an der Spitze marſchirenden braunen Huſaren-Regiments nahm bei der Ferme Bois Girard eine feindliche Batterie fort, welche eben in's Feuer treten wollte. Die beiden Batterien fuhren an der Chauſſee Ormes — Chateaudun auf und trugen Tod und Verwirrung in die auf der Chauſſee nach Coulmiers abziehenden dichten Kolonnen des Feindes. Das Blücherſche Huſaren-Regiment erhielt Befehl, eine feindliche Batterie fortzunehmen, welche ſüdlich Ormes abzufahren verſuchte, ſtieß auf 3 Eskadrons Spahis und Chaſſeurs d'Afrique, ritt dieſelben über den Haufen und machte eine Menge Gefangene. Das Leib-Huſaren-Regiment, welches ihm folgte, kam nur zur Nachleſe. Nach einigen Stunden Ruhe brach die Diviſion, veranlaßt durch die Meldungen eines Bayriſchen Generalſtabs-Offiziers, über Ingré nach der Chauſſee Orleans — Tours auf, zerſtörte durch ihre Batterien eine dicht bei Orleans über die Loire geworfene Schiffbrücke, brachte den auf dem linken Fluß-Ufer abziehenden feindlichen Kolonnen beträchtliche Verluſte bei, beſchoß mit Artillerie und abgeſeſſenen Schützen mehrere von Orleans und von Tours kommende Eiſenbahnzüge, zerſtörte dieſe Bahn und bezog mit ſinkendem Tage in Ingré und Umgegend Quartiere.

Das grüne Huſaren-Regiment war an die 17. Infanterie-Diviſion abgegeben. Eine Eskadron deſſelben**) hatte in einer Schanze bei Gidy 8 ſchwere Geſchütze und einen Munitionswagen fortgenommen, eine andere***) mit Erfolg feindliche Infanterie attackirt.

---

*) Rittmeiſter Graf von Wartensleben.
**) Rittmeiſter Voigt.
***) Rittmeiſter von Szczitnicki.

Der Erfolg des Tages waren:

414 Gefangene darunter 19 Offiziere, 84 Pferde, 12 Geschütze, 5 Munitions-Wagen.

Nachdem den 5. über geruht worden, gab die Division am 6. die Brigade Colomb an die 25. Infanterie-Division ab, welche auf das linke Loire-Ufer überging und marschirte, verstärkt durch ein Bayrisches Infanterie-Bataillon und die Bayrische Kürassier-Brigade, auf Beaugency, stieß aber bereits bei Meung sur Loire auf so überlegene Streitkräfte, daß sie in dem ihr sehr ungünstigen Terrain nicht weiter vor konnte und bei St. Ay Stellung nahm. Am 7. ging die Armee-Abtheilung des Großherzogs von Mecklenburg gegen die feindliche Stellung vor. Die Division begleitete diese Bewegung in der rechten Flanke, überschritt die Mauve bei la Renardière und griff, namentlich mit ihren Batterien wirksam in das Gefecht um le Bardon ein. Der Feind zog sich gegen Abend zurück, die Division nahm an der Mauve-Linie Kantonnements. Für den 8. fiel ihr die Aufgabe zu, zwischen dem I. Bayrischen Korps, welches auf Beaumont vorging, und der gegen Cravant operirenden 22. Infanterie-Division Verbindung zu halten. Gegen 2 Uhr Nachmittags erhielt sie Befehl, nach dem rechten Flügel des hart bedrängten Bayrischen Korps zu reiten und dasselbe zu degagiren. Das durchaus mit Weingärten bedeckte Terrain machte ein thätiges Eingreifen der Regimenter unmöglich, jedoch gelang es durch eine geschickte Verwendung der beiden Batterien und ein festes Ausharren der Regimenter in dem wirksamsten Geschützfeuer des Feindes, diesen aus der Offensive in die Defensive zu werfen und endlich zum Rückzuge zu veranlassen. Das Bayrische Korps hatte dadurch Luft bekommen, als die 22. Infanterie-Division, ebenfalls durch überlegene feindliche Streitkräfte bedrängt, einer Verstärkung bedurfte. Die Division erhielt Befehl ihr dieselbe zu bringen, trabte in der Richtung auf Launay vor, nahm die Batterie Welz gegen den linken Flügel des Feindes ins Feuer und suchte mit der Brigade Baumbach denselben zu umgehen. Diese Bewegungen genügten, um auch hier das Gleichgewicht des Gefechtes wieder herzustellen, welchem bald darauf die hereinbrechende Nacht ein Ende machte. Der Feind ging zurück.

Am 9. sollte der Feind in der Richtung auf Blois verfolgt werden, es zeigte sich jedoch bald nach Anbruch des Tages, daß derselbe noch nicht gesonnen sei, den Kampf aufzugeben, er griff mit beträchtlichen Streitkräften den diesseitigen linken Flügel an, wurde jedoch abgewiesen und im Laufe des Tages auf der ganzen Linie zurückgeworfen. Die Division stand zur Disposition des Großherzogs, ging am Nachmittage bis Rilly vor, kam aber nicht weiter zur Verwendung.

Am 10. wurde die Division früh allarmirt, stand um 10 Uhr Vormittags auf dem Rendezvous bei Rilly, ritt gegen 1 Uhr Nachmittags nach dem linken Flügel der Aufstellung, um hier die 4. Kavallerie-Division zu ersetzen und einer beabsichtigten Umgehung dieses Flügels durch feindliche Abtheilungen entgegenzutreten. Der Feind gab seine Absicht auf; die 4. Division löste am späten Nachmittage die diesseitige ab, welche mit dem Sinken des Tages die von ihr bisher inne gehabten Kantonnements westlich der Mauve bezog.

Den 11. rückte nur die Brigade Barnekow aus, kam jedoch nicht zur Verwendung. Die Division wurde dem mittlerweile zur Verstärkung der Armee-Abtheilung des Großherzogs herangerückten X. Armee-Korps zur Disposition gestellt, rückte auf dem rechten Flügel desselben, mit jener Armee-Abtheilung Verbindung haltend, am 12. bis Villesablon, am 13. bis Mulsans. Diese Märsche gingen fast durchweg querfeldein. In den berührten Orten wurden die Eklaireurs überall mit Feuer empfangen, doch nahm der Widerstand des Feindes nirgends einen ernsteren Charakter an und fielen zahlreiche Gefangene der Division in die Hände. Am 14. nahm die Division am Cisse-Bach eine Vorpostenstellung, besetzte die Orte Pesay, Averdon, Villiers und Mezières und entsandte starke Rekognoszirungs-Patrouillen gegen Oucquée und Vendôme, welche die Nachricht brachten, daß der Feind sich auf letzteren Ort zurückgezogen habe, die Eisenbahn nach Tours theilweise zum Abzuge benutze. Ein Detachement*), welches mit dem Auftrage entsendet worden, jene Eisenbahn bei St. Amand zu zerstören, konnte sich desselben nicht entledigen, da die Eisenbahn von Seiten des Feindes zu stark besetzt war.

Für den 15. wurde die Avantgarde**) des X. Korps, welches auf Vendôme vorging, unter den Befehl des Divisions-Kommandeurs gestellt. Dieselbe hatte ein heftiges Gefecht mit der feindlichen Arrièregarde bei Bois la Barbe, in welchem sie sich behauptete, bis das Gros des Korps herankam und am Abend Vendôme besetzte. Die Brigade Barnekow, verstärkt durch 2 Bataillone und die Batterie Ekensteen, wurde erneut gegen St. Amand vorgeschickt, um die Bahn zu zerstören, erreichte ihren Zweck, trotzdem sie die Ausführung desselben auf verschiedenen Stellen versuchte, jedoch auch nicht, da der Feind die ganze Bahnlinie stark besetzt hielt und kehrte am 17. zur Division zurück, welche am 16. mit der Brigade Baumbach und der Batterie Welz bei Vendôme zur Disposition gestanden hatte, jedoch nicht zur Verwendung gekommen und am Nachmittage in der Gegend von Crucheray in Kantonnements gegangen war, welche sie den 17. über beibehielt. Am 18. trat die Division wieder zu der Armee-Abtheilung des Großherzogs zurück und bezog, verstärkt durch 2 Bayrische Bataillone, eine Stellung auf der Linie Biévy le Rapé, Oucquée, la Bosse. Das Leib-Husaren-Regiment wurde an die Bayrische Brigade v. d. Tann abgegeben. Aus dieser Stellung ging die Brigade

---

*) 2 Eskadrons des Blücherschen Husaren-Regiments, 2 Kompagnien, 2 Geschütze unter Major Witte.

**) 2 Bataillone Infanterie-Regiments Nr. 79, 1 Bataillon Braunschweiger, 1 reitende Braunschweigische Batterie, Batterie Welz, Brigade Baumbach.

Baumbach mit der Batterie Elensteen unter persönlicher Führung des Divisions-Kommandeurs am 19. gegen Abend bis Danzé vor, um von hier aus über Epuisay hinaus bis zum Brahe-Bache zu patrouilliren. Am 21. brach dieser Theil der Division wieder auf, vereinigte sich zwischen Droué und Courtalin mit der Brigade Colomb, dem Blücherschen Husaren-Regiment und der Batterie Weltz, marschirte am 22. nach Brou und bezog am 23. in Bonneval und Umgegend Kantonnements, an welchem Tage auch das Leib-Husaren-Regiment bei seiner Brigade einrückte und somit die ganze Division wieder vereinigt war. Dieselbe nahm Stellung, verstärkt durch 1 Infanterie-Bataillon mit der Brigade Colomb und den Batterien in Bonneval, der Brigade Barnekow auf der Linie Dangeau—Saumeray, der Brigade Baumbach auf der Linie Montharville—Flacey. Die beiden letzteren Brigaden hielten den Rayon Illiers, Brou, Chateaudun unter Patrouillen, in der Richtung auf Courville mit der 17., nach Vendôme zu mit der 20. Infanterie-Division Verbindung.

Die Brigade Colomb hatte während der Zeit ihrer Trennung von der Division, sämmtliche Operationen des IX. Armee-Korps auf dem linken Loire-Ufer mitgemacht und war dabei vielfach und in anstrengender Weise zum Avantgarden- und Rekognoszirungs-Dienst verwendet worden, welcher sie bis zum Chèr bei Montrichard führte. Am 14. überschritt sie die Loire bei St. Dié, stieß zur Armee-Abtheilung des Großherzogs, wurde der 22. Infanterie-Division zugetheilt und zog mit dieser den Loire-Bach aufwärts bis in die Gegend von Cloyes, wo sie am 18. Kantonnements bezog und bis zu ihrer Wiedervereinigung mit der Division am 21. stehen blieb.

Vom 27. Dezember ab gingen regelmäßig stärkere Offizier-Patrouillen bis zur Linie Thiron Gardais, Authon, Montmirail, welche feststellten, daß der Feind die Orte Nogent le Rotrou, La Ferté-Bernard, Vibraye besetzt hatte. Um die Bewegungen desselben besser im Auge zu behalten, wurde die Absendung fliegender Kolonnen angeordnet, von denen die erste am 29. Dezember unter Führung des Majors von der Goltz in der Richtung auf Montmirail aufbrach. Dieselbe hatte in Courtalin ein Renkontre mit einer stärkeren feindlichen Abtheilung. Die später entsendeten Kolonnen stießen überall erst in der bereits weiter oben genannten Linie auf feindliche Abtheilungen.

Anfang Januar 1871 nahm die II. Armee die Offensive gegen die feindliche Armee des General Chanzy von Neuem auf. Die Division wurde dem IX. Armee-Korps zugetheilt, marschirte am 5. nach Chateaudun, am 6. nach Cloyes. Am 7. kopirte sie den Vormarsch des IX. Armee-Korps auf Epuisay in der rechten Flanke, hielt mit dem XIII. Armee-Korps rechts hin Verbindung und erreichte am Abend le Temple. Am 8. gelangten sie in demselben Verhältniß bis Conflans.

Am 9. konzentrirte sich der Vormarsch der verschiedenen Korps in der _____ auf le Mans. Die Division deckte die rechte Flanke des auf Boulon marschirenden IX. Korps, stellte die Verbindung mit dem XIII. Korps her, welches von la Ferté-Bernard heranmarschirte und sendete ein Detachement auf Connerré vor, mit dem Auftrage zu erkennen, ob auf der Straße la Ferté-Bernard—le Mans, stärkere feindliche Abtheilungen und in welcher Richtung marschirten. Dieses Detachement stieß bei Thorigné auf den Feind und betheiligte sich an dem Gefechte, welches das Detachement Rauch vom XIII. Korps mit diesem führte. Die Division erreichte nach sehr anstrengendem Marsch am Abend Sémur, St. Michel de Chavaigne und Dollon, blieb hier den 10. über gefechtsbereit stehen, schob am 11. die Brigade Barnekow zur Beobachtung des l'Huisne-Baches vor, nahm bei Thorigné Stellung und gegen Abend in der Gegend Kantonnements. Den 12. über behielt die Brigade Barnekow ihren Auftrag vom Tage zuvor, die andern Brigaden blieben gefechtsbereit in ihren Stellungen. Gegen Abend besetzte Major v. d. Golz mit 2 Eskadrons des braunen Husaren-Regiments und der Batterie Welz Connerré.

An demselben Tage hatte das III. und X. Armee-Korps le Mans genommen. Der Feind sollte über die Sarthe hinaus verfolgt werden, die Division zwischen dem IX. und XIII. Armee-Korps Verbindung halten; sie schob daher am 13. die Brigade Barnekow bis Neuville sur Sarthe vor, nahm mit den übrigen Truppen bei Montfort Stellung und marschirte am 14. mit diesen bis Savigné l'Eveque, wo den 15. über Ruhe eintrat.

Am 16. marschirte die Division nach Bernie, nördlich Conlie, übernahm hier die Deckung der rechten Flanke des IX. Armee-Korps und beobachtete den Rayon St. Martin, Mout St. Jean, Douillet, Fresnay. Am 19. ging sie nach Sillé le Guillaume, um auch die Vorposten in der Front des genannten Korps zu geben. Am 23. rückte das III. Armee-Korps in die Stellungen des IX.; die Division wurde dem ersteren zugetheilt und erhielt den Auftrag, die bisher durch das ebenfalls abmarschirte X. Armee-Korps ausgeführte Beobachtung des Feindes am Erve-Bach zu übernehmen. Sie nahm demzufolge am 24. mit der Brigade Colomb um St. Denis d'Orques, mit der Brigade Barnekow auf der Linie Sablé—Auvers le Hamon, mit der Brigade Baumbach auf der Linie Torcé en Charnie—Vimarcé Stellung, alle aus dieser Stellung auf Mayenne, Laval und Chateau Gontier führenden Straßen unter dauerndem Patrouillengang haltend.

Am 26. wurde die Stellung der Division durch das Vorschieben von Infanterie-Abtheilungen in dieselbe verstärkt, jedem der 4 Husaren-Regimenter 1 Zug Artillerie beigegeben, die beiden übrig bleibenden nach St. Denis d'Orgues gezogen, die ganze Stellung dadurch in sich verkürzt, daß der rechte Flügel Vimarcé aufgab und sich nach Asse le Beranger verlegte.

---

*) Major Witte mit 2 Eskadrons des Blücherschen Husaren-Regiments und 2 Geschützen der Batterie Ekensteen.

Täglich fanden Zusammenstöße mit kleineren Abtheilungen des Feindes statt, der seinerseits einen sehr lebhaften Patrouillen-Dienst unterhielt. In dem von Wällen und Hecken überall bedeckten Terrain war die Thätigkeit der Kavallerie sehr beschränkt, und bewährte es sich vortrefflich, daß die 4. Züge der 4 Husaren-Regimenter mit Chassepot-Gewehren ausgerüstet worden, wodurch sie in der Lage waren, das Gefecht zu Fuß in wirksamer Weise zur Anwendung zu bringen. Es wurde hierdurch möglich, den ihnen vom Feinde entgegengestellten Widerstand zu überwinden und vorzügliche Nachrichten über seine Stellungen und Bewegungen zu erhalten, was den Reitern allein in zahlreichen Fällen, in dem, wie beregt, höchst ungünstigen Terrain nicht möglich gewesen wäre.

Der am 30. Januar bekannt werdende Abschluß des Waffenstillstandes machte diesem interessanten, für Offiziere und Mannschaften höchst lehrreichen kleinen Kriege ein Ende. Die Division rückte am 1. Februar mit dem Stabe nach Coulans Chateau, während die Brigaden gemeinschaftlich mit der 5. und 6. Infanterie-Division in der Umgegend von le Mans weitläufige Kantonnements bezogen.

Am 10. März brach die Division aus diesen Kantonnements auf und marschirte, dem III. Armee-Korps folgend, über Chartres, Etampes, Malesherbes, Fontainebleau, Montereau und Méry sur Seine auf das rechte Ufer der Seine, wo sie am 27. März in Arcis sur Aube, Méry sur Seine, Villenauxe la grande und den dazwischen liegenden Dörfern weitläufige Quartiere nahm, in welchen sie bis zum Tage ihrer Auflösung, der 30. Mai stehen blieb.

Die Verluste der Division betrugen während des ganzen Feldzuges:

	Offiziere	Mann	Pferde
todt:	5	24	146
verwundet:	10	154	220
gefangen und vermißt:	4	94	84
Summa:	19 Offiziere	272 Mann	450 Pferde.

Sie hat erbeutet: 800 Gefangene
131 Pferde
13 Geschütze
5 Munitionswagen
eine nicht festzustellende Zahl von Gewehren und anderen Waffen.

Sie hat, abgesehen von den zahlreichen Gefechten und Renkontres einzelner Abtheilungen, an 6 Schlachten, darunter 2 mehrtägige, Orleans und le Mans, und 12 Gefechten Theil genommen.

In der Hauptrichtung ihrer Märsche hat sie 374 Meilen zurückgelegt.

Die beiden Batterien der Division haben während des Feldzuges je 1024 und 1499, in Summa: 2523, also per Geschütz 210 Schuß gethan.

An Auszeichnungen sind der Division zu Theil geworden:

3 eiserne Kreuze I. Klasse.
333 „ „ II. „
1 Mecklenburgisches Militair-Verdienst-Kreuz I. Klasse.
32 „ „ „ „ II. „
27 Bayrische Orden
10 Russische Orden.
_____
406 im Ganzen. 8.

Die Artillerie der französischen Nordarmee.

(Nach „Campagne de l'armée du Nord en 1870—71" vom General L. Faidherbe.)

Als im Herbst 1870 A. Testelin, Kommissar der Nationalvertheidigung
für die Norddepartements, im Verein mit dem Ingenieur-Oberst Farre die
dortigen Streitkräfte zu organisiren begann, befand sich nur in Lille eine einzige Feldbatterie, die überdies noch nicht einmal marschfähig war. Unter
General Bourbaki, der am 22. Oktober wenigstens dem Namen nach den
Oberbefehl der Nordarmee übernahm, erhielt Major Charon, ein Flüchtling
von Sedan, das Kommando der Artillerie. Seiner energischen Thätigkeit, in
der ihm General Treuille de Beaulieu und Oberst Brian treulich zur Seite
standen, gelang es, Resultate zu erzielen, die in Anbetracht der Kürze der
Zeit und der außerordentlichen Schwierigkeiten, mit denen man in allen Be-
ziehungen zu kämpfen hatte, immerhin recht befriedigend genannt werden
müssen. Als nach Bourbaki's Weggang (19. November) der inzwischen zum
General beförderte und mit dem interimistischen Oberbefehl der Nordarmee
betraute Farre am 24. November seine sämmtlichen Streitkräfte (3 Infanterie-
Brigaden des 22. Korps nebst 4 Schwadronen Kavallerie und einer Genie-
Kompagnie, zusammen 25,000 Mann, (?) einschließlich der Besatzung von
Amiens) bei dieser Stadt zusammenzog, konnten ihnen bereits 4 4Pfünder-
und 2 12Pfünder-Batterien, also im Ganzen 36 gezogene Geschütze, beigegeben werden, zu denen man das erforderliche Material aus allen erreich-
baren Festungen der Nordostgrenze zusammengeschafft hatte.

Die beiden 12Pfünder-Batterien wurden von ausgewählten Mannschaften
der Marine-Füsilier-Bataillone bedient und waren mit vortrefflichen Flamän-
der Pferden bespannt, an denen jener Landstrich sehr reich ist und die die
schweren Geschütze auf jedem Boden mit Leichtigkeit fortbewegten. Eine siebente Batterie (ebenfalls 12Pfünder) schaffte man noch am 27. im letzten

Augenblick heran. Um 10 Uhr Vormittags per Eisenbahn von Douai in Amiens eingetroffen, betheiligte sie sich um 1 Uhr schon lebhaft an der Schlacht von Villers—Bretonneux (Amiens), indem sie dem Ausfall der Garnison von Amiens unter General Paulze d'Jvoy .folgte (f. unten). Die sonstige Theilnahme der französischen Artillerie an dieser für die Nordarmee so unglücklichen Schlacht fiel hauptsächlich 4 Batterien zu, die bei Villers—Bretonneux (2 12Pfünder-Batterien nördlich, 2 4Pfünder südlich dieses Fleckens) aufgestellt waren und dort so lange im Feuer ausharrten, bis die Ueberlegenheit der preußischen Artillerie, sowie Mangel an Munition (letztere fand sich damals bei der Nordarmee überhaupt sehr schwach vertreten!) sie zum Abfahren zwang.

Die vorerwähnte 12Pfünder-Batterie aus Douai, vom Schiffslieutenant Meunier geführt und mit Matrosen aus Brest bemannt, traf zu sehr gelegener Zeit bei General Paulze d'Jvoy ein. Ein Detachement, das er zum Rekognosziren bis über das Dorf Dury hinaus vorgeschickt hatte, stieß auf überlegene feindliche Kräfte, wurde geworfen und mußte schließlich, hitzig verfolgt, in völliger Auflösung hinter einer der schwachen Feldschanzen Schutz suchen, mit denen man die Südseite von Amiens in weiter Ausdehnung umgeben hatte. Die Schanze enthielt zwar 9 Geschütze, aber nicht die mindeste Munition! In diesem kritischen Augenblick langte die Batterie Meunier dort an und eröffnete sogleich ein heftiges Feuer auf die preußische Artillerie, aber vergeblich! Lieutenant Meunier selbst wurde, nachdem er dreimal verwundet, von einer feindlichen Granate in Stücke gerissen und seine Batterie war fast völlig zusammengeschossen, als ihr die Lieutenants Rolland und Bertrand mit einer Kompagnie der Marine und einigen 4Pfündern zu Hülfe kamen, welche letztere sie sich von der Nationalgarde geliehen hatten (!) und mit denen sie das Gefecht bis zum Abend fortsetzten.

Ueber die Verwendung der anderen beiden (4Pfünder-) Batterien der Nordarmee in der Schlacht von Amiens macht General Faidherbe keine Angaben.

Sein Urtheil über die Leistungen der französischen Artillerie an diesem Tage erscheint nicht widerspruchslos; denn an der einen Stelle spricht er von der „infériorité évidente de notre artillerie" (Seite 21), während es an einer anderen (Seite 29) heißt: „L'artillerie s'était montrée excellente. Le 22e corps n'avait pas laissé un seul canon de campagne aux mains de l'ennemi."

Sobald die geschlagene Nordarmee ihre Depotorte wieder erreicht hatte, mußte Oberstlieutenant Charon seine erste Sorge sein, das Material der Artillerie in einen besseren Zustand zu bringen und namentlich die Munitionsausrüstung zu vervollständigen, weshalb jeder Batterie eine halbe Waffen brigegeben wurde.

Am 3. Dezember traf der durch Regierungs-Dekret vom 18. November zu General Bourbaki's Nachfolger ernannte Divisions-General Faidherbe aus Constantine ein und übernahm den Oberbefehl der Nordarmee und der 3. Militair-Division. Das 22. Korps wurde von 3 Brigaden auf 3 Divisionen mit 6 Brigaden gebracht und die Artillerie von 7 auf 11 Batterien mit 66 Geschützen vermehrt; jede Division erhielt 3 Batterien, so daß als Korps-Artillerie nur 2 Batterien übrig blieben; endlich organisirte man auch einen Munitions-Reservepark; die Stärke der Nordarmee betrug nunmehr 30,000 Mann (?).

General Faidherbe eröffnete seinen Feldzug schon am 8. Dezember mit einem Vorstoß in südlicher Richtung auf St. Quentin und La Fère, der insofern nicht ohne Glück eingeleitet wurde, als der 1. Division (General Lecointe) in der Nacht vom 9. zum 10. die Wegnahme des Schlosses Ham gelang. Den 3 Bataillonen, welche diesen Handstreich ausführten, waren 6 Geschütze zugetheilt, die einige, allerdings durchaus wirkungslose Schüsse gegen das Schloß abgaben.

Von La Fère richtete die Nordarmee ihren Marsch westlich gegen Amiens und nahm auf dem rechten Ufer der Somme und dem östlichen Thalrande der Hallue eine schon von Natur in allen Hinsichten äußerst starke Stellung ein.

Zugleich fand, mit Genehmigung der Regierungsdelegation in Tours, eine wesentliche Formationsänderung der Nordarmee statt, welche in 2 Korps (22. und 23.) mit 4 Divisionen und 8 Brigaden zerlegt wurde; die Artillerie vermehrte man um 12 Gebirgsgeschütze, sodaß sie nun im Ganzen 78 Feuerschlünde zählte; dem 22. Korps (General Lecointe), welches das Centrum und den rechten Flügel der Stellung von Daours bis Contay einnahm, wurden 6 Batterien, der 1. Division (Admiral Moulac) des 23. Korps (General Paulze d'Ivoy), die auf dem linken Flügel Corbie und dessen Umgebung besetzte, wurden 5 Batterien (davon 2 der Korps-Artillerie) beigegeben. Die 2. Division (mobilisirte Nationalgarden; General Robin) des 23. Korps, der man wenig Zutrauen schenkte, blieb südwestlich von Albert stehen und betachirte ein Regiment nach Bray, um die Eisenbahn und die Somme-Uebergänge zwischen Corbie und Péronne zu decken. In der Schlacht von Pont-Noyelles oder an der Hallue (23. Dezember) hatte die Artillerie des linken Flügels einen besonders harten Stand. Vier Batterien (darunter zwei 12 pfündige), die auf dem Plateau von Corbie standen, wurden durch das überlegene Feuer der preußischen Artillerie furchtbar mitgenommen. Sie hatten bald mehrere Geschütze außer Gefecht und mußten der Reihe nach zurückgehen, um sich zu retabliren.

Auf dem rechten Flügel waren die französischen Batterien mehr vom Terrain begünstigt und erlitten deshalb auch weniger Verluste, obwohl sie mehr Erfolge aufzuweisen hatten; namentlich die Division Derroja, welche den in der Luft stehenden äußersten rechten Flügel der Armee gegen eine feindliche

gehung deckte, machte von ihrer Artillerie einen ausgiebigen und zweckentsprechenden Gebrauch.

An den Gefechten von Querrieux (20. Dezember), von Achiet-le-Grand
und von Béhagnies (2. Januar 1871) betheiligten sich die Batterien der
Nordarmee überhaupt nicht, desto mehr aber am Treffen von Bapaume
(3. Januar).

Schon bei dem ersten Vorgehen gegen die nördlich von Bapaume gele-
genen Dörfer Grevillers, Biefvillers und Favreuil wurde letzteres durch die
Batterien der 1. Division des 23. Korps von 2 verschiedenen Seiten lebhaft
beschossen und seine schließliche Wegnahme durch eine Batterie der Division
Bessol (2. des 22. Korps) unterstützt, welche auf der Straße Bapaume-
Arras abgeprotzt hatte. Der eigentliche Artilleriekampf begann indeß erst mit
höherer Heftigkeit, als man sich Bapaume selbst näherte. Die französischen
Batterien nahmen zwischen Biefvillers und Avesnes Stellung, erhielten aber
von der westlich Bapaume an der Straße nach Albert stehenden preußischen
Artillerie, trotz deren anfänglicher Minderzahl[*]), ein äußerst mörderisches
Feuer; nach sehr hartnäckigem Gefecht und nach schweren Verlusten gelang es
den Batterien Collignon, Bocquillon und Giron, den Gegner zum Schweigen
zu bringen (?) und so dem rechten Flügel der eigenen Truppen den Weg zum
weiteren Vorrücken zu bahnen. Im ferneren Verlauf der Schlacht würde
man dann, wie wenigstens General Faidherbe meint, um sich der Stadt selbst
bemächtigen zu können, noch die unmittelbar hinter den Ueberbleibseln der
älteren Festungswerke gelegenen und mit zahlreichen Schießlöchern versehenen
Gebäude und Mauern durch Artilleriefeuer haben zerstören müssen; aber einer
französischen Stadt gegenüber scheute man sich angeblich, dies äußerste Mittel
zur Anwendung zu bringen; vielleicht sah man auch ein, daß trotz alledem ein
Sturmversuch dennoch an der zähen Tapferkeit des Gegners höchst wahrscheinlich scheitern würde.

Nach dem „Siege" von Bapaume und dem, wie gewöhnlich unmittelbar darauf folgenden Rückzuge, gab sich die Nordarmee in die Gegend von
Arras eine volle Woche hindurch der Ruhe, Erholung und Reorganisation hin,
deren sie allerdings wohl dringend bedürftig sein mochte, brach dann am 10.
wieder in südlicher Richtung auf und marschirte bis Ervillers, am 11. bis
Bapaume, aber erst am 14. nach Albert, rekognoszirte am 15. bis Bray,
Sailly und Bouzincourt, wobei man alle Sommebrücken gesprengt und die
diesseitigen Dörfer barrikadirt fand, und unternahm endlich bei starkem Glatt-
eis am 16., 17. und 18. einen Linksabmarsch von Albert über Sailly-Sail-
lisel und Vermand (mit Umgehung Péronnes, das am 10. Januar kapitulirt
hatte) nach St. Quentin — der Schlußkatastrophe entgegen! Der Zweck

*) Anfangs (d. h. bis gegen Abend) standen bei Bapaume den 78 Geschützen der Nord-
armee 48 preußische gegenüber.

8*

dieser gewagten Flankenbewegung in fast östlicher Richtung und beinahe unter den Kanonen des Feindes sollte lediglich darauf abzielen, einen möglichst großen Theil der Cernirungs-Armee von Paris auf sich zu ziehen, indem man mit einem plötzlichen Gewaltmarsch südlich über St. Quentin hinaus die Linie la Fère—Compiègne bedrohte und sich schlimmsten Falls noch rechtzeitig in den schützenden Bereich des Festungsvierecks zurückziehen zu können hoffte. Aus Bordeaux war nämlich ein Telegramm eingetroffen, wonach die pariser Besatzung dieser Tage eine letzte Anstrengung machen wollte und man die Nordarmee zu kräftiger Unterstützung dieses Planes aufforderte. Zufällig fiel auch in der That die Schlacht von St. Quentin auf einen Tag mit dem Massenausfall vom Mont Valérien gegen Montretout—Garches—Buzanval und es war auch wirklich an demselben Tage die 16. Infanterie-Brigade von Paris zur 1. Armee detachirt worden; an dem Schicksal des Ausfalls änderte dies Alles aber gar nichts: er scheiterte so vollständig wie möglich, und gleichzeitig wurde auch die Nordarmee von ihrem Verhängniß ereilt.

Schon am Morgen des 18. Januar sah sich General Faidherbe's Nachhut, die 1. Brigade der Division du Bessol, von Kavallerie beunruhigt und gegen Mittag bei Beauvois auch von Infanterie angegriffen. Zu ihrer Unterstützung eilten die 2. Brigade der Division du Bessol mit 3 Geschützen von Roupy, die Division Payen von Bermand und schließlich auch noch die Division Robin herbei. Dessenungeachtet wurden die Franzosen allmählich von Beauvois, Trefcon und Coulaincourt bis Bermand geworfen, ihre Infanterie besetzte die zwischen den letztgenannten beiden Dörfern liegenden Gehölze und auf einem Plateau nördlich davon nahm die Batterie Dupuich Stellung. Die Nacht machte endlich diesem Rückzugsgefecht ein Ende, das der Nordarmee 500 Todte und Verwundete, sowie ein Geschütz (das erste im ganzen Feldzuge) kostete. „Die Preußen," sagt General Faidherbe, „fischten es aus einem Dorfpfuhl heraus, wohinein es die Ungeschicklichkeit eines Fahrers geworfen hatte; um den Marsch der Kolonne nicht aufzuhalten, mußte man es nach großen, aber vergeblichen Anstrengungen im Stich lassen."

An der Schlacht von St. Quentin (19. Januar) nahm die französische Artillerie einen ziemlich bedeutenden Antheil; sie war inzwischen auf 15 Batterien mit 90 Geschützen gebracht worden, zu denen kurz vor der Schlacht noch 2 4Pfünder und 4 Gebirgsgeschütze der Brigade Isnard hinzutraten, welche bisher im Osten detachirt gewesen, aber, den Befehlen des General Faidherbe gemäß, am 14. von Cambrai aufgebrochen und am 15. in St. Quentin angelangt war. Von den 15 Batterien waren 2 Drittel (2 12Pfünder, 2 8Pfünder und 6 4Pfünder-Batterien) dem 22. Korps zugetheilt. Den 96 Geschützen der Nordarmee standen bei St. Qentin 162 preußische gegenüber.

Ungefähr im Centrum der französischen Schlachtlinie, welche im Süden und Westen von St. Quentin, mit dem 22. Korps auf dem linken, dem 23.

auf dem rechten Flügel und der Brigade Isnard in der Mitte, fast einen Halbkreis bildete, nahmen auf einer Anhöhe bei der Mühle A-tout-vent nach einander 5 Batterien des 22. Korps eine äußerst vortheilhafte Aufstellung: zuerst die Batterie Collignon allein, dann Montebello, Bocquillon und Gaignaud (12 Pfünder) und später noch die Batterie Beauregard. Der Wirksamkeit dieser 30 Geschütze giebt General Faidherbe ein sehr ehrenvolles Zeugniß, indem er versichert, daß sie während der ganzen Dauer der Schlacht die Anstrengungen des Gegners vereitelt und diesem schwere Verluste zugefügt haben. Sie ließen sich auch nicht irre machen, daß links von ihnen die 1. Brigade (Aynès) der 1. Division des 22. Korps gegen 3 Uhr, nachdem ihr Führer gefallen war, vollständig über den Haufen geworfen und bis in die Vorstadt Isle zurückgetrieben wurde, sodaß die 5 Batterien, welche aber nichtsdestoweniger ruhig ausharrten und ihr Feuer fortsetzten, zeitweise völlig in der Luft standen. Sie zogen sich erst bei Einbruch der Dunkelheit nach der Vorstadt Isle ab, als auch die 2. Brigade der Division Derroja geschlagen und auf St. Quentin zurückgedrängt war; in der Vorstadt Isle hatte man Barrikaden errichtet, welche den Rückzug wirksam genug deckten, daß keine der 5 Batterien ein Geschütz verlor.

Auf dem rechten Flügel der Nordarmee, bei dem 23. Korps und der Brigade Isnard, spielten besonders die Batterien Halphen, Dupuich und Dieudonné eine hervorragende Rolle im Gefecht. Die erstere hatte südlich von Francilly eine vortreffliche Stellung gewählt, welche sie den ganzen Tag hindurch erfolgreich behauptete; die beiden letzteren standen hinter der Division Robin, die den äußersten rechten Flügel bildete, um die Rückzugsstraße nach Cambrai gegen Umgehungsversuche des Feindes zu sichern. Die Korps-Artillerie endlich war links vom 23. Korps auf den Höhen aufgestellt, welche die Straße von Ham nach St. Quentin beherrschen.

Auf diesem Theile des Schlachtfeldes wurde das Gefecht anfangs nur durch Artillerie- und Schützenfeuer unterhalten, bis gegen 2 Uhr ein kräftiger Angriff der preußischen Truppen der Division Robin das Dorf Fayet entriß und somit zugleich die Straße nach Cambrai bedrohte. Den Gegenangriff, welchen die Brigaden Michelet und Pauly auf Fayet ausführten, unterstützten anderthalb Batterien der Korps-Artillerie, die General Faidherbe selbst dorthingesandt hatte.

Dem bald darauf beginnenden allgemeinen Rückzuge der Nordarmee, dessen Richtung für das 22. Korps über Bohain auf Le Cateau und für das 23. über Le Catelet auf Cambrai ging, vermochten sämmtliche 15 Batterien beider Korps zu folgen, ohne ein Geschütz einzubüßen. Dagegen verlor die Brigade Isnard ihre gesammte Artillerie: die 4 Berggeschütze wurden in der Vorstadt Isle, wo sie Stellung genommen hatten, und die beiden 4 Pfünder in St. Quentin selbst von den Siegern erbeutet.

Hinsichtlich der Feuerwirkung der französischen Artillerie in dieser Schlacht glaubt General Faidherbe einen besonderen Werth auf die Verwendung der vom General Treuille de Beaulieu neuerdings konstruirten und von der Regierung der Natonalvertheidigung am 17. Dezember 1870 angenommenen 4 Pfünder-Shrapnels legen zu sollen, welche bei St. Quentin zum ersten Mal und auch da nur von 2 Batterien (Bocquillon und Halphen) auf Entfernungen von 2000 bis 2500 Meter verfeuert wurden. Sie wiegen gegen 5 Kilo, während das Gewicht der 4 Pfünder-Granate nur 4 und das des älteren Shrapnels (von 1864) 4,718 Kilo beträgt. Diese Erhöhung des Geschoßgewichts hat denn auch naturgemäß eine Vermehrung der Geschützladung von 0,55 auf 0,6 Kilo, sowie gleichzeitig eine Steigerung des Aufsatzes um 100 Meter zur Folge gehabt. Alle sonstigen Angaben über ihre Einrichtung fehlen leider, außer daß sie ebenso, wie die älteren Geschosse, Perkussions-zünder (?) haben und beim Zerspringen in ungefähr 46 Sprengstücke und Kugeln zerlegt werden sollen; danach würde ihre Sprenggarbe, wenn auch nicht an Masse und Kraft, so doch an Zahl der Projektile den 4 Pfünder-Shrapnels aller anderen Artillerien erheblich nachstehen. Um so mehr muß es deshalb auffallen, daß man eine so vorzügliche Wirkung dieses den älteren 4 Pfünder-Geschossen angeblich weit überlegenen Shrapnels sowohl gegen Artillerie, wie gegen Infanterie theils durch direkte Beobachtung der Schüsse wahrzunehmen, theils aus der ungemeinen Hartnäckigkeit, mit welcher die feindliche Artillerie ihr Feuer vorzugsweise auf jene beiden Batterien konzentrirte, schließen zu dürfen glaubte.

Es folgen dann nach dem Hörensagen die Mittheilungen von allerlei Leuten bürgerlichen Standes, krank gewesenen Soldaten und entwischten Gefangenen, welche mit preußischen Truppen verschiedentlich in Berührung gekommen sind und von diesen stets die höchsten (in vielen Beziehungen auch gewiß nicht unberechtigten) Lobsprüche über die französische Artillerie der Nordarmee im Allgemeinen, besonders aber über die mörderische Wirkung einer „Mitrailleusen-Batterie" bei St. Quentin vernommen haben wollen.

Dies wurde auch von dem Kommandeur der Artillerie, Oberst Charon, und einem Generalstabsoffizier des Generals Lecointe, Baron Cantillon, bestätigt, die beide in dienstlichen Angelegenheiten mit dem Generalstabe der preußischen ersten Armee zusammenkamen. „Alle (Preußen) lobten das ausgezeichnete Schießen unserer Artillerie und waren über unsere Mitrailleusen erstaunt."

„Nun haben wir aber," fügt General Faidherbe sehr trocken hinzu, „bei der Nordarmee niemals Mitrailleusen gehabt; folglich (!) können es nur die Shrapnels des Generals Treuille de Beaulieu gewesen sein, die dem Feinde den Glauben, daß wir Mitrailleusen besäßen, beigebracht haben*). Das neue Shrapnel hat also die Weihe des Schlachtfeldes erhalten und sich als ein höchst wirksames Geschoß bewährt, dessen Leistungsfähigkeit den Werth unseres gezogenen 4 Pfünders wesentlich erhöht. Letzterer wird überhaupt, nach Oberst Charon's Ansicht, wenn richtig und auf angemessenen Entfernungen gebraucht, immer ein vorzügliches und äußerst handliches Feldgeschütz bleiben, das in jedem Terrain mit Leichtigkeit zu manövriren vermag. Man hat seine zu geringe Schußweite getadelt; aber dieser Vorwurf fällt nicht so schwer in's Gewicht, wie man vielleicht annehmen möchte. Ein Kanon von 6000 Meter Schußweite würde sich ebenfalls unzureichend erweisen, wenn man es auf 7000 Meter von den feindlichen Batterien aufstellte." (!)

Ohne auf diese sonderbare Art der Schlußfolgerung, nach der man mit gleichem Recht auch eine Maximal-Schußweite von 1000 Metern für genügend erklären könnte, näher einzugehen, wollen wir nur bemerken, daß die zu geringe Wirkungssphäre noch der vergleichsweise unschädlichste Fehler der französischen 4 Pfünder ist. Aber ein Geschützsystem, dessen Trefffähigkeit selbst den bescheidensten Ansprüchen, die man an gezogene Geschütze wohl zu stellen das Recht hat, nicht im entferntesten zu genügen im Stande ist, ein System, dessen Geschoßbahnen, vermöge des zu kleinen Ladungsverhältnisses des Geschützes, besonders auf den größeren Entfernungen viel zu steil ausfallen, um einigermaßen befriedigende bestrichene Räume zu ergeben, ein System endlich, dessen Geschoßwirkung theils durch die Einrichtung der Geschosse selbst, vorzugsweise- aber durch ihre noch lebhaft an den Urzustand der Zündertechnik erinnernden Zünder**) auf das möglich geringste Maß zurückgeführt ist, — ein solches System konnte wohl im Jahre 1859, als die Feldartillerien aller anderen Mächte noch ausschließlich glatte Geschütze führten, gut genug sein und sich auch auf dem Schlachtfelde bewähren, denn unter Blinden ist der Einäugige König; im Jahre 1870 aber war es der leibhafte Anachronismus und zählte unbedingt zu den entschieden überwundenen Standpunkten; ja man wird schwerlich zu weit gehen, wenn man behauptet, daß, hinsichtlich ihrer vergleichsweisen ballistischen und taktischen Leistungsfähigkeit, der Abstand

---

*) Diese eigenthümliche Logik scheint uns denn doch sehr wenig innere Berechtigung zu besitzen, denn es würde in der That ziemlich naiv sein, wollte man annehmen, daß Jemand, der auch nur den oberflächlichsten Begriff von dem Shrapnelschuß des gezogenen Geschützes und dem Lagenfeuer des canon à balles hat, diese beiden nicht unter allen Umständen mit unbedingter Sicherheit sollte unterscheiden können.

**) Der Perkussionszünder für Granaten ist bei weitem nicht empfindlich genug; der Brennzünder für Granaten läßt nur 2, sage zwei, und der Zeitzünder für Shrapnels nur 4 verschiedene Tempirungen zu, so daß man dem Feinde mit der ~~Wirkung~~ überhaupt gar nicht beikommen kann, wenn er nicht zufällig die Freundlichkeit hat, sich auf Entfernungen aufzustellen, für welche die Zünder gemacht sind.

zwischen dem preußischen Hinterlader und dem französischen System La Hitte größer ist, als zwischen diesem und den ehemaligen glatten Geschützen. Um so mehr muß es daher befremden, daß ein höherer Artillerie-Offizier, wie Oberst Charon, noch heut, nach den schlagenden Erfahrungen des letzten Krieges, in dem französischen 4 Pfünder ein allen billigen Anforderungen völlig entsprechendes Feldgeschütz erblickt. Zum Heil der französischen Artillerie dürfte aber seine Ansicht nicht mehr die ausschließlich herrschende und maßgebende sein; wenigstens haben sich unter seinen Landsleuten und Kameraden bereits so manche gewichtige und eindringliche Stimmen vernehmen lassen, welche das ungesäumte Aufgeben des Systems La Hitte und die Annahme des preußischen Systems in kategorischer Weise befürworten. Zu diesen Stimmen zählen wir beispielshalber den „volontaire de l'armée du Rhin," der in seiner „Histoire de l'armée de Chalons" bei Besprechung der Schlacht von Sedan ein ebenso scharfes, wie wohl begründetes Urtheil über die großen Mängel in der Bewaffnung der französischen Artillerie fällt, die nicht mit der Zeit fortgeschritten und deshalb von den Artillerien anderer Mächte weitaus überholt worden sein. Sein Gewährsmann hinsichtlich der Vorzüge und der Ueberlegenheit des preußischen Systems ist der bekannte Oberst Stoffel, ehemals kaiserlich französischer Militair-Bevollmächtigter in Berlin, dessen tadelnde und warnende Worte aber in dieser, wie in so vielen anderen Beziehungen ungehört verhallten, bis es plötzlich zu spät war, um die jahrelangen Versäumnisse mit einem Schlage wieder einzubringen.

Einem Gesinnungsgenossen Stoffels, dem General Trochu, war es übrigens vorbehalten, die Ideen des unliebsamen und bereits als „Prussomane" verrufenen Kritikers auch für Frankreich in die Praxis zu übertragen. Als Trochu Gouverneur von Paris geworden war, ließ er während der Einschließung unter anderen auch einen für die Feldartillerie bestimmten gezogenen bronzenen 14 Pfünder-Hinterlader, das canon de sept (Kilogr.), konstruiren, in welchem die Grundzüge des preußischen Systems verkörpert sind und der vielleicht das Modell für die neu zu schaffenden französischen Feldgeschütze abgeben wird.   131.

Zur Festungsfrage.

———

Der letzte Krieg hat auch in der Festungsfrage Erfahrungen gebracht, die nicht ungenützt bleiben dürfen, jedenfalls hat die Diskussion darüber einen Boden gewonnen, der neue Anregung giebt.

Die alten bastionirten Plätze haben sich durchaus nicht bewährt; vollgepfropft mit Häusern und militairischen Etablissements, ohne hinreichend bombenfichere Räume, erlagen sie dem Bombardement weit schneller, als man erwarten durfte. Wer eine Anzahl dieser Plätze gesehen und sich recht lebhaft in die Lage des Kommandanten setzte, wird gewiß nicht die Behauptung aufstellen, daß sie allgemein schlecht gehalten wurden. Das Endresultat war, daß sie reiche Vorräthe und verhältnißmäßig viele Gefangene frühzeitig in die Hände des Siegers lieferten und dadurch Frankreich mehr schadeten, als nützten.

Unsere wohl erhaltenen und wenigstens nothdürftig mit bombensicheren Räumen versehenen Festungen derselben Art sind zwar nicht mit den französischen zu vergleichen, die Hauptnachtheile aber haben sie mit diesen gemeinsam, und sie würden daher wahrscheinlich auch keine glänzende Rolle spielen können.

Es würde hier zu weit führen, die Dienste, welche die kleinen französischen Festungen geleistet, zu erörtern, ihre Hauptleistung war jedenfalls die, daß sie die Kommunikation versperrten. Diesen Dienst hätten einfachere und weniger kostspielige Anlagen an geeigneten Punkten besser gethan.

Die gemachten Erfahrungen drängen darauf hin, die kleineren Stadtfestungen zu schleifen und an geeigneten Stellen Sperrpunkte herzustellen, reine Militairforts mit schwacher Besatzung, die gerade so stark sind, um einem gewaltsamen Angriff und einem Bombardement nicht zu erliegen.

Ganz andere Erfahrungen hat man aber mit den großen Festungen gemacht, mit solchen Plätzen, die vermöge ihrer strategischen Lage und ihrer Ausdehnung bestimmend in die großen Operationen eingreifen. Wenn der Nutzen solcher Befestigungen vor dem Kriege zweifelhaft gewesen wäre, diese Zweifel müßten jetzt gehoben sein.

Die Hauptbedingung für den Nutzen einer solchen Festung ist ihre strategisch richtige Lage. Die strategisch wichtigen Punkte werden aber immer mit den Knotenpunkten der Land-, Wasser- und Eisenstraßen zusammenfallen. Sie werden deshalb fast immer große Handelsplätze, große Städte sein. Wollte man selbst mit ungeheuerem Aufwande reine Militairfestungen schaffen, alle möglichen Verbindungen dorthin leiten, die großen Städte würden immerhin Punkte bleiben, deren Hülfsquellen und Verbindungen man selbst ausnutzen, deren Besitz man dem Feinde verwehren müßte. Man kann sie nicht entbehren und kann sie mit allen Deklamationen nicht vom Kriegstheater wegwischen. Also ganz im Gegensatze zu kleinen Plätzen, die man leichter verlegen und als reine Militairposten herstellen kann, wird man trotz aller Inkonvenienzen große Städte befestigen müssen und die einmal befestigten zum großen Theil nicht entfestigen können.

Beim Bau resp. Umbau solcher Plätze kommen jetzt aber Fragen in Betracht, welche theilweise die Neuzeit und die neueren Erfindungen gewaltig in den Vordergrund gedrängt haben und die deshalb mehr gewürdigt werden müssen, als bisher geschehen.

1. Solche Plätze schließen einen großen Theil der Bevölkerung des Staates und einen selbst zu dieser Bevölkerung starken Prozentsatz des Nationalvermögens ein. Man muß also vermeiden, ihre Entwickelung zu hemmen und sie nach Kräften gegen Zerstörung sichern. Diesen Anforderungen entsprechen die heutigen großen Festungen meist nur sehr wenig.

2. Die große Besatzung schon, wie vielmehr eine eingeschlossene Armee, verlangt Vorkehrungen für Unterkunft, Verpflegung und Gesundheitspflege in einer Ausdehnung, wie sie fast nirgend ausreichend getroffen sind.

3. Das Arrangement der Werke muß so beschaffen sein, daß der naturgemäß sehr ausgedehnte Platz nicht eine zu starke Besatzung verlangt, daß der Sicherheits- und Arbeits-Dienst nicht die Kräfte übermäßig in Anspruch nimmt. Einer eingeschlossenen Armee muß die Festung aber die Freiheit lassen, zu ruhen resp. sich zu organisiren oder zur Offensive überzugehen, ohne an der Festung zu kleben.

4. Die weiten Entfernungen und die Nothwendigkeit, rasch alle Kräfte an den angegriffenen Punkten konzentriren zu können, verleihen guten Kommunikationen eine erhöhte Wichtigkeit.

Es muß also für viele und gute Straßen, Schienenwege und Telegraphenverbindung gesorgt sein.

Es ist weder nothwendig, noch liegt es in der Absicht, hier ein neues System aufzustellen, es soll nur versucht werden, zu zeigen, wie man wohl diesen Anforderungen genügen könne. Ohne daher in fortifikatorische Details einzugehen, soll die Darstellung einer solchen Festung den Rahmen abgeben, in den die Erörterung der obigen vier Punkte eingepaßt wird.

Die Stadtenceinte soll so einfach wie möglich gehalten werden, etwa eine trenesirte Mauer mit flankirenden Rondelen. Um den ausgedehnten Linien einigen Halt zu geben, liegen an geeigneten Punkten reduitartig abgeschlossene Werke in der Enceinte, die zur Geschützvertheidigung eingerichtet sind. Sie enthalten bombensichere Räume für Kasernements und die wichtigsten Magazine. Die Stadtenceinte soll keinem förmlichen Angriff widerstehen, sie soll nur gegen einen Handstreich sichern und verhindern, daß der Feind sofort nach Wegnahme eines Forts der unbestrittene Herr des Platzes ist.

Die Hauptvertheidigung liegt in den Forts. Viele Gründe fordern gebieterisch, daß sie weit vorgeschoben sind. Demgemäß müssen sie ausgedehnt, stark und vollständig selbstständig sein, woraus wiederum folgt, daß sie nicht sehr zahlreich sein können. In ihrer ganzen Anlage müssen sie auf eine energische und zähe Vertheidigung gegen den förmlichen Angriff eingerichtet sein.

Die Forts werden durch einen gedeckten Weg verbunden, der, soweit es irgend das Terrain zuläßt, in langen Linien von Kehle zu Kehle läuft. Das vor diesem gedeckten Wege liegende Glacis ist so bepflanzt, daß die Bäume eine Maske abgeben, ohne das Hervorbrechen von Massen zu hindern. Werden die Linien zu ausgedehnt, um sie unter Feuer halten zu können, oder erschweren Terrainsenkungen die Einsicht, so müssen Zwischenposten eingeschoben werden, jedoch, um die Vertheidigung nicht zu zersplittern, sparsam in Zahl und Ausdehnung. Diese ganze Anlage soll lediglich eine Umgestaltung des Terrains zu Gunsten der aktiven Vertheidigung sein, für gewöhnlich also mit Ausnahme der Zwischenposten weder bewacht noch vertheidigt werden.

Vor der Linie der Forts, durch Erdmasken gegen Artilleriefeuer gedeckt, liegen Feldwachthäuser, leicht in Mauerwerk und Eisen konstruirt und nur zur Gewehrvertheidigung eingerichtet. Ihre Lage ist natürlich durch das Terrain bedingt, durchschnittlich werden sie etwa 1000 Schritt von den Forts und unter einander entfernt sein.*) Sie sollen den Soutiens der Feldwachen Schutz gegen Feind und Wetter geben und der ganzen Feldwachtstellung eine Festigkeit verleihen, die erlaubt, von der Aufstellung zahlreicher Replis abzusehen.

---

*) Das würde z. B. für Metz ca. 40 ergeben.

Untersuchen wir nun, wie eine solche Festung ben vorher aufgestellten Anforberungen zu genügen im Stanbe ist.

Die Stabtenceinte ist in ber vorgeschlagenen Form, weber was Terrain= erwerbung noch was Baukosten anbetrifft, kostspielig.

Es ist also nicht schwierig, ber Stadt ben nöthigen Raum zur Ent= wickelung zu geben ober auch, wenn das Bebürfniß sich geltend macht, später einmal die Mauer wieder herauszurücken. Beim Umbau einer Festung können bie vorhandenen Forts meist die Stützpunkte in ber Stabtenceinte ab= geben.

Die Einfachheit ber Anlage unb die verhältnißmäßig geschützte Lage er= laubt neu formirten Truppentheilen, zu ber unsere ganze Organisation reiches Material bietet, bie Bewachung unb Vertheidigung anzuvertrauen. Die Rayon= gesetze brauchen zwischen Stabtenceinte unb Forts nicht rigorös gehandhabt zu werben. In ihrer jetzigen Gestalt bilben die Thorpassagen ein Haupt= hinderniß des Verlehrs. Auch für Truppenbewegung bilben sie höchst unbe= queme Defileen. Sie müssen mindestens bie breifache Breite haben. Statt sie burch alle möglichen Chikanen zu vertheidigen, übertrage man die Verthei= bigung einem bicht vorliegenden geschlossenen Werke, an bessen Kehle bie Passage vorbeigeht. Ein mehrfacher Gitterverschluß wird bann in Verbindung mit bem Feuer zur Vertheidigung genügen.

Gegen das Bombarbement muß die Lage ber Forts sichern. Uebrigens sind vereinzelte, auf fabelhafte Entfernungen einfallende Granaten nicht im Stanbe, großen Schaben zu thun, weil man das Feuer nicht auf einen Punkt konzentriren kann.

Der zweite Punkt, die Vorkehrung für Unterkunft, Verpflegung unb Ge= sundheitspflege verlangt große Sorgfalt unb kostspielige Anlagen. Bekanntlich verliert man in jebem Kriege, namentlich aber bei feber Belagerung weit mehr Menschen burch Krankheit, als burch Feuer. In einer eingeschlossenen Festung ist aber jeber Kranke nicht nur ein unnützes Maul, wie sich bie fran= zösische Verwaltung ausbrückte, sondern nimmt auch viel Raum unb viele gesunde Kräfte zu feiner Pflege in Anspruch. Krankheiten treffen eine Festungs= besatzung viel härter, als eine Felbarmee, um so mehr Grunb, sie nach Kräf= ten zu verhüten. Dazu ist nöthig:

1) gesunbe Unterkunft,
2) georbnete Verpflegung,
3) aufmerksame Gesunbheitspflege, burch geeignete Einrichtungen unterstützt.

Für die Normalbesatzung müssen Wohnräume (Kasernements) nicht blos Unterkunftsräume vorhanden sein. Außer ben Kasernements in ben Rebuits der Enceinte werden daher rings hinter der Stadtenceinte herlaufend Baracken, in Fachwerk konstruirt, schon im Frieden anzulegen sein. Zu einem ordentlichen Wohnraume gehört vor allen Dingen, daß er nicht aus einer Hand in die andere gehe, sonst ist er immer unsauber, wird schlecht erhalten, und Niemand nimmt ein Interesse daran, ihn wohnlich zu machen. Es ist deshalb eine große Zahl solcher Baracken nöthig, denn außerdem verlangen Magazine und Lazarethe, schließlich auch Ställe noch ausgedehnten Raum.

Jedes Fort muß ebenfalls für seine Besatzung Kasernement haben und zwar bombensicheres. In Herstellung von bombensicheren Kasernements hat man in den neueren Forts entschieden Rückschritte gemacht. Die Sucht nach Deckung gegen den indirekten Schuß hat öfter dazu geführt, den Truppen Keller anzuweisen, statt Kasernements.

Für eine eingeschlossene Armee müssen Zelte vorhanden sein. Bivouakiren ruinirt eine Truppe sehr, Einquartieren ist einer Reorganisation wenig förderlich, Baracken lassen sich aber nur schwer in großer Zahl improvisiren.

Auf die Herstellung von Strohsäcken muß zeitig Bedacht genommen werden. Es wird bald an Stroh mangeln, und was das für Reinlichkeit und Gesundheit sagen will, haben wir hinreichend erfahren.

In der Verpflegung können durch zweckmäßige Einrichtungen Ersparnisse gemacht werden, die von großer Bedeutung sind. Daß die Verproviantirung großer Massen möglich ist, hat Metz und namentlich Paris gezeigt. Nun geht aber namentlich im Anfang ein großer Theil der Vorräthe nutzlos verloren. Das Einzelnkochen der Soldaten bedingt einen größeren Portionssatz und starken Holzverbrauch. Die Speisen sind schlecht zubereitet, die einseitige Zubereitung erzeugt Ueberdruß, für den Dienst gehen täglich mehrere Stunden verloren und durch öfter vorkommende Störungen kommt der Mann manchmal ganz um seine Mahlzeit. Jedes Fort, jedes Wachthaus, jeder Komplex von Baracken muß seine Küche haben. Ebenso müssen Küchenbaracken vorräthig sein, um sie sofort in den Lagern aufschlagen zu können. Die Abfälle sind als Viehfutter zu verwenden. Das lebende Vieh muß rasch reduzirt werden, denn es nimmt aus Mangel an Pflege und auch an Futter ab. Eine Anstalt zur Herstellung von Fleischkonserven muß daher vorhanden sein. Nur so viel Vieh, als man in Ställen unterbringen und verpflegen kann, muß erhalten werden, um den Lazarethen und ab und zu den Truppen frisches Fleisch zu liefern.

Die Magazinräume müssen ebenfalls sehr ausgedehnt sein, sonst verdirbt unglaublich viel bei der immer etwas Hals über Kopf eintretenden Verproviantirung. In den Forts und Wachthäusern müssen ebenfalls Magazine sein, die wenigstens für 1 bis 2 Wochen ausreichen.

Für die Lager sind einige Magazinbaracken, lediglich als Ausgabe-Magazine nöthig, schon um besser Ordnung halten zu können und nicht viel durch Naßwerden verderben zu lassen.

Für die Gesundheitspflege ist vor allen Dingen Wasser im Ueberfluß nöthig. Eine gute Wasserleitung ist dringendes Erforderniß. Diese muß nicht allein zahlreiche Brunnen (die mit Waschtrögen versehen sind) längs der Baracken speisen, sondern auch jedes Fort muß laufendes Wasser haben. Die zu Lagerplätzen ausersehenen Stellen müssen ebenfalls Brunnen und Pferdetränken haben, und für die innerhalb der Forts liegenden Dörfer muß auf einen großen Wasserverbrauch bei starker Belegung Rücksicht genommen werden. Senkbrunnen und namentlich die Abessinier reichen nicht aus, und auf etwa vorhandene Bäche darf man nicht rechnen; sie können durch hineingeworfene Kadaver vergiftet werden und ist es immer gut, wenn man nicht auf die Loyalität des Feindes angewiesen ist. Natürlich muß auf guten Wasserabfluß Bedacht genommen sein.

Latrinen und Müllgruben dürfen auch nicht improvisirt werden, sonst werden sie leicht die Heerde von Seuchen.

Die Lazarethe müssen zeitig auf einen großen Krankenbestand berechnet, gleichzeitig aber auch Schulen und andere große Lokale für Leichtkranke eingerichtet werden, um die besser eingerichteten Lazarethe für Schwerkranke zu reserviren und nicht auf einen Fleck zahlreiche Kranke zu häufen. Der Nothbehelf in Metz, wo man Eisenbahngüterwagen auf der Esplanade zusammengefahren hatte und zur Unterbringung von Kranken verwendete, verdient Beachtung.

In der Kehle von jedem Fort sorge man für eine Revierbaracke und in den Lagern für Revierzelte. Man vermeidet dadurch Ueberfüllung der Lazarethe durch Leichtkranke, die sich oft dort erst Ruhr und Typhus holen, die aber jedenfalls das Personal unnöthig in Anspruch nehmen. Jedes Fort bedarf außerdem einen kleineren geschützten Raum für die erste Pflege von Schwerverwundeten.

Die Desinfektion übertrage man einem bestimmten Personal, sie wird dann sachgemäß und ohne Verschwendung der Desinfektionsmittel ausgeführt.

Der dritte Punkt, möglichste Ersparung von Kräften, sowohl im Sicherheits- als Arbeitsdienst, ist überaus wichtig, und deshalb darf man sich auch hierin nicht auf Improvisationen verlassen, wenn der Feind vor den Thoren steht, es giebt selbst bei den weitgehendsten Vorkehrungen immer noch sehr viel zu thun.

...fortifikatorische und artilleristische Armirung, namentlich der Forts
... möglichst einfach sein. Statt der Pallisabirungen lassen sich in
... Fällen Eisengitter verwenden, und Brombeerhecken sind vielfach
..., ein ebenso gutes Hinderniß abzugeben, als Sturmpfähle und
...

Daß die Geschütze ꝛc. für die Armirung gegen den gewaltsamen Angriff
auf den Forts lagern, ist selbstverständlich, zur Armirung gegen den
...chen Angriff müssen die später zu besprechenden guten Kommunikationen
meist thun.

Um nicht für jedes der großen Forts eine unverhältnißmäßige Besatzung
...chen, verdiente es wohl der Ueberlegung, ob es nicht angängig ist:
... im permanenten Style gebautes solides Centralfort mit einer ausge-
...ten Enveloppe zu umgeben, welche, mehr in provisorischer Art gebaut,
...dem Centralfort vollkommen beherrscht wird." Diese Enveloppe würde
... erst armirt, wenn man Grund hat, anzunehmen, daß das Fort förmlich
...griffen wird, und würde dann den Raum zur Entwickelung einer zahl-
...n Artillerie bieten. Einer zahlreichen Garnison gegenüber, der das die
... verbindende Glacis eine gedeckte Aufstellung zum Vorbrechen bietet, wird
... ein Einlogiren in der Enveloppe nach einem gewaltsamen Angriff un-
...ich sein. Auf diese Art hätte das Fort eine große Frontentwickelung; gegen
...umfassenden Angriff soll aber das die Forts verbindende Glacis außerdem
...rken.

Die innere Böschung des Glacis wird so flach gehalten, daß sie von
... Waffen passirt werden kann. Sowohl Geschützemplacements als Schützen-
...r sind leicht herzustellen, letztere nicht einmal erforderlich, wenn die Linie
... enfilirt wird. Auf den nicht angegriffenen Fronten wird man eine be-
...ere Besatzung nicht nöthig haben, dagegen bietet dieses Glacis eine Basis
... aktiven Vertheidigung, wie sie unmöglich erst vor dem Feinde geschaffen
...en kann.*)

---

*) Vor Metz und Paris hatten die Franzosen zwischen den Forts zahlreiche und sehr
...ausgeführte Laufgräben hergestellt, in denen man stellenweise sogar in Halbzugfront
... konnte. Sie können aber das vorgeschlagene Glacis nicht ersetzen, trotz der
...Arbeit, die sie verursachen. Man kann nicht aus ihnen mit Massen vorbrechen,
...tern zu müssen. Bekommt man dann gleich beim Ralliiren Feuer, so hat man
... kritischen Moment zu überwinden, der immer eintritt, wenn man gerade beim
... das Feuers die Truppe nicht vollständig in der Hand hat, später sind die Nerven
... empfindlich.
... sich in Festungen oft mit Truppen von zweifelhaftem Werthe behelfen, und
... förderud, wenn ein Labyrinth von Laufgräben in der Nacht Ge-
... zum Zurückbleiben und Verstecken einzelner Leute bietet.

Die Feldwachthäuser erleichtern den Sicherheitsdienst sehr. Durch eine Erdmaske gegen Artilleriefeuer geschützt, mit Eisen bombensicher eingedeckt, mit einem Diamantgraben umgeben und durch rings umlaufendes Eisengitter mit einem Hofraum versehen, werden sie einem Handstrich schon widerstehen können. Sollte der Feind mit unverhältnißmäßigem Kraftaufwand eines nehmen, so wird er sich gegen das Feuer der Forts nicht darin halten können, und schließlich steht dann die Feldwache im Freien, wo sie andernfalls von vorn herein gestanden haben würde. Auf den Fronten, wo der Feind lediglich cernirt, kann die doppelte Ablösung recht wohl eine Woche aushalten.

Bei einer sehr ausgedehnten Festung ist die Cernirungslinie nicht wesentlich länger, als die Linie der Festungsfeldwachen. Will man also nicht einen fast ebenso aufreibenden Dienst haben, als der Feind, so muß man durch Anlagen sich in Vortheil setzen. Der Feind muß alle Tage ablösen, nimmt also seinen Vorposten jedesmal zwei Nächte hintereinander die Ruhe, denn bei Tagesanbruch muß die Ablösung stehen. Außerdem muß er seine Feldwachen stärker machen und zahlreiche Replis haben. Was ein solcher Dienst zu bedeuten hat, haben wir namentlich bei Metz gesehen, er ist geradezu aufreibend. Dagegen kann in einem solchen Feldwachthause die Ablösung ruhig schlafen, der auf Wache befindliche Theil ist, soweit er nicht auf Posten steht, auch verhältnißmäßig gut untergebracht.

Auf gute Kommunikationen der Werke untereinander hat man schon immer Werth gelegt, die große Ausdehnung einer Festung, wie die besprochene, stellt aber erhöhte Anforderungen.

Alle wichtigen Punkte müssen untereinander durch Chausseen, Eisenbahnen und Telegraphen verbunden sein.

Innerhalb und um die Stadtenceinte wird der gewöhnliche Verkehr schon gute Straßen bedingen. Außerdem muß aber jeder Lagerplatz nach allen Richtungen hin Chausseen haben und ebenso die Forts untereinander verbunden sein. Liegt die Verbindungsstraße von der Stadtenceinte zu einem Fort im feindlichen Feuer, so muß unterirdisch eine zweite Verbindung vorhanden sein. Zu den Feldwachthäusern und zwischen diesen führen feste Patrouillenwege. Gute Verbindungswege sind kein Luxus, sie bedingen unter Umständen das rechtzeitige Eintreffen von Truppen an gefährdeten Stellen und machen allein ein sicheres Disponiren möglich.*)

---

*) Bei der Cernirung von Metz (Front von Fort Quelien) brauchten die Truppen auf beiden Seiten beim Beziehen der Vorposten mindestens die dreifache Zeit, die sie auf gutem Wege nöthig gehabt hätten. Die taktische Ordnung ging total verloren. Eine Unterstützung

An Schienenverbindung sind erstlich zwei Gürtelbahnen erforderlich. Die eine innerhalb der Enceinte verbindet alle Magazinbaracken rc. und macht außerdem das rasche Konzentriren der kasernirten Truppen möglich. Die zweite verbindet die Forts, möglichst sich dem gedeckten Wege anschließend. Nach jedem Fort ist ein Doppelstrang zu legen, selbst wenn nur mittelst stehender Dampfmaschine und schiefer Ebene die Verbindung möglich wäre. Eine rasche Armirung ist sonst nicht denkbar, denn das Geschützmaterial wird nothwendig von einer Centralstelle hingeschafft werden müssen. Außerdem sind 1000 Centner Eisenmunition für ein großes Fort kein übermäßiger Tagesverbrauch. Pferde leisten wenig und fressen viel und sind schließlich nicht mehr vorhanden. Die Schienenstränge müssen ins Fort laufen, dort aber ein Perron das Abladen erleichtern. Auf dem Wallgang und den Rampen sind umgelegte Schienen besser zum Transport von Geschütz, als Rollwagen, welche auf Schienen laufen. Mit solcher Verbindung ist ein Fort in 24 Stunden artilleristisch zu armiren; jedenfalls wird man dem Feinde, der seine 24 Pfünder über's freie Feld in die Batterien einfahren muß, einen großen Vorsprung abgewinnen.

Sowohl Meldungen als Befehlsübermittelung übernimmt der Telegraph. Jedes Fort bedarf dazu einer Station mit mehreren Apparaten, die mit wirklichen Telegraphisten besetzt sind. Die Forts müssen untereinander und mit der Centralstelle sprechen können. Ebenso sind auch innerhalb der Enceinte Stationen nöthig. Die Feldwachthäuser bedürfen nur Signalapparate, deren Handhabung einfach ist.

Es treten also an den Ingenieur hohe Anforderungen heran, denen er schwer in vollem Maße und allseitig wird genügen können. Er soll die Interessen der Einwohner berücksichtigen und dabei allen Waffen ein geeignetes Feld der Thätigkeit schaffen, sowie der Thätigkeit des Arztes, des Verpflegungsbeamten, des Eisenbahnbeamten und Telegraphisten das Terrain vorbereiten. Kein Zweig darf ohne Schaden vernachlässigt werden.

Vor Allem aber möchten wir noch hervorheben:

Die aktive Vertheidigung wird mit Abkürzung der Entfernung vom Feinde immer wirksamer. Will man diesen Vortheil nicht verlieren, so muß man die Kräfte der Vertheidiger erhalten, damit der Muth nicht im entscheidenden Augenblicke gebrochen ist. Hierzu ist die Deckung gegen das feindliche Feuer

---

von den rückwärtigen Kantonnements wäre jedenfalls zu spät in die erste Linie gekommen. Man muß gesehen haben, wie ein lange gebrauchter Kolonnenweg aussieht, es übersteigt alle Beschreibung. Wegebesserungen waren lediglich Danaidenarbeit.

nur ein Mittel, das sich mit den anderen ergänzt, sie aber nicht in den Hintergrund drängen darf.

Daß die vorgeschlagenen Mittel und Wege überall die richtigen oder
gar die einzigen sind, soll keineswegs behauptet werden, selbst eine sachgemäße
Widerlegung kann dem Zwecke nur dienen.

v. S.

...igliche Hofbuchhandlung von J. F. Mittler & Sohn,

Berlin, Kochstraße 69.

Neuester militairischer Verlag.

a. Allgemeines.

...**oschke,** Th. Freiherr, (Gen.-Lieut.). Die Militair-Literatur seit den Befreiungs...
... mit besonderer Bezugnahme auf die „Militair-Literatur-Zeitung" während
... ersten fünfzig Jahre ihres Bestehens von 1820 bis 1870. gr. 8.
1 Thlr. 10 Sgr.

b. Organisation und Dienst.

... (Prem.-Lieut.). Militairischer Dienst-Unterricht für einjährig Freiwillige
... jüngere Offiziere des Beurlaubtenstandes der Infanterie. Fünfte, neu
... sehene Auflage. gr. 8. 24 Sgr.
...mer, (Prem.-Lieut.). Grundzüge der Heeres-Organisation in Oesterreich,
... Rußland, Italien, Frankreich und Deutschland. Nach den neuesten und
... Quellen bearbeitet. gr. 8. 28 Sgr.
...nghausen gen. Wolff, (Major). Organisation und Dienst der Kriegs-
... des Deutschen Reichs. Zugleich als Leitfaden bei der „Dienstkenntniß" bei
... Vorbereitung zum Offizier-Examen bearbeitet. Fünfte, umgearbeitete und
... ... Auflage. Mit 1 Lithographie. gr. 8. 1 Thlr. 18 Sgr.
...ns, (Prem.-Lieut.). Deutsches Lesebuch für Unteroffiziere und Soldaten. Zweite
... ... Auflage. gr. 8. 20) Sgr.
...rel, J., (Hauptm.). Der Adjutanten-Dienst im Frieden und im Kriege.
... 25 Sgr.
...n, J., (Lieut.). Der Fourieroffizier. Ein Rathgeber bei den verschiedenen
... ... dieses Offiziers nach den Reglements, neuesten Bestimmungen und an-
... Quellen zusammengestellt und bearbeitet. 8. 10 Sgr.
...art, (Intend.-Sekr.). Systematische Zusammenstellung der Bestimmungen über
... ..., Tagegelder und Umzugskosten für die Offiziere, die sonstigen Militair-
... ... und die Militair-Beamten, denen ein bestimmter Militair-Rang beigelegt
... Dem Wortlaute nach aus offiziellen Quellen zusammengestellt. gr. 8.
22½ Sgr.
... **Otto,** (Superintendent). Die evangelische Seelsorge beim Kriegsheer.
24 Sgr.
... und Ministerial-Erlasse, betreffend das Vorspannwesen im Frieden und Kriege;
... Wortlaut nach aus offiziellen Quellen zusammengestellt. 8. 6 Sgr.
...or, (Prem.-Lieut.). Die Königliche Militair-Schießschule in Spandau. Ein
... zur Geschichte derselben. Mit 1 Plane. gr. 8. 10 Sgr.

c. Taktik.

...slawski, A., (Hauptmann). Die Entwickelung der Taktik von 1793 bis
... Gegenwart. Mit 1 Plane. gr. 8. 1 Thlr. 6 Sgr.

v. **Keſſel**, (Gen.-Maj.). Die Ausbildung des Preußiſchen Infanterie-Bataillons im praktiſchen Dienſt. Mit Holzſchnitten und 2 Plänen in Buntdruck. Dritte, unveränderte Auflage. gr. 8. 1 Thlr. 7½ Sgr.

Paris, F. A., (General-Major) Die formelle Taktik der drei Waffen: Infanterie, Kavallerie, Artillerie nach den Königlich Preußiſchen Exerzier-Reglements im Anſchluß an die Taktik von Perizonius bearbeitet. Gr. quer 4. 1 Thlr. 5 Sgr.

Perizonius, H., (Hauptm.). Taktik nach der für die Königlich Preußiſchen Kriegsſchulen vorgeſchriebenen „genetiſchen Skizze“ ausgearbeitet. Vierte, neu redigirte Auflage von F. A. Paris, Gen.-Major. Erſte Hälfte, die Elementar-Taktik enthaltend. gr. 8. 1 Thlr.

— — Daſſelbe. Mit Atlas unter dem Titel: Die formelle Taktik der drei Waffen Infanterie, Kavallerie, Artillerie ꝛc. (Siehe: Paris formelle Taktik ꝛc.) 2 Thlr. 5 Sgr.

— — Daſſelbe. Zweite Hälfte, die angewandte Taktik enthaltend. 1 Thlr. 10 Sgr.

Rang- und Quartierliſte der Königlich Preußiſchen Armee und Marine für das Jahr 1870—71. Nebſt den Anciennetäts-Liſten ꝛc. Redaktion: Die Königl. Geheime Kriegs-Kanzlei. 8. Brochirt 1 Thlr. 15 Sgr., gebunden 1 Thlr. 21 Sgr.

Rathſchläge, praktiſche, für jüngere Offiziere über die Ausbildung der Infanterie im Feldbienſt. Zweite, vermehrte Auflage. gr. 8. 5 Thlr.

v. **Trotha**, (Oberſt). Anleitung zum Gebrauch des Kriegsſpiel-Apparates zur Darſtellung von Gefechtsbildern mit Berückſichtigung der Wirkung der jetzt gebräuchlichen Waffen. Mit 1 Tafel Beilagen. gr. 8. 12 Sgr.

v. **Verdy du Vernois**, (Oberſt). Studien über Truppen-Führung. Erſtes Heft. Mit 4 Anlagen. gr. 8. 17½ Sgr.

d. Kavalleriſtiſches.

Bismarck-Bohlen, Graf, (Gen.-Lieut.). Ueber die Aufgaben und die Verwendung der Reiterei im Kriege und über ihre Vorbereitung dazu im Frieden. Vortrag. gr. 8. 6 Sgr.

v. **Kranz**, (Oberſt). Anleitung zum Ertheilen eines ſyſtematiſchen Unterrichts in der Soldatenreiterei, auf Grundlage der für die preußiſche Armee gegebenen Beſtimmungen. Zweite durchgeſehene und vermehrte Auflage. Mit Nachträgen über das „Nehmen von Hinderniſſen“ und das „Engliſch Traben.“ Mit 1 Tafel. gr. 8. 1 Thlr.

— — Anleitung zur Ausbildung der Kavallerie-Remonten. Mit 32 Holzſchnitten im Texte und 73 Abbildungs-Tafeln. gr. 8. 4 Thlr. 10 Sgr.

v. **Mirus**, (General-Major). Hülfsbuch beim theoretiſchen Unterricht des Kavalleriſten für jüngere Offiziere und Unteroffiziere. Zugleich zur Selbſtbelehrung. Zweite nach den neueſten Verordnungen berichtigte Auflage. gr. 8. 1 Thlr. 15 Sgr.

— — Leitfaden für den Kavalleriſten bei ſeinem Verhalten in und außer dem Dienſte. Zum Gebrauch in den Inſtruktionsſtunden. Zugleich zur Selbſtbelehrung. Siebente Auflage. 16. 6 Sgr.

e. Artilleriſtiſches.

Taubert, (Oberſt). Der Gebrauch der Artillerie im Feldkriege, ſowie beim Angriff und bei der Vertheidigung der Feſtungen; belegt durch Beiſpiele aus der neueſten Kriegsgeſchichte. Für Offiziere aller Waffen. Mit 2 Plänen. 8. 1 Thlr. 10 Sgr.

Wille, R., (Prem.-Lieut.). Die Rieſengeſchütze des Mittelalters und der Neuzeit. gr. 8. 15 Sgr.

— — Ueber das Einheitsgeſchütz der Feld-Artillerie. Mit 3 Tafeln Abbildungen. gr. 8. 20 Sgr.

— — Ueber Kartätſchgeſchütze (canons à balles, mitrailleurs). Mit 45 Abbildungen auf 2 Tafeln. gr. 8. 28 Sgr.

f. Kriegsgeschichte.

Borbstaedt, A., (Oberst z. D.). Der deutsch-französische Krieg 1870 nach dem inneren Zusammenhange dargestellt. Mit vollständiger Ordre de bataille der deutschen und französischen Armeen, Karten und Plänen. Erste Lieferung. (Einleitung, die beiderseitigen Streitkräfte, Ordre de bataille der deutschen und französischen Armeen). gr. 8. 7½ Sgr.

— — Dasselbe. Zweite Lieferung. (Mobilmachung, Aufmarsch der Armeen, Gefechte bei Weißenburg und Saarbrücken, Schlacht bei Wörth. Mit 4 Karten). 15 Sgr.

— — Dasselbe. Dritte Lieferung. (Die Kämpfe um Metz. Mit 2 Karten und Beilagen). 18 Sgr.

v. Brandt, Dr. H. Aus dem Leben des Generals der Infanterie z. D. Dr. Heinrich v. Brandt. Erster Theil: Die Feldzüge in Spanien und Rußland 1808 bis 1812. Zweiter Theil: Leben in Berlin, Aufstand in Polen, Sendung nach Frankreich 1828—1833. Aus den Tagebüchern und Aufzeichnungen seines verstorbenen Vaters zusammengestellt von Heinrich v. Brandt, Major im Generalstabe. Zweite Auflage in einem Bande. gr. 8. 3 Thlr.

Feldzug, der italienische, des Jahres 1859. Redigirt von der historischen Abtheilung des Generalstabes der Königlich Preußischen Armee. Mit 5 Plänen und 7 Beilagen. Dritte Auflage. gr. 8. 1 Thlr. 10 Sgr.

v. Fitzurth, Frhr. Einhundert historische Volkslieder des Preußischen Heeres von 1675 bis 1866. 8. 20 Sgr.

Krieg, der, um Metz. Von einem preußischen General. Erster und zweiter Abdruck. gr. 8. à 5 Sgr.

Kraus, O., (Corvetten-Kapitain). Unsere Flotte im deutsch-französischen Kriege. gr. 8. 6 Sgr.

Wanderungen, kritische und unkritische, über die Gefechtsfelder der preußischen Armeen in Böhmen. Erstes Heft: Das Gefecht bei Nachod. Mit 5 Plänen. gr. 8. 25 Sgr.

— — Dasselbe. Zweites Heft: Die Gefechte bei Skalitz und Schweinschädel. Mit 5 Plänen. gr. 8. 28 Sgr.

Unter der Presse:

Manz, (Major). Die Operationen der deutschen Armeen von der Schlacht bei Sedan bis zu Ende des Krieges gegen Frankreich. circa 16 Bogen.

v. Boguslawski, (Hptm.). Taktische Folgerungen aus dem Feldzuge 1870—1871. circa 10 Bogen.

Witte, (Hptm.). Die Feld-Artillerie des deutschen Heeres. circa 10 Bogen. Mit Tafeln.

Engelke v. Piberstein, (Prem.-Lieut.). Was enthält das neue Exerzir-Réglement? Eine vergleichende Zusammenstellung der durch die neue Ausgabe des Exerzir-Réglements eingeführten Veränderungen.

Kurzes Merkbuch zum Exerzir-Reglement 2c.

Schneider, F., (Geh. Hofrath). Instructionsbuch für den Kavalleristen.

In Vorbereitung:

Borbstaedt, A., (Oberst). Der deutsch-französische Krieg. Vierte Lieferung.

Junge, (Major). Der Kavallerie-Unteroffizier. Zweite Auflage.

Verdy du Vernois (Oberst). Studien über Truppenführung. Zweites Heft.

Uniformirungsliste der Königl. Preuß. Armee. Zweite umgearbeitete Auflage.

Druck von E. S. Mittler und Sohn in Berlin, Wilhelmstr. 122.

Unser gezogenes Geschützsystem und die Idee eines „Einheitsgeschützes der Feldartillerie".

Bei der in Folge des Feldzuges voraussichtlich nothwendig werdenden Erneuerung unseres Feldartillerie-Materials dürfte auch die vom Premier-Lieutenant R Wille 1869 abermals so warm und geistvoll befürwortete Idee eines „Einheitsgeschützes der Feldartillerie" wieder in den Vordergrund treten, und es daher nicht unzeitgemäß erscheinen, auf historisch-analytischem Wege d. h. in Erwägung der Konsequenzen der bisherigen artilleristischen Erfahrungen die Wahrscheinlichkeit des Erfolges dieser Idee einer gedrängten Beleuchtung zu unterziehen.

Was zunächst die Berechtigung derselben betrifft, so glauben wir dieselbe für unsere Leser nicht klarer stellen zu können, als indem wir die eben so kurzen und prägnanten, als inhaltsschweren Worte, mit denen Wille in seiner Schrift (Archiv für Artillerie und Ing. 1869, 66. Band, S. 200 f.) die Vortheile eines Einheits-Feldgeschützes schildert, einfach hierhersetzen:

„Die wesentlichen Vortheile", sagt W., „welche ein vollkommen einheitliches Geschützsystem der Feldartillerie darbieten würde, liegen auf der Hand. Im Frieden: Erleichterung in der praktischen und theoretischen Ausbildung des Personals, sowie bedeutende Vereinfachung und daher auch Vervollkommnung in der Fabrikation des Materials. Im Kriege: leichterer und rascherer Ersatz von zerschossenen oder sonst unbrauchbar gewordenen Theilen, gesicherte Ergänzung der verschossenen Protzmunition aus jedem beliebigen Munitionswagen resp. aus jeder Artillerie-Munitions-Kolonne; die Gewißheit, daß die aus der Reserve und Landwehr einberufenen Bedienungsmannschaften an den Geschützen der Batterie, welcher sie zugetheilt werden, ausgebildet sind; endlich die Vereinfachung in der taktischen Verwendung der Artillerie: alle Batterien sind gleich geeignet, in der Avantgarde, im Gros oder in der Reserve zu stehen und in allen verschiedenen Lagen und Verhältnissen des Gefechts dem taktischen Bedürfniß und Zweck gleichmäßig zu genügen!"

Man sieht, die Vortheile sind groß genug, um ein ei⸗
danach zu rechtfertigen! Stellen wir also zunächst die Möglichkeit
fest und sorgen dann dafür, daß dabei von Hause aus der richtige Weg
geschlagen und nicht kostbare Zeit auf Um⸗ und Irrwegen verloren werde.

In beiden Beziehungen, scheint uns, kann am besten die historische E⸗
wickelung der Artillerie Auskunft geben, auf welche wir daher zunächst ei⸗
Blick werfen wollen.

Wir bemerken dabei, daß, da es unsere Absicht ist, das allgemeine ⸗
teresse der Kameraden aller Waffen auf die vorliegende hochwichtige Fr⸗
zu lenken, wir uns schon aus diesem Grunde der größten Kürze zu befleiß⸗
haben, nur die zum Verständniß absolut nöthigen Details geben, uns da⸗
auf erschöpfende, fachmännische und technische Erörterungen, für welche ⸗
auch schon der Raum fehlen würde, nicht einlassen können.

Die alten glatten Kanonen basiren auf der einfachen Thatsache, ⸗
freistehende vertikale Ziele, z. B. ungedeckte Truppen, um so sicherer getrof⸗
werden, je rasanter die Flugbahn des Geschosses ist: daher bei ihnen Ko⸗
bination von größter Anfangsgeschwindigkeit (ppr. 1500‘), als Produkt ⸗
relativ größter Ladung (¹/₃ kugelschwer) und Rohrlänge (bis 24 Kalib⸗
mit kleinsten Elevationswinkeln (bis höchstens 5°).

Während die „langen glatten Kanonen" als der Ausgangspu⸗
des glatten Geschützsystems anzusehen sind, bilden den Schluß desselben
Mörser, welche durch ihre Kombination von größten Elevationswinkeln (⸗
30 bis 75°) in Verbindung mit geringster Anfangsgeschwindigkeit (von 5⸗
—100‘ herab), als Produkt relativ geringster Ladungen und Rohrlängen,
Aufgabe, horizontale resp. völlig gedeckte Ziele mittelst sehr g⸗
krümmter Flugbahnen zu treffen, zweckmäßig lösten. Ihre geringere Tre⸗
fähigkeit wird einigermaßen ausgeglichen durch die Ausbreitung der Wirku⸗
über einen größeren Raum, d. h. die Sprengwirkung ihrer Hohlgescho⸗
(Bomben).

Ihre sehr tief stehende Manövrirfähigkeit, umständliche Ladeweise und ⸗
Mangel an Trefffähigkeit gegenüber vertikalen Zielen von geringer Ti⸗
(Truppen⸗Linien) ließen ihre Verwendung im Felde bald als gänzlich u⸗
praktisch erscheinen. Andrerseits entbehrten die obengenannten „langen K⸗
nonen" ursprünglich gegen gedeckte resp. horizontale Ziele jeder irgend ⸗
rechenbaren oder anwendbaren Wirkung. Erst der Kartätschschuß gab ihn⸗
auf nähere und später der Shrapnelschuß auch auf mittlere Entfernung⸗
einigen, wiewohl beschränkten, Effekt gegen Truppen, welche hinter mäßig⸗
höchstens mannshohen Deckungen, wie sie im Felde vorzukommen pflege⸗
auftraten.

Aus der Empfindung des Unzureichenden dieser Wirkung gegen horizo⸗
tale resp. gedeckte Ziele entsprang die Idee eines Mittelgeschützes, welch⸗
sowohl gegen vertikale (ungedeckte), wie gegen horizontale (resp. gedeckte ⸗

tikale) Ziele gleich brauchbar sein sollte. So entstanden durch Kombination mittlerer Anfangsgeschwindigkeiten (circa 800—900'), als Produkt mittlerer Ladungen und Rohrlängen, und mittlerer Elevationswinkel (bis zu 27°) die Haubitzen. Während sie gegen horizontale resp. gedeckte Ziele den Mörsern an Trefffähigkeit wenig nachstanden, hatten sie dagegen an Rasanz der Flugbahn und somit an Trefffähigkeit gegen ungedeckte vertikale Ziele im Vergleich zu den langen Kanonen sehr bedeutend eingebüßt. Einigermaßen ersetzt wurde diese Einbuße dadurch, daß ihre geringe Ladung ihnen gestattete, ein Hohlgeschoß zu werfen, wie die Mörser, und dadurch ebenfalls die der bloßen Perkussionskraft der Vollgeschosse überlegene Sprengwirkung zur Geltung zu bringen.

Der Versuch, auch aus den langen Kanonen mit der größten Gebrauchsladung, also mit dem Vortheile einer rasanten Flugbahn Hohlgeschosse zu schießen, mißlang, indem entweder die Geschosse den heftigen Stoß der großen Geschützladungen nicht aushielten, also im Rohr zerschellten, oder ihre Metallstärke so groß gemacht werden mußte, daß nur ein unzureichender innerer Raum für die Sprengladung übrig blieb. Um daher zunächst Shrapnels aus diesen Kanonen schießen zu können, sah man sich geröthigt, die Ladung um die Hälfte zu verringern, d. h. von $\frac{1}{3}$ auf $\frac{1}{6}$ Kugelschwere herabzusetzen. Es lag auf der Hand, daß nach dieser Herabsetzung der Ladung das Rohr für diese Schußart (den Shrapnelschuß) relativ zu lang war. Dies mußte auf die Idee führen, ein Rohr von entsprechender Länge zu konstruiren, das dann nicht nur einen besseren Shrapnelschuß liefern, sondern auch geeignet sein würde, statt der Vollkugeln Granaten zu schießen, also außer der Perkussionskraft auch noch Sprengwirkung zur Geltung zu bringen.

So entstanden die Granatkanonen, deren erste Idee Napoleon III. zugeschrieben wird. Sie charakterisiren sich als Geschütze, die in Beziehung auf Ladung ($\frac{1}{6}$ kugelschwer) und Rohrlänge, also auch die durch diese bedingte Anfangsgeschwindigkeit (ppr. 1200—1300') ebenso, wie hinsichtlich der angewendeten Elevationswinkel (bis zu 12°) zwischen den Kanonen und Haubitzen die Mitte halten, daher man sie auch als „kurze Kanonen" (so bei uns den kurzen 12Pfünder und kurzen 24Pfünder) bezeichnet hat.

Es ist bekannt, daß in der französischen Armee ein solches Geschütz, das sogenannte canon de l'empereur von 12 Pfund Kaliber, bereits als Einheits-Feldgeschütz adoptirt war, und daß die völlige Durchführung lediglich in Folge des Auftretens eines neuen und bedeutenden Rivalen, des gezogenen Geschützes, unterblieb.

Die französische Oberflächlichkeit in Verbindung mit dem Prinzip, neue Kriege womöglich mit Ueberraschungen auf dem Gebiete der Waffentechnik zu machen, führte zu der verfrühten Einführung des wenig günstigen gezogenen Systems La Hitte, welches im italienischen Feldzuge 1859 sich einige mehr

9*

reflamirte, als verdiente und darum auch jüngst völlig ~~verwertet~~ ~~b~~ erwarb.

Läßt sich dies System, wie wir später sehen werden, als ~~eine~~ ~~noch~~ reife Frühgeburt bezeichnen, so darf man das 12pfündige ~~Granatkanon~~ ~~mit~~ Recht eine Spätgeburt nennen, die, hätte sie ein Dutzend Jahre früher ~~das~~ Licht der Welt erblickt, sicherlich schon damals die Idee des Einheits= geschützes bei allen europäischen Artillerien zu Ehren gebracht haben würde.

In der That bildete das 12pfündige Granatkanon zu seiner Zeit ein höchst günstiges Kompromiß zwischen den damaligen verschiedenen Gattungen und Kalibern von Feldgeschützen, dem glatten 6= und 12pfündigen Kanon und der 7pfündigen Haubitze. Am günstigsten stellte sich das bei uns in Preußen, wo dasselbe 1860—61 als kurzes 12pfündiges Feldkanon zur Einführung ge= langte, nachdem man seine universelle Brauchbarkeit als Feldgeschütz gleich= zeitig durch die Einführung der excentrischen Ellipsoidalgranate noch vervoll= kommnet hatte.

Letzteres Geschoß gestattete nämlich durch die verschiedene Lage, welche man seinem Schwerpunkte im Rohr gab (oben resp. unten), durch die dabei erzeugte verschiedene Rotation, von unten nach oben (wenn man die vordere Hälfte des Geschosses bei Beginn der Bewegung betrachtet) resp. von oben nach unten entweder eine sehr flache oder resp. stark gekrümmte Bahn zu erreichen. Im ersten Falle erlangte man mindestens auf die näheren, zur Zeit der glatten Gewehre für den Geschützkampf noch häufigsten Entfernungen bis zu 1200 Schritt ziemlich große relative Treffähigkeit, während im zweiten Falle die Flugbahn die nöthigen Elemente zum Treffen gedeckter resp. hori= zontaler Ziele, allerdings wegen der Größe der Ladung (die unverändert blieb) erst von 1000 Schritt Entfernung an aufwärts darbot.

Vergleicht man den mit dieser Granate als Hauptgeschoß und außerdem mit Kammershrapnels und Kartätschen ausgestatteten kurzen 12Pfünder mit den oben genannten älteren Feldgeschützen, so ergiebt sich:

1. Dem alten langen 12Pfünder steht der kurze 12Pfünder an Treff= fähigkeit und Perkussionskraft gegen vertikale Ziele, ebenso wie an Kartätsch= wirkung etwas nach. Dagegen übertrifft er ihn in Bezug auf Shrapnel= wirkung und hat absolut die eventuelle Sprengwirkung der Granate, sowie die Wirkung gegen gedeckte und horizontale Ziele (den hohen Bogenschuß) vor ihm voraus, während er ihn hinsichtlich der Manövrir= fähigkeit sehr bedeutend überragt.

2. Den glatten 6Pfünder übertrifft der kurze 12Pfünder an Wirkung in jeder Beziehung und steht ihm an Manövrirfähigkeit nur wenig nach.

3. Die 7pfündige Haubitze hat nur die sicherere und etwas größere Sprengwirkung, sowie den hohen Bogenschuß auf kurze Entfernungen (unter 1000 Schritt) vor dem kurzen 12pfünder voraus, wird aber von ihm an

Trefffähigkeit und Perkussionskraft gegen vertikale freistehende Ziele sehr bedeutend und selbst gegenüber horizontalen resp. gedeckten Zielen von 1000 Schritt
Entfernung an aufwärts um etwas übertroffen. Die Shrapnel- und Kartätschwirkung des kurzen 12Pfünders ist derjenigen der Haubitze bedeutend
überlegen, und an Manövrirfähigkeit steht er ihr ziemlich gleich.

Es ergiebt sich hieraus wohl unzweifelhaft nicht nur die Ueberlegenheit
des kurzen 12Pfünders hinsichtlich der Totalität seiner Wirkung über jedes
einzelne der früher im Feldkriege gebräuchlichen Geschütze und Kaliber, sondern
auch das fernere Resultat, daß er zur Zeit, als die große Masse der
Infanterie sämmtlicher Armeen noch mit dem glatten Gewehr
bewaffnet war, allen an die Wirkung der Feldartillerie zu stellenden Anforderungen in hohem Maße entsprach. Er vereinigte:
große Zerstörungskraft mit einer variablen Flugbahn (hoher Bogenschuß, Shrapnelschuß), die ihm gestattete, jene Zerstörungskraft auch gegen
völlig gedeckte Truppen zur Geltung zu bringen, während endlich seine
überlegene Wirkungsweite ihn zur Durchführung des Kampfes befähigte, ohne
in die wirksame Gewehrschußweite der feindlichen Infanterie einzutreten, indem sogar sein Kartätschschuß die Wirkungssphäre des damaligen
Infanteriegewehrs um circa 200 Schritt übertraf.

Indem nun außerdem das in Rede stehende Geschütz mit dieser als ausreichend resp. überlegen erkannten Wirkung noch eine Beweglichkeit und Manövrirfähigkeit verband, welche der des leichtesten früheren Feldgeschützes, des
glatten 6Pfünders nur wenig nachstand, scheint uns seine Befähigung zum
Einheitsgeschütz der Feldartillerie für die Gefechtsverhältnisse zur Zeit des
glatten Perkussionsgewehrs völlig nachgewiesen.

In der That hätte ein leichteres glattes Kaliber, abgesehen von der auch
in jeder anderen Beziehung geschmälerten Wirkung sofort die Konstruktion
einer Granate von hinreichender Excentricität und damit die Möglichkeit einer
variablen Flugbahn (auf welche, wie wir oben gesehen, die ganze Entwickelung des glatten Feldgeschützsystems mit der Bestimmtheit eines bewußten
Bedürfnisses hingearbeitet) in Frage gestellt, während ein schwereres Kaliber
unmöglich eine nennenswerthe Ueberlegenheit an Wirkung zu entfalten vermocht hätte, ohne zugleich von der für das Verhältnisse des Feldkrieges nöthigen Beweglichkeit über Gebühr und Statthaftigkeit zu opfern.

Wir halten es daher auch für keine zu kühne Behauptung, daß, wäre
das kurze 12pfündige Kanon in der Ausbildung, welche es bei uns in Preußen durch seine Munition (excentrische Ellipsoidal-Granate und Kammershrapnels) erlangte, statt Ende der 50er, Anfangs der 40er Jahre aufgetreten, es
sich bald die Einführung als Einheitsgeschütz in sämmtliche Armeen Europa's
errungen haben würde. Es kam aber zu spät.

Wir haben mit voller Absicht Werth darauf gelegt, zu konstatiren, wie
auch die Idee eines Einheitsgeschützes der Feldartillerie ihrer Realisation

bereits gewesen, namentlich denjenigen Gegnern gegenüber, welche dieselbe noch immer als ein unpraktisches Ideal zu behandeln lieben. Nicht minder wichtig erscheint es uns, nachzuweisen, daß später lediglich außerhalb der Artillerie liegende Verhältnisse die Einführung des kurzen 12Pfünders als Einheitsgeschütz verhinderten.

Wie gesagt, der kurze 12Pfünder kam zu spät, er war ein Epigone. Die Einführung gezogener weittragender Präzisionswaffen (bei uns schon eines Hinterladers) in die Masse der Infanterie war bereits durchgeführt. Die Veränderungen, welche dadurch sowohl in der resp. Wirkungssphäre der großen (Geschütze) und kleinen (Hand-) Feuerwaffen, als auch in der Taktik (vermehrte Bedeutung des zerstreuten Gefechts, vermehrte Benutzung des Terrains und seiner Deckungen, Einführung kleiner, dem Artilleriefeuer nur geringe Ziele darbietender, geschlossener Formationen, wie z. B. der Kompagniekolonnen u. u.) entstanden, mußten nothwendig einen großen Einfluß auf die Beziehungen beider Waffen, der Artillerie und Infanterie, ausüben. Der kurze 12Pfünder vermochte, die ihm dem glatten Gewehr und seiner Taktik gegenüber zugesprochene, der Feldartillerie unumgänglich nöthige und eigenthümliche, Ueberlegenheit der Feuerwirkung in zwei Hauptpunkten nicht mehr aufrecht zu erhalten. Sein Kartätschschuß entsprach nicht mehr der Wirkungsweite des Präzisionsgewehrs, und seine durch die rasante Flugbahn der Ellipsoidalgranate erreichte, auf mittlere Entfernungen bis zu 1200 Schritt noch recht gute, relative Trefffähigkeit gegenüber den großen geschlossenen Formationen der alten Taktik, wurde gegenüber den kleineren Formationen der neueren und ihrer Ausnutzung aller Terraindeckungen um so mehr ungenügend, als seine Flugbahnrasanz allerdings zum Theil auf Kosten der absoluten Trefffähigkeit erreicht, d. h. mit einer relativ nicht unbedeutenden Höhen- resp. Längenstreuung verbunden war.

Dessen wurde man sich allerdings erst klar bewußt, als dem kurzen 12Pfünder gleichzeitig in der Artillerie selbst ein überlegener und gewaltiger Rivale, das gezogene Geschütz, entgegentrat. Das war es, wessen man bedurfte: eine bedeutendere Wirkungsweite, die das alte Verhältniß in Bezug auf Artillerie und Infanterie wieder herstellte, verbunden mit entschieden größerer Präzision sowohl bei flacher, als gekrümmter Flugbahn.

Aber freilich, das französische System La Hitte entsprach diesen Anforderungen nur sehr einseitig. Indem es lediglich die, den Spitz- (Längen-) Geschossen vor den Rundgeschossen eigenthümlichen Vorzüge hinsichtlich der Ueberwindung des Luftwiderstandes (größere Schwere bei relativ kleiner Durchschnittsfläche rechtwinklig zur Flugbahn und günstige Gestalt der Spitze), sowie hinsichtlich der Wirkung (größere Perkussionskraft, größere Sprengwirkung und größere Zahl der Sprengstücke) zur Geltung brachte, sah es von der Möglichkeit der Fortschaffung des Spielraums und seiner Nachtheile (Verschiedenheit von Richtungs= und Abgangswinkel, ungleichmäßig verringerte Anfangsgeschwindigkeit durch Entweichen der Pulvergase) gänzlich ab und begab sich so des ersten und Hauptmittels zur Erreichung größerer Präzision.

In Preußen und England hatte man die Sache inzwischen schon gründlicher und wissenschaftlicher angegriffen. In beiden Staaten war es gelungen, mittelst eines Hinterladungssystems mit Blei= (Kompressions=) Führung des Geschosses und völligem Abschluß der Pulvergase eine bis dahin ungeahnte Präzision zu erreichen.

Auf der anderen Seite hatte man dabei in beiden Staaten mit den Schwierigkeiten der Herstellung eines haltbaren, gasdichten und dennoch nicht zu komplizirten Verschlusses zu kämpfen. Diese Schwierigkeiten gaben dann den Anlaß zu den zahlreichen Vorwürfen, die man den Hinterladungsgeschützen von französischer Seite machte, während man die Einfachheit des eigenen Systems glorifizirte und dasselbe als das einzig brauchbare hinstellte. Und so groß war seiner Zeit der französische Ruf kriegerischer Erfahrung und Praxis, daß auch Italien und Oesterreich sich zu Vorderladungssystemen verleiten ließen, letzterer Staat allerdings unter Einführung einer sehr sinnreichen Modifikation mittelst des sogenannten Relief= oder Bogenzug=Systems. Durch dieses wird der Spielraum zwar nicht aufgehoben, aber doch gleichmäßig um die Peripherie des Geschosses vertheilt, so daß letzteres den Stoß der Pulverladung in centraler Richtung erhält, wodurch sich seine Präzision im Vergleich zum System La Hitte wesentlich verbessert, selbstverständlich aber den Hinterladungsgeschützen durchaus nicht gleichkommt.

Halten wir nun fest, was wir oben über die Entstehung der 4 Gattungen glatter Geschütze, der langen und kurzen Kanonen, Haubitzen und Mörser aufgestellt, so ist es klar, daß der wesentliche Unterschied zwischen den gezogenen Geschützen und dem glatten in ihrer Gesammtheit lediglich in der Form des verwendeten Geschosses beruht: jene schießen resp. werfen ein Spitz= (Längen=) Geschoß, diese ein Rundgeschoß. Es ist ferner sofort klar, daß dasselbe praktische Bedürfniß verschiedener Flugbahnen, möglichst flacher zum Treffen vertikaler Ziele (Horizontalfeuer) und möglichst gekrümmter zum Treffen horizontaler Ziele (Vertikalfeuer), früher oder später zur Konstruktion ähnlicher Geschützgattungen, wie sie sich bei den glatten Geschützen historisch herausgebildet, führen mußten.

Vergleichen wir unsere eingeführten gezogenen Geschütze in dieser Beziehung mit den glatten, indem wir als das maßgebende tertium comparationis die durch Anfangsgeschwindigkeit und Elevationswinkel konstituirte Flugbahn ihrer Geschosse ins Auge fassen, so ergibt sich:

1. Unsere gezogenen Feldgeschütze (8= und 9=Centim.=Kanonen), ebenso wie die große Masse der Festungs=, Küsten= und Marine=Geschütze sind vermöge der gesammten Kombination der ihre Flugbahn konstituirenden Elemente

kurze Kanonen. Ihr Ladungsverhältniß ($^1/_{10}$ — $^1/_8$ geschoßschwer) bleibt zwar schon beträchtlich hinter dem der kurzen glatten Kanonen ($^1/_6$ Kugel-schwer, auf ihr Hohlgeschoß bezogen $^2/_9$ geschoßschwer) zurück und nähert sich mehr dem der Haubitzen. Allein vermöge der besseren Ausnutzung der Ladung durch das die Gase völlig abschließende Geschoß und das längere Rohr erreichen sie doch eine annähernde Anfangsgeschwindigkeit (1100 — 1200 Fuß), wie jene, und gleichzeitig vermöge der günstigen Ueberwindung des Luftwiderstandes durch ihr Spitzgeschoß mit geringen Elevationswinkeln recht flache Flugbahnen. Stehen sie in dieser Beziehung auch bis auf 2000 Schritt hinter dem kurzen 12Pfdr. mit Ellipsoidalgranaten etwas zurück, so haben sie dagegen eine weit größere Präzision d. h. engere Gruppirung sämmtlicher Geschosse um den mittleren Treffpunkt vor ihm voraus. Während der kurze 12Pfdr. den hohen Bogenschuß lediglich durch die Lage seines Geschosses mit „Schwerpunkt unten" ohne Veränderung der Ladung hervorbrachte, also zwar auf eine einfache Weise, dafür aber auch erst von 1000 Schritt an wirksam, erreichten unsere gezogenen Kanonen zunächst denselben Zweck durch Verringerung der Ladung, was durch den gasdichten Abschluß derselben begünstigt wurde. Die günstige Ueberwindung des Luftwiderstandes durch das Spitzgeschoß gestattete dem gezogenen Kanon sogar eine Steigerung der Elevationswinkel bis zu 27° (also dem der alten schweren Haubitzen), womit dann die Erreichung sehr verschiedener Entfernungen mittelst des hohen Bogenschusses gegeben war, indem auch der gewöhnliche Granatschuß (mit voller Feldladung) auf den größeren Entfernungen zu einem solchen wurde. Allerdings zeigten sich hierbei große Nachtheile und eine bedeutende Abnahme der Trefffähigkeit, sobald die Ladung unter $^1/_{20}$ Geschoßschwere sank.

Den einzigen Einwand, welchen man gegen die Klassifikation unserer gezogenen Kanonen als kurze Kanonen etwa erheben könnte, wäre der, daß die Länge ihrer Rohre in Kalibern ausgedrückt (beim 8-Centim.-Kanon = 25 Kaliber) selbst die der langen glatten Kanonen übertrifft. Wir entgegnen darauf, daß abgesehen davon, daß die Länge an und für sich allein nicht maßgebend sein kann, auch diese uns in einem anderen Lichte erscheinen würde, sobald wir, wie es doch eigentlich geschehen müßte, die Länge des Geschosses als Maßstab für die Länge des Rohrs nähmen. Es betrüge dann z. B. die Länge des 8-Centim.-Kanons nur pp. 12 Geschoßlängen, d. h. seine relative Länge wäre ähnlich, wie die des kurzen 12Pfdrs. (12 Kaliber).

Wir wollen damit im Allgemeinen nur darauf hinweisen, daß die Länge des Rohrs bei den gezogenen Hinterladern (aber nur bei diesen) eine ganz andere Rolle spielt, als bei allen Spielraumgeschützen. Wegen des dichten Gasabschlusses nämlich würde die Anfangsgeschwindigkeit noch zunehmen durch Vergrößerung der Länge des Rohrs bis zu einer Grenze (einige Berechnungen führen für $^1/_8$ geschoßschwere Ladung zur Länge von

200 Kalibern), welche in der Praxis aus naheliegenden Gründen gar nicht mehr anwendbar ist.

2. Als ein langes gezogenes Kanon läßt sich ansehen das für 15 Pfd. Ladung (ppr. ¹/₄ Geschoßschwere) konstruirte 15 Centim.=Marine=Stahl=Ring= kanon. Seine große Anfangsgeschwindigkeit (ppr. 1450 Fuß) und flachen Elevationswinkel charakterisiren es als langes Kanon, obgleich seine relative Rohrlänge die des 8=Centim.=Feldgeschützes nicht übertrifft.

3. Wir besitzen eine gezogene Haubitze in dem kurzen 15=Centim.=Eisen= Kanon mit ¹/₂₀ geschoßschwerer Ladung (3 Pfd.), mit einer Rohrlänge von circa 14 Kaliber oder 5¹/₂ Geschoßlängen und einer Anfangsgeschwindigkeit von ppr. 800 Fuß. Der Winkel der größten Schußweite erhebt sich in Folge der besseren Ueberwindung des Luftwiderstandes bei diesem Geschütz bis zu 37 bis 40°, während er bei den glatten Haubitzen nur 30° be= trägt.

Die Folgerichtigkeit der Klassifikation dieses Geschützes als gezogene Haubitze ist in jeder Beziehung so klar hervortretend, daß wir die offizielle Adoption seiner Bezeichnung als „15=Centim.=Haubitze" nicht nur aus Gründen der Kürze und Prägnanz, sondern vor Allem auch deswegen befür= worten möchten, weil sich damit sofort die logisch richtigen Ideen=Associationen über seine Wirkung und Verwendung verknüpfen.

4. Der 21=Centim.=Mörser, das bis jetzt einzige Geschütz dieser Gattung, trägt seine historisch richtige Bezeichnung. Seine Konstruktion ist, obgleich er bereits vor Straßburg, Montmédy, Mézières und Paris zur Verwendung gelangte, als noch nicht abgeschlossen zu betrachten. Sein bisheriges Ladungs= verhältniß von 2—3 Pfd. (¹/₈₀ bis ¹/₆₀ geschoßschwer) bei einer Seelenlänge von 5 Kalibern oder ppr. 2 Geschoßlängen, machen ihn bis jetzt nur für Ent= fernungen geeignet, welche für heutige Gefechtsverhältnisse als verhältnißmäßig kleine bezeichnet werden müssen.

So sehen wir denn, daß auch die Gliederung des gezogenen Geschütz= systems in verhältnißmäßig sehr kurzer Frist dieselben Phasen durchlaufen hat, wie die der glatten Geschütze.

Auffallend ist dabei nur, daß man beim gezogenen Geschütz mit derselben Konstruktion begann, die sich bei den glatten als Ergebniß einer langen Ent= wickelung darstellte, nämlich mit dem kurzen Kanon. Auf den ersten Blick könnte man glauben, daß das mit bewußter Absicht geschehen, daß man, die bei der Ausbildung der glatten Geschützgattungen gemachten Erfahrungen be= nutzend, sofort mit einem für den Feldkrieg geeigneten Einheitsgeschütz habe debütiren wollen. Ganz dunkel mag eine solche Idee vorgeschwebt haben, aber hauptsächlich ist es ein eigenthümlicher Zufall gewesen, der nicht nur unser=Geschützsystem, sondern auch die Systeme aller andern Staaten, Eng= lands, Frankreichs, Italiens und Oesterreichs, Hinter= und Vorderlader, gleichmäßig zur Konstruktion kurzer Kanonen hintrieb.

Bei den Hinterladern nämlich ließen die bereits erwähnten Schwierigkeiten, welche sich der Konstruktion eines gasdichten und zugleich haltbaren
Verschlusses entgegenstellten, zunächst eine verhältnißmäßig schwache Ladung
und damit implicite das Prinzip des kurzen Kanons adoptiren, wobei man
sich mit der besseren Ausnutzung der völlig abgeschlossenen Pulvergase tröstete.

Bei den Vorderladern war es, ganz abgesehen von den Bedenken, welche
auch hier theils die Haltbarkeit der Züge bei dem durchgängig verwendeten
weicheren Geschützmaterial, der Bronze, theils die Festigkeit der zur Führung
des Geschosses bestimmten Zinkvorstände (ailettes) resp. in Oesterreich des
Zinn-Zinkmantels gegenüber größeren Ladungen hervorriefen, vor Allem das
Prinzip der Vorderladung selbst resp. der durch dasselbe bedingte Spielraum,
welcher gebieterisch auf einen verhältnißmäßig niedrigen Ladungsquotienten
($^1/_{10}$—$^1/_8$) hinwies. Eine Vermehrung der Ladung würde nämlich
selbst in Verbindung mit einer bedeutenden Vermehrung der
Masse und Länge der Rohre keinen verhältnißmäßigen Effekt ergeben haben, insofern bei der schweren Vorlage des Spitzge-
schosses das Entweichen der Gase durch den Spielraum eine unverhältnißmäßige Steigerung erfahren haben würde, während
gleichzeitig die ohnedies geringe Präzision durch Vermehrung
der Neigung des Geschosses, sich um seine Querachse zu drehen,
d. h. eventuell zu überschlagen, noch erheblich vergrößert worden
wäre.

In diesem Prinzipfehler des Spielraums, den wir nicht genug betonen
zu können glauben, liegt dann auch der Grund zu zwei weiteren Uebelständen,
welche voraussichtlich schon in nächster Zeit zur völligen Verwerfung aller
Vorderladungssysteme führen werden, nehmlich:

1) daß sich bei ihnen der durch stark verringerte Ladungen und hohe
Elevationen hervorgebrachte hohe Bogenschuß, dessen auch sie (nach unserer
Ansicht mit vollem Recht) zu bedürfen glaubten, sich noch viel unsicherer gestaltete, als ihr flacher Granatschuß, so daß ihn seine großen Längen- und
Breitenstreuungen gegenüber den im Felde vorkommenden meist kleinen Zielen
fast unbrauchbar machten; 2) daß kein Vorderladungssystem im Stande ist,
den vollen Nutzen aus den in neuester Zeit in Anwendung gebrachten verdichteten Pulversorten zu ziehen, in deren Anwendung, wie wir noch sehen werden, heutzutage das Hauptmittel gesucht werden muß, die ballistische d. h. die
auf das Geschoß ausgeübte Treibkraft des Pulvers auszunutzen und gleichzeitig seine Brisanz d. h. den gegen die Rohrwände ausgeübten Gasdruck bedeutend zu verringern.

Bei uns in Preußen war man mit dem hohen Bogenschuß des zunächst
eingeführten gezogenen Geschützkalibers, des 6Pfdrs., zuerst ganz zufrieden,
und da man gleichzeitig in der Verwendung des Perkussionszünders zu einem

mit Aufschlag wirkenden Shrapnel ebenfalls eine Vervollkommnung desselben erblickte, so hat es schon damals in der Artillerie nicht an Stimmen gefehlt, welche, gestützt auf diese vielseitige Wirkung und unter Hinweis auf die dem kurzen glatten 12Pfdr. völlig gleichstehende Manövrirfähigkeit, kurzweg die Adoption dieses Gußstahl-6Pfdrs. mit Kolbenverschluß als Einheitsgeschütz befürworteten. Wir, die wir zu jenen Stimmen nicht gehörten, müssen ihnen nunmehr, ohnerachtet es sich seitdem herausgestellt, daß man sich hinsichtlich der Wirkung sowohl des damaligen hohen Bogenschusses, wie des Shrapnels in einer starken Täuschung befand (s. unten), dennoch die Gerechtigkeit widerfahren lassen, daß es wohl kein Fehler gewesen wäre, wenn man ihnen damals gefolgt wäre. Schwerlich wenigstens dürfte heute Jemand der Behauptung widersprechen, daß, wären wir 1866 Oesterreich mit einer durchweg mit dem 9-Centim.-Stahlkanon bewaffneten Feldartillerie gegenübergetreten, unsere Ueberlegenheit über das dortige Feldgeschützsystem durch die entschiedensten Erfolge unzweifelhaft konstatirt worden wäre.

Indessen wir haben seneu Weg nicht eingeschlagen, und die Erwägungen, welche zur Einführung eines bedeutend erleichterten und mit großer Schußzahl ausgerüsteten Feldgeschützes in dem jetzigen 8-Centim.-Stahl- und letztlich Bronze-Kanon geführt haben, finden in den Fortschritten der neueren Gefechtsweise ebenfalls ihre völlige Rechtfertigung. Wenn das erste Gebot der Strategie und Taktik dahin lautet: „Rechtzeitig und stark an entscheidender Stelle aufzutreten", so ist es klar, daß dem ersten Begriff die größere Wichtigkeit zukommt d. h. durch die Rechtzeitigkeit ihres Auftretens kann auch eine relativ schwache Truppe stark sein, während die stärkste durch ein verspätetes Eingreifen schwach wird, oder — ins praktisch Feldartilleristische übersetzt: ein Dutzend leichte Batterien rechtzeitig vereinigt sind stärker, als ein Dutzend schwere, die aber mit ihrer wuchtigeren Wirkung nur nach und nach aufzutreten vermögen. Bei der Rapidität, mit welcher sich heutzutage Gefechte nicht nur entwickeln, sondern auch ihre Form, ihren Gang, ihre Tendenz und die Möglichkeit ihrer Entscheidung verändern, glauben wir dem Moment der Beweglichkeit eine erhöhte Bedeutung zuerkennen zu müssen. Fest steht, daß bereits seit den Kriegen des ersten Napoleon die größere Geschützzahl der Feldartillerie aus leichteren Piecen bestanden hat. Daß die Tendenz der Erleichterung der Feldbatterien stets im Wachsen geblieben ist, zeigen nicht nur die leichten Kaliber aller jetzigen Feldartillerien, sondern auch die Uebertreibungen derselben Tendenz, wie sie z. B. in Schweden sowohl, wie neuerdings in Italien (in dem System Rossi) aufgetaucht sind. Diese letzteren Systeme setzen in ihrem übereifrigen Streben nach Leichtigkeit und Beweglichkeit die der Feldartillerie durchaus nöthige Ueberlegenheit der Wirkung hinsichtlich der Art (direktes und indirektes Feuer) und Größe (Zerstörungskraft) bereits wieder allzusehr außer Augen.

Für uns dürfte sich, nachdem auch die Erfahrungen des letzten [...]
die Beweglichkeit und Manövrirfähigkeit unserer leichten mit dem 8-[...]
Kanon bewaffneten Feldbatterien trotz des vielleicht nicht ganz günstigen [...]
lastungsverhältnisses der Vorder- und Hinterachse als sehr zufrieden[...]
gezeigt haben, die Frage bezüglich des Einheitsgeschützes der Feldartille[...]
praktisch zunächst so stellen lassen:

„Ist die jetzige Wirkung des 8-Centim.-Kanons für alle Verhältnisse de[...]
Feldkrieges bereits ausreichend, oder, wenn dies nicht der Fall, läßt sie s[...]
durch veränderte Rohrkonstruktion und Munition zu einer solchen gestalte[...]
ohne die Beweglichkeit wesentlich zu beeinträchtigen?"

Wir haben hier und da selbst die erste Frage bejahen gehört, wom[...]
dann Alles erledigt und das 8-Centim.-Kanon in seiner jetzigen Gestalt al[...]
das geeignete Einheitsgeschütz erkannt wäre. Die Gründe, auf welche si[...]
diese Ansicht stützt, sind sehr positiver Natur und wohl werth, einer nähere[...]
Kritik unterzogen zu werden.

„Wir haben", so hörten wir sagen, „eben einen großen Feldzug siegrei[...]
bestanden, und wir wüßten keinen Fall, wo etwa eine leichte Batterie, wen[...]
sie überhaupt das Bedürfniß einer Unterstützung empfand, dazu speziell de[...]
Hülfe einer schweren bedurft hätte. Selbst dem französischen gezogene[...]
12Pfdr. waren unsere leichten Batterien gewachsen. Wir sind ohne den un[...]
praktischen hohen Bogenschuß zurecht gekommen und, wenn wir auch in man[...]
chen Fällen uns ein recht wirksames Shrapnel gewünscht hätten, so war d[...]
Granate doch ebenfalls ausreichend. Zum Kartätschschuß ist es in den selte[...]
sten Fällen gekommen und dann waren die wenigen Schüsse so rasch verknal[...]
daß man doch wieder zum Granatschuß greifen mußte, und siehe da: der tha[...]
es abermals! Und die Einheit der Munition ist doch auch etwas werth[...]
Also wozu ein schweres Kaliber und komplizirte Geschoßarten? Der 4Pfdr[...]
allenfalls für eine größere Ladung und rasantere Bahn konstruirt, ist alle[...]
Aufgaben der Feldartillerie gewachsen!"

Die Thatsachen allerdings, die diesem Raisonnement zu Grunde liege[...]
sind der Hauptsache nach richtig, aber die daran geknüpften Folgerun[...]
gen sind falsch.

Zunächst müssen wir dem starren Positivismus entgegentreten, der si[...]
ohne Weiteres auf das, was war, stützt, ohne an das zu denken[...]
was sein wird! (Wie nach 1866 auf die Erfolge des Zündnadelgewehr[...]
gegenüber dem Vorderlader, ohne das im Schoße der Zukunft schlummernd[...]
Chassepotgewehr zu ahnen.)

Nur der französischen Oberflächlichkeit, Eitelkeit und Selbstüberschätzun[...]
verdanken wir es, daß wir 1870—71 ein weit inferiores Geschützsystem un[...]
gegenüber hatten, als 1866.

Freilich dem gezogenen Vorderlader der Franzosen war unsere Feldar[...]
tillerie in jeder Beziehung überlegen, auch ohne hohen Bogenschuß[...]

te Shrapnel und mit schwacher Kartätschwirkung. Die durch
ſer Hinterladungsſyſtem mit Kompreſſionsführung konſtituirte
eſſfähigkeit in Verbindung mit unſerer trefflichen Perkuſſions=
ldüng begründete ganz allein eine abſolute Ueberlegenheit!

Das unpraktiſche, aber der franzöſiſchen Bequemlichkeit und Denkfaulheit
zuſagende Prinzip des Unſichermachens des Terrains, wie es in den
ßen Streuungen ihrer Geſchütze ebenſowohl, wie in dem Modus der
ennzündung („Krepiren der Granate in der Luft" d. h. alſo Streuen
Sprengpartikel in alle Winde, oder „Krepiren im Boden", d. h. Verluſt
r Kraft, oder endlich Erſticken des Zünders reſp. Nichtkrepiren des Ge=
ſſes) zum Ausdruck kam, hat lediglich die einfache, aber durchſchlagende
wägung gegen ſich, daß auch in den koloſſalſten Schlachten der
genwart der leere d. h. mit Luft oder Terraingegenſtänden
üllte Raum noch ganz gewaltig den mit Menſchen und Kriegs=
terial bedeckten überwiegt, und daß es ſich für die Artillerie
neswegs um ein zufälliges Treffen der Reſerven, ſondern um
bewußtes Zurückwerfen reſp. Vernichten des in vorderſter
lhe kämpfenden Gegners handelt.

Was dann vollends das nach Zündung und innerer Einrichtung gleich
irmliche (wir erinnern nur an die Lagerung der ziemlich ſtarken Spreng=
ng vor den Füllkugeln) Shrapnel und dem ſchon durch das Prinzip der
berladung in Verbindung mit der Brennzündung auf faſt völlige Nullität
Wirkung reduzirten hohen Bogenſchuß der franzöſiſchen Feldartillerie
iſſt, ſo ließen dieſe, eher Munitionsvergeudungs= als Schußarten zu nen=
den Kampfmittel den Mangel derſelben auf unſerer Seite natürlich nicht
finden. Im Gegentheil, ſie verliehen unſerem einzigen, aber wirkſamen
ſenmittel, dem Granatſchuß, der übrigens auf den weiteren Entfernungen
h ſeine Einfallwinkel auch ſchon zum hohen Bogenſchuß wird und ſomit
) hinter Deckungen zu treffen vermag, ein glänzendes Relief.

Die franzöſiſche Feldartillerie und ihre Leiſtungen im Kriege 1870—71
es alſo keineswegs, an welchen wir die Anforderungen zu meſſen haben,
n unſer zukünftiges Feld=Einheitsgeſchütz entſprechen ſoll! Schon iſt man
Frankreich damit beſchäftigt, das gänzlich verurtheilte Feldartillerie=Material
h ein Hinterladungsſyſtem zu erſetzen, und daß man dabei hinſichtlich der
vollkommnung eher zu viel, als zu wenig thun werde, läßt einige pſycho=
ſche Kenntniß des Franzoſenthums leicht vorausſehen.

Wir werden daher auch unſererſeits an eine Steigerung und Erweiterung
Wirkung unſerer Feldgeſchütze zu denken haben, und dürfte uns in dieſer
iehung neben dem, was wir im letzten Kriege wirklich geleiſtet, vornämlich
das, was wir doch hier und da zu unſerem großen Bedauern
zu leiſten im Stande waren, als Fingerzeig dienen.

Und da müssen wir denn zunächst behaupten, daß sich der Mangel eines Shrapnelschusses und, wenn auch seltener, doch hier und da eines eigentlichen hohen Bogenschusses fühlbar gemacht, nicht gerade im Kampfe mit der französischen Feldartillerie, wohl aber in manchen Fällen, wo wir versuchten, was nicht gelang, trotz besten Willens wegen Unzulänglichkeit der Mittel!

Oder wären solche Fälle etwa nicht vorgekommen? Wir glauben, jeder einzelne Artillerie-Offizier weiß dergleichen aus eigner Erfahrung anzuführen. Nur einige der Haupttypen solcher Fälle mögen hier Platz finden.

Da lösen sich vor den wohlgezielten Schüssen unserer Artillerie die feindlichen Infanterie-Kolonnen schon in ziemlicher Entfernung in dichte Tirailleurlinien auf. Sie verbleiben zwar noch im Angriff, aber der Zweck ihrer Schwarmformation ist weniger Ausnutzung des eigenen Feuers (dazu sind sie noch zu weit entfernt), als vielmehr die bessere Deckung im Terrain. Es ist ganz natürlich, daß ihre Front sich immer mehr ausdehnt, die Deckungen finden sich, das Ziel wird breiter, aber weniger hoch, einzelne Linien verschwinden, von anderen sieht man nur noch die Köpfe, und die Tiefe des Ziels, für den Granatschuß das Wichtigste, ist ganz verloren gegangen. Die Entfernung ist günstig, 2000—1800 Schritt, man kennt sie genau, denn man hat sich eingeschossen; aber während man schon die Chassepotkugeln in die Batterie schlagen, sieht man sich zu immer langsamerem Feuer verurtheilt, da das Ziel für den Granatschuß fast fehlt; wie schade, daß man keinen wirksamen Shrapnelschuß besitzt! Es hilft nichts, die Infanterie muß vor und die Artillerie kann sie nur mäßig unterstützen.

Ein zweites Bild! Da wird ein Ausfall gemacht aus einer cernirten Festung. Unsere Vorposten werden überrascht und zurückgeworfen. Aber schnell ist die Feldartillerie des Cernirungskorps bei der Hand, und es gelingt ihrer trefflichen Granatwirkung bald, die geschlossenen Soutiens des Feindes hinter die Höhen zurückzuwerfen. Damit weichen nun zwar auch die feindlichen Schützen zurück, nisten sich aber hinter der Krete der Höhen ein, von wo sie durch ein formidables Feuer, welches das nach uns zu sanft abfallende gänzlich freie Terrain völlig beherrscht, jeden Versuch eines Infanterie-Angriffs über dasselbe hinweg vereiteln. Die Artillerie müßte mindestens vorarbeiten, doch deren Wirkung ist leider zu Ende. Die Entfernung beträgt zwar nur 2000 Schritt; aber um so schlimmer: der Shrapnelschuß fehlt; der Granatschuß hat noch einen zu flachen Einfallwinkel, er schlägt entweder nutzlos auf der Krete der Höhe ein oder er saust darüber hinweg ins tiefe, breite Thal. „Da wäre am Ende selbst der hohe Bogenschuß noch was werth", meint ein junger Offizier und lernt in der Praxis, was die Kriegsgeschichte auf jedem Blatte verzeichnet hat. Allerdings auch ein guter hoher Bogenschuß ist unter Umständen vielleicht sehr werthvoll!

Wir denken z. B. an ein ganzes Armeekorps mit prächtigen 90 Feldgeschützen, welches eine Festung auf seiner Route findet. Sie ist schon der
angewiesenen Marschrichtung hinderlich genug, und wie wichtig wäre es erst
für den Nachschub, wenn man sie so in der Ueberraschung zu nehmen vermöchte! Das Vauban'sche System und der Ingenieur haben ihre Schuldigkeit
gethan, das Tracee ist gar nicht übel und vor 50 Jahren mag das Ding
recht fest gewesen sein, aber heutzutage! — Die Höhen ziehen sich von 2000
bis auf 1800 Schritt heran, man sieht in die Stadt hinein, wie aus der Loge
auf die Bühne, gedeckte Stellungen giebts in Fülle, sollte man mit einem
Feldgeschützbombardement da nicht schnell reüssiren? Der Artillerie-Komman-
deur des Korps meint auch, man könne es wenigstens versuchen, und Zaudern
ist überhaupt seine Sache nicht. Gedacht, gethan! Die Positionen sind gut
vertheilt und 90 wackere Feldgeschütze arbeiten von allen Seiten in das „Nest"
hinein. Aber darunter sind 54 leichte Geschütze, recht elegante manövrirfähige
Wespen, die unter Umständen böse zu stechen vermögen, aber gegen die Mauern
und Wälle richten sie nichts aus mit ihren leichten Geschossen von geringer
Sprengwirkung; ja sogar die Häuser der Stadt zeigen trotz andauernden
Schießens keinen großen Respekt vor ihnen. Die schweren Batterien wirken
zwar besser, sie schießen auch einige größere Gebäude in Brand, aber auch
der Feind ist nicht müßig und zeigt mit einer tüchtigen Zahl schwerer Geschütze
hinter Traversen ꝛc., was Festungsartillerie vermag, und beständg sie selbst
nur aus gezogenen Vorderladern. Das improvisirte Bombardement erweist
sich als nutzlos, und man muß mit Verlust an Leuten, Pferden und vieler
Munition abziehen! Monatelang bleibt ein Cernirungskorps vor der Festung
gefesselt, und es bedarf erst eines schweren Belagerungstrains, um sie zu
sanfter Nachgiebigkeit zu stimmen. Wäre dem auch so gewesen, wenn sämmtliche Feldbatterien ein mit starker Sprengladung versehenes Geschoß mit großer
Perkussionskraft zu schießen und daneben etwa noch ein schwereres mit kräftigen Brandern gefülltes im indirekten Schuß zu schleudern vermochten? Wenn
ein tüchtiger Shrapnelschuß (hier um so mehr angebracht, als das Ziel feststeht und die Beobachtung außerordentlich leicht ist) durch die Enfilade der
Wälle den Vertheidiger fortgefegt und auf seine wenigen bedeckten Stände
beschränkt hätte?

Ein öfter vorkommender Fall, wo man einen wirksamen indirekten Schuß
recht sehr vermißt, ist etwa folgendender. Ein Dorf soll genommen werden.
Die Artillerie hat den Angriff tüchtig vorbereitet, die Häuser und Mauern
der Lisiere sind wie Siebe durchlöchert, kein Vertheidiger kann sich länger dahinter halten. Die diesseitige Infanterie ist schon wiederholt ins Dorf gedrungen, aber auf dem Marktplatze bieten mehrere feste Reduits allen Anstrengungen Trotz. Die Kirche, die Mairie und ein „château", wohl eingerichtet und verbarrikadirt, speien Tod und Verderben auf unsere tapferen
Stürmer. Kenntlich sind diese Gebäude auch von außen, die Kirche am Thurm,

die Mairie an ihren Wetterfahnen, und das chateau erkennt man an dem emporragenden Giebeldach! „Könnt ihr die Nester nicht in Brand schießen?" fragt man die Artilleristen, und diese versuchen es, d. h. sie zielen nach den Dächern und Thürmen. Aber was richtet man mit diesen flachen Bogeschüssen aus? Der Kirchthurm wird wohl hier und da getroffen, der Mairie wird sogar (un miracle de pointage würden die Franzosen sagen) eine Wetterfahne weggeschossen, aber in Brand schießen kann man sie nicht, denn die Geschosse schlagen nicht genug von oben ein und ihre Zündwirkung ist der fehlenden Brander wegen zu gering. Mit dem Blute unserer tapferen Infanterie muß der mangelnde hohe Bogenschuß ersetzt werden. In der That ein kostbares Aequivalent!

Doch genug der Beispiele! Nur eine Frage sei uns noch verstattet: wie, wenn der Feind das Alles besäße, was wir nicht haben, einen hohen Bogenschuß von geringer Streuung und großer Spreng= und Brandwirkung, einen Shrapnelschuß von weitem Intervall und kräftiger Streuwirkung? Oder sind das etwa unmögliche Dinge? Wir rechnen sie nicht dazu, ebensowenig wie Wille, wenn wir auch mit W.'s eingeschlagenen Wegen verschiedentlich und hier und da sogar prinzipiell nicht einverstanden sind.

Darin aber glauben wir uns mit ihm in voller Uebereinstimmung zu finden, daß der Feldartillerie durch das Einheitsgeschütz auch die ihr eigen= thümliche Präponderanz der Feuerwirkung gesichert werden muß, nehmlich:

1. Die große Zerstörungskraft ihrer Geschosse, sowohl lebenden, als todten Zielen gegenüber.

2. Die Variation der Flugbahn (wir können uns nicht, wie die Infanterie, mit einer nur rasanten Flugbahn begnügen, sondern müssen auch eine gekrümmte haben, daher hoher Bogenschuß resp. Shrapnelschuß), welche gestattet, jene Zerstörungskraft auch gegen völlig gedeckte Ziele (Geschütze, Mauerwerk, Truppen) zur Geltung zu bringen.

3. Die Ueberlegenheit an Wirkungsweite, hinreichend, um sie zur Durchführung des Kampfes zu befähigen, ohne in die wirksame Gewehrschußweite der feindlichen Infanterie einzutreten.

Wir dürfen und können aber an diesen Anforderungen, auf welche die ganze historische Entwickelung der Feldartillerie hinweist, um so mehr fest= halten, als unser Prinzip des gezogenen Hinterladungsgeschützes uns die Mittel ihnen zu genügen, in einem Maße an die Hand giebt, wie dies bei den bei= land glatten Spielraumgeschützen auch nicht entfernt der Fall war.

Unter diese Mittel rechnen wir vor Allem:

1. Die durch den gasdichten Abschluß der Pulvergase ermöglichte ver= schiedene Kombination zwischen Ladung und Rohrlänge zur Ergän= zung derselben Anfangsgeschwindigkeit, indem z. B. diese innerhalb gewisser

... entweder durch geringere Ladung und längeres Rohr oder durch
... Ladung und kürzeres Rohr hervorgebracht werden kann.

2. Die Möglichkeit unter Beibehalt desselben Kalibers durch Verlänge-
des Geschosses (bis zu gewissen Grenzen) größere Perkussions- und Spreng-
ng zu erhalten.

3. Die fernere Möglichkeit, aus einem und demselben Rohr verschiedene
bahnen, nicht nur durch Anwendung verschiedener Ladungen, sondern auch
Anwendung von Geschossen verschiedener Länge und Schwere
zielen.

4. Die Anwendung eines langsamer verbrennenden und
alb weniger brisanten Pulvers selbst bei relativ kleinen La-
ßen.

Sehen wir zunächst, wie Wille seine Aufgabe der Konstruktion eines Ein-
zelschützes gelöst hat:

Auf Grund von vielfachen Versuchsresultaten, Vergleichen und Berech-
en gelangt er zu einem 4pfdgen. (8 Centim.) Bronze-Rohr von ppr. 720
Gewicht, einer Totallänge von ppr. 6½ Fuß oder 25¾ Kaliber, wel-
mit einer Ladung von 1,4 Pfd. Geschützpulver eine inkl. 17 Loth
ngladung 7 Pfd. schwere Granate mit dünnem Bleimantel und
Shrapnel von 11⅖ Pfd. schießen soll. Die Granate will W. auch
ohen Bogen mit zwei kleineren noch durch Versuche festzustellenden La-
en werfen, und endlich soll das mit einem gewöhnlichen Brennzünder
jene Shrapnel, auf Null tempirt, auch als Kartätsche dienen.

Es kann selbstredend nicht unsere Absicht sein, dieses bis in die Kon-
tions-Einzelnheiten sorgfältig ausgearbeitete Geschützprojekt Wille's hier
eingehenden Kritik zu unterwerfen. Wir wollen an dasselbe nur den
unsere obigen Betrachtungen gewonnenen Maßstab anlegen und unter-
, ob dasselbe den aufgestellten Anforderungen gerecht wird oder, wenn
nicht der Fall sein sollte, ob der gegenwärtige Standpunkt der Ballistik
ezogenen Geschütze nicht bereits eine vollkommenere Lösung der Frage
t.

Dabei glauben wir noch eine Bemerkung vorausschicken zu müssen, näm-
aß das Projekt Wille's, vor mehr als zwei Jahren bereits im Druck
enen und in seinen Grundanfängen wahrscheinlich noch von 1—2 Jahren
r datirend, manche höchst wichtige Erfahrungsresultate, deren Tragweite
augenblicklich noch nicht völlig zu übersehen ist, aus dem einfachen
de noch nicht verwerthen konnte, weil sie damals noch nicht vorlagen.
unthlich hat W.'s Projekt seitdem im Geiste seines eigenen Urhebers schon
wesentlich andere Gestalt gewonnen.

Jedenfalls hat W. das bleibende Verdienst, der Frage des Einheitsgeschützes mit vagen Vorschlägen, sondern mit ganz wohl erwogenen und
gut Plänen näher getreten zu sein. Es dürfte ihm daher auch selbst

nicht unwillkommen sein, dasselbe zur Grundlage einer prinzipiellen Erörterung angenommen zu sehen.

Die Frage, ob als Rohrmaterial Bronze oder Gußstahl zu wählen, welche W. aus schwer wiegenden Gründen zu Gunsten der ersteren beantwortet, lassen wir zunächst bei Seite. Sie ist für unseren Zweck trotz ihrer Wichtigkeit immer nur eine sekundäre oder mit anderen Worten: sie wird sich von selbst lösen in Folge der mit den neu zu konstruirenden Versuchsgeschützen anzustellenden Proben. Dabei verhehlen wir indeß nicht unsere Ansicht, daß, wenn die Bronze z. B. durch die bis jetzt (d. h. bei Anwendung des bisherigen Geschützpulvers) noch stets aufgetretenen successiven Erweiterungen des Ladungsraumes, ein Hinderniß des Einheitsgeschützes werden sollte, und letzteres höher steht, als alle Vortheile jenes Rohrmaterials. Wir würden uns dann unbedenklich für den Gußstahl entscheiden. Vorläufig legen auch wir unseren Ideen die Bronze als Rohrmaterial zu Grunde.

Was die von W. für das Einheitsgeschütz angestrebte „korrekte Bilanz zwischen Beweglichkeit und Wirkung" anbelangt, so erklären wir, daß er dem ersteren Faktor dieser Bilanz (wir möchten lieber sagen dieses Kompromisses) in unseren Augen in mehr als genügender Weise gerecht geworden ist. Auch wir sind der Ansicht, daß die für ein Einheitsgeschütz absolut nöthige größere Wirkung des 8-Centim.-Kanons nur durch eine Vermehrung des Rohrgewichts ermöglicht werden kann und daß es zweckmäßig ist, diese dann andererseits durch eine Erleichterung der Protze zu kompensiren, wodurch die Vertheilung der Last auf Vorder- und Hinterwagen sich etwas günstiger gestaltet. Das allgemeine Belastungsverhältniß von 653,5 Pfd. pro Pferd bei dem W.'schen Projektgeschütz gegen 649 Pfd. bei dem 8-Centim.-Stahlkanon c/67 dürfte allseitig und vollständig befriedigen. Daß, um dieses günstige Belastungsverhältniß herbeizuführen, die unmittelbar beim Geschütz mitgeführte Munition von 49 Schuß auf 36 reduzirt werden muß, können wir für keinen erheblichen Nachtheil halten. Auch 49 Schuß pro Geschütz geben demselben, wie namentlich die Erfahrungen des letzten Krieges wiederum gezeigt, keine so große Selbstständigkeit, daß die unmittelbare Mitnahme von Munitionswagen ins Gefecht deshalb unterbleiben könnte, und andererseits reichen auch 36 Schuß schon zu einer sehr wuchtigen Entree des bloßen Gefechtskörpers der Batterie aus.

Nachdem uns somit die Beweglichkeit des W.'schen Projektgeschützes völlig befriedigt, können wir ihm auch eine erhebliche Zugabe an Wirkung, namentlich bezüglich der Rasanz und Variation der Flugbahn, im Vergleich mit dem bisherigen 8-Centim.-Kanon zugestehen, haben aber noch zu untersuchen, ob diese Wirkung unseren oben entwickelten Prinzipien entsprechend, eine für alle Fälle des Feldkrieges ausreichende ist, oder ob, wenn dieselbe erhöht werden müßte, dies ohne erhebliche Beeinträchtigung der Beweglichkeit geschehen kann.

I. Der Granatſchuß.

Betrachten wir zunächſt den Granatſchuß. W. legt ein außerordentliches
wicht auf die Raſanz der Flugbahn, die er für die Verhältniſſe des Feld-
ges, wo man die Entfernungen der Ziele nie genau kennt, die Beobachtung
r in den meiſten Fällen ſehr erſchwert iſt, für das α und ω der Anfor-
ungen an ein gutes Feldgeſchütz hält. Wir befinden uns hier in voll-
mmenſter prinzipieller Uebereinſtimmung mit W. Eben deshalb aber müſſen
hinzufügen, daß eine vermehrte Flugbahnraſanz namentlich auf den Ent-
rnungen den größten Werth hat, welche im Feldkriege am öfteſten vor-
ommen pflegen und wo die Beobachtung auch ſchon mehr erſchwert iſt,
daß dieſelbe heutzutage nicht mehr, wie beim kurzen 12Pfdr. durch eine
große Abnahme der abſoluten Trefffähigkeit d. h. namentlich nicht durch
ativ große Längenſtreuungen erkauft werden darf.

Nun gewinnt aber W. ſeine Flugbahnraſanz durch ein vergrößertes La-
gsverhältniß (⅕ geſchoßſchwere Ladung gegen ⅛ bisherige) unter Bei-
halt unſeres ziemlich briſanten Geſchützpulvers und durch eine
eutende Erleichterung der Granate (7 Pfd. gegen 8½ Pfd. der
herigen). Dieſe Erleichterung erreicht er hauptſächlich durch Wahl einer
anate mit dünnem Bleimantel. Die Wahl dieſer Konſtruktion
nen wir nur billigen. Die Granaten mit dünnem Bleimantel faſſen eine
t größere Sprengladung (17 Loth bei der W.'ſchen gegen 10 Loth der
herigen) und gewinnen dadurch eine ungleich bedeutendere Zerſtörungskraft,
auch nicht, wie dies bei den Granaten mit ſchwerem Bleimantel geſchieht,
ch ihre Bleiumhüllung abgeſchwächt wird. Während ihre bedeutend über-
ne Sprengwirkung bei todten Zielen (Mauern, Bruſtwehren ꝛc.) ganz un-
ifelhaft zu Tage tritt, macht man ihnen lebenden Zielen gegenüber den
rwurf, daß ſie nur circa die Hälfte der Sprengſtücke der bisherigen Gra-
e liefern, indem ſich der ſchwere Bleimantel der letzteren bekanntlich beim
aten der Granate von dem Eiſenkern löſt und eine ziemlich gleiche Anzahl
ngſtücke liefert, wie dieſer. Man hat in Folge dieſes bei den Vergleichs-
ßen von 1864 feſtgeſtellten Faktums in der Annahme, daß der ſchweren
ate eine erheblich größere Wirkung gegen lebende Ziele zukomme, dieſelbe
alten zu ſollen geglaubt.

Wir können nicht umhin, in jener Annahme eine theoretiſche Täuſchung
erblicken. Der Wahrnehmung, daß die Sprengſtücke der Granate mit
rem Bleimantel (die wir der Kürze halber mit Nr. I bezeichnen wollen)
entlich die aus dem Bleimantel erzeugten eine weit geringere Per-
kraft beſitzen, als die der leichten Granate (Nr. II) hat man ſich zwar
niger verſchließen können, als ſich dieſelbe ſchon aus der geringeren
ung, deren Kraft durch die Zähigkeit des ſchweren Bleimantels noch

10*

dazu sehr gebrochen wird, a priori abnehmen ließ. Man glaubte indessen, daß diese Kraft unter allen Umständen ausreichen werde, in der Nähe befindliche Menschen außer Gefecht zu setzen. Dem ist indessen nicht so. Schon im Feldzuge 1866 sind eklatante Fälle vorgekommen, welche beweisen, daß die Gewalt der Sprengstücke der Granate Nr. I unter Umständen sehr gering ist. So z. B. erlitt ein Unteroffizier der 3. 12pfdgen Batterie Rheinischen Feldartillerie-Regiments Nr. 8 durch ein circa 1½ Pfd. schweres Sprengstück des Bleimantels einer sächsischen Granate, welche in der Schlacht von Königgrätz auf kaum 5 Schritt Entfernung von ihm krepirte, nur eine Kontusion am Gesäß, die ihn einige Tage am Reiten hinderte. Aehnliche Fälle sind uns mehrere bekannt geworden, und es steht fest, daß einzelne Sprengstücke unserer Granaten ganz in der Nähe des Aufschlagpunktes gefunden zu werden pflegen, ebenfalls ein Beweis der geringen lebendigen Kraft, welche ihnen innewohnt.

Dagegen müssen die Sprengstücke der Granate Nr. II sowohl wegen ihres durchschnittlich größeren Gewichts, als wegen der bedeutenderen Sprengwirkung auch durchschnittlich eine entschieden vermehrte lebendige Kraft besitzen, ausgenommen etwa die aus dem Geschoßboden entstandenen Sprengstücke, bei denen sich die Spreng- und Geschützladung entgegenwirken. Sie werden sich im Allgemeinen auch mehr nach den Seiten hin ausbreiten, und das halten wir mit Rücksicht auf die heutigen taktischen Formationen der Infanterie ebenfalls für einen Vortheil. Mit einem Wort, wir sind überzeugt, Schießversuche z. B. gegen Strohpuppen, Kompagniekolonnen resp. Schützenschwärme darstellend, würden die Ueberlegenheit der Granate Nr. II auch lebenden Zielen gegenüber entschieden dokumentiren, selbst in ihrer heutigen noch ziemlich primitiven Form. Primitiv nennen wir dieselbe insofern, als sie noch keine Einrichtung einschließt, durch welche auf die Zahl der Sprengstücke eingewirkt würde. Wir sind der Ansicht, daß dies durch eine ebenso einfache und kostenlose, als zugleich sogar die Haltbarkeit der Granate sowohl gegenüber dem Stoße der Geschützladung, wie der Festigkeit des Zieles begünstigende Weise geschehen könne. Die Details einer solchen Konstruktion würden hier zu weit führen, nur das wollen wir bemerken, daß wir dabei nicht an das unpraktische englische Segmentshell denken.

Zu diesen theils schon vorhandenen, theils leicht zu erlangenden Vortheilen der Granate Nr. II rechnen wir dann noch den einer größeren moralischen Wirkung, wobei wir nicht nur mit W. den namentlich auf die Pferde der Artillerie und Kavallerie wirkenden gewaltigen Sinneneindruck von Blitz und Knall im Auge haben, sondern auch den, welchen die Furchtbarkeit der Verletzungen der getroffenen Menschen auf deren Nebenleute und Kameraden hervorzubringen pflegt. Ein weiterer nicht zu unterschätzender Vorzug wäre endlich noch die durch vermehrte Feuer- und Rauch-Erscheinung erleichterte Beobachtung.

Wir geben daher der Granate Nr. II mit dünnem Bleimantel und
ßer Sprengladung entschieden den Vorzug.

Dagegen halten wir die W.'sche Granate für die im Felde zu fordernden
stungen eines Einheitsgeschützes zu leicht. Bei der angewendeten relativ
ßen Ladung brisanten Pulvers und dem damit nothwendig verbundenen
chen Drall von nur 2,2° wird der W.'sche Granatschuß allerdings bis auf
tfernungen von etwa 1000 — 1500 Schritt sehr flache Bahnen ergeben.
er diese Rasanz dürfte einestheils nicht ganz ohne Beeinträchtigung der
oluten Trefffähigkeit erreicht sein, andererseits aber schon gerade auf den
tfernungen abnehmen, wo sie am meisten zur Sprache kommt, nämlich
ischen 1500 und 3000 Schritt und darüber. Nicht als ob wir glaubten,
z der W.'sche Granatschuß auf diese Entfernungen nicht noch rasanter aus-
le, als der bisherige des 8-Centim.-Geschützes; das wird in Folge der be-
tenderen Anfangsgeschwindigkeit wohl noch der Fall sein, aber schwerlich
rd sie dieselbe in dieser Beziehung so bedeutend übertreffen, wie wir das
dem aufgewendeten Rohrgewicht für möglich, erreichbar und auch in hohem
ade wünschenswerth erachten.

Es hat sich im letzten Feldzuge gezeigt, daß das nahe Herangehen an
Feind, welches man von der Artillerie nach 1866 gewissermaßen als
renprobe verlangte, nur in besonderen Fällen nützlich ist, in den meisten
r zu großen Verlusten der Artillerie selbst führt, die zu ihrer Wirkung im
gekehrten Verhältniß zu stehen pflegen. Statistische Zusammenstellungen
rden zeigen, daß unsere Feldartillerie, welcher Freund und Feind diesmal
en Kapitalantheil an unseren Erfolgen zuerkennen, ihr Gefecht durchschnitt-
auf Entfernungen geführt hat, welche näher an 2000 Schritt, als an
00 Schritt lagen, und daß selbst Entfernungen über 2000 Schritt verhält-
mäßig öfter vorzukommen pflegen, als solche unter 1000. Daß auch auf sehr
l nähere Distanzen gefochten worden (wir erwähnen nur die Artillerie des
Korps bei Gravelotte, einzelne Batterien des 8. bei St. Quentin ꝛc.) ist
viß, aber das war unter ganz besonderen Verhältnissen und die so errun-
en Erfolge sind meist theuer bezahlt worden. Bei den heutigen taktischen
rhältnissen sind die Entfernungen von 1500 bis 3000 Schritt ungefähr an
Stelle der früheren von 700—1500 Schritt getreten, auf welche die glatte
dartillerie ihre meisten Gefechte führte. Auf die etwas größere Rasanz eines
anatschusses bis zu 1000 und selbst bis zu 1500 Schritt legen wir deshalb
tiger Gewicht, als auf einen verhältnißmäßig größeren bestriche-
n Raum innerhalb der Distanzen von 1500—3000 Schritt. Dazu
aber eine schwerere Granate, selbst mit etwas geringerer Anfangsgeschwin-
keit, eher geeignet, als eine so leichte, wie die W.'sche, welche sowohl wegen
r Leichtigkeit, als Geschwindigkeit, auch einen größeren Luftwiderstand er-

Die Rücksicht auf die nöthige Perkussionskraft bestärkt uns ebenfalls in der Ansicht, daß das Gewicht der Granate eines Einheitsgeschützes nicht viel unter dem der bisherigen 8 = Centim. = Granate gegriffen werden dürfe. Die W.'sche Granate wird wahrscheinlich schon auf 3000 Schritt der bisherigen an lebendiger Kraft kaum mehr überlegen sein, und von letzterer wissen wir erfahrungsmäßig, daß sie auf diese Entfernung nicht einmal ausreicht, das getroffene Rohr eines feindlichen Geschützes mit Sicherheit unbrauchbar zu machen.

Wir glauben nun, gestützt auf neuere Erfahrungen, alle diese Mängel durch Verwendung einer schwereren Granate mit gleichem Ladungsverhältniß beseitigen zu können, ohne das Rohrgewicht zu vermehren.

Zu dem Ende schlagen wir statt der 2¹/₆ Kaliber langen W.'schen Granate eine von 2¹/₂ Kaliber Länge vor, welche leer inkl. dünnem Bleimantel 7 Pfd. 6 Loth, fertig gemacht aber inkl. 20 Loth Sprengladung genau 8 Pfd. wiegen soll.

Die größere Länge der Granate ist entschieden zulässig, da alle bezüglichen Versuche, namentlich die in England mit Whitworth = Geschützen vorgenommenen, wobei bis zu 5 Kaliber lange Geschosse verwendet wurden, ebenso wie die mit dem Remington = Bolzengewehr stattgehabten, die Richtigkeit des Satzes beweisen: daß mit der Zunahme der Anfangsgeschwindigkeit auch die Länge des Geschosses wachsen kann, ohne die Trefffähigkeit zu beeinträchtigen. Konnten wir mit 1 Pfd. Ladung ein 8¹/₂ Pfd. schweres, nur wenig über 2 Kaliber langes Geschoß verschießen, so werden wir bei 1,6 Pfd. Ladung (¹/₅ geschoßschwer) ein 2¹/₂ Kaliber langes Geschoß von 8 Pfd. Schwere anwenden können.

Wir sind so allerdings um denselben Ladungsquotienten von ¹/₅, wie W., beizubehalten, zu der Vermehrung des absoluten Gewichts der Pulverladung von 1,4 Pfd. (bei W.) auf 1,6 Pfd. gelangt, und da diese in Verbindung mit dem ebenfalls um 1 Pfd. vermehrten Geschoßgewicht das Rohr mehr anstrengen wird, so müssen wir nach Kompensationsmitteln dafür suchen. Diese finden wir: 1) in einer Verkürzung des Rohrs von 25³/₄ auf 22 Kaliber (statt 20, wie W., rechnen wir nur 16 auf den Bewegungsraum des Geschosses), wobei wir das hierdurch gewonnene Metall zur Verstärkung des Rohrs, namentlich am Ladungsraum, Keilloch ꝛc., verwenden; 2) und hauptsächlich in der Verwendung einer weniger brisanten Pulversorte, als es unser gegenwärtiges Geschützpulver ist, wodurch wir auch allen Befürchtungen einer etwaigen Stauchung des längeren Geschosses im Rohr (was eine Verstärkung der Geschoßwände nöthig machen würde) vorbeugen.

Sowohl die bei uns mit englischem Geschütz = und prismatischem Pulver, ebenso wie die in England mit Geschütz =, prismatischem, Pellet= (Klumpen=) und Pebble= (Kiesel=) Pulver und endlich die in Amerika mit gewöhnlichem, prismatischem und Mammuth-Pulver stattgehabten Schießproben

alten Satz: „daß die Körnergröße des Pulvers im Ver-
tniß zur Größe der Ladungen stehen müsse" für die Geschütz-
llistik als gänzlich unzureichend erwiesen, während er für Minen
) Sprengwirkung ein völlig richtiger ist.

Für die Ballistik dürfte er dagegen zweifellos dem nachstehenden zu
hen haben: Mit der Größe der Ladungen muß die Größe und
zifische Dichtigkeit der einzelnen Pulverpartikel verhältniß-
ßig zu- und die Gesammtgröße der zwischen denselben vorhan-
en lufterfüllten Räume entsprechend abnehmen.

Durch Beachtung dieses Satzes erhält man eine direkte, sehr bedeutende
Minderung der Brisanz (des Gasdruckes gegen das Rohr), während die
listische Kraft des Pulvers (der Druck gegen das Geschoß) nur in geringem
ße vermindert wird. So z. B. geben 7 Pfd. Pebble-Pulver noch etwas
r ballistische Kraft, als 6 Pfd. englisches Geschützpulver, während die
sante Kraft bei letzterer Sorte und Quantität die der ersteren Sorte
Quantität um das Vierfache übertrifft.

Wir halten das Pebble-Pulver (welches man erhält durch Zerbrechen
Pulverkuchens in kleine Stücke, die durch ein Sieb von ⁴/₈ bis ⁵/₈ Zoll
chenweite passiren) für das einfachste, modifizirbarste und den Geschütz-
ngen jeder Größe am leichtesten anzupassende Pulverform. Es versteht
dabei wohl von selbst, daß die bei unserer Pulverladung von 1,6 Pfd.
wendende Größe der einzelnen Partikel von der bei Ladungen von 20 Pfd.
darüber angewendeten oben angegebenen nicht unerheblich differiren muß
daß damit auch das oben angegebene Verhältniß zwischen Brisanz und
tischer Kraft bei kleinen Ladungen sich etwas ungünstiger gestaltet. Immer-
dürfte es keine zu kühne Annahme sein, daß 1,6 Pfd. Pebble-Pulver
nere Sorte) bei 8 Pfd. Vorlage sich nicht brisanter erweisen werden, als
Pfd. jetziges Geschützpulver*) bei 7 Pfd. Vorlage. Daß die Anfangs-
windigkeit im erstgenannten Falle sowohl wegen der etwas geringeren
tischen Kraft des Pulvers, als wegen des kürzeren Rohrs mit etwas
rem Drall (ppr. 3°) um etwas geringer sein wird, als die des 7pfün-
t Geschosses, ist natürlich. Allein diese Differenz dürfte nur auf den
sten Distanzen bis höchstens 1500 Schritt eine weniger rasante Bahn des
teren Geschosses ergeben; von da ab wird mit der zunehmenden Entfer-
das letztere auch in Rasanz der Bahn und bestrichenem Raum immer
t ben Vorrang gewinnen.

Die etwas größere Sprengwirkung unserer Granate und die dadurch
chterte Beobachtung wären noch weitere Vortheile.

---

*) Von den Glycerinkapseln, welche W. noch zu verwenden vorschlägt und die seitdem,
eben wegen ihrer Vermehrung der Brisanz der Ladungen, verworfen worden
wir nunmehr natürlich ganz ab.

Wir gestehen ein, daß wir uns mit unserer Deduktion auf zum Theil noch problematischem Boden bewegen. Bei der allseitigen Wichtigkeit aber, die gerade die Erprobung weniger brisanter Pulversorten für die Artillerie gegenwärtig nach den verschiedensten Richtungen hin erlangt hat, dürfen wir wohl annehmen, daß dieser Materie schon in nächster Zeit mit eingehenden Versuchen näher getreten und volle wissenschaftliche Klarheit in dieselbe gebracht werde. Wir möchten glauben, daß dabei unsere sehr vorsichtigen und mäßigen Annahmen ihre volle Bestätigung finden werden.

Was die Dauerhaftigkeit gegen Transport und Witterung betrifft, so dürfte das Pebble-Pulver, aus zweckmäßig verdichtetem Pulverkuchen gewonnen und in dichte Seidenzeug - Kartuschen fest zusammengepackt, dem bisherigen Geschützpulver mindestens nicht nachstehen, vielmehr eher die Haltbarkeit der bisherigen Geschützkartuschen, die immer viel zu wünschen übrig ließ, zu verbessern geeignet sind.

II. Der hohe Bogenschuß.

W. ist noch dem alten Prinzip gefolgt, indem er den hohen Bogenschuß aus seinem Geschütz unter Anwendung derselben leichten Granate und kleiner Ladungen (etwa 0,4 und 0,2 Pfd.) hervorzubringen beabsichtigt. Wir haben inzwischen die Unzweckmäßigkeit und geringe Wirkung eines solchen hohen Bogenschusses erkannt und denselben einstweilen ganz fallen lassen, ein Radikalmittel, mit dem sich, unseren oben entwickelten Ansichten gemäß, die Feldartillerie auf die Dauer schwerlich zufrieden geben kann. Je mehr wir auf der einen Seite den jetzigen Granatschuß zu einer sehr rasanten Schußart ausbilden und damit auch auf den größeren Distanzen seiner Doppelnatur (denn er näherte sich auf denselben eigentlich dem hohen Bogenschuß) entkleiden, desto dringender wird sich das Bedürfniß nach einem eigentlichen hohen Bogenschuß zeigen.

Der Grund, weshalb der jetzige resp. frühere hohe Bogenschuß der gezogenen Feldgeschütze ungenügend war, lag vor Allem in dem für eine weit größere Pulverladung konstruirten Ladungs- resp. Verbrennungsraum, oder vielmehr, richtiger ausgedrückt, in der mangelhaften Art und Weise, in welcher man die ohnedies für die ganze Konstruktion der Geschütze schon zu kleinen Ladungen in diesem großen Raume placirte. Das Geschoß sank bei hohen Elevationen auf die Ladung zurück und trat schief in die Züge, während ein Theil der Pulvergase am Geschoß vorbei entwich, ehe sich dasselbe in Bewegung setzte. Es ist klar, daß dadurch Anfangsgeschwindigkeit und Präzision sehr ungünstig beeinflußt werden mußten. Bei fortgesetztem Schießen trat außerdem eine bedeutende Verschmutzung des Ladungsraums ein, indem die geringen Ladungen den bei unserem Pulver ver-

großen Rückstand (circa 60 %) bei Weitem nicht in dem Maße, ~~wie dies~~ bei großen Ladungen geschieht, aus dem Rohr herauszuschleudern ~~vermochten~~. Diese Verschmutzung wirkte dann natürlich ebenfalls wieder alterend auf die Expansionskraft der Gase ac. ac. Zu diesen, sich schon auf die Flugbahn und Trefffähigkeit der Geschosse äußernden Nachtheilen trat nun noch der Umstand hinzu, daß das Geschoß, namentlich bei weichem Terrain, verhältnißmäßig für seine geringe Sprengladung zu tief eindrang. Theils hierdurch, theils wegen der Drehung des Geschosses mit der Spitze nach oben, wurde die Zündung unsicher, und selbst im besten Falle fiel die Sprengwirkung recht gering aus, weil sie eintrat, bevor die Geschwindigkeit des Geschosses vernichtet war, folglich die Mehrzahl der Sprengstücke die Richtung nach vorwärts d. h. in die Erde hinein verfolgten. Insofern als zu der geringen lebendigen Kraft der einzelnen Sprengstücke auch die Zähigkeit des schweren Bleimantels beitrug, dürfte diesem Uebelstande durch die dünnbemantelte Granate W.'s und deren größere Sprengladung einigermaßen abgeholfen sein. — Alle übrigen Nachtheile des früheren hohen Bogenschusses aber würde das W.'sche Geschütz in vermehrtem Maße zeigen, weil ein für eine noch größere Ladung konstruirter Verbrennungsraum noch ungünstiger auf die Kraftentwickelung kleiner Ladungen einwirken muß.

Wir können daher den W.'schen hohen Bogenschuß nicht für genügend erachten, vermögen uns andererseits aber auch nicht mit der jetzigen, anscheinend einfachsten Lösung der Frage, der völligen Beseitigung des hohen Bogenschusses, zu befreunden. Der für diese Verwerfung angeblich durchschlagende Grund, nämlich, „daß eine sichere Beobachtung der Wirkung bei dieser Schußart nicht möglich sei, man aber nicht schießen dürfe, wo man nicht beobachten könne", ist offenbar für viele Fälle gar nicht zutreffend und fällt überhaupt unter das sehr richtige französische Schlagwort: qui prouve trop, ne prouve rien."

Wir dürften uns zunächst wohl auf zwei der oben zitirten Beispieltypen aus dem letzten Kriege beziehen, wo wir den hohen Bogen- resp. indirekten Schuß für nützlich hielten, und wo kaum Jemand bestreiten dürfte, daß dabei alle für eine gute Beobachtung nur irgend denkbar günstigen Momente vorhanden waren.

Die bekannte Regel, daß gedeckten Zielen gegenüber eine verhältnißmäßige Zahl der Geschosse, der Längenstreuung entsprechend, vor denselben einschlagen muß, wenn die Entfernung, auf welche man schießt, als richtig geschätzt resp. die Wirkung noch als eine gute angenommen werden soll, wird in Verbindung mit der durch eine große Sprengladung bewirkten starken Explosion resp. Zerstörung des Ziels die Beobachtung hinreichend unterstützen. Außerdem darf angenommen werden, daß, da der gewöhnliche Granatschuß in den bei weitem ~~meisten~~ Fällen, namentlich leicht zerstörbaren resp. nicht völlig deckenden Schutz~~wehren~~ gegenüber, durchaus ausreichend ist, man in den verhältnißmäßig weit selteneren Fällen, wo es eines eigentlichen hohen Bogenschusses mit großer Spreng- resp. Brandwirkung bedarf, schon eingeschossen sein resp. die Entfernung kennen wird. Dieser Umstand würde meistentheils auch dem Shrapnelschusse zu Gute kommen.

Wir haben bei Anwendung des hohen Bogenschusses hauptsächlich den Kampf gegen völlig gedeckt stehende Geschütze, die Zerstörung fester Gebäulichkeiten resp. Eindeckungen, sowie die Erzeugung von Brand im Auge. Gegen gedeckt stehende Truppen wird meist der Shrapnelschuß vorzuziehen sein, und nur in den seltenen Fällen, wo kompakte Massen hinter nicht zerstörbaren Deckungen völlig verborgen aufgestellt sind, und man dennoch deren Anwesenheit an diesen Punkten bestimmt weiß, würde auch diesen gegenüber der hohe Bogenschuß mit einem dazu besonders geeigneten Geschoß, dessen Sprengladung ihre Wirkung vom Einschlagspunkt aus möglichst nach rückwärts und seitwärts, nicht vorwärts, zur Geltung bringt, die größte Wirkung versprechen. Auf ein mörserähnliches Feuer bei Feldgeschützen müssen wir offenbar verzichten, indem es nicht unsere Absicht sein kann, den z. B. hinter einer Brustwehr völlig gedeckt stehenden Feind durch einen sehr hohen Einfallwinkel mit dem noch ungesprengten Geschoß unmittelbar zu treffen. Es würde z. B. ein Geschoß bei einem Einfallwinkel von 15^0, wenn es über eine 6 Fuß hohe Brustwehr tangirend hinwegginge, erst einen um ppr. 24 Fuß hinter derselben gelegenen Punkt des Horizonts treffen. Da sich nun der Vertheidiger dicht an die Brustwehr stellen wird, so können ihm nur die nach rückwärts geschleuderten Sprengstücke schaden. Solche Wirkungen nach rückwärts haben wir demnach beim hohen Bogenschuß hauptsächlich ins Auge zu fassen. Ein Einfallwinkel von 15^0 wird dabei, um das Steckenbleiben des Geschosses zu sichern, um so mehr ausreichen, als wir dafür sorgen, daß das letztere bis zum Ende seiner Bahn in tangentialer Lage zu derselben verharrt, d. h. mit der Spitze einschlägt. Außerdem würde es sich dann noch darum handeln, den Zündungsmodus der Sprengladung so einzurichten, daß das Krepiren des Geschosses erst eintritt, wenn seine Bewegung nach vorwärts ganz oder doch größtentheils zum Stillstande gebracht ist. Zum letzteren Zweck scheint uns der für gewisse Aufgaben des Belagerungskrieges konstruirte sogenannte verlangsamte Perkussionszünder geeignet.

Den übrigen Anforderungen, welche wir nach Vorstehendem an einen wirksamen hohen Bogenschuß zu stellen haben würden, glauben wir durch nachstehenden Vorschlag gerecht werden zu können:

Kombination eines längeren und schwereren Geschosses mit einer geringeren Geschützladung. Eine etwa 3 Kaliber lange Granate mit dünnem Bleimantel, leer etwa 9 Pfd. wiegend, in ihrer Spitze ausgegossen mit ppr. 2 Pfd. Blei, soll inkl. 24 Loth Sprengladung, 6 Loth an Brandern und des erwähnten verlangsamten Perkussionszünders ein Total-

nicht von 12 Pfd. haben. Durch den Bleieinguß in die Spitze wollen wir
Schwerpunkt möglichst nach vorne verlegen. Aus allen Versuchen unserer
fremdländischer Artillerien scheint uns nämlich hervorzugehen, daß zur
reichung geringer Längenabweichungen, worauf es hier hauptsächlich an-
unt, der Schwerpunkt eines Geschosses um so mehr nach vorne
legt werden muß, je geringer seine Anfangsgeschwindigkeit,
größer die angewendete Elevation und der Drall des Rohrs
d je länger das Geschoß ist. In dieser Verlegung des Schwerpunktes
h vorne und einer stumpfen Spitze*) finden wir das beste Mittel, den
niedersteigenden Aste der Flugbahn so störenden Pendelungen um die
erachse vorzubeugen. Je mehr diese vermieden werden, und je konstanter
chzeitig bei jedem einzelnen Schusse das Verhältniß der Ladung zum Ge-
ß ist, desto größer wird unter übrigens gleichen Umständen auch die Treff-
igkeit sein.

Wir legen daher auch Werth auf eine große Gleichheit der Totalgewichte
Geschosse unter einander, welche sich durch den von uns vorgeschlagenen
Bleieinguß hinreichend genau reguliren läßt. Endlich soll uns der letztere
h zur Vermehrung der Perkussionskraft, sowie auch dazu dienen, den Wider-
nd gegen die Sprengladung im Vordertheil des Geschosses zu vermehren
d daburch die Kraftäußerung derselben mehr nach hinten und in die
eite zu lenken. Es stimmt dies auch mit dem Zwecke des verlangsamten
rkussionszünders überein, der die Zündung der Sprengladung erst bewirken
, wenn die Geschwindigkeit des Geschosses beinahe aufgehoben resp. seine
endige Kraft vernichtet ist. Man sieht, während unsere jetzigen Granaten,
en ganze Sprengwirkung nach vorwärts geht, einem hinter soliden Deckun-
: stehenden Feinde wenig anzuhaben vermögen, daß das von uns für den
en Bogenschuß vorgeschlagene Geschoß eine höchst energische und sicherlich
h demoralisirende Wirkung auf einen Feind ausüben würde, der, sich hinter
en Brustwehren für gesichert haltend, ein formidables Rücken-Sprengfeuer
hält!

Diese Langgranate nun würde etwa geschossen werden mit einer Geschütz-
ung von 0,6 Pfd. verdichtetem (Pebble-) Pulver. Damit diese verringerte
ung den Verbrennungsraum (der durch die Verlängerung des cylindrischen
eils der Granate, welche bei stumpfer Konstruktion der Spitze etwa ⅓ Ka-
r betragen kann, allein nicht auszufüllen ist) völlig einnehme, greifen wir

---

*) Daß schlanke Spitzen überhaupt die Drehung des Geschosses um die Querachse (mit
Spitze nach oben) begünstigen, zeigen namentlich die Beobachtungen beim Schießen mit
zerschossen von verschieden konstruirten Spitzen durch Wasser. Solche mit ganz flach
schnittener Spitze weichen am wenigsten ab, alle anderen drehen sich mehr oder weniger
der Spitze nach oben. Was aber in dem widerstehenden Mittel „Wasser" statt-
t, wird in minderem Maße auch für die Luft gelten.

zu einer besonderen Konstruktion der Kartusche. Indem wir dieselbe nach vorne durch einen Preßspahnboden abschließen, ist mit dem letzteren ein Hohlcylinder von leicht verbrennlichem Material, etwa von Fichtenholz, verbunden. Dieser nimmt die Achse der Kartusche ein und sein Inhalt ist so berechnet, daß der Gesammtkörper der Kartusche den Ladungsraum hinter dem Geschoß ausfüllt. Zweck dieser Kartusche ist: Begünstigung einer gleichmäßigen Anfangsgeschwindigkeit und des centralen Eintritts des Geschosses in die Züge.. Zugleich dürfte dadurch auch der schnellen Verschmutzung des Ladungsraums vorgebeugt werden.

Die Kombination von Ladung und Geschoßgewicht ist ungefähr auf den Einfallwinkel von 15° für 2000 Schritt Entfernung berechnet. Sollte das nicht zutreffen, so ist in der Konstruktion der Kartusche das Mittel gegeben, die Ladung zu modifiziren, ohne das Prinzip „völlige Ausfüllung des Laderaums" zu alteriren.

Wir glauben auf diese Weise erreichen zu können: 1) einen wirklichen hohen Bogenschuß mit großer Spreng- und Brandwirkung auf den Entfernungen von circa 2000—4000 Schritt (über 4000 Schritt hinaus dürfte die nöthige Erhöhung die bei unseren jetzigen Laffeten zulässige überschreiten); 2) einen noch recht nutzbaren, namentlich auch zum Kampfe mit hinter Brustwehren stehenden Geschützen geeigneten, indirekten Schuß von 2000 Schritt abwärts bis etwa zu 1100 Schritt, wo der Einfallwinkel etwa 7° betragen würde; 3) große Trefffähigkeit, namentlich geringe Längenstreuung, erreicht durch eine sehr gleichmäßige Anfangsgeschwindigkeit, welche der für mittellange gezogene Rohre noch zulässig kleinsten so ziemlich nahe kommen dürfte, sowie durch die Länge und Schwere des Geschosses in Verbindung mit seinem vorgelegten Schwerpunkte und einer sehr stumpf parabolischen Spitze*); 4) eine günstige Perkussionskraft zum Durchschlagen fester Ziele, welche nicht zu groß sein darf, damit das Geschoß in den Boden nicht zu tief eindringt und in Mauern stecken bleibt, seine Sprengwirkung im Ziele äußernd.

Einwenden könnte man gegen unser Prinzip der Kombination eines besonders konstruirten schweren Geschosses mit relativ geringer Ladung, daß dadurch die Einfachheit der Geschosse verloren gehe. Allein wir sind der Ansicht, daß man die Einfachheit nicht so weit treiben darf, bei einem Kaliber auch nur ein Geschoß haben zu wollen, indem damit die verschiedenen Artilleriezwecke durchaus nicht zu erreichen sind, wie sich dies am besten bei dem eng-

---

*) Den Einfluß der Konstruktion der Spitze auf Ueberwindung des Luftwiderstandes scheint man bisher überschätzt zu haben, wie neuere Versuche mit Gewehr- und Geschützgeschossen von sehr stumpfen, ja flach abgeschnittenen Spitzen darthun. Sicher ist, daß der Einfluß der günstigsten Spitzkonstruktion auf bessere Ueberwindung des Luftwiderstandes fast verschwindet gegen den Einfluß einer größeren Belastung des Querschnittes.

██ ████████ gezeigt hat. Sicherlich ist aber ein Einheitsgeschütz mit ███████ (2 Granatsorten und 1 Shrapnel) ungleich einfacher, als Feldgeschützkaliber, jedes mit 2 Geschossen.

III. Der Shrapnelschuß.

Wenden wir uns damit zum Shrapnelschuß. Das Shrapnel, die alte ███ach'sche Granatkartätsche echt deutschen Ursprungs, ist nichts anderes und █ nichts anderes sein, als ein weitgetragener Kartätschschuß. Und eines ██en bedürfen wir einmal gegenüber den weittragenden Waffen der Infan██ie und ihren jetzigen Formationen, dann aber auch als Radikalmittel gegen ballistischen Zwitter, die Mitrailleusen.

Der alte Büchsenkartätschschuß kann uns wenig mehr helfen, selbst wenn █ ihn beim gezogenen Hinterladungsgeschütz kleinen Kalibers auf die Höhe ██en könnten, welche er vermöge der $^1/_2$ kugelschweren Ladung beim alten ██gen Feld-12Pfdr. einnahm. Seine Wirkungsweite von 700 Schritt wäre ██ unzureichend, und er würde daher nur zur Komplikation der Zahl und █ der Geschosse beitragen.

Es lag daher sehr nahe, den Shrapnelschuß gleichzeitig zum Ersatze des ██en Kartätschschusses auszubilden. Und diese Idee ist seit lange von der ██illerie unausgesetzt im Auge behalten worden. Aber die Achillesferse des ██rapnelschusses überhaupt, der Zündungsmodus war auch hier das Haupt-▄erniß günstiger Resultate.

Bekannt ist, daß man bei uns eine Zeit lang glaubte, diese Zünderfrage ██Shrapnels mittelst des Perkussionszünders lösen zu können. Allein einer-█ ging damit ein Hauptvortheil des Shrapnels, nämlich sein Gebrauch ██en ganz oder annähernd verdeckte Ziele, verloren, da das Geschoß nun vor █ Ziele aufschlagen mußte, andererseits zeigten sich selbst freistehenden ██ppen gegenüber die größten Inkonvenienzen. Das Intervall d. h. die ██fernung vom Aufschlagspunkte bis zum Ziel durfte nur klein werden, setzte ██ eine sehr genaue Kenntniß der Entfernungen voraus, dabei mußte der ██den fest, eben und frei sein ꝛc. ꝛc. Kurz der Shrapnelschuß wurde ██ einem vom Terrain fast gänzlich und von der richtigen Kennt-█ß der Entfernung wenigstens einigermaßen (wenn auch in sehr ██zen Grenzen) unabhängigen Schußart die in beiden Beziehun-██n allerabhängigste.

Man ließ daher diese Zündmethode fallen und suchte auf den ursprüng-██en Brennzünder zurückzugehen, der freilich bei unseren Hinterladern nicht ██ die Flamme der Geschützladung (da diese durch das Geschoß hermetisch ██████en wird) entzündet werden konnte, insofern man das Prinzip des ██████usses beibehalten wollte. Der Richter'sche, durch den Stoß der Geschützladung Feuer fangende Zünder, stellte dann auch die Unabhängigkeit des Shrapnels vom Terrain wieder her, aber die Ungleichheiten in der Brennzeit, welche namentlich durch längeren Transport zunehmen, sowie die nicht völlig garantirte Gefahrlosigkeit dieses Zünders bei Bewegung und Bedienung des Geschützes ließen von seiner Einführung für Feldshrapnels absehen, allerdings mit der nicht unbedenklichen Folge, daß uns zunächst ein Feldshrapnel gänzlich fehlte.

W. sucht nun in Uebereinstimmung mit vor 2—3 Jahren versuchten Ideen die Zündung seines Shrapnels wieder direkt durch die Flamme der Geschützladung herbeizuführen, indem er durch flache Längsschnitte durch den Bleimantel bis zum Zünderkopfe das Feuer der Geschützladung jenem gleichsam zuleiten will.

Wir können diese Zündmethode nicht billigen. Abgesehen davon, daß dadurch ein Entweichen von Pulvergasen herbeigeführt wird, welches unserem Prinzip der Hinterladung mit dichtem Gasabschluß schnurstracks zuwiderläuft und unmöglich auf die Trefffähigkeit ohne nachtheiligen Einfluß bleiben kann, erscheint diese Art der Zündung bei fortgesetztem Schießen und Verschleimung des Rohrs auch wenig gesichert, wenn man bedenkt, daß die Längsschnitte in dem dünnen Bleimantel nur eine sehr geringe Tiefe erhalten können. Sodann kann auch die Gefahr von Ausbrennungen im Rohr, herbeigeführt von der durch die Längsschnitte durchschlagenden Stichflamme, nicht so ganz unberücksichtigt bleiben, wie W. dies darzustellen bemüht ist. Endlich aber würden die Ungleichheiten in der Brennzeit von Ringzündern durch diese Methode nur zum kleinsten Theile beseitigt werden, da dieselben weit mehr im Ringzünder selbst, als in der Art der Entzündung des Ringsatzes durch den Stoß oder die Flamme der Geschützladung zu suchen sind.

Der jetzt für Feldshrapnels besonders verbesserte Lancelle'sche Zünder hat im Felde recht gute Resulate ergeben und die mit dem Richter'schen Zünder verbundenen Nachtheile, namentlich bezüglich der Gefahr bei Transport und Handhabung, fast gänzlich beseitigt. Nichtsdestoweniger geben wir uns nicht der Täuschung hin, als ob damit die Aufgabe eines in gleichen Zeiten genau gleich brennenden Zünders gelöst sei, da diese Aufgabe überhaupt der Natur der Sache nach nie vollkommen, sondern nur bis zu einem gewissen Grade lösbar ist, dem der Lancelle'sche Zünder allerdings schon sehr nahe zu kommen scheint.

Wir sind der Ueberzeugung, daß, wenn man diesem Zünder noch durch eine besondere Konstruktion des Shrapnelgeschosses selbst zu Hülfe kommt, derselbe allen Anforderungen für den Feldgebrauch entsprechen würde. Erklären wir uns näher.

Bei uns und in den meisten Artillerien hat man bislang an der Theorie festgehalten, daß die Geschoßladung des Shrapnels nur die Hülle zertrümmern, die dann frei werdenden Kugeln und Sprengstücke

...lebendige Kraft lediglich mittelst der bereits am Spreng-
...kte durch die Geschützladung erlangten Geschwindigkeit er-
...lten sollten. Die Konsequenzen dieser Ansicht zog unsere Artillerie am
...richtigsten, indem sie die Sprengladung auf ein Minimum reduzirte
...d in der Achse des Geschosses lagerte. Ihre Einwirkung auf die
...chtung der Füllkugeln und Sprengpartikel ließ sich indeß auch dadurch nicht
...llig beseitigen, und so bildeten dieselben in Folge der sich nach dem Gesetze
...s Parallelogramms der Kräfte kombinirenden Einwirkung von Geschütz- und
...prengladung im Wesentlichen einen Hohlkegel, der gerade in der Richtung
...e Achse des Geschosses das Ziel am wenigsten gefährdete. Vielleicht um
...sen, übrigens wenig hervortretenden Nachtheil zu vermeiden, sowie um die
...borirung des Geschosses zu erleichtern, legten die Franzosen die Spreng-
...ung in die Spitze des Geschosses, also vor die Kugelfüllung. Es ist klar,
...ß dieselbe beim Krepiren der Geschoßgeschwindigkeit entgegenwirkt, was
...i der keineswegs geringen Ladung dieser Shrapnels sowohl die Perkussion
...r einzelnen Partikel, als auch deren regelmäßige Streuung, mittelbar also
...e Trefffähigkeit ebenfalls, sehr beeinträchtigt.

W. legt nun die Sprengladung bei der von ihm vorgeschlagenen Kon-
...uktion auch in die Spitze des Shrapnels, setzt ihre Größe aber auf das
...inimum von 0,35 Loth herab. Der Grund, der ihn dazu bewegt, ist die
...chtere Trennung von Ladung und Füllgeschossen. Zu letzteren verwendet er
...ils der gedrängteren Füllung halber, theils um den einzelnen Partikeln ein
...ßeres Gewicht zu geben, eiserne Segmentstücke, welche fest auf-
...d aneinander gelagert werden. W. gelangt so allerdings zu einer
...üllung von 5 Pfd. 17 Loth Gewicht, während die circa 80 Bleikugeln un-
...es bisherigen 4pfdgen. Versuchsshrapnels nur ppr. 2 Pfd. 22 Loth wiegen.
...otz dieses auf den ersten Blick bestechenden Resultats will es uns so schei-
...n, als ob W. bei seiner Shrapnelkonstruktion ein Mißgriff begegnet wäre.

Betrachten wir nämlich die außerordentlich geringe Sprengladung von
...m etwas über ½ Loth Pulver und ihre centrale Lagerung in der ziemlich
...ssiven Spitze, während sich hinter ihr, gleichsam als Metallstärke vor
...m Stoß, die dichte Füllung von Segmentstücken befindet, die mit ihren
...schen fast adhärirend an- und aufeinander gelagert sind, so erscheint es uns
...höchsten Grade wahrscheinlich, daß die Sprengladung nur die Spitze
...d zwar in unregelmäßiger Weise absprengen, der Rest des Ge-
...osses aber kompakt zusammenbleiben, also nur als unförm-
...hes Vollgeschoß wirken wird. Da nämlich die Segmentstücke ebenso
...e die Hülle nur von Eisen sind, mithin kein größeres, sondern, weil die
...tere (die Hülle) noch durch den Bleimantel beschwert ist, ein kleineres
...harrungsmoment besitzen, als diese und, da ihnen außerdem der Stoß
...Sprengladung noch central entgegenwirkt, so ist gar kein Grund ein-

zufehen, weshalb fie fich aus der Hülle, deren ░░░░░░
ficherlich zufammenhalten wird, entfernen follten.

Wir müffen uns aber auch ganz abgefehen hiervon gegen jede Lagerung ░
Sprengladung vor oder in der Achfe der Füllung erklären, da ░░░
haupt das Prinzip, durch jene die Hülle nur zu zertrümmern, dagegen ░
lebendige Kraft der einzelnen Partikel lediglich von der Gefchützladung ░
hängig zu machen, verwerfen. Gerade dadurch, daß man diefes Prin ░
welches bei fphärifchen Shrapnels das einzig zuläffige war (we ░
gen deren unbeftimmter Rotation), auch auf die Shrapnels der ge ░
genen Gefchütze übertrug, hat man eine gründliche Vervollkommnung derfelben ░
bis heute lahm gelegt, während es doch nahe lag, beim Shrapnelfpitze ░
fchoß gleichzeitig die Sprengladung zur Vermehrung der leben ░
digen Kraft der Füllung zu benutzen.

W. felbft fagt (a. a. O. S. 285): „Betreffs des Ortes der Spreng ░
ladung im Gefchoß ift natürlich deren Anbringung hinter der Füllung, alfo ░
am Boden des Gefchoffes, in balliftifcher Beziehung am vortheilhafteften ░
und zwar um fo vortheilhafter, je größer die Sprengladung gewählt wird, ░
indem dann deren Kraftüberfchuß mehr zur Erhöhung der Gefchwindigkeit und ░
lebendigen Kraft der Sprengpartikel, als zur Vergrößerung des Kegelwinkels
ihrer Bahngarbe Verwendung findet.“ Indem W. mit diefen Worten dem
einzig richtigen Prinzip Beachtung zollt, können wir nur bedauern, daß er
lediglich aus Gründen bequemer Laborirung und ftarker Füllung diefes als
richtig erkannte Prinzip fofort hat fallen laffen. Daß das öfterreichifche
Shrapnel neuer Konftruktion, obgleich daffelbe jenes Prinzip noch in ziemlich
unvollkommener Weife zur Geltung bringt, fchon recht günftige Refultate damit erzielt hat, ift bekannt. Damit ift doch der Anfang gemacht, und wir
dächten, die Vervollkommnung müßte wenigftens verfucht werden.

Wir befürworten daher ein Shrapnel, welches bei einer Länge von 2½
Kaliber 80—100 1löthige Bleikugeln (denen wir aus Gründen der Form
und des fpezififchen Gewichts vor eifernen Segmentftücken den Vorzug geben)
mit einer am Boden des Gefchoffes gelagerten Ladung von circa 6 Loth Pulver förmlich aus feiner Hülle fchießen foll.

Daffelbe würde etwa 12 Pfd. wiegen, eine abfolute Trennung der
Füllgefchoffe von der Sprengladung durchführen und vor Allem
die Oeffnung der Spitze des Gefchoffes ficher ftellen, bevor die
Füllgefchoffe ihre befchleunigte Bewegung durch die Sprengladung antreten. In diefer letzteren Eigenfchaft erkennen wir einen Kardi-
nalpunkt der Verbefferung im Vergleich zu dem jetzigen öfterreichifchen Shrapnel, indem fich bei unferem Gefchoß die Spitze im felben Moment öffnet,
wo die Sprengladung den Füllgefchoffen die vermehrte Gefchwindigkeit ertheilt.

Wir haben ein solches Geschoß in der Zeichnung fertig konstruirt und werden dasselbe an kompetenter Stelle zur Beurtheilung vorlegen. Die Details der Konstruktion hier wiederzugeben, müssen wir uns einstweilen versagen. Wir erwähnen nur, daß die Laborirung des Geschosses weder Schwierigkeiten noch besondere Kosten verursacht. Es ist für den Lancelle'schen Zünder eingerichtet und steht seiner Anwendung auch bei unserem gegenwärtigen Geschützsystem im Prinzip nichts entgegen, im Gegentheil: es würden die Vortheile desselben bei Festungsgeschützen größeren Kalibers noch in erhöhtem Maße hervortreten.

Da bei dem von uns hier vorgeschlagenen Einheitsgeschütz dieses 12 Pfd. schwere Geschoß mit voller Geschützladung d. h. mit 1,6 Pfd. Pebble-Pulver erschossen werden soll, so wird die Anstrengung des Rohrs bei dieser Schußart allerdings die größte, aber unter Anwendung verdichteten Pulvers und unserer (s. oben) verstärkten Rohrkonstruktion wohl verhältnißmäßig leichter zu ertragen sein, als von dem W.'schen Rohre der Shrapnelschuß mit 1,4 Pfd. Geschützpulver und einem 11 Pfd. 20 Loth schweren Geschoß.

Während bei den im Versuch befindlichen Feldshrapnels das günstigste Intervall auf ppr. 50 Schritt liegt, würde es bei unserem Shrapnel wahrscheinlich zwischen 100 und 200 Schritt liegen und selbst Intervalle von resp. 300, 250 und 200 Schritt dürften auf Entfernungen von resp. 1000, 2000 und 2500 Schritt noch eine nicht unerhebliche Wirkung ergeben. Bei Nullempirung des Zünders hoffen wir noch eine gute Kartätschwirkung auf 600—700 Schritt zu erzielen.

Treffen diese Voraussetzungen zu, so ist ersichtlich, daß die jetzigen geringen Verschiedenheiten in den Brennzeiten des Lancelle'schen Zünders von gar keiner Bedeutung sein und selbst Irrungen in der Entfernung ins zu kurze erst, wenn sie im Mittel 200 Schritt übersteigen, das Shrapnel annähernd wirkungslos machen werden.

Die große Sprengladung wird außerdem die Beobachtung nicht unwesentlich begünstigen.

Rekapituliren wir nun kurz unsere Vorschläge:

1. Ein bronzenes Rohr, 22 Kaliber lang mit bisherigem Doppelkeilverschluß, 12 Keilzügen mit ppr. 3 Grad Drall, Totalgewicht 720 Pfund.

2. Geschützladungen von 1,6 resp. 0,6 Pfd. nach Art des Pebble-abrizirtes Pulver (die kleine Kartusche noch besonders eingerichtet zum Ausfüllen des Laderaums).

3. Geschosse:

a) Granate von $2\frac{1}{2}$ Kaliberlänge (davon nur $\frac{1}{2}$ Kaliber auf die ogivale Spitze) mit dünnem Bleimantel, 20 Loth Sprengladung, Totalgewicht 8 Pfd.

b) Lang= zugleich Brand=Granate von 3 Kalibern Länge mit stumpfparabolischer Spitze von nur 1 Zoll Höhe, dünnem Bleimantel, verlangsamter Perkussionszündung, 24 Loth Sprenglabung, 6 Loth Brander, Totalgewicht 12 Pfd.

c) Ein Shrapnel mit dünnem Bleimantel und 6 Loth Ladung, circa 100 1löthigen Bleikugeln, Lancelle'schem Zünder, Totalgewicht 12 Pfd. Letzteres Geschoß, auf Null tempirt, ersetzt auch den Kartätschschuß.

Das Gewicht jedes einzelnen Exemplars innerhalb derselben Geschoß= gattung soll möglichst genau dasselbe sein, was unschwer zu erreichen ist: 1) bei der Granate sub a durch Bleieinguß auf den Boden, 2) bei der Granate sub b durch den Bleieinguß in die Spitze, 3) beim Shrapnel durch Einfüllung von feinem Schrot zwischen die Bleikugeln. Die durch diese Re= gulirungen des Normalgewichts hervorgebrachten äußerst geringen Verlegungen des Schwerpunktes sind viel irrelevanter für die Treffsähigkeit, als die fast absolute Gleichheit der Gewichte aller Geschosse derselben Gattung.

Für die Sprenglabungen verwenden wir bei den Granaten neues Ge= schütz=, beim Shrapnel neues Gewehrpulver.

Die nach Vorstehendem zwischen W.'s Vorschlägen und den unsrigen her= vortretenden wesentlichen Unterschiede sind also folgende:

Unser Rohr ist stärker und für eine etwas größere Ladung konstruirt, aber kürzer, W.'s Rohr ist länger, das Totalgewicht beider Rohre ist dasselbe. W. will das bisherige, ziemlich brisante Geschützpulver, wir ein verdichtetes, gröberes, weniger brisantes Pulver verwenden. W.'s Granatschuß ist rasanter auf den näheren, der unsere auf den mitt= leren und größeren Distanzen, auch ist die Perkussions= und Spreng= wirkung des letzteren durchschnittlich größer. W. bringt seinen hohen Bogenschuß mit derselben leichten Granate und zwei verkleinerten Ladungen hervor, wir durch ein besonders konstruirtes schweres Geschoß und eine ebenfalls speziell zum Ausfüllen des Laderaums ꝛc. eingerich= tete Kartusche. Wir verwenden ein sehr vervollkommnetes Shrap= nel, dessen Prinzip auch W. als das richtige anerkennt.

Die todte Last betreffend, welche bei unserem System fortzuschaffen wäre, so stellt sich das Verhältniß fast ebenso günstig, wie bei W. Unter der Vor= aussetzung, daß die Geschütz= und Wagenprotzen ganz gleich und zwar, wie nach W.'s Vorschlägen, mit 36 Schüssen ausgerüstet werden, nämlich mit 24 Granaten à 8 Pfd., 6 Granaten und 6 Shrapnels à 12 Pfd., dazu die zugehörigen Kartuschen nämlich 30 à 1,6 Pfd. und 6 à 0,6 Pfd. Pulver, würde die Belastung der Protzen nahezu dieselbe sein, wie bei W., resp. gegen bisherige um circa ³/₄ Centner erleichtert. Die Hinterachse des Geschützes wäre, wie bei W., um 1 Centner mehr belastet, als bisher. Den Munitionshinterwagen dagegen halten wir mit 72 Schüssen d. h. genau der doppelten Protzausstattung als genügend ausgerüstet; derselbe würde daher gegen den W.'schen, mit 84 Schüssen dotirten, um circa 2¹/₂ Centner leichter, gegen den bisherigen 4pfdgen. Munitionshinterwagen um ppr. 1¹/₂ Centner schwerer sein. Es würde daher die Last bei dem von uns vorgeschlagenen Geschütz nur um circa 4 Pfd. pro Pferd, beim Munitionswagen um circa 12¹/₂ Pfd. mehr betragen, als bisher, ein Resultat, das mit Rücksicht auf die erlangte gesteigerte und vielseitige Wirkung nicht ungünstig zu nennen sein dürfte. Allerdings wäre jedes Geschütz statt, wie bisher mit 156, nur mit 144 Schüssen ausgerüstet. Diese Verringerung der Munition um ¹/₁₃ des bisher unmittelbar bei den leichten Batterien mitgeführten Quantums würde mit Rücksicht auf die erhöhte Wirkung sich wohl ebenfalls ertragen lassen.

Damit hätten wir in den hauptsächlichsten Umrissen und Grundzügen ein Geschützsystem skizzirt, das den von uns entwickelten prinzipiellen an ein Einheitsgeschütz der Feldartillerie zu stellenden Anforderungen zu genügen im Stande sein dürfte. In der praktischen Ausführung, dessen sind wir uns wohl bewußt, würden noch manche Schwierigkeiten im Einzelnen zu besiegen sein, denn: „Hart im Raume stoßen sich die Dinge."

Indeß bei dem Stande der heutigen Technik und Ballistik ist, wenn eine Lösung überhaupt möglich, der Anfang dazu auch schon gemacht, sobald die Aufgabe klar präzisirt ist. Ob das uns gelungen, stellen wir der Beurtheilung anheim.

Jedenfalls erblicken wir in dem „Einheitsgeschütz" der Feldartillerie keinen Nothbehelf, sondern ein gewaltiges Prinzip, welches allein im Stande ist, die Feldartillerie auf dieselbe Stufe einfacher Vollkommenheit zu heben, welche die Infanterie heutzutage einnimmt: zu allen ihren Aufgaben immer und überall gleich geschickt zu sein.

Ist dieser große prinzipielle Fortschritt einmal gemacht, dann eröffnet sich die Aussicht auf noch weitere Vervollkommnungen. Dazu würden wir vor allem rechnen, wenn es gelänge, den Rückstoß der Pulverladung in der Laffete zu vernichten, d. h. die letztere als ein völlig unverrückbares Schießgerüst zu constituiren, das Rohr nach jedem Schusse in die vorher innegehabte Lage zurückkehren zu lassen. Dies in Verbindung mit einer selbstständigen d. h. von der Richtung der Laffete bis zu einem gewissen Grade unabhängigen Seitenrichtung des Rohrs würde die schwierigste Manipulation der Bedienung, die Quelle der meisten Fehler, das Richten des Geschützes aus einer optischen in eine fast rein mechanische, nur die Resultate der Beobachtung übertragende Arbeit verwandeln, die Schnelligkeit und Sicherheit der Korrektur aufs Höchste steigern und auch der Feldartillerie die Möglichkeit gewähren, in manchen Fällen den Kampf völlig gedeckt und ungesehen vom Feinde, lediglich durch die eigene Beobachtung geleitet, zu führen.

Sicher würde ein so vervollkommnetes Material der betreffenden Feldartillerie eine immense Ueberlegenheit gewähren.

Im August 1871.

73.

Beiheft

zum

Militair-Wochenblatt

herausgegeben

von

A. Borbstaedt,

Oberst z. D.

1871.

Sechstes Heft.

Berlin 1871.

Ernst Siegfried Mittler und Sohn,

Königliche Hofbuchhandlung.

Kochstraße 69.

Zeichnungen über die Theilnahme des 2. Armee-Korps, Pommerschen, an dem Kampfe bei Gravelotte in der Schlacht am 18. August 1870 vor Metz.

Das Korps hatte in der ursprünglichen Ordre de bataille eine Zutheilung zu einer der aufgestellten Armeen nicht gefunden.

In den Tagen vom 26. Juli bis 1. August 1870 wurde es per Bahn
in seinen heimathlichen Garnisonen der Provinz Pommern und der Regie-
rungsbezirke Bromberg und Marienwerder in und um Berlin konzentrirt.

Der neu ernannte Kommandirende General, General-Lieutenant v. Fran-
sedky war am 17. Juli in Berlin, dem Sitze des General-Kommandos, eingetroffen und hatte das Kommando übernommen.

Das Korps wurde zunächst in Reserve zurückgehalten; doch schon am
3. August traf aus Mainz eine telegraphische Benachrichtigung des Generals
v. Moltke ein, wonach dasselbe vom 7. August ab gleichzeitig auf den Linien
Berlin—Hannover—Köln—Bingen—Neuenkirchen und Berlin—Halle—Gun-
tershausen—Frankfurt a./M.—Manheim—Homburg i./Pfalz zur Ausschiffung
bei Neuenkirchen und Homburg befördert werden sollte. Auf die erstere Linie
waren die 3. Infanterie-Division und die Korps-Artillerie, auf die letztere der Stab des General-Kommandos und die 4. Infanterie-Division vertheilt.

40 Stunden Fahrzeit waren planmäßig vorgesehen, doch fuhr kein Zug
unter 70, die letzten Züge sogar 90 Stunden, Verzögerungen, welche durch
die starken, auf diesen Linien schon vorausgegangenen Transporte, durch die
am 6. August bei Wörth und Saarbrücken bereits stattgehabten Schlachten
und die dadurch bedingte Inanspruchnahme der Bahnen erklärlich sind.

Demnach trafen die Teten des Korps an ihren Ausschiffungspunkten am 10., die letzten kombattanten Truppentheile erst am 12. August, die letzten Verpflegungs-Kolonnen noch mehrere Tage später ein.

Dem General-Kommando, welches am 10. August Abends in Homburg eintraf, daselbst Quartier nahm und dort einen Befehl des Oberkommandos der 2. Armee d. d. Bliescastel den 7. August vorfand, wonach es dieser Armee zugetheilt war, ging am 11. August Morgens ein weiterer Befehl des Oberkommandos, datirt vom 10. August Nachmittags 5 Uhr, zu, worin der Vormarsch sämmtlicher Korps der Armee geregelt wurde. Das 2. Korps hatte sich danach zunächst bei Saarbrücken zu konzentriren und sodann hinter dem rechten Flügel der Armee auf der Straße über St. Avold zu folgen, wonach unverzüglich angeordnet wurde, daß die bei Neuenkirchen eintreffenden Truppen auf Saarbrücken, die der 4. Infanterie-Division dagegen, sobald sie verfügbar wurden, von Homburg auf Groß-Blittersdorf, wo mit dem leichten Brückentrain eine Kriegsbrücke hergestellt wurde, zum Uebergang über die Saar zu dirigiren seien.

Am 12. und 13. August wurde dieser Uebergang von allen Truppen des Korps, doch ohne Verpflegungs-Kolonnen, die noch nicht eingetroffen waren, ausgeführt, und der Vormarsch auch in zwei Kolonnen, rechts das General-Kommando mit der 3. Infanterie-Division, 1/2 Tagemarsch dahinter die Korps-Artillerie, links daneben die 4. Infanterie-Division, fortgesetzt.

So befand sich das Hauptquartier des General-Kommandos:

am 12. August in Saarbrücken,
= 13.   =   = St. Avold,
= 14.   =   = Faulquemont,
= 15.   =   = Han' sur Nied,
= 16.   =   = Buchy,
= 17.   =   = Pont à Mousson,

an welchem Tage die 3. und 4. Infanterie-Division bei letztgenannter Stadt resp. mehr oberhalb derselben, unter den Augen des Kommandirenden Generals und unter den patriotischen Klängen der Regimentsmusiken über die Mosel gingen, während die Korps-Artillerie noch eine Meile rückwärts bei Cheminot verblieb.

Die Truppen des Korps hatten somit, unmittelbar anschließend an eine 70—90stündige Eisenbahnfahrt in 6, viele sogar in 5 Tagen circa 17 Meilen zu Fuß zurückgelegt, meist bivouakirend und in Ermangelung der Proviant-Kolonnen auf Requisitionen angewiesen; damit aber war der unmittelbare Anschluß an die vorausmarschirenden Korps der Armee erreicht.

Der für den 17. August dem Korps ertheilte Armeebefehl faßte für dasselbe die Fortsetzung der Bewegung am 18. August nach Westen gegen die

... als wahrscheinlich ins Auge, wonach die Dislokation am 17. sich wie folgt gestaltete:

Stab des General-Kommandos ⎱ in Pont à Mousson.
 ⸱ der 3. Infanterie-Division ⎰

Avantgarde:

Neumärkisches Dragoner-Regiment Nr. 3 bei Limey,

Infanterie-Regiment Nr. 54 ⎫
Jäger-Bataillon Nr. 2   ⎬ an der Gabelung der Straßen von Pont à
1 leichte Batterie   ⎭ Mousson nach St. Mihiel und Thiaucourt.

Gros:

Inf.-Regiment Nr. 14 ⎱ 8 Bataillone in Pont à Mousson (das 2. Bat. des
5. Infanterie-Brigade ⎰ Gren.-Regts. Nr. 2, welches zur Bedeckung des großen
(Inf.-Regtr. Nr. 2 u. 42) ⎱ Hauptquartiers in Herny kommandirt war, verblieb
 ⎰ bei der Korps-Artillerie).

3 Batterien der 1. Fuß-Abtheilung ⎫
1. Feld-Pionier-Kompagnie   ⎬ westlich Pont à Mousson und nördlich
Sanitäts-Detachement Nr. 1   ⎬ der Straße nach St. Mihiel im Bi-
Leichter Feld-Brücken-Train   ⎬ vouak.
Feldlazarethe Nr. 1 und 2   ⎭

4. Infanterie-Division, Stab Jézainville,

Truppen im Kantonnement und Bivouak im Thale der Ache von Blénod bis Gézoncourt (die entferntesten gegen 1½ Meile südwestlich von Pont à Mousson).

Korps-Artillerie:

im Bivouak bei Cheminot (über 1 Meile nordöstlich Pont à Mousson).

In Pont à Mousson befand sich bereits das große Hauptquartier Sr. Majestät des Königs, Allerhöchstwelcher indeß erst am späten Nachmittage von einer Rekognoszirung des Schlachtfeldes des 16. August zurückkehrte.

Um 5 Uhr Nachmittags am 17. August ging beim General-Kommando, datirt „Auf dem Schlachtfelde von Bionville am 17. August, Nachmittags 1 Uhr", ein Armeebefehl ein, welcher die Disposition für den 18. August enthielt:

„Die 2. Armee und das 8. und 7. Korps sollen morgen den abmarschirenden Feind in nördlicher Richtung aufsuchen und schlagen :c.",

im Besonderen aber für das 2. Korps lautete:

„Das 2. Korps bricht morgen früh 4 Uhr von Pont à Mousson auf und marschirt über Arnaville, Bayonville, Onville nach Buxières, massirt sich nördlich dieses Ortes und kocht dort ab."

In den hiernach gegebenen Zeit= und Raumverhältnissen lag die Be=
sorgniß nahe, ob das Korps auch wohl zeitig genug auf dem Schlachtfelde
einzutreffen vermögen würde. Da zudem der Kommandirende General in
Erfahrung gebracht, man beabsichtige die auf dem Schlachtfelde vom 16. la=
gernden Truppen schon am 18. Morgens 8 Uhr aufbrechen zu lassen, so
bestimmte dies vollends denselben, Se. Majestät, gelegentlich der Meldung
von dem Eintreffen des Korps, um die Erlaubniß zu bitten, nicht erst um
4 Uhr, sondern schon um 2 Uhr früh von Pont à Mousson aufbrechen zu
dürfen, was auch in Anbetracht der von dem General v. Fransecky ver=
trauensvoll abgegebenen Erklärung: „daß das Korps sehr wohl zu so
früher Stunde marschiren könne, wenn es nur dürfe", Allerhöchst genehmigt
wurde.*)

Diese mit warmem Dank empfangene Erlaubniß wurde wichtig, denn
der folgende Tag zeigte, daß für das 2. Korps keine seiner Stunden zu ent=
behren war, sie alle ausgenutzt werden mußten, sollte anders, nachdem dasselbe
sich 11 Tage lang mühsam herangearbeitet hatte, nicht doch noch der Lohn
hierfür in unthätigem Zusehen verloren gehen.

Abends 8 Uhr wurden die Befehlsempfänger mit dem Marschbefehl für
den folgenden Tag aus Pont à Mousson entlassen, der dahin disponirte, daß
auf der vorgeschriebenen einen Straße, zuerst im Mosel=, sodann in einem
Nebenthal, die 3. Infanterie=Division an der Tete zu marschiren und um
2 Uhr früh Pont à Mousson zu verlassen habe, dieser die Korps=Artillerie,
und dieser wieder die 4. Infanterie=Division zu angegebenen Stunden sich
anzuschließen hätten; nur dem Neumärkischen Dragoner=Regiment, welches,
wie oben angegeben, bereits nach Westen bis gegen Limey (über 1½ Meilen
westlich von Pont à Mousson) vorgeschoben war, wurde gestattet, seinen
Marsch nach Buxières auf der Höhe in thunlich geradester Richtung aus=
zuführen, wodurch gleichzeitig eine linke Flankendeckung für das marschirende
Korps selbst erzielt wurde.

Betrachtet man auf der Karte die vorstehend gegebene Dislokation gegen=
über der gestellten Marschforderung, so geht daraus hervor, daß die Truppen
zum Theil schon um und vor Mitternacht aufzubrechen hatten, um Pont à
Mousson rechtzeitig zu erreichen, daß diejenigen der 3. Infanterie=Division bis
4 Meilen, die der 4. bis 4½ Meilen und die Korps=Artillerie ebensoweit
bis Buxières zurückzulegen hatten, daß sie alle in einer bis gegen 4 Uhr recht
finsteren, wenn auch sonst milden Sommernacht sich ihre Wege zu suchen und
bei Pont à Mousson in die Marschkolonne einzureihen hatten, welche indeß

---

*) Se. Majestät, sichtbar erfreut über die Ankunft des Korps, fragte: „Sind denn die
Pommern noch frisch?" Worauf der General zuversichtsvoll antwortete: „Ew. Majestät,
wir können Alles, wenn wir nur dürfen!"

erheblichen Zwischenfall gut und zusammenhängend in Fluß gebracht wurde.

In Arnaville verläßt die beregte Straße das Moselthal und steigt, einem westlichen Nebenthal folgend, von Onville steil auf das Plateau nach Buxières, einem ärmlichen, z. Z. bereits stark mitgenommenen Weiler, wo nach der Schlacht am 16. das Hauptquartier der 2. Armee gewesen war, dem für das Korps heute gegebenen Rendezvous.

Nördlich Onville machte die 3. Infanterie=Division den ersten größeren Halt und setzte dann den Marsch nach Buxières so fort, daß sie, und gleich= zeitig das General=Kommando, gegen 11 Uhr dort ein Marschbivouak bezog, um abzukochen. Aber vergeblich bemühte man sich, nur einigermaßen ergiebige Wasserquellen aufzufinden; bis Chambley mußte die ermüdete Mannschaft fast ½ Stunde seitwärts dazu geführt werden, und sie kam mit der trüben Flüssig= keit erst gegen 1 Uhr zurück, wo soeben der Befehl zum Weitermarsch einge= troffen war; Mühe und Vorbereitungen zum Abkochen waren also vergeblich gewesen.

Jener, dem Kommandirenden General bei Buxières überbrachte Befehl des Ober=Kommandos der 2. Armee lautete:

„Vionville, 18. August, Mittags 12 Uhr.

Das 2. Korps marschirt von Buxières auf Rezonville vor, um als Reserve für den rechten Flügel zu dienen. Die 1. und 2. Armee greift heute den Feind in der Position diesseits Metz an.

Ich befinde mich an der Tête des 3. Korps, welches über Caulre= Ferme nach Verneville marschirt. Das Gefecht wird nicht vor Stunden beginnen. Das 2. Korps wird gewiß abkochen können und hat keine besondere Eile, Rezonville zu erreichen. Vor Verdun steht ein Säch= sisches Kavallerie=Regiment.

gez. Friedrich Karl."

Dieser Befehl war — wie man sieht — geschrieben, als die Schlacht noch nirgends begonnen hatte. Als derselbe aber bei Buxières eintraf, hatte man dort schon seit fast einer Stunde aus östlicher Richtung her Kanonen= donner gehört, und da derselbe bis zum Empfang des genannten Befehls hin immer stärker geworden war, so gab der Kommandirende General, in Erwä= gung, daß es besser sei, bei Rezonville dicht hinter dem rechten Flügel der Armee zu warten, als bei Buxières, 1½ Meilen von dort entfernt, wo ohnehin eine Erquickung für die Truppen nicht zu finden war, den Befehl: daß die 3. In= fanterie=Division sich sogleich zum Marsch auf Rezonville bereit machen solle, während der Korps=Artillerie und der 4. Infanterie=Division der Befehl ent= gegengeschickt wurde, auf dem nächsten gangbaren Wege, ohne Buxières zu berühren, ihren Marsch auf Rezonville zu richten, aber, so weit es noch irgend möglich, die Mannschaft im Thale, wo es genug Wasser gab, abkochen zu laffen.

Dieser Befehl erreichte die Korps-Artillerie etwa halbwegs zwischen Buzières und Onville, die 4. Infanterie-Division bei Onville, wo sie bereits im Abkochen begriffen war. Da die Korps-Artillerie schon so weit vor, auch das Neumärkische Dragoner-Regiment bereits früher nahe bei Buzières angelangt war, so wurde es dadurch ermöglicht, daß beide, die Korps-Artillerie und das Dragoner-Regiment, vor der 3. Infanterie-Division leicht die Tete gewinnen und, ein lebhaftes Tempo annehmend, schon um 4 Uhr bei Rezonville eintreffen konnten, wo sie in der Rendezvous-Stellung südlich des Ortes aufmarschirten.

Die 3. Division traf um 5 Uhr mit ihren Teten ebendaselbst ein, die 4. nur etwa eine halbe Stunde später.

Der Kommandirende General war mit seinem Stabe dem Korps vorausgeeilt und gewann auf der Höhe nordöstlich von Rezonville zuerst einen allgemeinen Ueberblick auf das Plateau von Moscou Ferme und Le Point du jour, wo der Kampf von Theilen unseres 8. und 7. Korps im Gange war.

Auf der Höhe südöstlich von Rezonville gewahrte man eine ansehnliche Zahl von Reitern und brachte in Erfahrung, daß dies Se. Majestät der König mit der gesammten Suite sei.

Der Kommandirende General begab sich im gestreckten Galopp dorthin, um das Eintreffen des Korps zu melden, und nahm gnädige anerkennende Aeußerungen Sr. Majestät entgegen, bereits hier angelangt zu sein.

Verschiedene Meldungen der beiden Armeen liefen hier ein, die das allgemeine, wenn auch langsame Vorrücken der diesseitigen Korps besagten, wovon das Auge sich auch zu überzeugen vermochte; auch wurde hier als wichtig für das 2. Korps in Erfahrung gebracht, daß Truppen des 7. Korps das Bois de Vaux und den Ort Vaux selbst besetzt hatten, während die Korps-Artillerie dieses Korps hart südlich von Gravelotte in Position stand und ihre Geschoffe in die feindliche Stellung bei Le Point du jour sendete. Die Bitte des Generals v. Fransecky, zunächst doch einige der diesseitigen Batterien neben denen des 7. Korps ins Feuer bringen zu dürfen, wurde vor der Hand noch abgelehnt, da diese Maßregel für den Augenblick noch nicht geboten erschien.

Bald darauf sah man Kavallerie die große Straße nach St. Hubert hinaufrücken. Es war dies die 1. Brigade der 1. Kavallerie-Division, welche über das Defilee vorgeschickt wurde, da man die Ansicht hatte, daß der Feind im Abzuge begriffen sei.

Seit Stunden standen Theile des 8. und 7. Korps, nachdem sie das Bois de Genivaux, die Auberge St. Hubert und das Bois de Vaux dem Feinde entwunden, hier im blutigen Gefecht; weiter war indeß nicht zu kommen

...; auch das Ulanen-Regiment mit den Batterien, nachdem sie stand-
.. das Mögliche geleistet, gingen wieder zurück. Durch massenhafte Ver-
... in der Bespannung waren einige Geschütze nicht sogleich mit zurück-
zubringen gewesen, was erst später beim Vorgehen der 6. Infanterie-Brigade
.....

Der Kommandirende General war inzwischen, nachdem Se. Majestät in
er Richtung auf Gravelotte vorgeritten waren, auf jene Höhe nordöstlich
Rezonville zurückgekehrt, und hier war es, wo 5½ Uhr Nachmittags mündlich
in Befehl Sr. Majestät eintraf, kurz so lautend:

„Das 2. Armee-Korps soll das Plateau (es war das bei Le Point
du jour gemeint) nehmen."

In Folge dessen erhielten Befehl: die Korps-Artillerie, Oberst Petzel, vorzugehen und neben der Artillerie des 7. Korps, südlich Gravelotte, so viel
Batterien ins Gefecht zu bringen, als der Raum es gestatte, während das
neumärkische Dragoner-Regiment sich rechts rückwärts aufzustellen habe; die
. Infanterie-Division, General-Major v. Hartmann, anzutreten in der Rich-
ng auf den rechten Flügel jener Aufstellung der Artillerie; die 4. Infan-
rie-Division, General-Lieutenant Hann v. Weyhern, die Rezonville noch
ibt ganz erreicht hatte: der 3. folgend in Marsch zu bleiben.

Um 6 Uhr Abends fiel aus den beiden Batterien der Korps-Artillerie,
ie nur Platz in jener Aufstellung gefunden hatten, der erste Schuß über das
Bois de Vaux hinweg in die feindliche Stellung bei Le Point du jour.

Die 3. Infanterie-Division, welcher der Kommandirende General noch
en Befehl entgegengeschickt hatte, die vordern Bataillone die Tornister able-
en zu lassen, marschirte in folgender Reihenfolge an:

6. Infanterie-Brigade. Oberst v. d. Decken.
   Pommersches Jäger-Bataillon, Major v. Netzer.
   Infanterie-Regiment Nr. 54, Oberst v. Buffe,
   Infanterie-Regiment Nr. 14, Oberst v. Boß (nur 2 Bataillone, da
      1 Bataillon in Pont à Mousson zur Deckung des großen Haupt-
      quartiers zurückgeblieben war).

5. Infanterie-Brigade. General-Major v. Koblinski.
   Infanterie-Regiment Nr. 42, Oberst v. d. Knesebeck.
   Grenadier-Regiment König Friedrich Wilhelm IV. Nr. 2, Oberst
      v. Zimietzki.

General v. Moltke hatte mittheilen lassen, daß quer über das Thal der
Mance, welcher Bach in tiefer Schlucht in schmalem Wiesenbette die Bois
Génivaux und de Vaux von Norden nach Süden durchschneidet, gegen die
indliche Stellung wegen Unwegsamkeit nicht zu kommen sei; es blieb also
ir übrig, die Tete der 3. Infanterie-Division, welche in aufgeschlossenen

Zugkolonnen anmarschirte, um den rechten Flügel der Artillerie-Aufstellung südlich Gravelotte herumzuführen, dicht an dem Waldstreifen des rechten Ufers der Mance entlang, und so in schnellem Abfall dem steinernen, auf der großen Straße nach St. Hubert diesen Bach überbrückenden Uebergang zu, wodurch die Batterien am wenigsten maskirt wurden; so wenig wünschenswerth das andauernde Feuer der eigenen Batterien hinweg über das anmarschirende Korps war, so mußte es doch um so mehr zugelassen werden, als auffallender Weise, zwar nicht die feindlichen Granaten, aber Chassepots-Geschosse bald in großer Zahl bis in die Aufstellung dieser Batterien schlugen und schon hier auch den anmarschirenden Truppen Verluste beibrachten, trotzdem die feindliche Stellung mindestens noch 1800 Schritt entfernt war.

Der Kommandirende General empfing die Tete der anmarschirenden Division beim Beginn ihres Herabtretens in den Grund vor und unterhalb der großen Batterie, und disponirte während des Vorbeimarsches dahin, daß das Jäger-Bataillon neben der Brücke durch den seichten Bach gehen, sich dann auf die nördliche Ecke des Bois de Vaux wenden und dort an die Truppen des 7. Korps anlehnen sollte, um das Debouchiren des zunächst über die Brücke folgenden Regiments Nr. 54 zu sichern, welches seinerseits sobald als möglich die Chaussee rechts verlassen und zum Angriff gegen die nördlich und südlich von Le Point du jour liegende feindliche Aufstellung vorgehen sollte, dem empfindlichsten, freilich auch stärksten Theil derselben. Das Regiment Nr. 14 sollte dem 54. folgen und die ganze 6. Infanterie-Brigade schließlich in der bezeichneten Richtung den Angriff ausführen.

Die 5. Infanterie-Brigade sollte in Sektionsfront der großen Straße folgen, an der Auberge St. Hubert dem rechten Flügel des 8. Korps die Hand reichen und nach Umständen weiter haudeln.

Die 4. Infanterie-Division wurde angewiesen, sobald sie heran, zunächst auf dem rechten Ufer der Mance vor dem Difilee noch zu verbleiben. Die beiden Kavallerie-Regimenter, wie die Artillerie beider Divisionen konnten zur Mitwirkung in keiner Weise Verwendung finden, sondern mußten hinter jener großen Batterie südlich Gravelotte zurückgehalten werden.

Es war inzwischen fast 7 Uhr geworden, als die Jäger und das Regiment Nr. 54 die Mance überschritten. Sie waren, von den schweren Tornistern befreit, mit wuchtigem Schritt in festgeschlossener Ordnung am Defilee angelangt und sah man ihnen den weiten Marsch und den Hunger und Durst nicht an, den sie heute zu leiden gehabt. Der Kommandirende General rief ihnen, auf die dem Untergang sich neigende Sonne zeigend, zu: „nun scharf auszuschreiten, damit die Aufgabe noch vor Abend gelöst würde!" —

Die Chaussee, von der Mance-Brücke ab, vorbei an St. Hubert bis an das Knie der Straße scharf nach Süden, in welcher Richtung, und nördlich nach Moscou Ferme zu, der Kamm der Höhe und somit die Linie der durch

angelegte Schützengräben fortifikatorisch verstärkten feindlichen Stellung, steigt, begleitet von einer (später verschwundenen) Allee mächtiger
Bäume, steil hinauf, rechts neben derselben etwa 500 Schritt lang, ein schroff
30 Fuß tief abfallendes, aus Steingeröll gebildetes Ravin, links eine steile
Wand von 30—40 Fuß Höhe, stellenweis zerklüftet durch Steinbruch.

St. Hubert ist ein links hart an der Straße gelegenes, zweistöckiges,
reiches Gasthaus, welches nach der feindlichen Seite hin einen geräumigen
Garten mit Mauereinfassung neben sich hat, direkt unter der Feuerwirkung
von Moscou Ferme her gelegen; le Point du jour ein einzeln stehendes, zur
Zeit durch das diesseitige Artilleriefeuer stark mitgenommenes, kleines Haus;
a 500 Schritt südlich desselben, westlich der Straße, also dem diesseitigen
Angriff vom Bois de Vaux her zugewendet, liegt ein sehr ausgedehnter, nicht
große Steinbruch, durch den sich Fahrwege ziehen, mit zerklüfteten Anhäu-
gen von Steinresten und Gerölle, ausnehmend geeignet zur Festsetzung in
sich selben und zu gedeckter Bekämpfung des von dem nördlichen Theile des
is de Vaux herkommenden diesseitigen Angriffs, der bis dahin gar keinen
decken Gegenstand für sich hatte.

Der erste Beginn des Eintritts der diesseitigen Truppen in das Gefecht
zusammen mit einem feindlichen Vorstoß von Moscou Ferme aus gegen
Bois de Genivaux, der auf der ganzen Linie sich durch ein überaus heftiges Feuer bemerkbar machte. Die zuletzt schweigsam gewesenen feindlichen
Batterien, die Mitrailleusen, welche zumal den Anmarsch auf der Chaussee
unter Feuer nahmen, das Schnellfeuer des Chassepots, wetteiferten mit einander, ohne daß man bei sinkendem Tageslicht die Feuernden anders zu
erkennen vermochte, als durch das Aufblitzen des Schusses.

Selbstredend schoß auch diesseits Alles, was glaubte, sein Geschoß in
den Feind bringen zu können, und auch die große Batterie bei Gravelotte
nahm ihr Feuer mit aller Kraft wieder auf; auf der rechten Hälfte der
Chaussee, mit der Queue an der Mance-Brücke, stand zufolge einer früheren
rechnung von Seiten des 8. Korps, wohl begründet auf die Annahme, es
würde schon zum Nachhauen beim Verlassen der feindlichen Stellung kommen,
das Rheinische Husaren-Regiment Nr. 9; aus dem Bois de Genivaux kamen
Bataillone des eben genannten Korps auf der Chaussee zurück, aus jenem
Hölz wurde bald auch bei nun fast eingetretener Dunkelheit auf St. Hubert,
das man wohl als vom Feinde wieder besetzt vermuthete, geschossen, das
mal zu allgemeiner Gegenwehr durch Feuer nach allen Richtungen.

Es begreift sich, daß in Zusammenwirkung aller dieser Umstände die
der Dinge auf der Chaussee eine sehr kritische wurde. Es bedurfte des
durchaus energischen Einwirkens des mit seinem Stabe, von welchem kurz
vor schon 3 Offiziere verwundet das Gefechtsfeld hatten verlassen müssen,
stelle befindlichen Kommandirenden Generals, des ebenfalls anwesenden

Divisions = Kommandeurs, dem das Pferd bereits unterm Leibe erschossen war und aller sonst noch gegenwärtigen Offiziere, um die Kolonnen der 5. Infanterie=Brigade, sowie des auch schon in das Defilee eingetretenen Colbergischen Grenadier=Regiments der 7. Infanterie=Brigade, in geordneter Bewegung die Chaussee hinauf zu erhalten.

Auch der Kommandirende General des 8. Korps war mit seinem Chef ordnend hier zur Stelle, während man den Chef des Generalstabes der Armee, General v. Moltke, vorwärts von Gravelotte nahe dem Defilee halten gesehen, wohin derselbe sich begeben hatte, um aus größerer Nähe die Einwirkung des 2. Armee=Korps abzuwarten *).

Um endlich dem Gefahr drohenden Schießen der eigenen Truppen aufeinander Einhalt zu thun, ergriff General v. Fransecky einen Hornisten und ließ wiederholt „Stopfen" blasen, welchem Signal nicht nur die eigenen Truppen, sondern überraschender Weise auch der Feind zeitweise Folge gaben. Noch dreimal wiederholten sich solche Feuerausbrüche, wo Alles nach allen Himmelsrichtungen hin aufeinander schoß, und immer wieder brachte der Kommandirende dieselben durch jenes Signal zum Schweigen, aber es fehlte dabei nicht an namhaften Verlusten, zu denen sich auch noch viele durch das Hinabstürzen von Leuten und Pferden in das von ihnen nicht gesehene Ravin rechts der Chaussee gesellten!

Das Signal „Avanciren" wurde indeß bald von allen Seiten wieder aufgenommen, und unter Hurrah ging es abermals vorwärts, die Chaussee hinauf, die auch bald darauf von den Husaren und übrigen Truppen des 8. Korps geräumt war.

Unterdeß hatte die 6. Infanterie=Brigade in Ausführung ihres vorbe regten Auftrages sich rechts von der Chaussee auf freiem Felde, auf welchem andere diesseitigen Truppen sich zu dieser Zeit nicht befanden, entwickelt und ein äußerst blutiges Feuergefecht gegen die feindliche Front bei Le Point du jour, wie hier vorstehend beschrieben wurde, zu bestehen.

Schon brachte man auf der Chaussee beide Regiments=Kommandeure getragen; den Obersten v. Busse, der zu Pferde von einem Flügel zum anderen seines Regiments sprengend, seine Leute angefeuert hatte, schon todt; den Obersten v. Voß schwer verwundet. Die Majore Prescher vom Regiment Nr. 54 und v. Dantzen vom Regiment Nr. 14 waren gleichfalls gefallen.

---

*) In dem Borbstaedt'schen Werke, 3. Lieferung, S. 366—367 ist die zur allgemeinen Sage gewordene Erzählung, „der Chef des Generalstabes der Armee habe sich mit gezogenem Degen an die Spitze des 2 Armee=Korps gesetzt", schon dahin charakterisirt, daß sie selbstverständlich „in das Reich der Erfindungen gehöre, da dem General v. Moltke andere, noch höhere Pflichten oblagen, und es in der preußischen Armee von jeher üblich ist, daß die Truppen nur durch ihre direkten Vorgesetzten in den Kampf geführt werden."

Die Verluste der Brigade im Uebrigen beziffern sich wie folgt:

	Todt:	Verwundet:	Vermißt geblieben:
Infanterie-Regt. Nr. 54:	2 Offiz. 22 M.	14 Offiz. 166 M.	100 M.
Infanterie-Regt. Nr. 14 (2 Bataillone)	1 = 15 =	5 = 106 =	— =
...-Bataillon	— = 8 =	1 = 66 =	7 =

Im Fortgange des Gefechtes nistete man sich zwar an einigen vorspringenden Theilen jenes großen Steinbruches ein, le Point du jour und die ...ige Chausseestrecke wurden jedoch nicht genommen; man setzte sich einige ...dert Schritte gegenüber, so gut es gehen wollte, fest; die eingetretene ...gliche Dunkelheit machte auch weitere Unternehmungen nicht thunlich.

Bei St. Hubert, in welcher Oertlichkeit sich noch Mannschaften vom Korps hielten, als Abtheilungen vom Regiment Nr. 54 bei dessen Vor...en dort eintrafen und an den Gebäuden Posto faßten, kamen unmittelbar ...ts der Chaussee und nördlich an der Lisiere des Bois de Genivaux Theile ...5. Infanterie-Brigade zur Entwickelung; die große Straße selbst wurde ...dert Schritt vorwärts St. Hubert durch zwei Kompagnien des 2. Ba...lons Grenadier-Regiments Nr. 2, Hauptmann v. Jastrzemski und Pre...rlieutenant v. Zepelin, abgeschlossen, welches Bataillon sich unter dem ...rstlieutenant v. Massow mit besonderer Gewandtheit bis hierher durch ... vorwärts gearbeitet hatte; der Rest der Brigade, sowie die von der Infanterie-Division herangezogene 7. Infanterie-Brigade, General-Major Trossel, wurden in Reserve zurückgehalten; die 8. Infanterie-Brigade, ...eral-Major v. Kettler, gelangte nur bis an die Mance-Brücke, wo sie ...Hauptreserve stehen blieb, wobei indeß auch sie Verluste zu erleiden ...e.

Um gleich hier von den überhaupt erlittenen Verlusten zu reden, so ...en sich dieselben für die genannten Truppentheile wie folgt:

	Todt:	Verwundet:	Vermißt geblieben:
...nadier-Regt. Nr. 2	1 Offiz. 23 M.	9 Offiz. 159 M.	21 M.
...anterie-Regt. Nr. 42	2 = 10 =	3 = 85 =	— =
...berg. Gren.-Regt. Nr. 9	— = — =	2 = 37 =	— =
...anterie-Regt. Nr. 49	1 = 5 =	5 = 92 =	— =
...anterie-Regt. Nr. 21	— = 6 =	2 = 114 =	— =
...anterie-Regt. Nr. 61	— = 2 =	2 = 12 =	— =

Die Verluste der Kavallerie und Artillerie waren unbedeutend. Der ...l-Verlust des Korps betrug sonach;

...ffiz. 91 M. todt, 47 Offiz. 844 M. verwundet, 128 M. vermißt geblieben; in Summa: 1117 Köpfe.

Endlich, es mochte bereits 9 Uhr geworden sein, beruhigte sich diese in der That heftige, zweistündige Gefechts-Scene, der Schlußakt dieser großen, ruhmreichen Schlacht, in welcher seinen auf weitem Felde in blutiger Arbeit schon seit langen Stunden ringenden Kameraden doch noch auch seines Theils am späten Abend hülfreiche Hand haben leisten zu können, jedem Einzelnen im Pommerschen Korps zu besonderer Befriedigung gereichte.

Vor der Auberge St. Hubert trafen beide Divisions-Kommandeure bei dem Kommandirenden General ein, der die baldige Ablösung der auf dem Plateau befindlichen Truppen der 3. Infanterie-Division durch solche der 4. anordnete. Alle waren zwar, wie aus dem früher Gesagten bereits bekannt, theils seit Mitternacht, mindestens aber seit 2 Uhr Nachts, also 19 und mehr Stunden auf den Beinen und unterm Gewehr, und hatten mindestens 5, viele 6 Meilen Tagesmarsch hinter sich; die 4. Infanterie-Division hatte aber wenigstens abkochen können; auch waren ihre Verluste heute geringer gewesen. Bis gegen Mitternacht war die Ablösung bis auf einige Kompagnien des Grenadier-Regiments Nr. 2 und des Infanterie-Regiments Nr. 54, welche aus ihren Stellungen nicht herausgezogen werden konnten, ausgeführt, was indeß um etwa 11 Uhr Nachts noch einmal eine der vorberegten allgemeinen Feuererexplosionen, doch kurzer Art und ohne Bedeutung, zur Folge hatte.

Dichte Schützenlinien, an geeigneten Stellen in denselben oder dahinter in Linie entwickelte Züge und Kompagnien, lagen als Vorposten, Gewehr im Arm, den Rest der Nacht bereit, den Kampf, wenn nöthig, wieder aufzunehmen.

Die 3. Infanterie-Division sammelte sich am rechten Ufer der Mance, was selbstredend nicht ohne die äußerste Anstrengung aller Offiziere zu bewerkstelligen war und bis zum nächsten Morgen dauerte.

Der Kommandirende General fand sein Nachtlager schließlich neben einem Geschütz der Artillerie der 4. Infanterie-Division auf der Höhe südlich Gravelotte. Sein Stabs-Chef, der im Gefecht nicht von seiner Seite gekommen, auch hier, auf harter Erde, dicht neben ihm.

Die wenigen Stunden der Nacht vergingen schnell; die Zustände in und um Gravelotte, wie sie mit aufgehender Sonne zu Tage traten, sind genugsam beleuchtet, um hier nochmals darauf zurück zu kommen.

Mit dem anbrechenden Tage gingen die vordersten Abtheilungen der 4. Infanterie-Division gegen die Stellung des Feindes vor, die indeß in der Hauptsache, unter Zurücklassung vieler Todten und vielen Kriegsmaterials, schon in der Nacht verlassen war; nur Oberst v. Ferentheil mit Theilen seines, des Colberg'schen Grenadier-Regiments, engagirte ein kurzes Gefecht mit einer Nachhut, welches bald mit dem gänzlichen Verschwinden des Fein-

sich bekanntlich ganz in das Moselthal hinter die Linie der Forts
zurückzogen hatte, endete.

Man kehrte sodann im Laufe des Vormittags die feindlichen Schützengräben überall schleunig um und vermehrte sie für die diesseitigen Zwecke.
Die 4. Infanterie-Division, welche ihre Kavallerie und Artillerie auf das
Plateau herangezogen hatte, nahm eine Bereitschaftsstellung gegen etwaige
feindliche Absichten; die 3. Infanterie-Division mit der Korps-Artillerie nahmen Stellung hinter der Mance auf dem Plateau von Gravelotte, zu beiden
Seiten der Straße. —

Die gegenwärtigen „Aufzeichnungen" finden hiermit ihren Abschluß;
zusammenfassend darf vielleicht noch auf die Eigenthümlichkeit der für das
Korps sich schließlich zuspitzenden taktischen Aufgabe hingewiesen werden,
welche verlangte, ohne Verzug die gesammte Infanterie eines Korps über
eine einzige Brücke einer mächtigen, direkt wenig erschütterten Stellung des
Feindes entgegen zu führen. So weit überhaupt eine Entwickelung möglich,
mußte sie von Anbeginn unter heftigem feindlichen Feuer erfolgen. Die Mitwirkung der anderen Waffen war fast ausgeschlossen, wenngleich die der
großen Batterie südlich Gravelotte, wenn auch gerade im Rücken der Aktion
die Infanterie, nicht unterschätzt werden soll.

Mit dem bald schwindenden Tageslicht gestaltete sich ein Nachtgefecht in
großem Styl; wenn zu Instruktionen, Weisungen und zur Orientirung keine
weitere Zeit blieb, als der Uebergang über die Mance sie im Vorübergehen
bot, so hörte in der Finsterniß fast jede Einwirkung der höheren Leitung
auf; die unbewachte Bravour jedes Einzelnen kam zum Austrage, und wie
man folgern darf, zum Nutzen der Schlacht, wie der Situation im Großen
überhaupt.

Man hat, in einer von einem anderen Standpunkte aus verfaßten
späteren Darstellung des Kampfes um das vielgenannte Plateau, geglaubt,
gelegentlich betonen zu müssen, die Schlüsselpunkte der vorliegenden Stellung,
Moscou Ferme und Le Point du jour, seien am Abende des 18. auch vom
Korps nicht genommen. Dies trifft zu; aber drei Infanterie-Brigaden
waren, zum großen Theil hinaus über die bis dahin behaupteten Waldungen, dieser Stellung doch so nahe gerückt, und zwar zum Schluß der
heutigen, blutigen Schlacht, daß der Preis des Angriffs am anderen Morgen
von selbst in unsere Hand fiel, wenn auch ohne Zweifel auf den Entschluß
des Feindes, auch hier auf die Forts zurückzugehen, der siegreiche Verlauf
der Schlacht an anderen Punkten von wesentlichem Einfluß gewesen ist.

Thatsächlich erleichterte der Umstand, den Feind auch hier am anderen
Morgen von seiner dominirenden Stellung beseitigt zu sehen, den für spätere
Zeiten so wichtigen Entschluß des Königs, zufolge dessen schon am 20. August
drei Korps der 2. Armee nach Westen sich in Marsch gesetzt sahen.

In der ersten Nachmittagsstunde des 19. August hatte der Kommandirende General das Glück, Sr. Majestät in dem oft genannten kleinen Bauern-
hause zu Rezonville über die Vorgänge des vorigen Abends einen eingehenden
Rapport erstatten zu dürfen, und wurde dafür mit dem Auftrage belohnt,
dem Pommerschen Korps den Ausdruck der Allerhöchsten Zufriedenheit zu
übermitteln.

Zur Gewehrfrage 1871.

Schon vor dem Kriege 1870—71 war man bei uns in Preußen zu der
Erzeugung gelangt, daß unser 1866 weltberühmt gewordenes Zündnadelgewehr, um sich gegenüber den in andern großen Armeen in Folge der kriegerischen Ereignisse jenes Jahres eingeführten neuen Hinterladern konkurrenz-
fähig zu erhalten, einschneidender Verbesserungen bedürfe. Bekanntlich war
die Ausführung von solchen, welche sich sowohl auf den Verschluß des Gewehrs, als auf die Konstruktion der Patronen bezogen, kurz vor Ausbruch
des letzten Krieges, begonnen worden. Wie man seitdem authentisch erfahren,
hat dieses Vorgehen in Paris an entscheidender Stelle zu der irrthümlichen
Annahme geführt, als ob durch diese Umänderungsarbeiten unsere Wehrkraft
momentan eine bedeutende Schwächung erlitten, und es ist keineswegs un-
wahrscheinlich, daß diese Voraussetzung zur Beschleunigung des Kriegsaus-
bruches in verhängnißvoller Weise beigetragen. Das mag denn Denjenigen
zur Warnung dienen, welche in ihrer öffentlichen Beurtheilung bestehender
militärischer Einrichtungen mit einer häufig an Frivolität grenzenden Rücksichtslosigkeit vorgehen zu dürfen glauben. Es handelt sich, wenn die Kritik
nicht mehr schaden, als nützen soll, keineswegs darum, die volle Wahrheit,
das, was der Betreffende dafür hält und was in Wirklichkeit häufig
ziemlich weit davon entfernt ist, in die Welt hinauszuposaunen, sondern
muß vor Allem sowohl die Opportunität des Zeitpunktes der Veröffentlichung, wie der Umfang derselben einer gewissenhaften Erwägung unterzogen
werden. Dasselbe dürfte um so mehr gelten, je wichtiger und folgenreicher der
Gegenstand ist, um den es sich handelt.

Es wäre daher gewiß unpraktisch und schädlich gewesen, hätte man
sich vor dem Kriege diesseits die Inferiorität des Zündnadelgewehrs gegenüber dem Chassepot laut und öffentlich eingestanden. Abgesehen davon, daß
solches bedingungsloses Eingeständniß nicht einmal der wirklichen Sachlage entsprochen d. i. keineswegs die volle Wahrheit enthalten hätte, würde der
Eindruck desselben sowohl hüben, wie drüben ein für uns recht bedenk-

licher gewesen sein. Stand auch bei den höheren Führern, sowie bei dem größten Theile unseres Offizierkorps schon vor dem letzten Kriege die Ueberzeugung fest, daß die Ueberlegenheit unserer Armee in ihrer Organisation, in ihren moralischen und physischen Qualitäten zu fest gegründet sei, um durch eine in einiger Hinsicht weniger vollkommenen Waffe wesentlich alterirt zu werden, so mußte man doch eben so gut, daß namentlich unsere westlichen Nachbarn ein ganz übermäßiges Gewicht auf die mechanische Ueberlegenheit ihrer Bewaffnung zu legen geneigt waren, und hatte andererseits täglich Gelegenheit, sich zu überzeugen, daß auch diesseits die öffentliche Meinung und hier und da selbst ein Theil der Militair-Journalistik von Ueberschätzung der Einwirkung einer vervollkommneten Feuerwaffe sich nicht ganz frei zu halten vermochten. Französischer Seits zeigte sich sowohl in der mit so viel Geheimthuerei umgebenen Einführung der Meudoner Mitrailleusen (die „Mystiker von Meudon", titulirte sie nicht unpassend ein Aufsatz der „Militairischen Blätter"), wie in dem charlatanischen Ausposaunen der unwiderstehlichen Effekte des Chassepotgewehres die Ueberschwänglichkeit Gallischer Exaltation und mußte um so mehr dazu mahnen, derselben mit recht nüchternen aber logischen Betrachtungen entgegenzutreten, als der Reflex der dort aufblitzenden Siegespräokkupation sich auch in ängstlichen Betrachtungen der diesseitigen Tagespresse nicht undeutlich wiederzuspiegeln begann.

Im letzten Moment freilich, als der Krieg sich bereits als unvermeidlich herausstellte, trat dann eine Art Reaktion ein, indem man (wie dies namentlich von manchen großen deutschen Zeitungen geschah) die Mängel des Chassepotgewehres (an denen es ja keineswegs fehlt) höchst übertrieben schilderte, ja ihm noch eine Menge von Fehlern andichtete, die, wenn sie in der That nur zur Hälfte vorhanden gewesen, die absolute Kriegsunbrauchbarkeit desselben begründen mußten.

Nur kopfschüttelnd und achselzuckend konnte man damals diesem Verfahren zusehen, daß man nothgedrungen gewähren lassen mußte, obschon es bittere Enttäuschungen herbeizuführen geeignet war. Haben uns doch nachmals selbst Offiziere gestanden, daß sie in den ersten Gefechten einigermaßen überrascht gewesen, als die Franzosen nach etwa halbstündigem Feuer dasselbe noch fortzusetzen vermocht hätten, ohne von den Versagern, Mechanismushemmungen ꝛc. des so arg geschmähten Chassepotsgewehrs daran verhindert zu sein.

Es ist nun vollständig richtig, daß das Chassepotgewehr unbedingt mehr Versager liefert, als unser bisheriges Zündnadelgewehr, und daß Ladehemmungen des Mechanismus bei ihm in bedeutenderer Zahl vorkommen. Man darf nur nicht den Einfluß derselben in der Praxis d. h. im Gefecht überschätzen.

Wenn z. B. das Ankleben des Guttapercha-Plättchens im Zündhütchen der Patrone an der Nadel Hemmungen des Ganges derselben im Nadelrohr (tête mobile) hervorruft, die hier und da recht hartnäckig und momentan

ver zu beseitigen sind, wenn das völlige Verschleimen der chambre à
sse im Innern des Verschlußcylinders durch Erzeugung ähnlicher Hinder-
e im Nadelgange ebenfalls Hemmungen und Versager hervorruft, so sind
gewiß entschieden Fehler der Patrone resp. des Mechanismus und sie
ssen bei Beurtheilung des Gewehres berücksichtigt und hervorgehoben wer-
. Andererseits hat man aber auch in Betracht zu ziehen, daß, wenn
ch dieselben etwa beim 9. oder 10. Mann auf 6—7 Schüsse ein Versager
steht, dies dann erst 1½ Prozent ausmacht, während selbst 3—5 Procent
sager bei der Masse von Schüssen, welche neuere Hinterladungsgewehre
kurzer Zeit zu versenden vermögen, einen wesentlichen Einfluß auf den
ng des Gefechtes kaum ausüben werden.

Jedenfalls aber hat es mit an diesen Mängeln gelegen, wenn in den
lreichen Infanteriegefechten des Feldzuges das auf der geringern Zahl der
ebewegungen und der größern Leichtigkeit ihrer Ausführung basirende
ergewicht des Chassepots in Bezug auf Schnelligkeit des Feuers gegenüber
rm Zündnadelgewehr nirgend in irgend erheblicher oder einflußreicher
ise hervorgetreten ist.

Allerdings konnte, wie wir das in diesem Blatte (siehe „Betrachtungen
r den Werth von Schnellfeuer, rasanter Flugbahn und Fleckschießen in
m Verhältniß zu einander und zur Taktik" Mil.-Wochenbl. 1869, Nr. 44 ff.)
sgewiesen, eine verhältnißmäßig so geringe Präponderanz in Bezug auf
rschnelligkeit, wie sie zwischen den beiden erwähnten Gewehren bestand,
rhaupt auf das Gefecht kaum von Einfluß sein. Die relative Ueberlegen-
des Chassepotgewehres wurzelte in ganz anderen Momenten.

Sowohl seine sehr rasante Flugbahn, wie seine große Wirkungsweite,
e eine Frucht des kleinen Kalibers und der dadurch möglichen Belastung
Querschnitts des Geschosses, wie der relativ großen Pulverladung, haben
in so empfindlicher Weise geltend gemacht, daß das Urtheil der Offiziere,
der Soldaten in dieser Beziehung ein völlig einstimmiges und unumstöß-
s ist.

Einen um so auffallenderen Eindruck muß es demnach machen, wenn
j solchen evidenten Erfahrungen wiederum in der Tagespresse sich hier und
vereinzelte Stimmen vernehmen lassen, die auch ferner dem Zündnadel-
ehr „mit geringen Modifikationen" das Wort reden. Wenn solche Artikel
ich, wie das vor einiger Zeit in einem großen Rheinischen Organ der
l war, in dem klugen Rathe kulminiren, „dem Zündnadelgewehr
: die wenig kostspielige Reparatur des kleinen Kalibers" (sic!)
edeihen zu lassen, so verfallen sie einfach der Lächerlichkeit, da jener Rath
Wirklichkeit auf jene bekannte Reparatur des Messers hinausläuft, „dem
e neue Klinge und ein neuer Stiel von Nöthen ist."

Wenn wir aber den scheinbaren Patriotismus dieser für unsere brave,
Festungsvater sämmtlicher Hinterlader anzusehende, aber von seinen Rath-

kömmlingen überflügelte, vaterländische Waffe schwärmenden Stimmen mit einigen
andern altbekannten, wenn auch nach dem eben glorreich beendeten Kriege so bald
kaum wieder erwarteten Erscheinungen kombiniren, so erinnern sie an das
bekannte Motto: „Hand auf den Beutel", und da glauben wir kein unnützes
Werk zu unternehmen, wenn wir die öffentliche Meinung gerade in diesem
Blatte, dem sie einige Autorität gerne zugesteht, über die Bedeutung der
heutigen „Gewehrfrage" näher aufzuklären suchen.

Daß die in taktischer und technischer Beziehung praktische Lösung derselben sich in guten Händen befindet, davon wird man hoffentlich nach den
Erfahrungen, welche man hinsichts unserer Heeresverwaltung zu machen Gelegenheit hatte, wohl allerseits überzeugt sein. Schließlich aber hat diese
Angelegenheit auch eine finanzielle Seite, auf deren Beurtheilung, wie es fast
scheint, von gewissen Seiten her bereits jetzt in jener beschränkten Weise einzuwirken begonnen wird, welche Gesundheit und Leben von Tausenden der
problematischen Ersparung einiger Millionen gemünzten Metalles zu opfern
nicht ansteht. Wir dürfen wohl zur Ehre dieser Kurzsichtigkeit annehmen,
daß man sich nicht klar gemacht, um was es sich handelt. Wir andererseits
wollen ebenfalls nicht so weit gehen, das Wohl und Wehe der Armee von
dieser Frage absolut abhängig zu erklären, da die deutschen Heere gezeigt
haben, daß sie auch mit inferioren Waffen zu siegen verstehen, aber sicherlich
sind die nach Tausenden zählenden Tapfern, die in solchem Falle den Unterschied der Waffen mit ihrem Blute auszugleichen haben, mehr werth, ja
selbst ganz abgesehen vom moralischen, in rein nationalökonomischem
Sinne mehr werth, als die ersparten Millionen. Und ist es denn ganz
gewiß, daß sich der Unterschied selbst auf diese theure Manier jedes Mal
ausgleichen läßt? So unbedingt wird das kaum irgend ein Sachverständiger
zu bejahen wagen. Wenigstens haben die genialsten Feldherrn dem Satze:
„daß es vor Allem die technischen Kriegsmittel sind, deren möglichste Vervollkommnung man auch im Frieden am sichersten in
der Hand hat" in so weit gehuldigt, als sie sich jede irgend erreichbare
Präponderanz auf diesem Gebiete zu verschaffen suchten. Auch uns ist es
sicherlich im letzten Feldzuge außerordentlich zu Statten gekommen, daß wir
hinsichtlich der Bewaffnung unserer Artillerie eine bedeutende
Ueberlegenheit besaßen. Worin solche in der vorliegenden Gewehrfrage
zu suchen sei, das einer gedrängten Beleuchtung zu unterziehen, ist der Zweck
nachstehender Zeilen. Wenn wir einestheils hoffen, durch dieselben den oben
gekennzeichneten Tendenzen entgegenzuwirken, indem wir den Abstand zwischen
einem denkbar verbesserten Zündnadelgewehr und den neuesten Modellen von
Hinterladern kleinen Kalibers deutlich hervortreten lassen, so dürften sie auch
gleichzeitig vielleicht einigen Werth zur Klärung der Ansichten in der Armee
selbst beanspruchen, in welcher ja, in einzelnen Punkten wenigstens, die Meinungen noch so sehr auseinandergehen, daß selbst eine Autorität, wie der ver-

orbene W. v. Plönnies in seinen letzten Artikeln in der Allg. Mil.=Zeitung
(August und September d. J.) für die Bewaffnung der Jägertruppe z. B.
as Vetterli=Repetirgewehr empfiehlt, eine Ansicht, die wir unsererseits aus
gleich näher zu entwickelnden Gründen aufs Entschiedenste bekämpfen.

Beginnen wir daher unsere Betrachtungen mit dieser Hauptfrage:

I. Repetirgewehr oder Einzellader?

Wie schon die Bezeichnung andeutet, sucht jedes Repetirgewehrsystem
gegenüber andern aus der Patrontasche einzeln ladenden Gewehren seine
Ueberlegenheit wesentlich in der Schnelligkeit des Feuers. Es fragt
sich also: 1) Ist durch den Repetitionsmodus ein entschieden schnelleres Feuer
d. h. eine größere Schußzahl in derselben Zeiteinheit zu erreichen, als mit
einem gut eingerichteten Einzellader? 2) Wenn das der Fall ist, in wiefern
legt hierin eine im Gefecht zur Geltung kommende Ueberlegenheit? und endlich
3) Stehen nicht einem solchen Vorzuge des Repetitionsmodus Nachtheile
gegenüber, welche denselben aufheben oder gar überwiegen?

Zur Beantwortung dieser Frage beziehen wir uns zunächst auf die bekannten und in diesem Blatte (1869 und 1870) einer ausführlichen Be-
rechung gewürdigten im Schnellfeuer jedenfalls am meisten leistenden Reper-
systeme von Henri Winchester und Vetterli (Schweizer Ordonanzgewehr seit
. September 1869). Das erstere kann 15 Patronen im Magazin fassen
und dieselben in 45 Sekunden ausschießen, gebraucht also pro Schuß 3 Sekunden, von denen circa die Hälfte auf die Ladebewegungen, die andere Hälfte
auf „in Anschlag bringen" und Zielen zu rechnen ist. Da 1½ Sekunden
für einen mittelmäßigen Schützen, wie sie die große Masse der Armee bilden,
nicht zu einem guten Anschlagen und Zielen genügen, so müssen wir dieses
Feuer ein ungezieltes nennen. Soll das Feuer über 15 Schüsse hinaus
fortgesetzt werden, so muß man einzeln laden und erreicht dann nur eine
Schnelligkeit von 10 Schuß pro Minute oder 1 Schuß in 6 Sekunden. Im
ersten Falle und, ohne auf das Zielen sonderliches Gewicht zu legen, würde
aber das Henry=Winchester=System 17—18 Schuß in der ersten Minute,
in jeder folgenden nur etwa 10 abzugeben vermögen. Für gezieltes Feuer
müssen wir aber, wie in unserem oben citirten Aufsatze dargelegt, mindestens
Sekunden pro Schuß mehr rechnen, also 5 Sekunden, daher die Feuerschnelligkeit sich auf höchstens 12 pro Minute beim Schießen aus dem Magazin ergiebt.

Ganz ähnlich stellt sich die Sache beim Vetterli=Repetirgewehr mit dem
st einzigen Unterschiede, daß hier das Magazin incl. 1 Patrone im Zu-
bieber nur 12 Patronen faßt, so daß, wenn sich eine weitere Lauf be-
det, in Summa 13 hintereinander, ohne einzeln zu laden, abgeschossen
werden können, wodurch die Feuerschnelligkeit dieses Hinterladers sich auf nur
=16 ungezielte Schüsse für die erste Minute stellt, während für ge-

zieltes Feuer sich dieselbe Geschwindigkeit von circa 12 Schuß in der ~~ersten~~
Minute ergiebt. Beim Gebrauch als Einzellader können ~~mittlere Schützen mit~~
beiden Gewehren etwa 7—8 gezielte oder 10 ungezielte Schüsse abgeben.

Vergleichen wir damit einen der vorzüglichsten, vielleicht den besten
neueren Hinterlader: das Bayerische Werdergewehr. Der ganz besondere Vorzug dieses Einzelladers besteht in dem von Werder eingeführten
neuen Prinzip, die mechanische Kraft des Schützen, welche bei andern Ge-
wehrmechanismen zur Ueberwindung mechanischer Hindernisse (s. z. B. ganz
besonders beim Zündnadelgewehr für das Schießen, Spannen ꝛc.) sehr in
Anspruch genommen wird, durch selbstthätige Feder-Wirkung zu unterstützen.
Es sind daher nicht blos alle Griffe auf ein Minimum reduzirt, so daß
v. Plönnies sogar nur 1½ Griffe in Rechnung bringt, sondern dieselben
sind auch so bedeutend erleichtert, daß der Zeitbedarf für dieselben sich ebenfalls aufs äußerste modifizirt. Es fällt nämlich bei diesem System das Oeffnen des Verschlusses mit dem Abfeuern fast zusammen, das Einlegen der
Metall-Patrone ist sehr erleichtert (sie gleitet gleichsam von selber in das
Lager und wird dort auch sofort von dem etwas federnden Verschlußstücke
festgehalten, so daß sie weder, wie dies bei andern Systemen mit Metall-
Patrone der Fall ist, mit dem Finger bis zum Schließen des Verschlusses
festgehalten zu werden braucht, noch das Gewehr in einer abwärts geneigten
Lage verharren muß) und auch das Schließen des Verschlusses, welches mit
dem Spannen einen Griff bildet, geht außerordentlich leicht von Statten.
Wir haben also Zeit- und Kraft-Ersparniß. Rechnen wir daher für
Anschlagen, Zielen und Abfeuern 3 Sekunden, so ist das Gewehr bereits
geöffnet, und in weiteren 3 Sekunden kann selbst ein mittelmäßig geübter
Soldat die neue Patrone aus der Tasche geladen und das Gewehr gespannt
(geschossen) haben. Es ergiebt dies daher 6 Sekunden pro Schuß oder
10 gezielte Schüsse in der Minute, während sich in derselben Zeit 14—15
ungezielte Schüsse abgeben lassen. Man sieht: dieser Einzellader ist den
oben genannten Magazingewehren als Einzelladern an Feuerschnelligkeit entschieden überlegen und steht denselben, auch wenn sie als Repetirgewehre gebraucht
werden d. h. ihr Magazin ausschießen, nur wenig nach. In dem letzteren
für die Repetirgewehre günstigsten Falle verhält sich das Feuer (gezieltes und
ungezieltes) zu dem des eben erwähnten Einzelladers wie 6 : 5, eine Ueberlegenheit, die an und für sich in taktischer Beziehung wenig in Betracht
kommen kann. Wir sagen an und für sich, denn der Unterschied ist kein
größerer, als derjenige, welcher auch zwischen dem Chassepot und dem Zündnadelgewehr bestand resp. besteht und die Aehnlichkeit wird noch größer, wenn
wir gleichzeitig konstatiren, daß jene an Feuerschnelligkeit überlegenen Repetir-
gewehre auch plötzlichen Hemmungen, Versagern ꝛc. weit mehr ausgesetzt sind,
als der mit ihnen oben verglichene, in dieser Beziehung weit vollkommenere
Einzellader.

Das Bestreben, ihre relativ geringe Ueberlegenheit im Schnell-
uer auszubeuten, dürfte sehr leicht (ähnlich wie beim Chassepot vis-à-vis
m Zündnadelgewehr) die Folge haben, daß sie durch Klemmungen des
Mechanismus ꝛc. ganz eingebüßt wird, ganz gewiß aber würde es zu jener
zwecklosen Munitionsverschwendung führen, die wir schon früher als „Pulver-
verschfabrikation" zu kennzeichnen uns erlaubten. An derselben hat es denn
auch auf französischer Seite nicht gefehlt, von dem ersten Gefechte bei Saarbrücken an bis zu den letzten Renkontres im Norden Frankreichs und an der
Loire. Ja, wie man auch über das Feuer auf extreme Entfernungen, welches
die Herrn Chassepot-Besitzer ja ebenfalls liebten, denken mag, in manchen
Fällen hat es verhältnißmäßig mehr Effekt gehabt, als jenes Ueberschütten
mit Feuer auf mittlere Entfernungen oder unter sonst unangemessenen
Verhältnissen. So ist uns ein Lokalgefecht erinnerlich, wo eine mäßige, auf
900 Schritt Entfernung abgegebene Zahl Chassepotschüsse einer diesseitigen
Batterie wenigstens 4 Pferde unbrauchbar machten. Wenige Tage nachher
kam es vor, daß ein gegen Einbruch der Dunkelheit stattfindender Angriff
unserer Infanterie auf ein kleines von 2—3 französischen Kompagnien ver-
theidigtes Dorf von einem heftigen, fast eine Viertelstunde lang und ununterbrochen bis zum Eindringen der diesseitigen Truppen in den Ort (welcher
genommen und behauptet wurde) fortgesetzten Schnellfeuer empfangen wurde,
das nach unserer und mehrer anderen Offiziere mäßigen Schätzung wohl an
5,000 Chassepotschüsse gekostet haben mag. Der Effekt bestand in 18 Todten
und Verwundeten auf unserer Seite.

Bei einer andern Gelegenheit gaben in nebelduftiger Morgenfrühe 4 französische Soutiens wohl 20 Minuten lang Salven über Salven auf 700—
800 Schritt gegen eine diesseits mit Tirailleurs dünn besetzte Waldlisiere,
wobei sie durch unausgesetztes Schnellfeuer ihrer ausgeschwärmten Schützen
unterstützt wurden. Der Erfolg bestand in 5 Verwundeten auf unserer Seite.
Aehnliche Beispiele dürften sich noch eine Menge anführen lassen. Jedenfalls
wäre es höchst interessant, könnte man die französischer Seits ver-
brauchte Munition mit unseren Verlusten vergleichen. Leider ist
wohl wenig Aussicht, in ersterer Beziehung jemals eine zuverlässige Statistik
zu erlangen.

Mit Genugthuung können wir, was die oben aufgeworfene zweite Frage
trifft, ob nämlich aus der größeren, in einer bestimmten Zeiteinheit abge-
benen Schußzahl eine reale Ueberlegenheit im Gefecht resultire, uns lediglich
auf unsere frühere in diesem Blatte a. a. O. ausführlicher niedergelegten Ansichten beziehen, die durch den Feldzug im reichsten Maße bestätigt worden
sind. Dieselben lassen sich dahin resümiren, daß das eigentliche Schnellfeuer hauptsächlich nur defensiven Werth hat, daß es um so mehr
wirkt, je besser gezielt es ist, daß es folglich schon aus Rücksicht
auf den sich vor den Truppen lagernden Pulverdampf ein ge-

wiſſes Maß, als welches wir aus a. a. O. näher ausgeführten
Gründen 8 bis höchſtens 10 Schuß pro Minute annehmen, nicht
überſteigen darf, wenn es nicht zur Munitionsverſchwendung
werden ſoll. Ja, es dürfte keine zu gewagte Behauptung ſein, daß, wenn
eine Truppe, deren Gewehr ſeiner mechaniſchen Einrichtung nach
ſelbſt ein einigermaßen gezieltes Schnellfeuer von 12 Schuß pro
Minute erlaubt, ſich auf 6 bis höchſtens 8 Schüſſe in dieſer Zeit
freiwillig beſchränkt d. h. alſo die dadurch gewonnenen Momente
auf beſſeres Zielen verwendet, das Reſultat ein ergiebigeres ſein
wird, als wenn ſie die überhaupt mögliche Schußſchnelligkeit
völlig auszubeuten beſtrebt iſt. Ganz abgeſehen davon, daß letzteres
wohl ſtets zu einer Uebereilung und dem, oben von uns getadelten, Drauf-
losknallen führt, muß man ſich nur vergegenwärtigen, daß ſelbſt bei nächſten
Schußentfernungen z. B. im Moment eines feindlichen Nahean-
griffs der leere d. h. nicht mit lebenden Ziele erfüllte Raum
weit überwiegt, daß der horizontale Anſchlag (auf flachen Ebenen ausreichend, um auf nahe Entfernungen die Höhenrichtung zu erſetzen) im terrain
accidenté viel von ſeinem Nutzen verliert, das ſorgfältige Zielen alſo
auch hier von überwiegender Bedeutung iſt. Daſſelbe hängt aber beim
Schnellfeuer oder, wie es die Franzoſen wohl richtiger nennen, feu à volonté,
von der Selbſtbeherrſchung, wir möchten ſagen, von der Selbſtdiszi-
plin des einzelnen Mannes ab, die durch eine gute Feuerdisziplin zwar
auch ihrerſeits geübt und gehoben werden kann, aber keineswegs mit ihr
zuſammenfällt.

Müſſen wir hieraus den unbedingten Schluß ziehen, daß die größere
über die, auch bei den jetzigen verbeſſerten Einzelladern erreichte, hinaus-
gehende, in einer Minute abzugebende Schußzahl den Repetirgewehren an
und für ſich keineswegs ein Uebergewicht im Gefechte verleiht, ſo
bleibt allerdings noch zu erwägen: ob in der ſchnelleren Schußbereitſchaft dieſer Gewehre ein Moment der Ueberlegenheit enthalten
ſei? Inſofern nun eine ſchnellere Schußbereitſchaft dem Schützen mehr Zeit
zum Zielen und damit auch eine freiere Wahl des zum Feuergeben
geeigneten Moments ermöglicht, muß dieſe Frage entſchieden bejaht
werden, wenn, und dieſe Bedingung iſt entſcheidend, die ſchnellere
Herſtellung der Schußbereitſchaft nicht die mechaniſche Kraft des
Schützen ſo ſehr in Anſprüch nimmt, daß dadurch das zu einem
ruhigen Anſchlagen und Zielen erforderliche Gleichgewicht der
Muskelkraft wieder beeinträchtigt wird. Es liegt auf der Hand,
daß dies in einem Grade der Fall ſein kann, daß dadurch der ganze Zeitgewinn der ſchnelleren Schußbereitſchaft illuſoriſch wird. Unſerer Anſicht
nach iſt dies bei beiden oben genannten Repetir-Syſtemen der Fall

und sie stehen ebendadurch hinter dem einzelladenden Werder-Gewehr entschieden zurück! Sehen wir in Kürze, worin das begründet ist.

1) Das Henry-Winchester-Gewehr vermittelt die neue Schußbereitschaft beim Laden aus dem Magazin durch eine Bewegung des langen Abzugsbügels nach vorwärts und wieder zurück; durch erstere wird mittelst Charniere zunächst der Verschluß-Stempel mit der leeren Patronhülse zurückgezogen, durch einen Hebel gleichzeitig der die Patronen enthaltende Zuschieber gehoben und die alte Patron-Hülse ausgeschnellt, der Hahn gespannt (also die ziemlich starke Schlagfeder zusammengedrückt), worauf durch das Zurücklegen des Abzugsbügels die Patrone vermittelst des Verschlußstempels in den Lauf geschoben und der Zuschieber wieder gesenkt wird, das Gewehr also schußfertig ist. Die zu überwältigenden Hindernisse (Schwere einzelner Körper, der Patrone, des Zuschiebers, Reibungen ꝛc. ꝛc.) sind nicht gering und als Erleichterung für die mechanische Kraft des Schützen dient lediglich die Hebelwirkung des langen Armes des Abzugsbügels, durch welchen alle diese Hindernisse zugleich überwunden werden müssen. Das Resultat ist, daß die Bewegung mit nicht unbedeutender Kraftanstrengung ausgeführt werden muß, die bei längerem Schießen in Folge Verschleimung noch wächst und die dazu geführt hat, daß man in der Regel einen dritten Griff, nämlich das Aufziehen des Hahnes mit der Hand, empfiehlt. Also entweder 2 Griffe und übermäßige Anstrengung der rechten Hand oder 3 Griffe, durch welche aber das Uebergewicht an Ladeschnelligkeit im Vergleich zum Werder-Gewehr fast ganz verloren geht.

2) Das Vetterli-Gewehr, dessen Verschlußcylinder sich ähnlich wie die Kammer des Zündnadelgewehrs bewegt, erfordert, nachdem durch eine ziemlich leicht zu vollziehende Linksdrehung des Hebels die starke Spiralfeder gespannt ist, ebenfalls ein sehr kräftiges Zurückschieben, durch welches die ausgeschossene Patronenhülse extrahirt und der Kniehebel zum Emporheben des Zuschiebers mit der neuen Patrone in Bewegung gesetzt wird. Auch das Schließen (Vorschieben und Rechtsdrehen des Verschlußcylinders) muß mit scharfem Ruck geschehen, damit der Kniehebel den Zuschieber senkt, die Patrone in den Lauf geschoben wird und der Extraktor mit seinem Haken über den Rand der Patrone gleitet. Diese beiden Bewegungen sind beim wirklichen Schießen ꝛc. selbst dann schon einigermaßen anstrengend, wenn die Schloßtheile im besten Stande und gehörig gefettet sind. Sie nehmen die Muskelkraft des rechten Armes entschieden mehr in Anspruch, als dies für den nachherigen Anschlag und ein ruhiges Zielen gut ist.

3) Beim Werder-Gewehr erfordert das Oeffnen des Verschlusses nur einen leichten Druck mit der vorderen Fläche (Rücken) des Zeigefingers gegen den Abzug der Stütze, worauf diese das Verschlußstück verläßt und letzteres durch die Kraft einer gegen seinen kürzeren Arm wirkenden starken Feder mit seinem vordern längern Theile auf den Extraktor schlägt, welcher die leere

Patronenhülse ausschnellt. Während dieses Letztere bei beiden oben erwähnten Repetir-Systemen nur durch die Muskelkraft des Schützen erfolgte, nimmt es also hier diese gar nicht in Anspruch. Beim Schließen des Gewehres, welches durch das Spannen des Hahnes gleichzeitig geschieht, werden allerdings zwei Federn zusammengedrückt, die Verschlußstück- und die Schlagfeder. Aber beides geschieht durch Drehung eines sehr langen Hebel-Armes, des Hahnes, so daß auch diese Bewegung eine sehr geringe Kraftanstrengung erfordert.

Als ein Hauptvortheil des Werder-Gewehres erscheint es, daß die Bewegungen seiner Schloßtheile in sich selbst eine weit größere Garantie gegen zufällige Hemmungen tragen, da sie sich hauptsächlich auf Drehung um feste Achsen beschränken, gleitende und schiebende Bewegungen, welche bei den erwähnten Repetir-Gewehren eine so große Rolle spielen, fast gänzlich vermieden sind. Indem daher die in passenden Lagern festliegenden Achsen durch ihre Drehungen sich ihr Lager selbst glatt und gangbar erhalten, ein Eintreten von fremden Körpern in dieselben gar nicht gestatten, vermeiden sie die mechanischen Hindernisse, welche als Rost, Staub, Pulverschleim ꝛc. sich allen gleitenden und schiebenden Bewegungen durch bedeutende Vermehrung der Reibung so leicht unangenehm fühlbar entgegenstellen.

Hier wurzeln auch einige Hauptmängel des Zündnadelverschlusses, der selbst dann, wenn das scharfe Antreiben der beiden Metall-Schraubenflächen (Warze und schiefe Fläche der Hülse), wie das 1870 beabsichtigt war, ganz beseitigt wird, stets eine Menge gleitender Reibung zu überwinden übrig läßt, welche sich durch Feuchtigkeit, Staub ꝛc. leicht sehr bedeutend vermehrt.

Sodann erübrigt dem Werder-Gewehr noch ein Mittel zur Beschleunigung seiner Schußschnelligkeit in besondern Momenten, von welchem die Magazingewehre, als solche, keinen Gebrauch machen können, nämlich zurechtgelegte oder unter die Rockklappe gesteckte Patronen resp. verbesserte, gleichsam das Zureichen der Patrone besorgende Patrontaschen. Unter Anwendung dieser Mittel ist das Werder-Gewehr in der Feuerschnelligkeit den beiden Repetir-Systemen völlig gewachsen. Gerade mittelmäßig geübte Schützen werden mit demselben sowohl in Bezug auf Schuß- und Trefferzahl bessere Resultate erlangen, als mit den Magazin-Gewehren.

Endlich aber ist das größere Maß der Feuerschnelligkeit, welches letztere beim Ausschießen des Magazins etwa zur Geltung bringen, von so verschiedenen Nebenumständen abhängig, daß sie sofort gänzlich verloren gehen kann, wenn jene sich ungünstig gestalten.

Die Patronen müssen mit einer ungemeinen Genauigkeit gefertigt sein und mit großer Sorgfalt konservirt werden. Sind sie um eine Linie zu kurz oder zu lang, durch den Transport ein wenig deformirt ꝛc., so geräth der

Mechanismus ins Stocken und kann unter Umständen das Gewehr momentan sogar als Einzellader dadurch unbrauchbar werden.

Das Magazin selbst muß aufs Peinlichste gegen den Eintritt von Feuchtigkeit sichergestellt werden, damit keine Hindernisse durch Oxydbildung an den Wänden des Magazins resp. dem Metall der Patronen entstehen. Am leichtesten treten durch solche Hindernisse Stockungen in dem Moment ein, wo die lange Spiralfeder des Magazins, welche bei völliger Füllung desselben durch 15 resp. 11 Patronen sehr stark zusammengedrückt ist und mithin auch zunächst kräftig fungirt, nach dem Ausschießen der Mehrzahl sich schon sehr ausgedehnt hat und nur noch die letzten Patronen in den Zuschieber befördern soll, wozu die ihr erübrigte Spannung nur eben hinreicht. Nach längerem Gebrauch der Gewehre müssen sich diese Verhältnisse noch ungünstiger gestalten.

Man sieht daher, selbst die, wie oben dargelegt, ziemlich geringe Ueberlegenheit im Punkte der Feuerschnelligkeit ist keineswegs garantirt, sondern im Gegentheil durch die Unsicherheit selbst der mittleren Leistung erkauft. Damit sind wir denn schon in der Beantwortung unserer dritten und letzten, oben gestellten Frage eingetreten, eine Antwort, die dahin lautet, daß die bis jetzt schon als ziemlich zweifelhaft erkannten Vorzüge der Repetition durch die mit denselben verbundenen anderweiten Nachtheile mehr als völlig kompensirt werden.

Zu diesen Nachtheilen rechnen wir:

1) Daß, um eine nennenswerthe Zahl von Patronen im Magazin unterzubringen (wodurch ja eben allein die allenfallsige Möglichkeit eines Uebergewichts im Schnellfeuer erlangt wurde) man sich genöthigt sah, sei es Geschoß oder Pulverladung, zu erleichtern d. h. von den größten Vorzügen des kleinen Kalibers, der rasanten Bahn, der großen Wirkungsweite und Perkussionskraft einen aliquoten Theil aufzugeben. Ein einfacher Zahlenvergleich der Pulver- und Bleigewichte der resp. Patronen wird dies eklatant darthun.

| Gewehr-System. | Gewicht in Grammen der | | Daher Ladungsver- hältniß. |
	Geschosse.	Pulverladung.	
1) Henry-Winchester	23,8	3,25	1/7
2) Vetterli .	20,4	3,50	1/6
3) Werder	22	4,3	1/5

Es muß daher von diesen drei Gewehren, wie es auch in der That der Fall ist, das Werder-Gewehr d. h. der Einzellader die größte Bahnrasanz, stärkste Perkussionskraft und größte Wirkungsweite haben.

2) Die Repetirgewehre haben schon bei leerem Magazin das größte Gewicht, bei geladenen Magazinen noch dazu das meiste Vordergewicht d. h. die ungünstigste Schwerpunktslage. Wir setzen zum Vergleiche die in Betracht kommenden Gewichte einfach hierher, wobei zu Ungunsten des Vetterli-Gewehres noch das permanent aufgepflanzte Bajonnett mitspricht.

Gewehr-System.	Gewicht:	
	leer.	mit gefülltem Magazin.
Henry-Winchester, ohne Bajonnett	8 Pfd. 24 Loth	9 Pfd. 23 Loth
Vetterli-Gewehr {mit Bajonnett	9 = 28 =	10 = 22 =
{ohne Bajonnett *)	9 = 10 =	10 = 4 =
Werder-Gewehr, ohne Seitengewehr	8 = 15 =	

Man sieht, der Gewichtsunterschied ist, namentlich bei gefülltem Magazin der Repetirgewehre (worin ja jeder etwaige Vorzug derselben beruht), ein recht bedeutender und wird namentlich beim Schießen, selbst in Bezug auf Ermüdung des Schützen, entschieden ungünstig einwirken.

3) Die Konstruktion des Magazin-Gewehres muß nothwendig komplizirter sein, als die eines Einzelladers, da zu den Funktionen des Schlosses: Verschluß des Laufes und Entzündung der Patrone unter allen Umständen noch eine dritte, nämlich das Laden der neuen Patrone in den Lauf, hinzutritt.

Bei beiden hier betrachteten Repetir-Konstruktionen müssen wir es sehr bezweifeln, ob sie sich unter Feldzugs-Verhältnissen, wie sie sich während des Winters 1870—71 im Norden, Süden und Osten Frankreichs gestalteten, auch bei der disziplinirtesten und in Bezug auf Behandlung ihres Gewehres gewissenhaftesten Truppe dauernd gefechtsbrauchbar hätten erhalten lassen. Ueber den Werder-Verschluß haben wir uns oben bereits in dieser Beziehung geäußert, kommen aber noch später auf denselben zurück.

4) Die ehemals sogar in Bezug auf unser, nach jetzigen Begriffen recht langsames, Zündnadelgewehr gehegte Besorgniß eines allzu großen Munitionsverbrauchs dürfte denn doch in Bezug auf Magazin-Gewehre völlig berechtigt sein, und zwar nicht nur wegen Veranlassung zu Munitionsverschwendung im Gefecht, sondern auch wegen Verderbens der Patronen im Magazin. Daß die v. Plönnies'sche Ansicht, als ob Schlachten und Gefechte durch „Hinterlader auf beiden Seiten" rascher verlaufen

---

*) Das Bajonnett des Vetterli-Gewehres ist mit Ringbefestigung versehen, daher nicht zum schnellen Aufstecken resp. Abnehmen eingerichtet und wird daher für gewöhnlich aufgepflanzt sein, also das Vordergewicht ebenfalls noch vermehren.

resp. entschieden werden würden, unrichtig, die unserige, daß sie wieder, wie bei gleichen Waffen auf beiden Seiten natürlich länger, wahrscheinlich sogar länger, als zur Zeit der früheren Vorderlader dauern würden, die richtige war, hat der Feldzug 1870—71 zur Uebergenüge dargethan. Fälle, wo Truppen sich gänzlich verschossen, sind denn auch auf beiden Seiten, vorzugsweise aber auf französischer, vorgekommen. Die Verlegenheiten, ja Gefahren, die ein so gesteigerter Patronenverbrauch herbeiführen kann, liegen auf der Hand.

5) Ein fernerer, sehr berechtigter Vorwurf, welchen man den Repetir-Gewehren macht, ist der, daß sich die Zahl der Patronen, welche sich in einem gegebenen Moment im Magazin befindet, jeder Kontrole entzieht, wodurch es geschehen kann, daß der Vorgesetzte auf Faktoren rechnet, die eben nicht vorhanden sind, z. B. eine Salve kommandirt, die nur von ⅓ der Leute exekutirt werden kann, weil ⅔ die Magazin-Patronen früher verbraucht haben.

6) In Bezug auf das Laden in jeder Lage der Schützen stehen beide Repetir-Gewehre dem Werder-Gewehre entschieden nach. Beim Schießen im Liegen z. B. nöthigt die Bügelbewegung des Henry-Winchester-Gewehr zum Erheben desselben, wogegen das Vetterli-Gewehr wegen des zur Handhabung des Verschlusses erforderlichen Kraftaufwandes gegen den Leib des Schützen gestützt werden muß. Das Werder-Gewehr ist in jeder Stellung und Lage der Schützen und selbst im Anschlage verbleibend leicht und bequem zu laden.

Es wäre nicht schwer, den Vergleich zwischen den Repetir-Gewehren und dem von uns gewählten Repräsentanten der vollkommensten modernen Einzellader kleinen Kalibers weiter durchzuführen, wobei sich das Verhältniß noch deutlicher zu Ungunsten der ersteren herausstellen würde; allein aus Rücksicht auf den uns hier gestellten Raum müssen wir uns das versagen. — Die Hauptpunkte haben wir angeführt und nur das Eine glauben wir noch ausdrücklich hervorheben zu müssen, daß nämlich die hier sub 1, 2, 3, 4 und 5 urgirten Nachtheile dem Prinzip der Magazin-Gewehre immanente sind, daß sie daher auch um so mehr hervortreten werden und müssen, je mehr man ihren einzigen problematischen Vortheil der Feuerschnelligkeit zu vervollkommnen bemüht ist. Selbst dann, wenn es gelänge, den genial-verwegenen Gedanken von W. v. Plönnies, „die Funktion des Repetir-Mechanismus durch die Pulvergase selbst vollziehen zu lassen", zu realisiren, würde sich dadurch unser ungünstiges Endurtheil über dieselben im Wesentlichen nicht modifiziren. Dasselbe lautet:

„Es ist nicht rathsam, zu Gunsten einer außerdem weder sicheren, noch bedeutenden Ueberlegenheit im Schnellfeuer, welche, so lange Pulver noch Pulverdampf giebt, doch niemals völlig auszubeuten ist, auch nur das Geringste von den viel wesentlicheren Vortheilen einer Handfeuerwaffe: rasanter Flugbahn, Treffsähigkeit, Wirkungsweite und Perkussion zu opfern, am Allerwenigsten, wenn damit noch eine schwerere, weniger handliche und viel größere Sorgfalt in Anspruch nehmende Waffe in den Kauf genommen werden muß.

Auch zur Bewaffnung von Spezialtruppen eignet sich eine solche nicht.

Die Jäger, deren Existenzberechtigung wesentlich in ihrer vollkommeneren Schießkunst wurzelt, mit einem Gewehre bewaffnen zu wollen, welches gerade an den zur Geltendmachung einer solchen geeignetsten Elementen opfert, um dadurch dem am meisten mechanischen Element des Schnellfeuers zuzulegen, müßten wir als einen entschiedenen Mißgriff bezeichnen.

Die Kavallerie wird kein deutscher Soldat zu einer vorzugsweise mit der Feuerwaffe fechtenden Truppe machen wollen. Sie hat im Felde viele andere Dinge zu thun, als einen höchst komplizirten Mechanismus in Ordnung zu halten. Bei den Tage- und -Nächte langen Ritten, welche unsere Kavallerie in dem verflossenen Winterfeldzuge zu leisten hatte, möchte es ihr mit den Repetirgewehren ergangen sein, wie den Offizieren mit dem Revolver: nachdem sie Wochen lang ungebraucht dieselben herumgeschleppt, versagten sie im Moment der Noth. Die Kavallerie bedarf für ihr Gesecht zu Fuß einen auch zu Pferde leicht zu handhabenden, scharf und gut schießenden Hinterlader. Der kurze Werder-Verschluß, bei dem kein beim Reiten 2c. hinderlicher Hebel 2c. vorhanden, der sich durch einen kleinen Schieber, welcher, fest hinter den Abzug sich anlegend, zufälliges Losgehen verhindert, mit einer eben so soliden, als leicht in- und außer Funktion zu setzenden Sicherung versehen läßt, scheint uns, jedenfalls eher, als irgend ein Repetir-Gewehr, für die Kavallerie geeignet.

Artillerie und Pioniere aber möchten wir, schon um die Zahl der Modelle und Patronen nicht unnütz zu vermehren, mit demselben Karabiner bewaffnen, wie die Kavallerie. Sie haben eben so wenig und noch weniger als letztere Zeit zu mechanischen Knispeleien. Bei den überraschenden Momenten einer plötzlich nothwendig werdenden Selbstvertheidigung müssen sie in ihrer Handfeuerwaffe einen zuverlässigen Freund finden, der hält, was er versprochen, sollte es auch etwas weniger sein, als ein wohlgefülltes Magazin zwar in Aussicht stellt, aber im entscheidenden Augenblick wohl manchmal, wie ein Geizhals seine Schätze, vorenthält.

Zum Schluß nur ein Schlagwort, die ja ein Bedürfniß der heutigen Zeit bilden und leider oft mehr entscheiden, als Gründe: „Mitrailleusen und Repetir-Gewehre sind krankhafte Auswüchse des modernen Bestrebens, Maschinen an Stelle der Menschen und Individualitäten zu setzen; sie sind Treib-

…flanzen, auf demselben Miftbeet gezogen, die, der freien Luft und dem
…hen Wetter eines Feldzugs ausgesetzt, kränkeln und verwelken." (Vergl.
Feldzugsgeschichte der Bayerischen Mitrailleusen-Batterie.)

II. Die Patrone.

In Erwägung des sehr richtigen, von Plönnies aufgestellten Satzes:
…aß die im Prinzip fertige Patrone die ganze Konstruktion des Gewehres
…timme", wird man schon bei Feststellung derselben die Konsequenzen für
…f- und Verschluß-Konstruktion im Auge behalten müssen, mit anderen
…orten: die ballistischen Leistungen einer Patrone werden sich nicht lediglich
…priori ohne Rücksicht auf die praktisch mögliche Einrichtung der Waffe,
…che sie zur Geltung bringen soll, feststellen lassen. Es ist daher nur folge-
…htig, wenn diese Betrachtung über die Patrone gleichzeitig als die Basis
… folgenden „III. Lauf- und Verschluß-Konstruktion" diese zum Theil schon
… resp. auf ein engeres Gebiet beschränkt.

…Andererseits sind die Anforderungen, welche wir in ballistischer Hinsicht
…eine heutige Handfeuerwaffe kleinen Kalibers zu stellen haben: „möglichst
…fante Bahn, Präzision und große Tragweite, bei genügender
…erkussion" allerdings hauptsächlich von der Patrone abhängig, aber in
…em komplizirten und zum Theil sich entgegenwirkenden Zusammenhange,
…daß es höchst schwierig, ja einstweilen noch unmöglich erscheint; allen
…eichzeitig und im höchsten Maße zu entsprechen. Es dürfte daher
…ächst die Untersuchung: 1) welchen Werth die oben genannten einzelnen
…emente zu beanspruchen haben, hier nicht zu umgehen sein (wie dies auch
…: „Z. P." unterzeichnete Artikel in Nr. 125 des Milit.-Wochenbl. richtig
…vorhebt), woran sich dann 2) die Erwägung der Mittel, den so
…äzisirten Anforderungen zu genügen, anzuschließen hätte. Betreffs
…s in erster Reihe abzuschätzenden Verhältnisses von Flugbahn-Rasanz und
…äzision glauben wir uns berechtigt, auf den bereits mehrfach citirten, in
…: 44 ff. des Milit.-Wochenbl. von 1869 publizirten Aufsatz „Eine Be-
…achtung über den Werth im Schnellfeuer rasanter Flugbahn und Fleck-
…ießen rc." hier erneuert hinzuweisen. Der letzte Krieg hat unsere Ansich-
…um bei Weitem größern Theile bestätigt und, wenn das Fleckschießen
…t ganz die Rolle gespielt hat, welche wir ihm vindizirten, so hat das
…en natürlichen Grund darin gehabt, daß das gegnerische Gewehr nicht
… ein bedeutendes Uebergewicht in rasanter Bahn und Tragweite besaß,
…dern diese auch noch durch vorzugsweise defensives Verhalten
…s Aeußerste auszunützen bemüht war. Die Quintessenz unserer
…a. O. ausführlicher dargelegten Ansichten lautete etwa dahin: daß 1) „eine
…ante Flugbahn für die taktischen Verhältnisse das von der Qualität des
…ützen verhältnißmäßig unabhängigste technische Element der
…ffe, daß 2) ihr Werth für die Defensive absoluter sei, als für den

Angriff und daß es 3) für letztere sich steigere mit den Eigenschaften des Gewehres als Präzisionswaffe. Wir erklärten in dieser Beziehung, daß wir die technischen Eigenschaften einer Präzisionswaffe von geringer Höhen- und Seitenstreuung um so höher schätzen, als wir in ihr vorzugsweise die Waffe der taktischen Offensive erblickten, während Schnellfeuer und eine mit großer Streuung verbundene Flugbahnrasanz mehr defensiven Werth besäßen." Alles, was wir von fremden und eigenen Feldzugserfahrungen zu sammeln im Stande waren, hat uns in diesen Ansichten nur bestärkt. Die große Flugbahnrasanz des Chassepots wurde unseren Truppen, sobald sie sich über freies Terrain zu bewegen hatten, selbst schon auf mittlere Distanzen (bis etwa auf 800—1000 Schritt) höchst gefährlich. Die Ueberlegenheit, welche der größere bestrichene Raum ihres Gewehres, der dadurch verminderte Einfluß von Schätzungsfehlern der Distanzen, die vergrößerte Wirkungsweite und der verminderte Einfluß von Zielfehlern der französischen Infanterie verlieh, wurde namentlich von den Napoleonischen Linientruppen durch ein zonenweises Beschießen des Terrains, welches der diesseitige Angriff zu durchschreiten hatte, sehr zweckmäßig ausgenutzt. An den Schlachttagen vor Metz, namentlich am 16. und 18. August, sind die Fälle nicht selten gewesen, wo diesseitige Infanterie auf 500, 600, ja 800 Schritt von der vordersten Feuerlinie des Feindes in irgend eine Terrainfalte festgebannt war, weil das Ueberschreiten des nächsten freiliegenden Terrainstreifens durch ein wohlgezieltes, vernichtendes Feuer oft geradezu unmöglich gemacht wurde. Erwägt man, daß auf diese Distanzen die bestrichenen Räume des Chassepot gegen ein Ziel von 1,70 Meter Höhe noch resp. 110, 83 und 48 Schritt, bei unserem Zündnadelgewehr nur resp. 64, 53 und 28 Schritt betragen und daß dieses nicht nur einen Unterschied von resp. 72, 64 und 71% an gefährdetem Raum, sondern einen eben solchen auch rücksichtlich der Zeit repräsentirt, während welcher eine beschossene Truppe sich in demselben befindet, so ist der Moment der Ueberlegenheit, welcher sich in dieser Differenz der Flugbahn wiederspiegelt, wohl hinlänglich illustrirt. Daß es sich der Kavallerie und Artillerie gegenüber noch ganz besonders geltend machen mußte, liegt einfach in der größeren Zielhöhe begründet, welche diese Waffen überhaupt bieten, sowie in dem geringeren Maße, in welchem sie von Terraindeckungen Nutzen zu ziehen vermögen. Diesen Waffen hat sich denn auch namentlich die große Tragweite des Chassepot-Gewehres fühlbar gemacht. Einzelne Verluste derselben durch feindliches Infanteriefeuer auf 1500 Schritt, ja selbst 1800 Schritt sind wirklich konstatirt worden und wir haben oben bereits den Fall angeführt, wo ein paar 100 Chassepotschüsse auf 2000 Schritt Entfernung das Resultat erzielten, vier diesseitige Artilleriepferde außer Gefecht zu setzen. Vergleichen wir indessen diese auf Entfernungen von 1500 Schritt und darüber hervorgebrachten Resultate mit der dafür aufgewendeten Schußzahl, so stellen sie sich als zufällige Erfolge

s auf rücksichtslosen Munitionsverbrauch basirten Probeschießens heraus.
s Visir des Chassepotgewehres ist allerdings noch für 1500 Schritt
!00 Meter) eingerichtet, indessen ist dann der Anschlag doch äußerst unbe-
m, der Kolben muß schon unter der Achsel angesetzt werden, und natür-
r ist wirkliches Zielen auf diese Entfernung außerordentlich erschwert, auf
le weiteren völlig illuforisch. Die Elevationswinkel, welche der
hütze anwendet, werden daher lediglich durch seine Schätzung bestimmt,
bei ein paar Grade mehr oder weniger sich der Beurtheilung natürlich
glich entziehen. Von einer Treffwahrscheinlichkeit auf solche Entfernungen
n daher auch kaum die Rede sein. Es geschah wohl, daß ein paar Zu-
streffer bei dem Beginn einer solchen Schießerei zu deren Fortsetzung
nöthigten, während diese dann trotz rücksichtslosen längere Zeit andauernden
auflosknallens völlig erfolglos blieb. Im Uebrigen sind Erzählungen und
theilungen über die Erfolge des Weitschießens der Chassepots auch wohl
einiger Vorsicht aufzunehmen. Theils hat man die Entfernung über-
ißt, wie dies namentlich der diesseitigen Infanterie, die ja ihr eigenes
wehr grundsätzlich nur bis 800 Schritt, keinesfalls über 1000 Schritt
aus gebrauchte, sehr leicht begegnen konnte, theils mögen auch wohl in
nchen Fällen Verwechselungen vorliegen, indem man erlittene Verluste den
hüffen von Truppen zuschrieb, die man auf weite Entfernungen in Aktion
, während sie vielleicht von einer bedeutend näher im Terrain versteckten
rührten.

Keinenfalls können wir uns mit dem Schießen aus Handfeuerwaffen
r 1500 Schritt hinaus einverstanden erklären, selbst dann nicht, wenn
betreffende Gewehr dem Chassepot nicht nur an rasanter Bahn und
agweite, sondern auch an Treffwahrscheinlichkeit so bedeutend überlegen
re, wie das z. B. mit dem Englischen Martini-Henry-Gewehr zur Zeit der
l zu sein scheint.

Letztere (wenn die englischen Angaben genau sind), bis jetzt an Flug-
parasanz und Trefffähigkeit unübertroffen bastehende Waffe erfordert auf
30 Schritt einen Visirwinkel von 3° 56 Minuten, also nur 36 Minuten
hr, als der unseres Zündnadelgewehres auf 1000 Schritt. Indessen,
n es selbst gelänge, diesen Visirwinkel völlig gleich zu machen, so würde
aus noch keineswegs folgen, daß jenes Gewehr auf 1500 Schritt nun
selbe Treffwahrscheinlichkeit besäße, wie unseres auf 1000 Schritt. Die
tleren Fehler im Schätzen der Entfernung betragen auf 1500 Schritt
n zwischen 200 und 300 Schritt, während sie auf 1000 Schritt zwischen
0 und 200 Schritt liegen. Das Ziel selbst erscheint auf die weitere Ent-
nung durch die Perspektive bedeutend mehr verkleinert, richtiges Zielen ist
erheblich erschwert, jeder Fehler aber wegen der um die Hälfte größeren
stanze auch um so einflußreicher. Während v. Plönnies die mittleren Ziel-
ler schon für nähere Distanzen auf 7 Minuten ± anschlägt, würde auf

die hier in Rede stehende Entfernung gegen einen Infanteristen von 1,70
Meter Höhe bereits ein Visirfehler von 2½ Minute ± selbst in dem Falle
einen Fehlschuß ergeben, wenn die Flugbahn eine absolut rasante d. h.
also eine gerade Linie wäre. — Die Wahrscheinlichkeit des Treffens
des Martini-Henry-Gewehres auf 1500 Schritt dürfte sich daher zu derjenigen des Zündnadelgewehres auf 1000 Schritt höchstens wie 3 : 5, möglicherweise nur wie 1 : 2 verhalten d. h. für die Verhältnisse im Felde, nicht etwa
für bekannte Scheiben-Distanzen. — Haben wir nun bei unserer jetzigen Bewaffnung aus triftigen Gründen das Feuern auf 1000 Schritt nur für ganz
besondere Ausnahmefälle und besonders geübte Leute (Jäger) aufgespart, so
wird auch für eine, wie immer vervollkommnete Waffe dasselbe in Zukunft
für die Distanze von 1500 Schritt gelten, die wir als die äußerste für
Handfeuerwaffen mit ihrem unsicheren, lebenden Stativ, dem Soldaten noch
allenfalls nutzbare ansehen, indem wir zugleich die Ansicht aussprechen, daß
jedes Schießen aus Handfeuerwaffen auf noch weitere Entfernungen den Charakter reiner Munitions-Verschwendung trägt.
Ueberlasse man diese weiteren Distanzen der Waffe, deren eigentliche Sphäre
sie bilden, der Artillerie.

Sehen wir, wie es sich mit den näheren Distanzen von 500 Schritt
abwärts zwischen Zündnadel und Chassepot verhielt. — Hier kann der Unterschied in der Rasanz der Bahn zwar auch, aber doch offenbar weniger zur
Geltung, als die Ruhe und Kaltblütigkeit der Truppen, der feste Anschlag
und ein wirkliches Zielen. Die preußischen Salven werden sogar von den
Gegnern als wirkungsvoller anerkannt, wie die französischen, während hinsichtlich der Wirkungen des Schützenfeuers auf diese näheren Entfernungen
und gegen dünne, gedeckte feindliche Schützenlinien eklatante Beweise vorliegen,
daß les tirailleurs prussiens s'amusaient effectivement à viser leurs ad-
versaires und daß sie damit auch reüssirten. Einen solchen besonders prägnanten Beweis, daß das Fleckschießen wirklich und mit bedeutendem Erfolge zur
Geltung gekommen, verdanken wir der Mittheilung eines höheren Offiziers,
der in der Lage war, einen großen und wichtigen Theil des Schlachtfeldes
des 18. August, am 19. früh einer genauen Rekognoszirung unterwerfen zu können. In der Nähe von St. Privat fand er in und hinter
einem der Jägergräben, wie sie französischer Seits so vielfach zur Verstärkung ihrer Defensive angewendet wurden, die Leichen von circa 100 französischen Soldaten, fast alle durch den Kopf geschossen und in einer Lage, die
es unzweifelhaft machte, daß sie bis zur Schulter gedeckt gefochten. Nach
dem Verhältniß der Länge des Grabens zur Zahl der Todten zu schließen,
konnte es höchstens ⅓ seiner Vertheidiger gelungen sein, sich zurückzuziehen.
Allein auch diese schienen nicht alle entkommen zu sein, denn etwa 50 Schritt
rückwärts des Grabens lagen mehrere Gruppen von Gefallenen, die offenbar
auf dem Rückzuge noch das tödtliche Blei erreicht hatte. Von wo war dieses

erbliche Feuer ausgegangen? Auf etwa 350 Schritt vorwärts des
Schützengrabens fand sich hinter einem Terrainrande eine Zahl von circa
6 Gefallenen diesseitiger Infanterie, ebenfalls durchgängig durch den Kopf
troffen, die Linie, in welcher sie so kaltblütig gefochten, wenn auch mit
tern Zwischenräumen, noch scharf markirend. Hier hatte offenbar eine
tige Schützenübung stattgefunden, in welcher die größere Schießkunst
d das treffsicherere Gewehr die Oberhand behalten. Andere, wenn auch
it weniger prägnante Beispiele von „Fleckschießen" sind vielfach bei der
nirung von belagerten Festungen vorgekommen. Und ist es denn anders
kbar? Muß es nicht jedesmal, wo der Vertheidiger sich gut im Terrain
genistet und wo, sei es, weil kein Flankenangriff möglich oder die Artillerie-
kung nicht ausreichend, nur der Frontalangriff der Infanterie übrig bleibt,
einem solchen Wettkampfe eigentlicher Schießkunst und tüchtigster Soldaten-
litäten, physischen und moralischen Muthes, kommen?

Die Entfernung, auf welche ein solches Feuergefecht aufgenommen wer-
muß oder kann, wird eben so sehr von der Beschaffenheit des Terrains,
von der Feuerwirkung des Vertheidigers abhängen und es wird auch an
llen nicht fehlen, wo die Vortheile auf Seiten des letzteren so groß sind,
der Angriff außerordentlich wenig Chancen hat. Sicherlich aber können
se sich nur vermehren, wenn die Waffe des Angreifers ihre Präzision noch
größere Entfernungen bewahrt d. h. wenn sie eine rasante Bahn mit
ringer Höhen= und Seitenstreuung verbindet. Denken wir uns
B. das Martini-Henry-Gewehr, welches auf 600 Schritt Entfernung nur
en Streuungs-Radius von 10" für 50 % Treffer besitzt, gegenüber dem
assepot, welches auf diese Entfernung für den gleichen Prozentsatz an
effern schon 28,5" Streuungs-Radius ergiebt, so ist es klar, daß der mit
terem ausgerüstete Soldat, wenn er im Terrain auch keine Deckung findet,
dern auf der genannten Entfernung nur im Liegen feuert, schon den
mpf mit einem das Chassepot führenden Gegner, der in einem Schützen-
ben gedeckt liegt, mit Erfolg wird aufnehmen können. Sind doch
B. vor Verdun die Geschütze hinter einzelnen Scharten der Stadtbefesti-
ng, welche durch die diesseitigen Batterien nicht gefaßt werden konnten,
rch Zündnadelgewehre zum Schweigen gebracht worden und das auf eine
tfernung von 900—1000 Schritt, während das auf dieselbe Entfernung
a den Wällen aus abgegebene Chassepotfeuer unserer hinter einem Eisen-
hndamme gedeckt liegenden Infanterie wenig anzuhaben vermochte. Es war
diglich der Unterschied in der Präzision, der sich geltend machte, und die
berlegenheit der rasanten Flugbahn des Chassepots ging verloren durch
sen große Höhenstreuung.

Wenn ein neuerer Balliftiker, der Königl. Bayerische Artillerie-Haupt-
ann v. Olivier, in seinem Buche: „Die Feuerwaffen und ihre Wir-
ng im Gefecht mit Rücksicht auf den Feldzug 1870—71, München

14*

1871" auf Grund vielfacher Betrachtungen und Berechnungen zu dem Resultate gelangt, daß sich die Wirkung gezielten Feuers auf bekannte Distanze, zu der gezielten Feuers auf unbekannte Distanze, zu der lediglich aus dem Anschlage ohne Zielen abgegebenen Feuers, endlich zu der selbst ohne Anschlag abgegebenen Feuers verhalte, wie 50 : 25 : 5 : 1, so können wir dem nur beistimmen, ja finden eher das Verhältniß für das ungezielte Feuer noch etwas zu günstig. Um so inkonsequenter müssen wir es dann finden, wenn derselbe Autor (S. 139 a. a. O.) zu dem Schlusse gelangt: „der kriegerische Werth einer Feuerwaffe sei proportional der Raschheit des Feuers, welche dieselbe erlaubt." Wir halten dem entgegen unverbrüchlich daran fest, daß nicht die Zahl der abgegebenen Schüsse, sondern die der gezielten entscheidet, daß mithin die moralische- und Schützen-Qualität des Soldaten immer und ewig mehr werth ist, als eine etwaige, nicht zu bedeutende, Ueberlegenheit der Waffe im Schnellfeuer. Gerade der Feldzug 1870—71 hat das bewiesen. Sonst hätten wir mit dem Zündnadelgewehr gegenüber dem Chassepot noch einen weit schwereren Stand gehabt.

Wo sollte endlich bei der Gefechtsweise, zu der jener Grundsatz logischer Weise führen müßte, die Munition herkommen? Die frühere russische Maxime, daß die Batterien, sobald sie sich verschossen, zurückgingen, um Munition zu holen, hat bekanntlich zur Folge gehabt, daß man so schnell als möglich knallte, ohne Rücksicht auf die Wirkung. Bei uns in Preußen ist es Grundsatz, daß auch Batterien, die sich verschossen haben, in ihrer Stellung ausharren. Das führt konsequent zum Zielen und zur Schonung der Munition. Die Anwendung auf das Schnellfeuer der Infanterie liegt nahe.

Was die Perkussion anbetrifft, so würde es genügen, wenn das Geschoß einer Handfeuerwaffe auf die weiteste Entfernung, für die sie bestimmt ist, noch ein einzölliges Fichtenbrett durchschlägt. Da man das dem Durchdringen von 4 Zoll Muskelfleisch gleichsetzen kann, würde dadurch immerhin eine Wunde erzeugt werden, die außer Gefecht setzt. Allein die neuen Hinterlader kleinen Kalibers überbieten diese Anforderung schon auf weiteste Distanzen vermöge ihrer leichten Ueberwindung des Luftwiderstandes, der dadurch beibehaltenen großen Endgeschwindigkeit in Verbindung mit dem geringen Querschnitt, welcher die Durchschlagskraft begünstigt. Ganz besonderes Gewicht scheinen die Engländer auf dieselbe zu legen und das Geschoß des Martini-Henry-Gewehres leistet auch in diesem Punkte Unübertroffenes. Auf fast 400 Schritt z. B. durchbohrt es noch eine $1/4$zöllige Eisenplatte. Daß dergleichen unter Umständen z. B. vor Festungen gegen Sappenkörbe, Schartenblenden ꝛc. und auch im Felde gegen Schützengräben und dergleichen leichte Deckungen von Vortheil sein kann, ist nicht zu leugnen; allein, ob es gerathen ist, deshalb ein so außerordentlich schweres Geschoß, wie das englische zu adoptiren, bedarf doch einer mehrseitigen Erwägung. Im Allgemeinen

nun man annehmen, daß Alles, was die rasante Bahn und große Tragweite begünstigt, auch der Perkussionskraft zu Gute kommt, während für
die Präzision, wie wir weiter sehen werden, noch ganz andere Momente
ins Gewicht fallen. Soll das Maß des Wünschenswerthen für die neue
deutsche Infanteriewaffe von demjenigen Modell kleinen Kalibers abgenommen
werden, welches bis jetzt nach Allem, was in die Oeffentlichkeit gedrungen,
die weitaus besten ballistischen Resultate erzielt hat, so müssen wir allerdings
die Leistungen des Martini-Henry-Gewehres zu Grunde legen. Für die Höhe
derselben sprechen folgende Daten. Es ergiebt:

1) Eine völlig bestreichende Bahn gegen ein Ziel von 1,70 Meter
Höhe, beim Zielen auf die Mitte desselben, bis zu 390 Schritt, beim Zielen
gegen den Fuß desselben mit entsprechendem Visir bis auf 520 Schritt.

2) Diese Rasanz nimmt nur sehr regelmäßig und allmählich ab, so
daß für äußerste Fälle auf die Entfernung von 1500 Schritt für besonders
gute Schützen noch ein Effekt möglich erscheint. (Bestrichener Raum 28 Schritt,
der Streuungs-Radius für 50 % Treffer soll auf diese Entfernung nur
1¹/₂ Fuß betragen.)

3) Seine Präzision ermöglicht ein eigentliches Fleckschießen bis auf 300
Schritt in dem Sinne, daß es auf diese Entfernung noch etwa 50 % Treffer
in das Ziel von der Größe eines Manneskopfes ergiebt d. h. in einen Kreis
von etwa 4" Radius, während auf die doppelte Entfernung, also auf 600
Schritt noch circa 50 % Treffer in die Mannesscheibe resp. in einen Kreis
von nur etwa 10" Radius fallen.

4) Seine Schußschnelligkeit scheint der des Werder-Gewehres äußerst
nahe, fast gleich zu kommen.

5) Seine Durchschlagskraft ist, wie oben bereits erwähnt, der aller
anderen Handfeuerwaffen bedeutend überlegen.

Auf der anderen Seite aber sind diese hohen und imponirenden ballistischen Leistungen durch eine Patrone bedingt, die sehr bedeutenden Einwen-
ungen unterliegt. Diese Metallpatrone ist: 1) sehr schwer: es gehen etwa
40¹/₂ auf ein Zollpfund (die Patrone ist genau 1¹/₂ mal schwerer als die
des Chassepot, 2) sehr lang: 3,67" englisch, oder etwa 93 Millimeter d. h.
um 26 Millimeter länger, als die wegen ihrer Länge schon sehr getadelte
Chassepot-Patrone, 3) sehr komplizirt und theuer: nach unserem Gelde sollen
1000 Stück etwa 29 Thlr. kosten; 4) der vorzüglich durch das 480 Grains
der circa 31 Gramme schwere Geschoß und die starke Ladung veranlaßte
Rückstoß des Gewehres ist sehr bedeutend.

Es würde daher die Frage aufzuwerfen sein, ob sich dieselben ballistischen
Leistungen (etwa mit Ausnahme der enormen Perkussion, auf die wir kein so
großes Gewicht legen und von der wir daher von vorn herein absehen zu
dürfen glauben) nicht billiger und unter Aufwendung eines geringeren Muni-
tionsgewichts erzielen lassen.

Wenn wir es nun unternehmen, hier an die Beantwortung dieser Frage heranzutreten, so geschieht dies keineswegs in dem Glauben, als könne sie selbe auf dem Papiere und ohne eingehende Schießversuche gelöst werden; sondern lediglich in der Absicht, unsern Lesern einen Einblick in die der heutigen Ballistik zu Gebote stehenden Mittel zu eröffnen und gleichzeitig sowohl die Möglichkeit der Lösung, wie die Schwierigkeiten der Aufgabe ins richtige Licht zu setzen. Es soll dies in möglichst populärer Form und im steten Hinblick auf bereits bei uns oder anderwärts praktisch Erprobtes geschehen.

Die außerordentlichen Fortschritte, welche in neuerer Zeit die mathematisch-wissenschaftliche Fortbildung der Ballistik gemacht, werden uns dabei hilfreich zu Statten kommen, doch wird es auch an Gelegenheit nicht fehlen, auf die in vieler Beziehung nur relative Gültigkeit der von ihr aufgestellten Gesetze und die ihnen stets nöthige Korrektur durch die Praxis hinzuweisen.

Eine rasante Flugbahn ist zunächst abhängig: 1) von einer großen Anfangsgeschwindigkeit der Geschosse und 2) einer guten Ueberwindung des Luftwiderstandes. Für erstere kommen als bestimmende Momente vorzüglich in Betracht: eine absolut und relativ (d. h. im Verhältniß zur Geschoßschwere) große Pulverladung, demnächst eine zweckmäßige Länge des Rohrs, richtiger Drall, geringe Reibung ꝛc. Für die zweite ist dann die absolut und relativ (d. h. im Verhältniß zum Querdurchschnitt) große Schwere des Geschosses und in zweiter Linie die Gestalt, Schwerpunktslage desselben ꝛc. bestimmend.

Die Grenzen für die absolute Größe der Pulverladung ergeben sich durch allgemeine praktische Rücksichten. Zuerst in Betracht kommt ein für den Schützen noch ohne nachtheilige Einwirkung bei längerem Schießen erträglicher Rückstoß. Dieser aber ist außer von der Größe der Ladung noch abhängig: von der Schwere der Waffe und des Geschosses, der Reibung desselben im Rohr ꝛc. Weitaus am einflußreichsten ist dabei ein richtiges Verhältniß zwischen Schwere der Waffe und Größe der Pulverladung. Mit Abnahme der ersteren muß auch die letztere sinken. Für die Kriegspraxis aber ist eine leichte Handfeuerwaffe von eminenter Bedeutung. v. Olivier in seinem oben von uns zitirten Buche stellt den Satz auf: „Eine Handfeuerwaffe soll so leicht sein, als es irgend mit der Solidität verträglich und jede Verminderung des Gewichtes darf als ein beachtenswerther Gewinn angesehen werden." Wir können ihm darin nur beistimmen, mit der einzigen, allerdings bedeutsamen Modifikation, daß darunter die ballistische Leistung nicht verhältnißmäßig zu sehr leide. Wenn Olivier ferner a. a. O. die Kriegsleistung eines Mannes mittlerer Körperkraft in Bezug auf die Zahl hinter einander abzugebender gezielter Schüsse je nach dem Gewicht der Waffe bei 10 Pfd. auf 9, bei 8 Pfd. auf 14, bei 6 Pfd. auf 23 ꝛc. anschlägt, so dürfte das ebenfalls mit der Wirklichkeit ziemlich gut übereinstimmen. Fassen wir dabei die übrigen Vortheile ins Auge, welche aus einer geringen Be-

[...] das ohnedies in dieser Beziehung am stärksten in Anspruch genommenen [...]risten entstehen, so möchten wir das Maximalgewicht einer für heutige [...]verhältnisse geeigneten Handfeuerwaffe nicht über 9 Pfd. setzen und, [...] es die ballistischen Leistungen und die Solidität der Konstruktion irgend [...], dasselbe noch lieber auf 8 Pfd. herabmindern. Bei einem solchen [...] der Waffe ergibt sich als äußerstes Maximum des absoluten Ge-[...] der Pulverladung, insofern wir die jetzigen Gewehrpulver-Sorten zu [...] legen, etwa das von 5,5 Grammen oder ¹/₃ Loth Zollgewicht. Selbst diese Ladung macht schon mehr oder weniger besondere Einrichtungen zur Verminderung des Rückstoßes nöthig. So finden wir beim Zündnadel-gewehr bei 4,83 Grammen (29 Cmt.) Ladung und 31 Gramme (1,86 Loth) Geschoßgewicht eine ziemlich große Luftkammer, welche den Rückstoß allerdings fast unfühlbar macht, zur völligen Verbrennung der Hülse wesentlich beiträgt, aber auch die Anfangsgeschwindigkeit verringert d. h. also die ballistische Leistung der Pulvergase zum Theil wieder annullirt. Beim Chassepotgewehr ist dasselbe der Fall, indem nicht nur eine ziemlich bedeutende Pulverkammer, gebildet durch den leeren Raum um den vorstehenden Theil des Nadelrohrs, sondern auch der Stoßboden selbst durch seine Elastizität den Rückstoß schwächt. Daß letzterer dennoch ziemlich empfindlich, liegt in der Leichtigkeit der Waffe (8 Pfd. 2,7 Loth ohne sabre poignard), der verhältnißmäßig großen Ladung und starken Reibung des Geschoffes im Rohr. — Auf die sehr starke Ladung, das große Geschoßgewicht und den dadurch bedingten größeren Rückstoß des Henry-Gewehres haben wir bereits oben hingewiesen. Derselbe wird trotz eines ebenfalls als elastischer Stoßboden zu betrachtenden Papiermaché-Pfropfs am Boden der Patrone als dem des früheren Enfield-Vorderladers gleich angegeben, ist also sehr bedeutend.

Alle übrigen neueren Handfeuerwaffen kleineren Kalibers verwenden daher auch ein geringeres als das oben angegebene Maximum der Pulverladung und schwankt dieselbe zwischen 3,25 und 4,5 Grammen. Daß aber alle Mittel, den Rückstoß, sei es durch Luftkammern oder durch elastische Stoß-böden zu schwächen, die Anfangsgeschwindigkeit zu alteriren d. h. von Schuß zu Schuß verschieden zu machen geeignet sind, liegt auf der Hand und das halten wir für einen größeren Nachtheil, als ihre bloße Verringerung. Wir möchten daher einen festen Stoßboden bevorzugen und dabei dürften dann obige 5,5 Grammen Pulver schon ein Maximum repräsentiren, welches nur unter besonderen Modifikationen, von denen später noch die Rede sein soll, zulässig wäre. Die Neigung, bis zu diesem Gewichte und über dasselbe hinauszugehen, wird auch weiter beschränkt durch die Rücksicht auf die Länge der Patrone, welche am meisten durch das Pulverquantum be-dingt ist.

Was das zweite für die Anfangsgeschwindigkeit wichtigste Moment, die [...] Größe der Pulverladung d. h. ihr Verhältniß zum Geschoßgewicht, ben sog. Ladungsquotienten betrifft, so variirt derselbe in der Praxis bei den neuen Hinterladern im Allgemeinen zwischen 1/5 und 1/6, was auf die Schwierigleiten hindeutet, diesen Faktor der Anfangsgeschwindigkeit zu vergrößern oder, was dasselbe sagen will, das absolute Geschoßgewicht zu vermindern. Am weitesten ist in dieser Beziehung das Chassepotgewehr vorgeschritten, welches bei einem Geschoßgewicht von 24,5 und einer Pulverladung von 5,5 Grammen nahezu den Quotienten von 2/9 erreicht.

Es hat daher auch trotz seines starken Dralls eine große Anfangsgeschwindigkeit (420—430 Meter), circa 10 Meter mehr, als das Henry-Geschoß. Wenn es dieselbe im Vergleich zu letzterem so rasch einbüßt, daß es schon auf 400 Schritt größerer Elevationswinkel bedarf, so weist das auf Konstruktionsfehler des Geschosses und des Laufes hin, die zu interessant und belehrend sind, um sie nicht in Kürze wenigstens anzudeuten.

Zu dem Ende müssen wir aber zunächst den Einfluß des relativen Geschoßgewichts d. h. der Belastung seines Querschnittes betrachten, welche für die Konservirung der Anfangsgeschwindigkeit vom größten Einflusse ist.

Die Leichtigkeit nämlich, mit welcher ein Geschoß den Widerstand der ihm direkt entgegenstehenden Luft überwindet, steht bekanntlich im geraden Verhältnisse zu seinem Gewicht (wächst also mit Zunahme desselben) und im umgekehrten zu seinem Querschnitt (wächst also mit Abnahme des letztern). Daraus resultirt der Vortheil der kleinen Kaliber.

Das Langblei des Zündnadelgewehres hat dasselbe absolute Gewicht, wie das Geschoß des Martini-Henry-Gewehres, nämlich 31 Gramme. In Bezug auf die Belastung des Querschnittes dagegen kommt bei ersterem auf jeden Quadrat-Millimeter seines Querschnitts von 13,6 Millim. Durchmesser nur ein Gewicht von 0,21, bei letzterem dagegen auf den Quadrat-Millimeter seines Querschnitts von 11,43 Millim. Durchmesser ein solches von 0,30 Grammen. Das nur 24,5 Gramme schwere Chassepot-Geschoß bringt ein Gewicht von 0,26 Gramm auf den Quadrat-Millimeter seines Querschnitts zur Geltung, so daß sich also hiernach der direkte Luftwiderstand beim Henry-, Chassepot- und Zündnadel-Geschoß nahezu verhalten würde, wie 11 : 13 : 15. Es würde also bei gleicher Anfangsgeschwindigkeit diese bei ersterem Geschoß am langsamsten, bei letzterem am schnellsten abnehmen. Da aber der Luftwiderstand gleichzeitig proportional den Quadraten der Anfangsgeschwindigkeit ist, so sieht man, daß das Chassepot-Geschoß aus diesem Grunde noch rascher seine Geschwindigkeit verlieren muß. Sollte die Abnahme seiner Geschwindigkeit im gleichen Verhältnisse erfolgen, wie beim Henry-Geschoß (wodurch dem Chassepot also auf allen Entfernungen die Präponderanz der rasanten Bahn im gleichen Verhältniß erhalten bleiben würde), so müßte sich seine Querschnittsbelastung zu der des Henry-Gewehrs verhalten, wie die Quadrate ihrer resp. Anfangsgeschwindigkeiten d. h. wie $(420)^2 : (410)^2$ oder wie 17,6 : 16,8. Wollte man aber dem Chassepot-

ſchoß auch nur dieſelbe Belaſtung des Querſchnitts geben, wie dem
Henry = Gewehres, ſo würde es ſchon ein Gewicht von ohngefähr 29
ammen und eine Länge von 29,5 Millim. erhalten müſſen. Dadurch aber
rde die lange Patrone noch um 5 Millim. länger, der Ladungsquotient
ke wieder unter ⅕. Um den alten Ladungsquotienten beizubehalten, müßte
n die Ladung auf 6,44 Gramme vermehren, was nicht nur nach unſeren
gen Ausführungen unzuläſſig erſcheint, ſondern auch bei der dadurch weiter
ingten Verlängerung der Patrone um circa 8 Millim. eine Verlängerung
Patronenlagers, der Patroneneinlage, alſo des ganzen Verſchluß = Mecha-
mus involviren würde.

Nicht beſſer ſieht es trotz der ſchon vorhandenen Gleichheit des ab=
uten Gewichts mit einer Korrektur des Langbleis in derſelben Rich=
g aus. Sein Gewicht von 31 Grammen brauchte gar nicht vermehrt,
r müßte ſtatt auf den Querſchnitt von 13,6 Millim. auf den von 11,43
llim. Durchmeſſer vertheilt werden. Dadurch würde das Geſchoß bei geo=
riſch ähnlicher Konſtruktion eine Länge von 37,5 (ſtatt 27,5) Millim.
alten, alſo um 10 Millim. länger werden, und da der Mechanismus
troneneinlage ꝛc.) des Zündnadelgewehrs eine ſolche Verlängerung nicht
attet, ſo bliebe zur Verbeſſerung der Flugbahn nichts übrig, als gleichzeitige
rminderung des Geſchoßgewichts durch Verkleinerung des Längenſchnittes,
Vergößerung der Anfangsgeſchwindigkeit unter Verzicht auf die
ßere Belaſtung des Querſchnittes d. h. die beſſere Ueberwindung des
ttwiderſtandes. Dieſer Weg iſt bekanntlich vielfach verſucht worden und
denn auch größere Anfangsgeſchwindigkeit und auf die nähern Entfer-
ngen raſantere Bahnen mit geringeren Streuungen ergeben, wogegen nach
t oben Angeführten eben ſo klar iſt, daß beide auf die weiteren Ent-
nungen raſch abnehmen mußten. Daß dabei aber auch nicht an-
hernd dieſelbe Anfangsgeſchwindigkeit erreicht werden konnte, wie bei
r Feuerwaffe kleinen Kalibers, das ergiebt ſich aus dem einfachen, wenn
h nicht ganz mathemaiſch genauen Geſetz: „daß die Gas = Spannungen in
ffen von verſchiedenem Kaliber nur dann gleich ſind, wenn die Ladungen
verhalten wie die Bohrungsquerſchnitte. Es würde danach die Gas=
nnung im Zündnadelgewehr der des Chaſſepots erſt gleich ſein, wenn ſich
e Ladung zu der des letzteren verhielte, wie $15^2 : 11^2$ oder annähernd wie
: 6, d. h. das Zündnadelgewehr müßte ſtatt 29 Cent. eine Ladung von
5 Cent. (10,1 Gr.) Pulver erhalten. — Man ſieht hiernach, daß eine
ıgreifende Verbeſſerung des Zündnadelgewehrs bisherigen Kalibers lediglich
ɧ die Patrone nicht möglich iſt. Eine Verkleinerung des Rohrkalibers
tr Beibehalt des Mechanismus aber wäre ſchon deßhalb ein Fehler, weil
Art der Zündung (Durchſtechung der ganzen Pulvermaſſe von
ṇen nach vorn) nur kurze Patronen, alſo kleine Ladungen geſtattet. —
rgleichen, daß von den der geſammten das Zündnadelgewehr konſtituiren-

den wesentlichen Elementen außer der Hinterladung nur Eines noch werth ist, auch für die Zukunft konservirt und weiter fortgebildet zu werden, nämlich das Prinzip des Langbleis mit Spiegelführung. Zunächst möchte sich dasselbe vorzüglich eignen, dem Chassepotgewehr einen bedeutenden Zuwachs an Trefffähigkeit zu verschaffen und wahrscheinlich selbst seine Bahnrasanz noch um etwas zu steigern. Da sich Deutschland im Besitze von 550,000 solcher eroberten Gewehre befindet, so dürfte es weder überflüssig, noch uninteressant sein, die Frage, ob dieselben sich nicht mit geringen Kosten durch eine zweckmäßig konstruirte Patrone und entsprechende Modifikation des Verschlusses in sehr leistungsfähige und kriegsbrauchbare Waffen umgestalten lassen, hier kurz zu erörtern, zumal alle dabei zur Sprache kommenden Punkte recht eigentlich hierher gehören. — Es sind nämlich neben der oben konstatirten verhältnißmäßig zur Anfangsgeschwindigkeit etwas zu geringen Belastung des Geschoß-Querschnitts noch zwei andere Fehler, welche die rasche Abnahme der ursprünglichen Geschwindigkeit und damit auch der Bahnrasanz des Chassepot-Geschosses nach sich ziehen, nämlich die zu schlank konstruirte Spitze und der zu weit zurückgelegte Schwerpunkt. Aus diesen beiden Fehlern in Verbindung mit dem schiefen Eintritt des Geschosses in die Züge, herbeigeführt durch die nicht sehr günstige Konstruktion des Patronenlagers, resultirt zunächst eine nicht unbedeutende Neigung des Geschosses, sich um seine Querachse zu drehen d. h. sich mit der Spitze zu heben. Das Chassepotgeschoß tritt schon mit etwas gehobener Spitze aus dem Rohr, begegnet daher der entgegenstehenden Luft nicht mit seinem kleinsten Kreis-, sondern mit einem größeren ovalen Querdurchschnitt. Es ist dies zunächst auch der Grund der sog. Depression d. h. des Umstandes, daß das Geschoß unter einem geringeren Abgangswinkel verläßt, als den die Seelenaxe mit der horizontalen bildet, wodurch also die Visirhöhen sämmtlich höher gehalten werden müssen, als dies sonst nöthig wäre, was wieder für das praktische Zielen aus naheliegenden Gründen schädlich ist. Sodann ist ferner klar, daß dadurch der Luftwiderstand in demselben Verhältniß vermehrt werden muß, wie die ihm entgegenstehende Querschnittsfläche größer ist, als das Kaliber des Geschosses. Der dadurch ebenfalls vermehrten Neigung, sich noch weiter um die Querachse zu drehen resp. die Spitze noch mehr zu heben und sich endlich zu überschlagen, wirkt nun zwar die durch den starken Drall des Rohrs (ein Umgang auf 21") erzwungene große Winkelgeschwindigkeit (Schnelligkeit der Rotation um die Längenachse) mächtig entgegen. Indessen, daß dieselbe in steigendem Maße vorhanden, beweisen die Durchschläge des Geschosses durch feste Körper, welche schon beim Eingange, noch mehr aber beim Ausgange einen nicht unbedeutend größeren und mit der Schußentfernung zunehmenden Durchmesser zeigen, als den des Geschoßkalibers. Daß diese Erscheinung, wie namentlich französische Aerzte vor dem Kriege in bramabasirender Weise auszuposaunen und koloffal zu übertreiben

von 20· und 30fach vergrößertem Wundburchmesser) bemüht
en, auch noch durch (im Vergleich zum cylindrischen Theil) stärkere
wingungen der Spitze um die Längenachse hervorgerufen seien, scheint uns
der Stauchung, welche das Geschoß erfährt, sowie bei der strammen
rung des mittleren (durch die gefettete, papierene Geschoßhaube) und des
ren Theils (durch die breite Geschoßbasis) nicht wahrscheinlich. Wäre es
Fall, so müßte die ohnedies schon sehr schwankende Geschoßbahn eine noch
unsicherere sein.

Wenn die jetzigen Schwankungen der Flugbahn des Chassepots gewiß,
v. Plönnies sehr richtig hervorhebt, zum großen Theil durch die die sichere
rung in den Zügen alterirende, schon erwähnte Geschoßhaube zu erklären
, so müssen andererseits seine verhältnißmäßig rasche Abnahme in der
inz ebenso, wie die sehr beträchtliche Derivation auf die oben erörterten
länbe zurückgeführt werden.

Unter Derivation versteht man bekanntlich die bei Spitzgeschossen stets
r oder weniger auftretende Abweichung der Geschoßbahn nach derjenigen
e hin, wohin sich die Züge des Rohrs in der obern Hälfte (dasselbe
 montal und den Beobachter von hinten hindurchblickend gedacht) drehen.

An einer streng wissenschaftlichen, völlig stichhaltigen Erklärung dieser
heinung fehlt es bis jetzt noch. So viel aber steht fest, daß sie mit der
hung der Spitze nach aufwärts in direktem Zusammenhange steht und daß
wo eine entgegengesetzte Drehung, also mit der Spitze nach abwärts ein·
, auch die Derivation nach der entgegengesetzten Seite, also gegen die
windung stattfindet, wie dies z. B. bei einem vorn gerade abgeschnittenen
nder der Fall ist. Es lag nahe, letztere Thatsache zu benutzen, um der
ivation nach der Drallrichtung dadurch entgegen zu wirken, daß man die
ze des Geschosses vorne auf ein gewisses, praktisch zu ermittelndes Maß
be abschnitt. Dies begünstigte denn auch die Verlegung des Schwer·
tes um etwas mehr nach vorne, mindestens bis nahe der Mitte der
genachse, hervorgebracht durch Kannelirungen und Expansionshöhlungen
hinteren Theils. Alle diese Mittel haben indeß ihre Schattenseiten: die
be abgeschnittene Spitze vermehrt den direkten Luftwiderstand, die Kanne-
igen geben Anlaß zu Stauchungen des Geschosses, wodurch ihr Zweck
Theil wieder verloren geht, die Expansionshöhlungen vermehren die Rei-
des Geschosses an den Rohrwänden und alteriren die Anfangsgeschwin-
tt. Außerdem vermindern letztere beiden Mittel natürlich auch die Be-
ng des Querschnitts.

Es giebt nun eine Geschoßgestalt, welche alle diese Uebel-
be in bis jetzt unübertroffenem Maße beseitigt. Sie ist der
eines fallenden Regentropfens entnommen und liegt unserem bekannten
zu Grunde. Indem der Wassertropfen sich aus seiner ursprünglichen
orm durch den Fall in der Luft länglich gestaltet, ist es klar, daß die

Theilchen an der Oberfläche lediglich durch den Widerstand der Luft resp. die Reibung an derselben verschoben worden sind. Die nach unten gekehrte Spitze bildet eine stumpfe Parabel und der Tropfen verjüngt sich nach oben, welche Verjüngung sich so lange fortsetzen wird, bis die Reibung der Seitenflächen an der Luft ein solches Minimum geworden ist, daß sie keine Verschiebung der Theilchen weiter bewirken kann, es muß also um den fallenden Tropfen herum nach aufwärts vom größten Durchmesser der Spitze an gerechnet ein luftverdünnter Raum entstanden sein. Die gebildete Spitze selbst aber muß die Eigenschaft besitzen, die direkt entgegenstehende Luft am leichtesten nach allen Seiten abfließen zu lassen. Da diese Gestalt sich durch den Widerstand des zu durchschneidenden Mittels, der Luft, selbst gebidet hat, so ist der Schluß durchaus logisch und strikt, daß sie auch die zur Ueberwindung desselben geeignetste sei. Ueberträgt man sie auf ein Bleigeschoß, so wird man auch von diesem behaupten können, daß es sowohl den direkten, wie den bis jetzt von uns nicht betrachteten Reibungsluftwiderstand an der Oberfläche am leichtesten überwältigen wird.

Nun sehen wir aber auch, daß der Schwerpunkt dieses Geschosses, ohne das Prinzip zu alteriren, um so eher in die Mitte der Längenachse, ja noch vor dieselbe gerückt werden kann, je stumpfer man die Spitze hält und je länger man das Geschoß in seinem verjüngten Theile macht.

Geschosse dieser Konstruktion, bei welchen der Schwerpunkt mindestens bis in die Mitte der Längenachse gelegt ist, geben denn auch in der That nicht nur eine sehr geringe Derivation, sondern überwinden auch den Luftwiderstand erheblich besser, als es sich aus ihrer Querschnittsbelastung allein erkären läßt, ein entschiedener Beweis, daß auch der Reibungswiderstand an der Oberfläche der Geschosse mitspricht. Dagegen macht man ihnen den Vorwurf, daß sie nicht direkt in den Zügen geführt werden können, weil dadurch sowohl ihre Gestalt verloren gehen, als auch das hintere Ende flattern würde und daß sie daher der Liderung durch einen andern Körper bedürfen, den bei uns seit lange angewandten Spiegel. Wir vermögen aber darin keinen Nachtheil, sondern vielmehr nur noch andere sehr reelle Vortheile zu erkennen. Der Spiegel vermindert, mit guter Fettung versehen, die sog.*) Reibung im Rohre, reinigt letzteres von Pulverschleim, verhindert das Verbleien und ist der Konservirung der Zugkanten entschieden günstiger, als die Bleiführung. Die Hauptvorwürfe, welche man der Spiegelführung macht, sind: 1) Unsicherheit der Trennung von demselben vor dem Rohr; 2) Stauchung in sich, wo-

---

*) Wir sprechen von sog. Reibung im Rohr, da der bei weitem größere Theil der unter dieser Rubrik zusammengefaßten Widerstände nicht in eigentlicher Reibung, sondern in einer Verschiebung der Theile der Geschoß- (bei Bleiführung) resp. der Spiegel-Oberfläche besteht.

rch die Arbeitsleiftung der Pulvergafe auf das Geschoß verringert werde;
Komplizirung der Patrone.

Dem erften Vorwurfe wird fich durch Konftruktion des Geschoffes (flach
rabolifche Kurven des Längenprofils, ftarke Abrundung der Kaute an der
fis), des Spiegels (flach tellerförmig nach hinten geöffneter Boden) und
lich bei Neukonftruktion auch durch befondere Einrichtung des Laufs (f. un-
) wohl völlig vorbeugen laffen. Den zweiten Vorwurf finden wir nicht
rechtigt. Wir wünfchen fogar eine kleine Stauchung des Spiegels, damit
das Geschoß felbft nicht ftaucht und der Eintritt des Spiegels in die
lge ficherer und fanfter erfolgt. Der dritte Vorwurf endlich dürfte um fo
niger gerechtfertigt fein, als der Spiegel das ficherfte Mittel bildet, Pulver
Geschoß zu trennen und namentlich auch bei Metallpatronen die direkte
rührung der Hülfe mit dem Geschoß und damit die galvanifchen, auch
Pulver fchädlich beeinfluffenden Strömungen, möglichft zu befchränken.

Damit kommen wir zu der bekannten Streitfrage in der Patronen-Ange-
enheit, nämlich: ob verbrennliche (Papier-, Seidenftoffe) oder unverbrennliche
Metall-) Hülfen?

Nachdem wir uns gegen Repetir-Syfteme erklärt, wodurch wir uns von
rn herein an Metallpatronen gebunden hätten, können wir uns noch frei
fcheiden.

Die Gründe für diefe Entfcheidung aber werden wir den Vorzügen zu
nehmen haben, welche die eine oder die andere Art in balliftifcher und in
nficht auf Kriegsbrauchbarkeit zur Geltung bringt, dem ökonomifchen Ge-
ftspunkte können wir nur einen fehr fekundären Einfluß einräumen, der um
mehr wird in den Hintergrund treten müffen, je größer fich in erfteren
ben Beziehungen die Vortheile der einen oder der anderen Art geftalten.

Wir können uns nun bei dem gegenwärtigen Stande der Angelegenheit
r entfchieden für die Metallpatronen erklären. Sie gewähren uns in balli-
fcher Beziehung einen unter allen Umftänden (die äußerft feltenen Fälle von
freißen der Hülfe abgerechnet) gasdichten Abfchluß und damit die größte
rantie für eine ftets gleiche Kraftentwickelung, welche in Verbindung
t einem feften Stoßboden eine möglichft gleichmäßige Anfangs-
fchwindigkeit fichert. Sie löfen die Aufgabe der günftigften Zündung,
hinteren Centralzündung am befriedigendften, vereinfachen dadurch das
hloß, wie durch ihre Gasdichtung den Verfchluß und erhöhen durch Beides
Schnelligkeit des Feuers refp. den nach unferer Anficht werthvollften Theil
felben, „die rafche Schußfertigkeit." In Bezug auf Kriegsbrauchbar-
t ftechen fie alle Patronen mit verbrennlichen Hülfen aus. Sie find nicht
brechlich, was bei dem heutigen kleinen Kaliber und der dadurch bedingten
uge der Patrone doppelt wichtig, werden gegenwärtig in einer Solidität
geftellt, welche Deformirungen nur mit Gewalt herbeizuführen ge-
ttet, fchützen das Pulver am ficherften, ja faft abfolut vor Feuchtigkeit

und sind auch zufälligen Explosionen entschieden weniger ausgesetzt, als Papier oder Seidenpatronen mit hinterer Zündung. Von den Vorwürfen, welche man ihnen Anfangs machte, sind die meisten gegenwärtig durch Konstruktionsverbesserungen erledigt: So das Aufreißen der Hülsen durch Verstärkung namentlich ihres hintern Theils und Einführung der Centralzündung statt der Randzündung. Die Nothwendigkeit der letztern für die Repetirsysteme (bei Centralzündung würde die Spitze des hinteren Geschosses im Magazin sich gerade gegen das Zündhütchen der vorliegenden Patrone stützen) bildet einen weiteren begründeten Vorwurf gegen dieselben. Da der mit explosiver Substanz gefüllte Rand nämlich gleichzeitig zum Extrahiren der Hülse dient, so muß beim Laden der Patrone der Extraktor, wie das sowohl bei Henry-Winchester, wie bei Vetterli der Fall ist, von hinten über diesen Heerd der Explosion gleiten, was mindestens eine äußerst sorgfältige Konstruktion desselben erfordert, wenn Unglücksfälle beim Schießen des Gewehres vermieden werden sollen. Dient dagegen der Rand lediglich zur Begrenzung des Einschiebens der Patrone in den Lauf und zum Angriffspunkt für den Extraktor resp. Ejektor, so kann er sehr solide gehalten werden, stärkt dadurch die Hülse an ihrem exponirtesten Theile und sichert die Ejektion namentlich, wenn ein symmetrischer, von 2 Seiten wirkender Extraktor angewendet wird. Was aber die Komplikation des Schloßmechanismus durch Hinzutreten dieses Extraktors resp. Ejektors betrifft, so wird dieselbe weit durch die Komplikation des Verschlusses, welche die außerdem bis jetzt noch niemals völlig resp. auf die Dauer erreichte Absicht des gasdichten Abschlusses bei Patronen mit verbrennlicher Hülse erfordert, überwogen.

Letztere Patronen sind dem Verderben durch Feuchtigkeit ungleich mehr unterworfen (ein Punkt, dessen Wichtigkeit nicht genug hervorgehoben werden kann), werden, wenn lediglich mit Papierhülse versehen, leicht durchgescheuert und sind leicht zerbrechlich. Mit geleimtem Seidenzeug umgeben, wie die Chassepotpatronen, werden sie ebenfalls komplizirt und theuer, und büßen an ihrer ohnedies nie vollständig gesicherten Verbrennlichkeit noch mehr ein. Im Chassepotgewehr bleiben nach jedem Schuß sehr bedeutende Reste, welche entweder mit den Fingern entfernt werden müssen und so die Schußbereitschaft verzögern, oder, beim Schnellfeuer, nicht berücksichtigt, die Trefffähigkeit schädlich beeinflussen. Beim Zündnadelgewehr hat man das völlige Verbrennen der Papierhülse bekanntlich nur durch die große Luftkammer erreicht, welche die Arbeitsleistung der Pulvergase wieder schwächt. Die Schwierigkeiten, welche der Herstellung eines auf die Dauer haltbaren Gasabschlusses entgegenstehen, sind sehr bedeutend und bei Nadelzündung fast unüberwindlich. Weder das Kautschukplättchen im Zündhütchen der Chassepotpatrone, noch die bei uns und anderwärts versuchten Tuch- und Filzplatten im Boden der Patrone vermochten das Einströmen von Gasen in's Nadelrohr

ng zu hindern und führten nicht unbedeutende Nachtheile herbei (Hem-
ungen des Nadelganges, Vermehrung der Patronen-Reste ꝛc.)

Der unbestreitbare Vortheil der größeren Leichtigkeit der Papierpatrone
ist zum Theil schon durch die Nothwendigkeit einer soliden Verpackung
(Blechbüchsen) wieder verloren und wird im Uebrigen durch die größere Zahl
: dennoch unbrauchbar werdenden wieder aufgehoben. Dadurch dürfte denn
ch das Uebergewicht in ökonomischer Hinsicht großentheils schon paralysirt
rden, welches übrigens in neuerer Zeit überhaupt nicht mehr bedeutend ist.
o kostet z. B. die Patrone des Vetterli - Repetiergewehrs per 1000 Stück
: Frcs., oder 6,2 Pf. pro Patrone, während der Preis unserer Zündnadel-
trone sich auf 4,5 Pf. berechnet.

Bringt man endlich die Möglichkeit der mehrmaligen Benutzung der
ülse (die des Werder-Gewehrs soll 5—6 mal benutzt werden können), die
igenden Preise für Handarbeit und die billigere Erzeugung durch Maschinen
Anschlag, erwägt man ferner, daß letztere nicht nur gleichmäßiger und ge-
uer gearbeitetes Fabrikat liefern, sondern auch die Möglichkeit von Explo-
nen und Gefährdung von Menschenleben beschränken, so dürfte auch der
orzug der Billigkeit ganz auf Seite der Metallpatrone treten.

Wir sind daher der Ueberzeugung, daß letztere gegenwärtig schon end-
ltig gesiegt hat. Material (Kupfer, Tombak oder Messing) und Form (cy-
indrisch, sanft konisch oder flaschenförmig) mögen denn noch zu mancherlei
odifikationen und Wettkämpfen Veranlassung geben, die wir hier aus Grün-
n des Raumes vorläufig übergehen müssen.

Für eine neu zu konstruirende Waffe würden noch 2 Controversen vor
rstellung der Patrone zum Austrage gelangen müssen. Das wäre: 1) die
rage, ob nicht eine weitere Verminderung des Kalibers unter das jetzt fast
lgemein üblich gewordene Maaß von c. 11 Mm. nützlich erschiene und
ob die Verwendung von komprimirtem Pulver nicht besondere Vortheile
genüber dem bisherigen Kornpulver bietet.

Für eine weitere bedeutende Verminderung des Kalibers ist v. Olivier
seinem eben citirten Buche entschieden eingetreten. Indessen sind die Sätze,
f welche er seine Ansicht stützt, nicht ganz richtig. Er sagt nämlich a. a. O.
. 96: „Wenn Ladungen und Geschoßgewichte sich wie die Boh-
ungsquerschnitte verhalten, die Ladungsräume im selben Ver-
iltniß stehen, so sind die Anfangsgeschwindigkeiten einander
eich. Wenn zugleich die Spitzen der Geschosse ähnlich sind,
re Flugbahnen congruent.“ Er selbst giebt sofort S. 97 zu, „daß die
ribung des kleineren Geschosses im Rohre eine verhältnißmäßig größere sein
rd“ und zwar ist das nicht unbedeutend. Bei derselben Drall- und Zug-
struktion würde ein Geschoß I vom Kaliber 5 Mm. verhältnißmäßig die
ppelte Reibung erleiden, wie ein solches II von 10 Mm. Kaliber und
eicher Länge, da sich die Inhalte resp. Gewichte der Geschosse wie die

Quadrate der Durchmesser verhalten, aber die Oberflächen wie, wie die Durchmesser selbst. Es ist also Geschoß II vier mal so schwer, wie I, hat aber nur die doppelte Oberfläche. Seine sog. Reibung d. h. die Verschiebung der Metalltheile an seiner Oberfläche, verbraucht daher verhältnißmäßig nur die Hälfte der Arbeitsleistung der Pulvergase wie Geschoß I. Aus gleichen Gründen ist auch die Wärmeabsorption durch die Rohrwandungen bei kleinen Kalibern verhältnißmäßig größer und nicht kleiner. Es ist also ebenfalls ein Irrthum, wenn Ploennies in seinen „Neuen Studien" 1867, Band I, S. 183 sagt: „Will man den Flächeninhalt der Seelenwand mit Rücksicht auf die Absorbirung der Wärme der erhitzten Gase in Betracht ziehn, so spricht auch dies zu Gunsten (?) der kleinen Kaliber, da jener Flächeninhalt nur im Verhältniß der Durchmesser wächst!"

Gerade deßhalb wird beim kleinen Kaliber mehr Wärme absorbirt, d. h. im Verhältniß zu der Masse der erhitzten Gase. In unserm eben angeführten Beispiele würde bei Kaliber I die Ladung bei gleicher Länge nur den vierten Theil derjenigen des Kalibers II betragen, dagegen die Wärmeabsorption bei I wenigstens die Hälfte der bei II eintretenden. Wir sagen wenigstens, weil sich bei fortgesetztem Schießen das Verhältniß noch zu Ungunsten des kleinen Kalibers steigert, indem kleine Ladungen verhältnißmäßig mehr Rückstand lassen, als große, wodurch abermals sowohl Reibung, als Wärmeabsorption gesteigert werden. Es folgt daraus unmittelbar, daß das Gesetz, wie es Olivier oben giebt, nicht richtig ist, vielmehr gilt der Satz: daß bei gleicher Belastung des Querschnitts der Geschosse und gleichem Ladungsverhältniß (Quotienten) die größeren Kaliber schon in Bezug auf Anfangsgeschwindigkeit, noch mehr aber in Bezug auf Stabilität der Flugbahn immer mehr den Vorrang gewinnen." Der Vorzug der kleinen Kaliber beruht eben nur darauf, daß, nachdem, wie oben gezeigt, die absoluten Geschoß- und Ladungs-Gewichte der Handfeuerwaffen ihre positiven praktischen Grenzen haben, man durch einen geringern Querschnitt des Rohrs im Stande ist, bis zu einem gewissen Grade die relative Schwere von Geschoß, d. h. die Belastung des Querschnitts, und die relative Größe der Ladung d. h. den Ladungsquotienten zu steigern. Läßt sich diese Steigerung in der Praxis noch weiter treiben? Wir wollen hier kurz die Umstände andeuten, in welchen eine weitere erhebliche Herabsetzung des Kalibers unter 11 Mm. ihre Grenzen finden dürfte.

Zunächst ist schon aus dem oben für die Anfangsgeschwindigkeit Festgestellten klar, daß mit Verminderung des Kalibers eine Vermehrung des relativen Geschoßgewichts d. h. also der absoluten Länge des Geschosses und eine Vergrößerung des Ladungsquotienten d. h. also eine absolute Verlängerung der Ladung Hand in Hand gehen muß.

auch nur dieselbe Anfangsgeschwindigkeit gewahrt werden soll, wie
n größern Kaliber. Es würden also die Patronen, deren Länge z. B. bei
rtini-Henry = 93 Mm.*) schon jetzt ihre Unbequemlichkeit (namentlich
den Verschluß des Gewehrs und Funktion des Ejektors resp. Extraktors)
noch länger werden müssen. In Bezug auf die Pulverladung ließe sich dem
zu einer gewissen Grenze wohl durch Komprimirung derselben, sowie
h flaschenförmig erweiterte Hülsen abhelfen. Dagegen muß die
olut größere Länge des Geschosses bleiben, wenn nicht schon auf
lere Entfernungen sowohl Bahnrasanz, wie Trefffähigkeit bedeutend abneh-
 sollen.

Wir haben also nunmehr einen absoluten Maaßstab gewonnen, we-
tens bezüglich der Länge des Geschosses d. h. wir können sagen: „soll
irgend einem noch so kleinen Kaliber die Ueberwindung des
kten Luftwiderstandes gleich dem des Henry-Geschosses sein,
wird es eine Belastung von 0,30 Gr. auf den Quadratmilli-
ter des Querschnitts, folglich bei Cylinderform eine Länge
 circa 30 Mm. haben müssen.

Allein diese absolut größere Länge hat ihre Schattenseiten: Sie
rbert stärkern Drall, um das Geschoß in seiner Achsenlage zu erhalten,
sacht dadurch und durch die relativ größere Oberfläche abermals stärkere
bung im Rohr, und vermehrt die Einwirkung seitlicher Luftströmungen
h. die Ablenkung durch den Wind. Wenn Ploennies (Neue Hinter-
ungsgewehre 1867, Heft I, S. 59) dies läugnet und sogar die Versiche-
g hinzufügt, daß die von ihm aufgestellte Ansicht, daß die langen Ge-
osse des kleinen Kalibers in Bezug auf Stabilität gegen den
nd den Projektilen größeren Durchmessers nicht nachstehen, eine
t allgemein von der Wissenschaft angenommene und für jeden spe-
len Fall leicht durch Rechnung nachzuweisende Thatsache sei,"
müssen wir uns billig über eine solche, den einfachsten Regeln der Mecha-
widersprechende Ansicht, wundern. Nehmen wir unser obiges Beispiel
der auf, so ist klar, daß das Geschoß Nr. I von 5 Mm. in seinem Län-
profil die Hälfte der Fläche darbietet, wie ein Geschoß Nr. II von
Mm., dagegen ist sein Längenprofil auch nur mit ¼ desjenigen Blei-
ichts belastet, welches das Längenprofil von Geschoß II besitzt.

nun gegen den seitlichen Luftwiderstand dasselbe Gesetz gilt, wie
en den der fortschreitenden Bewegung entgegenstehenden, so ist

---

*) Die neuste Patrone für dieses englische Gewehr ist nur 76 Mm. lang, also gegen
er um 17 Mm. verkürzt. Diese Verkürzung ist ohne Herabsetzung der Ladung durch
flaschenförmige Hülse ermöglicht, welche sich zunächst auf 15,5 Mm., dann auf
 Mm. erweitert, während ihre Bodenplatte sogar 19 Mm. Durchmesser hat. Es ist
, daß unsere obige Deduktion von der durch diese Flaschenform ermöglichten Verkürzung
Patrone zunächst absieht.

klar, daß das leichtere Geschoß I nur die Hälfte des Widerstandes
zu leisten im Stande ist, wie Geschoß II, oder ins Praktische übersetzt:
Geschoß I wird unter der Voraussetzung, daß es dem Geschoß II
geometrisch ähnlich ist, [wenn es dieselbe Anfangs- und Rota-
tions-Geschwindigkeit besitzt, auf dieselbe Entfernung die doppelte Ablenkung durch den Wind erfahren. Es müßte, um nur dieselbe Ablenkung, wie Geschoß II, zu erleiden, die doppelte Geschwindigkeit haben. Daß unter Umständen ein ähnliches Verhältniß möglich, beweist das Schweizer Jäger-Gewehr mit Neßler-Geschoß im Vergleich
zum französischen Minié-Gewehr. Das Längenprofil beider Geschosse verhält
sich wie 10:16, die Belastung desselben wie 1:3, es würden daher beide
Geschosse gleiche direkte Ablenkung erfahren, wenn sich die Anfangsgeschwindigkeiten wie 30:17 verhielten, was ungefähr der Fall ist, da
ersteres 500 Meter, letzteres nur 280 Meter Anfangsgeschwindigkeit besitzt. Die
oberflächliche Betrachtung solcher Thatsachen mag dann Ploennies zu seiner
irrigen Behauptung verleitet haben. Uebrigens sieht man, wie unrichtig auch
in dieser Beziehung das oben citirte von Olivier für verschiedene Kaliber mit
gleichen Anfangsgeschwindigkeiten und ähnlichen Geschossen aufgestellte Gesetz
in der Wirklichkeit sich herausstellt.

Die Sache hat aber noch einen weiteren Haken. Wir haben uns bis
jetzt den seitlichen Luftwiderstand gegen ein Längenprofil wirkend gedacht, dessen
Schwerpunkt in der Mitte liegt und welches vor und hinter demselben der Luft die gleiche Fläche bietet.

Fällt derselbe vor oder hinter die Mitte und sind die Flächen vor
und hinter demselben ungleich, so ist es evident, daß nicht eine direkte
Seitwärtsdrängung des Geschosses, sondern eine Drehung um den
Schwerpunkt stattfinden muß, die, wenn letzterer in der vorderen Hälfte
des Geschosses liegt, dieses gegen den Wind angehen macht (Pfeil), wenn
in der hinteren Hälfte, wie dies bei fast allen Geschossen (Langblei ausgenommen) der Fall ist, es vor der Windrichtung in vermehrtem
Maaße weichen läßt. Dies kann nun je nachdem der Wind von der
einen oder anderen Seite, mehr von vorn oder von hinten kommt, die Derivation vermindern oder vermehren. Jedenfalls schwanken also die Flugbahnen der Geschosse kleinen Kalibers mehr aus der Schußebene d. h. sie
halten nicht so gut Strich, wie die schweren von gleicher Vorwärtsbewe-
gung*). Diese Schwankungen müssen aber mit Verringerung des Kalibers

*) Bei unserem mit so großer Konsequenz ausgebildeten gezogenen Geschützsystem hat
sich unwiderleglich herausgestellt, daß 1) mit der Größe des Kalibers, d. h. also mit dem
absoluten Geschoßgewicht die Seitenstreuung sich vermindert, 2) die Bahnrasanz für die
näheren Distancen mehr durch die Größe des Ladungsquotienten, für die weiteren mehr durch die relative Geschoßschwere (Belastung des Querschnitts) beherrscht
wird.

so mehr zunehmen, als die Mittel, wodurch man den Schwerpunkt bei
ihren einigermaßen nach vorne brachte, bei sehr kleinen Kalibern nicht
r anwendbar sind. Cannelirungen würden zu Stauchungen Veranlassung
n, die ihren Nutzen wieder aufheben würden, Expansions - Höhlungen
en sich schon beim Kaliber von 10,5 Mm. wegen Deformirung der Ge-
wände beim Transport rc. sehr bedenklich gezeigt. Der Schwerpunkt
de also bei solchen Geschossen (das Langblei stets ausgenommen) immer
ter der Mitte liegen, die Derivation daher ebenfalls um so größer sein,
die mit der als nöthig erkannten Vermehrung des Dralls, ebenfalls noch
mmt. Rechnet man dazu die Fabrikationsschwierigkeiten, welche für Läufe
sehr kleinem Kaliber sich außerordentlich steigern, die verminderte Widerstandsfähigkeit gegen Beschädigungen rc., so gelangen wir zu der Ansicht, daß
mehrte ballistische Leistungen nicht in weiterer Verminderung
Rohr- (unter 11 Mm.), sondern des Geschoßkalibers i. e. in der
iegelführung zu suchen sind.

Für eine solche Verminderung des Geschoßquerschnitts innerhalb enger
nzen würde dann allerdings auch noch eine relativ größere Pulverladung
wendig sein. Dieselbe würde eine Verlängerung der Patrone nicht gerade
ig machen, weil das größere Rohrkaliber event. die Flaschenform hier in
tiger Weise intervenirt. Wir würden also auch durch diese Rücksicht uns
t zur Anwendung komprimirten Pulvers gedrängt sehen, befürworten die-
e aber dennoch aus anderen schwerwiegenden Gründen.

Lange Geschosse erfordern, wie das z. B. Whitworth und Henry bei
struktion ihrer Läufe sehr richtig beachtet haben, einen starken Drall,
m sie in ihrer Achsenlage bei großer Anfangsgeschwindigkeit auch auf grö-
e Distancen noch verharren sollen. Der starke Drall verleiht dem Chasse-
geschoß trotz seiner starken Derivation die noch brauchbare große Schuß-
te; der zu schwache Drall und die geringe Anfangsgeschwindigkeit lassen
Langblei unseres gegenwärtigen Zündnadelgewehrs auf Entfernungen über
0 Schritt trotz der geringen Abnahme seiner Geschwindigkeit und des geringen
hsens seines Einfallwinkels, wie Ploennies sagt „in unbekannte Regio-
n" verschwinden. Ein starker Drall aber steht in gewisser Beziehung mit
der Anfangsgeschwindigkeit im Widerspruch. Das zeigt am besten das nur
hre desselben Systems gültige Gesetz: „daß sich der Drall umge-
rt verhalten soll, wie die Anfangsgeschwindigkeiten". Die
ge eines im Verhältniß zur Pulverladung zu starken Dralles ist das
erspringen der Züge durch das Geschoß.

Um auch bei großen Geschwindigkeiten das Eintreten desselben in die
e zu sichern, hat man verschiedene Mittel versucht, so z. B. parabolische
e, d. h. solche mit nach vornesteigendem Drallwinkel, Keilzüge rc. Abge-
n von ihrer schwierigen Fabrikation haben beide den Nachtheil, eine gleich-
ige Zunahme der fortschreitenden Geschwindigkeit zu verhindern. Wir

glauben, es giebt kein sichereres Mittel, einem Geschoß gleichzeitig mit starker Anfangs- auch eine starke Winkelgeschwindigkeit zu verleihen, als ein langsam verbrennendes Pulver in Verbindung mit starkem Drall. Die Oesterreichischen Versuche mit dem Werndl-Gewehr bestätigen diese Ansicht im vollsten Maaße. Bei einer Komprimirung von 4,38 Gr. Pulver in einen Cylinder von 38 Mm. erhielt man mit dem 20,28 Gr. schweren Werndl-Geschoß eine Anfangsgeschwindigkeit von 454 Meter, bei einer stärkeren Comprimirung auf 35 Mm. Länge nur 431 Meter. Während ein Drall von 40 Zoll sehr schlechte Resultate ergeben hatte, indem Reste der komprimirten Ladung noch unverbrannt aus dem Rohr herausgeschleudert wurden, fanden obige Anfangsgeschwindigkeiten bei einem Drall von 27,5 Zoll statt, und ein Drall von nur 20 Zoll ergab noch rusantere Bahnen und zeigte sich besonders für die stärker komprimirte Ladung günstig. Man gab diesen starken Drall nur auf, weil die schwachen Metallhülsen der Patrone nicht hielten. Später ist man zwar auch von der komprimirten Patrone wieder ganz abgegangen, hauptsächlich weil man verschiedene ältere Pulversorten verwenden wollte, welche komprimirt, zu verschiedene Anfangsgeschwindigkeiten ergaben; dann aber auch, weil man beim Komprimiren überhaupt keine ganz gleichmäßige Dichtung zu erlangen verstand. In England hat man ähnliche Versuche mit komprimirten Patronen, deren Resultate man Anfangs sehr günstig beurtheilte, ebenfalls wieder aufgegeben und ein brisantes von Privaten fabrizirtes Pulver adoptirt. Letzterer Umstand erklärt für englische Verhältnisse Vieles.

Wir müssen gestehen, daß wir die bei Anwendung von komprimirten Patronen faktisch zu Tage getretenen Schwierigkeiten (ungleichmäßige Verdichtung, daher verschiedene Kraft, war die hauptsächlichste) für durchaus nicht unüberwindlich halten. Zwei verschiedene Wege möchten dazu führen: 1) den Körnern des zu komprimirten Patronen bestimmten Pulvers von Hause aus eine möglichst kugelähnliche Form zu geben (was man bisher wegen der alsdann zu großen Brisanz des losen Pulvers sorglich vermied), um so beim Komprimiren möglichst gleichmäßige Zwischenräume zu erhalten, selbst bei verschiedenen Graden der Kompression, oder 2) die Körner des jetzigen Pulvers völlig zu verdichten, wie beim prismatischen Pulver, und die verlorenen Zwischenräume durch künstliche Kanäle zu ersetzen, die von unten nach oben sich konisch zuspitzen müßten, so daß die größte Dichtigkeit am vorderen Ende der Ladung läge. Das erstere Verfahren scheint rationeller und würde wohl bessere ballistische Resultate liefern, das 2. Verfahren würde unsere vorhandenen Pulvervorräthe besser ausnützen, also billiger sein. Bei beiden Methoden müßte aber eine Wärme von circa 60—80° R. angewendet werden, sowohl um die Verdichtung durch Einwirkung auf den Schwefel zu begünstigen, als besonders um dem Pulver alle Feuchtigkeit

nehmen. Daß man in Oesterreich von Anwendung der Wärme beim
imprimiren abstand, ist sicherlich nicht ohne ungünstigen Einfluß auf die un-
riche Krafterzeugung der später dort fabrizirten derartigen Patronen ge-
ehen.

Fest steht, daß durch Anwendung komprimirten Pulvers sowohl absolut
relativ größere Ladungen bei gleichwohl kürzeren Patronen sich
möglichen lassen und daß bei entsprechendem Drall auch sogar die Span-
ng der Gase noch gesteigert werden kann.

Fassen wir die Resultate unserer Erörterungen zusammen, so würde eine
ch unseren Ansichten besonders leistungsfähige Patrone etwa bestehen: 1) aus
nem nach Langbleiform geprägten Geschoß aus Hartblei
2 Theile Blei, 1 Theil Zinn) (s. nachstehende Figur) circa 30 Mm.

Maaßstab 1:1.
Langblei.

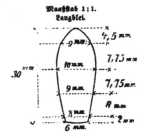

ng, von 10 Mm. Durchmesser im größten Querschnitt und einem abso-
ten Gewicht von pp. 21 Gr. Dasselbe würde eine Querschnittsbelastung
n 0,27 Gr. auf den Quadrat-Mm., also 0,01 Gr. mehr, als das Chasse-
t, 0,05 mehr, als das Werder-Geschoß, besitzen. Der Schwerpunkt liegt
was vor der Mitte.

2) Aus einem günstig konstruirten Spiegel zur Führung des
eschosses in den Zügen, Fettung des Laufes und sicherer Tren-
ng von Geschoß und Ladung in der Patrone. Derselbe könnte
va die in untenstehender Figur dargestellten Formen und Abmessungen

Durchschnitt des Spiegels 1:1.

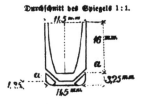

ben. Sein tellerförmig ausgehöhlter Boden ist mit reinem Wachs gefüllt
durch ein Kartonplättchen geschlossen. Von dieser Schmierkammer aus,

wie wir sie nennen wollen, gehen 6 cylindrische Kanäle ** schräge ***
durch den Rand, so daß bei der Explosion der Patrone das *****
diese Löcher hindurch an die Laufwände gespritzt wird. Der untere ****
der Schmierkammer ist außerdem an 4 Seiten ebenso, wie der obere *****
des Spiegels eingeschnitten, damit er, vor dem Laufe *********
durch die ausströmenden Pulvergase fächerförmig aufgebläht wird. Der ****
dadurch hervorgerufene Luftwiderstand soll die Trennung des Geschosses ***
Spiegel begünstigen. Da die, je nach der Stärke der Pulverladung auf ***
bis 500 Meter zu schätzende Anfangsgeschwindigkeit bedeutend größer ist, als
bei unserem gegenwärtigen Zündnadelgewehr (290 Meter), der Luftwiderstand
sich aber verhält wie die Quadrate dieser Geschwindigkeiten, so würde der
hier vorgeschlagene Spiegel schon aus diesem Grunde einen 2½ bis 3 mal
größeren Luftwiderstand erfahren, welcher in Verbindung mit der eben erwähnten Einrichtung eine weit frühere und sicherere Trennung vom Geschoß bewirken muß, als das bei der jetzigen Zündnadelpatrone der Fall war.
Gewicht des Spiegels etwa 2,5 Gr.

3) Aus einer Ladung von 5 bis 5,5 Gr. komprimirten Pulvers.
Die größere oder geringere Quantität desselben möchte am meisten von der
gewünschten Länge der Patrone und der Stärke des Zugdralls ab-
hangen. Immerhin würde der Ladungsquotient, selbst wenn wir zum Geschoßgewicht noch das Gewicht des mitbewegten Spiegels hinzurechnen, ein
sehr günstiger sein, nämlich zwischen $\frac{1}{4,7}$ und $\frac{1}{4,3}$

4) Aus einer festen und soliden Messinghülse mit Centralzündung nach
Art derjenigen der Werder-Patrone, nur etwas länger, um den Spiegel völlig zu umschließen und mit ihrem obersten angepreßten Rande das Geschoß
dicht vor seinem stärksten Durchmesser festzuhalten.

Dieselben würden je nach der Pulverladung 55 bis 60 Millim. lang
werden und das Geschoß über derselben noch etwa 10 Millim. vorstehen, die
ganze Patrone würde daher um 1,5 bis 6 Millim. länger werden, als die
jetzige Werderpatrone, resp. um 3—8 Millim. länger als die Chassepotpatrone*).
Gewicht je nach der Pulverladung 39 bis 40 Gr.

Die Vortheile der hier vorgeschlagenen Patrone wurzeln vor allen Dingen im Geschoß und in dem großen Ladungsquotienten. Das Geschoß mit einer Belastung des Querschnitts, welche alle bis jetzt bei kleinen
Kalibern verwendeten Projektile, mit einziger Ausnahme des Henry-Geschosses
übertrifft, hat vor letzterem das absolut viel leichtere Gewicht (21 gegen

---

*) Alles unter der Voraussetzung, daß die Querdimensionen der Werderpatrone beibe-
halten werden. Bei Ausdehnung derselben, also stärkerer Flaschenform könnte die Patro***
noch kürzer, selbst kürzer als die jetzige Werderpatrone werden. Die Verwendung von
primirtem Pulver in solchen Hülsen würde zwar Schwierigkeiten bieten, die sich *
auch überwinden lassen.

..), die günstiger geformte Spitze, den nach vorn verlegten
...punkt, und eine auch zum Unschädlichmachen von seitlichen
...strömungen geeignete Gestalt voraus. Durch das starke Ladungs-
...ältniß und die geringe Reibung im Rohr, vermöge des das Geschoß nur
... über die Hälfte seiner Länge umfassenden und dabei auch die Fettung
...Seele sicher stellenden Spiegels, erhält das Langblei eine große An-
...s-, durch den starken Drall (ermöglicht durch ein langsam verbrennen-
...Pulver) eine gleichfalls große Winkelgeschwindigkeit und dadurch
...e gesicherte Achsenlage.

...Letztere würde selbst ein nicht ganz centrales Eintreten des Spiegels in
...äße (was doch ebenfalls weit mehr gesichert erscheint, als bei Geschossen
... Bleiführung) keineswegs in dem Maaße alteriren, wie dies bis jetzt noch
...allen mit Bleiführung verschossenen Projektilen der Fall ist. Der sogen.
...ssionswinkel würde daher fast ganz verschwinden, daher die Visirhöhen
...iger werden, als bei irgend einem anderen Gewehr, was selbstverständlich
...er günstig auf Verminderung der Zielfehler 2c. 2c. einwirken müßte. Kurz,
...halten die besprochene Patrone zur Herbeiführung der ra-
...testen bis jetzt irgend erreichten Bahn, in Verbindung mit
...er Treffwahrscheinlichkeit selbst auf große Distancen ge-
...net.

...Ihre Länge ist nur unbedeutend größer, als die der bis jetzt adoptirten
...ronen kleinen Kalibers, was um so weniger zu sagen hat, als beim Laden
...ganze Spitze des Geschosses bis auf den Spiegel herab, also in einer
...ge bis zu 14 Millim. vermöge ihres geringern Durchmessers bis in den
...genen Theil des Laufes eingeführt werden kann.

...Bezüglich der Waffe haben wir zwar ein neu zu konstruirendes Gewehr
...einer zu der Spiegelführung besonders geeigneten inneren Laufkonstruktion,
...lem Drall 2c. im Auge gehabt, doch aber gleichzeitig die Patrone so ein-
...chten gesucht, daß auch die halbe Million Chassepotgewehre mit nicht zu
...er Mühe für dieselbe eingerichtet werden könne. Die Kosten dafür möch-
...ganz dieselben sein, wie sie sich in Bayern zur Einrichtung desselben für
...rs für die Werder-Patrone ergeben haben, circa 3 Thlr. pro Stück. Der
...le Drall der Chassepotläufe würde der Verwendung komprimirten Pulvers
...der Spiegelführung günstig sein.

...Auch dem Werdergewehr würde unser oben vorgeschlagenes Geschoß mit
...egelsführung ganz gewiß noch an Rasanz der Bahn und besonders, auf
...tere und größere Schußweiten, auch an Treffwahrscheinlichkeit zu-
...en, obgleich bei seinem schwachen Drall die Beibehaltung der bisherigen
...ng eines schnell verbrennenden Kornpulvers nöthig sein dürfte. In die-
...schwachen Drall und dem stark hinter der Mitte liegenden Schwerpunkt
...schosses sehen wir die Hauptschwächen des Werder-Gewehrs in balli-

stischer Beziehung, Schwächen, welche uns auch verhinderten, seine Patrone als fertiges Muster aufzustellen.

III. Lauf- und Verschluß-Konstruktion.

A. Der Lauf soll die Patrone zur Geltung bringen. Dazu dient besonders seine innere Konstruktion. Das wichtigste Maß derselben, das Kaliber, haben wir schon durch die vorgeschlagene Patrone auf 11 Millim. festgestellt und unsere Gründe dafür sub II. angegeben. Die Länge des Laufes kann aus naheliegenden Gründen nicht so bemessen werden, wie dies mit Rücksicht auf die dadurch zu erlangende günstigste Anfangsgeschwindigkeit wünschenswerth ist. Andernfalls müßte der Lauf viel länger werden, als dies jetzt üblich, was wieder gegen die Grundbedingungen von Gewicht und Vordergewicht verstoßen würde. Doch ist in neuester Zeit die Länge wieder im Steigen. Werder- und Henry-Gewehr haben ziemlich dieselbe Lauflänge, wie unser altes m/41, nämlich 34 Zoll. Die Länge des Laufes kann zum Theil ersetzt werden durch einen starken Drall, wodurch der Weg, den das Geschoß zurücklegt, vergrößert wird. Mit Rücksicht auf die Verwendung von komprimirtem Pulver würde aber auch bei starker Windung der Züge das Maß von 34" Länge wünschenswerth und lieber noch 35" (pp. 900 Millim.) zu wählen sein. — Das Patronenlager als Verbrennungsraum muß sich den Dimensionen der Patrone möglichst eng anschließen (weil sonst die Hülsen platzen würden), ohne jedoch, auch bei fortgesetztem Feuer und dadurch hervorgerufener Verschleimung das Einlegen derselben zu erschweren. Der Anschluß des Patronenlagers an den Lauf soll den centralen Eintritt des Geschosses in die Züge begünstigen. Die Konstruktion des Werder-Gewehres mit kurzem konischem Uebergang scheint uns in dieser Beziehung vortrefflich und würde bei einem Geschoß mit Spiegelführung, welches beinahe mit seiner vorderen Hälfte in den gezogenen Theil hineinreicht, sich noch besser bewähren.

Die Züge betreffend, so haben die bei unserem Geschützsystem, ebenso wie in Oesterreich und England mit Gewehren angestellten Versuche unwiderleglich dargethan, daß eine größere Zahl der Züge der Präzision günstig ist. Das Festhalten vieler neuer Modelle von Handfeuerwaffen an den hergebrachten vier Zügen scheint uns daher nur durch Fabrikations- und Bequemlichkeits-Rücksichten bestimmt zu sein.

Die von uns vorgeschlagene Patrone bedarf einer größeren Zahl von Zügen schon wegen der Sicherheit der Führung durch den Spiegel, und eines starken Dralles sowohl wegen Verwendung des komprimirten Pulvers, als aus den übrigen bereits sub II. erörterten ballistischen Gründen. Starker Drall und eine größere Zahl von Zügen bedingen sich außerdem wieder gegenseitig.

Uns scheint die Zug-Konstruktion des Henry-Laufes (siehe umstehende Figur) allen anderen Systemen weitaus und in jeder Beziehung überlegen.

Maaßstab 4 : 1.
Durchschnitt des Henry-Laufs im Innern.

radius 5,9 mm

radius 6,115 mm

Bemerkung. In dem neben-
stehenden Holzschnitt sind die
Züge zu tief und breit und die
Polygonseiten zu schmal dargestellt.

Das sog. Polygonalzugsystem stellt gleichsam 14 Züge von einem sich nach
zu flach öffnenden Profil vor, welche paarweise einer flach konvex gehaltenen Polygonseite gegenüberstehen. Letztere drängt gleichsam das Geschoß in
die Züge hinein und der zwischen denselben vortretende, stumpfkantige Balken
sichert durch seine keilförmige Gestalt das Eintreten des Bleies in die
Züge. Einem Ueberspringen des letzteren wirkt also nicht nur dieser Balken,
sondern auch die demselben gegenüberstehende breite Polygonseite entgegen.
Am meisten aber spricht für diese Zugkonstruktion das Problem, welches sie
gelöst haben, nämlich die sichere Führung eines Geschosses von 31
Gramm Hartblei bei einem Drall von nur 20" englisch und einer
Ladung von 5,85 Grammen sehr brisanten Pulvers. Daß es dann
der Ueberwindung der starken Reibung einer guten Fettung des Laufes bedarf, spricht nicht gegen, sondern für die Sicherheit der Führung, die einen
bedeutenden Reibungswiderstand entbehren kann. Der Nachtheil einer etwas
schwierigen und daher im Vergleich zu gewöhnlichen Zügen kostspieligeren
Konstruktion scheint uns, gegenüber den ballistischen Vorzügen derselben,
dagegen verschwindend.
Für die Spiegelführung würde eine etwas größere Tiefe der Züge (etwa
5 Millim., statt wie bei Henry 0,185), dem verschiebbaren Material entsprechend, angemessen sein. Wir sehen dann in Anwendung dieser Zugkonstruktion und komprimirten Pulvers das Mittel, einen noch schärferen Drall,
als den des Henry-Gewehrs anwenden und dadurch die Anfangsgeschwindigkeit (mittelbar durch Erhöhung der Gasspannung), Präzision und Tragweite
bis s Aeußerste steigern zu können. Wir halten es z. B. nicht für unmöglich, bei einer Lauflänge von 34" (des gezogenen Theiles), etwa einen
Drall von 17" anwenden zu können, wodurch das Geschoß eine zweimalige

Umdrehung im Rohr erhielte und genau in derselben Lage dasselbe verlassen würde, wie es eingetreten. Darin d. h. also in dem Drallverhältniß nach ganzen Zahlen, wie z. B. bei der Zündnadelbüchse m/65, welche ganzen Drall hat, erblicken wir noch einen besonderen Vorzug in Bezug auf Verminderung von Seitenabweichungen, die näher zu erklären, uns indeß hier zu weit führen würde.

Da es für die Fabrikation und den Kostenpunkt durchaus gleichgültig, ob ein Lauf von links nach rechts, wie bis jetzt meist üblich, oder von rechts nach links gezogen ist, so geben wir der letzteren Zugrichtung den Vorzug und zwar lediglich deshalb, weil die Schützen rechts anschlagen und mit der rechten Hand abziehen, daher erfahrungsmäßig weit mehr Schüsse die Linie resp. Scheibe rechts, als links verfehlen, indem das Abziehen das Gewehr am leichtesten nach der Seite der abziehenden Hand aus der Richtung bringt.

Geringen derartigen Fehlern wirkt nun beim links gezogenen Gewehre die Derivation entgegen, während rechts laufende Züge diese Fehler vermehren. Auf diese ganz einfache Weise müssen unserer Ansicht nach die in Frankreich erreichten besseren Schießresultate mit links gezogenen Waffen erklärt werden, zu deren Begründung man dort die verwegensten Theorien (die theilweise auf die Bewegungen der Planeten zurückgingen) aufgestellt hat.

Was die äußere Konstruktion des Laufes betrifft, so hat das kleine Kaliber und die damit abnehmende Widerstandsfähigkeit des Laufes gegen Verbiegungen, Verziehen durch den Schaft re. re. zur Adoptirung von Metallstärken (das Vetterli-Repetirgewehr hat z. B. eine solche von beinahe 4 Millim. vorn an der Mündung und von 7,50 Millim. am hinteren Ende des gezogenen Theils, während die resp. Abmessungen unseres Zündnadelgewehrs nicht ganz resp. 3 und 7 Millim. betragen) geführt, welche durch die Widerstandsfähigkeit des Laufes gegen den Schuß nicht entfernt bedingt werden. Es fragt sich daher, ob nicht durch achtkantige Form des Laufes die gleiche Widerstandsfähigkeit gegen Verbiegungen re. erzielt und das Gewicht doch wesentlich erleichtert werden kann. Würde man den Lauf des Vetterli-Repetirgewehrs achtkantig gestalten, so daß seine jetzige Metallstärke nur an den Kanten erhalten bliebe, so würden die schwächsten Stellen des Metalls vorne und hinten noch resp. 3 und 6,66 Millim. betragen, was völlig ausreichend erscheint. Ein solcher Lauf würde bei einer nicht unbedeutenden Erleichterung vermöge seiner acht starken Längenkanten gegen Verbiegungen nahezu denselben Widerstand leisten, wie der ursprünglich konisch gestaltete. Er würde aber auch noch andere Vortheile bieten: eine festere, gegen Verdrehen gesichertere Einlagerung im Schaft und Erleichterung der Beurtheilung der richtigen Waffenlage für den Schützen beim Hinaufgehen in den Anschlag. Der Befestigung der blanken

ſe ſetzt ein achtkantiger Lauf, auch ohne Abrundung an der Mündung,
Hinderniß in den Weg, indem man nur den Ring in der Parirſtange
Hirſchfängers, Seitengewehrs ꝛc. ebenfalls achtkantig zu halten hat, was
Aufſtecken nicht im Mindeſten erſchwert. Eine mit größter Feuer-
eitigkeit, Präziſion und Wirkungsweite ausgeſtattete Waffe noch mit per-
ient aufgeſtecktem Bayonnet zu verſehen, wie es die Schweiz ſogar bei
m Repetirgewehr gethan, halten wir für eine contradictio in adjecto,
s nicht eben die Beſorgniß, daß der belobte Repetir-Mechanismus urplötz-
im Stich laſſen könne, dazu Veranlaſſung geweſen. Die Vermehrung
abſoluten und des Vordergewichts der Waffe, die Erſchwerung des An-
ꝛges, des Zielens ꝛc. laſſen ein permanent aufgeſtecktes Bayonnet um ſo
äthlicher erſcheinen, je größer die Vorzüge des betreffenden Gewehrs als
ußwaffe ſind. Bei der heutigen Feuerkraft der Infanterie und den da-
ch herbeigeführten Gefechtsverhältniſſen erſcheint aber auch eine ſolche ſtete
eitſchaft mit der blanken Waffe überflüſſig. Die Jäger-Bataillone und
üer-Regimenter haben im ganzen letzten Feldzuge den Mangel eines per-
tent aufgeſteckten Bayonnets nicht empfunden, die Grenadier- und Muske-
Regimenter aber hätten in derſelben Beziehung wohl oft gern mit ihnen
ſcht. Alſo an die Seite mit der blanken Waffe, die dann in Fällen
Bedarfs aufgeſteckt wird, ohne vorher die Feuerwirkung beein-
chtigt zu haben.

Daß endlich mit Annahme eines achtkantigen Laufes die veraltete Ring-
ſtigung gleichfalls der Schieberbefeſtigung weichen müßte, erſcheint uns
ein weiterer offenbarer Vortheil. Brünirten Läufen (und wir halten die
inirung des Laufes einer neuen Waffe für ſelbſtverſtändlich) widerſpricht
Ringbefeſtigung ſchon im Allgemeinen inſofern, als durch öfteres Abneh-
nen und Aufſchieben der Ringe die Brünirung leidet. Meſſingringe wi-
prechen dem Zwecke der dunkel gehaltenen Läufe, indem ſie den Glanz
Lichtreflex zum Theil wieder hervorbringen, den man vermeiden wollte;
hlringe dagegen können zwar auch (Vetterli-, Werder-Gewehr ꝛc.) brü-
werden, ſind aber dennoch bei andauernd feuchter Witterung dem An-
en an den Lauf unterworfen. Endlich iſt das Korn beim Löſen und Auf-
ben der Ringe ſtets Beſchädigungen ausgeſetzt und das Gewicht der
ſſe wird durch dieſelben, wenn auch nur um Lothe, doch immerhin ver-
ſert. Die Schieberbefeſtigung iſt ſtabiler und dennoch leichter zu löſen,
die Viſirlinie ſtets frei, erleichtert die Waffe und iſt der Erhaltung des
ns und der Brünirung günſtig. Die Vorwürfe, welche man ihr macht,
man den Lauf an den zur Befeſtigung der Warzen und Oeſen dienenden
ſtellen ſchwäche und wenig Raum für die Ladeſtock-Ruthe laſſe, ſind wohl,
rer durch die Fortſchritte der heutigen Technik, letzterer durch die geringen
uuſtonen der jetzigen Entladeſtöcke hinfällig geworden.

Was die wichtigen Visirvorrichtungen anlangt, so hat v. Plönnies in seinen vielen Schriften so Vortreffliches und Eingehendes darüber gesagt, daß wir uns hier auf die Bemerkung beschränken zu können glauben, wie gegenwärtig wohl jeder Sachverständige davon durchdrungen ist, „das erhöhbare Visir einer Kriegswaffe müsse auf jede Entfernung so eingestellt werden können, daß der Schütze nur mit gestrichen Korn auf den beabsichtigten Treffpunkt zu zielen hat." Das von Plönnies so sehr befürwortete Hessische Visir, bei welchem eine drehbare Klappe, gabelartig das Standvisir umfassend, dasselbe für die näheren Entfernungen frei läßt, scheint, in Verbindung mit den doppelseitigen Klemmfedern des Schweizer Quadrantenvisirs, welche die Klappe in ihrer Stellung erhalten, auch uns als die zweckmäßigste, bis jetzt bekannte, derartige Einrichtung. Ist dann das Standvisir für den bestrichenen Raum, welcher sich beim Zielen auf die Mitte eines 1,70 Meter hohen Zieles ergiebt, eingerichtet, so dürfte es sich lohnen, für das Fleckschießen auf nähere Entfernungen dasselbe noch mit einem Segmentvisir für diejenige Distanze zu versehen, wo sich das Geschoß nur 15" über die Visirlinie erhebt. 15 Zoll ist nämlich etwas weniger, als die doppelte Höhe eines Mannskopfes (diese zu 8" gerechnet). Der Schütze würde daher auf die Mitte jener Distanze, also im ungünstigsten Falle, einen bis zum Kopfe gedeckten Gegner noch treffen, wenn er gerade um eine Kopfhöhe unter das Ziel hielte, was wohl das am leichtesten zu behaltende und zu beobachtende Merkmal ist, welches sich für diesen dann letzten, aber nothwendigen Rest unseres alten, komplizirten Haltezettels aufstellen läßt.

B. Verschluß und Schloß. Waren wir in Bezug auf Laufkonstruktion so glücklich, im Henry-Lauf, mit einigen Modifikationen, ein nachahmenswerthes Vorbild zu finden, so sind wir, was Schloß und Verschluß anbetrifft, fast in noch glücklicherer Lage, sofern unseres Erachtens der Werder-Mechanismus die vortrefflichsten Eigenschaften besitzt und nur geringe und leicht zu beseitigende Anstände bietet. Wir können uns daher, um seine Vorzüge besser ins Licht zu setzen, darauf beschränken, die zahlreichen sonstigen bei Hinterladern angewendeten Mechanismen nur einer sehr kurzen, ganz generellen Betrachtung zu unterziehen. Dieselben lassen sich in drei Hauptklassen theilen: Klappen-, Cylinder- und Blockverschlüsse. Erstere, meist bei aus Vorderladern umgeänderten Waffen angewendet (Wänzl-, Snider-, französisches Tabatière-Gewehr ʒc.), sind fast durchweg mit dem alten Perkussionsschloß verbunden. Sie haben daher viele Theile, bieten besondere Schwierigkeiten in Bezug auf das Ausziehen der Metallhülsen, wobei fast stets mit der Hand nachgeholfen werden muß, erfordern incl. Abdrücken meist 6—7 Griffe, gewähren also nur geringe Feuerschnelligkeit und sind dabei wenig solide. Sie sind eigentlich schon antiquirt.

Die Cylinderverschlüsse, dem Ahnherrn aller Hinterlader, dem Zündnadelgewehr, entnommen, haben auch noch bei neuen und neuesten Modellen
Verwendung gefunden (Carl-, Chassepot-, Vetterli-Einlader- und Repetirgewehr). In Bezug auf die Sicherheit des Verschlusses kann man sie ein-
teilen in solche mit innerer (wo der Cylinder in das Laufmundstück eintritt,
z. B. bei unserem Karabiner m/56, beim Chassepot, Vetterli ꝛc.) und
äußerer Obturation (wo der Cylinder das Mundstück des Laufes umfaßt,
so beim Zündnadelgewehr m/41, m/62 ꝛc.). Die innere Obturation
muß stets als ein Nachtheil betrachtet werden, insofern sie etwa aus-
strömende Gase dem Schützen geradezu ins Gesicht leitet. Das
gilt selbst für die Anwendung von Metallpatronen, für den Fall z. B., wenn
die Hülse reißt (Vetterli-Gewehr). Alle diese Verschlüsse haben ein Spiral-
schloß, ähnlich unserem Zündnadelgewehr, nur durch Stärke und Anordnung der Spiralfeder verschieden. Die Griffe variiren: 6 beim Zünd-
nadel-, 5 beim Chassepot-, 4 beim Vetterli-Einlader und 3 beim
Repetirgewehr. Man sieht also, die Gewehre mit Metallpatrone geben
bei Nothwendigkeit eines Extraktors eine größere Feuerschnelligkeit, als die
mit verbrennlicher Patronenhülse.

Als Nachtheil dieser Verschlüsse erscheinen hauptsächlich folgende:

1) Die bedeutende Reibung, welche die Cylinder in der Hülse und die
innern Theile im Cylinder (Kammer) sowohl beim Drehen, als namentlich
im Vor- und Zurückschieben erleiden und, welche sich durch Pulverschleim,
Staub und besonders Rost derart steigern kann, daß der Verschluß völlig
unbrauchbar wird. Dieser Nachtheil tritt bei unserem Zündnadelgewehr
am wenigsten hervor und zwar wegen des großen Spielraums der Kammer
in der Hülse und des Schlößchens in der Kammer, von welchen ersterer durch
die Art der äußeren Obturation (Umfassung des spundförmig gestalteten Lauf-
mundstücks und völliger Schluß erst durch Antreibung der schiefen Flächen),
letzterer durch das ziemlich starke Federn der Sperrfeder ermöglicht wird.
Im Chassepotgewehr ist die Reibung, namentlich des durch Schießen etwa
geschmutzten Kautschukringes in der Hülse schon ziemlich hinderlich, der Gang
des Nadelbolzens im Verschlußcylinder aber kann schon durch bloße Verschleimung völlig versagen, wodurch dann das Spannen des Hahns mittelst eines
eigenen coup de talon nöthig wird, wie es das Reglement vorschreibt.

Den schwersten Bedenken in Bezug auf Kriegsbrauchbarkeit unterliegt in
dieser Beziehung der Vetterli-Verschluß. Die scharfen, engpassenden
Theile (z. B. die für den Extraktor in Nuß und Hülse, für die
Krapfen in letzterer), die fest anschließende Führung der
Hülse in der Hülse, des Cylinders in der Nuß, die rechtwinklig
geschnittenen, scharfen Flächen der Nußkrapfen und der sie
aufnehmenden Rasten in der Hülse, dazu beim Repetirgewehr die
Führung des Kniehebels in der unteren Nuthe des Ver-

schlußcylinders ꝛc. ꝛc. konstituiren ein Maß von schleifender ꜹd Drehreibung, wie wir es bei keinem andern Verschluß auch nur annähernd finden. Die Folge ist, daß nur bei gut geschmiertem, untadelhaftem Mechanismus ein guter Gang vorhanden, daß aber irgend ein in diese knapp schließenden Gänge eingetretenes Sandkorn nicht nur die knappe Reibung, sondern sehr leicht auch Grate, Schrammen und Auftreibungen hervorruft, welche zu ferneren Hemmungen und Verletzungen Veranlassung geben, bis sie der Büchsenmacher wieder beseitigt. Wie schnell der Rost bei diesem engen und knappen Gange aller Theile den Mechanismus ungangbar machen muß, liegt auf der Hand. Und dabei ist er gegen Feuchtigkeit am allerwenigsten geschützt.

2) Die excentrische Hebelwirkung beim Zurück- und Vorführen des Cylinders, durch welche jede Reibung nothwendig verstärkt und, wenn Hindernisse vorhanden sind, ihre schädigende Einwirkung auf den Mechanismus gesteigert wird. Auch dieser Nachtheil tritt beim Zündnadelgewehr mit seiner groben Solidität und seinen großen Spielräumen im Gange der Mechanik am wenigsten, beim Vetterli-Gewehr in gesteigertem Maße hervor, weil die Führung des verhältnißmäßig langen Cylinders in der sehr kurzen Hülse nicht hinreicht, denselben in seiner Achsenrichtung völlig sicher zu stellen.

3) Die große Länge der Verschlüsse, welche sie namentlich für Kavallerie-Feuerwaffen (Karabiner, Pistolen) weniger geeignet macht, bei uns ja auch bekanntlich zu einer verkürzten Konstruktion (Kompressionsschloß) geführt hat, die aber wieder besonderen Bedenken unterliegt.

4) Ein weiterer Vorwurf trifft eigentlich nur den Chassepot- und Vetterli-Verschluß, nämlich daß die Verschluß-Cylinder (resp. bei ersterem der dünne Nadelbolzen) leicht Beschädigungen ausgesetzt sind, weil ihnen bei geöffnetem Verschluß im größten Theil ihrer Länge alle Unterstützung mangelt, daher jeder Stoß oder Schlag, welcher sie zufällig trifft, an einem bedeutenden Hebelarm wirkt. Andererseits aber entbehren dafür auch diese Verschlüsse des reellsten Vortheils, welchen der Zündnadel-Verschluß gewährt, nämlich der den Schützen in so hohem Maße sichernden äußeren Obturation.

Der Extraktor des Vetterli-Mechanismus wirkt außerdem ohne jede Kraftersparniß ziehend, mit einem scharfen Haken einseitig an dem oberen, durch die Explosion der in ihm untergebrachten Zündmasse jedenfalls geschwächten Patronenrandes.

Wir haben uns bei Beurtheilung dieser Verschlüsse etwas länger verweilt, als es der uns zugebilligte Raum eigentlich gestattet, dürfen aber als Entschuldigung dafür wohl anführen, daß es uns darauf ankam, zu zeigen, was Alles die veraltete, langsame, vielgriffige, aber doch solide Mechanik der Zündnadel noch vortheilhaft von ihren jüngeren.

...igern, aber mit allen Schwächen der Eitelkeit behafteten ...lömmlingen unterscheidet. In Bezug auf den Vetterli-Verschluß ... sind wir der Ansicht, daß er bisher meist viel zu günstig beurtheilt wor... ... Es ist ein hübsches Kunststück der Mechanik, aber seine Kriegs... ...barkeit erscheint mehr als zweifelhaft. Das glauben wir um so mehr ...heben zu müssen, als sogar eine Autorität, wie Plönnies, denselben ... Weiteres zur Einführung für unsere Jäger und Kavallerie empfiehlt.

... Ein eigenthümlicher Cylinderverschluß ist der des österreichischen Werndl... ...wehres, bei welchem die vor- und zurückschiebende Bewegung auf ein Mi... ...mum beschränkt ist. Derselbe zeichnet sich durch große Solidität aus, aber ... durch großes Gewicht. Ebenso ist er ziemlich komplizirt (besteht außer ... Perkussions-Rückschloß noch aus acht Theilen), verwendet zum Anpressen ... Verschlußwelle an den Lauf zwei schiefe (Schrauben-) Flächen und zur ...stellung derselben eine an ihrem Ende keilförmig gestaltete Achse, gegen ... eine starke Feder drückt. Durch diese Einrichtung wird eine ziemlich ... Reibung hervorgerufen und die ursprüngliche Idee einer bloßen Achsen... ...hung sehr beeinträchtigt. Dieser Verschluß bietet übrigens gegenwärtig um ... weniger Interesse, als er noch 5 Griffe bedarf, also 1—2 mehr, als die ...sten:

Blockverschlüsse. Zu den vollkommensten dieser Art rechnen wir den ...tini-Verschluß beim Martini-Henry-Gewehr und den schon sub I. mehr... ...h hervorgehobenen Werder-Mechanismus. Beide stimmen darin überein, ... sich ein massives Verschlußstück, der Block, um eine hintere starke Achse ...im Oeffnen nach vorn abwärts, beim Schließen nach aufwärts ...wegt. Bei Martini geschieht die Handhabung durch Hebelkraft vermittelst ...nes unter dem Schaft liegenden Bügels, wodurch beim Oeffnen der Ejektor ... Thätigkeit gesetzt, während gleichzeitig eine Spiralfeder gespannt wird, ... dann beim Abdrücken einen Stift zur Entzündung der Patrone vor... ...nellt. Bei Werder wirkt beim Oeffnen eine starke Feder, die Verschluß... ...feder, mit, welche das Verschlußstück abwärts auf den vorstehenden Arm ... Ejektors schnellt, während Schließen und Spannen durch Aufziehen des ...ahns bewirkt werden, auf welchen beim Abdrücken eine starke Schlag... ...er wirkt.

Als Hauptvorzüge dieses letztern Verschlusses erscheinen:

1) Die geringe Zahl der Griffe, da das Abfeuern und Oeffnen des ...erschlusses fast als ein Griff zu betrachten (siehe sub I.), Spannen und ...chließen aber thatsächlich zusammenfallen, so daß incl. Einlegen ... Patrone nur drei Griffe in Rechnung zu stellen sind, während beim Mar... ...-Verschluß doch deren vier gerechnet werden müssen, indem das Oeffnen ... vollen Griff mit dem langen Bügel nach vorn erfordert, der noch dazu ...samer ist, weil während desselben die linke Hand das Gewehr allein hal-

2) Die mechanische Erleichterung der Griffe durch selbstthätige Feder-wirkung, welche die Kraftanstrengung des Schützen auf ein Minimum er-mäßigt.

3) Das Werder-Gewehr begünstigt, wie kein anderes, das Laden in jeder Körperlage des Schützen. Es zeichnet sich in dieser Beziehung sowohl vor dem Martini-Henry-, wie vor dem Vetterli-Gewehr aus und bietet den be-sonderen Vorzug, daß seine Patrone, einmal über die Lademulde des Verschlußstücks geschoben, selbst bei senkrecht erhobenem Ge-wehr, durch das geringe Aufwärtsfedern des Verschlußstücks fest-gehalten wird.

4) Die Vermeidung fast aller gleitenden Reibung, während die Achsen durch ihre Drehung, wie sub 2 erwähnt, ihr Lager selbst rein und glatt er-halten, Unreinigkeiten dort nicht eintreten können.

5) In Folge davon und wegen des bedeutenden todten Raumes im In-nern des Schlosses eine große Unempfindlichkeit gegen Witterungsverhältnisse. Feuchtigkeit sowohl, wie Staub und Schmutz können sich im Mechanismus in bedeutendem Maaße ablagern, ohne seinen Gang zu stören.

6) Der Verschluß ist sicher: er kann weder bei gespanntem Hahn geöffnet, noch die Patrone bei nicht geschlossenem Gewehr entzündet werden. Auch beim Platzen einer Hülse werden die austretenden Gase zur Seite abgelenkt. Beim Oeffnen ist das Zurückziehen des Schlagstiftes durch den am Hahn befindlichen Steg mit Friktionsrolle selbst dann garantirt, wenn die Spiralfeder erschlafft sein sollte.

7) Die Sicherung, wenn der Hahn in der Ruhrast steht und das Verschlußstück durch Anstoßen der Stütze etwas gesenkt ist, ist eine sehr gute. Auch beim Anziehen und plötzlichen Loslassen des Hahns tritt der Stangenschnabel stets mit Sicherheit wieder in die Ruhrast. Ein Sperrbolzen, um das Abziehen des Drückers selbst bei gespanntem Hahn zu verhüten, läßt sich leicht anbringen.

8) Der Verschluß ist außerordentlich leicht zu zerlegen und zu reinigen. Zwei bis drei Instruktionsstunden würden hinreichen, diese Manipulation jedem Rekruten beizubringen.

9) Die empfindlichsten und der Abnutzung am meisten unterworfenen Theile, vor Allem die Federn, sind sehr stark konstruirt und nur mäßigen Anstrengungen ausgesetzt. Sollten sie trotzdem brechen oder versagen, so sind sie sehr leicht zu ersetzen. Die Vorrathsstücke sind klein und leicht mitzu-führen.

10) Die einzelnen Theile des Verschlusses lassen sich von verschiedenen Exemplaren ohne Nachtheil austauschen und verwechseln. Daraus gehen noch besondere Vortheile für die Fabrikation im Großen hervor.

11) Der Verschluß gestattet einen bedeutenden Spielraum in Bezug auf die Länge der Patrone resp. der Hülse. Das ist selbstredend höchst wich-

für etwaige Verbesserungen der Patrone, Vergrößerung der Pulverladung s. w. Ein bloßes Nachfraisen des Patronenlagers würde hinreichen, um rt längere Patronen verwenden zu können, während z. B. Cylinder-, noch mehr Klappenverschlüsse durch ihre ganze Construktion eine bestimmte Länge der Patrone gebunden sind.

Unter den Ausstellungen, welche man andrerseits an dem Verschlusse geht, scheinen uns nur zwei von einiger Bedeutung:

1) Der Hahngriff steht weit vor und ist bei seiner etwas geringen rke leicht Beschädigungen ausgesetzt. Er könnte ohne Nachtheil verstärkt in einen vorn abgeflachten und mit Fischhaut versehenen Knopf (ähnlich des Chassepot) verwandelt werden. Dadurch würden auch die Gehrgriffe erleichtert.

2) Der ungetheilte Schaft ist durch das große Verschlußgetse sehr geschwächt. Wäre es nicht besser, an der hinteren Wand des jäuses eine vertikal stehende, an ihrem unteren Ende das Kolbenblech bile und an den Rändern aufgetrichterte, Stahl- oder Eisenplatte anzubrinund auf diese die getheilten hölzernen Kolbenhälften aufzuschrauben? Bei noch zulässigen Erleichterung des Laufes und dem Wegfall der Ringbegung könnte das geschehen, ohne das Gesammtgewicht des Gewehrs irgend eblich zu vergrößern, während der Schwerpunkt noch günstiger zuverlegt und die für einen immerhin möglichen altdeutschen Geuch im Handgemenge nöthige größere Haltbarkeit geschaffen rde.

Unsere Ansicht ist: der Werderverschluß steht bis jetzt von allen aunt gewordenen Verschlüssen unübertroffen da und würde sich geringer Modifikation für das neue deutsche Ordonnanzgewehr rfehlen. Unter Uebertragung des Prinzips des Langbleigeschosses mit egelführung auf ein kleines Kaliber (11 oder [?] 10,5mm·), Verwendung primirter Ladungen, der Laufkonstruktion nach Henry und der des Werderchlusses würde sich ein Gewehr herstellen lassen, welches allen bis jetzt beten in jeder Beziehung die Spitze zu bieten im Stande wäre. Die ge, ob nur ein oder mehrere Modelle, z. B. für die Spezialwaffen, zu ntiren seien, wollen wir vorläufig nicht weiter erörtern. Uns scheint es, ob auch in dieser Beziehung eine Vereinfachung geboten sei. Höchstens i Modelle: Eins für die gesammte Infanterie incl. Jäger, das andre für allerie, Artillerie und Pioniere, könnte man zugeben, und wenn es dann t anders ginge, auch zwei Patronen. Was darüber, ist vom Uebel.

Damit schließen wir unsere Erörterungen, die, wie lückenhaft und unbommen sie auch schon des Raumes wegen bleiben mußten, doch als Ret deutlich erkennbar hingestellt haben dürften, daß die heutige Balliund Technik im Stande sind, die Gewehrfrage in einer Weise ösen, welche auf lange hinaus genügen wird, ja, daß wenn ba-

Genial und von weittragender Bedeutung sind die [...]
ten über die Einbürgerung des Ordonnanzgewehrs und der
bürgerlichen Schützengesellschaften. Daß dadurch die [...]
eine neue, äußerste Steigerung erfahren möchte, ist wahrscheinlich[...]
über den neu sich regenden Geistern der Weltverbesserung von [...]
auf wäre eine solche Verbreitung von Kriegswaffen und Patronen [...]
ohne Bedenken.

Ueber das neue deutsche Projektgewehr erfahren wir freilich [...]
der Kern der höchsten ballistischen Leistungen in den drei [...]
23 Gr. Hart-Blei, bei 0,₃ Querschnittsbelastung pro Qu[...]
millimeter, und 6 Gr. Pulverladung. Wir stimmen dem [...]
zu, bedauern aber, daß die Mittel, zu diesem Resultate zu gelangen[...]
weitere Erörterung gefunden haben. Im letzteren Falle möchte [...]
Beurtheilung der Henry-Laufkonstruktion weit günstiger ausgefallen ([...]
als auch der Verwendung komprimirten Pulvers, wie der Spiegel[...]
(die übrigens zu unserer aufrichtigen Freude in diesem Buche nicht [...]
in den früheren Schriften, als reiner Nothbehelf dargestellt wird) ein[...]
Beachtung geschenkt worden sein.

Der Hauptwerth des Plönnies'schen Buches, dem es auch sonst nicht[...]
geistreichen Paradoxen und Widersprüchen fehlt, liegt übrigens in dem[...]
großer Mühe und Arbeit gesammelten, gesichteten und vorz[...]
klar und übersichtlich geordneten Versuchsmaterial. [...]
bedeutenderen Ordonnanz-Gewehre finden eine eingehende Beur[...]
Würdigung in Bezug auf Konstruktion und Leistungen. Die [...]
nen und deu[...] den Figuren tragen bedeutend dazu bei, dem [...]
ständniß zu e[...] ern. Ist auch die Schrift nicht durchweg so zu [...]
indem sie für manche Theile nicht unbedeutende Vorkennt[...] in der [...]
voraussetzt, so kann sie doch jedem Offizier, der sich über die neuesten [...]
feuerwaffen und ihre Wirkung orientiren will, nur aufs Dringendste [...]
len werden. Noch lange dürfte dieselbe die beste Quelle zur Vergleich[...]
der Waffenwirkung der europäischen Infanterieen bilden. Möge die S[...]
ihre völlige Ergänzung bald durch eine offizielle Instruktion über [...]
neue deutsche Gewehr finden!

73.

Druck von E. S. Mittler u. Sohn in Berlin, Wilhelmstraße 122.

...rachtungen über die Formation, Verwendung und ...ungen der Reiterei, angeregt durch die Schrift: ...pagne de 1870. — La Cavalerie française par le lieutenant colonel T. Bonie.

...dem oben angeführten Titel liegt uns eine Schrift vor, welche durch ...höchſt intereſſanten Inhalt ebenſo zu eingehenderer Betrachtung auf=
...als ſie durch die anſprechende Form der Darſtellung wohlthut, nach ...en, von Haß= und Rachegefühlen gefärbten ſchriftſtelleriſchen Erzeug=
...welche von gegneriſcher Seite zu uns herübergekommen ſind.
...ber den eigentlichen Zweck ſeiner Arbeit läßt Verfaſſer ſich in nach=
...en Zeilen des Näheren aus:

...a l'aveu de tous, la cavalerie française a été sublime de cou=
...mais au dessous de sa mission pour les services, qu'on était
...it d'exiger d'elle. Il importe donc, que son instruction subisse
...fondes modifications. Nous allons les demander à l'experience
...itable de faits, en étudiant le rôle joué par la cavalerie enne=
...par la nôtre. Plus sûrement que toute hypothèse, les resul=
...tenus traceront la route à parcourir.

...sgehend von der Anſchauung, daß jene Diskuſſionen über den tak=
...Werth der Kavallerie, welche in letzter Zeit — hervorgerufen durch
...e Entwickelung der Infanterie und Artillerie — an der Tagesordnung
...; derſelben, indem ſie ihr Preſtige verringert, ebenſo nachtheilig ge=
...eien, als die Indifferenz des mit ihrer Leitung betrauten Komités,
...abgeſehen von geringen, unweſentlichen Aenderungen, die Reglements
...truktionen von 1829 beibehielt, — bezeichnet er die franzöſiſche Kavallerie
...rant rien appris il est vrai, mais n'ayant rien oublié non plus,
...riotisme et de la bravoure de son passé.

...las! ruft er aus, ce sang partout si généreusement versé n'a
...u'à sauver l'honneur des armes sans jamais trouver la victoire
...ecompense!

2.

Ein anerkennenswerthes Zugeständniß, dem wir bisher in den T
stellungen unserer westlichen Nachbarn zu begegnen nicht gewohnt war
gleichzeitig charakteristisch für den Ton der ganzen Schrift, in welcher
nirgend auf jene in ihrer Form oft so wenig ansprechenden Vorwürfe ge
Kaiser, Regierung und Vorgesetzte stoßen, wie uns auch keiner der in let
Zeit so beliebt gewordenen Traîtres vorgeführt wird.

Ernst und mit wohlthuender Objektivität geht Verfasser an seine,
ihn sicherlich bitter schmerzliche Arbeit, bei der man ihm mit um so a
richtiger Theilnahme folgt, als das Herz warm wird an diesen lebensvol
Schilderungen, geistreichen und sachgemäßen Betrachtungen, die über d
Interesse an der Sache beinahe die Gegnerschaft vergessen machen. Es
wahrhaft erquicklich, endlich einmal wieder einem jener ritterlichen Män
zu begegnen, denen man gerne zu gemeinsamem Wirken die Hand reic
wenn es nicht anders sein kann, auf dem Kampfplatze gegenüber zu tre
sich zur Freude und Ehre rechnet.

Ueberdem enthält das Buch in seinen wahrheitsgetreuen Schilderun
der Thatsachen eine Anerkennung für die deutsche, speziell norddeutsche R
terei, daß man schon um dessenwillen dasselbe mit besonderer Befriedig
aus der Hand legt.

In den drei ersten Hauptabschnitten seiner in fünf dergleichen zerfall
den Schrift schildert Verfasser zunächst in kurzen scharfen Zügen die Mo
lisirung und erste Aufstellung der französischen Armee, das Vorspiel
Kampfes; hierauf mit ritterlichem Feuer die heldenmüthigen Opferritte sei
Landsleute und Waffengenossen bei Wörth und Sedan — augenschein
vielfach aus eigener Anschauung — mit lebhaften Farben ihre Thaten
Bionville — nach von ihm angeführten ersichtlich guten Quellen. Die gro
kriegerischen Ereignisse jener Tage des August und September 1870,
insofern in den Bereich seiner Darstellung ziehend, als es zum Verständ
erforderlich, beschränkt er sich vornehmlich auf Schilderung der Thätig
und Leistungen der beiderseitigen Kavallerien. Voller Anerkennung für
Ueberlegenheit der deutschen Reiterei in Allem, was auf den Sicherungs-
Aufklärungsdienst Bezug hat, worin er sie rückhaltlos und ausschließlich
nachzuahmendes Vorbild hinstellt, gesteht er ihr jene Ueberlegenheit in d
eigentlichen Gefechte Reiterei gegen Reiterei nicht zu, schildert jedoch schonun
los die gänzlich falsche Verwendung der französischen Kavallerie, sow
auf den Schlachtfeldern, als auch und ganz besonders in den so wicht
Zwischenzeiten der großen Aktionen. Er sucht den Grund ihrer Unfähig
für die Erfüllung der in letzterer Richtung an sie gestellten Forderungen
falscher Organisation und Ausbildung theils mangelhafter, theils falsch
leiteter Thätigkeit von Offizieren und Leuten.

Wenngleich, wie bereits berührt, das Buch schon allein in der wahrhe
getreuen Darstellung des Thatsächlichen eine hohe Anerkennung für die

a ber beutschen Kavallerie, sowie ihre Verwendung im Sicherheits- und
rungsbienste enthält, geben eben diese Darstellungen boch auch so man-
zu benken, namentlich über die Verwendung und Führung auf den
htfelbern, die Organisation, Vertheilung und Führung der Reiterei im
n und Ganzen; wir möchten baher die Lektüre desselben allseitig
varm empfehlen, und wenn wir in Folgendem ausführlicher auf seinen
t eingehen, geschieht dies hauptsächlich, um die allgemeine Aufmerksam-
erhöhtem Maße auf dasselbe zu lenken, die in ihm niedergelegten
rungen, Betrachtungen und baraus entwickelten Grundsätze in weite-
Kreise der Beachtung zu empfehlen.

In dem von der Mobilisirung der Kavallerie handelnden Abschnitte
wir auf den Satz: „la cavalerie qui doit être la pointe de l'ar-
pour l'eclairer au loin sera la dernière prête, et fermera la
e au lieu de l'ouvrir."

Man kann der beutschen Heeresführung nicht den Vorwurf machen, baß
e Vorbereitung der Reiterei für den Uebergang vom Friebensfuße auf
riegsfuß in der Weise vernachlässigt hätte, wie dies bei der franzö\u00ad-
ber Fall gewesen und bem Verfasser zu obigen Worten das vollste Recht
im Gegentheil, es ist wie Alles, so auch die so schwierige und leicht
benbe Mobilisirung der Reiterei, auf das Sorgsamste vorbedacht und
as Vollkommenste gesichert. Aber — war es nicht vornehmlich der
amkeit und Unentschlossenheit unserer Gegner, ihrer Ungeschicklichkeit
ebrauche ihrer Kavallerie zu banken, wenn wir nicht beim Beginn der
itionen schmerzlich den Mangel größerer selbstständiger Reiter-
i empfunden haben. Wohl nicht ganz ohne Berechtigung wird es auch
nderer Seite *) der beutschen Kavallerie, bei höchster Anerkennung für
päteren Leistungen zum Vorwurfe gemacht, baß sie nicht früh genug
Stelle war.

Es ist nicht zu leugnen, die letzten fertig und die letzten zur Stelle wa-
le für den Sicherungs- und Aufklärungsdienst im Großen vornehmlich
nten Kavallerie-Divisionen des norddeutschen Heeres. Kann man
araus der Waffe einen Vorwurf machen? Findet dieser augenschein-
bebelstand nicht vielmehr seine Begründung großentheils barin, baß in
riebens-Organisation der Kavallerie keine den selbstständigen Divisionen
Waffe entsprechende Formation besteht, diese im Augenblick der Mobil-
ng vielfach erst Angesichts des Feindes und auf feindlichem Boden er-
muß? und zwar aus Truppentheilen, die sich oft gar nicht oder boch
enig kennen, von der Aneinanderfügung, in der sie ihren so wichtigen

*) Oesterreichisch-ungarische Wehrzeitung Nr. 127 pro 1871 in bem Schlußsatze des
... „Betrachtungen über die Thätigkeit und die Leistungen der Kavallerie im Kriege
... Rittmeister H. Walter."

und anstrengenden Dienst leisten sollen, während der Friedens-Ausbildung nie eine praktische Anschauung, viel weniger Uebung hierin zu gewinnen legenheit haben.

Würde einer ebenso tüchtigen, ebenso geschickt geführten und verwen Reiterei gegenüber der Erfolg der unsrigen, ihre auch für die ungestörte vom Feinde anerkannte Entwickelung der großen Heereskörper so übe wichtige Thätigkeit nicht wesentlich kompromittirt worden sein?

Es ist nur eine Frage, ein Gedanke, den auszusprechen wir uns ge an dieser Stelle nicht versagen konnten, in der Hoffnung, daß er, an r samerer Stelle erfaßt, fruchtbringend werden möge für ein Gebiet in Formation und der damit eng zusammenhängenden Verwendung unserer W welches bisher noch sehr wenig angebaut worden.

Von der an das Unglaubliche streifenden Leichtfertigkeit der französi Kriegsvorbereitungen erhalten wir in dem beregten Kapitel ein anschauli Bild; dasselbe schließt mit den charakteristischen Worten: „Aussi, sui la coutume, on s'en remit au hasard pour le soin de t arranger, et, plein d'insousiance, on se porta avec confiance devant de l'ennemi."

In dem Kapitel, welches der ersten Aufstellung der beiderseitigen H gewidmet ist, lesen wir über die deutsche Reiterei: „en un mot, elle é exercée à savoir masquer les siens et à surprendre les autres."

Höchste Anerkennung findet die Gewandtheit unserer Reiterei, sich mittelst der Karte selbst in einem ihr vollkommen fremden Terrain rasch recht zu finden, namentlich im Gegensatz zu der gänzlichen Ungeübtheit daraus entspringenden Unfähigkeit der Franzosen in diesem Punkte: „la ture des cartes lui (l'ennemi) est aussi facile que celle d'un l ouvert. Pour nous au contraire, c'est le brouillard! — — — C'est donc avec un vice radical, que nous entrons dans campa il en résulte un désavantage masqué, et le courage le plus bril sera stéril pour le compenser."

Ueber die préludes des hostilités lesen wir: „Dès le début de guerre, la cavalerie allemande va nous prouver, par des coups d saie sur la frontière de l'Est, son habilité et son intelligence. A une audace inouie, elle quitte son territoire. Choisissant quelq cavaliers pour observer et bien voir, elle les lance sur notre p Au nombre de cinq ou six seulement, ils courent à toute vite brisent les fils télégraphiques et, couchés sur les chevaux, traver les villages en frappant de stupeur les habitants. C'est une vé table image de la ballade allemande. Ils arrivent, p sent comme le vent, et disparaissent de même pour r trer chez eux!"

Die Franzosen hatten diesen ununterbrochenen Fliegenstichen — wie Verfasser ferner die Thätigkeit der deutschen Reiterei bezeichnet — nichts Aehnliches entgegen zu setzen: „Nous employons, au lieu de cela des pelons, des escadrons, et même des régiments pour observer les pays. Ainsi que dans la fable du lion et du moucheron, à la ruse, nous opposons la force, et, comme l'ennemi est insaisissable, avant les premières batailles la cavalerie désignée pour ce service est fatiguée à pure perte."

Der Verwendung der Waffe als Divisions-Kavallerie ist Verfasser nicht günstig gestimmt, wie er uns erzählt aus eigener Erfahrung und Anschauung. Er betrachtet die dauernde Zutheilung von Reiter-Regimentern zu den Infanterie-Divisionen als eine Art Verschwendung, glaubt, die Kavallerie könnte in größerer Selbstständigkeit und Freiheit dem Ganzen Ersprießlicheres leisten. Freilich, so wie die Reiterei bei den französischen Infanterie-Divisionen verwendet worden, als Kugelfang, als Mauerbrecher gegen die feindlichen Linien, welche die anderen Waffen nicht zu bewältigen im Stande, in der Weise — darin müssen wir dem Oberst-Lieutenant Recht geben — darf die Reiterei nicht verwendet werden. So hingegen, wie dieselbe bei den deutschen Infanterie-Divisionen seit lange gebraucht wird, ganz nach denselben Grundsätzen, wie die größeren selbstständigen Reiterkorps im Verhältniß zu den Armeen, ist ihre Thätigkeit von großem Nutzen, bietet sich ihr manch glänzender Erfolg, wenn auch in beschränkteren Grenzen. Die Kavallerie bildet einen ganz wesentlichen Bestandtheil der Infanterie-Divisionen, ohne sie würden dieselben im Hauptmoment ihrer Selbstständigkeit, allzeit gleich bereiten Brauchbarkeit einbüßen.

Freilich sind die deutschen Heere so reich an Reiterei, daß sie sich eine gewisse Ueppigkeit in der Verwendung dieser Waffe gestatten können, was bei anderen Gegnern nicht in demselben Maße der Fall war, trotzdem können wir nicht zugeben, daß selbst eine verhältnißmäßig geringe Stärke an Reiterei dazu berechtigt, den Infanterie-Divisionen diese Waffe ganz zu entziehen; es muß in diesem Falle eine der vorhandenen Gesammtstärke entsprechende Bertheilung der Kavallerie vorgenommen werden, denn in beiden bezeichneten Verwendungsarten ist sie für die heutige Kriegführung gleich unentbehrlich.

Jedenfalls aber geben die hier berührten Darstellungen, den thatsächlichen Verhältnissen entnommen, einen Beweis mehr dafür, wie nothwendig es ist, neben der Divisions-Kavallerie noch eine Reiterei, und zwar in beträchtlicher Stärke, zu haben, welche in sich selbstständig operirt, nur von der Hand des Ober-Befehlshabers geleitet.

Von diesen einleitenden Betrachtungen zur Darstellung der Ereignisse des Krieges selber übergehend, giebt Verfasser eine flüchtige Skizze des Gefechts bei Weißenburg, welches weder der französischen noch der deutschen Reiterei Gelegenheit zu entscheidendem Auftreten bot. Jene langte erst an, als das Gefecht bereits entschieden, die französische Infanterie schon auf dem Rückzuge war; diese fand kein Terrain für ihre Bewegungen; desto lebhafter und unermüdlicher war sie in der Verfolgung des geschlagenen Feindes.

. Verfasser erzählt uns hierüber: „Le temps est affreux; une tempête a éclaté et des torrents d'eau transforment en marais les prairies dans lesquelles nous campons; malgré cet ouragan les vedettes ennemies ne nous perdent point de vue: vigilantes, elles étudient nos positions, rendent compte que nous ne sommes pas en nombre pour lutter, et permettent à leur armée de tout disposer pour une attaque au point du jour."

Ohne jede Aufklärung über den Anmarsch und die Stärkeverhältnisse des Gegners nimmt Marschall Mac Mahon am 6. August die Schlacht auf den Höhen bei Fröschwiller (Wörth) an. Seine zahlreiche Reserve-Kavallerie — 6 Küraffier-, 2 leichte Regimenter — massirt hinter dem Centrum und rechten Flügel, wird bald nach Beginn des Kampfes bereits von den feindlichen Granaten erreicht und erleidet Verluste. Endlich werden 4 Küraffier-Regimenter dem Feinde entgegengeworfen, um die fast verlorene Schlacht wieder herzustellen. Ohne jede Vorbereitung, ohne das ihnen zugewiesene Gefechtsfeld aufzuklären, stürmen sie eines nach dem andern dahin, mit alt französischem Elan — nur Trümmer der glänzenden Geschwader kehren zurück, ohne ihre Degen in die Reihen des durch seine Stellung und sein Feuer unangreifbaren Feindes getragen zu haben!

Die Deutschen sind unaufhaltsam in ihrem Siegesmarsche: „Nous sommes pris de front et de flanc, et notre infanterie, écrasée par mitraille commence à flotter. — Il ne reste plus qu'un espoir pour sauver ces vaillants troupes. La cavalerie — —" und wieder donnern 2 Küraffier-Regimenter gegen den Feind, und wieder kehren nur blutige Trümmer zurück; hunderte von gefallenen Menschen und Pferden decken den Boden und der Feind bleibt im Vorwärts!

Dies in kurzen Zügen die Akte des gewaltigen Kampfes, welche Verfasser uns mit allem Detail der Befehle und Bewegungen mit dem Feuer eines echten Reitersmannes, mit scharfer aber würdiger Kritik schildert: „On partait sans objectif, on courait dans le vide, et après avoir perdu beaucoup de monde, ceux qui échappaient revenaient sans avoir pu joindre l'ennemi, ni avoir fait usage de leurs armes."

Er vertritt mit Wärme die Beibehaltung des Küraffes, gegründet auf die Erfahrungen dieses Tages: „Semblable au bruit de la grêle qui frappe les vitres on entendait le son des balles sur les armures, mais aucune ne fut traversée, et on voyait les cuirassiers démontés, cherchant un refuge dans les bois. Cette remarque est importante, parce qu'elle démontre la nécessité de conserver des régiments que l'on pretendait d'un autre âge: la cuirasse, disait-on n'étant bonne, inventions modernes, qu'à orner le musée d'un antiquaire. ... contraire s'est produit, et il faudra en tenir compte dans l'ave- ... ... la composition des divisions de la cavalerie."

Es ist eine Frage von nicht geringem Interesse, die hierdurch angeregt ... ... unter der deutschen Reiterei sind die Stimmen zahlreich, welche ... Küraß für ein veraltetes Rüststück halten, dessen Nutzen in keinem Ver- ... steht zu der Last, die er Mann und Pferd auferlegt. Es wäre daher ... hohem Interesse, wenn die Herren Kameraden von den Eisenreitern, von ... ja verschiedene Regimenter auch gerade gegen feindliche Infanterie ... wirkt haben, ihre bezüglichen Erfahrungen veröffentlichen und dadurch ver- ... machen wollten.

Gegenüber dieser hécatombe inutile hat Niemand in der französischen ... mee die Verantwortlichkeit für Ertheilung des verhängnißvollen Befehls ... sich nehmen wollen. Wir lesen auf Seite 34 hierüber interessante ... tails. Verfasser knüpft daran Betrachtungen über Befehlsertheilung an ... Kavallerie und deren Verwendung, welche allseitige Beherzigung ver- ... von dem echten Reitergeiste Zeugniß geben, welchen den Schreiber ber- ... beseelt: „Quand un aide-de-camp porte à un officier de cava- ... l'ordre de charger, il ne faut pas qu'il soit trop pressant; car ... mouvement instinctif du chef est de partir de suite, sans prendre ... ainsi dire le temps de réfléchir, vu qu'il craint avant tout, ... tre accusé par ses troupes d'hésitation ou de faiblesse. C'est un ... timent, qui est naturel, et si on n'en tient pas compte en préci- ... très nettement le but à atteindre, et en laissant le temps de ... connaitre le terrain, on cause la perte de la troupe engagée."

Interessant ist es zu erfahren, daß diese Aufopferung der Kavallerie: ... a rien sauvé avant, ni rien protégé après la dispersion, puisque ... le corps d'armée est parti pêle-mêle sur la route." — — — — ... importe que la lumière se fasse, car sans cela à quoi servirait ... dure leçon que nous venons de recevoir!?"

Die Schilderung des Rückzuges vom Schlachtfelde giebt ein belebtes ... ... der vollständigsten Auflösung. Verfasser macht der deutschen Heer- ... ... daraus einen Vorwurf, daß sie nicht schärfer verfolgte, entschuldigt ... ... aber wieder in echt französischer Weise: „suite, sans doute de l'é- ... nement d'avoir obtenu un aussi grand succès." Er schließt mit ... ... wiederholten Auseinandersetzung über die Verfahrungsweise der deutschen ... ... vallerie im Vergleich zu der der französischen.

Ein besonderes Kapitel ist der retraite sur Châlons gewidmet. Wir ... ... daßselbe ein widerwilliges Loblied auf die deutsche Reiterei nennen. ... ... viertägigem anstrengenden, durch Ruhepausen wenig unterbrochenen ... ... arsche, nach dem Verlust aller Equipirung, Bagage und Lebensmittel, ... und Pferd nur von dem ernährend, was das Mitleid der Bewohner ihnen bietet, langt die französische Reiterei, der Auflösung nahe, am 10. August in Lunéville an. Man hofft auf einige Ruhe und Erholung: „Le soldat, retrouvant sa bonne humeur, allumait son feu, trempait sa soupe, et s'apprêtait à réparer ses forces par le repos de la journée lorsqu'un ordre subit de départ arrive. Les marmites sont renversées, la ration est retirée aux chevaux, et nous bridons à la hâte. D'où vient donc cette alerte? C'est encore la cavalerie ennemie qui fait parler d'elle.

Jusqu'ici elle ne jouait que le prologue, et son action n'avait eu pour resultat que de nous forcer a accélérer nos marches. C'est maintenant, qu'elle entre vraiment en scène." — —

Verfasser schildert uns nun die Besetzung von Nancy durch preußische Ulanen, ihre Verfolgung der zurückgehenden französischen Armeen, wie sie ihnen täglich die Straßen verlegt, wenige preußische Reiter hingereicht hätten, um die ganze Armee Mac Mahons auf eine andere Marschrichtung zu werfen. Sehr lehrreich für einen denkenden Reiteroffizier ist gerade diese Periode des Krieges, zumal wenn er so glücklich gewesen, handelnd darin mitwirken zu können, wenn er die eigenen Eindrücke mit denen vergleichen kann, welche der Gegner empfangen. Es ist viel geleistet worden von der preußischen Reiterei in jener Zeit; es hätte noch mehr geleistet werden können, hätte man geahnt, wie es beim Feinde stand. Sollte es nicht ein Mittel geben, für die Zukunft derartige, immer doch hemmende, den Erfolg beeinträchtigende Täuschungen rascher zu beseitigen? Noch kühner, noch unermüdlicher, noch fester den Feinden in den Rippen gelegen, das macht es vielleicht!

Die französische Kavallerie der Korps von Mac Mahon und de Failly war ruinirt. Einen großen Theil der Schuld hieran tragen nach des Verfassers Ansicht die ununterbrochenen Bivouaks. Er lobt bei der deutschen Reiterei die Gewohnheit, so viel als möglich Quartiere zu beziehen und hält diese Art, die Truppen ruhen zu lassen, auch für die Landesbewohner weniger drückend, da ihre Felder, Gärten und Gehöfte mehr verschont bleiben. Wir können ihm aus unserer Erfahrung nur aus vollstem Herzen beistimmen. Nichts bringt die Pferde von ihren Kräften so herunter, als eine Reihe von Bivouaksnächten; nichts untergräbt die Disziplin mehr, als wenn der Mann sich gewöhnt, die Dinge, welche er braucht, gerade da zu nehmen, wo er sie findet; die Unmöglichkeit, eine für die Erhaltung der Sachen so nothwendige gewisse Reinlichkeit aufrecht zu erhalten, läßt nur zu leicht dieselbe als etwas Unnützes gänzlich aus den Augen setzen. Der Bivouak wird sich nie ganz, namentlich für die Vorposten, vermeiden lassen, aber man beschränke ihn auf das äußerste Maaß des Nothwendigen und man wird gut dabei fahren.

An dem Tage von Spicheren, den 6. August, fanden 2 Eskadrons des französischen 12. Dragoner-Regiments Gelegenheit von dem Gefechte zu Fuß

Anwerbung zu machen. Was uns Verfasser darüber erzählt, war ebenso interessant als neu, und wäre es doch von Werth, auch deutscher Aufklärungen über diese kleine Episode des Kampfes zu erhalten. Wir in unserem Buche darüber: „Les troupes primitivement chargées de la défense du débouché des bois (de Spicheren), ayant dû se ..., il ne resta sur ce point, qu'une compagnie du génie et une ... du 12. dragons. Deux escadrons de ce régiment mirent pied ..., se placèrent derrière les petites tranchées construites rapide-... par le génie et ouvrirent le feu contre les têtes des colonnes ... s'avançaient. Les ayant arrêtées, ils remontèrent à cheval, et ...gèrent l'ennemi qu'ils parvinrent à repousser. Après ce brillant ..., ils se replièrent derrière de la ligne du chemin de fer; avec ... de la compagnie du génie, ils maintinent leurs positions assez ...temps pour permettre aux troupes qui occupaient Forbach, de ...dre leurs dispositions militaires."

Eine derartige Waffenthat konnte doch nicht von deutscher Seite ganz ...merkt vorüber gegangen sein, wenn unseren phantasiereichen Nachbarn rege Einbildungskraft nicht hier einen kleinen Streich gespielt hat.

Während des Rückzuges und der Konzentration der französischen Armee Metz soll die französische Kavallerie wiederholt durch kühne Vorstöße ...cht haben, der lästigen Beobachtung Seitens der unermüdlichen deutschen er ledig zu werden. Eine Eskadron des 2. französischen Husaren-Regi-... hat sich namentlich hierbei vorgethan und dem Gegner kühn entgegen-...rfen. Leider erfahren. wir nicht, an welchem Tage und Orte. Wir ...ten, die bereits beregte lebhafte Phantasie seines südlichen Blutes dem Herrn Verfasser auch an dieser Stelle einen kleinen Streich ge-...t, wenn er uns den Erfolg, welchen jene eine Eskadron errang, mit den ...rten schildert: „mais à partir de ce moment, notre armée pût se ...rer tranquillement sur le camp retranché de Metz."

Bezüglich des Ueberfalles preußischer Husaren und Dragoner in Pont ...oufson ist es interessant zu erfahren, daß es nicht nur zwei Eskadrons ...zösischer Reiter waren, welche diesen glücklichen Fang machten, sondern ...eral Margueritte selber mit seiner ganzen Brigade (1. und 3. Chasseurs ...frique).

Sehr lehrreich wäre es, klärten recht genaue Darstellungen über die ...tigkeit der deutschen Kavallerie in diesen Tagen das gegenseitige Verhält-...auf. Für den uneingeweihten Beschauer macht es den Eindruck, als ... gerade hier eine Pause in der sonst so rastlosen Suche unserer leichten ...er auf den Feind eingetreten. Täuschen wir uns, oder was war der ... so?

Das Gefecht am 14. August gegen die I. deutsche Armee bezeichnet der ...asser als victorieux, gesteht jedoch zu, daß es insofern für die franzöfifchen Korps verhängnißvoll geworden, als es ihren Abmarsch nach Ufer verzögerte.

Am 15. August stößt General Forton mit seiner Kavallerie=Division, in Erfüllung des ihm am Tage zuvor gewordenen Auftrages, die Straße über Mars la Tour nach Verdun aufzuklären, bereits auf deutsche Kavallerie und Artillerie: „Elle — die deutsche Reiterei nämlich — tend ses filets pour nous empêtrer dans ses mailles, en attendant l'arrivée de son armée" erzählt uns Oberst = Lieutenant Bonie. — Es entspinnt sich ein Artillerie Gefecht, die deutschen Reiter — 13. Brigade von Redern der 5. Kavallerie Division — sehen während desselben, was sie wollen und behalten ihre be obachtende Stellung bei; General Forton hingegen kehrt mit seinen 4 Re gimentern unverrichteter Sache in die Bivouaks bei Bionville zurück. Die Küraffierbrigade Gramont seiner Division findet, da sie keine Schuß waffen hat, ihre Stellung zu exponirt und schließt sich der weiter östlic bivouakirenden Division Valabrègue an. Es tritt vollkommenste Ruhe ein während der Gegner: „marche toute la nuit du 15. au 16. et, aprè avoir parcouru un chemin énorme, il est en mesure de disputer l passage."

Die Schilderung der Ereignisse des 16. August beginnt: „La cavaleri du général Forton devait partir à cinq heures du matin, mais u contre - ordre fut donné et à neuf heures on débrida et desselle L'officier de dragons qui était en grand garde, ayant deux fois signal l'approche d'une artillerie et d'une cavalerie nombreuse, un officie d'état-major fut envoyé pour vérifier le fait; disant, que ne se pas sait rien de sérieux l'ordre fut alors donné de mener à l'abreuvoir tro escadrons par régiment, le 4. devant rester sur le qui-vive."

Die deutschen Granaten störten diese Ruhe bald auf verhängnißvoll Weise. Die Dragoner der Division Forton werfen sich zu Pferde und jage davon; nur mit äußerster Anstrengung gelingt es den Offizieren, einige P lotons zu sammeln. Angeblich starke feindliche Kolonnen — wiederum nu die Brigade Redern, und zwar nur mit zweien ihrer Regimenter, freilic aber mit 4 reitenden Batterien unter der einheitlichen Führung des Majo Körber — veranlassen die beiden französischen Kavallerie = Divisionen, 2 Kü raffier=, 4 Dragoner= und 2 Chasseur=Regimenter, bis nach Villers aux Boi nördlich Rézonville, zurückzugehen. Man kann dieser Kavallerie nicht de Vorwurf mangelnden Muthes machen, sie hat sich im ferneren Verlaufe de Kampfes wacker geschlagen, aber sie hatte sich überraschen lassen und darüb den Kopf verloren; ein kühner Vorstoß würde ihr die Gewißheit verschaf haben, daß sie einen numerisch sehr viel schwächeren Gegner vor sich hatte.

Die Infanterie = Division Bataille des II. französischen Korps nimm den Kampf auf, muß aber dem ungestümen Angriffe der preußischen 6. In fanterie = Division weichen. Die 3. Lanciers sollen das Gefecht herstelle

... gehen vor: „mais comme on ne leur indique pas d'ob-
... reviennent après avoir parcouru peu de terrain."

... Zurückgehen ist nicht genügend aufgeklärt; über das Angriffsobjekt,
... preußischen Batterien, welche — wie Verfasser uns einige Zeilen vorher
... — de très près den sans ordre et en courant zurückgehenden
... französischen Tirailleurs folgten, konnte kein Zweifel sein; wo die 5. Esta-
des Regiments geblieben, von welcher kurz vorher als zweitem Echelon
Reserve die Rede, bleibt dunkel.

Die Garde-Kavallerie-Division Desvaux ist in der Nähe; General du
... il mit den beiden Kürassier-Regimentern derselben erhält Befehl zum
... riff. Er macht bemerklich, daß die Entfernung von der feindlichen In-
... rie zu bedeutend, ein Mißerfolg unvermeidlich sei, er bittet, man möge
... n Angriff durch Artillerie wenigstens in etwas vorbereiten. „Chargez
... uite, ou nous sommes tous perdus", antwortet ihm General Fros-
... und die Kürassiere rasseln dahin in drei Echelons wie zur Parade. —
... der Kavallerie-General vorausgesehen, mißglückt der Angriff. Die bra-
... Reiter stoßen auf unvorhergesehene Hindernisse im Terrain, werden zum
... en Theil niedergeschossen, die Trümmer des Regiments von preußischen
... ren verfolgt, welche bis zur Suite des Marschall Bazaine vordringen,
... französische Eskadronen retten ihren Feldherrn und hauen in die auf-
... ten preußischen Schwadronen ein.

... Das Fehlerhafte, die Mißerfolge bei diesem Angriffe werden sehr richtig
... akterisirt: „On peut supposer, que l'on aurait atteint un autre but,
... omme le voulait le général du Preuil, on eut laissé le temps à
... llerie d'ouvrir le feu sur les lignes qu'il fallait attaquer. On
... également en déduire qu'il est indispensable d'envoyer toujours
... nnaître le terrain, car si les obstacles avaient été signalés, la
... ge des cuirassiers aurait reçu une autre direction."

... In der weiteren Darstellung der verschiedenen Kampfesphasen des Ta-
... vermischt Verfasser nun den Angriff der preußischen 6. Kavallerie-Di-
... n mit dem auf einen viel späteren Zeitpunkt fallenden Angriff der Bri-
... Bredow.

... Jene ging — nach den uns deutscher Seits bis jetzt hierüber vorliegen-
... Darstellungen — gleich nach dem mißglückten Angriff der französischen
... ssiere vor, um die nachhauenden preußischen Husaren zu degagiren, ver-
... te die französischen Husaren und Chasseure, welche zur Vertheidigung
... Marschalls Bazaine vorgebrochen waren, erhielt sodann aber ein von
... Seiten losbrechendes derartiges höllisches Feuer, daß sie sich genöthigt
... 500 Schritt vor der intakten feindlichen Infanterie-Linie Kehrt zu
... en.*)

---

*) Der deutsch-französische Krieg 1870 von A. Borbstaedt S. 306.

Dieses ganze Hin- und Herwogen des Reitergefechts vollzog sich vornehmlich zwischen den Fronten der preußischen 6. Infanterie-Division und des II. französischen Korps, südlich der Chaussee Vionville-Rézonville.

Wenn Verfasser die 15. preußischen Ulanen namentlich unter den Regimentern mit aufführt, welche die französischen Küraffire verfolgten, so irrt er insofern, als dies Regiment zur 6. Kavallerie-Division gehörte und erst mit dieser vorging, um die Husaren herauszuhauen.

Zwischen 2 und 3 Uhr Nachmittags erhielt die Brigade Bredow, durch Detachirungen bis auf 6 Eskadrons verringert — je 3 des Küraffier-Regiments Nr. 7 und Ulanen-Regiments Nr. 16 — Befehl, nördlich der Chaussee Vionville-Rézonville gegen feindliche Artillerie Stellungen nördlich letzteren Ortes vorzugehen. Es war une chevaudade de mort, welche die beiden braven Regimenter machten, aber keine erfolglose, denn auch die französischen Kavallerie-Divisionen Forton und Valabrégue, welche schließlich über sie hergefallen waren, mußten zu ihrer Retablirung über den Grund von Gravelotte zurückgehen, wie unser Gewährsmann selber erzählt, „der so gefahrdrohende Angriff der VI. französischen Korps gegen den linken Flügel der 6. Infanterie-Division kam vollständig ins Stocken und wurde nicht wieder aufgenommen.*)“

Von besonderem kavalleristischem Interesse ist neben der lebensvollen Schilderung jener Reiterkämpfe, was Verfasser über die Handhabung der blanken Waffe sagt: „Le combat fut des plus brillants pour nous, et nos pertes furent insignifiantes comparativement à celles de l'ennemi, parce que nos cavaliers frappant avec la pointe, trouvaient un passage aux entournures des cuirasses et aux couvre-nuque des casquettes, tandis que les Prussiens, se servant du tranchant ou du pistolet, blessaient les chevaux, mais peu les hommes protégés par les cuirasses.“

Es ist ein bemerkenswerther Beweis für das Streben nach geschichtlicher Treue und Unparteilichkeit, daß Verfasser den Bericht des Major v. Schmettau über jenen Angriff der Brigade Bredow wörtlich wiedergiebt.

Aus der nun folgenden, ebenso klaren als anziehenden Schilderung des großen Reiterkampfes nördlich Mars la Tour erfahren wir, daß französischer Seits hier auftraten in erster Linie: das 2. Regiment Chaffeurs d'Afrique unter persönlicher Führung des General du Barail; demnächst die 2. und 7. Husaren, die 3. Dragoner unter General Legrand; die Dragoner und Lanciers der Garde unter General de France; endlich die Division Clérembault, 2., 3. und 10. Chaffeurs, 2. und 4. Dragoner. Also 11 Regimenter gegen die 6 deutschen, welche sich zu seiner Zeit unter dem Befehl des General v. Barby vereinigt fanden.

---

*) Der deutsch-französische Krieg 1870 von A. Borbstaedt S. 310.

Die spezielle Veranlassung zu diesem Gefechte ist nach der französischen
stellung eine Batterie gewesen, welche gegen die Ferme Greyère vorfuhr,
von den 2. Chasseurs d'Afrique attackirt wurde und: „ne reparut
..."

Nach den uns zur Disposition stehenden deutschen Schlachtberichten
dies nur die reitende Garde-Batterie von Planitz gewesen sein, welche
durch 1 Eskadron 2. Garde-Dragoner-Regiments dem Feinde tüchtig
ruch gethan, bis sie, von seiner Kavallerie attackirt, zurückgehen mußte;
voll vertheidigt durch jene Garde-Dragoner-Eskadron, beide degagirt
das Dragoner-Regiment Nr. 13., für dieses Gefecht der Brigade
by zugetheilt.

Daß diese unsere Dragoner Nr. 13., welche uns geschildert werden:
détachant comme des colosses sur l'horizon", die athemlos heran-
nenden Husaren des General de Montaigu mit einer Karabinersalve
fangen und dann erst attackirt hätten, möchten wir bezweifeln. Seit den
en Friedrich Wilhelm I.*) ist es in der preußischen Kavallerie Instruk-
und Gebrauch, nur mit dem Säbel in der Faust zu attackiren. Schon
rend des Feldzuges von 1866 sind österreichischer Seits derartige Be-
tungen aufgestellt worden. Von einer absichtlich falschen Darstellung der
tsachen absehend, können wir uns diese bei unseren Gegnern wiederholt
retende Täuschung nur so erklären, daß sie das Feuer der Eklaireurs,
he sich vor der Front jedes am Feinde operirenden preußischen Reiter-
ments befinden und, wenn der Gegner herankommt, noch einen Schuß
ben, um dann zu ihrer Truppe zu eilen, daß sie dies Feuer für eine
dem ganzen Regiment abgegebene Salve gehalten haben.

Die französischen Garde-Lanciers wurden ihrer hellblauen Uniformen
er von den eigenen Dragonern für Preußen gehalten und erbarmungslos
ergemacht. General Montaigu wird schwer blessirt gefangen, General
and „trouve une mort glorieuse devant la troupe, qu'il a si vail-
ment entrainée!"

„Ce n'etait plus ni une attaque ni un combat, mais une mêlée
igineuse; un tumulte furieux, une sorte de tourbillon dans lequel
mille cavaliers de toutes couleurs, de toutes armes, s'égorgaient
stinctement, les uns avec la pointe, les autres avec le tran-
t."

---

*) Instruktion und Ordre vor die sämmtlichen Chefs und Commandeurs derer drei
menter Dragoner, so mit zu Felde gehen. Potsdam den 8. März 1734. Hierin
es sub 5, daß, so lange die Regimenter zu Pferde seynd, die Dragoner ihre Kara-
wohl angebunden, die Pfannen aufgemacht und den Hahn niedergelassen haben
t und soll alsdann bei Leib- und Lebensstrafe kein Dragoner ein anderes Gewehr
den Degen brauchen, auch mit keinem andern als mit seinem Seiten-Gewehr
ren.

Daß die preußische Reiterei durch das endliche Auftreten der französischen Division Clérembault zum Rückzuge genöthigt worden, beruht nach den deutschen Berichten auf einem Irrthume, welche ausdrücklich hervorheben, daß „General von Barby nördlich von Mars la Tour das Schlachtfeld behauptete, wo seine Truppen so glänzend gekämpft und gesiegt hatten. *)

Ebenso irrthümlich ist es, wenn Verfasser erzählt, das 2. Garde-Dragoner-Regiment habe sogar seine Estandarte verloren. Dieselbe flattert noch heute unentweiht von feindlicher Hand an der Spitze des braven Regiments, welches an jenem blutigen Tage unvergängliche Lorberen um dieselbe geflochten!

Wenn uns ferner erzählt wird: „ainsi se passa ce sanglant épisode à la suite du quel nous sommes restés maitres du champ de bataille", so ist dies wohl nur insofern richtig, als es den an Zahl weit geringeren deutschen Streitkräften nicht gelang, die französischen Korps gänzlich zu schlagen, wohl aber gelang es ihnen, deren Absicht, den Abmarsch in der Richtung von Verdun, auf das Vollkommenste zu vereiteln. Der Kampfeszweck der Deutschen wurde vollkommen erreicht, die Franzosen mußten die Erreichung des ihren aufgeben. Wer ist nun also wohl der Sieger des Tages von Mars la Tour? Wir überlassen die Antwort auf diese Frage unserem geschätzten Verfasser und haben zu seiner ritterlichen Aufrichtigkeit das Vertrauen, daß er sie sich ebenso beantworten wird wie wir, wenn auch nur im Innern seines Herzens.

Sehr einverstanden sind wir mit ihm, wenn er sagt: „Il faudrait remonter bien loin dans l'histoire pour assister à un choc aussi formidable de masses de cavalerie se heurtant les uns contre les autres." Wir freuen uns von Herzen, daß diese schönen Zeiten für unsere Waffe wiedergekehrt sind, da der Geschichtschreiber Seiten und Seiten füllen muß mit den Schilderungen ihrer Thaten, wenn er von den gewaltigen Kämpfen jener großen Tage erzählt. Noch nach dem Feldzuge von 1866 konnten Bücher geschrieben werden, welche es sich in minutiöser Detaillirung der Ereignisse zur Aufgabe stellten, darzulegen, wie gering die Erfolge der Reiterei seien; heute sind ebenso dicke Bücher gefüllt mit den thatsächlichen Darstellungen der Erfolge, welche unsere Waffe errungen, und zwar kommt eines der besten dieser Bücher, das uns zur Zeit vorliegende, vom Gegner zu uns herüber. Wer Reitergefechte schildern will bis in die kleinsten Details ihres Verlaufes, dem können wir kein rechtes Verständniß zur Sache zugestehen, der hat nie ein solches gesehen oder gar mit erlebt. Selbst der fischblütigste Beobachter sollte schwerlich in der Lage sein, zu schildern, wie es zugeht von dem Augenblick, in dem die Fanfare ertönt, bis zu dem Zeitpunkt, da einer der Gegner sich loslöst aus dem tumulte furieux, um ge-

---

*) Der deutsch-französische Krieg 1870 von A. Borbstaedt S. 319.

m das Weite zu suchen. Und doch ruht eben in diesem wüsten Mo-
bie Entscheidung. Ein Reitersmann erzählt es ihm gewiß nicht, der
sich in einer solchen mélée vertigineuse befunden! Was sollen auch
Bilder uns helfen, die doch höchstens nur halb wahr, mögen die Ge-
und Farben dazu auch noch so gewissenhaft mühsam zusammengetragen
Das eben ist es, was uns in den Schilderungen des vorliegenden
s so sehr anzieht, daß sie ein so richtiges Bild der ganzen Reiter-
esart geben. Möglichst genau in der Darstellung aller Details be-
Stärke, Bewegungen und sonst bestimmender Verhältnisse, bis zu dem
blicke des Zusammenstoßes, dann nur große charakteristische Züge, Daten
rfolges.

Des Angriffes der 14. Kavallerie = Brigade gegen die französische Di-
Lafout de Villiers, der anfänglich erfolgreich durch das Entgegentreten
Division Valabrègue gebrochen wurde, erwähnt Verfasser gar nicht.

Von der nächtlichen Attacke der 6. Kavallerie-Division wird zugestanden,
le die französische Infanterie überrascht hätte. Daß dieselbe keine gro-
rfolge hatte, wissen wir aus den deutschen Schilderungen, daß sie solche
kaum haben konnte, liegt in der Natur der Sache, wir möchten sie jenem
losen und so verlustreichen Ritte vergleichen, den die preußische Reserve-
lerie am 2. Mai 1813 machte.

Einen besonderen Abschnitt widmet Verfasser den Observations sur
loi de la cavalerie à Rézonville, und wohl mit vollstem Recht, denn
viele Seiten der Kriegsgeschichte erzählen von Tagen, an denen unsere
e in solchen Massen aufgetreten, so mannigfach und erfolgreich in die
ankungen des Kampfes eingegriffen. Von deutscher Seite befanden sich
eiter-Regimenter auf dem Gefechtsfelde, von denen 19 an den verschie-
Kämpfen thätigen Antheil nahmen, die Franzosen führten 28 Kaval-
Regimenter in das Feuer, von denen unser Gewährsmann jedoch nur
is am Kampfe wirklich betheiligt namhaft macht. Also schlicht gerechnet
0 Rosse stampften den Boden des blutgetränkten Schlachtgefildes. Acht-
anden beiderseits Angriffe der Kavallerie auf Infanterie und Artillerie
in welche die gegnerische Reiterei in ihrem weiteren Verlauf mehr oder
r wirksam eingriff. Zweimal rangen die feindlich sich gegenüberstehenden
scharen in wüthendem Handgemenge um den blutigen Lorber. Zehn
den lang hatte man sich geschlagen in glühender Sommerhitze, einzelne
je Regimenter waren 17 Stunden hindurch im Sattel gewesen. Mancher
Reitersmann hatte den Sattel geräumt, um ihn nimmer wieder zu
en.

„C'est au moyen de son (la cavalerie) action que l'ennemie peut
ébut suppléer à son infériorité numérique, en remplaçant les
es qui lui manquent par des charges réitérées, amenant un
s d'arrêt forcé, et permettant à ses renforts d'arriver."

Nehmen wir Akt von diesem Urtheil des Gegners über unsere
und deren Erfolge, um dereinst, wenn die blutige Schrift jener Tage
und mehr verlischt, wieder darauf zurückzukommen.

Die Diskussion über die Rolle, welche die Kavallerie an jenem
würdigen Tage gespielt, vom strategischen Standpunkte aus sich vorbehalten
beschränkt Verfasser sich auf Beleuchtung der taktischen Wahrheiten, die
entgegentreten aus der Anschauung der Thatsachen, und da findet er zunächst
daß die beiderseitigen Kavallerien auf zu weite Distanzen attackirt, zu
aus ihren Pferden herausgenommen hätten. Er kommt als Beweis
seine Behauptung auf die Attacke der Brigade Bredow zurück und
„Prise en flanc par notre cavalerie, elle est tellement à bout de
ces, que les hommes ne pouvant plus rien tirer de leurs cheval
étaient au pouvoir des nôtres qui se frayaient un passage en
écartants comme des moutons. Cette même attaque prouve égal
ment la nécessité d'une réserve suivant le mouvement sans se pre
ser, et arrivant fraîche au combat pour profiter de l'épuisement
l'adversaire.“

Er tadelt die vollständige Vernachlässigung der alten guten Regel,
Angriffe auf Infanterie und Artillerie durch letztere vorzubereiten, verlar
die sorgfältige Aufklärung des zum Attackenfelde ersehenen Terrains. Es
nichts Neues, was uns hier gesagt wird, Alles alte gute Reiterregel, aber
haben nicht auch wir dagegen gefehlt!?

Wenn Verfasser aus der Betrachtung des Handgemenges die Ueb
legenheit des preußischen Pferdes über das französische erkennt, so stimm
wir ihm darin vollkommen bei; wenn er jedoch hieraus die Ueberlegenh
der schweren Kavallerie über die leichte nachweisen will, so widerfährt i
dabei das einem Franzosen verzeihliche Mißgeschick, daß er die preußisch
Dragoner für schwere Reiter hält. Eben diese leichten preußischen Dr
goner waren es — 1. und 8. — welche 1866 bei Trautenau und
chod gerade im Handgemenge glänzende Erfolge über die schweren österreic
schen Reiter davontrugen. Freilich, das kleine Pferd der französischen leicht
Kavallerie, einheimischer sowohl als afrikanischer Raçe, ist zu winzig für d
eigentlichen Reiterkampf. — Das leichte edle Mittelpferd hingegen, welches
preußische leichte Kavallerie reitet, ist im Einzelkampfe dem des schwer
Reiters ebenso durch seine größere Gewandtheit, als in den meisten ander
kavalleristischen Leistungen durch seine Leichtigkeit und geringere Futter- u
Pflegebedürftigkeit überlegen. Wir können der schweren Reiterei nach unser
Erfahrung nur einen Vortheil über die leichte einräumen, den der größer
Wucht beim ersten Zusammenstoß, des gewaltigeren moralischen Eindruck
Wesentlich mag derselbe bei dem Angriffe auf Infanterie hervortreten.

Alles was Verfasser ferner über Formation zum Angriff, die Einfach
der reglementarischen Formen, Einheit der Führung sagt, möchten wir

unterschreiben. Auch in der Aufführung der Irrthümer, welche
kommen wir mit ihm überein, nur können wir, wie erwähnt, in
der leichten Kavallerie auf schwere nicht eine so große Gefahr
erblicken, sie muß eben ihre größere Beweglichkeit geschickt ver-

der Schlacht bei Gravelotte kam beiderseits die Kavallerie wenig
nicht zur Sprache. Auf dem rechten französischen Flügel soll die
Barail, verstärkt durch eine Dragoner-Brigade des IV. Korps *)
St. Privat und Roncourt den deutschen Angriff durch ihre De-
einige Zeit aufgehalten haben, doch ist dies augenscheinlich ohne
den Einfluß gewesen. Die deutschen Berichte erwähnen des Auf-
französischer Kavallerie an diesem Punkte gar nicht.

8. französischen Chasseurs geriethen in einer Attacke auf feindliche
gegen eine Mauer und verloren viel ohne jeden Erfolg. Man
ken, sie hätten Zeit und Gelegenheit genug gehabt, sich mit dem
bekannt zu machen, auf dem sie fechten wollten. Die anerkennens-
Bravour verliert fast gänzlich ihren Werth, wenn sie so wenig mit
und Ueberlegung gepaart ist. Andrerseits lernt man aus dem Bei-
französischer Kavallerie in diesem Feldzuge, wie wichtig es ist, daß
einfachsten als selbstverständlich erscheinenden Dinge in der Zeit des
dauernd zum Gegenstande ernster und unermüdlicher Uebung gemacht
sie müssen jedem einzelnen Reiter vollkommen in Fleisch und Blut
n.

ährend der trüben Tage um Metz fand die französische Kavallerie
Gelegenheit zur Thätigkeit, zehrte allmälig ihre Pferde auf und wurde
zu Fuß exerzirt, um als Infanterie verwendet zu werden.
ir haben nicht ohne Mitgefühl die einfachen, aber doch tief ergreifenden
ungen von den Leiden der braven französischen Reiter lesen können.
Haltung wird auch in dieser für sie schwersten Periode des Krieges
Anerkennung gezollt.

n besonderem Interesse ist die Schilderung eines Gefechtes zu Fuß
französischen Dragoner am 31. August bei Coincy gegen deutsche
rie. **)
ne entsprechende Darstellung von deutscher Seite würde das Bild
vervollständigen und einen Anhalt für die Beurtheilung des Ein-
, den ein derartiges Auftreten der Kavallerie macht. So weit
sich nach der vorliegenden, natürlich nur einseitigen Darstellung

---

an dieser Stelle soll es wohl heißen 3. und 11. Dragoner, denn die 2., welche
Buche aufgeführt werden, gehörten nach pag. 74 und der uns sonst be-
französischen Ordre de bataille zur Brigade Montbrunches der Division
des III. Korps.

beurtheilen läßt, stellt dasselbe eine jener Gelegenheiten dar, in denen einige Gewandtheit im Tirailliren und Gebrauch der Schußwaffe für die Reiterei von hohem Werthe ist.

Die Formation der neuen Armee im Lager von Châlons unter Marschall Mac Mahon wird kurz geschildert, spezieller die Ordre de bataille der Kavallerie gegeben. 33 Reiter-Regimenter, unter ihnen 15 leichte, standen dem Marschall zur Verfügung, trotzdem bietet uns der Vormarsch dieser Armee gegen Metz genau dasselbe Bild völliger Unkenntniß über die Maßnahmen des Gegners, wie es der Beginn des Krieges und die seitherigen Operationen der französischen Armee gezeigt. Eine Küraffier-Division, Bonnemain, wird in die rechte Flanke nach Suippe und Vaudelincourt, die Division Margueritte — 3 Regimenter Chasseurs d'Afrique und 2 Husaren-Regimenter — gegen die Argonnenpäffe von Grandpré und Croix aux Bois entsendet. „Les autres régiments de la cavalerie marchent compact avec leur corps d'armée."

Die rechte Flanke der marschirenden Armee war die bedrohte, an dieser Stelle hätte Verfasser die Verwendung der Kavallerie gewünscht, wer würde ihm darin nicht beistimmen: „Loin de proceder ainsi, la division Bonnemain est envoyé à Rethel, par consequent sur le flanc gauche du côté opposé à l'ennemi et de plus la division Margueritte, qui restait seul pour protéger l'aile droite est envoyée à Semuy avec ordre de l'éclairer au loin, surtout dans la direction du Chêne Populeux."

Auch an dieser Stelle wird die im Gegensatze hierzu so sachgemäße Verwendung der deutschen Kavallerie gebührend hervorgehoben.

Marschall Mac Mahon erfährt am 27. August, in Chêne Populeux anlangend, die Anwesenheit der deutschen Heere auf seiner Marschlinie, er will nach Westen ausweichen und ertheilt die entsprechenden Befehle an seine Truppen, jedoch ein Telegramm des Kriegsministers nöthigt ihn weiter zu marschiren, seinem Verhängniß entgegen. Dieses verhängnißvolle Telegramm lautet nach unserem Buche: „Le conseil de régence, et le conseil des ministres vous supplient de railler quand même l'armée de Bazaine sans quoi une révolution est imminente à Paris."

„A mesure qu'on se portait en avant", fährt die Erzählung fort, „on rencontrait constamment les vedettes ennemis et même des petits groupes de cinq ou six cavaliers paraissant et disparaissant sans cesse, mais toujours inattaquables. Leur mission était, non pas de s'engager, mais de nous surveiller sans cesse, et ce rôle à été intelligemment joué par la cavalerie allemande pendant toute la campagne."

Nachdem zwei Eskadrons der 12. Chasseurs, welche General de Failly zur Rekognoszirung von Buzancy vorgeschickt, durch sächsische Reiter zurückgeworfen, begiebt sich der Chef des Generalstabes des V. Korps mit der gesammten Kavallerie und einer Batterie auf Rekognoszirung: „mais on

… comme toujours sans s'éclairer, et on arrive sur l'ennemi qui … … dans les bois; seulement il se découvre en tirant trop … et sa précipitation sauve nos troupes.‟

Der Marschall beabsichtigt gegenüber dieser ganz veränderten Lage seine …en zu konzentriren und sendet an General de Failly Befehl, sich auf …umont zurückzuziehen; doch der Offizier mit diesem Befehle fällt den …samen deutschen Reitern in die Hände, und erst spät am Tage erhält … V. Korps durch General Douai den bezüglichen Befehl. Der Marsch … ausgeführt, aber trotz der bekannten Nähe des Feindes mit einer solchen …glosigkeit, daß man endlich spät in der Nacht unter seinen Augen das …r bezieht, ohne auch nur eine Reiter-Patrouille in die nahe gelegenen …der zu entsenden. Wäre es nicht eine französische Feder, welche uns … Vorgänge mit allen Einzelnheiten schildert, wir würden uns versucht …en, an ihrer Wahrheit zu zweifeln, trotz dem, was wir selber in jenen …en gesehen, von deutschen Augenzeugen gehört.

Das Gefecht bei Beaumont beginnt mit dem vollkommensten Ueberfalle … ganzen — des V. — Armeekorps, den die Kriegsgeschichte vielleicht …zweifen hat. Ein Theil der französischen Kavallerie ralliirt sich, die Bri-…de Beville — 5. und 6. Kürassiere — welche auf dem rechten Maas-…gestanden hat, passirt den Fluß und nimmt Stellung gegen den Feind, …Mitrailleusen-Batterie wird demontirt, bevor sie feuern kann, das 6. Kü-…er-Regiment wird abgerufen, das 5. hält unter schweren Verlusten …nd:

„Sur un mot du général de Fénélon, le colonel, le sabre à la …, s'élance plein d'entrain en enlevant vigoureusement son ré-…ent.‟

Und wieder beginnt ein Ritt, wie wir sie kennen, diese Todtenritte von …th und Bionville; von dem feindlichen Feuer zurückgeworfen, brandet die …ne Woge zurück, das Feld mit Todten und Verwundeten bedeckend, viele … finden ihren Tod in den Fluthen der Maas.

Das V. Korps ist geworfen, das XII. nimmt seine Trümmer bei …gen auf. Die Armee geht auf Sédan zurück:

„Le mouvement de retraite commence; la nuit est obscure, et …chemins sont tellement encombrés par les bagages que les troupes …cent très difficilement. Le désordre est si grand, qu'au lieu de …cher à dérober ce mouvement à l'ennemi, les soldats allument … torches pour s'éclairer, et on les laisse faire.‟

An dieser Stelle stoßen wir zum ersten und letzten Male auf eine Be-…ung bezüglich des Kaisers, der uns sonst in dem ganzen Laufe der Er-…ng nicht ein einziges Mal handelnd entgegentritt: „A quelles tristes …xions nous nous livrons en songeant à l'autorité naguère si ac-…ée de ce souverain, dictant pour ainsi dire ses volontés à l'Europe, et suivant, depuis Châlons, tristement et sans prestige cette armée, qui marchait à sa perte."

Während des Rückzuges am 31. August bringen die wiederholten Angriffe der verfolgenden deutschen Reiterei die Armee-Trains in die äußerste Verwirrung. Auch hier wieder derselbe Fehler in der Verwendung der Kavallerie. Sie marschirt geschlossen bei ihren Korps, anstatt das Terrain weithin zu durchstreifen, Bewegungen und Stärke des Feindes aufzuklären. Marschall Mac Mahon glaubt etwa 60,000 Mann des Feindes sich gegenüber zu haben, es waren nach der Auffassung unseres Buches 240,000, die gegen ihn heranmarschirten. Verfasser ist der Ansicht, der Marschall würde sich, wenn er die Stärke seines Gegners gekannt hätte, nach Mezières gewendet und dieses auch erreicht haben, wenngleich die Straßen dorthin bereits in den Händen der feindlichen Kavallerie gewesen seien; er ist der Ueberzeugung, die französische Reiterei würde ihrer Armee den Weg geöffnet haben.

Was die Stärke der deutschen Armeen anbetrifft, so hat dieselbe sich nach den offiziellen Angaben auf etwa 200,000 Mann belaufen, wobei das VI. Armeekorps mit eingerechnet ist, welches an den Kämpfen um Sédan keinen Antheil genommen. Doch ist hier nicht der Ort um Zahlen zu rechten, jedenfalls waren die deutschen Armeen, welche bei Beaumont und Sédan fochten, der französischen ebenso an Zahl, wie durch ihre Führung überlegen.

Ob der Durchbruch der französischen Kavallerie gelungen wäre, ist nicht mehr festzustellen, daß sie es versucht und mit Bravour versucht haben würde, wenn ihr der Befehl dazu geworden, wollen wir nach ihren tapfern Ritten am 1. September gern glauben.

Die flüchtigen Schilderungen von den Anfängen der Schlacht, der Verwundung Mac Mahons, dem in Folge derselben wechselnden Kommando von Ducrot auf Wimpffen, bringen nichts Neues und stimmen mit dem überein, was hierüber schon an anderen Orten in die Oeffentlichkeit gedrungen. Dem Verfasser begegnet hierbei ein Irrthum in Vertheilung der deutschen Streitkräfte insofern, als er das XI. Korps als ein bayerisches bezeichnet. Die beiden bayerischen Korps gingen, wie bekannt, von Süden und Südosten gegen Sédan vor, über Brigne auf Bois und St. Menges avancirten nur das V. und XI. preußische Armeekorps.

Zweimal, gegen 8 Uhr Morgens und 2 Uhr Nachmittags, wird die brave Division des General Margueritte dem Feinde entgegengeworfen: „pour rétablir les chances du combat."

Wir Alle, die wir an jenem großen Tage mitwirken durften, haben gesehen, wie diese braven Eskadronen: „qui jusqu'alors n'avaient connu que la victoire" sich in kühnem Ansturm wiederholt dem Gegner entgegenwarfen, wir können dem Verfasser auch bezeugen, daß er recht hat, wenn er sagt: „Malheureusement comme toujours, il était trop tard, et ce ne sera qu'une sanglante et stérile hécatombe d'hommes et de chevaux."

Wir haben ihre Waffenehre gerettet jene tapfern Reiter, und können keine stolzere und schönere Anerkennung finden für alle Zeiten, als in den Worten unseres Allergnädigsten Kriegsherrn an seine Königliche Gemahlin, die in diesem Sinne wörtlich wiedergegeben werden.

Möchten unsere Gegner sich ein Beispiel nehmen an dieser fürstlichen Qualität, die keinen Anstand nimmt, auch beim Feinde anzuerkennen, was des Lobes werth.

Die Schilderungen der auf diese letzten vergeblichen Anstrengungen folgenden Ereignisse, so verhängnißvoll für die Geschichte zweier großen Völker, schmerzlich für jeden Franzosen, der sein Vaterland wahrhaft liebt, sind, weit uns ein Urtheil hierüber möglich, der Wahrheit getreu, dabei voller Spannigkeit, anziehend. Der tiefe Schmerz über des Vaterlandes Unglück, den Untergang der auf ihre Siege so stolzen Armee findet einen würdigen Ausdruck und wir können ihm unsere Theilnahme nicht versagen, da er uns so ritterlicher Gestalt entgegentritt.

Acht Kavallerie-Regimenter der Armee hatten das Schlachtfeld vor der Katastrophe verlassen: „On a exalté leur courage", sagt Verfasser, „et on les a cités avec orgueil comme ayant brisé, au péril de leurs jours, le cercle de feu qui nous entourait." Er will hiervon nichts wissen, hält es, und wie wir glauben mit Recht, für eine Rodomontade und meint, man solle keinen Stein werfen auf jene, welche blieben und sich opferten, bevor man das Dunkel darüber aufgehellt, wie es jenen gelungen, sich dem allgemeinen Unglück zu entziehen. Auch aus diesen Worten spricht zu uns der ritterliche Sinn, der den ganzen Mann beseelt, eine harte Kritik der Neigung seiner Landsleute: dem Erfolge zuzujubeln, ohne zu ergründen, ob derselbe solchen Jubels werth.

Dieser letzte Akt der tragischen Geschichte der frazösischen Armee schließt mit Schilderungen der physischen und moralischen Leiden, welche noch während der viertägigen Internirung auf der Halbinsel von Iges zu erdulden waren, bis es möglich wurde, den Transport jener Tausende von Gefangenen und Pferden regelmäßig in die Wege zu leiten.

Wir wollen nicht bestreiten, daß diese französische Kavallerie, welche hiermit vorläufig aufgehört hatte zu existiren, brillante, devouée à son devoir war. Wäre sie weniger insouciante du danger, weniger confiant en son ardeur gewesen, ihr Schicksal hätte weniger traurig sein dürfen.

Wir haben somit den geschichtlichen Theil des Buches beendet und gelangen zu dem vierten Hauptabschnitte, den Studien über die Rolle der Kavallerie vor, während und nach der Schlacht.

Bezüglich des ersten Theiles dieser kavalleristischen Thätigkeit, der Rolle, welche die Reiterei vor der Schlacht zu spielen hat, weiß Verfasser nichts Besseres zu empfehlen, als eine Nachahmung dessen, was die deutsche Kavallerie nach dieser Richtung und wie sie es geleistet.

Wir haben mit großer Genugthuung die folgenden Sätze gelesen, einer Genugthuung, die gewiß jeder preußische Reitersmann mit uns theilen wird:

„Pour jouer ce rôle il faut une cavalerie adroite, et nous devons accorder à la Prusse qu'elle avait merveilleusement préparé la sienne pour le service qu'elle devait en exiger. — — Un instant l'état-major prussien perd nos traces dans les pleines de la Champagne, parceque nous avons subitement changé nos plans; mais il nous retrouve rapidement au moyen de sa cavalerie, qui dès lors ne perd plus le contact. — — — Ce service était si bien fait par la cavalerie prussienne, que nous marchions pour ainsi dire dans un filet tendu qui nous empêtrait dans ses mailles."

Freilich erleichterte die gänzliche Unbeweglichkeit, die falsche Verwendung und fehlerhafte Führung der feindlichen Kavallerie der deutschen ihre Aufgabe wesentlich; wie groß jene Mängel gewesen, tritt uns aus der hier gegebenen gedrängten Schilderung nochmals mit überraschender Klarheit entgegen.

Diese Mißerfolge alle werden nun dem falschen System, den unzureichenden Reglements und Instruktionen in die Schuhe geschoben. Ein gutes Reglement, ausgiebige Instruktionen, namentlich auch für diejenigen Gebiete der militairischen Thätigkeit, welche wir in der preußischen Armee unter der Bezeichnung des Felddienstes zusammenzufassen pflegen, sind gewiß sehr nothwendige und dankenswerthe Dinge, sie allein aber machen nicht den im Felde wirklich und allseitig brauchbaren Reiter; sie können immer nur Formen geben, höchstens Rathschläge ertheilen; die richtige Anwendung beider entspringt ausschließlich ernstem Studium der Kriegsgeschichte, desjenigen, was erfahrene Reiter gesagt und geschrieben, strengem Nachdenken und vielfacher Uebung im Frieden mit Unterstellung kriegerischer Nachbildungen. Den Franzosen fehlt es an Quellen für ein derartiges Forschen durchaus nicht. Abgesehen von den ebenso zahlreichen als inhaltsvollen Befehlen und Instruktionen, welche ihr großer Kaiser Napoleon I. über die Kavallerie, ihre Formation und Verwendung bis in die Details des Sicherungsdienstes hinab ertheilt, bietet ihre militairische Literatur eine Anzahl von vortrefflichen Werken über Reiterei und Alles, was auf dieselbe Bezug hat, in Krieg und Frieden. Es giebt unter diesen Werken namentlich eins, das so recht eigentlich ein Feldtaschenbuch für jeden Reiteroffizier genannt werden kann: „Die Vorposten der leichten Kavallerie von Fr. de Brack", aus dem viele deutsche Reiteroffiziere manchen guten Gedanken geschöpft haben. De Brack bezeichnet in diesem seinem Buche, welches im Mai 1831 den Offizieren und Mannschaften des 8. französischen Chasseur-Regiments gewidmet wurde, als die Bestimmung der leichten Kavallerie im Kriege: „den Marsch der Armee aufzuhellen und zu decken, durch Vorangehen vor den Kolonnen, Absuchung der Flanken, Umgebung und Deckung derselben mit einem wachsamen und muthigen Schirme, indem sie (die Kavallerie) dem Feinde auf dem Fuße folgt,

…unruhigt, seine Absichten enthüllt, seine Kräfte in kleinen Gefechten er-… u. s. w."

…Ist dies nicht genau das, was die deutsche Kavallerie in dem letzten …zuge gethan? Und das steht Alles in dem Buche, welches ein französi-…er Reiteroffizier geschrieben, geschrieben mit der ausgesprochenen Absicht, …ß es seinen Kameraden und Untergebenen als Instruktion dienen solle. …ies Buch, ein wahres Schatzkästlein für den Reitersmann nach jeder Rich-…ng hin, besaß die französische Kavallerie; warum hat sie dasselbe nicht …dirt, sich seine Lehren nicht zu eigen gemacht? Sie war eben trop in-…uciante, trop confiante! –

Der deutschen, besonders der preußischen Reiterei hat es gewiß nicht an …regung und Anleitung von oben her gefehlt, die eigentliche Arbeit der Er-…hung aber, deren Erfolge in diesem Feldzuge so glänzend zur Anerkennung …kommen, ist aus ihr selber herausgewachsen, ist ohne viele Reglements und …nstruktionen in unermüdlicher Emsigkeit geschaffen, vielfach im Kampfe …it hemmenden Vorurtheilen, beengenden Verhältnissen aller Art, wie sie der …rieden für jede militairische Ausbildung mit sich bringt.

Die französische Nation ist ein verwöhntes Kind, sie will Erfolge ohne …beit, und die französischen Reiter sind eben auch Kinder ihres Volks. Sie …ren überzeugt, die Lorberblätter der Gloire müßten ihnen in den Schooß …llen, sobald nur der Kriegsbaum geschüttelt würde. Der Deutsche, und …mentlich der Preuße, weiß, daß ihm nur unter großer Mühe und vieler …beit die Frucht reift, und darum arbeitet er, um diese Frucht sich zu sichern. …ide Stoffel! möchten wir unserm Verfasser zurufen.

Ob das Equilibre zwischen den beiden Kavallerien so leicht herzustellen …in wird, muß die Zukunft lehren. Wir bezweifeln es, und zwar, weil, wie …ser Verfasser selber sagt, dazu erforderlich wäre fort à étudier, und das …: eben nicht unserer Herren Nachbarn Sache.

In dem Kapitel über das Verhalten und die Verwendung der Kaval-…rie während der Schlacht bemüht Verfasser sich zunächst, durch einen kur-…n Rückblick auf die von ihm ausführlich erzählten Thatsachen nachzuweisen, …ß der Angriff der Kavallerie auf die Front einer unerschütterten Infan-…rie, einer in guter Stellung befindlichen Artillerie nur mit Vernichtung der …steren euden und nie ein bemerkenswerthes Resultat liefern könne. Das …: gewiß richtig. Eine derartige Verwendung der Reiterei ist stets ein be-…ußtes Opfern derselben, die Verantwortung dafür, ob ein solches Opfer …bracht werden mußte, um eine drohende Katastrophe abzuwenden, den Augen-…ick derselben hinauszurücken, fällt auf den betreffenden Höchstkommandirenden; …r Reiterei bleibt in solchen Fällen nichts anderes übrig als, wie die fran-…sische bei Sédan, le sourire aux lèvres, dem gewissen Tode entgegen zu …iten, ihr Bestes dazu zu thun, daß die auf sie gesetzten letzten Hoffnungen …füllt werden, Genugthuung für ihr gewisses Opfer in dem stolzen Bewußt-…in zu finden, daß sie die wahre ultima ratio des Feldherrn gewesen.

Den Angriff der preußischen Brigade Bredow auf die französischen Linien bei Bionville aber können wir nicht mit in die Reihe jener verzweifelten Ritte zählen, wie wir sie eben zu charakterisiren versucht, wie die braven französischen Reiter sie wiederholt während des Feldzuges gemacht. Zunächst war die französische Infanterie und Artillerie, auf welche der Angriff jener Brigade gerichtet war, wie uns Verfasser selber erzählt, durchaus nicht unerschüttert, in Folge dessen durchbrachen unsere Küraffiere und Ulanen auch ihre Reihen, hieben die Bedienung der Geschütze nieder. Wenn keine Trophäen genommen, die ihrer Bedienung theils beraubten, theils von derselben verlassenen französischen Geschütze stehen blieben, man sich nicht mit Gefangennahme der vielfach im ersten Schrecken ihre Gewehre wegwerfenden Infanteristen aufhielt, geschah dies nur, weil es sich, wie Major von Schmettow sehr richtig sagt, hier nicht darum handeln konnte, Trophäen zu sammeln, sondern die feindlichen Streitkräfte soweit als möglich zu zerstreuen. Die endlichen schweren Verluste, wohl wesentlich durch das überraschende Eingreifen der französischen Kavallerie veranlaßt, hätten vielleicht vermieden werden können, wenn man dem kühnen Ritte früher ein Ziel gesteckt. Aber wer, der je einen brausenden Reiterangriff mit angesehen oder gar mit geritten, wird noch behaupten wollen, daß ein solcher willkürlich zu begrenzen sei? Wie die anstürmende Meereswoge bricht er sich entweder an einem festen Damme oder er verläuft allmälig, wie jene im Sande, so an der Athemlosigkeit der Pferde.

Trotz seiner schweren Verluste wurde das Ziel, der Zweck dieses Rittes vollkommen erreicht, wie wir bereits oben nachgewiesen; die geforderten, die gebrachten Opfer waren nicht vergeblich, der Erfolg ein sehr wesentlicher gewesen.

Wir stimmen vollkommen damit überein, daß die Beispiele von Mißerfolg der Kavallerie, da wo sie unrichtig verwendet, vergeblich geopfert wurde, durchaus nicht erweisen können, daß die Wichtigkeit der Rolle, welche der Kavallerie während der Schlacht zu spielen bestimmt ist, eine geringere geworden. Ihre Verwendung auf den Flügeln der Schlachtordnung, um diese zu verlängern, nicht etwa durch eine Aufstellung in dünnen Linien, sondern durch ihre Beweglichkeit zu weit ausgreifenden Umgehungen, ist gewiß die allein richtige. Dort verwendete sie auch der große Feldherr, der in dem ausgiebigen Gebrauche unserer Waffe wohl die größte Meisterschaft erlangt, Friedrich der Große. Anders wird heute die Form sein, der Gedanke aber, welcher der richtigen Verwendung der Reiterei zu Grunde liegt, der Platz in der Schlachtordnung, auf dem sie ihre Hauptverwendung finden muß, ist heute noch derselbe, wie in seuen ihren schönsten, stolzesten Tagen. Für eine solche Verwendung aber muß die Kavallerie in größeren selbstständigen Verbänden unabhängig sein von den anderen großen Truppenkörpern, welche den Kern des Heeres bilden, ausschließlich geleitet durch die Befehle des zur Zeit und an der betreffenden Stelle Höchstkommandirenden. Sie muß Führer

eu, welche die Kühnheit eines Seydlitz mit der kalten berechnenden Vor-
t eines Zieten, genaueste Kenntniß jeden kavalleristischen Details mit
ung in der Führung größerer Reitermassen, eingehendem Verständniß für
Kampfesweise und Verwendung der andern Waffen verbinden. Dank
erer fortgeschrittenen Civilisation sind die Kriege heutzutage seltener, ihre
uer ist eine kürzere, es bietet sich nicht mehr in ihnen selber Gelegenheit,
Uebung in der Führung der Reiterei zu gewinnen, diese Gelegenheit
daher im Frieden geboten werden, es ist dies eine gebieterische Noth-
digkeit, will man sich nicht des Vortheils begeben, den eine richtig ge-
te und verwendete Kavallerie gewähren kann, gewähren muß.

Diese Gelegenheit wäre ganz von selber gegeben, befände die Kavallerie
auch im Frieden schon in größeren selbstständigen Verbänden. So unter
Infanterie-Divisionen vertheilt, wie dies bisher der Fall gewesen und
heut besteht, wird es stets unsägliche, kaum zu bewältigende Schwierig-
en machen, jene Gelegenheiten zur Uebung für die höheren Führer herbei-
hren; im Augenblicke einer Mobilmachung werden die Uebelstände, deren
weiter oben gedachten, sich stets mit größerer oder geringerer Schärfe
erholen.

Es hat eine derartige Selbstständigkeit der Kavallerie bereits in der
edensformation unläugbar auch ihre Nachtheile, aber welches von Menschen-
den und Menschengeistern geschaffene Werk hätte deren nicht? Mag man
len, welches man wolle, ein Uebel, eine Unvollkommenheit wird man
mit in den Kauf nehmen müssen, es kommt nur darauf an, das für
Augenblick für die gegebenen Verhältnisse geringere zu wählen. Nach
Erfahrungen des letzten Krieges dürfte einer jener Zeitpunkte für die
allerie gekommen sein, in dem eine solche Wahl, wie wir sie angedeutet
en, getroffen werden muß, soll nicht der frische Anhauch kriegerischer Erung allmälig im Sande des Friedensdienstes verrinnen, wo es geboten
eint, den Gesichtspunkt in das Auge zu fassen, ob es so bleiben soll, wie
er, oder ob eine Aenderung erforderlich und welche.

Sollte es sich nicht empfehlen, eine solche Frage dem Urtheil bewährter
verständiger Männer zu unterbreiten?

Das Interesse an der Sache hat uns von unserem eigentlichen Thema
t abgeführt; kehren wir zu demselben zurück, so finden wir in der Ver-
dung der preußischen Kavallerie bei Vionville großentheils das verwirk-
, was Verfasser als das Richtige in dieser Hinsicht dargestellt, worin
re Ansicht mit der seinigen auf das Vollkommenste übereinstimmt. Wenn
weiter aus den verschiedenen Phasen des Reiterkampfes bei Vionville die
thwendigkeit ableiten zu müssen glaubt, daß die gesammte, nicht bei den
anterie-Divisionen eingetheilte Kavallerie einer Armee unter einem einheit-
en Kommando vereinigt wird, so können wir nur bedingt beistimmen.

Diese großen Kavalleriekorps haben sich zu allen Zeiten als unbehülflich,
Heeren und sich selber mehr zur Last als zum Nutzen erwiesen, während

die kleineren, mehr beweglichen, in sich selbstständigen Divisionen, wie sie während des letzten Feldzuges bei der norddeutschen Armee formirt waren, sich in jeder Hinsicht bewährt haben. Diese Formation schließt durchaus nicht aus, daß mehrere solcher Divisionen auf einem und demselben Schlachtfelde, unter einem besonders begabten Führer zu gemeinsamer Aktion vereinigt werden. Unter solchen besonderen Verhältnissen kann eine derartige Zusammenziehung nutzbringend, ja wir wollen zugestehen, selbst nothwendig sein. Für alle übrigen Phasen des Krieges aber müssen wir sie als durchaus hemmend und nachtheilig bezeichnen. Direkt von dem Oberkommando der Armee, ohne jede Zwischeninstanz, müssen die Kavallerie-Divisionen ihre Direktiven erhalten, welche in seltenen Fällen den Charakter eines bestimmt formulirten Befehls, in der Regel die Form eines allgemeineren Auftrages haben werden, unter gleichzeitiger, möglichst umfassender Aufklärung über allgemeine Kriegsabsicht und Kriegslage. Dann können ihre Bewegungen weit ausgreifend, rasch, überraschend für den Gegner und namentlich hierdurch erfolgreich sein. Während des letzten Krieges war namentlich bei der III. und der Maasarmee, bei deren weit ausgreifenden Operationen auf mehrfach wechselnden Kriegstheatern, für derartige Verwendung der Reiterei Gelegenheit und Bedürfniß in Fülle geboten.

Es ist uns nicht bekannt, inwieweit die französischen Kavallerie-Divisionen mit den Elementen für eine derartige Selbstständigkeit — Verpflegungsbranchen ꝛc. — versehen waren, jedenfalls scheint ihnen die vor Allem nothwendige Verbindung mit Artillerie gefehlt zu haben. Der größte Fehler aber war ihre dauernde Zutheilung zu bestimmten Infanteriekorps. Hierin liegt eine Fessel, welche jede weiter ausgreifende, für das Allgemeine nutzbringende Verwendung im Keime erstickt. Die Armeekorps haben heutzutage, wo man mit Armeen operirt, nicht mehr die Bedeutung wie früher; eine ihnen dauernd zugetheilte Kavallerie-Division würde, wie wir dies bei den französischen Korps gesehen haben, ein kaum so ergiebiges Feld der Thätigkeit finden, als die Divisions-Kavallerie. Wird es nothwendig, einem Armeekorps eine besondere Aufgabe zu ertheilen, so steht der zeitweisen Zutheilung einer Kavallerie-Division für die Dauer eines solchen Auftrages, ja in der Selbstständigkeit derselben kein Hinderniß im Wege. Wir könnten Beispiele für unsere Behauptung aus der neuesten Kriegsgeschichte aufführen und wollen hier nur auf die verschiedenen Operationen des I. bayerischen Armeekorps und der Armee-Abtheilung des Großherzogs von Mecklenburg gegen die französischen Loire-Armeen hinweisen.

Die Ansicht, daß die französische Reiterei am 17. August auf dem Plateau von Marie aux Chênes ihren Platz hätte finden müssen, dort am 18. in die Operationen des Tages höchst wirksam eingreifen zu können, ist gewiß sehr richtig. Aber die französischen Kavallerie-Divisionen gehörten nun einmal zu ihren Korps, waren an dieselben gefesselt, eine Loslösung und Ver-

oder doch gemeinsame Verwendung zu einem für das Ganze er-
lichen Zweck ist gewiß nicht unwesentlich hieran gescheitert.

Von durchgreifender Wahrheit und sehr schlagend ist uns das erschienen,
was über den Platz des Führers einer größeren Kavalleriemasse im eigentlichen Gefechte gesagt wird:

„Lorsqu'une division doit charger, le réglement préscrit au gé-
ral de partir en tête pour l'entrainer. Alors qu'arrive-t-il? c'est
e pendant qu'il se bat lui-même, il n'y a plus personne pour
ivre de sang-froid les péripéties du drame, pour faire sonner le
lliement si l'on éprouve un échec, ou pour ordonner la poursuite
on est victorieux."

Es gehört gewiß eine große Entsagungsfähigkeit für einen solchen Führer
zu, in dem Augenblicke, in welchem seine Regimenter zum Angriffe an-
ten, nicht an ihrer Spitze, nicht der Erste in den Reihen des Feindes sein
dürfen. Aber diese Entsagung ist geboten, wir stimmen darin mit unserem
Gewährsmann vollkommen überein, und möchten gleich hier noch einige Worte
er die bei allen Reiterangriffen ebenso nothwendige Reserve sagen. Die-
e, stets bereit zu unterstützendem Eingreifen, muß dabei doch so lange als
end möglich aus dem eigentlichen Kampfe fern gehalten werden, um als
hältnißmäßig ruhiger Beobachter den richtigen Zeitpunkt für ihr Eingreifen,
zu dem Zweck der Wiederherstellung oder Vervollständigung, zu finden.
e wird dies am besten aus einer die eigene, wie die feindliche Bewegungs-
e flankirenden, langsam folgenden Vorbewegung vermögen, denn gegen die
nke des Gegners wird ihr Angriff am wirksamsten sein, gilt es ihm den
ten Gnadenstoß zu geben oder die eigenen Schwadronen aus einer be-
ngten Lage zu befreien; es wird in dieser Weise dem Uebelstande vorge-
gt, daß etwa zurückjagende Geschwader die nachrückende Reserve mit sich
reißen. Hierfür genügt nicht, daß derartige Flankenbewegungen erst in
m Augenblicke eingeleitet werden, in dem das Eingreifen der Reserve be-
s beschlossene Sache ist; die Reserven in Form von Echelons einem oder
den Flügeln des Angriffstreffens folgen zu lassen, ist ebenso nur ein Noth-
elf, der in zu geringer Ausdehnung des disponiblen Terrains seine Be-
ndung finden kann; die geeignetste Operationslinie für die Reserve einer
ckirenden Kavallerielinie ist die Diagonale, die beste Formation die zu-
mmengezogene Eskadrons-Kolonne, jeden Augenblick bereit, nach der Flanke
ufschwenken und echelonweise einzugreifen. Es vereinigt sich hier größt-
glichste Handlichkeit für den Führer mit Beweglichkeit im Terrain, schnellste
twickelung zum Gefecht mit großer Schwierigkeit für den Gegner, Stärke,
wegungen und Angriffsziel zu erkennen.

Bezüglich der Rolle, welche die Reiterei nach der Schlacht zu spielen
, können wir uns nicht zu der Ansicht bekennen, daß sie, ist jene unglück-
ausgefallen, auf einem Rückzuge unter keinen Umständen die letzte auf
m Platze sein dürfte. Es giebt unserer Auffassung nach nur einen Fall,

in welchem sie, im Interesse der andern Waffen davon dispensirt werden
kann sich zu opfern, um den Ansturm des nachdringenden Feindes aufzuhalten, nämlich den, wenn der Rückzug durch enge Defileen bewerkstelligt
werden muß. Dann freilich können die Trümmer einer geworfenen Reiter-
masse großes Unheil anrichten.

Das von dem Verfasser gewählte Beispiel — Rückzug des III. französischen Korps am 7. August von St. Avold über Longeville auf Metz —
dürfte zu diesen Fällen zu rechnen sein. So weit wir uns, nach einem Blick
auf die Karte, selber ein Urtheil darüber haben bilden können, dürften in
dem Terrain zwischen St. Avold und Longeville und noch eine ganze Strecke
weiter gegen Metz hin einige geschickt geführte Bataillone, richtig placirte
Batterien einem nachdrängenden Feinde größere Schwierigkeiten in den Weg
legen, als sechs Reiterregimenter. Aber solche Fälle sind nicht die Regel,
eine größere Armee ficht im Allgemeinen doch selten mit schwierigen Defileen
in ihrem Rücken, sie müsse denn eben dazu gezwungen sein; daher wird sich
auch in vielen, um nicht zu sagen in den meisten Fällen eine durch das
Terrain nicht beschränkte Gelegenheit für die Reiterei bieten, der geschlagenen
Armee noch nützliche Dienste zu leisten. Gewiß wird auch hierbei eine Verwendung mit vornämlicher Wirkung auf die Flanken des Gegners zur
Deckung der eigenen die angezeigte sein.

Der fünfte und letzte Abschnitt unseres Buches giebt uns ein Resumé
der vier vorigen, sagt uns viel Wahres und Vortreffliches, aber — nichts
Neues. Ausgehend von dem Satze: „Les idées fondamentales restent
les mêmes qu'autrefois, mais la manière de les appliquer doit être
differente;" schließt er mit den Worten: „Notre rivale heureuse nous
a montré tout le parti, qu'on pouvait tirer d'une cavalerie bien
menée. Imitons son exemple!"

„A l'heure où la Prusse écrivait — nämlich über seine Reiterei —
avec cette conviction, sous la chaude impression de l'actualité, une
brochure française demandait la suppression de la moitié de la cavalerie. Voilà tout le fruit que nous avons retiré de la leçon. Elle
a cependant été assez amère pour qu'on ne s'expose pas à la voir
renaître."

„Ce qui est indiscutable, et ce que l'on ne saurait assez dire
à notre cavalerie, c'est quil lui faut des serieuses études et des grandes reformes."

Auch an dieser Stelle fiel uns wieder der alte brave de Brack ein, dort
steht das Alles zu lesen, was unser Oberst-Lieutenant seinen Landsleuten
als unerläßlich für einen Reitersmann zu können und zu wissen bezeichnet,
geschöpft aus den Erfahrungen eines langen Kriegslebens. Die Herren
drüben haben diese und andere Goldgruben nicht gefunden, aus denen wir
mit geschöpft, wenngleich sie ihnen ebenso leicht erreichbar, vielfach noch
näher lagen als uns. Das was unsere Reiterei in diesem Feldzuge geleistet,

man nicht aus Reglements, dafür giebt es keinen militairischen Bä-
ern für alle möglichen und noch einige andere Fälle passendes Rezept-
. Das muß durch Studium und Arbeit einzelner Offiziere, welche aus
Krieg- und Friedenserfahrungen, eigener und fremder, die Steine zu dem
oßen Gebäude zusammentragen, Gemeingut Aller werden; in lebhaftester
mittelbarster Weise durch applikatorische Lehrmethode auf dem Terrain dem
ngeren Offizier, dem Reitersmann in Fleisch und Blut übergehen. Nicht
le Reitersleute sind von Seidlitz'scher Begabung, aber alle können bei ähn-
hem Ernste des Strebens dem alten Husarenvater Zieten nacheifern und
dem Husarenmetier, welches so recht eigentlich seine Domaine war, Er-
sprießliches leisten.

Auch auf der preußischen Reiterei lag lange Zeit der Druck, einerseits
r Sorge, daß die gewaltigen Fortschritte der andern Waffen, namentlich
f dem technischen Gebiete, sie ganz in den Hintergrund drängen könnten;
ndrerseits der Betrübniß, daß für ihre Weiterentwickelung so wenig geschah
er geschehen konnte. Eigentlich erst nach dem Jahre 1866 ist dieser zwie-
che Druck vollkommen von ihr genommen. Sie hatte in dem Kriege gegen
esterreich die Ueberzeugung gewonnen, daß Hinterlader und gezogene Ka-
nen sie doch nicht gänzlich von den Schlachtfeldern verdrängt hätten, sie
aßte, wenn auch noch vielfach bestritten, den entscheidenden Heerführern
nen günstigen Eindruck ihrer Verwendbarkeit einzuflößen. Es geschah etwas
r die Reiterei, man vervollkommnete ihre Organisation, man vermehrte
e Rationen ihrer Pferde, man war nicht mehr abgeneigt, in ihr, wenn auch
e dritte, so doch eine Hauptwaffe zu sehen. Alles weitere aber, was der
utschen Reiterei 1870 die hohe Anerkennung von Freund und Feind
ngetragen, das müssen wir als das Resultat ihrer eigensten, aus sich her-
s geschaffenen Arbeit für sie beanspruchen.

Die Vereinigung von Kavallerie und Artillerie, von der Verfasser sich
viel verspricht, haben wir in den deutschen Kavallerie-Divisionen des
tzten Krieges, eigentlich schon seit der Reorganisation der preußischen Armee
ch dem Jahre 1807, wenn auch damals noch nicht in so bestimmt aus-
sprochener Weise, gehabt, und uns derselben mehrfach mit recht entschei-
nder Wirkung bedient.

Ob der schweren Reiterei im eigentlichen Reitergefecht so entschieden der
rrang gebührt, haben wir bereits weiter oben bezweifelt und diese Zweifel
begründen versucht. Die Lanze, das ist richtig, hat im ersten Chock eine
h unwiderstehliche Wirkung, ist auch in gewandter Hand beim Einzelgefechte
e gefährliche Waffe. Dieser sogenannten Königin der Waffen haben sich
e Franzosen ja aber gänzlich begeben. Ob ihre schweren Küraffiere für
sere Dragoner und Husaren auch im geschlossenen Gefecht so gefährliche
gner bleiben würden, wie unser Buch uns erzählt, wenn die letzteren sich
der Fechtkunst ein Weniges mehr vervollkommneten, dürfte noch zu ent-
eiden sein.

Wenn Verfasser an einer weiteren Stelle sagt: „La cavalerie passait autrefois pour une arme qui demandait plutôt de la force corporelle, qu'une vive intelligence", so spricht hieraus doch eine gewisse Unbekanntschaft mit der geschichtlichen Vergangenheit der Reiterei. Bei allen Armeen und zu allen Zeiten, so lange dergleichen bestehen, hat es eine Schlachtenreiterei gegeben, bei welcher die force corporelle im Vordergrund stand; eine leichte, von welcher man eine vive intelligence forderte, und zwar nahm letztere bereits seit der Mitte des verflossenen Jahrhunderts etwa die Hälfte der gesammten Kavallerie in Anspruch, in den Heeren des ersten Kaiserreichs sogar die Mehrzahl. Selbst schon zu den Zeiten des Mittelalters spielen die leichten Stradioten der Venetianer, Wallensteins Holk'sche Jäger eine einflußreiche Rolle als Eclaireurs.

Die Ansichten, welche über Exerzirreglements und Exerzirübungen entwickelt werden: daß jene so einfach wie möglich, diese darauf beschränkt werden müssen, daß eine Truppe lernt, sich auf Kommando schnell und mit Ordnung zu bewegen, zu entwickeln, daß alle übrige Zeit aber auf diejenigen Uebungen, welche wir bei uns unter dem Begriff des Felddienstes zusammenfassen, verwendet werden sollte, diese Ansichten theilen wir durchaus. Dies ist auch in der preußischen Kavallerie seit langer Zeit in Ausführung.

Das preußische Exerzirreglement ist einfach und leicht verständlich, nicht überfüllt, aber ausreichend, wie Alles der Verbesserung fähig und wohl auch bedürftig, aber doch nicht in dem Maße, daß eine Verzögerung hierin von wesentlichem Nachtheile sein könnte.

Die Uebungen des Exerzirplatzes sind nicht mehr alleiniger Zweck; ihnen werden, sobald es geschehen kann, ohne die jüngeren Mannschaften zu verwirren, dem kriegerischen Verhältnisse entnommene Ideen zu Grunde gelegt. Der Felddienst wird viel, mit Verständniß und, wo die Garnisonverhältnisse es gestatten, in Verbindung mit Infanterie geübt.

Wenn diese Uebungen, und namentlich die letzteren, nicht in der ganzen norddeutschen Reiterei mit gleichem Verständniß betrieben, wenn überhaupt noch so Manches im Ausbildungsdienste der Waffe verschieden, sich Einflüsse auf denselben geltend machen, welche einerseits mit den Fortschritten der neueren Zeit nicht einverstanden sind, in denselben eher Rückschritte sehen, andrerseits das Heil wieder in einer schrankenlosen Hingabe an, wir möchten es den kavalleristischen Sport nennen, sehen, so glauben wir den Grund dieses Uebelstandes wesentlich darin suchen zu müssen, daß es uns an geeigneten höheren Kommandostellen der Waffe fehlt, die in unmittelbarem Verkehre mit den höchst entscheidenden Instanzen von dort die Anregungen empfangen, dergleichen verwerthbare aus der Truppe heraus dorthin übermitteln, in deren Hand alle Fäden der Befehlsertheilung auch in Bezug auf die Ausbildung zusammenlaufen, von denen aus das ganze Getriebe nach einheitlichen Grundsätzen geleitet wird. Nur von solchen Centralstellen aus ist es möglich, jene oben berührten Richtungen in der Waffe,

...hnen je jede ihre volle Berechtigung, ihren großen Werth hat, gegen
...nder abzuwägen, jeder den ihr gebührenden Einfluß einzuräumen, das
...erwuchern der einen zum Nachtheil der anderen und des Ganzen zu be-
...rben.

Wir müssen in der Reitbahn, auf dem Exerzirplatze, im Terrain rei-
; wir müssen junge Pferde dressiren, dressirte Pferde mit Verständniß ge-
...chen, schon stumpfere und in ihrem Gebäude weniger vollkommene Pferde
...unsere Zwecke verwerthen können, ohne sie geradezu zu verbrauchen;
...müssen in geschlossener Front uns bewegen und angreifen, in einzelne
...rouillen aufgelöst das Terrain durchstreifen können; wir müssen die blanke
...ffe mit Gewandtheit führen und dürfen nicht ohne Uebung im Gebrauche
...Schußwaffe sein; unser Hauptplatz ist im Sattel, jedoch dürfen wir uns
...t scheuen, im gegebenen Augenblick schnell auf den Boden zu springen,
...die sich bietenden Chancen mit der Schußwaffe auszubeuten! — Dies
...les und noch mancherlei Anderes müssen wir können. Nicht eines nur
...r das andere, nicht eines mehr, das andere minder, nein Alles, und
...r in möglichster Vollkommenheit!

Daß bei einer so großen Aufgabe alle Kräfte in Anspruch genommen
...den müssen, daß diese Kräfte geschickt und sachgemäß nach wohl über-
...tem, fest gehandhabtem einheitlichen Plane geleitet werden müssen;
...ihre Verwerthung nicht mehr oder minder der verschiedenen Auffassung
...zelner anheimfallen darf, die ihre persönliche Anschauung dabei in öfters
: schnell auf einander folgenden Zeiträumen, in der verschiedensten Weise
...Geltung bringen; daß hier vor Allem es heißen muß viribus unitis; —
...wird man uns nicht bestreiten. Eine solche Vereinigung der Kräfte aber
...ben wir ist nur gesichert in der selbstständigen Formation der Waffe, in
...eren Verbänden.

Wir möchten uns an dieser Stelle vor dem Vorwurfe verwahren, als
...llten wir die persönliche Freiheit des Einzelnen in dem dienstlichen Ge-
...be beschränken. Gewiß nichts weniger wie das. Keine Waffe bedarf
...l in der Reihe ihrer Führer so ausgesprochene Persönlichkeiten als die
...ere, die stets in sich selber den besten Rath finden; deren Gebiet liegt
...dem Felde der That; Ausbildung und Leitung aber müssen stets auf
...m nichts weniger als sterilen, jedoch ausgesprochenen festen System be-
...en, alle Verbesserungen, Fortschritte, Entwickelungen nicht vereinzelt, rhaps-
...sch, sondern an seiner Hand zur Geltung kommen. Wären wir Alle
...ydlitz oder Zieten, Sohr oder Krane, dann möchte es noch hingehen, so
: sind solche Männer doch immer nur die Ausnahme.

Diese heilsame Systematisirung, diese Zusammenfassung alles dessen,
...an Schätzbarem für die Förderung der Waffe von innen heraus und
...außen herzu gebracht wird, kann nur lebensfähig dargestellt werden,
...n die Kavallerie auch in Bezug auf ihre Ausbildung und Erziehung in

sich selbstständiger, geschlossener gegliedert wird, eine gemeinsame Kraft erhält. —

Am Schluffe seines Resumés stellt Verfasser eine Reihe von Fragen, bezüglich der Leistnngsfähigkeit der Pferde. Er geht hierbei von der Auffassung aus, daß einerseits die hierfür Seitens der Reglements aufgestellten Normen bei der Tragweite der neueren Feuerwaffen nicht mehr ausreichend sind, andrerseits die fabelhaften Schilderungen von Leistungen arabischer Pferde, das was wir von Renn- und Jagdpferden bei uns leisten sehen, für die Leistungen, welche von dem Soldatenpferde gefordert werden müssen, nicht den Maßstab abgeben können. Diese Fragen sind folgende:

„Quelle est en moyen la limite extrême de la puissance du cheval de troupe?

Combien de charges peut-il répéter de suite?

Que lui reste-t-il de puissance après 15, 20, 30, 40, 50, 60 kilomètres parcourus à un bon train de route?

Comment graduer sa vitesse selon la distance à franchir pour frapper le but avec toute sa force?

Quelle est l'influence du poids sur le fond et la vitesse?

Quels sont les effets gradués de l'augmentation de nourriture?

Verfasser hat sich, wie er sagt, vor Beginn des Krieges der Arbeit unterzogen gehabt, diese Fragen zu beantworten, die Erlaubniß zur Veröffentlichung sei ihm jedoch versagt. Heute dürfte derselbe wohl nichts mehr im Wege stehen und wäre es bei der Bedeutung des Gegenstandes doch von Interesse, das Resultat seiner „langen Forschungen" zu kennen. Wir müssen gestehen, daß wir um so gespannter darauf sind, als es uns mindestens gesagt sehr schwierig erscheint, auf jene Fragen erschöpfende Antworten zu ertheilen, da hierbei so unzählig viele und in sich entgegengesetzte Verhältnisse mitsprechen, daß es fast unmöglich sein dürfte, sie alle gleichzeitig und in allgemeiner Weise zur Geltung zu bringen. Doch wie gesagt, die Sache ist des Nachdenkens, der Forschung werth, und wenn auch kein erschöpfendes Resultat geliefert werden kann, den Vortheil hat die Beschäftigung mit derselben sicher, uns über die Leistungsfähigkeit dieses edlen Thieres, des treuen Genossen unserer kriegerischen Thätigkeit, wenn auch nicht Neues, so doch schätzenswerthe Zusammenstellungen zu geben.

Ob die Beantwortung dieser Fragen, die reglementarische Feststellung der von ihnen berührten Verhältnisse den Einfluß auf die Leistungen der Waffe üben würde, den Verfasser sich davon verspricht, möchten wir doch bezweifeln. Der Reiteroffizier, welcher eine größere oder kleinere Abtheilung seiner Waffe führen will, muß ebenso, wie die Kräfte des Pferdes, welches er selber zwischen den Schenkeln hat, auch die der Pferde seiner Leute, nicht nur nach den reglementarischen Normen zu beurtheilen wissen. Auge, Ohr, Gefühl, jenes innige Verständniß, welches nur eine lange, eingehende, liebevolle Beschäftigung mit dem Thiere zu geben vermag, können allein einen

tigen Maßstab für die Beurtheilung seiner jeweiligen Leistungsfähigkeit
en, und auf die jeweilige kommt es doch hierbei hauptsächlich an. In
Person eines solchen Reiterführers, der nie unnütz Kräfte verbraucht
, daher im gegebenen Augenblick immer noch dergleichen für den Ge-
auch in Vorrath hat, wird auch der General der andern Waffen einen
sern Anhalt für die Beurtheilung der Brauchbarkeit und Verwendbarkeit
Truppe finden, als in jenen reglementarischen Formeln, die ja doch leicht
entscheidenden Moment versagen, da sie unmöglich für alle die zahllosen
chselfälle des Krieges festgestellt werden können.

Dank unserer sorgsamen Heeresleitung brauchen wir nicht in den Schluß-
unseres Verfassers mit einzustimmen, der für die französische Reiterei
er seine reelle Wahrheit hat: „De toutes les considérations qui pré-
ent, il ressort qu'il est indispensable pour la cavalerie d'introduire
réformes dans les différentes questions qui l'interessent, telles
: recrutement, remontes, instructions de l'homme et du cheval."

Wenn auch wir im Laufe dieser Betrachtungen einen und den andern
nsch für Aenderungen, Verbesserungen des Bestehenden haben laut werden
en, konnte dies geschehen ohne das schmerzliche Gefühl, es müsse bei uns
as durchaus Neues, Anderes geschaffen werden.

Wir haben eine gute Kavallerie, die geschickt geführt, sachgemäß aus-
ldet, vorzüglich beritten in einem gewaltigen Kampfe ihre Rolle — wir
en nicht zuviel — glänzend gespielt hat. Es ist jedoch Alles auf dieser
se noch einer Vervollkommnung fähig. Trotz der Erfolge des letzten Krie-
, auch für unsere Waffe, wird jeder der Herren Kameraden sich bei dieser
r jener Gelegenheit gesagt haben, dies könnte noch anders sein, das müßt
anders angreifen, hier fehlt es noch, dort könnte mehr geschehen. Still-
nd ist Rückschritt! Daß dieser Stillstand bei uns nicht eintrete, wir nicht
den Lorbern von 1870—71 uns einer schädlichen Ruhe hingeben, son-
n weiter streben, Vollkommneres zu erreichen, als solche erkannte Mängel
Schäden abzustellen suchen, dazu auch an unserer geringen Stelle mitwirken, war der Zweck dieser Zeilen.

Wenn wir uns hin und wieder gestattet haben, im Anschluß an die
itik des bei uns Bestehenden und Ueblichen, abändernde Vorschläge zu
chen, geschah dies keineswegs in der Anschauung, daß diese Vorschläge das
olut Richtige in sich darstellten, auch hier nur war Anregung zur Dis-
ion die Absicht.

Es erübrigen uns nur noch einige Worte über die Konklusion, mit
cher Verfasser seine werthvolle und, wir wiederholen es an dieser Stelle
Absicht, bis hierher so ansprechende Arbeit schließt. Leider ist diese
nklusion geeignet, viel von jenem ansprechenden Eindrucke wieder zu neh-
n. In ihr tritt der Franzose mit seiner ganzen Eitelkeit, seinem Hoch-
the, seiner Ueberhebung hervor, wie dies zu unserer und gewiß aller
er großer Befriedigung in dem übrigen Buche nirgend der Fall ist.

Wer wollte es dem Verfaſſer verdenken, wenn er in dem erſten
dem Schmerze Ausdruck leiht über das Unglück ſeines Vaterlandes?
er den andern Völkern Europas von ſeinem Standpunkte aus einen
wurf daraus macht, daß ſie gekreuzten Armes zugeſchaut, als ſein
land mit einem mächtigen Gegner rang? Wenn er die Ueberzeugung
ſein Vaterland werde ſich aus ſeinen Aſchenhaufen wieder erheben?
jedoch aus dieſen Aſchenhaufen eine Nation von nie gekannter Größe
erwachſen ſieht, iſt dies eine arge Täuſchung, kaum erklärlich bei einem
Manne, der ſo ſcharf zu denken, ſo klar darzuſtellen verſteht, wie er
er die Mißgeſchicke ſeines Vaterlandes unverdiente nennt, iſt dies
als Täuſchung, und wir nehmen aus Höflichkeit Anſtand, es bei ſeinem
ten Namen zu nennen.

Wenn er uns aber nun gar zuruft, wir möchten unſerer Vergangenheit
gedenken, uns die Namen Stettin, Magdeburg, Spandau, Lübeck u. ſ. w.
vorführt, den raſchen Fall des gänzlich offenen unvertheidigten Berlin; — dann möchten wir ihn doch erſuchen, ſich die Bedeutung der Namen
Katzbach, Großbeeren, Dennewitz, Culm, Wartenburg, Leipzig, Brienne
La Rothière, Laon, Bar ſur Aube, Waterloo in das Gedächtniß zurück
rufen, ihn daran erinnern, daß Preußens Banner zweimal auf den Wällen des, wenn auch nur flüchtig, ſo doch befeſtigten und vertheidigten
Paris wehten, bevor die Namen Belfort, Toul, Straßburg, Metz, Verdun
ihre ehrenvolle Bedeutung in der Kriegsgeſchichte ſeines Vaterlandes erlangten. Seine Landsleute betraten ſeit unſerm erſten Beſuche in ihrer
Hauptſtadt nicht wieder die Ufer des Rheinſtroms, nach denen ihnen ſo ſehr
gelüſtet; die Beſiegten von Jena und Auerſtädt waren ſeit jenen Tagen
ſchwerer, aber wohlverdienter Prüfung dreimal bereits als Sieger in
Paris! —

„Und was geſchah, kann wiederum geſchehen.“ Dies Dichterwort, unſeren, wie es ſcheint unverbeſſerlichen Nachbarn vor Jahren mit Bezug auf
jene erſten beiden Beſuche zugerufen, hat ſich wunderbar erfüllt, wir rufen
es unſerem Verfaſſer als Antwort und Warnung abermals zu! Er möge
kommen, wir ſind allzeit bereit!

Toujours en vedette!

Er hat es ja ſelber erfahren und weiß es vortrefflich zu erzählen, wie
dieſer Wahlſpruch des großen Preußenkönigs ſeinem Volke in Fleiſch und
Blut übergegangen!

8.

Beiheft
zum
Militair-Wochenblatt

herausgegeben

von

A. Borbstaedt,
Oberst z. D.

---

1 8 7 2.
Zweites Heft.

Inhalt:

Friedrich der Große und Westpreußen.
Vortrag, gehalten in der militairischen Gesellschaft zu Berlin am
Januar 1872 von v. Ollech, General-Lieutenant und Director
der Kriegs-Akademie.

Berlin 1872.
Ernst Siegfried Mittler und Sohn,
Königliche Hofbuchhandlung.
Kochstraße 69.

Friedrich der Große und Westpreußen.

Vortrag, gehalten in der militairischen Gesellschaft zu Berlin am 24. Januar 1872 von v. Ollech, General-Lieutenant und Direktor der Kriegs-Akademie.

Meine Herren!

Die Erinnerung an den Geburtstag des großen Königs, deſſen feſtlicher die heutige Verſammlung gilt, führt uns mit der Jahresziffer 1872 die wichtige hiſtoriſche Thatſache, daß vor 100 Jahren, 1772, die Pro-„Polniſch-Preußen" oder, wie Friedrich ſie nannte, „Weſtpreußen" mit dem Vaterlande vereinigt worden iſt.

Die diplomatiſchen Verwickelungen und Kämpfe damaliger Zeit über-wir in unſeren Tagen mit klarer Objektivität. Geſchichte iſt kein Gewebe unbegreiflicher Zufälligkeiten. Urſachen und Wirkungen ſtehen in ſo nothwendigen inneren Zuſammenhange, daß es nur des offenen bedarf, um die Geſetze hiſtoriſcher Entwickelung der Völker wie der Individuen zu erkennen und zu verſtehen. Seitdem überdies für die Ge-des 18. Jahrhunderts die Archive ſämmtlicher Höfe geöffnet worden iſt auch der Schleier des Geheimniſſes hinweggethan, der bis dahin die Beziehungen der Großmächte untereinander verhüllte.

Gleichwohl iſt es nicht unſere Abſicht, auf das Detail derjenigen That-hen zurückzukommen, deren nachwirkende Wellenſchläge noch heute ihre volle he nicht finden wollen. Wenn nationale Gegenſätze wachgerufen und er-ten werden, ſo beſitzen wir in unſerer Zeit zur Beurtheilung und Würdi-ng dieſes Gegenſatzes doch entſcheidende Vortheile, welche uns die hun-rtjährige Zuſammengehörigkeit der Provinz mit dem größten deutſchen taate bietet. Man wäge nur die politiſchen, militäriſchen, merkantilen, miniſtrativen und ſozialen Früchte ab, welche Weſtpreußen ſeiner Zeit der beſaß, noch unter polniſcher Herrſchaft je erringen konnte, hätte nicht edrich der Große und ſeine erhabenen Nachfolger den Geiſt der Zucht, r Ordnung und der Betriebſamkeit an die Ufer der unteren Weichsel pflanzt.

Es ist unzweifelhaft ein tragisches Ereigniß, ein großes Reich in seinem
Verfall zu sehen; aber man darf gleichzeitig nicht vergessen, daß die wahre
Selbstständigkeit eines Staates nur aufhören kann, wenn das Gesetz aufgehört hat, in demselben eine allgemein bindende Macht zu sein. Das subjektive Meinen und Belieben, welches diese gesetzliche Macht sich gegenüber
zur Ohnmacht hinabdrückt, ruft den Sturm hervor, durch den das Staats-
schiff auf schwankender Woge dem Schiffbruch entgegengetrieben wird. Westpreußen ist der kleine Rettungsnachen, ist die losgelöste Planke, welche der
politische Orkan an das feste Ufer des jüngeren Königreichs geschleudert
hat; — dort fand die gerettete Provinz den sicheren Hafen, in dem sie der
höheren historischen Entwickelung entgegengehen sollte.

Das Weichselland von Thorn bis Danzig hat eine eigenthümliche Geschichte gehabt; nicht das Einzelne derselben, sondern das allgemein Charakteristische werden wir zu zeichnen suchen, weil auch der große König in seiner
Sorge für die Provinz an diese Vorzeit anknüpfte. Möge mir hierbei eine
persönliche Bemerkung gestattet sein, daß ich für die Schilderung Westpreußens ein besonderes Interesse habe, da ich das alte Grudzanz, die alte
Festung Graudenz, meine Geburtsstadt nennen darf.

I.

Der Gedanke, daß „Polnisch-Preußen" einst mit dem Königreich Preußen
vereinigt werden müsse, entstand bereits in dem Geiste Friedrichs, ehe er
noch den Thron seines Vaters bestiegen hatte. Der Aufsatz, in welchem der
jugendliche Prinz in einem Alter von 19 Jahren seine politischen Ansichten
niederlegte, ist allerdings nicht ausschließlich auf Westpreußen gerichtet,
umfaßt derselbe vielmehr die künftige Geschichte des preußischen Staates,
welche Er — man darf wohl sagen, fast mit dem Blick eines Sehers — in
fernen Zeiten anschaut und mit kühner Hand in ihren Grundlinien entwirft.
Freilich bedurfte es seitdem eines Zeitraums von 141 Jahren, es bedurfte
der großen Thaten unserer jüngsten Vergangenheit, um die Andeutungen und
Grundsätze Friedrichs vollständig zu verstehen. Für eine ernste und tiefe
Auffassung der Geschichte war der junge Herr auf eine erschütternde Weise
vorbereitet worden. Unter der schärfsten Ungnade seines Königlichen Vaters
stehend, weil der unbesonnene Fluchtversuch seines Sohnes ihn zum äußersten
Zorn gereizt hatte, sieht sich Prinz Friedrich seit dem 4. September 17..
als Staatsgefangener in Cüstrin und zwei Monate später, am 6. November,
geht der Lieutenant v. Katte, als das erste Opfer jener Unbesonnenheit, dem
Tode entgegen. Die persönliche Gefahr, in welcher
der König schwebte, hatte schon am 28. October
in Cüstrin abzuwenden gesucht,

dnftimmig erflärte, als Unterthanen den Thronerben nicht richten zu dürfen; aber von dem Könige seit dem 31. August aus der Armee verwiesen, als Arreftant unter militairiſcher Bewachung in dem ſtrengſten Gewahrſam gehalten, erfährt der Prinz erſt am 9. November, daß ihm zunächſt nur die Gnade eines erweiterten Stadt-Arreſtes zu Theil werden ſolle, um als Beiſitzer an den Arbeiten der Kriegs- und Domainenkammer Theil zu nehmen. Mit dem Eidſchwur vom 19. November:

> „Meinen (des Königs) Willen und Ordres ſtricte und gehorſamlich nachzuleben und in allen Stücken zu thun, was einem getreuen Diener, Unterthan und Sohn gehöret und gebühret" —

fann die Kataſtrophe ſich zu löſen, aber noch endeten nicht die bußfertigen Prüfungen eines Herzens, welches gegen Gottes Ordnung eigene, ſelbſtgewählte Wege hatte gehen wollen. Prinz Friedrich ſah ſeinen Königlichen Vater erſt am 15. Auguſt 1731 in Cüſtrin wieder, empfing an dieſem Tage nach einer ſtrengen Ermahnungsrede volle Verzeihung, durfte am 23. November dieſes Jahres — doch nur „in der Kriegsraths-Uniform" — vorübergehend zu den Vermählungsfeierlichkeiten ſeiner Schweſter Wilhelmine nach Berlin kommen, und wurde erſt am 26. Februar 1732 von ſeinem Aufenthalt in Cüſtrin entbunden.

In dieſe ſchwere Zeit, in welcher der Prinz unbedingte Selbſtverleugnung lernte, — in welcher Pflichttreue und Arbeitskraft ſeine tägliche Uebung waren, — in welcher endlich ſeine hochbegabte Jugend vor der Zeit zum Mannesalter heranreifte, fällt der Aufſatz vom Februar 1731, deſſen Hauptgedanken wir hier folgen laſſen:

> „Die centrale Lage des Königreichs, welches Europa in zwei Hälften theilet, macht daſſelbe von allen Seiten angreifbar. Seine Nachbarn umſchließen es und ſtellen ihm bei ſeiner unterbrochenen Verbindung die ſchwierige Aufgabe, die Armee zur Vertheidigung der Grenzen der Art aufſtellen zu müſſen, daß kein Theil derſelben zur Offenſive übrig bleiben würde. Behält man dieſe Umſtände im Auge, ſo folgt daraus, daß der Friede für den Staat wünſchenswerth iſt (qu'un roi de Prusse doit employer son plus grand soin à entretenir bonne intelligence avec tous ses voisins). Wer aber würde ein ſo ſchlechter Politiker ſein und eine ſo ſchwache Vorſtellung von der Zukunft Preußens beſitzen (pour le maintien de sa grandeur), die Forderung des Friedens als eine abſolute Bedingung der Lebensfähigkeit des Staates gelten zu laſſen (il serait d'un très mauvais politique et d'une personne privée de toute invention et imagination d'en rester là). Stehen bleiben darf Preußen nicht, es muß vorwärts ſchreiten, car quand on n'avance pas (je parle des affaires générales) on recule."

> „Was folgt daraus? Der Staat muß wachſen. Dieſe in einzelne Theile zerriſſenen und unterbrochenen Lande müſſen einander genähert wer-

den; sie müssen zusammen schließen. (Je crois que le plus nécessaire
des projets que l'on doit faire est de les rapprocher, ou de recourir
les pièces détachées, qui appartiennent naturellement aux parties que
nous possédons.) Eine solche scheidende und doch zu dem Hauptlande
Preußen gehörende Provinz ist Polnisch-Preußen. Nur durch die Kriege
Polens gegen den deutschen Orden hat diese Provinz ihre naturgemäße Zusammengehörigkeit mit dem Königreich verloren. Durch die untere Weichsel
ist der östliche von dem westlichen Theil des Staates getrennt. Wird dieser
Landstrich wieder erlangt, so ist die Verbindung zwischen Pommern und
Preußen hergestellt. Schifffahrt und Handel auf der Weichsel kommen dann
in unsere Hand. Von dort aus hält man die Polen im Zaum. Aber auch
im Norden und Westen muß der Staat sich ausdehnen; die Armee kann
dann gleichzeitig vermehrt werden, und es wird beides geschehen auf dem
Wege natürlicher Ereignisse."

„Ich rede von dieser Sachlage — fährt der Prinz fort — nur als
reiner Politiker (je ne raisonne qu'en pure politique et sans alléguer
les raisons du droit). Will man eine Frage klar stellen, so muß man
jede Abschweifung auf andere Gebiete vermeiden. Ueber die Rechtsgründe
wird die Zukunft entscheiden. Ich bin auch weit entfernt, schon jetzt anzu-
geben, wie man in den Besitz jener Lande gelangen könne. Ich habe allein
auf die politische Nothwendigkeit des Anwachsens Preußens hinweisen wollen.
(Je ne veux uniquement que prouver la nécessité politique qu'il y a,
selon les conjonctures des pays prussiens d'acquérir les provinces
que je viens d'indiquer)."

„Ein jeder weise und treue Diener des Königlichen Hauses muß stets
große Ziele ins Auge fassen, von denen er sich durch untergeordnete
Zwecke nicht ablenken lassen darf. Dann erst wird der König von Preußen
im Stande sein, eine erhabene Bestimmung unter den Großen dieser Erde
zu erfüllen. Von ihm wird es abhängen, den Frieden zu geben oder zu
erhalten, und zwar allein aus Liebe zur Gerechtigkeit, nicht aus Besorgniß
irgend welcher Art; und wenn die Ehre des Hauses und des Landes den
Krieg fordert, so wird er ihn mit voller Kraft führen können (pouvant la
pousser avec vigueur). Preußen hätte dann keinen anderen Feind zu
fürchten, als den Zorn Gottes, und selbst diesen nicht, so lange Frömmigkeit
und Liebe zur Gerechtigkeit über die Gottlosigkeit, über das Parteigetriebe,
über den Geiz und den Eigennutz herrschen. (La colère céleste ne serait
pas certainement à craindre, autant que la piété et l'amour de la
justice règnent dans un pays sur l'irréligion, les factions, l'avarice
et l'intérêt.) Möge sich Preußen zu dieser Höhe erheben, um den evan-
gelischen Geist in Deutschland und in Europa zur vollen Blüthe zu bringen.
Möge es den Leidenden Quellen der Hülfe und des Trostes eröffnen; eine

...ge der Wittwen und Waisen, ein Retter der Armen und ein Vergelter
der Ungerechten werden."

„Wenn aber Preußen jemals einen anderen Weg ginge, wenn Ungerechtigkeit, Lauheit in der Religion, Parteilichkeit oder das Laster über die
Tugend den Sieg davon trüge — was Gott auf immer verhüten wolle —
(ce que Dieu préserve à jamais), dann dürfte es geschehen, daß es
schneller stürzen würde, als es sich erhoben hat. C'est tout dire!"

So dachte der jugendliche Prinz in glühender, patriotischer Begeisterung
über das innere und äußere Leben des Volkes, welches Er 9 Jahre später als
ein großer Monarch mit Weisheit, Kraft und unzerstörbarer Pflichttreue
26 Jahre lang regieren sollte. Was sein erhabener Sinn vorschauend seinem
königlichen Hause und dem Volke wünschte, ist in unseren Tagen reicher in
Erfüllung gegangen, als die kühnste Phantasie es so nahe zu erfassen vermochte. Durch eine starke, gehorsame, mannhafte, gut geführte Armee hat
der preußische Staat das neue deutsche Kaiserreich geboren.

Merkwürdig ist es, daß Prinz Friedrich sich in militairischer Beziehung
schon so früh von dem Werth der Offensive durchdrungen zeigte. Eine
Vertheidigung des Landes, welche keine Operations-Armee zur Offensive
übrig läßt, erscheint ihm als ein Mangel, den zu heben die Politik eingesetzt werden müsse. Als König hat Er deshalb seine Kriege auch im Sinne
der Ueberraschung, der kühnsten Offensive eingeleitet und nach Möglichkeit
in gleicher Weise durchzuführen gesucht. Ein glänzendes Vorbild für diese
rasche Beweglichkeit der Feld-Armee besaß der Prinz in dem großen Kurfürsten, den er eben deshalb auch in seinen Mémoires pour servir à l'histoire de la Maison de Brandebourg durch ein rühmendes Zeugniß gefeiert hat. Es waren namentlich die Schlacht bei Warschau, der Ueberfall
auf Rathenow, die Schlacht bei Fehrbellin und die kühne Winter-Expedition
über das zugefrorene frische Haff nach Preußen, die seine Bewunderung erregten. Glücklicherweise ist der preußischen Truppenführung dieser Geist der
Offensive als die Seele des großen Krieges geblieben. Wenn das oft gehörte Wort eine Wahrheit ist, daß große historische Gegensätze auf dem san-
digen Boden der Mark ausgefochten werden sollen, so hat die Geschichte bereits gezeigt, daß die entscheidenden Schläge nicht unmittelbar auf diesem
Boden, sondern in der dänischen Halbinsel, in Böhmen und auf dem Boden
Frankreichs, selbst bei Paris, gefallen sind.

II.

Es ist von besonderem historischen Interesse, daß der Name der alten
Prutfi, Pruzzen oder Preußen (die lateinischen Urkunden und Chroniken
schreiben Prutheni oder Prussi) auf die Gesammt-Monarchie als Prussia

übertragen worden ift. Aeußerlich ſehr kräftig, blauäugig, ſtark behaart, — von Charakter milde, menſchenfreundlich, gutmüthig, ſehr gaſtfrei und gefällig, entwickeln ſie die volle Gewalt urſprünglicher Naturkraft, ſobald ihre politiſche Unabhängigkeit angetaſtet wird, und dies geſchah ſeit dem 12. Jahrhundert durch Feinde ringsum. Zwei Urſachen waren es, welche ſie zum Angriffsobjekt ihrer Nachbarn machten, der Beſitz der Oſtſeeküſte von der Weichſel über den Pregel hinaus bis zum Kuriſchen Haff, und das Heidenthum, welches ſie noch feſthielten, als ſchon angrenzende Völker im Oſten, Süden und Weſten das Chriſtenthum angenommen hatten. Auf der Halbinſel Samland opferten die Preußen in dem heiligen Gefilde von Romove ihren Göttern den koſtbaren, wohlriechenden Brennſtein oder Bernſtein, den die See als verſteinertes Harz aus den verſunkenen Kiefernſtämmen des Meeresgrundes abſpült und an die Küſte wirft; aber dort verbrannten ſie auch ihre gefangenen Feinde zur Ehre derſelben Götter.

Ihr Oberprieſter, der Krive in Romove, die große Prieſterſchaar, die ihn dort im National-Heiligthum umgab, und die relative Kultur, welche die Samländer oder Samen durch den Bernſteinhandel mit entlegenen Völkern des Welttheils gewannen, — das Alles wurde die Veranlaſſung, daß die Hinterländer, die Bewohner von Schalauen, Nadrauen, Natangen, Barten, Galinden, Warmien, Pogeſanien und Pomeſanien, die Klugheit der Samländer rühmten. Von ihnen hieß es: ſie haben pruota, Verſtand; gehe nur hin, er — der Prieſter — u prussa, d. h. er wird verſtehen. Das iſt der Urſprung des Namens der Pruzzen, als kluger, verſtändiger Männer. Dieſer Name iſt den Polen als Volksname zuerſt bekannt geworden und ſie haben ihn nach Deutſchland und Italien verpflanzt. Der Name Bo—ruſſen oder weicher ausgeſprochen Bo—ruſſen, als Nachbarn der Ruſſen, oder als Anwohner des kleinen Ruß, des nördlichen Arms der Memel bis ins kuriſche Haff, iſt eine Verſtümmelung der Stammſilbe, die Pruß und nicht Ruß heißt. —

Die Preußen waren keine Slaven oder Wenden; ſie gehörten nicht zu der großen polniſchen Völkerfamilie; ſie verſtanden deren Sprache nicht, weil ſie zu den Stämmen der Letten zählten, welche die Küſten der Oſtſee bis an den rigaiſchen Meerbuſen bewohnten. Dieſes urkräftige Volk iſt nicht ausgerottet worden; nur ſeine Sprache iſt mit der Vernichtung der politiſchen Selbſtſtändigkeit aus dem Munde des Volkes verſchwunden. Die Preußen mußten die Sprache der deutſchen Sieger annehmen, wenn ihnen das Verſtändniß im täglichen Verkehr mit denſelben nicht verſchloſſen bleiben ſollte. Schon im Anfang des 15. Jahrhunderts war die deutſche Sprache die allgemein herrſchende im ganzen Preußenlande, wenngleich man lange nachher noch preußiſch reden hören konnte. Als Heiden ſind ſie dem Geſetz des Unterliegens verfallen, gegenüber der ſiegreichen Stärke des Chriſtenthums, welches ihnen allerdings nicht auf dem Wege der Liebe und Barmherzigkeit

ndern — wie so oft — mit Feuer und Schwert gebracht wurde. Nach
rer Niederlage werden sie die Botschaft des Evangeliums, die Botschaft
r göttlichen Gnade und des Friedens in ihrem National-Idiom wohl nur
urch die dürftige Vermittelung einiger Dolmetscher oder Tolken gehört
ben, denn die preußische Sprache war bei den Siegern verachtet. Erst im
italter der Reformation ließ Herzog Albrecht von Preußen 1545 das Vater-
ser, den Glauben und die zehn Gebote in die altpreußische Sprache über-
zen, um diese einfachsten und ursprünglichsten Dokumente des Christenthums
die Hütten der Armuth und Einsamkeit der niedergeworfenen Preußen zu
nden. Derselbe Fürst veranlaßte 1561 zu gleichem Zweck die Uebersetzung
s ganzen kleinen Katechismus Luthers in dieselbe Sprache.

Auf den Trümmern dieses Volkes, welches ohne politisches Centrum in
nzelnen selbstständigen Stämmen nebeneinander gelebt hatte, bauten sich
ue Generationen auf mit echt deutschem Charakter, deutscher Sprache, deut-
her Gesittung und deutscher Kultur, so daß man mit vollem Recht die
nde zu beiden Seiten der unteren Weichsel und über den Pregel hinaus
s an den Niemen oder an die Memel „Neu-Deutschland" genannt hat.
ie Möglichkeit einer so tief greifenden Umwandlung der preußisch-lettischen
steeküste in deutsche Provinzen schufen die deutschen Ordensritter,
elche wir in ihrer ursprünglichen Organisation als militairischer Musterstaat
ort auch als den würdigsten Vorläufer der großen preußischen Monarchie
 betrachten haben.

Es ist eine Thatsache, daß es im 13. Jahrhundert, mit Ausnahme der
utschen Ritter, keine Macht gab, welche im Stande gewesen wäre, die
hwierige Aufgabe, Besiegung der heidnischen Pruzzen, zu lösen. Die pol-
schen Fürsten waren den Preußen gegenüber vollkommen machtlos. Alle
re Versuche, die Wald-, Sumpf- und Seelinie zwischen Weichsel und
regel zu durchbrechen, scheiterten nicht nur, sondern führten zu den empfind-
hsten Rückschlägen, in welchen es den Polen nicht einmal gelang, das offene
and zwischen Weichsel, Ossa und Drewenz, das alte Colmen oder Culmer-
ebiet dauernd zu behaupten. Bis zu der polnischen Burg Turno, an
elche sich später Thorn anlehnte, und darüber hinaus drangen die Preußen
 ihren wiederholten Siegeszügen vor. Die tapferen Schwertritter lief-
nds beschränkten die Christianisirung auf die Esthen oder Ostseeleute des
nnischen Meerbusens.

Der Versuch, einen polnischen Ritterorden zu einem Kreuzzuge gegen
e Pruzzen zu gründen, zeigte sich ebenso wirkungslos, denn dieser Orden
erschwand kurze Zeit nach seinem Entstehen schon im 13. Jahrhundert.
elbst die milden Bekehrungsversuche des Mönches Christian aus dem
loster zu Oliva konnten nicht bleibenden Fuß an der unteren Weichsel
ssen. Zum Bischof ernannt, suchte auch Christian militairische Hülfe und
chutz gegen die kriegerischen Preußen. Es ist also unzweifelhaft, daß sich

von allen Seiten her die äußerste Noth, die vollständigste Machtlosigkeit gegen die Pruzzen zeigte. Dieser gespannten Sachlage suchte man endlich auf nachhaltige Weise von höchster Stelle aus ein Ende zu machen.

 Kaiser Friedrich II., der erhabene Hohenstaufe, sah nach der Anschauung damaliger Zeit das heidnische Preußenland, obschon er es nicht besaß, als natürliches Erbgut des heiligen römischen Reiches deutscher Nation an. Für den Zweck der Eroberung und Gewinnung für das Christenthum schenkte er es deshalb durch eine kaiserliche Bulle vom März 1226 dem deutschen Ritterorden, den Ritterbrüdern des Marien-Hospitals, und zwar mit den ausgedehntesten Hoheitsrechten als ein deutsches Reichsfürstenthum. Herrmann von Salza, der kluge und tapfere Hochmeister, stand an der Spitze des Ordens.

Der südliche und am meisten bedrängte Nachbar des Preußenlandes, Herzog Conrad von Cujavien und Masovien (mit der Hauptstadt Plock an der Weichsel), hatte dem deutschen Orden für dessen Hülfe und Beistand nur den zweifelhaften Besitz des Culmer Bezirks anzubieten; aber auch er trat diesen Distrikt für sich, seine Erben und Nachfolger zu ewigem landesherrlichen Besitz an die Ritter ab, verpflichtete sich auch, sie an den weiteren Eroberungen nicht hindern zu wollen. Schiebt man dieser Ausdrucksweise den Begriff einer polnischen Schenkung unter, so liegt darin eine politische Fiction. Es lag in diesem Fall kein anderes Recht vor, als das der Eroberung, und dieses Recht hatte sich der deutsche Orden erst mit seinem Blute zu erwerben. Pergament und Tinte konnten es ihm nicht schaffen, mochten die diplomatischen Dokumente auch in deutscher, polnischer oder lateinischer Sprache geschrieben sein.

Der Kreuzzug des Kaisers vom Jahre 1228 nach Palästina, — die Schwierigkeit politischer Verhandlungen und Verbindungen über so weite Strecken fort, — vielleicht auch Bedenklichkeiten, die noch zu überwinden waren, — verzögerten den entscheidenden Entschluß des Hochmeisters. Im Sommer 1229 aus Jerusalem nach Venedig zurückgekehrt, empfängt Herrmann von Salza nun auch die Zustimmung des Papstes Gregor IX. zur Besitzergreifung des Heidenlandes zwischen Weichsel und Niemen, eine Zustimmung, die in dem Verhältniß des geistlichen Ritterordens zu dem christlichen Oberhaupt in Rom begründet lag. Im Anfang des Jahres 1231 begann der hartnäckige, blutige, aber siegreiche Kampf an der Weichsel, durch den über die Kultur-Entwickelung der dortigen Ostseeküste auf Jahrhunderte hinaus im deutschen Sinne entschieden worden ist.

Die Größe des Widerstandes der tapferen Preußen ergiebt sich aus der Dauer dieses Krieges. Ein halbes Jahrhundert (genau 52 Jahre bis 1283) war erforderlich, um die Eroberung des Landes zwischen Weichsel und Pregel der Art zu vollenden, daß auch die partiellen Aufstände der Eingebornen auf immer niedergeschlagen blieben. Planmäßig mußten sie durch feste Burgen an den Strömen, am Haff und im Inneren des Landes mit eiserner Hand niedergehalten werden. Die Erfolge des Ordens beruhten aber nicht allein auf Waffenglück. Auf dem linken Ufer der Weichsel herrschten pommersche Herzöge über slavische Stämme. Durch geschickte diplomatische Unterhandlungen mit denselben, durch Verträge und Kauf, zu welchem eine kluge Finanzwirthschaft stets die Mittel bereit stellte, gelang es den Hochmeistern, auch nach dieser Seite hin ihr neu gegründetes Reich auszudehnen, so daß es im Laufe des 14. und im Anfange des 15. Jahrhunderts Grenzen erreichte, welche westlich durch den Leba= und Wilmsee, südlich durch eine Linie über Camin, Thorn, Johannisburg bis zur Scheschuppe und östlich durch den Riemen bis zur Nordspitze des Kurischen Haffs bezeichnet werden können. Innerhalb dieses Gebiets hatte die zur Ehre der Jungfrau Maria an der Mogat erbaute fürstliche Marienburg allerdings eine fast centrale Lage, wenngleich auch andere Ursachen zu ihrer Gründung an dieser Stelle mitwirkten. 1276 wurde ihr Bau angefangen, 1309 erhob sie Siegfried von Feuchtwangen zur Residenz.

Fragt man aber, wodurch es möglich wurde, daß die einfache Verbindung edler Ritter eine so große That vollbringen konnte, sich ein neues, unabhängiges, deutsches Fürstenthum zu gründen, und zwar ohne erbliches Oberhaupt, ohne andere Kriegsmittel als ihr gutes Schwert und ihren tapferen Arm, ohne andere Unterstützung als den Nothruf bedrängter Nachbarn, — so müssen wir als Antwort auf das glänzende Beispiel der Macht idealer Gedanken und eines sich selbst verleugnenden Sinnes hinweisen.

Die Männer, welche mit dem weißen Rittermantel und dem schwarzen Kreuz darauf, gehorsam dem Ruf und Gebot ihres Meisters, Leib und Leben in den Kampf gegen die Heiden einsetzen wollten, nahmen keine Schätze aus ihrer Heimath mit, gründeten keine eigene Familie und entsagten darin ihrem eigenen Willen, daß sie denselben ganz in die Zwecke der Verbrüderung aufgehen ließen. Ihre Ordensregel forderte nämlich:

„Drei Dinge sind die Grundfesten eines jeglichen geistlichen Lebens. Das Eine ist Keuschheit, das Andere ist Verzicht des eigenen Willens — das ist Gehorsam bis in den Tod, das Dritte ist Verheißung der Armuth, daß der ohne Eigenthum lebe, der da empfängt diesen Orden."

Das Vorbild dieser großen Verpflichtungen entnahmen die Ritter dem Leben unseres heiligen Erlösers, der auf Erden arm, keusch und seinem himmlischen Vater gehorsam bis zum Tode am Kreuz geblieben. Im Anschluß an dieses göttliche Urbild werden sie deshalb auch „Gottesritter" genannt.

Nur auf einer so ernsten und religiösen Grundlage war es möglich, den Adel deutscher Nation in fernen Landen zu einer großartigen einheitlichen Wirksamkeit zu vereinigen. Eine glühende Begeisterung durchströmte von

Generation zu Generation die edelsten Geschlechter, und wo Hunderte deut-
scher Ritter im Kampfe fielen, da traten neue Genossen aus allen Gauen
Deutschlands mit gleicher Treue an ihre Stelle. Ein vollkommen absoluter
Monarch konnte nicht mit größerer Gewalt an der Spitze dieser Ritter-
brüder stehen, als der von ihnen selbst gewählte Meister. In diesem
Verhältniß lag ihre wachsende politische Macht, getragen von der für den
Feldkrieg vortrefflich organisirten Armee. Einfach in ihrem Leben, mäßig,
nüchtern, grundsätzlich nur das tägliche Brod empfangend, blieben die Ordens-
genossen der Verweichlichung, dem Wohlleben und dem Müßiggange entzogen. Freilich, bei der Unvollkommenheit aller menschlichen Dinge, haben
sich die deutschen Ritter auf dieser idealen Höhe nicht erhalten können. Wenn
aber auch die Erscheinungsformen sittlicher Kräfte wechseln, sie selbst sind
nicht geschwunden, sie haben vielmehr ihre weltbewegende Macht behalten, ja,
sie sind neu erstanden, aber nicht wieder in mönchischer Gestalt, sondern
im Sinne evangelischer Freiheit, welche die Heiligkeit der Ehe höher
stellt, als das Cölibat, welche von jedem Träger des Degens Ehrenhaftigkeit
und ritterliche Sitte fordert, welche endlich die Genußsucht verwirft, weil sie
die Treue in der Pflicht gefährdet.

Die deutschen Ritter haben aber mehr gethan, als ein heidnisches Land
blos zu erobern; sie haben es gleichzeitig Schritt vor Schritt germanisirt,
kultivirt und zu einer industriellen und kommerziellen Blüthe gehoben, welche
nur durch den gleichzeitigen Aufschwung der Hansastädte erklärlich wird,
mit welchen der Orden in engster Verbindung stand.

Es ist wohlthuend, nicht nur dem deutschen Adel, sondern gleichzeitig
dem deutschen Bürger- und Bauernstande das Zeugniß geben zu müssen,
daß auch sie zur Germanisirung des heidnischen Preußenlandes recht-
schaffen und in weitester Ausdehnung mitgewirkt haben; sie folgten bereit-
willigst dem Rufe und dem erobernden Zuge der Ritter. Vor Allen waren
es die betriebsamen Niedersachsen, die treuen Schwaben und die im Deichbau
kundigen Friesen, welche nach Preußen eilten. Den zerstörenden Ueberschwemmungen in der Weichselniederung mußte Einhalt gethan, die Sümpfe aus-
getrocknet und das fruchtbare Delta zwischen Weichsel und Nogat dem Ackerbau gewonnen werden. An diesen Stellen befanden sich die Friesen und
später auch die Holländer, als Söhne germanischen Stammes, ganz in ihrem
seit Jahrhunderten gewohnten Element. An die Burgen der Ritter lehnten
sich neue Städte; unter dem Schutz der Städte wuchsen die Dörfer empor
und wurde der Boden im Thal und auf den Höhen bebaut und nach Bedürfniß entwaldet. So entstanden durch den Orden Thorn, Culm, Marienwerder, Marienburg, Elbing und andere Städte. Danzig ist eine ältere sla-
visch-dänische Gründung und hieß ursprünglich Gyddanize und Gdansk. Zum
Hansabunde gehörend werden Thorn, Culm, Danzig, Elbing, Braunsberg

und Königsberg genannt, ein Beweis, wie rasch diese Städte sich zur kommerziellen Bedeutung entwickelten.

Es war eine wesentliche Stütze seiner Macht, daß der Hochmeister der deutschen Ritter in der Vertheilung des Grund und Bodens als Lehnsherr auftreten konnte, und durch Verleihung von Allodialbesitz sich in seinen Vasallen und deren Hintersassen mittelst allgemeinen Aufgebots eine große Streitmacht zu sichern wußte. Ein mäßiger Zins regelte die festen staatlichen Einnahmen.

Auch auf dem linken Weichselufer nahm die Germanisirung einen raschen Fortgang; sie war dort durch die nähere Verbindung mit Deutschland sogar wesentlich leichter, als nach dem fernen Osten hin. Spezifisch slavisch blieben daselbst nur die zwischen der Leba und der oberen Radaune zusammengedrängten Cassuben und der polnische Stamm, welcher in der Tuchelschen Haide seinen Sitz hatte. Das ganze Ordensland links der Weichsel führte den Namen Ostpommern, auch Pommerellen oder Kleinpommern, im Unterschiede von dem Küstenstrich bis über die Oder hinaus, der nur noch seinen slavischen Namen bewahrt hat, denn Pommern kommt von Po—morje oder Land am Meer; ein Pomorski oder Pommer ist also ein Küstenbewohner. Auch das heutige Schlawe an der Wipper erinnert an die alte kassubische Hauptstadt Slava.

Zur Zeit seiner höchsten Blüthe beherrschte der Orden, im Bunde mit der Hansa, auch die Ostsee. Seine Schiffe vertrieben von ihren Fluthen Ende des 14. Jahrhunderts die Seeräuber, welche unter dem Namen der Vitalienbrüder den Handel störten, der nach Riga und Rußland und durch die Nordsee bis Holland ging. Die Insel Gothland vor der schwedischen Küste wurde durch Kauf von der Krone Dänemark der feste Waffenplatz für die See-Expeditionen des Ordens. Seine Münzen waren die besten; seine Bibliotheken zahlreich, als Ausdruck seiner Bildung und seiner Achtung vor der Wissenschaft; seine Priesterbrüder hatten fast alle Bischofsstühle des Landes inne. Seine edle und kühne Baukunst, wie die Marienburg sie zeigt, ist noch heute unübertroffen. Preußen wurde eine fruchtbare Kornkammer. Auswärtige Fürsten suchten die Freundschaft des Ordens. Achtung und Bewunderung kamen ihm von allen Seiten entgegen.

Die unbeschränkte Herrschaft der deutschen Ritter in Preußen hat 235 Jahre gedauert. Die Ursachen, welche dann diese glänzende Erscheinung erbleichen ließen, können wir in folgenden Sätzen kurz zusammenfassen.

Seine ursprüngliche Aufgabe, äußerliche Christianisirung der heidnischen Preußen, hatte der Orden gelöst. Das weitere Ziel, welches sich derselbe steckte, Niederwerfung der heidnischen Littauer, welche von der Düna bis zum Dniestr und vom Niemen bis zu den Quellen des Dniepr ein großes Reich bildeten, griff über seine historische Mission hinaus. Er schuf sich dort

Kriegsverwickelungen, welche zwar zu ruhmvollen Thaten führten, aber die
eigenen deutschen Provinzen schwer belasteten.

Aus nationalem Gegensatz des Slaventhums gegen das Ger-
manenthum folgte auch der polnische Nachbar an der Südgrenze den Fortschritten der deutschen Ritter mit dem äußersten Mißtrauen. Nach dieser
Richtung waren die Kriege in der That unvermeidlich, und sie wurden mit
nationaler Erbitterung geführt.

Die Streitmittel des Ordens mußten freilich außerordentlich gesteigert
werden, als Littauen und Polen sich politisch mit einander verbanden.
Es geschah dies 1386 durch den littauischen Großfürsten Jagello, als derselbe zum Christenthum übertrat und durch die Vermählung mit der Erb-
prinzessin Hedwig auch König von Polen wurde.

Indessen selbst dieser Verbindung würde der Orden das militairische
Gleichgewicht gehalten haben, wenn nicht in seinem eigenen Lande, namentlich
an den Ufern der Weichsel, sich schwere Zerwürfnisse entwickelt hätten. Der
eingewanderte, aber seßhaft gewordene Adel, welcher nicht zu den Mitgliedern des Ordens gehörte, sowie die reichgewordenen Städte, vermochten es
nicht, den deutschen Erbfehler von sich abzustreifen, der Neigung zur Par-
tikularität auf Kosten des großen Gemeinwesens nachzuhängen. Sobald die erste Noth der Kolonisation verschwunden war, trat auch mit dem
wachsenden Wohlstande der politische Anspruch auf partikulare Absonderung
hervor, zunächst gerichtet auf staatliche Privilegien und Prärogativen, demnächst aber fortschreitend bis zum offenen Aufruhr 1454 gegen die recht-
mäßige Obrigkeit des Landes, gegen den Orden.

Eine solche Katastrophe hatten die deutschen Ritter allerdings dadurch
mitverschuldet, daß sie des Geistes nicht mehr zu bedürfen glaubten, der sie
groß gemacht. Ihr dreifaches Gelübde faßten sie als eine leere Form auf,
und mit dem höheren Inhalt ihres Lebens schwand auch die besonnene staats-
männische Thatkraft.

In dem Bewußtsein, durch eigene Stärke dem Orden, der sie mit den
Waffen in der Hand zum Gehorsam zurückzwingen würde, doch nicht widerstehen zu können, suchten sich Adel und Städte einen neuen Schutzherrn,
der als Kaufpreis ihres Abfalls die Garantie ihrer politischen Forderungen feierlich bestätigen und den Rittern den Krieg erklären sollte. Die
Wahl schwankte zwischen Dänemark, Ungarn mit Böhmen und Polen. Man
sieht, daß hier keine nationale, sondern eine rein politische Frage vorlag, der
man eine nationale Färbung nur durch diplomatische Unwahrheiten geben
konnte. Die Aufrührer entschieden sich für Polen, weil dies der nächste,
schlagfertigste und feindseligste Nachbar des Ordens war. Freilich strebten
sie keine „Inkorporation", keine Theilnahme am polnischen Reichstage an,
sondern nur eine Personal-Union, durch welche sie ihr eigenes nationales
Recht und ihren germanischen Charakter dauernd zu wahren hofften.

Allein es wurde ihnen in dem geschichtlichen Verlauf die natürliche Strafe der Empörung zu Theil; sie hatten nur den Herrn gewechselt, den slavischen Gebieter für den germanischen eingetauscht, ihr politisches Leben, ihre Nationalität und ihre Kultur auf das Aeußerste gefährdet.

König Kasimir IV. von Polen nahm 1454 die Schutzherrschaft über Preußen an und übersandte am 22. Februar dem Hochmeister die Kriegserklärung.

In dem Besitzergreifungspatent sprach König Kasimir den Satz aus, dessen subjektive Deutung in dem Getriebe politischer Faktionen den Untergang Polens herbeigeführt hat:

"Die Preußen wären zu ihrem Bunde (gegen den Orden) nach menschlichem und göttlichem Recht befugt gewesen, da Niemand einer ungerechten und Böses verübenden Obrigkeit Gehorsam schuldig sei."

Der nun folgende Krieg endete erst nach 13 Feldzügen mit dem Frieden von Thorn 1466. Der Orden verlor das Land westlich der Weichsel, dazu östlich derselben den Culmer Distrikt, Marienburg, das Delta der Weichsel und das Bisthum Ermeland. Ostpreußen blieb in der Form eines polnischen Lehus in den Händen der deutschen Ritter, welche nun nach Königsberg den Fürstensitz ihres Hochmeisters verlegten. Kaiser Friedrich III., machtlos in Deutschland, hatte den Verlust jener reichen, deutschen Provinz an dem Gestade der Ostsee nicht verhindern können. Die Polen waren Herren der deutschen Küste geworden. Die Weichsel durchströmte von jetzt an Polnisch-Preußen!

Für den langen Zeitraum von 306 Jahren, nämlich von 1466 bis 1772 trat nun an Polen die große Aufgabe heran, die kulturhistorische Entwickelung des unteren Weichselthales weiterzuführen, welche der deutsche Orden bereits bis zu einer Höhe gehoben, die ihm den Abfall seiner Vasallen und Städte eingebracht hatte. Der polnische Adel, mit seinen Wahlkönigen an der Spitze, hat diese Aufgabe innerhalb des eigenen Reiches nicht zu lösen vermocht, vielweniger in einer Provinz, deren deutschen Charakter beide vor allem Anderen zu vernichten strebten.

Es ist aber ein Gesetz in der göttlichen Erziehung des Menschengeschlechts, daß an der Stelle, wo sittliche und staatliche Kräfte versagen, durch andere Völker neue fruchtbringende Keime ausgestreut werden müssen.

Polnisch-Preußen zeigte die Zähigkeit seines partikularen deutschen Charakters dadurch, daß es unmittelbar nach dem Staatsvertrage mit Polen den Kampf für seine selbstständige ständische Verfassung, für sein deutsches Recht und für die gesonderte Stellung, welche aus der Personal-Union folgte, gegen alle Inkorporations- und Polonisirungsversuche aufnahm. Dieser Kampf dauerte über 100 Jahre.

Die Preußen erklärten wiederholt:

„daß sie zwar durch ein festes Bündniß mit Polen vereinigt seien, aber ihre besonderen Gesetze, Sprache, Sitten beibehalten und nur den König mit Polen gemein hätten."

Auf dem Reichstage zu Lublin wurde im März des Jahres 1569 durch den König Sigismund August, im Einverständniß mit den Kronsenatoren und Landboten, diese politische Selbstständigkeit aufgehoben, und zwar mit Androhung der Waffengewalt, wenn die Stände in Polnisch-Preußen sich diesem Dekret nicht fügen sollten.

Die Möglichkeit eines solchen Reichstagsbeschlusses und seiner Ausführung lag in der Spaltung, welche bei aller nothwendigen Scheidung der Geister die Reformation auch in politischer Beziehung an die Ufer der Weichsel getragen hatte. Die bisherige Einigkeit ging dort verloren. Der Präses der preußischen Stände, der Fürstbischof Hosius von Ermeland, zog sich aus diesem Kampfe gegen Polen zurück, weil er sich nur als Kardinal der römischen Kirche betrachtete.

Indessen wichtiger für das künftige Schicksal der deutschen Ostsee-Provinzen wurde der Umstand, daß der deutsche Ritterorden, im engsten Verbande mit der Reformation, den mönchischen Charakter aufgab, und der Hochmeister — der fränkische Hohenzoller — Markgraf Albrecht von Anspach (Enkel des Kurfürsten Albrecht Achilles) die Umwandlung des Ordensgebietes in ein weltliches, erbliches Herzogthum 1525 bewirkte. König Sigismund von Polen stimmte in dem Vertrage von Krakau desselben Jahres dieser Umwandlung noch als Lehnsherr bei. Herzog Albrecht erhielt als Panier den schwarzen Adler.

Glücklicherweise erstrebte und erhielt Kurfürst Joachim II. 1569 die Mitbelehnung über das neue Herzogthum, wodurch dasselbe schon 1618 an den brandenburgischen Hohenzoller Kurfürst Johann Siegismund fiel. Alle Ansprüche des deutschen Ordens auf ihren ehemaligen Besitzstand, auf ganz Polnisch-Preußen, gingen dadurch an das spätere Königreich Preußen über; ebenso diejenigen, welche die Herzöge von Pommern an Pommerellen gehabt hatten.

Das formelle Abhängigkeitsverhältniß von Polen löste der große Kurfürst am 17. Januar 1656. Bestätigt wurde die uneingeschränkte Souverainität des Herzogthums Preußen auch durch König Johann Kasimir von Polen am 19. September 1657.

Das Jahr 1569 war also der Wendepunkt für den bisherigen deutschen Charakter des unteren Weichsellandes. Wie stark auch der Widerstand der Provinz sein mochte, eine zweihundertjährige konsequente Einwirkung zur Polonisirung der Einwohner konnte nicht ohne allen Erfolg bleiben. Dennoch ist sie nur zum Theil gelungen, weil historische Gesetze stärker sind, als eine bloße Zeitströmung. Westpreußen ist zur deutschen Provinz prädistinirt und hat den psychologischen Beweis dafür selbst durch die zeitweise Vereinigung mit Polen geführt.

Um das Jahr 1772 schieden sich die Nationalitäten im Allgemeinen auf folgende Weise.

In der ganzen Weichselniederung von Thorn bis Danzig und Elbing hatten sich deutscher Stamm und deutsche Sprache uneingeschränkt erhalten. Vielleicht war es nicht ohne Einfluß, daß das Ringen mit den furchtbar zerstörenden Ueberschwemmungen des Stromes eine Ausdauer, Anstrengung und Arbeitskraft erforderte, welchen nur der eiserne Fleiß des Deutschen zu entsprechen vermochte. Die drei Hauptstädte Thorn, Danzig und Elbing waren ebenso rein deutsch geblieben, und ihr Einfluß reichte über ein weites Stadtgebiet außerhalb ihrer Ringmauern. Thorn wehrte mit besonderer Energie das Eindringen der polnischen Sprache und der polnischen Handwerker ab, obschon es dicht an der Grenze lag. Sein Magistrat erklärte noch im 18. Jahrhundert den antideutschen Bestrebungen gegenüber wiederholt: „Thorn liegt in Preußen und nicht in Polen!" „Thorn ist eine deutsche, keine polnische Stadt!" Danzig, das deutsche Venedig, oder wenn man will auch das deutsche Neapel, war durch seine großartigen Handelsbeziehungen viel zu kosmopolitisch geworden, um seiner selbstständigen Kultur wieder Schranken auflegen zu lassen. Elbing würde mit dem Verlust seiner Nationalität auch seine wohlberechtigte Nebenbuhlerschaft zu Danzig aufgegeben haben. Es blieb sich seines deutschen Charakters wohl bewußt. Diese drei großen Städte besaßen das Vorrecht, jede einen Senator nach Warschau zu entsenden; — sie machten aber keinen Gebrauch davon, sondern zogen es vor, ihre Interessen in Warschau nur durch ständige Residenten vertreten zu lassen. Thorn wurde mit Danzig erst 1793 dem Königreich Preußen einverleibt, beide sind die festesten deutschen Stützen der Provinz geworden.

Auch die übrigen Weichselstädte waren überwiegend deutsch, wie Culm, welches sich durch seine Treue für den Orden ausgezeichnet hatte; Graudenz, das sich durch seine Bildung hervorthat; Marienwerder war durch die Oberhoheit über das Bisthum Pomesanien dem Orden verblieben; Marienburg, welches ja durch den Blick auf das Schloß an großen Erinnerungen zehrte; Neuteich im Delta und Tolkemitt am Haff.

Nicht so einfach gestaltete sich die Sachlage auf den Höhen-Plateaus rechts und links der Weichsel.

Rechts der Weichsel zwischen der Drewenz und Ossa hatte das alte Culmerland mit der Michelau (dem heutigen Straßburg und Löbau) um so leichter als Grenzland polonisirt werden können, da hier die Verbindung mit Cujavien und Masovien nie ganz unterbrochen worden war. Dagegen herrschte nördlich der Ossa und rechts der Nogat wieder das deutsche Element vor, mit Ausnahme der Stadt Stuhm, zu der aber schon das nahe gelegene Christburg im deutschen Gegensatz stand. Die jenseit der Passarge gelegene Enklave Ermeland, mit dem Hauptort Heilsberg, ist deutsch geblieben.

Links der Weichsel boten in Pommerellen die Caffubei im Norden und die Tucheler Haide im Süden zu leichte Anknüpfungspunkte für die Polonisirung, um hier nicht das deutsche Element zurückzudrängen. Dennoch haben sich Schöneck und Berent, westlich von Dirschau, und Neustadt im Norden rein deutsch erhalten; — ebenso ist alles Land westlich und südlich der Brahe, sowie der ganze Netzedistrikt, soweit ihn Friedrich der Große übernahm, in den Städten vorwiegend deutsch geblieben und nur auf dem platten Lande zum Theil polonisirt worden.

Man darf aus dieser Uebersicht den Schluß ziehen, daß Polnisch-Preußen, soweit es die untere Weichsel und die Netze umfaßte, der Mehrzahl seiner Einwohner nach den deutschen Charakter wirklich bewahrt hatte; — nur nach verschiedenen Richtungen hin stark durchsetzt mit polnischen Elementen.

Die deutsche Reformation hatte nur sehr kurze Zeit in Polen Eingang gefunden; sie erlag dann aber daselbst einer so starken Reaktion, daß alle politischen Rechte ausschließlich von der Angehörigkeit zur katholischen Kirche abhängig gemacht wurden. Diese Differenz hat Polens Untergang beschleunigt. Es erklärt sich aber aus diesem Verhältniß, woher es kommt, daß in Westpreußen im Großen und Ganzen deutsch mit evangelisch und polnisch mit katholisch identisch geworden sind.

III.

Der Abschluß des Vertrages zwischen Rußland, Oesterreich und Preußen zur Besitzergreifung bisheriger polnischer Landestheile erfolgte am 5. August 1772 zu Petersburg. Am 13. September publizirte Friedrich der Große die Uebernahme Westpreußens und befahl zum 27. September nach Marienburg die Versammlung der Abgeordneten der Stände, um dort in dem großen Ordensremter die Huldigung, den Eid der Treue vor den königlichen Kommissarien General-Lieutenant v. Stutterheim und Minister v. Rohd abzulegen. Die polnische Abtretungs-Urkunde ist vom 18. September 1773.

Es ist merkwürdig, daß sich innerhalb der Provinz nicht eine einzige Hand zum bewaffneten Widerstande erhob. Mag man die Ursachen zu diesem Umstande nach den verschiedensten Richtungen hin suchen, für uns liegen sie sämmtlich in der Thatsache eingeschlossen, daß Westpreußen einen vorherrschend deutschen Charakter trug. .

Die preußischen Grenzpfähle wurden, meilenweit nur von kleinen Kavallerie-Detachements begleitet, ohne die geringste Störung ausgestellt und nicht wieder umgerissen. Als sich am 14. September General v. Thadden

an der Spitze des Regiments Sydow vor der Marienburg zeigte, hob sich
der Schlagbaum und die preußische Besatzung rückte in das deutsche Ritter-
schloß. Alle polnischen Besatzungen verließen ihre Garnisonen bei der ersten
Aufforderung; unmittelbar darauf marschirten die Bataillone des Königs
ohne Schwierigkeit ein. Zwar weigerten sich die kleinen polnischen Edelleute
der Tucheler Haide, ihre Schußwaffen freiwillig abzuliefern, allein eine Hu-
saren-Patrouille genügte, sie in Empfang zu nehmen. Die vollkommenste
Ruhe des Friedens lag auf der ganzen Provinz.

Thadden war schon 1771 nach der Südgrenze des Kulmer und Netze-
Distrikts geschickt worden, um dort durch ein kleines Truppenkorps die Grenze
(wie in Ostpreußen und Schlesien) gegen die in Polen sich entwickelnde Pest
zu sperren.

Daher kam es, daß Friedrich der Große auch im Juni 1772 Truppen
(8 Infanterie- und 8 Kavallerie-Regimenter) bei dem Dorfe Mokrau, unterhalb Graudenz, zur Revüe versammelte und bei dieser Gelegenheit persönlich
Kenntniß von dem Zustande des Landes nahm. Die vorläufige Besetzung
desselben sicherte ihm der Vertrag mit Rußland schon am 17. Februar 1772,
dem Oesterreich am 19. desselben Monats im Prinzip beitrat. Den Eindruck, den der König erhalten, spricht derselbe nach seiner Rückkehr Mitte
Juni in folgender Art gegen den Prinzen Heinrich aus: „Auf meiner Reise
(über Culm, Fordon, Bromberg und Driesen) habe ich nur Sand, Tannen,
Haidekraut und Juden gesehen. Es ist wahr, daß dieses Stück mir viel
Arbeit verursachen wird, denn ich glaube Canada ebenso wohl eingerichtet,
wie dieses Pomerellen. Hier ist keine Ordnung, und nirgends sieht man
den Versuch zur Abhülfe der Mängel. Die Städte, wie Culm und Bromberg, befinden sich in einem beklagenswerthen Zustande; die Häuser sind verfallen, die Einwohner nur Mönche oder Juden."

Später faßte Friedrich der Große sein Urtheil in dem Satz zusammen:
„Man hat mir einen Zipfel Anarchie gegeben, den ich in Ordnung brin-
gen muß." Doch erklärte er die Erwerbung in politischer und finanzieller
Beziehung für vortheilhaft.

Westpreußen war durch drei Ursachen auf das Aeußerste heruntergekom-
men, nämlich durch die Kriege Polens mit Schweden, durch die Pest, welche
1709, 10 und 11 an der Weichsel gewüthet hatte, ohne daß man ihren ver-
heerenden Folgen seit mehr als einem halben Jahrhundert abgeholfen hätte,
und endlich durch die mangelhafte polnische Administration und Justiz.

Wie nun der große König das Werk der Regeneration der neuesten
Provinz seines Reiches auffaßte, liegt schon in dem Grundsatz ausgesprochen,
den er nach dem siebenjährigen Kriege für sein ganzes Land befolgte: „die
zahllosen Uebelstände durch eine weise und thätige Verwaltung wieder zu
heilen (d'effacer les maux infinis par une administration sage et ac-
tive)." Um das aber zu können, richtete er nicht nur die strengsten An-

forderungen an sich selbst, sondern auch an seine Beamten; von ihnen forderte er die äußerste Anspannung ihrer Kräfte für den Staatsdienst, um innerhalb ihrer Berufskreise das Vollkommenste leisten zu können. (Tout doit être nerf dans l'état, que chacun travaille pour perfectionner sa partie.) Mit glücklicher Hand suchte und fand der König die geeignetsten Männer zur Lösung dieser großen Aufgabe; — wir nennen nur die drei, welche an die Spitze einer großen Zahl im ganzen Lande ausgewählter Beamten gestellt wurden, den Ober-Präsidenten v. Domhardt, den Geheimen Finanzrath des General-Direktoriums Roden und den Geheimrath v. Brenkenhoff, den Letzteren speziell für den Netzedistrikt. Indem Friedrich der Große direkt mit diesen Männern korrespondirte und sie unaufhörlich zur raschen Lösung ihrer Aufgaben anspornte, täglich Berichte empfing und sie bis ins kleinste Detail hinein beantwortete, wurde er die eigentliche Seele der westpreußischen Regierungsthätigkeit; — er war der in Wirklichkeit Alles leitende Ober-Präsident.

Wir müssen es sehr natürlich finden, daß die gesammte deutsche Bevölkerung mit ihrer Abtrennung von Polen ganz einverstanden war; für sie war es eine Stunde der Erlösung von schweren Bedrückungen. Der evangelisch-deutsche Adel erlangte in Preußen die politischen Rechte wieder, die er in Polen verloren hatte; auch der evangelisch-polnische Adel suchte und fand in Westpreußen eine gesicherte Zufluchtsstätte. Friedrich der Große spricht von 120 Adelsfamilien, die in die Provinz einwanderten. Nur ein kleiner Theil des katholisch-polnischen Adels, der in Westpreußen reich begütert war, verließ das Land, in der Absicht, in Warschau seinen dauernden Wohnsitz aufzuschlagen. Der König befahl ihnen, zurückzukehren und ihre Einkünfte in der Provinz zu verzehren oder ihre Güter zu verkaufen; doch setzte er ihnen dazu einen jahrelangen Termin. Die katholische Geistlichkeit war dem neuen Landesherrn im Ganzen abgeneigt. Die sofortige Säkularisation ihrer weltlichen Güter traf sie empfindlich, obgleich Friedrich der Große sie durch ein reichliches Einkommen aus Staatsmitteln dafür entschädigte. Dagegen kamen die hohen gebildeten Kirchenfürsten dem Könige sehr versöhnlich entgegen. Der Bischof von Ermeland, Ignaz Krasicki, Graf v. Siczin, weihte 1773 die katholische Kirche in Berlin ein und wurde ein Gast Friedrichs des Großen im Schloß zu Potsdam. Der Bischof von Culm, Carl Graf v. Hohenzollern, stand zu dem Könige in einem ehrerbietigen Freundschaftsverhältniß.

Bürger und Bauern polnischer Nationalität mußten allerdings erst einer sozialen Umwandlung entgegengeführt werden, durch welche sie einen Maßstab für den Werth preußischer Unterthanenschaft gewinnen konnten. Zu dieser Umwandlung blieb dem hohen Herrn von 1772 bis zu seinem Tode 1786 ein Zeitraum von 14 Jahren; — wie er denselben rastlos ausbeutete, wollen wir in großen Zügen kurz darstellen.

Um die Steuerkraft der Provinz kennen zu lernen und deren Klassifikation in dem richtigsten Verhältniß zur Leistungsfähigkeit anzuordnen, wurde Roden an der Spitze einer Kommission, der auch 40 Zeichner beigegeben waren, zur Kataster-Aufnahme befohlen. Er sollte mit dem Bisthum Ermeland beginnen, dann zu den Distrikten von Marienburg, Culm und der Netze übergehen und mit Pomerellen schließen. Dieses schwierige Geschäft begann Roden im September 1772 und beendete es im April 1773. Der König wurde hierdurch in den Stand gesetzt, den Umfang der Geldmittel zu übersehen, die er für die Hebung der Provinz verwenden durfte, denn als sparsamer Fürst ließ er die Ausgabe niemals die Einnahme überschreiten. Außerdem aber führte er die Accise ein, verpachtete die weltlichen Güter der Geistlichkeit, damit sich dieselben, wie er sagte, ungestört ihrem Beruf der Seelsorge überlassen können, und wandelte die Starosteien, bisherige polnische Lehnsgüter, gegen Entschädigung der Besitzer in Staats-Domainen um. Bei 500,000 bis 600,000 Einwohner des neuen Landes steigerten sich hierdurch allmälig die Staatseinnahmen aus Westpreußen bis auf 2,111,000 Thaler.

„Ein vollkommenes Finanzsystem", schreibt Friedrich der Große mit Bezug hierauf, „ununterbrochen vom Vater auf den Sohn übertragen" (er meinte sich selbst), „kann ein Gouvernement vollständig umwandeln, und selbst wenn es vergleichsweise arm ist, doch reich genug machen, um sein Gewicht in die Wagschalen der politischen Macht zu legen, welche die ersten Monarchen Europas besitzen."

Die Stiftung neuer Regimenter war eine nothwendige Folge des erweiterten Landgebiets des Staats, da sich erst in der Stärke der Armee die wirkliche Kraft des neuen Königreichs von Preußen — so nannte sich von jetzt ab Friedrich der Große, nicht mehr in Preußen — repräsentiren konnte. Es wurden 5 neue Füsilier-Regimenter von Nr. 51 bis 55, dazu das Husaren-Regiment Nr. 10 und das 4. Artillerie-Regiment formirt. Außerdem fand eine ansehnliche Vermehrung der Präsenzstärke der ganzen Armee statt, so daß deren Friedensfuß 190,000 Mann betrug und im Fall der Mobilmachung 218,000 Mann aufgestellt werden konnten. Die Kosten der Mobilmachung und die Ausgaben für einen ganzen Feldzug überschlug der König und suchte die Mittel dazu zeitig in dem Staatsschatz anzusammeln.

Sieben Garnison-Bataillone befanden sich vor der Formirung der neuen Regimenter bereits in Westpreußen.

Die bisherige Eintheilung von Ostpreußen und Westpreußen wurde der Art geändert, daß die Enklave Ermeland ganz zu Ostpreußen kam und dafür Pomesanien als Marienwerder-Distrikt zu Westpreußen geschlagen wurde.

Für die Herstellung der unterbrochenen deutschen Kultur der Provinz und ihrer zeitgemäßen Fortentwickelung befolgte Friedrich der Große die historischen Traditionen des deutschen Ritterordens, d. h. er baute die verfallenen Städte wieder auf, zog deutsche Kolonisten ins Land, gründete neue Dörfer, trocknete Sümpfe aus, stellte die verfallenen Weichsel- und Nogat-Dämme her, hob Handel und Gewerbe und suchte die allgemeine Intelligenz durch Schulen zu fördern. Schon nach Verlauf eines Jahres konnte der König mit Recht sagen:

> „Ich habe die Sklaverei abgeschafft, barbarische Gesetze reformirt, vernünftige in Gang gebracht, einen Kanal eröffnet, der die Weichsel, Brahe, Netze, Warthe, Oder und Elbe verbindet, Städte wieder aufgebaut, die seit der Pest von 1709 zerstört gewesen, 20 Meilen Moräste trocken gelegt und eine Polizei eingeführt, die diesem Lande selbst dem Namen nach unbekannt war."

Die Leibeigenschaft konnte Friedrich der Große allerdings zunächst nur auf den Staatsdomainen aufheben, aber er forderte die Landeskollegien auf, auch die Edelleute zu vermögen, seinem Beispiel zu folgen. Ohne Unterschied hinderten außerdem die preußischen Gesetze die grausame Behandlung der hörigen Bauern.

Kolonisten wurden herangezogen aus Mecklenburg, Sachsen, Hessen, Schwaben, Bayern und selbst aus dem Elsaß. Auch aus außerdeutschen Ländern strömten sie herbei. Es wanderten auf diese Weise nach und nach 2200 Familien ein, die — wenn man die Familie im Durchschnitt zu fünf Köpfen veranschlagt — 11,000 Einwohner ergeben. Während ein großer Theil dieser Ziffer auf vorhandene Feuerstellen vertheilt wurde, sind doch 50 neue Dörfer für Kolonisten entstanden und 185 vergrößert. Die schwäbischen Kolonisten waren die wohlhabendsten, für die ärmeren ließ der König die Häuser bauen. An Mennoniten fand derselbe im Delta 13,400 vor; er ließ sie bei ihren Privilegien.

Was für den Bau neuer Häuser aus Staatsmitteln geschah, läßt sich nur annähernd an einigen Beispielen aufweisen. Culm zeigte sich am hülfsbedürftigsten, diese Stadt ist fast als eine Neuschöpfung des Königs zu betrachten, sie empfing 214,000 Thaler; die Stadt Graudenz 94,000 Thaler (ohne den Festungsbau); Gollub 25,000 Thaler; Conitz 14,000 Thaler u. s. w.

Der König erklärte es als seine größte Freude, wenn er dem armen Manne sein Haus herstellen könne. Doch befahl er gleichzeitig den Regierungsbehörden: „sie sollten die Einwohner in den Städten und auf dem platten Lande an Ordnung, Reinlichkeit und Arbeitsamkeit gewöhnen."

Für die Hebung des Handels war es ein übler Umstand, daß Danzig und Thorn 1772 noch nicht preußisch geworden, denn Friedrich der Große suchte nun auf Kosten dieser Städte Elbing und Bromberg in Blüthe zu bringen, und das ist ihm allerdings gelungen! Darum äußerte er schon 1772 dem Präsidenten Domhardt gegenüber:

> „Um Mich wegen des commerce von Danzig zu dedommagiren, bin Ich gewillt, die Weichsel und Netze durch einen Kanal

zu combiniren, die Nogat mehr räumen und schiffbar machen zu lassen."

Der 3½ Meile lange Kanal zwischen Nakel und Bromberg wurde durch 6000 Arbeiter mit einer solchen Eile hergestellt, daß sich derselbe schon im Sommer 1773 im fahrbaren Zustande befand, wenngleich damals noch mit hölzernen Schleusen versehen, die seit 1792 durch gemauerte ersetzt sind. Sein Bau kostete nach vollständiger Beendigung 1,200,000 Thaler, ist aber auch für die inländische Schifffahrt von der größten Wichtigkeit.

Das Netzebruch wurde entwässert und zu den fruchtbarsten Wiesen umgeschaffen.

Handwerker, Industrielle, Handeltreibende gehörten nach der Meinung des Königs nur in die Stadt, sowie der Ackerbauer nur auf das Dorf. In dieser Richtung ließ er die Einwanderung leiten und die Polizei im Lande handhaben. Er selbst griff in diese Zweige bürgerlicher Thätigkeit mit dem Rath und der That ein, die beide seinen Beschäftigungen in Cüstrin, in Rheinsberg und seinen Erfahrungen seit Antritt seiner Regierung entsprochen. Hat man dieses Streben die äußerste Bevormundung genannt, so bleibt zu beachten, daß die Zeitverhältnisse und speziell der Zustand Westpreußens eine solche Stütze von oben herab nothwendig und segensreich machten.

Zu einer verständigen Waldkultur gab Friedrich der Große die ersten durchgreifenden Vorschriften, die um so dringlicher waren, da man nach bisheriger Gewohnheit in Westpreußen ohne Unterschied junges und altes Holz geschlagen und ganze Waldstrecken abgebrannt hatte, sei es, um für die wilde Biene — wie in Polen — das Haidekraut bloszulegen, oder sei es aus reiner Fahrlässigkeit und Geringschätzung des Holzreichthums. Auf Ausrottung der Wölfe in diesen Wäldern wurden Preise gesetzt.

Große Noth verursachten dem König die Deichbrüche bei hohem Wasserstande und Eisgange der Weichsel. Er hat über 100,000 Thaler auf Herstellung der Dämme und auf ihre Verstärkung gewendet, und dabei von der Montauer Spitze an, der Gabelung zwischen Weichsel und Nogat, die größte Sorgfalt auf den Schutz der Nogat-Ufer und auf deren stets schiffbare Wassertiefe gewendet.

Die regelmäßigen jährlichen Reisen Friedrichs des Großen zur Revüe der ostpreußischen und westpreußischen Regimenter bei Mokrau gaben ihm die Gelegenheit, mit eigenen Augen die Fortschritte innerhalb der Provinz zu sehen und den Mängeln abzuhelfen. Den Zweck, den er außerdem hiermit verband, spricht der König in dem Satz aus:

"Durch Visitationen von Zeit zu Zeit in den Provinzen erhält man Jeden bei seiner Pflicht."

Glaubte der König Ursache zur Unzufriedenheit mit seinen Beamten zu haben, so wurde seine Sprache scharf und schneidig, z. B.:

„. . . . Ich will keine hochtrabende Beschreibung von getroffenen Vorkehrungen . . . . Die Kammer foll nicht im Markt-
fchreier-Styl, fondern kurz, verständlich und was wesentlich an
der Sache ist berichten . . . ."

„. . . . . Wieder ein Bericht, der fehr weitläufig confus
ist . . . . Das Directorium fchreibt fich die Finger mit Reglements
ab; aber was hilft es! Keine Execution ist dahinter; da denke
Einer dran, und das ist das Vornehmste . . . . Die Kammer muß
Alles wohl observiren in ihren Sachen, oder es wird fcharf mit
ihr hergehen. Meine Ordres müssen exact executirt werden. Keine
Nachläffigkeit!"

Befonders empfindlich wurde Friedrich der Große bei der Meldung noch
nicht eingezogener Steuerreste, weil er hierin eine Gefährdung des allgemeinen Staats-Interesses fah. Um bei Unglücks- und Nothfällen helfen
zu können, müsse er stets gefüllte Kassen haben; — ebenso für Verbesserungen jeglicher Art. Hatte er doch wiederholt der Kammer anbefohlen:

„Ihr müßt beständig fpeculiren, wie die Provinz immer-mehr
in bessere Aufnahme zu bringen ist."

Daß der König auch geistige Interessen mit gleicher Sorgfalt im
Auge behielt, geht aus feiner Pflege der Schulen hervor. Er hatte fchon
im Juni 1772 bei feiner Durchreise — wie er fchreibt — „observirt, daß
in Polnisch-Preußen auf dem Lande gar keine Schulanstalten vorhanden find. Nach dem 7jährigen Kriege faßte er diesen Gegenstand für das
ganze Königreich mit folgenden Worten auf:

„Es foll der Jugend eine vernünftige, fowie eine chriftliche
Unterweisung zu Theil werden, damit die in der Schule wachge-
rufene Gottesfurcht und Befähigung zu allerhand nützlichen Dingen das Fundament zum wahren Wohlbefinden werde."

Ferner äußerte er Ende 1772 gegen den Marquis d'Alembert: „. . . . Je
älter man wird, desto mehr überzeugt man fich, welch ein Schaden der Ge-
fellschaft durch eine vernachläffigte Erziehung der Jugend erwächst. Ich be-
mühe mich auf alle Weise, diesen Fehler zu verbessern, und reformire die
Gymnasien, die Universitäten, ja selbst die Dorffchulen; aber es find 30
Jahre nöthig, um die Früchte zu fehen. Ich werde fie nicht genießen, doch
tröste ich mich damit, daß ich meinem Vaterlande diesen Vortheil verschaffe."
In diesem Sinne stellte der König aus Staatsmitteln in Westpreußen
mehrere Hunderte von Dorffchullehrern an und drängte auch die Guts-
befitzer, in ihrem Kreise ein Gleiches zu thun. Die Jesuiter-Kollegien wandelte Er in Gymnasien um.

Wie Friedrich der Große für die Bildung der jungen Söhne des Adels
zu wirken fuchte, zeigt die Gründung des Kadettenhauses zu Culm, über
welches am 24. Januar 1862 in dieser Gesellschaft die detaillirtesten Mit-

theilungen gemacht worden sind. Auch der Bau der Festung Graudenz wurde an dieser Stelle am 24. Januar 1868 von einem höheren Ingenieur= Offizier in der Charakteristik „Friedrich der Große als Ingenieur" gründ= lich beleuchtet. Es sei mir gestattet, nur einen Gedanken erläuternd hervor= heben. Der König mußte die Möglichkeit ins Auge fassen, daß die Polen versuchen würden, die verlorne Provinz zurückzuerobern. Er bedurfte deshalb eines festen Punktes zur Aufstellung einer Operations=Armee, welche entweder in rascher Offensive auf beiden Ufern der Weichsel nach dem Süden hin agiren konnte, oder — wenn auf die Defensive zurückgeworfen — sich bis zum Entsatz aus dem Westen des Königreichs in der Provinz zu be= haupten vermochte. Dieser Gedanke veranlaßte Friedrich den Großen zur Auswahl eines verschanzten Lagers zwischen der unteren Ossa und der Trienke, welches vor sich eine durch Stauschleusen zu erzeugende Ueberschwem= mung, rechts die Anlehnung an die Trienke, links an die Ossa, hinter sich die auf einer Anhöhe liegende Festung Graudenz, und endlich eine Schiffs= brücke zum Passiren der Weichsel, also zum Uferwechsel haben sollte. Die Festung selbst wurde also das große Kriegsmagazin für Armeebedürfnisse und das starke Reduit für das verschanzte Lager vor ihrer Ostfront.

Aber hiermit begnügte sich der König noch nicht. Er beschloß, im Falle eines Krieges Danzig sofort zu überfallen, zu besetzen und zum festen Platz an der Ostsee umzugestalten. Thorn hielt Er dagegen nicht zur Besatzung geeignet, weil die beherrschenden Anhöhen um die Stadt ihre Vertheidigungs= fähigkeit erschwerten. Die Schiffsbrücke bei Thorn wollte Er dagegen zerstören lassen, um dieses Uebergangsmittel dem Feinde zu entziehen. Zur Deckung seiner rechten Flanke beabsichtigte Friedrich der Große ein Fort bei Brom= berg zu erbauen, um schon hier den Feind aufzuhalten, wenn derselbe ober= halb Thorn die Weichsel überschreiten würde. Der König glaubte ferner, daß die Weichsel nicht mittelst einer Pontonbrücke, sondern nur mittelst einer Schiffsbrücke zu überschreiten sei, deren Material freilich möglicherweise von Warschau her heruntergefahren werden könne. Für diesen Fall behielt Er sich von Graudenz her die Operationen gegen Flanke oder Rücken des Fein= des vor. Ein Festsetzen des Feindes in Pommerellen schien ihm sehr un= wahrscheinlich, da hier die Ernährungsfähigkeit der Truppen zu gering sei. In diesem Sinne war die Anlage der Festung Graudenz durchaus rationell, wenn auch die politische Sachlage sich sehr bald günstiger gestaltete.

Im Juni 1785 hat Friedrich der Große die letzte Revüe bei Mokrau abgehalten, 1786 fesselte ihn schwere Erkrankung an das Sterbelager. Ein General=Adjutant des Königs sollte die Revüe in Westpreußen abhalten. Aber seine Sorgen für diese jüngste und hülfsbedürftigste Provinz gingen selbst jetzt noch unermüdlich fort. Seine Seelenstimmung wurde nur weicher, er urtheilte milder und erkannte das Geleistete gerne an. „Eure Vorschläge sind wirklich gut überlegt" — schrieb er an Dannhardt — „fahrt fort,

solche solide Verbesserungen vorzubereiten, denn noch bleibt ein
solcher Verbesserungen in Westpreußen zu machen." Ferner: „Gehet
die Preußen an, etwas industriöser und aufgeklärter zu werden,
es hat mich dieses sowohl als der Fortgang der Fabriken gefreut." Er
hiermit vorzugsweise seine polnischen Unterthanen gemeint. Ja, am
15. August unterzeichnete der König mit zitternder Hand eine Ordre zu
Vortheil des Fabrikwesens im Netzedistrikt. Am 17. August kehrte der
reichbegabte Geist zu seinem Ursprung zurück! —

Was Friedrich der Große angefangen, haben seine erhabenen Nachfolger
mit Sorgfalt fortgeführt. Wir erinnern unter vielen Dingen nur an die
großen Staats-Chausseen, an die Ueberrieselungen in der Tucheler Haide, an
die Kanalisirung der Brahe, an die Ost-Eisenbahn mit ihren großartigen
Weichsel- und Nogatbrücken bei Dirschau und Marienburg und an die Restauration des Ritterschlosses zu Marienburg, von dem der kunstsinnige Kronprinz, nachmals Friedrich Wilhelm IV., am 20. Mai 1822 in dem fürstlichen Remter die Worte sprach: „Alles Große und Würdige erstehe in
dieser Bau!" Und Großes und Würdiges ist in Preußen und Deutschland
erstanden.

Zum Schluß eine Frage und eine Antwort. Hat Westpreußen Ursache,
sein diesjähriges Jubiläum mit Dank und mit Freude aus aufrichtigem Herzen zu feiern? Die Antwort liegt in der historischen Skizze, die wir gezeichnet
haben. Dennoch ist es die Signatur dieser Provinz, zwiespältig zu sein.
Ein Theil der Einwohner wird grollend zur Seite stehen und die reiche
geschichtliche Wohlthat ohne Dank entgegennehmen. Nicht als ob eine ernste
Zeitfrage sie dazu drängt, sondern weil eine offen hervortretende, lähm-
Zeitungsfrage sie in organisirter Form dazu zwingt. Daß der preußische
Staat diese Agitation mit Ruhe und Besonnenheit tragen kann, ist ein Beweis seiner selbstbewußten Macht und Stärke. In der That, wo ist die
gigantische Kraft, die erforderlich wäre, das preußische Königreich, das
kaiserliche Deutschland in seinen geographischen Bestandtheilen zu erschüttern?
Wo die staatenbildende Kraft einmal verloren gegangen ist, da kann sie in
einem Volk ohne Umwandlung des ganzen inneren Menschen nicht wieder gefunden werden, am wenigsten auf dem Wege der Revolutionen.

Friedrich der Große schuf sich mit Westpreußen eine feste Brücke
zwischen dem Osten und Westen des Königreichs. Seine Königlichen Nachfolger haben mehr aus dieser Provinz gemacht; sie haben Westpreußen zu
einem Juwel in der Ehrenkrone der Hohenzollern erhoben!

Die Statistik des eisernen Kreuzes.

Nach der Rangliste für 1870/71.

———

Nachfolgenden Tabellen sind bestimmt, eine vorläufige Uebersicht über Vertheilung des Eisernen Kreuzes innerhalb der Offizier-Korps der Kgl. ... Armee und des XII. (Kgl. Sächsischen) Armee-Korps zu liefern. Diese Zusammenstellungen gewähren zwar kein absolut richtiges Bild, ... die benutzten Quellen — die Ranglisten — nicht volle Sicherheit ... Beziehung gewähren dürften.

Sodann sind die Verleihungen noch nicht abgeschlossen und endlich ... sich auch bei der überaus mühsamen Berechnung einige, wenn auch ... Gesammt-Resultat nicht wesentlich alterirende Fehler eingeschlichen haben. Trotzdem glauben wir aber für sie ein größeres Interesse in Anspruch ... zu können, um so mehr, als die Veröffentlichung der amtlichen, alle ... umfassenden Listen noch geraume Zeit ausstehen wird. Sobald die- ... erschienen, werden wir in diesen Blättern eine eingehende und umfassende ... dieses so interessanten Themas liefern.

Die Gesammtzahl der bis jetzt aus Anlaß des Krieges verliehenen ... Kreuze beläuft sich auf 40—45,000, von denen 3—4000, eher mehr ... weniger, auf die süddeutschen Kontingente zu rechnen sein werden.

Von den gegenwärtig in der Rangliste aufgeführten Offizieren — also ... der inzwischen verabschiedeten und der gefallenen, mit dem Eisernen ... dekorirt gewesenen Offiziere sind mit dem Eisernen Kreuze ausgezeichnet:

$$7 \text{ mit dem Großkreuz,}$$
$$736 \text{ mit der 1. Klasse,}$$
$$\underline{10080 \text{ mit der 2. Klasse.}}$$
$$10823 \text{; hierzu kommen}$$

a) im Offiziers-Rang stehende Aerzte

$$4 \text{ mit der 1. Klasse,}$$
$$\underline{1096 \text{ mit der 2. Klasse.}}$$
$$1100$$

b) Beamte mit Offiziers-Rang

$$\underline{279 \text{ mit der 2. Klasse.}}$$
$$12202$$

Was zuerst die Generalität anlangt, so zählt die Preußische ~~Armee~~ mit der inaktiven General-Adjutanten:

7 General-Feldmarschälle, von denen 4 das Großkreuz und

                                               1 die 1. Klasse

1 General-Feldzeugmeister, der die   1. „

1 General-Oberst, der die   1. „

41 Generale, von denen   3 das Großkreuz

                                        15 die 1. Klasse

                                        1 die 2. „

85 General-Lieutenants, von denen 50 die 1. „

                                        11 die 2. „

                                        3 die 2. „ a. w. B.

137 General-Majore, von denen 69 die 1. „

                                        39 die 2. „ erhielten.

Das XII. Armee-Korps zählt außer den gleichzeitig in der Preuß. Rang-liste mit aufgeführten Generalen:

1 General mit dem Eis. Kreuz 1. Klasse

8 Gen.-Lieuts. 3 „ „ 1. „

               1 „ „ 2. „

6 Gen.-Majore 3 „ „ 1. „

               2 „ „ 2. „

Unter den preußischen Generalen befinden sich:

a) unter den Generalen 16 Titulare (Prinzen 2c., welche nur Chefs von Regimentern sind) und 5 charakterisirte,

b) unter den Gen.-Lieuts. 10 charakterisirte und 11 Titulare,

c) unter den Gen.-Majors 18 charakterisirte und 5 Titulare.

An Stabs-Offizieren zählt:

a) die Preußische Armee:

bei der Infanterie:	154 Obersten,	111 Oberst-Lieutenants,	487 Majore,
bei der Kavallerie:	57 „	46 „	138 „
bei der Artillerie:	55 „	18	122
bei den Ingenieuren:	23 „	8 „	40 „
bei dem Train:	3 „	4 „	7 „
	292 Obersten,	187 Oberst-Lieutenants,	794 Majore.

b) das XII. Armee-Korps:

bei der Infanterie:	11 Obersten,	10 Oberst-Lieutenants,	35 Majore,
bei der Kavallerie:	3 „	3 „	10 „
bei der Artillerie:	2 „	5 „	5
bei dem Train:	1 „	— „	— „
bei den Ingenieuren:	— „	1 „	1 „
	17 Obersten,	19 Oberst-Lieutenants,	51 Majore.
	309 Obersten,	206 Oberst-Lieutenants,	845 Majore.

Armee-Korps	Stabs-Offz.	Hauptleute.	Lieutenants.	Hauptl.	Lieuts.
Garde	45	119	401	6	142
I.	42	100	329	—	187
II.	41	96	363	—	178
III.	38	108	296	—	181
IV.	40	101	310	—	241
V.	41	101	319	—	206
VI.	41	100	326	—	156
VII.	41	101	320	—	246
VIII.	57	137	403	—	205
17. Division	21	51	133	—	124
18. Division	21	53	155	—	90
X.	36	93	233	—	13?
21. Division	21	53	160	—	106
22. Division	20	49	145	—	105
XIV.	44	107	345	—	77
Res.-Gr. I. Armee	10	24	73	—	34
Summa:	559	1890	4314	9	2416
*) XII.	45	116	293	—	295
	604	1506	4607	9	2711

*) eyfl. Generale.

52

für dem Feldzuge die frischen Verluste erlitten (433 Offiziere, 9604 Mann, bezüglich 594 Offiziere, 11182 Mann inkl. ... fallete und Artillerie).

Regimenter.	Stabs-Offiz.	Hauptleute.	Lieutenante.	Reserve Haupt.	Reserve Lieuts.	aggreg. Stabs-Offiz.	aggreg. Hauptleute.	aggreg. Lieutenants.	à la suite Stabs-Offiz.	à la suite Hauptleute.	à la suite Lieutenante.	EK I Stabs-Offiz.	EK I Hauptleute.	EK I Lieutenante.	S. Lieut. d. Res.	aggr. Staboff.	aggr. Haupt.	à la suite Staboff.	à la suite Haupt.	EK II Stabs-Offiz.	EK II Hauptleute.	EK II Lieutenante.	Res. Haupt.	Res. Lieuts.	aggr. Staboff.	aggr. Haupt.	aggr. Lieuts.	à la suite Staboff.	à la suite Haupt.	à la suite Lieuts.	Offiziere	Mann
Garde-Korps.																																
1. Garde-	5	12	48	5	2	—	—	3	—	—	2	2	10	34	5	—	1	—	2	—	1	1	—	—	—	40	1048
2. Garde-	4	13	49	—	20	3	—	—	—	1	—	3	11	28	—	—	2	—	2	—	—	—	—	—	—	44	1100
Alexander-	5	12	46	1	20	2	—	—	1	—	2	3	10	37	—	—	1	—	—	—	—	1	—	—	—	31	889
Franz-	5	12	49	1	21	—	—	—	1	2	2	2	9	30	—	—	1	—	—	—	—	—	—	—	—	52	1271
Füsilier-	5	13	44	1	22	—	—	1	1	1	—	—	6	18	—	—	1	—	—	—	—	—	—	—	—	18	525
3. Garde-	4	13	35	1	8	—	—	2	—	2	1	4	13	30	—	—	—	—	—	—	—	—	—	—	—	40	1082
4. Garde-	5	13	36	—	11	—	—	—	1	1	2	3	12	26	—	—	—	—	—	—	—	—	—	—	—	27	729
Elisabeth-	5	13	37	—	28	—	1	—	—	—	1	2	9	14	2	—	—	—	—	—	—	—	—	—	—	53	926
Augusta-	5	12	35	1	10	—	1	—	2	3	2	3	7	26	—	—	1	—	—	—	—	—	1	—	—	34	966
Jäger-Bataillon	1	1	16	1	6	—	—	—	—	2	—	3	7	10	—	—	—	—	—	—	—	—	—	—	—	1	90
Schützen-Bataillon	1	4	17	4	2	—	—	—	—	1	—	3	3	14	—	—	5	—	—	—	—	—	—	—	—	24	600
	45	119	401	6	142	5	3	7	11	21	16	8	2	—	24	97	274	5	84	1	4	—	2	6	—	365	8995
III. Armee-Korps.																																
8. Grenadier-	5	13	31	—	22	3	1	—	3	2	2	—	10	25	—	18	—	—	1	—	—	—	1	—	1	67	1308
12. Grenadier-	5	12	36	—	27	—	1	2	3	—	—	2	11	35	—	22	1	1	2	—	—	—	—	—	1	66	1394
20. Infanterie-	4	12	38	—	30	—	—	1	2	2	2	10	38	—	24	—	—	1	—	—	—	2	—	—	1	70	1100
24. Infanterie-	4	12	31	—	14	—	—	1	3	3	2	2	9	27	—	14	—	—	1	—	—	1	—	—	1	61	1187
35. Füsilier-	5	13	45	1	36	—	—	1	2	2	2	2	11	40	—	30	—	—	2	—	—	1	—	—	1	64	1284
48. Infanterie-	4	13	30	—	20	—	—	2	3	3	3	2	9	30	—	20	—	—	1	—	—	1	2	—	1	69	1606
52. Infanterie-	4	12	35	—	12	—	—	1	2	2	2	2	12	32	—	17	—	—	—	—	—	1	1	—	1	75	1515
64. Infanterie-	4	4	36	1	17	1	—	2	2	2	—	4	10	31	—	3	—	1	—	—	—	2	—	—	1	49	938
3. Jäger-Bataillon	1	4	14	—	3	—	—	1	—	3	2	1	4	12	—	—	—	—	—	—	—	—	—	—	1	11	977
	38	103	296	1	181	2	3	1	5	9	20	13	3	—	18	64	270	1	186	—	2	—	6	8	—	582	10498

Ziehen wir die Zahl der aggregirten resp. à la suite stehenden Offi-
ze und die Zahl der ihnen verliehenen Eisernen Kreuze nicht in Betracht,
ergiebt sich, daß an

9427 Offiziere im Ganzen
330 Eiserne Kreuze I. Klasse und
5495 Eiserne Kreuze II. Klasse, dazu 8 am weißen Bande

lehen sind.

Es ergiebt sich daraus, daß circa 62% (= 618‰) der Infanterie-
rufs- und Infanterie-Reserve-Offiziere mit dem Eisernen Kreuze dekorirt
rden. Für die einzelnen Armee-Korps stellen sich die Verhältnißzahlen wie
gt:

Armee-Korps.	Zahl der Offiziere.		Eisernes Kreuz I. Kl.				Eisernes Kreuz II. Kl.			
			Berufsoff.		Res.-Offiz.		Berufsoff.		Res.-Offiz.	
	Berufs.	Reserve.	Absolute Zahl.	in ‰ d. Gesammtzahl.	Absolute Zahl.	in ‰ d. Gesammtzahl.	Absolute Zahl.	in ‰ d. Gesammtzahl.	Absolute Zahl.	in ‰ d. Gesammtzahl.
arde	565	148	45	0,080	2	0,0135	395	0,700	89	0,600
. . . . . .	471	187	26	0,055	—	—	318	0,675	85	0,455
. . . . . .	492	178	18	0,037	—	—	275	0,559	49	0,275
L.	437	182	36	0,085	—	—	372	0,851	159	0,874
. . . . .	451	241	22	0,049	1	0,0041	288	0,638	81	0,336
. . . . .	461	206	26	0,056	—	—	327	0,709	93	0,450
I.	467	157	3	0,006	—	—	171	0,366	12	0,076
II.	462	245	13	0,028	—	—	326	0,706	108	0,439
III. . . .	597	205	28	0,049	1	0,0048	417	0,698	103	0,500
. Division .	205	124	11	0,053	—	—	113	0,551	31	0,250
. Division .	229	90	16	0,069	—	—	156	0,681	70	0,777
. . . . . .	382	138	21	0,055	—	—	245	0,641	57	0,413
. Division .	234	107	2	0,008	—	—	173	0,739	42	0,392
. Division .	217	105	15	0,068	—	—	179	0,825	82	0,780
IV.	486	77	16	0,033	—	—	221	0,454	11	0,143
serve-Brig.	107	34	6	0,056	—	—	73	0,682	9	0,265
II.	454	295	22	0,048	—	—	281	0,619	92	0,312

Wir fassen hieran die Verhältnißzahlen:

a) für die Stabs-Offiziere; b) für die Hauptleute; c) für die Lieutenants.

Armeekorps	Zahl der Stabsoffiziere	Eil. Kr. I. Kl. Abs. Zahl	in ‰	Eil. Kr. II. Kl. Abs. Zahl	in ‰	Total in ‰	Zahl der Hauptleute	Eil. Kr. I. Kl. Abs. Zahl	in ‰	Eil. Kr. II. Kl. Abs. Zahl	in ‰	Total in ‰	Zahl der Lieutenants	Eil. Kr. I. Kl. Abs. Zahl	in ‰	Eil. Kr. II. Kl. Abs. Zahl	in ‰	Total in ‰
Garde	45	21	0,466	24	0,533	1,000	119	16	0,142	97	0,815	0,957	401	8	0,019	274	0,683	0,702
I.	42	15	0,357	21	0,500	0,857	100	9	0,090	73	0,730	0,820	329	2	0,006	224	0,680	0,686
II.	41	16	0,390	18	0,439	0,829	98	1	0,010	63	0,643	0,653	353	1	0,002	194	0,549	0,551
III.	38	20	0,526	18	0,474	1,000	103	13	0,126	84	0,815	0,941	296	3	0,010	270	0,912	0,922
IV.	40	13	0,325	21	0,525	0,850	101	6	0,059	73	0,723	0,782	310	3	0,008	194	0,626	0,634
V.	41	13	0,317	26	0,634	0,951	101	9	0,089	73	0,723	0,812	319	4	0,012	228	0,711	0,723
VI.	41	1	0,024	34	0,829	0,853	100	2	0,020	54	0,540	0,560	326	—	—	83	0,254	0,254
VII.	41	10	0,243	26	0,634	0,877	101	2	0,020	77	0,762	0,782	320	1	0,003	223	0,697	0,700
VIII.	57	15	0,263	34	0,596	0,859	137	8	0,058	99	0,722	0,780	403	5	0,012	284	0,704	0,716
17. Divis.	21	8	0,380	10	0,477	0,857	51	2	0,039	32	0,627	0,666	133	1	0,008	72	0,541	0,549
18. Divis.	21	12	0,571	6	0,286	0,857	53	2	0,037	40	0,754	0,791	155	2	0,013	109	0,703	0,716
X.	36	10	0,277	21	0,583	0,860	93	10	0,117	60	0,645	0,762	253	1	0,004	164	0,678	0,682
21. Divis.	21	1	0,047	20	0,953	1,000	53	1	0,019	44	0,830	0,849	160	—	—	109	0,681	0,681
22. Divis.	20	9	0,450	10	0,500	0,950	49	3	0,061	41	0,837	0,898	148	3	0,013	131	0,864	0,877
XIV.	44	13	0,295	23	0,522	0,817	107	2	0,019	67	0,626	0,645	335	1	0,003	128	0,391	0,394
Ref.-Gr.Ln.	10	4	0,400	4	0,400	0,800	24	1	0,041	17	0,708	0,749	73	1	0,013	52	0,712	0,725
XII.	45	15	0,333	29	0,614	0,947	116	5	0,043	81	0,698	0,741	293	2	0,007	171	0,583	0,590
	604	196	0,324	345	0,571	0,895	1506	92	0,067	1075	0,713	0,780	4607	38	0,008	2910	0,631	0,639

Das Verhältniß der mit dem Eisernen Kreuz 2. Klasse beliehenen Lieutenants aus der Kategorie der Berufs-Offiziere zu den Lieutenants der Reserve stellt sich schließlich für die von uns unterschiedenen Armeetheile wie folgt:

erworben das Eiserne Kreuz II. Kl. bei dem	Von je 1000 Lt. (Berufsoffiziere)	Von je 1000 Lt. der Reserve	erworben das Eis. Kreuz II. Kl. bei dem	Von je 1000 Lt. (Berufsoffiziere)	Von je 1000 Lt. bei dem resp. der Reserve
Garde-Korps	683	591	21. Division	681	396
I. Korps	680	454	22. Division	864	780
II. Korps	549	275	XIV. Korps	391	143
III. Korps	912	878	Reserve-Brig.	712	265
IV. Korps	625	336	XII. Korps	583	312
V. Korps	711	450	In Summa	631	430
VI. Korps	254	76			
VII. Korps	697	439			
VIII. Korps	704	500			
17. Division	541	250			
18. Division	703	777			
X. Korps	678	413			

B. Die Kavallerie.

Waffengattung	Zahl der Offiziere. Stabs-Offiz.	Rittmeister	Lieutenante	Reserve. Rittm.	Reserve. Lieute.	Außerdem: aggreg. à l. suite. Oberhofm.	Rittm.	Lieute.	Eisernes Kreuz I. Kl. Stabs-Offiz.	Rittmeister	Lieutenante	aggr. à l.s. Rittm.	Oberhofm.	Eisernes Kreuz II. Klasse. Stabs-Offiz.	Rittmeister	Lieutenante	Reserve. Rittm.	Reserve. Lieute.	aggreg. Oberhofm.	Rittm.	Lieute.	à la suite. Oberhofm.	Rittm.	Lieute.
Kürassiere	26	53	175	112		2	1	4	1	4	6			23	43	90	31		6	4	3 12 13			2
Dragoner	58	117	373	199		3	1	8	3	2 1	8	2		52	97	265	39				4		4 4 10	
Husaren	36	91	322	215		4	2	7	5	1	8			31	74	205	83		8	4	3 12 13		2 6 5	
Ulanen	43	90	340	195	1	3		2 11	9	5	6		1 1	32	70	220	62		2		1 6		3 6	
Summa	162	351	1210	721	10	6	4 27 22 35	19 11	3	1	8			188	294	780	215		6	4	3 12 13 23			6
Res. XII. Armee-K.	12	27	90	28		2		2 1	3	1				9	19	57	3		8	4	3 12 13 23			
	174	378	1300	749	12	6	4 27 22 35	21 12	3	1	8			147	303	837	218		8	4	3 12 13 23			
	20	42	163	56	2	1 1	3	2 10	2	1				18	37	93	19		1	1	1 1	1	1	4

2708   40   1568

Davon die preußische Garde-Kavallerie

Abgesehen von den aggregirten und à la suite stehenden Offizieren, ergiebt sich eine Gesammtzahl von 2602 Offizieren, von denen

36 das Eiserne Kreuz I. Klasse und

1505 das Eiserne Kreuz II. Klasse, dazu 1 am weißen Bande

erhalten haben, d. h. also im Ganzen ca. 59% (= 592%/oo).

Bei den Berufs-Offizieren stellt sich die Verhältnißzahl auf 714 Kreuze per Tausend Offiziere, darunter keine I. Klasse.

Bei den Reserve-Offizieren auf 292 Kreuze per Tausend Offiziere, davon 19 I. Klasse.

Im Einzelnen ist das Verhältniß folgendes:

bei den	Zahl der Stabs-Offiziere.					Zahl der Rittmeister.					Zahl der Lieutenante.					Zahl der Reserve-Offiziere.		Von 1000 Pts.	
	Eisernes Kreuz				Total in %/oo.	Eisernes Kreuz				Total in %/oo.	Eisernes Kreuz				Total in %/oo.	Eis. Kreuz II.		Berufs-Offiziere erhielten Eis. Kr. II. Kl.	Reserve-Offiziere erhielten Eis. Kr. II. Kl.
	L.		II.			L.		II.			L.		II.						
	Absolute Zahl.	in %/oo.	Absolute Zahl.	in %/oo.		Absolute Zahl.	in %/oo.	Absolute Zahl.	in %/oo.		Absolute Zahl.	in %/oo.	Absolute Zahl.	in %/oo.		Absolute Zahl.	in %/oo.		
Kürassieren	25	1 0,040	23	0,920	0,960	53	—	43	0,811	0,811	175	—	90	0,514	0,514	112	31 0,276	514	276
Dragonern	58	1 0,69	52	0,896	0,965	117	1 0,008	97	0,829	0,837	373	2 0,005	265	0,710	0,715	194	39 0,196	710	196
Husaren	36	5 0,189	31	0,861	1,050	91	5 0,055	74	0,813	0,868	322	1 0,003	205	0,637	0,640	215	84 0,394	637	390
Ulanen	43	2 0,209	32	0,744	0,953	90	5 0,056	70	0,777	0,832	340	—	220	0,653	0,653	196	62 0,316	653	318
Sächsische Kav.	12	2 0,166	9	0,750	0,916	27	1 0,037	19	0,738	0,740	90	—	57	0,633	0,633	28	3 0,107	683	117
	174	21 0,120	147	0,846	0,966	378	12 0,031	303	0,800	0,831	1300	3 0,002	837	0,645	0,648	750	219 0,292	643	292

C. Die Artillerie.

Nr. der Brigade.	Zahl der Offiziere.			aggregirt. Reserve.		à la suite.			Eigener Kreuz I. K.		aggr. à la suite		Eigener Kreuz II. Klasse.				Reserve aggregirt à la suite				Von 1000 Lieutenants Berufsoffiziere erhielt Reserveoffiziere Eiserne Kreuz II. Klasse. Eiserne Kreuz II. Klasse.	
	Stabsoffiziere.	Hauptleute.	Lieutenants.	Hauptleute.	Lieutenante.	Stabsoffiziere.	Hauptleute.	Lieutenants.	Stabsoffiziere.	Hauptleute.	Lieutenants.	Stabsoff.	Hauptleute.	Stabsoff.	Hauptleute.	Stabsoffiziere.	Hauptleute.	Lieutenants.	Hauptleute.	Lieutenants.	Stabsoff.	Hauptleute. Lieutenants. Stabsoff. Hauptleute. Lieutenante.	

(Tabelle in Fraktur, um 90° gedreht)

Abgesehen von den aggregirten und à la suite stehenden Offizieren ergiebt sich eine Gesammtzahl von 2034 Offi-zieren, von denen

95 mit dem Eisernen Kreuze I. Klasse und 1235 mit dem Eisernen Kreuze II. Klasse dekorirt sind

b. h. ungefähr 65% (= 653⁰/₀₀).

Im Einzelnen ergiebt sich folgendes Verhältniß:

	Zahl der Stabsoffiziere.	I. Absolute Zahl.	I. in ⁰/₀₀	II. Absolute Zahl.	II. in ⁰/₀₀	Total in ⁰/₀₀	Zahl der Hauptleute.	I. Absolute Zahl.	I. in ⁰/₀₀	II. Absolute Zahl.	II. in ⁰/₀₀	Total in ⁰/₀₀	Zahl der Lieutenants.	I. Absolute Zahl.	I. in ⁰/₀₀	II. Absolute Zahl.	II. in ⁰/₀₀	Zahl der Reserve-Offiziere.	II. Absolute Zahl.	II. in ⁰/₀₀
	159	43	0,270	82	0,516	0,788	390	45	0,116	257	0,659	0,775	1097	7	0,006	777	0,708	384	119	0,307

D. Ingenieure und Pioniere.

	Zahl der Offiziere.	Stabsoffiz.	Hauptleute.	Lieutenants.	Res.-Offiz. bei den Pion.-Bat.	aggregirt. Stabsoffiz.	aggregirt. Hauptleute.	aggregirt. Lieutenants.	à la suite. Stabsoffiz.	à la suite. Hauptleute.	à la suite. Lieutenants.	Eisernes Kreuz I. Klasse. Stabsoffiziere.	Eisernes Kreuz I. Klasse. Hauptleute.	aggregirt à l. s. Stabsoffiz.	aggregirt à l. s. Hauptleute.	Eisernes Kreuz II. Klasse. Stabsoffiz.	Eisernes Kreuz II. Klasse. Hauptleute.	Eisernes Kreuz II. Klasse. Lieutenants.	Reserveoffiz.	aggregirt. Stabsoffiz.	aggregirt. Hauptleute.	aggregirt. Lieutenants.	à la suite. Stabsoffiz.	à la suite. Hauptleute.	à la suite. Lieutenants.
R. Preuß.		62	118	250	73	4	1	14	4	8	1	—	—	—	—	26 85	163 17	12 1	—	—	—	1 13	—	1 13	3
XII. A. K.		1	4	13	4	1	1	14	8	8	1	—	—	—	—	1 3	12 1	—	—	—	—	—	—	3
{ }		63	122	263	77											27 88	175 18								
		546				18										325									

Abgesehen von den aggregirten und à la suite stehenden Offizieren ergiebt sich eine Gesammtzahl von 526 Offizieren, von denen

17 das Eiserne Kreuz I. und
308 das Eiserne Kreuz II. Klasse

erhielten, also ungefähr 62% (= 619%/oo). Im Einzelnen ist das Verhältniß folgendes:

Zahl der Stabsoffiziere.	I. Absolute Zahl.	I. in %/oo.	II. Absolute Zahl.	II. in %/oo.	Total in %/oo.	Zahl der Hauptleute.	I. Absolute Zahl.	I. in %/oo.	II. Absolute Zahl.	II. in %/oo.	Total in %/oo.	Zahl der Lieutenants.	I. Absolute Zahl.	I. in %/oo.	II. Absolute Zahl.	II. in %/oo.	Total in %/oo.	Zahl der Reserve-Offiziere.	II. Absolute Zahl.	II. in %/oo.
62	8	0,127	27	0,435	0,562	122	8	0,066	88	0,721	0,786	263	1	0,004	175	0,665	0,669	77	18	0,334

E. Train.

	Zahl der Offiziere.				aggregirt. à la suite.			Eisernes Kreuz I. Klasse.			aggregirt. à la suite.				Eisernes Kreuz II. Klasse.			aggregirt. à la suite.		
	Stabsoffiz.	Rittmeister.	Lieutenants.	Reserveoffiz.	Stabsoffiz.	Rittmeister.	Lieutenants.	Stabsoffiz.	Rittmeister.	Lieutenants.	Stabsoffiz.	Rittmeister.	Lieutenants.	Reserveoffiz.	Stabsoff.	Rittmftr.	Lieuten.	Stabsoff.	Rittmftr.	Lieuten.
Königl. Preuß.	15	42	95	92	—	—	—	—	—	—	1	2	4	—	12	18	60	11	—	—
	1	2	5	10	1	1	1	—	—	—	1	—	—	—	1	2	—	—	—	1
XII. Armee-Korps.	16	44	100	102	—	—	—	—	—	—	—	—	—	—	13	20	62	15	—	—

264

112

Hiernach sind von den Train-Offizieren 42% (= 423⁰/₀₀) dekorirt und zwar

bei den Stabsoffizieren	875⁰/₀₀
= = Rittmeistern	454⁰/₀₀
= = Lieutenants	620⁰/₀₀
= = Reserveoffizieren	147⁰/₀₀.

F. Reitendes Feldjäger-Korps.

Bei dem reitenden Feldjäger-Korps stehen 63 Lieutenants, von denen 39 das Eiserne Kreuz II. Klasse erhielten d. h. 619⁰/₀₀.

G. Gensdarmerie.

Bei der Gensdarmerie stehen
30 Stabsoffiziere, 24 Hauptleute u. Rittmeister und 3 Lieutenants, von denen 13 Stabsoffiziere und 11 Rittmeister das Eiserne Kreuz II. Klasse erhielten d. h. 433 resp. 458⁰/₀₀ im Ganzen: 421%.

H. Kadettenkorps.

Beim Kadettenkorps stehen
8 Stabsoffiziere, 7 Hauptleute, 6 Lieutenants, außerdem noch 2 Hauptleute und 3 Lieutenants à la suite.
Von diesen besitzen das Eiserne Kreuz II. Klasse:
1 Hauptmann à la suite
1 Lieutenant und 2 Lieutenants à la suite.
Beim Sächsischen Kadettenkorps:
1 Major, welcher mit dem Eisernen Kreuze I. Klasse dekorirt ist und
1 Lieutenant.

I. Landwehr.

(Bei den Stabsoffizieren der Infanterie sind die Bezirks-Kommandeure eingerechnet.)

1. Garde-Landwehr.

Infanterie.			E.K II.K			Kavallerie.			Eis. Kreuz II. Kl			Artillerie.		Eis. Kreuz II. Kl		Train.	E.K.II.K.
Stabsoffiz.	Hauptleute.	Lieutenants.	Stabsoff.	Haupt.	Lieuten.	Stabsoffiz.	Rittm-ister.	Lieutenants.	Stabsoff.	Rittmstr.	Lieuten.	Hauptleute.	Lieutenants.	Haupt.	Lieuten.	Lieutenants.	Lieuten.
16	22	60	5	9	17	2	26	19	1		11	1 / 1w	2	4	—	2	1	—

Es ergeben sich folgende Verhältnißzahlen:

Von 98 Offizieren der Infanterie sind befördert: 31 d. h. 316°/₀₀
und zwar Stabsoffiziere 0,₃₁₂.
Hauptleute 0,₄₀₀.
Lieutenants 0,₂₈₅.

Von 47 Offizieren der Kavallerie sind befördert: 14 d. h. 298°/₀₀
Stabsoffiziere 0,₅₀₀.
Rittmeister 0,₃₃₃.
Lieutenants 0,₁₀₅.

Von 6 Offizieren der Artillerie 2 = 0,₃₃₃.

2. Provinzial-Landwehr.

	Infanterie.			Jäger.		Kavallerie.			Artillerie.		Pioniere.		Train.	

Wir ziehen bei den nachfolgenden Berechnungen die Preußischen Landwehroffiziere in Betracht, und bemerken, daß unter den 190 Stabsoffizieren der Infanterie 176 Bezirks-Kommandeure eingeschlossen sind. Es erhielten das Eiserne Kreuz II. Klasse bei ... oder abzüglich der Bezirks-Kommandeure und ihrer inaktiven Adjutanten, Stabsoffiziere, Hauptleute u. Rittmeister, Lieutenante.

	Stabsoffiziere, Hptl. u. Rittm.		Lieutenante.					
der	Absolute Zahl.	in %.	Absolute Zahl.	in %.	Absolute Zahl.	in %.	Zahl der Offiziere.	Absolute Zahl der Dekor.
Infanterie*)	12	0,063	72	0,189	457	0,147	14	4
Kavallerie	4	0,666	54	0,529	169	0,231	6	4
Artillerie	—	—	10	0,370	59	0,226	—	—
Pioniere	—	—	12	0,500	14	0,286	—	—
Train	—	—	12	0,600	15	0,158	—	—
Summa:	16	0,081	160	0,287	714	0,188	20	8

in %.	Zahl der Offiziere.	Absolute Zahl der Dekor.	in %.	Zahl der Offiziere.	Absolute Zahl der Dekor.	in %.	Gesammtzahl der Dekorirten in %.
0,285	374	72	0,192	3097	457	0,147	0,154
0,666	102	54	0,529	731	169	0,231	0,270
—	27	10	0,370	262	59	0,226	0,289
—	24	12	0,500	49	14	0,286	0,356
—	20	12	0,600	95	15	0,158	0,234
0,400	547	160	0,291	4234	714	0,188	0,183

† 2 Jägerossi.   † 3 Jägerossi.

K. Der Generalstab.

	Gesammtz. d. Offiz.			Eisernes Kreuz I. Klasse			Eisernes Kreuz II. Klasse		
	Stabsoffiz.	Hauptleute.	Lieutenants.	aggregirt. à la suite.			aggregirt. à la suite.		
				Stabsoffiz.	Hauptleute.	Lieutenants.	Stabsoffiz.	Hauptleute.	Lieutenants.
R. Preuß. G.-St.50**)	23	5	—	—	11	—	42	11	—
XII. A.-K.	5	5	—	—	—	—	3	3	—
	28	28	—	11	19	—	45	14	—
		128			76			41	

*) Das Eiserne Kreuz I. Klasse erhielten bei der Reserve und Landwehr: a) Reserve: Sec. Lt. Speyer, Bille vom Kaiser Franz
Garde-Gren.-Regt. Nr. 2, Sec. Lt. Graße vom 1. Magdeb. Inf. Regt. Nr. 26, Sec. Lt. Blade vom 4. Magdeb. Inf. Regt. Nr. 67, b) Land-
wehr: Ob. J.-D. v. Zitzewitz vom L. Bat. Nr. 38, Hauptm. Pöllmuel vom L. Regt. Nr. 43, Sec. Lt. Schmieding vom L. Regt.
Nr. 16.   **) Enthl. 1 Stabsoffizier, Plankammer-Inspettor.

Es ergeben sich hiernach folgende Verhältnißzahlen, abgesehen von den aggregirten und à la suite stehenden Offizieren:

Von 54 Stabsoff. erh. 45 d. E. K. I. Kl. dh. 815⁰/₀₀ u. 7 d. II. Kl. dh. 130⁰/₀₀

⸱ 28 Hauptl. ⸱ 14 ⸱ ⸱ ⸱ I. ⸱ ⸱ 500⁰/₀₀ ⸱12 ⸱ II. ⸱ ⸱ 428⁰/₀₀.

L. Die nicht regimentirten Offiziere.

(Kriegsministerien, Kommandanturen, Flügel-Adjutanten, Offiziere von der Armee u. à la suite der Armee ꝛc.)

Die Zahl derselben beläuft sich bei der Königlich Preußischen Armee auf

	Davon erhielten	
	Eis. K. I. Kl.	Eis. K. II. Kl.
64 Stabsoffiziere	7 1m	23 5m
68 Hauptleute		7 3m
144 Lieutenants		14 11m
beim XII. Armee-Korps auf		
9 Stabsoffiziere	1	3
11 Hauptleute	1	3
4 Lieutenants	—	—

M. Die Marine.

a) See-Offizier-Korps:

1 Vice- und 1 Contre-Admiral

9 Capitains zur See

22 Corvetten-Capitains von denen 4 das Eis. Kreuz II. Kl. erhielten.

46 Capitain-Lieutenants

59 Lieutenants zur See ⸱ ⸱ 2 ⸱ ⸱ II. ⸱ ⸱

67 Unter-Lieut. zur See

205 von denen 6 das Eis. Kreuz II. Kl. erhielten.

Außerdem bei der Seewehr: 19 Lieutenants zur See, 25 Unter-Lieutenants zur See, 6 Hülfs-Unter-Lieutenants, 3 Auxiliar-Offiziere.

b) See-Bataillon:

1 Stabsoffizier, welcher das Eis. Kreuz II. Kl. erhielt (3 desgl. à la suite).

5 Hauptleute (1 desgl. à la suite).

18 Lieutenants.

Reserve:	Seewehr:
3 Lieutenants.	10 Lieutenants.

c) See-Artillerie:

1 Stabsoffizier (2 desgl. à la suite).

3 Hauptleute (2 ⸱ à la suite).

10 Lieutenants von denen 2 das Eiserne Kreuz II. Klasse erhielten.

Reserve:	Seewehr:
2 Lieutenants.	—

N. Aerzte.

Bei der Preußischen Armee werden aufgeführt:

876 aktive Truppen-Aerzte von denen   2 das Eis. K. I. Kl.,

                                 577 ⹀ ⹀ ⹀ II. ⹀   erhielten

    d. h. 660⁰/oo.

289 Aerzte der Reserve ⹀ ⹀   81 ⹀ ⹀ ⹀ II. ⹀   ⹀

    d. h. 280⁰/oo.

951 Aerzte der Landwehr ⹀ ⹀   2 ⹀ ⹀ ⹀ I. ⹀   ⹀

    d. h. 297⁰/oo.   ·   4*) ⹀ ⹀ ⹀ II. ⹀ a. schw. B.

                                             erhielten.

                              379 ⹀ ⹀ ⹀ II. ⹀   ⹀

$\overline{2116}$ $\overline{1045}$

Zusammen 2116 Aerzte von denen 1045 bekorirt wurden, im Ganzen 494⁰/oo.

Hierzu kommen noch 29 Marine-Aerzte und 9 Aerzte der Seewehr.

Die Rangliste des XII. Armee-Korps führt beim Sanitätskorps 95 aktive und 16 im Reserveverhältniß befindliche Truppen-Aerzte auf, von denen 53 resp. 2 das Eiserne Kreuz erhielten d. h. 558 und 125⁰/oo.

O. Beamte.

Von den Militair-Beamten der Preußischen Armee erhielten 267 das Eiserne Kreuz II. Klasse am weißen Bande; beim XII. Armee-Korps 12, davon 3 am schwarzen Bande — charakterisirte Offiziere.

Zum Schluß liefern wir noch eine Ueberfichtstabelle, welche die gewonnenen Resultate kurz zusammenfaßt:

---

*) Die 4 Aerzte, die — vorausgesetzt, daß kein Druckfehler obwaltet — das Eiserne Kreuz am schwarzen Bande erhielten, sind Dr. Lohmann (13. L. R.) Dr. Meinhoff (19. L. R.) Dr. Kleine (2. L. R.) Dr. Fischer (42. L. R.)

Untersuchungen über die Lage des Schwerpunktes unbelasteter und belasteter Reitpferde, und einige Vorschläge in Betreff der Vertheilung des vom Kavallerie-Pferde zu tragenden Gewichts auf seine Vor- und Hinterhand.

Die Ansichten der uns bekannten hippologischen Schriftsteller über die Lage des Schwerpunktes unbelasteter und belasteter Reitpferde sind so verschieden, zum großen Theil so unklar, daß es im Interesse der Reitkunst im Allgemeinen sowohl, als in dem der Kampagne-Reiterei besonders ersprießlich sein dürfte, eine Verständigung über die Sache herbeizuführen. Ein Versuch dazu kann — unserer Meinung nach — mit Aussicht auf Erfolg nur unternommen werden, nachdem vorab eine Verständigung über den Begriff des Wortes „Schwerpunkt" erzielt ist; denn auch darüber geben viele Hippologen sehr verschiedene, zum Theil sehr konfuse Erklärungen, wodurch sie selbstverständlich zu unrichtigen Folgerungen verleitet werden.

Eine kurze, allgemein verständliche, Definition des „Schwerpunkts" haben wir übrigens selbst in gepriesenen Handbüchern der Statik und Mechanik vergeblich gesucht. Zu unserm Vorhaben dürften folgende Erörterungen genügen. Unter Gravitation oder Schwere (im allgemeinen Sinne) versteht man die an allem Materiellen, also an allen Körpern und an jedem Theilchen derselben wirksame Elementar-Kraft, durch welche die Körper sich gegenseitig anziehen.

Die Schwere regelt die Bahnen der Himmelskörper und beeinflußt die der Geschosse; sie ist die Ursache unzähliger auf der Erde vorkommender Erscheinungen, namentlich des freien Falles der Körper. Diese Kraft ist der magnetischen sehr ähnlich; sie wächst mit der Masse der Körper, nimmt aber ab mit dem Quadrate ihrer Entfernungen von einander. Wenn die Masse des ganzen Erdkörpers im Verhältniß zu der Masse eines zur Erde gehörigen Körpers ungeheuer groß ist, so kann man trotz der in der Schwere begründeten Gegenseitigkeit der Anziehungskraft, die Einwirkung eines solchen Körpers auf die Erde als Null betrachten; man ist berechtigt zu sagen, die Erde zieht alle ihr angehörigen Körper an. Die Kraft, mit welcher dies geschieht, nennt man insbesondere die Schwere oder die Schwerkraft; ihre Richtung geht durch den Schwerpunkt der Erde, der auch ihr Mittelpunkt, d. h. der Durchschnittspunkt ihrer großen und kleinen Achse sein muß. Wegen der großen Entfernung dieses Punktes von den auf der Erdoberfläche befindlichen Körpern, kann man die Richtungen der Schwerkräfte welche auf nicht weit von einander liegende Körper oder Körpertheile einwirken, als parallele Richtungen anneh men, daher auch jeden nicht gar zu großen Körper in Bezug auf die Schwere seiner Theile als ein System paralleler Kräfte betrachten. Die Summe der parallel abwärts gerichteten Wirkungen, welche die Schwere auf jeden materiellen Punkt eines Körpers ausübt, läßt sich wahrnehmen an dem Druck, welchen der Körper auf eine horizontale Unterlage ausübt; die Größe dieses Druckes nennt man das Gewicht des Körpers. Erfahrungsmäßig läßt sich das ganze Gewicht eines Körpers in einem einziger Puukte so stützen, daß die rings um denselben wirkenden Schwerkräfte des Körpers sich das Gleichgewicht halten. Legt man einen in seinen Theilen ungleich schweren Rundstab auf eine scharfe horizontale Unterlage, so kommt diese mit des Stabes Peripherie nur in einem Punkte in Berührung; dennoch läßt sich durch Versuchen der Punkt der Peripherie des Stabes finden, welcher die Stütze berühren muß, um den auf derselben balancirenden Stab so zur Ruhe kommen zu lassen, daß derselbe nicht nur in horizontaler Lage verharrt, soudern auch keine Neigung zu rollender Bewegung mehr erkennen läßt. Ist das der Fall, so ruht der Stab im Gleichgewicht auf dem Stützpunkte, woraus sich ergiebt, daß auch in dem Stabe ein einziger Punkt sein muß, in welchem sich die Schwerkräfte aller Theile des Stabes gleichsam concentriren, und der eine möglichst tiefe Lage über dem Stützpunkte haben muß, wenn der balancirende Stab nicht durch eine sehr geringe Verschiebung aus der Balance oder in eine rollende Bewegung gebracht werden soll. Dieser einzige Punkt des Stabes ist sein Schwerpunkt: ein solcher läßt sich in jedem starren Körper ermitteln, am anschaulichsten in einer frei schwimmenden Kugel. Liegt ihr Schwerpunkt genau im Mittelpunkte, so verharrt die Kugel ruhig in jeder ihr gegebenen Lage; liegt aber ihr Schwerpunkt nicht im Mittelpunkte, so verharrt sie nur in derjenigen Lage, welche ihren Schwerpunkt dem der Erde möglichst nahe kommen läßt und dreht sich aus anderen Lagen so lange in der sie tragenden Flüssigkeit, bis alle auf ihre einzelnen materiellen Punkte wirkenden Schwerkräfte in ihrem Schwerpunkte sich konzentrirt, also diesen in die möglichst tiefe, d. h. dem Schwerpunkte der Erde möglichst nahe Lage gebracht haben.

Zu genauer Bestimmung der Lage des Schwerpunktes eines starren Körpers ist folgendes Verfahren geeignet. Man hängt den Körper mittelst einer Schnur so auf, daß diese seine alleinige Stütze bildet. Die Schnur wird dadurch in senkrechter Richtung angespannt werden, und der Schwerpunkt des hängenden Körpers, der eine möglichst tiefe Lage einnimmt, kann nur in derselben Richtung liegen, weil er in keiner andern die möglichst tiefe Stelle erreichen könnte. Nachdem man diese Richtung durch den Körper bezeichnet hat, hängt man denselben in anderer Lage auf und bezeichnet wiederum die Richtung, in welcher sein Schwerpunkt liegt: Da der Schwerpunkt beiden ermittelten Richtungen angehört, so müssen sich dieselben schneiden und zwar im Schwerpunkte selbst, weshalb man sie, wie alle im Schwerpunkte sich schneidenden geraden Linien, Schwer-Linien nennt.

Man kann demnach auch sagen, der Schwerpunkt eines Körpers ist derjenige Punkt, durch dessen Unterstützung allen Schwerkräften seiner materiellen Punkte die Möglichkeit entzogen wird, den Körper aus dem Gleichgewicht zu bringen oder in Bewegung zu setzen.

Die Lage des Schwerpunktes eines starren Körpers, der sich aufhängen läßt, ist also gemeinlich leicht zu ermitteln; sehr große Schwierigkeit macht aber oft diese Ermittlung bei nicht starren, sich willkürlich bewegenden Körpern, zumal wenn dieselben sich nicht füglich aufhängen lassen. Der Schwerpunkt eines lebendigen Pferdes z. B. ändert seine Lage nicht nur je nach' der Stellung und Haltung des Thieres, sondern auch je nach dem Verhalten seines Reiters. Der Oberst von Krane hat in seiner vortrefflichen „Anleitung zur Ausbildung der Kavallerie-Remonten" (E. S. Mittler u. Sohn, Königl. Hofbuchhandlung. Berlin 1870) höchst interessante Tabellen mitgetheilt, welche die Resultate der vom General Morries in Paris veranstalteten Untersuchungen über die Vertheilung des Gewichtes mehrerer Kavallerie-Pferde auf deren Vor- und Hinterhand enthalten.

Man stellte verschieden gebaute Pferde in tiefer, mittlerer und hoher Haltung und auch eins, auf welchem der Stallmeister Baucher in vorgeneigter, mittlerer und zurückgeneigter Haltung saß, so auf zwei Wagen, daß die Vorderfüße des zur Untersuchung gezogenen Pferdes auf der einen, seine Hinterfüße auf der andern Wage standen. Es ergab sich, daß bei gut gebauten, unbelasteten Kavallerie-Pferden das Gewicht der Vorhand durchschnittlich $\frac{1}{10}$ des Total-Gewichts mehr betrug, als das Gewicht der Hinterhand. Die auf Baucher und sein Pferd bezügliche Tabelle theilen wir vollständig mit, um die in derselben enthaltenen Zahlen zu den von uns beabsichtigten Untersuchungen über die Lage des Schwerpunktes belasteter Kavallerie-Pferde zu verwenden.

	Total-Gewicht. Pfund.	Beschwert die Vorderhand mit Pfund.	Beschwert die Hinterhand mit Pfund.
Reiter im akademischen Sitz	136,2	87,2	49
Pferd in mittlerer Haltung	817,2	446,9	370,3
Gesammtgewicht beider	953,4	534,1	419,3
Reiter in zurückgeneigtem Sitz . . .	136,2	65,9	70,3
Pferd in hoher Haltung	817,2	429,9	387,3
Gesammtgewicht beider	953,4	495,8	457,6
Reiter in vorgeneigtem Sitz	136,2	112,8	23,4
Pferd in tiefer Haltung	817,2	463,9	353,3
Gesammtgewicht beider	953,4	576,7	376,7

Aus dieser Tabelle ergiebt sich, daß die Mehrbelastung der Vorhand betrug,
bei mittlerer Haltung von Mann und Pferd 114,8 Pfund;
bei zurückgeneigter Haltung von Mann und Pferd 38,2 Pfund:
bei vorgeneigter Haltung von Mann und Pferd 200 Pfund.

Es kamen in mittlerer Haltung 38,2 Pfund, d. i. 0,28 des Reitergewichts, in vorgeneigter Haltung aber 89,4 Pfund, d. i. 0,65 des Reitergewichts mehr auf die Vorhand, als auf die Hinterhand. In zurückgeneigter Haltung hingegen kamen 4,4 Pfund, d. i. 0,032 des Reitergewichts
mehr auf die Hinterhand, als auf die Vorhand. Es ist selbstverständlich, daß
Baucher, wenn er wie ein Kavallerist bekleidet und beschwert gewesen wäre
und trotzdem nur 136,2 Pfund gewogen hätte, durch die Haltung seines mehr
belasteten Oberkörpers etwas größere Gewichtsverlegungen auf die Vor- oder
Hinterhand des Pferdes bewirkt haben würde. Es erscheint uns aber bedenklich, mit Zahlen zu operiren, für welche ein genügender Anhalt kaum zu finden
sein dürfte, so lange Wägungen belasteter Kavallerie-Pferde noch nicht vorgenommen oder die Ergebnisse bezüglicher Untersuchungen noch nicht bekannt gemacht worden sind. Wir beschränken unsere Untersuchungen über die Lage des
Schwerpunktes auf das Pferd, dessen Gewichtsverhältnisse aus vorstehender
Tabelle bekannt sind.

Um aus dem Verhältniß des Gewichtes der Vorhand zu dem der Hinterhand, die Lage des Schwerpunktes des Pferdes zu bestimmen, erscheint uns
folgendes Verfahren geeignet. Denken wir uns eine Vertikal-Ebene durch die
Rückenwirbelsäule eines ganz gerade und gleichmäßig stehenden Pferdes*),
eventuell auch durch die Rückenwirbelsäule seines ganz gerade sitzenden Reiters
gelegt, so werden die zu beiden Seiten dieser, die horizontale Basis des Pferdes inmitten seiner Vorder- und Hinterhufe schneidenden Ebene liegenden
Theile des Pferdes, eventuell auch des Reiters einander wohl ziemlich das
Gleichgewicht halten.

Der Annahme, daß der Schwerpunkt des auf beiden Seiten gleich belasteten, in jeder Hinsicht gleichmäßig und gerade stehenden Pferdes in gedachter Ebene liege, steht also wohl nichts Erhebliches entgegen. Eines so stehenden

---

*) Zur Verhütung von Mißverständnissen bemerken wir hier noch, daß ein anschein-
lich gerade und still stehendes Pferd seinen Schwerpunkt sehr leicht seitwärts verlegen
kann, indem es seinen Körper etwas seitwärts neigt, es geschehe ohne veränderte, oder
mittelst stärkerer Beingelenkbiegung auf einer Seite des Pferdes. Diese Veränderungen
der Lage des Schwerpunktes des Pferdes lassen sich aber aus dem Gewichtsverhältniß der
Vor- und Hinterhand nicht nachweisen. Für die Reitkunst sind dieselben indeß sehr wichtig. In allen Wendungen und Volten, besonders wenn dieselben in schneller Bewegung
ausgeführt werden, verlegt das Pferd instinktiv seinen Schwerpunkt mehr oder minder
einwärts, und der Reiter soll ihm das nicht erschweren, sondern möglichst erleichtern. Das
kann er nur, wenn das Gewicht der Belastung des Pferdes zu beiden Seiten desselben so
vertheilt ist, wie dessen Eigengewicht in gerader Stellung.

Figur I.

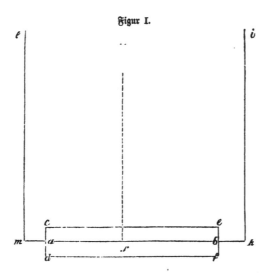

Pferdes vertikale Durchschnitts = Ebene lmik Fig. I möge die horizontale Grundfläche cdfe, auf welcher das Pferd steht, in einer Linie ab treffen, welche inmitten der Vorder= und Hinter=Hufe des Pferdes liegt.

Um die Länge der Linie ab zu bestimmen, ermitteln wir die Punkte o

Figur II.

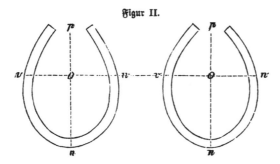

Fig. II der Fährten der Vorder= und der Hinter=Hufe, in welchen sich deren Mittel=Linien np mit den, den hinteren Enden der Hufe um 1 Zoll näher, als den Zehen liegenden Querlinien vw rechtwinklig schneiden. Die Verbin= dungen der in den vorderen und in den hinteren Neben=Fährten ermittelten Punkte o, welche in Fig. I durch die Linien cd und ef dargestellt sind, wer= den mit einander parallel laufen und die Linie ab rechtwinklig schneiden, wenn

Pferdes Vorder- und Hinterhufe gleichmäßig stehen. Die ermittelten Punkte o der Fährten liegen zwischen den Tragten der Hufe, auf welche im Zustande der Ruhe wohl unzweifelhaft das Gewicht des Pferdes einen stärkeren Druck ausübt, als auf die Huf-Zehen, welche sich ja nicht selten so abnutzen, daß sie den Boden gar nicht mehr berühren, wenn das Pferd auf einer harten horizontalen Unterlage steht. Diese Erwägungen haben uns veranlaßt, die Länge der Linie ab (Fig. I) durch die Linien cd und ef, das sind die Verbindungen der Punkte o, zu bestimmen, welche wir ansehen als die Trage- oder Stütz-Punkte derjenigen Theile des Gesammtgewicht des Pferdekörpers, mit denen jeder einzelne Huf belastet ist in der Stellung und Haltung des Pferdes, in welcher es eben verharrt. In der Annahme, daß die auf solche Weise bestimmte Linie ab den bei lebenden, zum Kavallerie-Dienste geeigneten Pferden obwaltenden Verhältnissen ziemlich entsprechen möchte, fanden wir uns bestärkt durch die Ergebnisse einiger Experimente zur Ermittelung der Lage des Schwerpunktes in leblosen, aber doch veränderbaren Körpern, deren Gewichtsverhältnisse auch den in der bereits mitgetheilten Tabelle entsprachen.

Betrachten wir (Fig. I) die Linie ab als horizontale Basis, auf welcher in a das Gewicht der Vorhand V, in b aber das Gewicht der Hinterhand des Pferdes H wirkt und stellen nun die Frage, in welchem Punkte muß ab unterstützt sein, wenn sich V und H das Gleichgewicht halten sollen? so antwortet die bezügliche Regel der Statik, in dem zwischen a und b liegenden Punkte S, dessen Entfernung von a sich zu seiner Entfernung von b umgekehrt verhält, wie das Gewicht der Vorhand V zu dem der Hinterhand H. Aus der diesem Lehrsatze entsprechenden Formel $aS : bS = H : V$ läßt sich die Lage des Punktes S genau bestimmen; denn aus derselben folgt, $aS + bS : H + V = aS : H$, und weil $aS + bS = ab$, so ist $aS = \frac{ab \cdot H}{H + V}$, $bS = \frac{ab \cdot V}{H + V}$. Der in dem so bestimmten Punkte S errichtete Perpendikel Sr ist eine Schwerlinie des Pferdekörpers in seiner beim Wägen stattgehabten Stellung und Haltung; in diesem Perpendikel muß der Schwerpunkt des Körpers beim Wägen gelegen haben.

Da nicht erwartet werden darf, daß die Pferde, deren Schwerpunkt durch Wägen ermittelt werden soll, bei diesem Geschäft lange ganz still stehen, so erscheint es zweckmäßig, schon vor dem Wägen in möglichst normaler Pferdebeinstellung den horizontalen Abstand des Brustbeins von der Linie cd (Fig. I), und den des Sitzbeins von der Linie ef zu ermitteln. Dies läßt sich nach erfolgter Markirung der Lage der Linien cd und ef an den Wänden der Hufe leicht ausführen durch die Perpendikel lm und ik, deren ersterer das Brustbein, deren anderer das Sitzbein tangirt. Durch dieses Verfahren wird es zulässig, den Theil des Pferdekörpers, durch welchen der Perpendikel Sr geht, aus seinem horizontalen Abstande vom Brustbein und vom Sitzbein zu bestimmen, also von Punkten, deren Entfernung von einander sich nicht so erheblich ändert, wie die der Punkte a und b, wenn auch das Pferd etwas anders steht, als es beim Wägen stand. Ueberdies werden die Resultate unserer Untersuchungen anschaulicher werden, wenn der Horizontal-Abstand des Schwerpunktes vom Brustbein und vom Sitzbein nachgewiesen ist, als von nicht ins Auge fallenden Punkten der Huffährten des Pferdes.

Bei normal gebauten Pferden pflegt der das Brustbein tangirende Perpendikel lm (Fig. I) 6 Zoll vor cd, und der das Sitzbein tangirende Perpendikel ik 8 Zoll hinter ef die horizontale Basis zu treffen. Wir werden demgemäß in unsere folgenden Ermittelungen der Entfernungen des die Lage des Schwerpunktes anzeigenden Perpendikels Sr von lm = aS + 6, von ik = bS + 8 Zoll annehmen*).

Erläutern wir nun an einem Beispiel, wie sich die Lage des Schwerpunktes eines Pferdes ermitteln läßt.

Nehmen wir an, das zur Untersuchung gezogene Pferd wäre das des Stallmeisters Baucher, dessen Gewichtsverhältnisse wir aus der bereits mitgetheilten Tabelle kennen, dessen Höhe wir zu 62 Zoll annehmen. Bei normalem Bau hätte dann auch seine Länge mk (vom Brustbein bis zum Sitzbein gemessen) 62 Zoll betragen, und in seiner Stellung beim Wägen hätte der Punkt m um 6 Zoll vor dem Punkte a, der Punkt k um 8 Zoll hinter dem Punkte b gelegen, demnach wäre die Länge von ab = 63 — [6 + 8] = 62 — 14 = 48 Zoll.

---

*) Ob sich die hier angewendete Methode der Ermittelung der Basis ab in der Praxis bewährt, kann nur durch Versuche festgestellt werden, zu welchen uns die Mittel leider nicht zu Gebote standen. Wo aber ähnliche Wägungen, wie die in Paris vorgenommenen, möglich sind, da wird sich auch leicht ermitteln lassen, ob unsere Methode richtig ist, oder in welcher Weise sie berichtigt werden muß. Man braucht zu dem Ende nur zu untersuchen, ob eine über dem durch Messung und Rechnung gefundenen Schwerpunkte des Pferdes aufgelegte Last eine ihrem Gewichte entsprechende Mehrbelastung der Vorhand bewirkt. Betrug z. B. das Gewicht der unbelasteten Vorhand 0,1 des Pferdegewichts mehr, als das der unbelasteten Hinterhand, so muß bei einer Belastung von x Pfund, deren Schwerpunkt senkrecht über oder unter dem des Pferdes liegt, das Gewicht der belasteten Vorhand um $\frac{9/10\,x}{2} + \frac{x}{10}$ schwerer, das Gewicht der belasteten Hinterhand aber nur $\frac{9/10\,x}{2}$ schwerer sein, als sich bei der Wägung der unbelasteten Vor- und Hinterhand gezeigt hatte. Um die Belastung so zu legen, daß ihr Schwerpunkt mit dem im unbelasteten Pferde ermittelten in derselben senkrechten Linie liegen muß, braucht man nur zwei x/2 Pfund mittelst einer Schnur verbunden so über den Rücken des Pferdes zu hängen, daß die senkrechten Theile der Schnur mit dem Perpendikel Sr Fig. I in derselben Ebene liegen und daß diese Ebene senkrecht zu der Linie ab steht. Aus wiederholten Experimenten der Art werden sich dann wohl allgemein als richtig anerkannte Regeln zur Ermittelung der geeignetsten Sattellage und Vertheilung des Gewichts der feldmarschmäßigen Belastung des Kavallerie-Pferdes ergeben. Das Königliche Militair-Reit-Institut dürfte alle Mittel besitzen, welche zu solchen Experimenten und auch zur praktischen Erprobung ihrer Ergebnisse erforderlich sind.

In mittlerer Haltung war das Gewicht der Vorhand $V = 447$ Pfd., das der Hinterhand $H = 370$ Pfd. (Wir laffen hier, wie auch weiterhin, die Bruchtheile als unerheblich fort, um die Rechnung zu vereinfachen.) Setzen wir diese Werthe in die vorhin entwickelten Formeln

$$aS = \frac{ab \cdot H}{H + V} \quad \text{und} \quad bS = \frac{ab \cdot V}{H + V}$$

$$aS = \frac{48 \cdot 370}{370 + 447} = \frac{2960}{817} = 21{,}74$$

$$bS = \frac{48 \cdot 447}{817} = \frac{3576}{817} = 26{,}26$$

Der horizontale Abstand des Perpendikels Sr, in welchem der Schwerpunkt des Pferdes beim Wägen lag, von dem das Brustbein tangirenden Perpendikel ml ist $= aS + am = 21{,}74 + 6 = 27{,}74$ Zoll, und sein Abstand von dem das Sitzbein tangirenden ki ist $= bS + bk = 26{,}26 + 8 = 34{,}26$ Zoll.

Unter dem Reiter in mittlerer Haltung von Mann und Pferd waren belastet die Vorhand V mit 534 Pfund, die Hinterhand H mit 419 Pfund. Setzen wir diese Werthe in die Formeln

$$aS = \frac{ab \cdot H}{V + H} \quad \text{und} \quad bS = \frac{ab \cdot V}{V + H}$$

$$aS = \frac{48 \cdot 419}{534 + 419} = \frac{20{,}112}{953} = 21{,}10$$

$$bS = \frac{48 \cdot 534}{534 + 419} = \frac{25632}{953} = 26{,}90$$

Der Schwerpunkt des mit dem Reiter im akademischen Sitz belasteten Pferdes in mittlerer Haltung lag also $21{,}10 + 6 = 27{,}10$ Zoll hinter dem Brustbein und diesem um 0,64 Zoll näher, als der des unbelasteten Pferdes in gleicher Haltung.

Aus diesem Ergebniß folgt, daß der Schwerpunkt des Reiters, dessen Gewicht nur $\frac{1}{6}$ des Gewichtes seines Pferdes betrug, $6 \cdot 0{,}64 = 3{,}84$ Zoll vor dem Perpendikel Sr (Fig. I) lag. (Wir werden das nachher durch ein Experiment beweisen.) Hätte sein Schwerpunkt senkrecht über S gelegen, so hätte sich die Lage des Schwerpunktes des Pferdes trotz des ihm aufgebürdeten Reitergewichts gar nicht geändert; denn auch von diesem wäre $\frac{1}{10}$ mehr auf die Vorhand, als auf die Hinterhand gekommen.

In hoher Haltung des Pferdes ohne Reiter waren $V = 430$, $H = 387$ Pfund. Setzen wir diese Werthe in die bekannten Formeln, so ist $aS = \frac{48 \cdot 387}{817} = \frac{18556}{817} = 22{,}73$; also $mS = 22{,}73 + 6 = 28{,}73$; und

$$bS = \frac{48 \cdot 430}{817} = \frac{20640}{817} = 25{,}27; \text{ alfo } kS = 25{,}27 + 8 =$$
33,27 Zoll.

Der Schwerpunkt des unbelasteten Pferdes in hoher Haltung lag also um fast 1 Zoll weiter zurück, als der des unbelasteten in mittlerer Haltung.

In hoher Haltung des Pferdes und bei zurückgeneigtem Sitz des Reiters waren V = 496, H = 458 Pfund; mithin

$$aS = \frac{48 \cdot 458}{954} = \frac{21984}{954} = 23$$

$$bS = \frac{48 \cdot 496}{954} = \frac{23806}{954} = 25$$

Der horizontale Abstand des Schwerpunktes von dem Brustbein betrug also 23 + 6 = 29 Zoll, sein Abstand vom Sitzbein aber 25 + 8 = 33 Zoll.

Der Schwerpunkt lag demnach bei zurückgeneigtem Sitz des Reiters und hoher Haltung des Pferdes um 1,90 Zoll weiter zurück, als in mittlerer Haltung von Mann und Pferd.

Wenn Baucher, der, wie wir bereits nachgewiesen, so saß, daß in mittlerer Haltung sein Schwerpunkt um 0,98 Zoll vor dem seines unbelasteten Pferdes lag, den Schwerpunkt des belasteten Pferdes um fast 2 Zoll zurück zu verlegen vermochte, so dürfte es keinem Zweifel unterliegen, daß in dieser Hinsicht alles Erforderliche erreichbar sein muß, wenn nur dafür gesorgt wird, daß der Schwerpunkt des Reiters, event. auch der seines Gepäcks nicht vor den seines unbelasteten Pferdes fällt. Die Haltung des Pferdes thut bei allen Schwerpunktsverlegungen das Meiste. Uebertriebenes Zurücksatteln kann nimmer dazu dienen, den Schwerpunkt des mehr oder minder belasteten Pferdes „unter das Gesäß" des Reiters zu bringen; denn je näher der Reiter der Kruppe sitzt, desto weiter ist sein Gesäß hinter dem Schwerpunkte des aus Mann und Pferd bestehenden Gesammtkörpers. Die Richtigkeit dieser Behauptung bestätigt folgendes Experiment, welches überall sehr leicht ausführbar ist.

Man hänge einen mit einem Faden umschlungenen Stab AB Fig. III

Figur III.

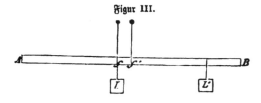

so auf, daß er balancirt und markire die Stelle S, an welcher der Faden sich befindet, wenn der Stab in horizontaler Lage verbleibt.

In dem vom Faden angezeigten Querschnitte des Stabes muß bekanntlich sein Schwerpunkt liegen.

Hängt man nun mittelst eines andern Fadens einen beliebig geformten Körper L so an den Stab, daß die beiden Fäden sich decken oder auch nur dicht an einander liegen, so wird der so belastete Stab im Gleichgewicht bleiben. Schiebt man aber den angehängten Körper, die Last L dem einen Ende B des Stabes näher, so muß auch der Aufhänge-Faden des Stabes dem Ende B etwas näher geschoben werden, wenn durch die Verschiebung der Last das Gleichgewicht des mit derselben beschwerten Stabes nicht gestört werden soll. Ermittelt man nun das Verhältniß der Weiten der stattgefundenen Verschiebungen, so findet man, daß sie proportional den Gewichten des Stabes und der ihm angehängten Last sind. Beträgt z. B. das Gewicht der Last I. ⅛ des Stabgewichts, so wird der Schwerpunkt S' der Gesammtlast des Stabes und des daran gehängten Körpers L' nur um 1 Zoll von dem Punkte S liegen, wenn der Aufhängefaden der Last L' sich 6 Zoll von S befindet. Wollte man mit derselben Last L eine Verschiebung des Schwerpunktes S bewirken, welche 2 Zoll betrüge, so müßte der Aufhängepunkt der Last L 12 Zoll von S entfernt sein.

Wir haben hier absichtlich Gewichts-Verhältnisse gewählt, welche den unsern Berechnungen zu Grunde liegenden entsprechen, also die Nutzanwendung erleichtern.

In tiefer Haltung des Pferdes ohne Reiter waren V = 464, H = 353 (Fig. I); mithin $aS = \frac{48 \cdot 353}{817} = \frac{16944}{817} = 20,74$; also $mS = 26,74$. $bS = \frac{48 \cdot 464}{817} = \frac{22272}{817} = 27,26$; also $kS = 35,26$. Der Schwerpunkt des unbelasteten Pferdes in tiefer Haltung lag also um 1 Zoll näher am Brustbein, als in mittlerer Haltung.

In tiefer Haltung des Pferdes und bei vorgeneigtem Sitz des Reiters waren V = 577: H = 377; mithin $aS = \frac{48 \cdot 377}{954} = \frac{18096}{954} = 19$; also $mS = 25$; $bS = \frac{48 \cdot 577}{954} = \frac{27696}{954} = 29$; also $kS = 37$.

Der horizontale Abstand des Schwerpunktes vom Brustbein betrug also 19 + 6 = 25 Zoll, sein Abstand vom Sitzbein aber 29 + 8 = 37 Zoll. Der Schwerpunkt lag demnach um 2,10 Zoll näher am Brustbein, als er in mittlerer Haltung von Mann und Pferd gelegen hat.

Mögen diese Ergebnisse unserer Untersuchung auch nur als annähernd richtig betrachtet werden dürfen, so haben sie uns doch in der aus sorgfältiger

Erwägung reichhaltiger Erfahrungen gewonnenen Ansicht bestärkt, daß es wichtig ist, über die Lage des Schwerpunktes unbelasteter und belasteter Reitpferde
richtige Ansichten zu gewinnen und demnächst im Interesse der Kampagne-
Reiterei zu verwerthen. Schon aus der Gestalt der Vorderbeine und ihrer
Stellung zum Rumpfe des Pferdes scheint uns klar hervorzugehen, daß sie
vornehmlich die Bestimmung haben, den schweren Pferdekörper zu stützen,
sowohl im Stehen, wie in allen Gangarten; der Schwerpunkt des Körpers
liegt den Vorderbeinen nicht aus Versehen näher, als den Hinterbeinen.

Das Bestreben, die Belastung des Kavallerie - Pferdes auf demselben so
zu vertheilen, daß die Hinterhand eben so viel zu tragen bekäme, wie die vom
Pferdekörper mehr belastete Vorhand, erscheint uns naturwidrig; die Leistungsfähigkeit der Kavallerie wird dadurch nicht gesteigert, sondern in hohem Grade
vermindert. Bei den zum Reitgebrauch geeigneten Pferde - Racen finden wir
— wie bereits bemerkt wurde — durchschnittlich die Vorhand um $^3/_{10}$ des
Gewichtes des Pferdekörpers stärker belastet als die Hinterhand.

Dieser Mehrbelastung der Vorhand ungeachtet, leisten Pferde dieser Racen
von Jugend auf, wenn ihre Erziehung eine nicht ganz naturwidrige ist, im
Laufen, Springen und Wenden gewöhnlich Alles, was man von einem Kavallerie-Pferde im Kriege verlangt; ja die Leistungsfähigkeit der Hengste, deren
Vorhand im Allgemeinen schwerer ist, als die der Stuten, übertrifft die Leistungsfähigkeit der Letzteren fast ausnahmslos. Man verlangt deshalb bei
Wettrennen oft, daß die Hengste mehr Gewicht tragen sollen, als die Stuten.
Läge in der schwereren Vorhand an und für sich eine Erschwerung der verlangten Leistung, so sollten billiger Weise die Stuten das größere Gewicht
tragen. In der ersten Periode unserer kavalleristischen Lehrjahre, als man
für ersprießlich hielt, den Sattel möglichst weit hinter den Widerriß zu legen
und um die Lage des Sattels zu sichern, die wohl gekannten und oft schmerzlich
empfundenen Unzuträglichkeiten des Vorgurts als nothwendige Uebel ansah, fanden
wir sehr viele Offizier-Pferde abgeneigt zum Springen. Bei den Pferden der
Eskadrons war diese Abneigung seltener und minder hartnäckig: ihre Sättel
lagen nicht allzuweit zurück, waren jedenfalls nicht durch Vorgurten gehindert,
während des Reitens so weit vorzugleiten, daß die Pferde sich am Springen
weniger behindert fühlten, als die der Offiziere.

Wie ungern Pferde andauernd auf Unterlagen stehen, welche unter ihren
Vorderbeinen höher sind, als unter ihren Hinterbeinen, ergiebt sich daraus,
daß sie durch Scharren mit den Vorderbeinen den Höhen-Unterschied möglichst
auszugleichen suchen, wenn sie sich auf andere Weise der Unzuträglichkeit nicht
entziehen können, daß auf ihrer Hinterhand ein zu großer Theil ihres Gewichtes ruht: sollten Pferde die Unzuträglichkeiten auf Märschen nicht in noch viel
höherem Grade empfinden?

Das natürliche Gewichts - Verhältniß zwischen Vor- und Hinterhand des
Reitpferdes dürfte demnach auch für belastete Kavallerie-Pferde das geeignetste

sein, um dieselben trotz der feldmarschmäßigen Belastung möglichst leistungsfähig im Laufen, Springen und Wenden zu erhalten. Selbst in der Schul-
Reiterei dürfte es am Besten sein, das Gewichts-Verhältniß zwischen Vor-
und Hinterhand des belasteten Pferdes dem des unbelasteten möglichst gleich-
zumachen. Die berühmten Stallmeister der alten italienischen, französischen
und deutschen Schule, deren Leistungen in der Pferde-Ausbildung wir noch
jetzt bewundern, saßen — nach den besten Abbildungen — unzweifelhaft nicht
so, wie es den „Gleichgewichts-Vertretern" zweckmäßig erscheint, sondern viel
weiter vor und annähernd so, daß ihr Gewicht das Gewichtsverhältniß der
Vor- und Hinterhand ihres Pferdes nicht erheblich veränderte.

Es ist höchst lehrreich, solche Abbildungen mit denen zu vergleichen,
welche den in mancher Hinsicht sehr werthvollen Schriften des Stallmeisters
C. F. Seydler über Kampagne Reiterei beigefügt sind und aus der Zeit
stammen, in welcher man sich besonders bemühte, die Vorhand des Pferdes
zu entlasten und die Schultern vor jeder Berührung mit dem Sattel zu bewahren. Die ganz andere Sattellage der alten Stallmeister hat aber die
Schulterbewegung ihrer Pferde nicht erschwert.

Man braucht in dieser Beziehung nicht besorgt zu sein; wenn der Sattel
richtig konstruirt ist und dem Pferde paßt, so kann er sehr wohl mit seinem
Kissen einen Theil der Schultern decken, ohne deren Bewegungen im Geringsten zu behindern. Manches gute Reitpferd ist so gebaut, daß der Sattel gar
nicht in seiner Lage verharrt, wenn er so weit zurückgelegt wird, wie Seidler
und andere Hippologen für ersprießlich erachten.

Alle Hülfsmittel, welche mann ersann, um dem Sattel eine unnatürliche
Lage zu sichern, namentlich Vor- und Bauch-Gurten sind verwerflich und im
Felde ganz unanwendbar, weil der Vorgurt zu leicht drückt und der Bauch-
gurt das Athmen erschwert; dasselbe gilt auch vom Zurücklegen der Sattel-
gurten hinter die ganzen Rippen.

Wenn der dem Pferde passende Sattel zu weit vorgeht, so liegt die
Schuld sehr oft am Sitz des Reiters: drückt sein Gewicht zu viel auf den
hinteren Theil des Sattels, so hebt sich dessen Vordertheil und verliert den
Anschluß; beim Bock tritt dies um so leichter ein, weil die Verbindung des
Gurts mit dem Sattelbaum zu weit zurück liegt, um die Hebung seines Vor-
dertheils zu verhindern, und die Beschaffenheit des Sitzes viele Reiter verleitet, zu viel von ihrem Gewicht auf dem Hinterzwiesel zu bringen, der ohnehin schon durch das Hintergepäck sehr belastet wird. Für korpulente Reiter
pflegt auch der Sitz des Bocks nicht Raum genug zu gewähren.

Die Schnelligkeit des Pferdes ist vornehmlich abhängig, von der Kraft
des Abschwunges*), welcher, von den Hinterbeinen ausgehend, den Pferde-

---

*) Selbstverständlich ist die Schnelligkeit des laufenden Pferdes überdies noch ab-
hängig von der Schnelligkeit, mit welcher die einzelnen Sprünge sich wiederholen. Wir

körper in jedem Sprunge vorwärts treibt, nachdem die Vorderbeine den größeren Theil seiner Last von der Erde abgestoßen, den Druck seiner Schwere auf den Erdboden also zeitweilig unterbrochen haben.

Selbstverständlich werden sie in dieser Funktion von den Hinterbeinen unterstützt, indem deren Abschwung ebenfalls hebend wirkt. Die Weite der Fortbewegung des Pferdekörpers während jedes Sprunges (so lange es den Boden mit keinem seiner Füße berührt) ist aber nicht allein von der Größe der Abschwungskraft, sondern auch von ihrer Richtung auf den Schwerpunkt des Pferdekörpers abhängig; denn durch diesen Punkt muß die Kraftrichtung gehen, wenn der Erfolg der aufgewendeten Kraft ein vollständiger sein, der ganze Körper in allen seinen Theilen gleichmäßig vorwärts getrieben werden soll. Der Stützpunkt der Abschwungskraft liegt in den Fährten der Hinterhufe, und die Richtung dieser Kraft durch den Schwerpunkt des Pferdes kann mit dessen wagerechter Fortbewegungs-Richtung einen mehr oder minder spitzen Winkel bilden. Von der Größe dieses Winkels wird es abhängen, ob der Pferdekörper in höherem oder minder hohem Bogen über den Boden fortgeschleudert wird.

Je tiefer und je weiter vor der Schwerpunkt des Pferdes liegt, desto weitere Sprünge kann es bei gleichem Kraftaufwand machen: das weiß jeder Jockey; das veranlaßt jedes schnell laufende Thier instinktmäßig zu einer möglichst niedrigen und gestreckten Körperhaltung. Es erscheint uns auch aus diesem Grunde verkehrt, die unvermeidliche Belastung eines Kavallerie-Pferdes, auf dessen Schnelligkeit man doch großen Werth legen muß, so vertheilen zu wollen, daß das Pferd gar nicht mehr im Stande ist, sein Totalgewicht auf seine Vor- und seine Hinterhand in gleichem Verhältniß zu vertheilen, wie ihm dies im unbelasteten Zustande möglich war. Jede Störung dieses Verhältnisses

---

lassen das aber hier eben so außer Acht, wie den aus dem Beharrungsvermögen entstehenden Zuwachs an Sprungweite continuirlich auf einander folgender Sprünge. Diese additiv wirkenden Ursachen ändern nichts in Bezug auf die Untersuchung über die vortheilhafteste Lage des Schwerpunktes. Wenn wir die von den Hinterbeinen ausgehende Kraft als diejenige betrachten, von deren Wirkung die Weite der Sprünge hauptsächlich abhängt, so wollen wir damit keineswegs der Ansicht der Hippologen zustimmen, welche den Vorderbeinen jede bezügliche Mitwirkung absprechen: unsere Ansicht ist, sie wirken in allen Gangarten nicht nur stützend, sondern auch Raum gewinnend mit. Vornehmlich bei Hochsprüngen tritt die Gewalt des von den Vorderbeinen ausgehenden Abschwungs deutlich hervor; bewirkte dieser aber ausschließlich die erforderliche Erhebung der Vorhand von der Erde, so bildete die Richtung dieser Kraft mit der von den Hinterbeinen ausgehenden einen so großen Winkel, daß die Unzweckmäßigkeit dieser Kraftrichtungen zur Ueberwindung eines Hindernisses jedem Sachverständigen einleuchtete. Da aber im Mechanismus der Glieder gesunder Thiere Alles aufs Zweckmäßigste eingerichtet ist, so läßt sich — auch wenn es sich unserer sinnlichen Wahrnehmung völlig entzieht — als höchst wahrscheinlich annehmen, daß in allen natürlichen Bewegungen des Pferdes die dazu erforderlichen Kräfte harmonisch wirken.

hat Kraftvergeudung zur Folge in allen Gangarten, nicht blos im Schnell-
lauf und im Springen; denn auch im Schritt und Trabe geht die vortrei-
bende Kraft vornehmlich von den Hinterbeinen aus, und die Wirkung derselben
wird vermindert, wenn der Schwerpunkt des belasteten Pferdes weiter zurückliegt, als der des unbelasteten naturgemäß in mittlerer Haltung lag. Wir
sind nicht der Meinung, das feldmarschmäßig belastete Kavallerie-Pferd dürfe
sich beim Laufen eben so sehr strecken, wie das unbelastete oder wie der nur
gering belastete Renner im Wettstreite um den Siegespreis; aber die seiner
Belastung entsprechende Verlegung seines Schwerpunktes darf ihm nicht unmöglich gemacht werden, wenn es ihm möglich bleiben soll, unter allen Umständen zu leisten, was es vermöge seiner natürlichen Anlagen und seiner Kon-
dition wohl leisten könnte.

Der Oberst von Krane hat in seinem bereits erwähnten Buche sehr klar
nachgewiesen, wie bedeutend die auf- und abwölbende Bewegung des Pferderückens auf die Schnelligkeit der Sprünge influirt. Diese Rückenbewegung
wird beeinträchtigt durch jegliche Belastung, am stärksten unter gleich schwerer
unzweifelhaft durch diejenige, deren Schwerpunkt am weitesten hinter dem des
unbelasteten Pferdes liegt. Auch zu weit zurück liegende Gurten erschweren
des Pferdes Rückwölbungen.

Das vom Kavallerie-Pferde zu tragende Gewicht muß deshalb nicht nur
möglichst vermindert, sondern auch sorgfältig in der Weise an und auf dem
Sattel so vertheilt werden, daß in mittlerer Haltung die Lagen des Schwerpunktes des belasteten und unbelasteten Pferdes möglichst wenig von einander
verschieden sind. Das kann nur erreicht werden durch eine den Gewichtsver-
hältnissen der Vor- und Hinterhand des Pferdes entsprechende Vertheilung
seiner Belastung, von deren Gewicht also im Allgemeinen die Vorhand $^1/_{10}$
mehr tragen sollte, als die Hinterhand.

In der Höhenlage der Schwerpunkte des belasteten und des unbelasteten
Pferdes wird eine unerfreuliche Differenz schwerlich zu vermeiden sein; aber
man hüte sich vor überflüssiger Vergrößerung der unvermeidlichen Differenz.
In dieser Beziehung erscheint eine Konstruktion der Sättel wünschenswerth,
welche den Sitz des Reiters und das ganze Gepäck dem Pferde möglichst nahe
kommen läßt. Der 9fach oder gar 12fach zusammengelegte Woilach und der
ohne dies schon hohe Sattelbock entsprechen in sehr geringem Maße den Anforderungen, welche man an die Sattelung des Kavallerie-Pferdes machen
muß. Die Technik ist wohl weit genug vorgeschritten, um bessere Sättel herstellen, auch die Sattelblätter des Bocks mit Polstern versehen zu können, die
weich genug sind, um sich dem Pferderücken gehörig anzuschmiegen, und leicht
abnehmbar, um ohne große Mühe nach Bedarf geändert werden zu können.
Diese Polster würden gestatten, statt des großen und schweren Woilachs eine
höchstens 6fach zusammengefaltete Decke unter dem Sattel mitzuführen, die
völlig ausreichte, um das abgesattelte Pferd gegen Erkältung und auch die

Sattelpolster gegen das Eindringen des Schweißes zu schützen. Eine so viel dünnere Sattelunterlage würde auch mehr Raum in der Kammer des Sattels lassen und der Ausdünstung des Pferderückens freieren Abzug gestatten, was dessen Erhitzung, wie auch die der Wirbelsäule bedeutend mindern würde.

Aber wie vortheilhaft diese nicht schwierigen Anordnungen auch sein mögen, so bleibt der Bock doch ein zu hoher Sattel, der den Druck der Belastung nur auf schmale Streifen des Pferderückens vertheilt, dessen Gurt zu weit zurückliegt, und dessen Sitz sehr viel zu wünschen übrig läßt in Betreff nicht nur der Bequemlichkeit für den Reiter, sondern auch seiner Gesundheit. Auf dem nothwendig weichen mit Tuch bedeckten Sitzkissen des Bocks erhitzt sich das Gesäß des Reiters weit mehr als auf dem Sitzleder des englischen und des deutschen Sattels, was selbstverständlich das Entstehen von Erkältungen fördert, die möglichst zu verhüten gar sehr im Interesse der Armee liegt.

Als unsere leichte Kavallerie noch sehr kleine Pferde ritt, mochte es zweckmäßig scheinen, durch einen hohen Sattel dem Ansehen des Reiters etwas aufzuhelfen; das dürfte jetzt nicht mehr erforderlich sein, weil so kleine Pferde, wie ehemals in vielen Gegenden des preußischen Staates gezogen wurden, fast gar nicht mehr zu haben sind.

Wir sind deshalb der Meinung, es wäre an der Zeit, recht gründlich zu untersuchen, ob nicht dem ungarischen Bock der deutsche Sattel vorzuziehen und in der ganzen Armee einzuführen wäre. Dieser Sattel brauchte wohl nicht schwerer als der Bock zu sein, um die erforderliche Dauerhaftigkeit zu besitzen. Seine Konstruktion vertheilt den Druck der Belastung auf alle zum Tragen geeigneten Theile des Pferderückens und läßt den Schwerpunkt der Belastung dem des Pferdes möglichst nahe kommen. Die Lage des deutschen Sattels ist eine sehr viel sicherere, als die des Bocks, der sich nach allen Richtungen leicht verschiebt. Die Polsterung des deutschen Sattels ließe sich auch wohl so einrichten, daß Aenderungen derselben ohne Beihülfe des Sattlers ausgeführt werden könnten. Mantel und Futtersack könnten in üblicher Weise am Sattelkranze*) mitgeführt werden, der sich aber nicht am allerhintersten Ende des Sattels befinden und nicht zu niedrig sein sollte. Statt der Eisentasche dürfte eine dem Kochgeschirr = Futteral ähnliche Tasche auf der rechten Seite vorzuziehen sein, damit Futtersack und Mantel auf beiden Seiten gleichmäßig lägen. In diese Tasche kämen ein Hemd, eine Unterhose, ein Paar Socken und Handschuhe, auch Flicktuch, Näh= und Verbandzeug. Dadurch würde in den vorderen Packtaschen, deren anderweiter Inhalt unverändert bliebe, Raum gewonnen zur Unterbringung von 4 Hufeisen nebst

---

*) Wenn im Futtersack mehr als eine Tages-Ration Hafer mitgeführt wird, so muß derselbe über den Sitz in den Sattel gelegt werden, was auch beim Bock nothwendig ist.

ein, der Fouragier-Leine, des Brotbeutels mit dem Brote, einer leinenen
Ujacke und Schürze und eines größeren Vorraths von Patrouen, als bis-
mitgeführt werden konnte. Die Schürze, welche zugleich als Handtuch
ißt zu werden pflegt, erscheint uns als unentbehrlich, die Jacke als er-
eßlich genug, um die durch dieselbe entstehende Mehrbelastung zu recht-
igen.

Bei der Vertheilung dieser Gegenstände müßte selbstverständlich auch das
wicht des die rechte Seite des Sattels belastenden Karabiners in Betracht
ogen werden. Die Pistole dürfte wohl nur noch als Waffe der Unter-
ziere in Betracht gezogen zu werden brauchen.

Daß in der Bahnreiterei der deutsche Sattel dem ungarischen vorzu-
en, ist wohl allgemein anerkannt; die Einwirkung des Gesäßes ist auf
t hohen und nachgebenden Sitz des Bocks eine äußerst geringe und un-
immte. Dadurch wird die Ausbildung der Reiter und der Pferde er-
wert.

Es ist bekannt, daß ein zu leichter Jockey das mitzuführende Gewicht
er an seinem Leibe, als am Sattel befestigt: er will dasselbe zu beliebiger
legung seines eigenen Schwerpunktes sowohl, wie des seines Pferdes ver-
then, was ihm unmöglich wäre, wenn das Gewicht eine unveränder-
e Lage am Sattel hätte. Diese Erwägung scheint einige Kavalleristen
der Ansicht verleitet zu haben, es wäre rationell, außer dem Säbel und
ger Munition auch noch den Karabiner — dessen Gewicht und Länge
il etwas zunehmen dürften, wenn er recht brauchbar werden soll — an
Reiters Leibe mitführen zu lassen.

Zeitweilig muß das bekanntlich geschehen; aber eine beständige Mehr-
istung des Kavalleristen halten wir doch für weit nachtheiliger, als den
rabiner in zweckmäßiger Weise am Sattel mitzuführen; wir möchten sogar
worten, auch den Säbel am Sattel befestigen zu können, wenn es sich
sehr weite und scharfe Ritte, oder Absitzen zum Feuergefecht handelt.
f Märschen im Schritt kann sich der Kavallerist der Last des Säbels
ebigen, indem er den Schleppriemen in den Sattel unter sein Gesäß
; im Trabe läßt sich aber dies Auskunftsmittel bekanntlich nicht an-
tben. Die Belastung des Pferdes möglichst zu mindern und so anzu-
agen, daß seine Leistungsfähigkeit trotz der Belastung möglichst groß
be, erscheint uns sehr geboten; aber wir sind doch der Ansicht, daß im
gemeinen die Kräfte unserer Pferde den Anforderungen des Krieges in
erem Maße entsprechen, als die Kräfte unserer Reiter: wenn diese marode
, belästigen sie ihre Pferde nicht nur sehr viel mehr, als Alles, was
elrecht am Sattel befestigt ist, sondern sie lassen es auch nach beendeter
strengung an der Pflege der Pferde fehlen. Deshalb ist jede nicht ganz
ermeidliche Belastung des Kavalleristen verderblich.

Möchten unsere Untersuchungen über die Lage des Schwerpunktes belasteter Reitpferde und die daran geknüpften Erörterungen dazu beitragen, allen bezüglichen kavalleristischen Fragen die Beachtung zuzuwenden, welche sie — unserer Ansicht nach — in hohem Grade verdienen.

Wir verkennen nicht, daß es zu einer gründlichen Lösung dieser Fragen noch praktischer Versuche bedürfen wird; wenn es uns nicht vergönnt ist, dieselben anzustellen, so haben wir doch dazu nach Kräften anregen wollen.

F. Sch.

Ueber die Hebel-Wirkung der Kandare und Vorschläge zur Verbesserung der Kavallerie-Kandaren.

Der schon seit Jahrhunderten bekannte und weit verbreitete Kandaren- oder Stangen-Zaum entspricht zwar auch den jetzigen Anforderungen an die Zäumung eines Kavallerie-Pferdes besser, als die Trense, weil deren Führung mit einer Hand zu beschwerlich ist und namentlich im Einzelgefecht nicht rasch genug den gewünschten Erfolg haben würde; über die zweckmäßigste Konstruktion der Kavallerie-Kandare sind aber sowohl gute Reiter wie rühmlich bekannte Militair-Reitlehrer noch sehr verschiedener Meinung. Schon daraus ließe sich folgern, daß die jetzt üblichen Konstruktionen nicht allen berechtigten Anforderungen entsprechen; jeder erfahrene Kavallerist weiß das nur zu gut aus eigener Wahrnehmung der Uebelstände, welche bei andauerndem Gebrauch dieses durch seine mechanische Einrichtung verschärften und zur Führung mit einer Hand geeigneten Zaumes einzutreten pflegen, wenn die Reiter noch nicht den Grad kavalleristischer Ausbildung erlangt haben, welcher andauernden Mißbrauch der Zügel ausschließt, und rechtzeitige Abstellung der Unzuträglichkeiten verbürgt, deren Fortbestehen die Leistungsfähigkeit der Pferde gefährdet. — Einen Zaum zu konstruiren, der nicht mißbraucht werden kann, erscheint freilich als eine eben so unlösbare Aufgabe, wie die Quadratur des Kreises; aber wohl möglich scheint uns die Kavallerie-Kandare so einzurichten, daß sie selbst bei Mißbrauch minder schädlich, bei nicht ganz unzweckmäßigem Gebrauch aber ebenso kräftig wirkte, als die beste der jetzt üblichen. Die Eigenthümlichkeit der Kandare besteht darin, daß die zum Anzug der Zügel verwendete Kraft nicht allein an sich — wie bei der Trense — sondern durch

Hebel-Wirkung verstärkt auf des Pferdes Laden wirkt. Ein gut gerittenes Pferd befolgt gemeinlich die ihm bekannten sachgemäßen Zügelhülfen so willig, daß diese einen nur geringen Kraftaufwand erheischen; in Fällen besonderer Erregung des Pferdes ist aber seine Folgsamkeit nicht immer gleich sicher, und wenn sein Reiter nicht ganz richtig verfährt, pflegt die Folgsamkeit sich zu mindern. Deshalb muß die Kavallerie einen Zaum haben, der dem Reiter gestattet, die gewöhnlich nur als Zeichen dienenden Zügelhülfen zu mechanisch, einigermaßen zwingend wirkenden zu steigern. Ernste Beschäftigung mit einigen viel gerühmten und weit verbreiteten Lehrbüchern der Reitkunst hat uns überzeugt, daß die Verschiedenheit der Ansichten ihrer Verfasser über die Wirkung und zweckmäßige Einrichtung der Kandaren-Zäumung vornehmlich aus folgenden Gründen entspringt:

a) aus Uneinigkeit über die Frage, ob die für die Hebelwirkung der Kandare unentbehrliche Stützung vornehmlich im Nasenriemen des Hauptgestells, oder vornehmlich in der Kinnkette, oder ausschließlich in dieser zu nehmen sei;

b) aus irrigen Annahmen über die Größe der Hebelwirkung in komplizirten Fällen, die aus dem Wechsel in der Aufrichtung und Beizäumung des Pferdes sowohl, als aus der Höhe der Führung und Fauststellung des Reiters entstehen.

Wir waren schon sehr lange der Ansicht, daß die Stützung für die Hebelwirkung der Kandare allein in der Kinnkette zu nehmen sei; aber es schien uns bedenklich, allen Pferden der Kavallerie die Freiheit zu gewähren, das Maul beliebig weit aufzusperren und mit dem Unterkiefer dem Zügel-Anzuge nachzugeben, ohne den Oberkiefer mitzunehmen, d. h. ohne sich in den Genick-Wirbeln dem Willen des Reiters zu fügen. Deshalb war das von uns im Jahre 1854 dem Kriegs-Ministerium eingereichte und auch in verschiedenen Regimentern erprobte und gut befundene Hauptgestell so konstruirt, daß zwar das Hauptgestell der Kandare Spielraum genug hatte, um die Stützung ihrer Hebelwirkung der Kinnkette allein zu übertragen, daß aber der Nasenriemen der Marschhalfter erforderlichen Falles den dem Hauptgestell genommenen ersetzen konnte.*) Es handelte sich damals um die Einführung

---

*) Wir hatten deshalb die Marschhalfter so viel verlängert, daß ihr Nasenriemen so tief wie ehemals der des Hauptgestells der Kandare lag, und dem entsprechend die Knebelketten der Trense verkürzt. Sollte diese Verkürzung wider Erwarten zu Bedenken Anlaß gegeben haben, so wäre es sehr leicht gewesen, statt derselben an der Halfter besondere Ringe zum Einknebeln der Trense in beliebiger Höhe anzubringen. Der Nasenriemen der jetzigen Marschhalfter liegt nach unserm Ermessen zu hoch, um dem Maulaufreißen des Pferdes beim Reiten die erforderliche Schranke zu ziehen. Auch hatten wir den Stirnriemen in der Mitte mit einer Schnalle versehen und diese mit einer Schlaufe bedeckt zur Verhütung des Einklemmens und Ausreißens der Schopfhaare. Sehr oft werden nöthige Aenderungen der Weite des Stirnbandes verzögert, auch nicht selten ganz vergessen, weil dieselben nur unter Mitwirkung des Sattlers vorgenommen werden können.

7*

eines, zu raschem Aus- und Einhängen geeigneten Kandaren-Gebisses. Man hat diese Idee aufgegeben, aber doch durch Anordnung des Wegfalls des Nasenriemens des Hauptgestells die Frage über die Stützung für die Hebelwirkung der Kandare entschieden: die Kinnkette allein soll diese Stützung gewähren.

Demnach erscheinen uns nur noch die sub b angedeuteten Gründe der Verschiedenheit der Ansichten über die Wirkung, respektive zweckmäßige Einrichtung der Kandare einer Untersuchung bedürftig.

Um Mißverständnissen möglichst vorzubeugen, ziehen wir zunächst die Theorie des Hebels so weit in Betracht, wie unumgänglich erscheint für die hier erforderlichen Untersuchungen.

Der Hebel ist das einfachste und am längsten bekannte mechanische Mittel zur Steigerung der Wirkung physischer Kräfte. Wir wählen für unsre Betrachtung einen einarmigen Hebel Fig. I. Um eine der unmittelbar wirkenden Kraft K zu beschwerliche Last L leichter

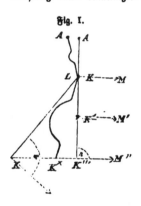

Fig. I.

in der Richtung nach M zu bewegen, genügt eine steife in A aufgehängte, pendelartig bewegliche, die Last berührende Stange A K, an welcher die Kraft K in der Richtung K M wirken kann. Jedermann wird zugeben, daß die Leichtigkeit der Bewegung der Last L in gedachter Richtung vornehmlich von dem Verhältniß der Entfernungen der Last L und der Kraft K vom Drehpunkte A abhängig ist, also von dem Längen-Verhältniß A L : A K. — Lassen wir das Eigengewicht des Hebels, seine Friktion und was sonst die Rechnung unnöthiger Weise erschweren könnte, ganz außer Acht, betrachten wir denselben als einen „mathematischen"

Hebel, so gilt für ihn die statische Formel K : L = A L : A K, d. h. die Kraft und die Last verhalten sich umgekehrt, wie ihre Entfernungen von A dem Dreh- und Stützpunkte des Hebels. Nehmen wir an, ein Pferd ginge so stark an die Zügel, daß sein mit der steifen, im Mundstück unbiegsamen Trense führender Reiter eine Last von durchschnittlich 60 Pfd. zu bewältigen hätte; er hätte an demselben Mundstück aber auch eine Kandaren-Einrichtung, die ihm gestattete, Zügel zu gebrauchen, die eben so tief unter dem Mundstück eingeschnallt wären, als die Stützpunkte der Kinnkette sich über dem Mundstück befänden, nämlich 2 Zoll: setzen wir diesen Annahmen entsprechende Werthe in der Formel

$$K^1 : L = A L : A K^1$$
$$K^1 : 60 = 2 : 4$$
$$\text{also } K^1 = \frac{60 \times 2}{4} = \frac{120}{4} = 30 \text{ Pfd.}$$

Der Reiter würde also zur Erreichung seines Zweckes nur halb so viel Kraft auf die Kandare, als auf die Trense zu verwenden haben. Wären aber die Zügel anstatt 2 Zoll 4 Zoll unter dem Mundstück eingeschnallt, so verhielte sich

$$K'' : 60 = 2 : 6$$

also $K'' = \dfrac{60 \times 2}{6} = \dfrac{120}{6} = 20$ Pfd.

Der Reiter ersparte also $^2/_3$ des auf die Trense zu verwendenden Kraftaufwandes.

Die eben in Anwendung gebrachte statische Formel ist auch gültig für materielle Hebel, deren Eigengewicht und Friktion auf die Berechnung nur unerheblichen Einfluß haben; ebenso für Hebel, deren Stange einen Winkel ALK''' bildet, oder auch wie A×LK× mehrfach gewinkelt oder gebogen ist, sofern nur die senkrechten Entfernungen der Last L und des Angriffspunktes der Kraft K von dem Drehpunkte A in Rechnung gestellt werden und der Winkel des Hebels mit der Kraft-Richtung unverändert bleibt. Selbstverständlich ist hier nur von Winklungen und Biegungen der Hebelstange die Rede, welche in derselben Vertikal-Ebene liegen.

Betrachten wir nun Fig. II. den Einfluß der Richtung, in welcher die Kraft sich geltend macht. Wir nahmen bisher an, die Richtung der Kraft KM und die Hebelstange AK bildeten einen rechten Winkel r. Bildeten sie gar keinen Winkel, d. h. läge die Richtung der Kraft in der der aufgehängten Hebelstange AK, so würde diese gar keine Veranlassung haben, gegen die Last L einen Druck auszuüben; der Stütz- und Drehpunkt A würde nur weniger oder mehr zu tragen haben, je nach dem die Kraft in der Richtung N oder N¹ wirkte. Daraus läßt sich schon vermuthen, daß die in senkrechter Richtung zur Hebelstange angreifende Kraft die größeste Hebel-Wirkung hervorbringen muß; denn diese Kraftrichtung liegt in der Mitte der als ganz wirkungslos erkannten. Diese Vermuthung ist aber auch in der Statik und Mechanik längst als Wahrheit anerkannt. Wird der Winkel AKM, den wir fortan „Zügelwinkel" nennen werden, kleiner als ein rechter, was beim Reiten mit der Kandare fast immer der Fall ist, so wird auch die Hebelwirkung kleiner; wird der Zügelwinkel sehr klein, so hört die Hebelwirkung der Kandare fast ganz auf und damit zugleich die von ihrer Anwendung erwartete Kraft-

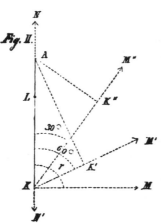

ersparung des Reiters. Diese höchst wichtige Lehre der Hebel-Theorie ist in der Reitkunst selten nach Gebühr gewürdigt worden. Wir müssen die Ergebnisse derselben näher ins Auge fassen, um über die Zweckmäßigkeit der Kaubaren-Konstruktionen ein richtiges Urtheil fällen zu können.

Wird der Zügelwinkel (Fig. II.) kleiner als ein rechter, z. B. AKM^1 (= 60°), so ist die Hebelwirkung der Kandare nicht mehr gleich der aus der Formel $K : L = AL : AK$ berechneten, sondern nur gleich der aus der Formel $K : L = AL : AK^1$ sich ergebenden; denn es darf nur die senkrechte Entfernung AK^1, des Drehpunktes A von der Kraftrichtung KM^1 in Rechnung gestellt werden und AK^1 ist bedeutend kürzer als AK. Bei einem Zügelwinkel AKM'' (= 30° = $^1/_2$ r) dürfte nur AK'' in Rechnung gestellt werden. Da aber $AK = 2AK''$, so ist die bei diesem Zügelwinkel eintretende Krafterparung nur halb so groß, als die bei einem Zügelwinkel von 90° eintretende. Aus diesen Beispielen erhellt zur Genüge, daß die aus den spitzen Zügelwinkeln AKM^1 und AKM'' entspringende Minderung der Hebelwirkung nicht proportional der Größe der Winkel an sich, sondern proportional der Größe (ihrer Sinus), der Perpendikel AK^1 und AK'' ist und daß die Minderung der Hebelwirkung progressiv fortschreitet: von 90° bis 30° geht nicht über die Hälfte der Hebelwirkung verloren; aber von 30° bis 0° die andere Hälfte. Um die Abnahme der Hebelwirkung anschaulich zu machen, geben wir folgenden Auszug aus einer Sinus-Tabelle:

Sin. 90° = 1,000	Sin. 20° = 0,342
Sin. 60° = 0,866	Sin. 15° = 0,259
Sin. 45° = 0,707	Sin. 10° = 0,174
Sin. 30° = 0,500	Sin. 5° = 0,087

Aus dieser Tabelle erhellt zur Evidenz, wie verkehrt es wäre, von einer Verlängerung der Scheeren eine Steigerung der Hebelwirkung der Kandare in den Fällen zu erwarten, in welcher der Zügelwinkel nur ein sehr spitzer sein kann. Die Größe des Zügelwinkels ist abhängig 1) von der Höhe der Faust des Reiters, 2) von der Höhe der Aufrichtung des Pferdes, 3) von der Beizäumung des Pferdes, 4) von der durch die Kinnkette bedingten Stützung der Kandaren-Balken und 5) von der Länge der Scheeren der unteren Theile der Kandaren-Balken. Die Höhe der Faust des Reiters ist abhängig von der Konstruktion des Sattels, der Einrichtung des Vordergepäcks und der wohlbegründeten Vorschrift der Reit-Instruktion, daß der Unterarm des Reiters mit seinem senkrecht hängenden Oberarm in der Regel einen rechten Winkel bilden soll. Die Höhe der normalen Aufrichtung und die Beizäumung des Kavallerie-Pferdes sind dahin bestimmt, daß der unterste Theil seines Kopfes mit der Hüfte eine horizontale, seine Stirn eine der senkrechten nahe kommende, dieselbe aber nicht überschreitende Linie bilden sollen. Aufrichtung und Beizäumung werden aber nicht allein nach der Individualität der Pferde verschieden, sondern bei jedem Pferde sehr veränderlich sein, je nach den von ihm verlangten Leistungen. — Die Stützung der Kandaren-Balken durch die Kinnkette ist nicht nur von der Länge der letzteren, sondern auch von deren mehr oder minder gesicherten Lage abhängig. Die Länge der Scheeren, von der Mitte des Mundstücks gemessen, beträgt durchschnittlich 4 Zoll. Aus diesen Andeutungen geht schon hervor, daß die durch die Einrichtung der Kandare bezweckte Hebelwirkung bei Kavallerie-Pferden nur in sehr seltenen Fällen in dem Maße eintreten kann, wie sie bei Zügelwinkeln von 90° sein würde. Bei normaliger Aufrichtung und Beizäumung des Pferdes und nur geringem Durchfallen der vorschriftsmäßigen Kandare werden die Zügelwinkel nicht 90°, sondern durchschnittlich nur 60° haben. So lange das Pferd in einer von der normalen Haltung nicht viel abweichenden verharrt, ist die eintretende Minderung der Hebelwirkung durch vermehrten Kraftaufwand des Reiters leicht auszugleichen. Wenn aber das Pferd — wie es z. B. in der Karriere zu thun pflegt — Kopf und Hals weit vorstreckt, so wird der Zügelwinkel oft sehr viel kleiner als 60° und dem entsprechend geringer auch die Hebelwirkung, deren der Reiter in solchen Momenten gerade am dringendsten bedürfte, um des Pferdes Herr zu bleiben. Es ist die Aufgabe des Reiters, sein Pferd nicht zu sehr aus der Haltung kommen zu lassen, zumal wenn er kurz zu pariren im Stande sein soll. Die Lösung dieser Aufgabe ist aber nur möglich, wenn das Pferd gut zugeritten und gehorsam ist. Ist es zum Durchgehen geneigt, so wird es die ihm zum Schnell-Lauf gewährte Freiheit gern mißbrauchen; dies zu verhindern, ist oft nur durch Anwendung von Hülfszügeln möglich. Man hat indeß mancherlei Vorschläge gemacht, die Kandare so zu konstruiren, daß sie auch in Ausnahme-Fällen gehörig wirke. Untersuchen wir, was davon zu erwarten ist. Nehmen wir an, die Lage der Kandaren-Balken Fig. III. AB sei eine senkrechte, wie sie zu sein pflegt, wenn die

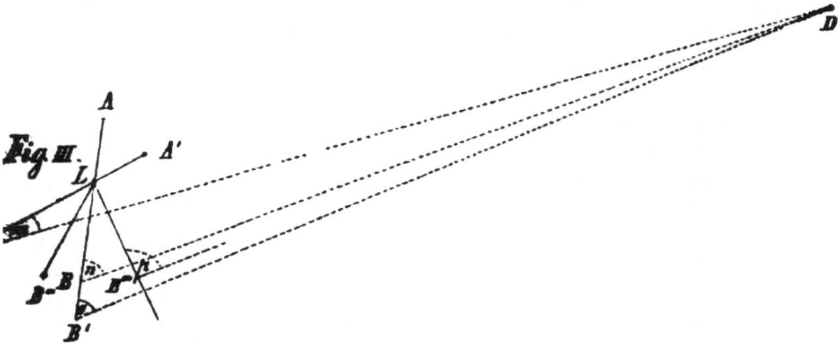

Fig. III.

Kinn des nicht übermäßig beigezäumten Pferdes beinahe senkrecht steht und die Kandare nur wenig durchfällt. Die Zügel BD bilden mit AB einen Winkel von 60°. Verlängert man die Scheeren, etwa bis B¹, so daß LB¹ = AL wäre, so würde die Hebelwirkung der Kandare allerdings in normaler

Haltung des Pferdes sehr gewinnen; denn obgleich der Zügelwinkel o etwas kleiner als n ist, so beträgt die dadurch entstehende Minderung der Hebelwirkung nicht so viel, als deren Vermehrung durch das günstiger gewordene Verhältniß von $AL : AB$. An diesem Gewinn ist uns aber gemeinlich wenig gelegen, weil sich in normaler Haltung des Pferdes das Verhältniß des Obergestells zu den Scheeren $AL : LB = 1 : 2$ als befriedigend bewährt hat. Streckt aber das Pferd den Kopf so weit vor, daß die Kandarenballen in die Lage A^1 und B'' kommen, daß also die Hebelwirkung wegen der geringen Größe des Zügelwinkels m nur noch gering ist, so können verlängerte Scheeren den Zügelwinkel m nur noch kleiner werden lassen, also die Hebelwirkung nicht steigern. — Richtet man die Scheeren vor die Mittellinie des Obergestells so, daß AL und LB'' einen Winkel ALB''' bilden, so ist bei unveränderter Länge der Scheeren wohl eine Minderung, aber nicht eine Steigerung der Hebelwirkung zu erkären; denn der Zügelwinkel wird dann offenbar kleiner als n. Den Grund der noch viel vertretenen entgegengesetzten Ansicht aufzufinden, haben wir uns vergeblich bemüht. Wohl aber könnte durch hinter die Linie gerichtete Scheeren LB'''' die Hebelwirkung größer werden, so lange diese Stellung der Scheeren bewirkte, daß der Zügelwinkel p größer als n, aber nicht größer als 90° wäre. Bei so gerichteten Scheeren und Pferden, die sich zu sehr beizäumen, kann aber der Zügelwinkel p leicht mehr als 90° erreichen, unter Umständen sogar so stumpf werden, daß aus diesem Grunde die Hebelwirkung fast ganz aufhört. Es wird also zweckmäßig sein, die Kandaren der Kavallerie so einzurichten, daß die 3 Punkte Fig. III. A, L und B in gerader Linie liegen. — Daraus folgt aber nicht, daß die Scheeren gerade gerichtet sein müßten. Wir haben schon früher bemerkt, daß eine beliebig gestaltete Biegung derselben in einer zum Mundstück rechtwinklich stehenden Ebene einflußlos auf die Hebelwirkung ist, sobald nur die Lage des Angriffspunktes der Kraft unverändert bleibt. Gerade Scheeren werden nicht selten von Pferden mit den Zähnen erfaßt und festgehalten; weil dieser Uebelstand aber auch bei den Küraffieren vorkommt, deren Kandaren vorwärts gebogene Scheeren haben, so würde derselbe nur durch rückwärts gebogene (sogenannte Teufelsklauen) zu beseitigen sein. Diese Scheeren eignen sich aber nicht für Kavallerie-Kandaren, wei sie mit Sprungzügeln vereint, sehr gefährlich sind, indem sich ein Scheerenbalken im Sprungzügel fangen und ein Ueberschlagen des Pferdes verursachen kann; überdies würden sich beim Reiten im Gliede noch andere Unzuträglichkeiten einstellen. Demnach halten wir gerade Scheeren für die besten; sie müssen aber mit besonderen Augen für den bekannten Scheeren-Riemen zur Verhütung des Scheerengreifens versehen sein. Fig. IV a. Ein Nothbehelf ist der Riemen freilich: zu straff angezogen, wirkt er schädlich auf das Maul des Pferdes; nicht straff genug, kann er seinem Zwecke nicht entsprechen. Die aus der Anwendung des Scheeren-Riemens entspringende Gefahr für des Pferdes Maul mindert sich aber ganz außerordentlich, wenn

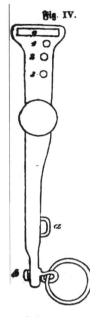

Fig. IV.

die Kandare mit besonderen Augen zur Aufnahme des Scheeren-Riemens versehen sind, und der Riemen mittels einer Schlaufe so an die Kinnkette befestigt ist, daß er nur wenig aufwärts gebogen die Unterlippe umschließt. — Das sogenannte Sehloch erscheint uns ganz entbehrlich; es trägt zur soliden Verbindung des Balkens mit dem Mundstück nichts bei, verursacht aber bisweilen Klemmungen am Maule des Pferdes. — Zur Verbindung der Zügel mit den Scheeren erscheinen die ehemals üblichen Ringe mit Wirbeln Fig. IV b. am geeignetsten, um verdrehte Zügel rasch glatt legen zu können. Verdrehungen derselben sind oft unvermeidlich, wenn der zum Führen herabgenommene Zügel, behufs raschen Aufsitzens des Reiters, dem Pferde eiligst über den Kopf gestreift werden muß, wie z. B. im Ordonnanz-, Schützen- und Felddienst. — Zur Verbindung des Hauptgestells mit den Kandaren-Balken erschien das übliche ovale Auge geeignet, so lange der Nasenriemen mit dem Hauptgestell verbunden war. Das Auge gestattete eine Drehung der Balken in den nur wenig beweglichen Backenstücken: da jetzt das Backenstück mit dem Obergestell vorgehen kann, so wäre ein der Breite und Dicke des Schnallstückes entsprechender horizontaler Einschnitt Fig. IV c. vorzuziehen, weil in diesem der Riemen in seiner ganzen Breite, und nicht nur an beiden Rändern trägt, wie es bei ovalem Auge zum Nachtheil für die Haltbarkeit des Schnallstücks der Fall ist. Der horizontale Einschnitt erheischt besondere Löcher Fig. IV. 1, 2, 3, für den Kinnketten-Haken und das Langglied. An Kandaren älterer Zeit findet man am Obergestell solche Löcher in verschiedener Höhe über dem Mundstück. Weshalb man diese sehr zweckmäßige Einrichtung der Kandaren aufgegeben hat, ist schwer zu ergründen. Vielleicht wollte man durch möglichst hohes Einhängen einer schweren Kinnkette verhindern, daß bei hoher Fauststellung behufs Aufrichtung des Pferdehalses, das Gebiß sich aufwärts schiebe im Maule des Pferdes. Guten Stallmeistern mochte dieser Umstand als ein Vortheil erscheinen; für die Kampagne-Reiterei stellt sich aber die Sache anders. Der großen Mehrzahl der Kavalleristen fehlt die Geschicklichkeit, welche unentbehrlich ist, wenn man die Aufrichtung des Pferdehalses mit der Kandare bewirken will; deshalb wird dazu die Trense zu verwenden sein, bei der Dressur der Remonten ausschließlich, bei später nothwendiger Korrektur der Aufrichtung in Verbindung mit der Kandare. Das Verschieben des Kandaren-Mundstücks nach der Maulspalte kann allerdings auch eintreten, wenn durch zu weite Vorstreckung des Pferdekopfes der Zügelwinkel sehr spitz wird, wie z. B. in der Karriere; aber in dem Falle kann

die hoch eingehängte, schwere Kinnkette das Mundstück nicht in seiner [...]
Lage erhalten: ihr großer Spielraum gestattet ihr ja, dem Gesetz der Schw[...]
kraft zu folgen, die Kinnkettengrube zu verlassen und den Hinterkiefer hö[...]
zu umfassen. Wir meinen, es wäre sehr zweckmäßig, in die oben vorgesch[...]
genen Obergestelle der Kandaren-Balken je drei Löcher übereinander und zu[...]
1, 1³/₈ und 1³/₄ Zoll über der Mitte des Mundstück-Balken einbohren
lassen (Fig. IV.), um die Kinnkette den Eigenthümlichkeiten des Pferd[...]
möglichst angemessen einhängen zu können, was bei der bisher üblichen G[...]
richtung der Kandare in viel zu geringem Maße möglich ist. An den j[...]
im Gebrauch befindlichen Kandaren sind die unteren Ränder der Augen [...]
Obergestells auch nur 1³/₄ Zoll über der Mitte der Ballen des Mundstü[...]
es wären also nur noch die niedrigeren Löcher einzubohren. Aus der [...]
großen Beschränkung im Anpassen der Kinnkette entstehen viele Gebrechen [...]
serer Zäumung, die jeder erfahrene Kavallerist kennt, aber selten so vollstän[...]
beseitigen kann, wie ein sachverständiger Stallmeister oder Privatmann, [...]
in der Auswahl seiner Kandaren und Kinnketten nebst Haken und Langgl[...]
gar nicht beschränkt ist. Die Länge der letzteren zu normiren, erscheint e[...]
so überflüssig als unpraktisch; dadurch wird das Anpassen der Kinnkette üb[...]
mäßig erschwert. Daß die Abmessung der Länge dieser Verbindungsglie[...]
bis zur Mitte der Mundstück-Ballen auf die Lage der Kinnkette von Einfl[...]
sein sollte, ist eben so wenig erklärlich, als durch Erfahrung bestätigt. I[...]
Allgemeinen begründet ist vielmehr die Behauptung, daß Langglied und zu[...]
höriger Haken zwar in ihrer Länge nicht verschieden, aber beide mögli[...]
kurz sein sollen; denn die Glieder einer sich gut anschmiegenden Kette verle[...]
das Pferd weniger leicht, als einfache Drähte, aus denen die Verbindun[...]
glieder bestehen. Die sogenannten englischen aber nicht gar zu schmalen B[...]
zerketten sind den einfachen breitgliedrigen vorzuziehen, weil jene sich n[...]
besser anschmiegen, als diese, also nicht so leicht wunde Stellen in der K[...]
kettengrube oder oberhalb derselben erzeugen. Beschädigungen letzterer [...]
entstehen vornehmlich durch das bei vielen Pferden schwer zu verhinder[...]
Steigen der zu hoch mit den Kandaren-Balken verbundenen und deshalb [...]
viel Spielraum erfordernden Kinnkette. Das Steigen der Kinnkette hat [...]
Folge, daß die Kandare zu weit durchfällt, weil sie der rechtzeitigen fe[...]
Stützung entbehrt. Die Hebelwirkung wird also unsicher. Nicht selten [...]
ursacht überdies das Steigen der Kinnkette am Pferdemaul Klemmungen z[...]
schen den Verbindungsgliedern der Kette und dem Trensengebiß, oder [...]
Eingreifen des Hakens der Kette in den Trensenring. Alle diese Unzutr[...]
lichkeiten lassen sich schwer gänzlich verhüten, wenn man Haken und Langgl[...]
nur in den Augen der Kandaren-Balken anbringen kann; hat man aber [...]
Wahl unter den vorgeschlagenen drei Löchern im Obergestell, so wird es le[...]
sein, nicht nur das Steigen der Kinnkette zu verhüten, sondern auch je[...]
übrigens passenden Kandare eine für Reiter und Pferd geeignete Hebelwirk[...]

zu geben, diese auch für gewisse Dressur= oder Dienst=Perioden zu verändern, wenn dazu Veranlassung vorläge. Das unterste Loch würde selten benutzt werden; es giebt aber Pferde, für die eine hochliegende scharfe Kandare sehr geeignet, das Vorhandensein dieses Loches also sehr wünschenswerth ist. Das mittlere Loch würde voraussichtlich am meisten benutzt werden, weil es eine richtige Kinnkettenlage weit mehr sichert, als das obere oder die bisherige Räumung. Die in der richtigen Höhe mit den Kandaren=Balken verbundene Kette hat weniger Veranlassung zum Steigen und bedarf auch geringeren Spielraum, als die zu hoch angebrachte; sie verstärkt die Hebelwirkung aller= dings, wenn das Pferd so stark · gegen das Mundstück drückt, daß die Kette straff angespannt wird; aber diese Anspannung tritt später ein, weil der näher am Mundstück liegende Verbindungspunkt bei der durch den Anzug bewirkten Drehung des Mundstücks im Pferdemaul einen kleineren Bogen beschreibt, als der weiter vom Mundstück entfernte. Diesem Umstande ist es zuzuschrei= ben, daß die verstärkte Hebelwirkung bei mäßiger Anlehnung des Pferdes ans Gebiß und so lange das Pferd geneigt ist, die ihm bekannten gelinden Zügel= hülfen zu beachten, demselben nicht zu empfindlich wird: daß es aber gele= gentlich erfährt, wie unangenehm ihm ein scharfer Zügel zu werden vermag, kann seine Willigkeit, dem leichten zu gehorchen, nur steigern. Sollte indeß das bei Benutzung des mittleren Stützpunktes eintretende Verhältniß der Länge der Scheeren zu der des Obergestells Bedenken erregen, so, stände — unseres Erachtens — einer entsprechenden Verkürzung der Scheeren nichts entgegen: wir würden dieselbe sogar befürworten, wenn wir nicht meinten, es wäre besser, am Bestehenden möglichst wenig zu ändern, um an allen noch brauch= baren Kandaren die vorgeschlagenen Verbesserungen anbringen zu können, so viel das eben angeht. — Es erscheint uns unzweifelhaft, daß jede wünschens= werthe Steigerung der Hebelwirkung der Kandare auf dem von uns vorge= schlagenen Wege sicherer, leichter und billiger zu erzielen ist, als durch Ver= längerung der Scheeren oder durch Veränderungen ihrer Stellung. Die aus der Verlängerung der Scheeren nothwendig entspringende Verkleinerung des Bügelwinkels, welche wir bereits nachgewiesen haben, ist es aber nicht allein, welche uns verhindert, die Ersprießlichkeit dieser Verlängerung anzuerkennen; sie bringt noch schlimmere Nachtheile. Es ist ein unwandelbares Gesetz der Hebel=Theorie, daß jedem durch Verlängerung des Hebelballens erzielten Kraft= gewinne ein proportionaler Zeitverlust entspricht. Der vom Kraftwirkungs= punkte zu beschreibende Bogen Fig. V. BD ist beträchtlich kürzer als der

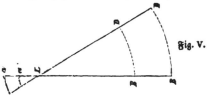

Fig. V.

Bogen B¹ D¹. Dieser Bogen wird bei der Kandare mit langen Scheeren leicht so groß werden, daß von Führung aus dem Handgelenk kaum noch die Rede sein kann. Was das zu bedeuten hat, bedarf für Sachverständige einer weiteren Erörterung gewiß nicht. Die aus der Verkürzung des Stückes AL des Obergestells entstehende Verzögerung der Anspannung der Kinnkette gleicht sich durch Verminderung ihres Spielraumes leicht in genügendem Maße aus.

Untersuchen wir nun, welche Gestalt des Mundstücks die zweckmäßigste sein möchte. Es erscheint überflüssig, alle Formen desselben zu besprechen, welche in den Lehrbüchern der Reitkunst abgebildet zu sein pflegen. Die Sachverständigen sind ziemlich darüber einig, daß man früher viel unnütze Künstelei damit getrieben hat und daß es nur wesentlich ist, das Mundstück so zu konstruiren, daß es das Maul des Pferdes nicht verletzt, der Zunge den erforderlichen Spielraum läßt und auf die Laden des Pferdes an geeigneter Stelle rasch und ausreichend einwirkt nach Maßgabe der Anspannung der Zügel. Trensenartig gebrochene, oder mit doppelten Charnieren versehene Mundstücke — wie z. B. die sogenannten Dessauer — können diesen Anforderungen nicht so gut entsprechen, wie feste, weil jene bei Annahme der Zügel zunächst eine Biegung des Mundstücks in sich, also eine Verlängerung der Kinnkette gestatten, bei verstärkter Zügelhülfe aber leicht nicht allein einen Druck auf die Laden, sondern auch eine Klemmung derselben entstehen lassen. Diese Klemmung erzeugt dem Pferde einen empfindlichen Schmerz und erscheint wohl geeignet, Respekt einzuflößen, aber auch die so wünschenswerthe Anlehnung des Pferdes ans Gebiß zu erschweren; überdies tritt dieser Schmerz an der verkehrten Stelle ein: das Pferd mit geklemmten Laden wird sich im Fressen behindert finden, also kaum so viel Futter zu sich nehmen, als zur Stillung des ärgsten Hungers nothwendig ist. Aber auch bei festem Mundstück tritt eine diesen Uebelstand erzeugende Empfindlichkeit des Maules sehr leicht ein, wenn die Konstruktion des Galgens (auch Zungenfreiheit genannt) fehlerhaft ist. Die Höhe des Galgens, welche bei nicht sehr lose angezogenem Nasenriemen den sehr empfindlichen Druck an des Pferdes Gaumen bedeutend steigerte, seine Empfindlichkeit aber auch oft so groß machte, daß das Pferd nach Beendigung eines langen Rittes nicht fressen konnte, wird bei der Zäumung ohne Nasen-

die Kandare etwas stark durchfällt, aber zu wenig, so lange sie nur sehr wenig durchfällt. Da wir nun befürworten, die Kinnkette tiefer einzuhängen, ihr aber auch geringeren Spielraum zu gewähren, so würde dem Mundstück in seiner mittleren Hälfte, also etwas über den Bereich der Zungenfreiheit hinaus, eine mäßige Biegung nach vorwärts zu geben sein, damit dasselbe auch ohne, oder bei ganz geringer Annahme der Zügel mehr auf den Laden und weniger auf der Zunge anläge. Die konkave Seite des vorgebogenen Mundstücktheils würde überdies so viel ausgefeilt, daß seine Metallstärke in der Mitte nur halb so groß wäre, als die der Ballen. Fig. VI. zeigt unser Mundstück von

Fig. VI.

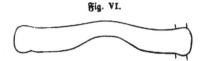

oben gesehen. — Die Länge des Mundstücks muß der Breite des Maules an der Stelle entsprechen, wo es liegen soll, um eine erhebliche seitliche Verschiebung desselben unmöglich zu machen; kämen bei Beachtung dieser Bestimmung die gerade stehenden Theile des Obergestells dem Pferdekopfe zu nahe, so richte man dieselben nach Bedarf auswärts. Dies schadet gar nicht; sehr schädlich ist es aber, wenn das Pferd — sei es durch eigne, oder durch seines Reiters Einwirkung — ein so weit seitlich verschobenes Gebiß im Maule hat, daß nicht mehr der Ballen des Mundstücks, sondern sein in den Galgen auslaufendes, oft nicht genügend abgerundetes Ende auf der Lade ruht. Solcher Verschiebung des Mundstücks sind die großen Löcher in den Laden zuzuschreiben, welche man nach mehrtägigen großen Anstrengungen nur zu oft bei Visitation der Mäuler der Kavallerie-Pferde findet; sie können aber auch entstehen, wenn die Weite des Galgens für die Weite des Zungenkanals zu groß ist. Wo der Fall eintritt und eine der Eigenthümlichkeit des Maules entsprechende Kandare mit Zungenfreiheit nicht zu Gebot steht, gebe man dem Pferde ein nur etwas vorwärts gebogenes Mundstück, welches in der Mitte um die Hälfte dünner, als in den Ballen sein muß, wenn diese die übliche Dicke (²/₃ Zoll) haben sollen. Sehr viele Pferde nehmen an solchem Mundstück nicht nur lieber die erwünschte Anlehnung, als an einem mit selbst niedrigem Galgen, sondern lassen sich auch leichter pariren, wenn sie die Furcht vor den aus dem Galgen entspringenden Schmerzen erst verloren haben. Wir haben Mundstücke ohne Galgen so bewährt gefunden, daß wir empfehlen möchten, in jeder Eskadron einige vorräthig zu haben. Die Mundstücke mit Galgen müssen so konstruirt sein, daß die Ballen mit dem Galgen einen stumpfen Winkel bilden, der überdies unten möglichst abgerundet sein muß. Die größeste Weite des Galgens wird gemeinlich (im Lichten gemessen) ¹/₃ der Länge des dem Pferdemaul paſſenden **Mundſtücks** betragen dürfen. **Fig. VII. zeigt**

Fig. VII.

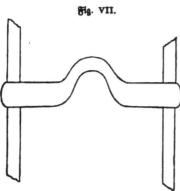

unſer Mundſtück von vorn geſehen. Die oben angegebene Dicke der Ballen kann ohne Gefährdung der Haltbarkeit, welche die Kavallerie-Kandare haben muß, nicht erheblich gemindert werden; das wird aber auch weder erforderlich, noch anräthlich ſein: erforderlich nicht, weil wir zu beliebiger Verſchärfung der Kandare die Kinnkette tiefer und ſtraffer anlegen können, anräthlich nicht, weil ein zu dünner Ballen die Laden beſchädigen könnte, was wir möglichſt verhüten wollen: für Soldatenpferde mehr als für andere, muß die Futterzeit oft ſehr knapp, die Zeit der Anſtrengung hingegen ungebührlich lang bemeſſen werden. Sollte man gegen unſere Vorſchläge einwenden, dieſelben würden Verletzungen des Pferdes durch die Kinnkette zur Folge haben, ſo erwidern wir, daß dieſe ſehr grob ſein müßten, um des Pferdes Freßluſt erheblich zu mindern und daß jeder Lumpen, jeder Hautfetzen eines gefallenen Thieres ausreicht, ein Kinnkettenpolſter anzufertigen, welches groben Verletzungen mit der Kette und ihren Verbindungsgliedern vorbeugt. Ueberdies liegen dieſe Verletzungen ſo zu Tage, daß ein Vorgeſetzter dieſelben kaum überſehen kann, was bei denen im Inneren des Maules nur zu oft geſchieht. Dies gilt vornehmlich von den Verletzungen des Gaumes und der Zunge, welche oft ſchwer zu erkennen und doch in ſo hohem Grade vorhanden ſind, daß ſie die Freßluſt des Pferdes mehr beeinträchtigen, als tiefe Löcher in fleiſchigen Laden.

Wenn ſtatiſtiſche Nachrichten über die Urſachen totaler oder temporärer Dienſtunfähigkeit der Kavallerie-Pferde im Kriege 1871—72 veröffentlicht wären, ſo würde ſich beurtheilen laſſen, ob es erforderlich wäre, den Pferdeköpfen und deren Bekleidung einigen Schutz zu gewähren. Ein tüchtiger Hieb mit ſcharfer Klinge könnte wohl das ganze Riemzeug durchſchneiden, an welchem Kandare und Trenſe hängen und eben dadurch den tüchtigſten und geſundeſten Reiter gefechtsunfähig machen, wenn auch ſein Pferd nur eine geringe Verletzung erhalten hätte. Sollten Fälle der Art auch nur in geringer Zahl vorgekommen ſein, ſo verdienten dieſelben doch berückſichtigt zu werden. In der engliſchen Kavallerie benutzt man die Halfterkette als Schutzmittel gegen Hiebe auf den Pferdekopf; man legt dieſe mit dem Halfterringe verbundene Kette über das Genick des Pferdes, wo dieſelbe durch eine Knopf-Schlaufe auf der Halfter feſtgehalten wird und läßt ſie dann auf der anderen Seite wieder zum Halfterringe zurückkehren, durch den der Knebel geſteckt wird, um die Lage der Kette zu sichern, deren Länge dieser Verwendung entspricht und die zu anderer erforderlichen Falls mit einem Stricke verbunden wird.

Schließlich möchten wir noch besonders hervorheben, daß wir uns hier lediglich die Aufgabe gestellt hatten, zu untersuchen, ob und wie die Kavallerie-Kandare zu vervollkommnen wäre; daß besonders geschickte, in der Wahl ihrer Kandaren wenig oder gar nicht beschränkte Reiter unter Umständen anderen Konstruktionen den Vorzug einräumen werden, bezweifeln wir gar nicht: sollten unsere Vorschläge bessere hervorrufen, so würde uns das ganz besonders erfreuen.   F. Sch.

Ueber die Bewaffnung der Kavallerie.

Die blanken Waffen, Lanze, Pallasch und Säbel werden stets als die Haupt-Waffen der Kavallerie in der Attacke, im Handgemenge und im Einzelgefecht zu betrachten sein; aber Kavallerie-Angriffe auf intakte Infanterie haben nur unter ganz besonders günstigen Umständen einige Aussicht auf guten Erfolg, und deshalb werden fast ausnahmslos Schlachten nicht mehr, wie ehemals mit den blanken, sondern mit den Schuß-Waffen entschieden. Die Kavallerie wird in der Schlacht selten mehr thun können, als ihre ganze Kraft einzusetzen, die Entscheidung für den Sieger möglichst ergiebig, für den Besiegten möglichst glimpflich ausfallen zu lassen, und selbst dazu wird sich bei Weitem weniger Gelegenheit bieten, als ehemals. Die Haupt-Aufgabe der Kavallerie ist jetzt, unter allen Umständen die Aktion des eignen Heeres vor, während und nach der Schlacht vor der Einsicht und der überraschenden Einwirkung des Feindes zu schützen, seine Aktion oder Stellung aber möglichst genau zu erspähen und das Erspähte schleunigst auszunutzen, respektive den Befehlshabern zu melden, welche es angeht.

Diese Aufgabe erheischt weite Streifmärsche größerer Kavallerie-Abtheilungen in unbekanntem, oft sehr durchschnittenem und von feindlichen Parteien selten ganz freiem Terrain; ganze Kavallerie-Divisionen eilen ihrem Heere um mehrere Tagemärsche voraus, oder operiren isolirt in seiner Flanke. Infanterie denselben zu attachiren, erscheint oft unersprießlich, weil die Schnelligkeit der Bewegung dadurch leiden könnte, in welcher doch ein Haupt-Moment der Kraft sowohl, wie der Sicherheit kavalleristischer Unternehmungen beruht; und dennoch können sehr leicht die wichtigsten und auch nach untadelhaften Dispositionen begonnenen Streifzüge ins Stocken gerathen, oder gar einen verderblichen Ausgang nehmen, weil eine Unterstützung durch Infanterie nicht rechtzeitig vorhanden ist. Die der Kavallerie-Division angehörigen Geschütze, wie groß ihre Zahl auch sei, werden nicht unter allen Umständen den Mangel an Infanterie auszugleichen vermögen; es giebt unumgehbare Lokaltäten, in welchen sich Schützen so einnisten können, daß sie nur unter Mitwirkung von Schützen und Pionieren zu vertreiben sind: ein des Landes kundiger Truppenführer wird nicht ermangeln, solche Engpässe zu besetzen, um den Vor- oder Rückmarsch seines Gegners zu vereiteln, mindestens zu verzögern. Um die in coupirtem Terrain operirenden Kavallerie-Divisionen in den Stand zu setzen, Lokalitäten gedachter Art vom Feinde säubern, event. auch selbst zu ihrem Vortheil nachdrücklichst behaupten zu können, hat man denselben doch nicht selten Infanterie attachirt, und diese auf requirirten Wagen transportiren lassen, wenn das ausführbar und nützlich erschiene. Abgesehen davon, daß es häufig an dazu geeigneten Wagen fehlt, taugen auch vieler Orten die im Lande vorhandenen Zugpferde nicht zu raschen Bewegungen. Es sind deshalb Vorschläge gemacht worden, reitende, oder fahrende Infanterie-Abtheilungen zu organisiren, die im Kriege ihre Transportmittel beständig behielten, oder auch schon im Frieden damit versehen wären, um sich mit zweckdienlichster Benutzungen der Wagen, oder Pferde möglichst vertraut zu machen. Berittene Infanteristen müßten fast ebenso bekleidet und ausgerüstet werden, wie Kavalleristen, und auch im Reiten und Pferdepflegen ebenso tüchtig ausgebildet und geübt sein, wenn Leute und Pferde im Kriege nicht sehr rasch zu Grunde gerichtet werden sollten. Eine Truppe der Art würde auch nicht mehr Schützen ins Gefecht bringen, als jede mit Schießgewehren versehene Kavallerie, wenn diese im Gefecht zu Fuß gehörig geübt ist, was uns viel leichter und ungleich ersprießlicher erscheint, als nur für den Infanteriedienst ausgebildete Leute gehörig reiten zu lehren.

Zu fahrender Infanterie wäre allerdings jede der bestehenden Arten dieser Waffe ohne besondere Vorübung verwendbar, wenn man die zu ihrem Transport erforderlichen Fahrzeuge der Artillerie attachirte, welcher auch im Frieden ein Zuwachs an Pferden nicht unerwünscht sein dürfte. Mit 4 Pferden und 2 Fahrern könnten zu Wagen wohl 20 Infanteristen fortgebracht werden, weil dieselben ja ohne Gepäck zu Fuß mitkommen können, wo die Beschaffenheit der Straße eine Entlastung der Wagen nothwendig macht; denn in solchen Fällen wird die Kavallerie gemeinlich auch nur Schritt reiten können. Die fahrende Infanterie könnte in geeigneten Fällen als Partikular-Bedeckung der Artillerie benutzt werden; ihre Wagen könnten auch gelegentlich zur Erleichterung der Fortschaffung von Verwundeten, Proviant rc. beitragen. Aber trotz alledem dürften sich doch sehr gewichtige Bedenken gegen die Mitführung besonderer Infanterie-Transportwagen bei den Kavallerie-Divisionen nicht leicht unterdrücken lassen; wenige Wagen der Art würden sehr wenig nutzen, und eine beträchtliche Zahl derselben würde den Train gar zu sehr vermehren, aber doch nicht ausreichen, um alle Abtheilungen der Kavallerie-Divisionen mit Infanterie zu unterstützen, die solcher Unterstützung oft unerwartet bedürfen, wenn sie nicht gelernt haben, nöthigenfalls zu Fuß defensiv und offensiv zu unternehmen, was zu Pferde unausführbar erscheint und auch durch die Einwirtung der Artillerie gar nicht, oder nicht rechtzeitig ausgeführt werden kann, wenn nicht abgesessene Reiter den Mangel an Infanterie einigermaßen ersetzen.

Erwägen wir nun, was geschehen könnte, um die deutsche Kavallerie in den Stand zu setzen, im Gefecht zu Fuß allen Anforderungen der heutigen Kriegführung zu genügen, ohne an spezifisch kavalleristischer Tüchtigkeit und Leistungsfähigkeit irgend einer Art Einbuße zu erleiden, so führt uns solche Erwägung zu folgenden Forderungen:

1. Das Schießgewehr der Kavallerie muß dem der Infanterie in Betreff seiner Konstruktion möglichst ähnlich, an Schußweite und Trefffähigkeit möglichst gleich, aber so eingerichtet sein, daß es auf Märschen am Sattel, erforderlichen Falls aber auch auf dem Rücken, oder am Karabinerhaken herabhängend mitgeführt werden kann.

Unverkennbar erscheint die Mitführung eines Schießgewehrs, welches sich nicht, wie eine Pistole in einer dazu geeigneten Satteltasche bergen läßt, als eine Belästigung des Reiters und seines Pferdes, die wohl innerhalb gewisser Grenzen, aber nicht über diese hinaus vermindert werden darf, ohne dieselbe zu einer unnützen zu machen, die unter allen Umständen zu groß wäre. Wenn also außer Frage steht, daß die Kavallerie Schießgewehre mitführen muß, um allen an sie zu stellenden Anforderungen entsprechen zu können, so darf das Bestreben, diese Gewehre möglichst kurz und leicht zu machen, nur insofern als berechtigt anerkannt werden, als dadurch die Leistungsfähigkeit des Gewehrs an sich nicht zu viel einbüßt, um des Feindes Infanterie gegenüber noch als werthvolle Schußwaffe zu gelten. Wir wollen nicht — wie der mit Recht betrauerte v. Plönnies — ein Repetier-Gewehr befürworten, weil ein solches jedenfalls komplizirter und empfindlicher als ein gewöhnliches, also für die Kavallerie wenig geeignet wäre: aber wir wünschen ein dem besten Infanterie-Gewehre möglichst ähnliches, zu möglichster Förderung der Instruktion der Kavallerie-Schützen durch tüchtige Lehrkräfte der Infanterie, und ein möglichst gutes, damit die Kavallerie sich den zeitraubenden Uebungen im Schießen und Tirailliren mit dem Vertrauen hingeben kann, daß dieselben gelegentlich dem Vaterlande zu Gute kommen und dazu beitragen werden, den Ruhmestafeln der Geschichte deutscher Reiterei eigenartig neue hinzuzufügen.

Daß das Kavallerie-Schießgewehr auf Märschen am Sattel und nicht am Leibe des Reiters mitgeführt werden muß, erscheint uns selbstverständlich, weil die letztere Art des Transportes die vom Pferde zu tragende Last nicht im geringsten mindern, die Ermüdung des Reiters, also auch Druckschäden beträchtlich vermehren, die Pferdepflege aber gefährden würde. Zum Gefecht zu Fuß muß der Reiter sein Gewehr auf den Rücken hängen können, um beim Erklimmen steiler Böschungen ꝛc. beide Arme und auch den Säbel gebrauchen zu können, wenn es zum Handgemenge kommt. Der Karabinerhaken würde in der bereits üblichen Weise das Schießgewehr tragen, wenn es im Gefecht zu Pferde in Anwendung kommt. Wir wollen aber hier gleich bemerken, daß wir den Gebrauch des Gewehrs und jeder anderen Schußwaffe zur Einleitung

einer Attacke sowohl, wie im Verlauf derselben und während des Handgemenges für ganz unzuläſſig halten, weil dadurch mehr Schaden als Nutzen entstehen, mindestens der eigenen Kameraden Leben eben so sehr gefährdet würde,
wie das der Feinde. Die Inſtruktion der älteſten preußiſchen Dragoner-Regimenter enthielt schon den Befehl, daß vor der Attacke der Hahn in die geöff-
nete Pfanne herabgelaſſen werden solle.

Ueber die zweckmäßigſte Verbindung des Gewehrs mit dem Sattel, reſpek-
tive dem übrigen Gepäck kann erst diskutirt werden, wenn über die Geſtalt
und Konſtruktion der Waffe entschieden sein wird. Sollte deren Länge die
des jetzigen Karabiners so sehr überſteigen, daß die Transportweise des letztern
erhebliche Unzuträglichkeiten mit sich brächte, so würden wir lieber durch ein
Charnier im Kolbenhalse ein Umklappen des Kolbens, als eine die Schußweite
zu sehr vermindernde Laufverkürzung acceptiren. Die Technik ist jetzt wohl
im Stande, solide Konſtruktionen der Art herzuſtellen; wir glauben aber nicht,
daß es nöthig werden wird, dazu überzugehen. Die Gewehre der ehemaligen Dragoner waren mindeſtens eben so lang und schwer, wie die neuen Ka-
vallerie-Gewehre zu werden brauchen, und haben doch eben so wenig das Regiment Markgraf Bayreuth gehindert, in der Schlacht bei Hohenfriedberg un-
vergänglichen Ruhm zu erwerben, wie andere Regimenter, den großen Anforderungen ihres Helden-Königs zu entſprechen. Auch die Dragoner Napoleons I. führten viel längere Gewehre als unsere Karabiner, deren Leistungsfähigkeit vornehmlich ihrer Kürze wegen den Anforderungen sehr wenig entspricht, welche man jetzt machen muß.

Das Gewicht der Kavallerie-Schußwaffen ist allerdings — wie das jedes
andern Theils des mitzuführenden Gepäcks — möglichst zu beschränken; aber
dieser Waffen Leistungsfähigkeit und Haltbarkeit darf auch dadurch nicht in
Frage geſtellt werden, weil die Mitführung selbst der allerleichteſten, den an
sie zu ſtellenden Anforderungen aber nicht entſprechenden viel verkehrter wäre,
als die Vermehrung des Gewichts einer anerkannt werthvollen Belaſtung um
einige Pfund. Die Piſtole hat als Waffe nur einen so bedingten und eng-
begrenzten Werth, daß deren Mitführung unsers Erachtens sich nur rechtfertigen läßt für Kavalleriſten, welche ein Gewehr nicht führen können oder sollen. Für Offiziere und Portepee-Unteroffiziere eignete sich wohl eine Revol-
ver-Piſtole; für die Mannschaft dieselbe zu empfehlen, erscheint uns zu bedenklich, weil Mißbrauch dieser Waffe schwer zu verhüten wäre. Als Signal-
Inſtrument im Sicherheitsdienst genügte auch fernerhin eine einfache Piſtole;
dieselbe müßte aber selbst dazu besser eingerichtet werden, weil ihre bisherige
Konſtruktion und Munition gar zu mangelhaft ist. In Vorderladern gleitet
beim Reiten die Ladung bis zur Mündung vor, wenn das Rohr faſt senkrecht,
oder in sehr geneigter Lage in einer Satteltasche oder im Karabinerhaken am
Kolbenringe hängend mitgeführt wird; dadurch werden Versager und nur
schwachen Knall gebende Schüsse unvermeidlich. Letztere mehren sich aber noch
durch willkührliches Verschütten eines großen Theils der Pulverladung. Zu-

diesem Unfug werden die Reiter verleitet, weil Schäftung und Garnitur der Pistole so unzweckmäßig eingerichtet sind, daß es sehr schwer ist, einen Schuß mit voller Ladung abzugeben, ohne durch den Rückstoß der Pistole verletzt zu werden. Wir haben Gelegenheit gehabt, bei verschiedenen Offizier-Korps die irrige Ansicht zu berichtigen, die Pulverladung der Patrone sei überhaupt zu stark für die Pistole und müsse abgeschüttet werden; aber wir haben uns auch überzeugt, daß die beste Instruktion über den Anschlag sowohl, wie das richtige Umfassen des Pistolen-Halses, und die sorgfältigste Ueberwachung der Schießübungen selten ausreichen, die Furcht vor dem Rückstoß der Pistole ganz zu verbannen.

2. Die Patrone der Kavallerie-Schußwaffen muß möglichst unempfindlich sein gegen das Stoßen und Rütteln, welchem sie ausgesetzt ist in der Patron- und Packtasche des Reiters. Die Haltbarkeit der bisher üblichen Kavallerie-Patronen hat sich als sehr unzureichend erwiesen, was zum Theil allerdings an unzweckmäßiger Einrichtung der Taschen gelegen haben dürfte. Jedenfalls verdient möglichst große Haltbarkeit der Patrone fortan besonders berücksichtigt zu werden.

3. Die Schützen der Kavallerie müssen im Gebrauch ihrer Schußwaffe, im Benutzen der Deckungen in allen Gefechtslagen und Bewegungen ebenso gut ausgebildet und geübt sein, wie die besten Infanteristen; bliebe diese Forderung unerfüllt, so wäre es gewagt zu erwarten, die Kavallerie-Divisionen würden in Zukunft allen Anforderungen der Kriegführung an sie zu entsprechen vermögen: ja es erschiene fast unverantwortlich zu verlangen und zu versuchen, mit abgesessenen Reitern, die nicht verständen, im Gefecht zu Fuß sich richtig zu benehmen, intakte Infanterie aus guten Positionen zu vertreiben. Das beste Schießgewehr gewährt ja an sich gar keine Anwartschaft auf Sieg; diese tritt erst ein bei richtiger Benutzung. Diese Wahrheit wird mehr, als je allgemein anerkannt werden müssen, um die in der Kavallerie herrschende Abneigung gegen das Gefecht zu Fuß zu beseitigen. Schwer genug wird es dennoch werden, für die erforderlichen Schieß- und Tirailleur-Uebungen Lust zu erwecken und ausreichende Zeit zu gewinnen. In letzterer Beziehung hoffen wir einige Erleichterung durch die Adoptirung der Grundsätze, welche der Oberst v. Krane in seinem Werke, „Anleitung zur Ausbildung der Kavallerie-Remonten" entwickelt hat. Wenn unsere Kavallerie der fruchtlosen Mühe überhoben wird, welche sie darauf verwendet, alle Pferde und fast alle Reiter in künstlichen, der Schul-Reiterei entlehnten Reit-Lektionen zu quälen, so erscheint es uns sehr wohl möglich, tüchtige Kavallerie-Schützen auszubilden. Allerdings werden zu dem Zwecke mit gehörigem Lehr-Talent begabte Offiziere und Unteroffiziere der Infanterie aushelfen, auch Kavallerie-Offiziere zur Schießschule und zu den Jäger-Bataillonen kommandirt werden müssen, damit sie sich da zu tüchtigen Lehrern im Schützendienste ausbilden; aber man wird nicht auf unüberwindliche Schwierigkeiten stoßen: wenn von maßgebender Stelle im kathegorischen Imperativ gesprochen wird, so werden unsere Kavallerie-

Schützen ihrer Aufgabe sehr bald so gut gewachsen sein, wie jedere andere deutsche Soldat der seinigen.

Wir haben den Ausdruck „Schützen" absichtlich gewählt, um von vornherein anzudeuten, daß wir nicht meinen, jeder Reiter solle zum Schützen ausgebildet werden; das wäre unnützer Luxus, weil zum Gefecht zu Fuß kaum die Hälfte der vorhandenen Reiter absitzen darf. Und selbst von den abgesessenen Mannschaften wird oft ein Theil mit Spaten, Aexten, Harken und Brecheisen c. ausgerüstet sein müssen, deren Transport schon unmöglich macht, den sie tragenden Leuten resp. Pferden auch noch einen Karabiner aufzubürden. Mit der Handhabung der Schußwaffe seines Truppentheils muß allerdings jeder Reiter vertraut sein, aber zu Schützen sollen nur die dazu besonders qualifizirten Leute und Unteroffiziere verwendet werden. Je komplizirter die Ausbildung der Reiter wird, desto mehr muß die bezügliche Arbeit getheilt werden; es ist nicht rationell zu verlangen, daß Alle zu Allem gleich befähigt werden. Zum Treffen auf große Entfernungen gehören gute Augen, starke Nerven, ruhiges Blut, und der Schütze muß überdies Intelligenz und Lust zur Sache haben. Ob diese Eigenschaften sich in ausreichendem Maße in einem Manne vereint finden, wird sich schon bei den allgemeinen Schießübungen der Eskadron ermitteln lassen, und sollte sich herausstellen, man hätte einen unfähigen gewählt, so tritt ein Umtausch ein; wer zum Schützen nicht recht taugt, ist vielleicht ein sehr guter Pionier, der ja auch lernen muß, wie er sich im Gefecht zu Fuß zu decken und beim Sturm zu benehmen hat. Auf der Schützen Qualität ist viel mehr Gewicht zu legen, als auf deren Quantität; die Treffer entscheiden, nicht das Knallen. Mit dem Entschluß absitzen zu lassen, darf auch nicht lange gezögert werden, 50 überraschend auftretende Schützen sind oft mehr werth, als 500 so viel später kommende, daß der Feind Zeit gehabt hat, sich zum Empfang derselben gehörig vorzubereiten.

Was unsrer Kavallerie in Zukunft zu leisten obliegen wird, läßt sich aus ihren Leistungen im letzten Kriege nicht genügend erkennen: man muß in Erwägung ziehen, wie viel größere Schwierigkeiten zu überwinden gewesen wären a) wenn die französische Kavallerie eben so gut und zahlreich gewesen und eben so richtig verwendet worden wäre, wie die deutsche, ferner auch b) wenn ordentlich disciplinirte Infanterie anstatt der Franktireurs und Mobil-Gardisten die Straßen unsicher gemacht, geeignete Oertlichkeiten gehörig besetzt und vertheidigt hätten. Wird das gehörig erwogen, so wird die deutsche Kavallerie die Ausbildung ihrer Schützen gewiß mit dem erforderlichen Eifer betreiben.

4. Unter den blanken Waffen der Kavallerie erscheint uns die Lanze als die beschwerlichste, sowohl in Betreff des Transports, als der geschickten Handhabung; sie verträgt sich auch nicht so gut mit dem von uns gewünschten Schießgewehr, wie der Säbel oder Pallasch. Des ungeachtet befürworten wir ihre Beibehaltung und zwar in preußischer Form, weil die Lanze in der Linien-Attacke einen starken moralischen Eindruck auf den Feind macht, auch im ersten Zusammenstoß vermöge ihrer Länge wirklich mehr leistet, als Säbel oder Pallasch, nicht selten eben dadurch des Feindes Kraft in sehr wirksam

er den Kampf aufgebend, in der Flucht sein Heil sucht und nun erfährt, wie wenig der Fliehende sich gegen die Lanze des Verfolgers zu decken vermag. Aussicht auf solchen Verlauf des Kampfes erzeugt Vorliebe für die Waffe und läßt oft deren Schwächen übersehen; wir wollen diese aber nicht verschweigen. Ist der Effekt des ersten Zusammenstoßes in der Attacke nicht überwältigend, kommt es zum Handgemenge, so tritt die Wirksamkeit der Lanze fast zu der eines Prügels zurück, weil es zu sicherer Handhabung einer so langen Stichwaffe nun an Raum zu fehlen pflegt, und selbst wo das nicht der Fall, ist die Geschicklichkeit der Ulanen im Einzelgefecht selten groß genug, um mit Säbel oder Pallasch fechtende gewandte Gegner zu überwinden; denn ein wirksamer Gebrauch dieser Waffen ist minder schwierig zu erlernen und auch auf erregten Pferden leichter. Aus diesem Grunde allein würden wir schon für zweckmäßig erachten, nur das erste Glied der Ulanen Lanzen, das zweite hingegen Säbel oder Pallasch führen zu lassen; denn die Lanzen des zweiten Gliedes können im ersten Zusammenstoß der Attacke gar nicht wirksam werden; ihr Nichtvorhandensein würde also auch den moralischen Eindruck des Lanzenangriffs nicht schwächen, sogar des Feindes Hoffnung, nach überstandenem ersten Zusammenstoß leicht siegen zu können, bedeutend mindern. In unsrer Ansicht bestärkt finden wir uns jedoch durch die Erwägung, daß das zweite Glied der Ulanen statt der Lanzen Gewehre erhalten könnte, und daß dadurch diese Truppe zu vielen Expeditionen geeigneter würde, als sie bisher war. *) Wenn unsere Ulanen erbeutete Chassepots als Karabiner benutzt haben, so berechtigt das wohl zu der Annahme, daß in Zukunft alle deutschen Eskadrons mindestens für die Hälfte ihrer Mannschaft mit guten Schießgewehren ausgerüstet sein werden.

5. Der Pallasch ist wegen seiner geraden, steifen und langen Klinge eine gute Stichwaffe, scheint aber im Felde mehr zum Hauen als zum Stechen gebraucht worden zu sein und nicht mit ganz befriedigendem Erfolg. Wenn beide letzteren Annahmen sich als richtig erweisen sollten, so wäre zu untersuchen, ob die Konstruktion der Waffe, oder die Instruktion und Uebung der Mannschaft im Gebrauch des Pallasches der Verbesserung bedürften. Ueber den Säbel, welchen unsre Dragoner, Husaren und Ulanen führen, hört man von Freund und Feind ganz ähnliche Urtheile; es scheint fast, als fehlte unsern Hiebwaffen das zu einem wuchtigen Hiebe unentbehrliche Vordergewicht. Vielleicht haben auch die Fechtübungen der Kavallerie eine unpraktische Bei-

mischung von studentischem Mensur-Geplänkel aufgenommen, was wohl aus=
reicht, um die bloße Haut zu durchschneiden, aber nicht, um einen feindlichen
Reiter gefechtsunfähig zu machen, es sei denn, man träfe sein Gesicht. Daß
unsere Reiter lieber hauen, als stechen, mag zum Theil einem Hange zur
Beibehaltung heimischer Sitte zuzuschreiben sein; dieser Hang würde sich indeß
leicht überwinden lassen, wenn der Stich eben so leicht träfe, wie der Hieb
Stehenden Fußes einen unbeweglichen oder sich geradeaus in der Stichrichtung
bewegenden Gegner mit dem Degen oder der Lanze zu treffen, ist nicht sehr
schwer; aber aus dem Sattel eines unruhigen Pferdes wird's schon schwieriger,
und wenn der Gegner sich bald so, bald so wendet, so gehört eine große, nur
durch lange Uebung zu erreichende Fertigkeit im Stechen dazu. Der Hieb
trifft den Gegner leichter, aber selten scharf und wuchtig genug, um so wirksam zu werden, wie ein Stich in den Leib, die Brust, den Rücken oder die
Seite, wenn derselbe auch nicht sehr kräftig war. Der Stich mit unserem
Säbel ist wegen seiner Krümmung sehr unsicher (Fig. I.); die Krümmung

unsrer Säbelklingen dürfte indeß kaum groß genug sein, um den Hieb viel
schneidiger zu machen, als er bei gerader Klinge von ähnlicher Form und
Schwere sein würde. Verdient der Stich den Vorzug vor dem Hiebe, so
sollten die Klingen der Säbel so gestaltet sein, daß deren Spitze trotz genügender Krümmung in der Richtung der Axe ihres Griffes läge, wie bei dem
Hau-Bayonnet des Chassepot-Gewehres. Diese „Jatagan“-Klinge (Fig. II.)
ist die einzige, welche den Anforderungen an eine Waffe zu Hieb und Stich
in ausreichendem Maße entsprechen kann. Die nicht weit vor dem Griff beginnende konkave Biegung der Schneide verringert die Breite der Klinge und
somit das Gewicht derselben in ihrem hinteren und mittleren Theile beträchtlich,
ohne ihrer Steifigkeit Abbruch zu thun. Indem nun die konkave Biegung der
Schneide in eine konvexe übergeht, erhält die Schneide in dem der Spitze
näher liegenden Theile der Klinge eine beträchtlich stärkere Ausbiegung, als
unsere Säbelklinge haben kann, wenn deren Spitze nicht eine für den Stich
gar zu ungünstige Lage haben soll. Dieser konvex gebogene, in der vorderen
Hälfte der Klingenlänge liegende Theil der Schneide des Säbels, wie des
Jatagans wird den Gegner treffen müssen, wenn der Hieb gut wirken soll;
die Wirkung wird aber — unter übrigens gleichen Bedingungen — besser
sein, wenn die Ausbiegung der Schneide größer ist, weil dadurch ein tieferes
Einbringen der Klinge in den getroffenen Gegenstand begünstigt wird.

diesem Grunde macht man ja auch die Schneide der Axt bogenförmig. Das aus der Konstruktion der Jatagan-Klinge entspringende größere Vordergewicht trägt selbstverständlich auch dazu bei, den Hieb mit derselben wuchtiger zu machen, als den mit einem Säbel von gleichem Total-Gewicht. Die richtige Größe des Vordergewichts und der Konvexität einer Hiebwaffe läßt sich nur durch Versuche ermitteln. — Besondere Erwägung erheischt auch, daß die Schneide der Hiebwaffe nicht wie die eines Messers, sondern keilförmig sein muß, was beim Schärfen der Säbel nur zu oft unberücksichtigt blieb; die hintere Hälfte der Klinge zu schärfen, erscheint ganz verkehrt, weil dieser Theil der Klinge nur zum Pariren verwendbar ist.

Um die Gestalt der Klinge des von uns empfohlenen Seitengewehrs mit der gegenwärtig von der leichten Kavallerie und den Ulanen geführten Säbel-Klinge besser vergleichen zu können, haben wir die Länge und in der vorderen Hälfte auch die Breite der letzteren als maßgebend angenommen; wir halten aber diese Säbelklinge für zu lang. Genügende Minderung der Belastung des Kavallerie-Pferdes darf man nur erwarten, wenn bei Auswahl der Mannschaft ihr Gewicht gehörig berücksichtigt wird. Da schwächliche Leute zur Kavallerie gar nicht taugen, so werden die großen selten leicht genug sein; man wird also der leichten Kavallerie zumeist kleine Leute zuweisen, für die der 3½ Fuß lange und 4 Pfd. 220 G. wiegende, im Haken getragene Säbel unter allen Umständen, besonders aber im Gefecht zu Fuß sehr beschwerlich ist. Unter den Leuten werden sich aber auch nur sehr wenige finden, welche eine 2¾ Fuß lange und inklusive Gefäß 2 Pfd. 233 G. wiegende Klinge mit der erforderlichen Gewandtheit zu führen vermögen. Die Kraft eines Säbelhiebes ist — unter übrigens gleichen Verhältnissen — abhängig von der Geschwindigkeit, mit welcher der den Feind treffende Theil der Klinge sich bewegt; diese Geschwindigkeit aber ist — bei gleicher Geschicklichkeit des hauenden Mannes — abhängig von dem Verhältniß seiner Kraft zu dem Total-gewicht des Schwertes und dem Vordergewicht desselben. Das Totalgewicht des preußischen Korbsäbels erscheint uns zu groß, sein Vordergewicht aber zu geringe; denn der Schwerpunkt liegt nur 5⅜ Zoll vor dem Gefäß. — Dies Verhältniß würde sich durch die von uns empfohlenen Aenderungen an Gefäß und Klinge allerdings etwas günstiger gestalten, aber ohne Verkürzung der Klinge schwerlich in ausreichendem Maße; abgesehen davon, sind ja die übrigen Gründe für die Verkürzung besonderer Erwägung werth. — Ob Korbgefäße so nothwendig sind, daß dadurch alle davon unzertrennlichen Unzuträglichkeiten ausgeglichen werden, ist uns längst sehr fraglich erschienen; sie vermehren das Hintergewicht und belästigen den abgesessenen Reiter in seinen Bewegungen mit eingehaktem Seitengewehr, was im Feuergefecht zu sehr zu bedauern ist. Es wäre nicht unwichtig, feststellen zu lassen, wie Hiebschrammen die Körbe unserer Hiebwaffen während des letzten Krieges erhalten haben.

Ein siebartig durchlöchertes Stichblatt dürfte jedenfalls zur Deckung der Faust und auch so eingerichtet werden können, daß es sich niederklappen ließe, wenn der Säbel lange im Haken getragen werden muß. Eine sehr sinnreiche und einfache Vorrichtung zur Sicherung der Lage des eingehakten Säbels sahen wir vor vielen Jahren in Hannover bei der Artillerie. Ein an seinem vorderen Ende mit einem größeren Ringe versehener zweiter Trageriemen des Säbelkoppels war so durch den wenig kleineren Tragering der Säbelscheide gezogen, daß er nach außen vor diesem lag. Dieser zweite Trageriemen war mit dem Leibgurt des Koppels mitten zwischen dem gewöhnlichen über der Hüfte und dem Schleppriemen verbunden. Durch Einhaken des gedachten größeren Ringes trug der zweite, bis dahin nicht angespannt gewesene Trageriemen den Säbel und hielt dessen von ihm äußererseits umgebene Scheide flach an des Mannes Oberschenkel. Dieser zweite Trageriemen verhinderte überdies den Verlust der Klinge aus der Scheide, falls der gewöhnliche Trageriemen riß, was der Schleppriemen bekanntlich nicht vermag.

Der Säbel des Kavalleristen kann ihn im Gefecht zu Fuß bisweilen so sehr hindern, daß wohl erwogen werden sollte, ob nicht Nachahmung verdiente, was die Amerikaner in ihrem letzten Kriege sehr oft thaten: die zum Gefecht zu Fuß absitzenden Reiter befestigten ihre Säbel an den Sätteln ihrer zurückbleibenden Pferde so, daß dadurch weder der Transport der Pferde erschwert, noch der Gebrauch der Säbel verzögert wurde, wenn die Pferde wieder bestiegen waren. Wenn das auch bei uns angeordnet werden sollte, so empföhle sich wohl die Mitführung eines — im Fall der Noth — als Bayonnet verwendbaren Dolchmessers, dessen jataganförmige Klinge nur 6 Zoll lang zu sein brauchte, um nicht nur als Waffe, sondern auch als Messer zum Fleisch-Schneiden und -Hacken ꝛc. ganz gute Dienste leisten zu können. — Auch die Sporen sollten so gestaltet werden, daß sie das Gehen in weichem Lande, Getreide oder Dorngestrüpp ꝛc. nicht unnöthig erschwerten. Möglichst kurze, etwas aufwärts gerichtete Sporen mit nicht zu großen Rädern entsprechen nicht nur dieser Anforderung, sondern auch der des Reiters im Sattel.

6. Ueber den Werth der Kürasse als Schutzwaffen gegen kleine Geschosse ein Urtheil zu fällen, dürfte erst möglich sein, wenn festgestellt wäre, was man im letzten Kriege in dieser Hinsicht erfahren hat; daß der Küraß den durch Hieb und Stich verwundbaren Theil des Körpers seines Trägers sehr beträchtlich beschränkt, bedarf keines Beweises: in dieser Beziehung ist indeß noch zu erwägen, ob dieser Vortheil nicht aufgehoben wird durch den aus der Schwere und Unbiegsamkeit des Panzers entstehenden Abbruch an Beweglichkeit des damit bekleideten Reiters.

Eine sehr beachtenswerthe Schrift: „Campagne 1870. La cavallerie française par le lieut.-colonel T. Bonie" empfiehlt dringend die Beibehaltung der Kürasse; in Oesterreich hat man dieselben schon vor 1866 abgeschafft; in der preußischen Armee hat trotz Reorganisation und Augmentation die Zahl der Kürassier-Regimenter sich nicht vermehrt. Sollen die vorhandenen ausschließlich im Reserveverhältniß verwendet werden, sei es einzeln oder brigadeweise den Kavallerie-Divisionen oder den Gros der Armee-Abtheilungen

zugetheilt, so werden die Küraffe in Zukunft nicht beschwerlicher sein, als bisher; erwartet man aber von Küraffier-Regimentern, daß sie auch möglichst
unabhängig von Unterstützung durch Infanterie oder leichte Kavallerie zur
Lösung fast aller Aufgaben des Sicherheits- und Kundschaftsdienstes befähigt
sein sollen, so wird man sich entschließen müssen, die Küraffe abzuschaffen,
nicht nur wegen des beträchtlichen Gewichts dieser Schutzwaffe, sondern weil
dieselbe den damit bekleideten Mann verhindert, auf der Feldwache ꝛc. in den
ohnehin knapp bemessenen Dienstpausen sich niederzulegen und der Erholung zu
erfreuen, welche anderen Kavalleristen nicht selten zu Theil wird. Ueberdies
wird man dem mit einem Küraß bekleideten Reiter kaum zumuthen dürfen,
zum Gefecht zu Fuß abzusitzen; denn wenn er auch ein gutes Schießgewehr
führte, würde er sich in seiner Bewegung sowohl, wie im Schießen sehr behindert fühlen; legte er aber den Küraß ab, so würde derselbe leicht verloren
gehen, falls im Laufe des Gefechts ein Ortwechsel der zurückgelassenen Pferde,
oder nach Abbruch desselben ein rasches Aufsitzen und Zurückgehen nöthig würde.
Unsrer Ansicht nach wäre es nicht zweckmäßig, unsern schon sehr schwer belasteten Küraffier-Pferden noch ein Gewehr aufzubürden, dessen Benutzung so
erschwert wäre. Wenn man sich aber entschlösse, die Küraffe abzulegen, so
könnten die bisher damit bekleideten Regimenter eben so gut, wie die übrige
Kavallerie Schießgewehre führen, sei es analog den Ulanen, falls das erste
Glied Lanzen erhalten sollte, sei es analog den Dragonern und Husaren, welche
mit Ausnahme ihrer Pioniere alle Schießgewehre führen können. Denn wie
hoch wir auch den Werth der Lanze schätzen, so möchten wir doch nicht, daß
das erste Glied der leichten Kavallerie ebenfalls ohne Schießgewehre ins Feld
rückte; überdies wissen wir aus eigener Erfahrung, daß der Lanzenführer mit
der Ueberwindung von Terrainhindernissen mancherlei Art nicht so rasch und
leicht fertig wird, wie der Husar und Dragoner. Eine vollständige Ausgleichung der den leichten und schwereren Regimentern schon durch die Verschiedenheit ihrer Pferde anhaftenden Eigenthümlichkeiten zu erstreben, wollen wir
gewiß nicht befürworten; aber wie jede Art unsrer Infanterie, unbeschadet ihrer
Individualität, ausnahmslos befähigt ist, in allen Fällen selbstständig zu
leisten, was die heutige Art der Kriegführung von Fußtruppen fordert, die mit
guten Gewehren bewaffnet sind, so sollte es auch bei der Kavallerie sein: hat
der Führer die Wahl, den Husaren diese, den Küraffieren jene Aufgabe zu
stellen, so wird er nicht so thöricht sein, ihre Eigenthümlichkeit unberücksichtigt
zu lassen; aber das wird im Kriege nicht überall möglich sein, und selbst in
den Fällen der Vereinigung leichter und schwerer Regimenter unter einem
Führer, werden diese oder jene zeitweilig erschöpft, der Erholung bedürftig
sein, welche ihnen vielleicht nur durch einen Rollentausch gewährt werden kann.
Der wird aber sehr oft nur möglich sein, wenn die Küraffiere und Ulanen
mit Schießgewehren bewaffnet sind, wie wir vorschlugen.

    7. „Schutzwaffen" pflegt man auch die Epaulets der Ulanen und die
Helme oder andere mit Vorrichtungen zum Schutz gegen Hieb und Stich ver-

sehene Kopfbedeckungen zu nennen. Den Nutzen der ersteren scheint man überschätzt, den der Helme 2c. aber in einigen Staaten unterschätzt zu haben.
Epaulets schützen nicht viel, gewähren aber den Vortheil, daß der Armuth
der Lanze nicht leicht von der Schulter abgleitet; dieselben haben indeß
Nachtheil, daß sie einen unerträglichen Druck auf die Schultern ausüben, we
sie unter dem Mantel getragen werden, und leicht verloren gehen, wenn
zur Vermeidung dieses Uebels abgenommen werden. Ueberdies belästigen
auch beim Liegen und verursachen mancherlei Beschädigungen der Unifor
Wir würden ihren Wegfall nicht beklagen.

Daß Reiter sowohl wie andere Soldaten den Druck einer schweren Kopf
deckung oft in unerfreulicher Weise empfinden, ist ganz unbestreitbar und
genügender Grund zu reiflichster Erwägung der Fragen, ob und wie
üblichen Kopfbedeckungen der Kavallerie erleichtert und in jeder Hinsicht
eingerichtet werden könnten, daß sie den Mann möglichst wenig belästigen u
dennoch nicht allein gegen böses Wetter, sondern auch gegen Kopfwunden du
Hiebe und Stiche möglichst sichern. Was die Form angeht, so entspricht
des neuen preußischen Helms mit Ventilations-Vorkehrung in der Spitze u
Vorder- und Nackenschirm allen bezüglichen Anforderungen; der metallene He
der Kürassiere ist allerdings etwa 2½ Pfd. schwer, aber haltbarer und
währt auch mehr Schutz, als der lederne der Dragoner, der aber um et
1 Pfd. leichter ist und deshalb den Vorzug verdient.

Die Pelzmütze der Husaren belästigt im Sommer, weil sie die Ausdü
stung des Kopfes befördert, derselben aber keinen Abzug gestattet. Bei Reg
wetter nimmt der Pelz viel Wasser auf, also an Gewicht beträchtlich zu. D
Trocknen der Pelzmütze ist oft schwierig. Vorn und hinten mit Klappschirm
versehen, dürfte die Pelzmütze mit Kolpak dem Kopfe wohl genügenden Sch
gewähren, was man von der Flügel-Filz-Mütze der Husaren nicht sagen ka

Die Ulanen-Mütze, Czapka, hat zwar außer dem vorderen auch ei
Nackenschirm, der sich aber leider nicht benutzen läßt, weil er aufgeklappt f
genäht und zum Herunterklappen gar nicht eingerichtet ist. Ueber den Gru
dieser sonderbaren Eigenthümlichkeit seiner Kopfbedeckung nachzudenken, fehl
dem Ulanen schon im Frieden nicht an Gelegenheit; denn im Regen läuft il
das auf der Czapka gesammelte Wasser in den Nacken. Abgesehen davon
die nicht zu schwere und in ihrem oberen Theile elastische Kopfbedeckung wo
geeignet, den Kopf genügend zu schützen. Ventilations-Vorrichtung hat sie ni
so nöthig, wie die Pelzmütze, wird aber doch oft genug vermißt und ließe
wohl anbringen. Die Dauerhaftigkeit der Czapka, namentlich die der O
ziere, läßt viel zu wünschen übrig.

Unsre Ansichten über die Bewaffnung der Kavallerie werden wohl
überall Anklang finden; möchten dieselben nur dazu beitragen, bessere her
zurufen.   F. Sch

Beiheft

zum

Militair-Wochenblatt

herausgegeben

von

A. Borbstaedt,

Oberst z. D.

---

1 8 7 2.

Viertes Heft.

Inhalt:

Frankreich und die Franzosen.

Berlin 1872.

Ernst Siegfried Mittler und Sohn,

Königliche Hofbuchhandlung

Kochstraße 69.

Frankreich und die Franzosen.

Vortrag, gehalten am 16. März 1872 im „Wissenschaftlichen Verein zu Berlin," vom Oberstlieutenant des Neben-Etats des großen Generalstabs, Freiherrn v. Meerheimb.

Wer Frankreich nicht in moderner Weise im Coupee des Eisenbahnwaggons durchfliegt, um schnell von einer großen Stadt zur anderen zu eilen, sondern wie der Soldat im Felde durchwandert, von Dorf zu Dorf zieht, Tage und Wochen lang in großen und kleinen Städten, in Bauerhäusern und ärmlichen Hütten lebt, der wird ein ganz anderes Bild von Land und Leuten gewinnen, [als] es sich der oberflächlichen Anschauung darbietet.

Mit Recht heißt das Land la belle France; die Blicke von der Terrasse von St. Germain, notre dame du bon secours bei Rouen, notre dame de Fourvières bei Lyon, von der Berg-Kapelle bei Marseille sind entzückend, und die Gegensätze der immergrünen fruchtbaren Normandie, der dunkeln Laubwälder der Ardennen und Argonnen mit den felsigen Küsten der Mediterranée und ihrer italischen Vegetation zeigen alle Schönheiten der mitteleuropäischen und der südlichen Landschaften.

Ueberraschend war uns das Netz trefflicher Wege, auch der Departemental- und Vicinalwege, das den Norden und Osten überall durchschneidet. Frankreich verdankt es Louis Philipp, dessen Werk Napoleon III. fortgesetzt hat. Das natürliche, sehr günstige Flußnetz ist durch viele Kanäle und Stromregulirungen schon zu Louis XIV. Zeit verbessert; eigenthümlich ist es, daß in Frankreich die Seen, ein allerdings wesentliches Element landschaftlicher Schönheit, fast ganz fehlen. Der Boden ist meist sehr fruchtbar — die Champagne pouilleuse, die Sologne, das Landes und einige gebirgige Departements ausgenommen und auch dem wenig angestrengten Fleiß gewährt er reichen Lohn; Ackerbau und Viehzucht nannte schon Colbert les deux mamelles de la France. Für Wein, Seide, Oel, Mode- und Luxuswaaren hat es seit Jahrhunderten große

Summen eingenommen. Der Ackerbau liefert namentlich seit der Revolution, die den größten Theil des Bodens in die Hände kleiner Besitzer brachte, bedeutende Erträge, ebenso schon seit dem Ende des 17. Jahrhunderts die Industrie; die Ausfuhr, der gesammte Umsatz Frankreichs übertraf 1869 den Deutschlands um mehr als das Doppelte, eine so lange und stetige Steigerung ist ein Beweis für den Fleiß, die Ordnung, der Handwerker und Fabrikanten, die Solidität der französischen Waare. Im Handel, im gesammten gewerblichen Verkehr sind die Franzosen gewissenhaft und pünktlich; Schwindel, wie etwa in Amerika, wird man dort selten finden. Es war bis 1870 das an gemünztem Gelde reichste Land der Erde, im Kleinverkehr sah man nie Papiergeld; bis auf Kohlen und Eisen lieferte es in guten Jahren fast Alles was es bedurfte selbst und die Wohlhabenheit des Landes war namentlich in den letzten Jahrzehnten in immer steigender Progression gewachsen. Dennoch deuteten manche Zeichen auf eine Abnahme der nationalen Lebenskraft, namentlich die geringe Zunahme der Bevölkerung, das Scheitern aller französischen Kolonisationsprojekte, die geringe Auswanderung, — und Randot, Odillon-Barrot sprachen es laut aus, daß die centralisirende Administration der letzten Jahrhunderte den politischen Lebensnerv, die Fähigkeit zur Selbstverwaltung erstickt, die Stärke des Charakters gebrochen habe.

„Stehen, fragt Odillon-Barrot, dem französischen Arbeiter die Wege nach Amerika oder Australien weniger offen, als dem Irländer und Deutschen? Keineswegs, aber dem Franzosen fehlt die Energie, die Kraft des Willens, die Fähigkeit einen Entschluß zu fassen, welche die Centralisation ertödtet hat."

Der stete Wechsel der Dynastien und politischen Formen seit 80 Jahren hat Frankreich enttäuscht; es hat keine Begeisterung mehr, es glaubt an keine Ideale, weder an religiöse — mit Ausnahme der Frauen — noch an politische und ästhetische.

So trägt das reich begabte Volk manche Züge des Greisenalters; Renan meint, die celtischen Elemente treten immer mehr in den Vordergrund, die fränkischen, die dem Volke seine historische Bedeutung gaben, treten zurück, und der bekannte russische Flüchtling Alexander Herzen sagt in seiner Schrift „Vom anderen Ufer", wo er die Idee einer russisch-französischen Alliance bekämpft: „Keine Ehe der jungen, kräftigen Bäuerin (nämlich Rußland) mit dem welken, abgelebten Greise. Laßt den alten König David allein sterben."

An dies hyperbolische Schlagwort möchte ich die folgenden Bemerkungen knüpfen und die Resultate vorweg nehmen, um die Gesichtspunkte festzustellen, von denen aus ich die Franzosen in verschiedenen Lebensstellungen und Thätigkeiten betrachten will.

Die ziemlich allgemeine, freilich seit 1870 schon modificirte Vorstellung von dem Charakter der Franzosen ist unrichtig. Er ist besser und schlechter als sein Ruf Man sieht im Pariser, vielmehr in einem kleinen Bruchtheil der Pariser, theilweise in der aus allen Nationen gemischten population flottante der Hauptstadt, den Franzosen; dieser Bruchtheil und ein Theil der halb und ganz gebildeten Bevölkerung der großen Städte ist revolutionär, frivol, geistreich, beweglich, die Fabrikbevölkerung sozialistisch unterwühlt, aber die Masse des Volkes, der Bauer und Handarbeiter, der Kaufmann und épicier, der Gutsbesitzer und Handwerker sind friedliche, auf Erwerb und ruhigen Genuß bedachte, sogar philiströse Leute, politisch indifferent, durch keine kommunale Selbstverwaltung, durch keine Wehrpflicht zum Patriotismus erzogen, durchaus vom individualisme beherrscht, dessen Sorge um das eigene und der Familie Wohlsein, sich höchstens auf den engen Kreis der Gemeinde — l'esprit de clocher — ausdehnt.

Ein achtungswerther mir befreundeter Maire rief bei einem Gespräche über die allgemeine Wehrpflicht in Preußen aus: „Und wenn ich 7 Söhne hätte, keiner dürfte Soldat werden." Auch nicht zur Vertheidigung des Vaterlandes? „Que voulez-vous, ce n'est pas son affaire." Georges Sand sagt: „L'état militaire est une servitude brutale qui répugne à notre civilisation" und nach Renan ist la France ein reiches Land geworden, qui regarde la guerre comme une sotte carrière.

Wie beschämend und ungerecht wäre es, wenn man Preußen und das deutsche Volk nach den Eindrücken beurtheilen wollte, die ein Reisender bei kurzem Aufenthalt in Berlin und Hamburg empfängt, nach den Persönlichkeiten mit denen er verkehrt, und nach den piquanten Feuilleton-Artikeln in denen er das Erlebte und Gesehene schildert. So aber beurtheilen wir Frankreich seit mehr als 100 Jahren, denn die geistreichen Deutsch-Franzosen, wie Baron Grimm, die in der Pariser Gesellschaft, in den bureaux d'esprit Zutritt fanden, und darüber Berichte nach Deutschland sandten, welche die damals geltende Anschauung über das französische Volk bestimmten, sie schilderten nur wenige kleine und exklusive Kreise. Für die Masse des Volkes aller Stände hatten ihre Schilderungen keine Wahrheit.

Die Franzosen haben als Individuen, als Familienglieder, viel Liebenswürdiges und Achtbares, als Glieder einer Nation, im Verhältniß zum Staat erscheinen sie in wenig günstigem Lichte.

In mehr als in einer Hinsicht erinnert die Katastrophe von 1870 an die von 1806. Damals herrschte in den gebildetsten Kreisen Deutschlands ein ästhetischer Individualismus, der Kultus der schönen Individualität; das Lebensziel war die harmonische Ausbildung der Persönlichkeit, als Typus dieser Richtung mag man den Wilhelm Meister der Lehrjahre nennen. Daß der Einzelne in der Gemeinde lebt, daß er ein Vaterland hat, daß nur der Staat und die Arbeit in ihm das Individuum zur vollen Entfaltung seiner Kräfte bringt, das bestimmte jene der Kultur und Humanität zugewendeten Kreise fast so wenig wie den heutigen Franzosen. Aber jener Individualismus war ästhetisch, idealistisch, — der heutige der Franzosen ist materiell, daher war das Erwachen und die Verjüngung des Volkes, die Preußen damals in schwerer Zeit erkämpfte, leichter als im heutigen Frankreich.

Indessen sind dort die ersten fast elementaren Formen des staatlichen Organismus, die Familie und die Gemeinde, im Wesentlichen noch gesund.

Der Frau, den Kindern gegenüber sind die Franzosen liebevoll, gegen die Bébés zärtlich bis zur Schwäche. Das stete Bedürfniß der Konversation und die stete Fähigkeit sie zu führen, gewöhnt sie an das Haus; sie sind meist sparsam und häuslich, keineswegs Verschwender. Jeder will erwerben, — und es erwarb sich dort leicht — um zu besitzen, und besitzen um zu genießen und nicht mehr arbeiten zu müssen. Wie der Soldat 3—4 mal als Remplaçant diente, um dann von der Pension und den Stellvertretungsgeldern zu leben, so strebt jeder Franzose danach Rentier zu werden und Haus und Garten auf dem Lande, oder eine Villa in der Vorstadt zu erwerben. Die rechtliche Stellung, welche der Code Napoleon der Frau anwies, hat ihre Stellung in der Familie, wie in der Gesellschaft, wesentlich geändert.

Jeder Vater muß sein Vermögen zu gleichen Theilen unter alle seine Kinder vererben, nach jedem Todesfalle folgt un roulement général de la fortune; daher stehen die Schwestern den Brüdern, die Frauen den Männern mit größerer Selbstständigkeit gegenüber. Die Frauen bringen den Männern in allen Ständen mehr selbstständiges Vermögen in die Ehe als bei uns, haben auch während derselben größeren Einfluß auf die Verwaltung desselben, die Brüder sind bei der Erbtheilung nur gleichberechtigt mit den Schwestern und halten es für Ehrensache, die Schwestern möglichst unabhängig zu situiren oder ihnen im Falle der Heirath eine reiche Mitgift zu sichern. Es fehlt in Frankreich den Familien-Beziehungen keineswegs an Innigkeit und Herzlichkeit, dasselbe spricht sich auch in dem Verhältniß zu den Dienstboten aus, die dort viel häufiger als bei uns zur Familie gehören und deren Interessen in Freud und Leid theilen. Die Frauen erscheinen als das stärkere Geschlecht, sie allein traten in Küche und Keller der Einquartierung scheltend und bisweilen mit Thätlichkeiten entgegen, der Mann saß apathisch auf der Bank und ließ, wenn er nicht unseren Soldaten half, Alles über seinen Hof und sein Vieh ergehen. Die Züge älterer Französinnen werden oft hart und grob, die Stimme rauh und tief, Kinn und Oberlippe zeigen dunkle Schatten. Der Anzug ist meist salopp, dabei schnupfen sie viel, haben oft eine Katze auf dem Schooß und gewähren kein anziehendes Bild.

Die feine geistreiche, etwas frivole alte Dame, die den Mittelpunkt jeder Konversation bildete, wie wir sie aus den Erzählungen unserer Großeltern kennen, die ist mit dem ancien régime verschwunden.

Mehr noch fehlen den Männern elegante, vornehme Umgangsformen, sie fallen eher durch schlechte Manieren auf, schreien, statt zu sprechen, gestikuliren lebhaft, haben meist den Hut auf dem Kopfe, die Hände in den Taschen, die kurze Pfeife oder Cigarette im Munde und spucken um sich wie die Amerikaner.

Das Aeußere der Dörfer und Städte, das Innere der Wohnungen spricht mehr für eine praktische, solide, als für eine eitle, nach außen gewendete Sinnesart der Bewohner. So ein Dorf in Lothringen sieht von Weitem wie ein ungefüger Steinhaufen aus, die Häuser liegen zusammen wie in den Straßen der Stadt, nur wenige niedrige Fenster liegen der Dorfstraße zu; durch ein enges, niedriges Thor tritt man in den Hof, der durch eine Mauer geschlossen ist. Und im Innern der unscheinbaren Häuser findet man gut meublirte Zimmer, ein vortreffliches Bett, das nicht nach deutscher Sitte in ein dumpfiges Hinterzimmer versteckt wird, als müsse man sich schämen zu Bette zu gehen; überall gute Meubles, sehr viel und gutes Küchengeräth und Geschirr, — kurz Alles, was dem Behagen und dem Bedürfniß des Lebens dient, ist reichlich da, aber nichts für den Luxus und die Eitelkeit. Die Gärten hinter den Häusern der Bauern und wohlhabenden Einwohner sind von einer hohen Mauer umgeben, sie zeigen keine frischen Rasenplätze mit blühenden Sträuchern und Blumenbouquets, aber Spaliere, Zwergbäume und andere en quenouille, an denen vortreffliches Obst gezogen wird, Melonen und Gemüse unter Glasglocken, — solche Gärten sind wenig anmuthig, aber praktisch, einträglich. Ein deutscher Landmann hält es für einen Raub, eine Karre Dünger in seinen Garten zu liefern, dort wird jeder Obstbaum gedüngt, mit Sorgfalt behandelt, und liefert reiche Erträge. So malerisch wie ein westphälisches, selbst märkisches Dorf mit seinen Gärten, Alleen und hochragenden Obstbäumen, ist ein französisches Dorf freilich nicht. Ganz übereinstimmend ist der Bau der Straßen und Häuser in den Städten, — in Reims, Chalons, Rethel, Sedan sind die Häuser der reichsten Leute oft höchst unscheinbar, von der Straße aus sah man nur die häßliche, oft schlecht gehaltene Mauer, mußte über einen engen schmucklosen Hof gehen, fand aber im Innern stattliche Räume, die Vorhänge und Meublesüberzüge oft prachtvoll. Auch in den Palästen der Champagner-Barone in Reims war die Einrichtung des Hauses nicht auf glänzende Geselligkeit, sondern auf das Behagen des täglichen Lebens und die Bequemlichkeit der Familie berechnet.

Mit einigem Aerger dachte ich oft an Marmonts Schilderung preußischer Zustände, er war im Anfang der dreißiger Jahre hier und spricht im Ganzen mit großer Anerkennung von dem Geiste und den Zuständen Preußens. Von unseren Wohnungen und unserer Bauart sagt er aber; „Les Prussiens sont des parvenus, ils aiment à tapisser sur la rue."

Oft wird der Deutsche an ein Wort erinnert, das Göthe vor etwa 80 Jahren gesprochen „Unsere Kultur ist von gestern her, unsere Väter waren Barbaren." Dort deutet Alles auf ältere Kultur.

In Reims sah ich mehrere Häuser, die ein Maurermeister gebaut, um sie zu vermiethen. Es waren Wohnungen zu 3000 bis 5000 Francs, in jeder war im Erdgeschoß die Küche mit den Zimmern der Diener, in der bel étage la chambre de monsieur et de madame und das Speisezimmer, 2 Treppen hoch das Arbeitszimmer, die Zimmer der Tochter, des Sohnes oder der Gouvernante ꝛc. In Berlin sind Wohnungen desselben Preises so eingerichtet, daß die besten Räumlichkeiten, die Lage der Zimmer vorherrschend für die Geselligkeit berechnet sind, die Wirthschaftsräume, die Schlafzimmer, die der Dienstboten sind kläglich eingeengt. Ich hebe dies hervor, weil sich Sitte und Geist eines Volkes auch in der Art seiner Bauten, seiner Wohnung und Einrichtung wie in der Kleidung ausspricht, und weil sich hier die Franzosen solider und praktischer zeigen als wir. In wenigen Ländern wird man so viele alte provinzielle Trachten sehen, als in Frankreich, namentlich in der Normandie und Picardie, es ist das auch ein konservativer Zug des dortigen Volkslebens. Vor 80 Jahren hat die Revolution, um la republique une et indivisible herzustellen und alle provinzielle, geschichtlich gewordene Besonderheit zu verwischen, ganz Frankreich in Departements getheilt, und noch heute fühlen sich le champagnard, le picard, le breton, le normand in ihrer provinziellen Eigenthümlichkeit; in Sitte, Tracht, dem Idiom haben selbst kleine Landstriche wie le Cotentin, la Beauce, le bocage, les Landes ihre landschaftliche Eigenthümlichkeit bewahrt. Dagegen muß ich das den Franzosen oft ertheilte Lob der Mäßigkeit mindestens beschränken; sie essen namentlich weit mehr Fleisch als wir. Der Morgen beginnt — ich rede nie von eleganten Parisern, und sehr reichen Leuten, die haben europäische, nicht nationale Sitten — also der Morgen beginnt bei den Franzosen im Süden wie im Norden mit dünnem Kaffee mit vieler Milch, der, nachdem unsäglich viel schwammiges Weißbrod hineingebrockt ist, mit einem Suppenlöffel aus einer tiefen Schale gegessen wird. Die baumwollene Nachtmütze, die wir in guten Häusern regelmäßig auf dem Kopfkissen fanden, wird dann noch oft getragen und dies erste Frühstück bisweilen in der Küche verzehrt. Um 12 Uhr folgt das Dejeuner, mit 2 warmen Fleischspeisen, Abends 6 oder 7 Uhr das Diner mit wiederum 2 warmen Fleischspeisen; jede dieser Mahlzeiten wird mit Kaffee und Cognac geschlossen. Der Wein wird meist mit Wasser verdünnt, dagegen spielen Cognac und Absynth keine unbedeutende Rolle. Trochu, in seiner Schilderung der französischen Armee, 1867, erwähnt die gamme bachique, die bachische Tonleiter, die täglich gespielt wird und eine beträchtliche Zahl von Tönen enthält. Le pousse café. Le chasse café. Une pauvre petite larme. Le tord boyau. La consolation.

Außer diesen feststehenden Mahlzeiten ist es selbst in Gasthöfen und Kaffees schwer, etwas auch für Geld zu erhalten; die weiche Natur der Franzosen ist so leicht an Schema und Reglement jeder Art zu gewöhnen, daß sie pedantisch an jeder durch Sitte oder Befehl festgesetzten Ordnung halten und nichts was über sie hinaus geht begehren. Der Beamte, der seinen Rücken durch die Allgewalt des Staats gedeckt weiß, jeder Employé einer Eisenbahn, einer Omnibuslinie, wird peinlich, lästig und anmaßend, — und was die guten

Franzosen im Wartezimmern, Dampfschiffen und Omnibuswagen schweigend und gelassen erdulden, das ertrüge kein deutsches Gemüth.

Am respektabelsten erscheint der Franzose in seinem Verhältniß zur Gemeinde. Ueberall ist der reichste, angesehenste Mann des Ortes bereit, das unbesoldete, sehr lästige, in Kriegszeiten gefährliche Amt des Maire zu übernehmen. Und wir zweifeln, ob bei uns die geeigneten Persönlichkeiten bereit sein werden, die Pflichten des Amtshauptmanns zu übernehmen! Die Gemeinde-Verwaltung ist vortrefflich, die Wege, Schulhäuser, Wohnhäuser der Curés, Kirchen, Waschhäuser, die sich in vielen Dörfern finden, beweisen, daß auch das Vermögen der Gemeinden bedeutend ist, obwohl die Revolution und Napoleon I. noch 1813 in willkührlichster Weise darüber verfügt haben. Freilich führte der Maire bisher nur aus, was der Minister und der Präfekt befahlen und von Selbstverwaltung der Gemeinde war sehr wenig die Rede, aber man muß anerkennen, daß diese centralisirende Administration materiell viel Gutes geschaffen und daß die Maires ihre thätigen und verständigen Organe gewesen sind. An die von Napoleon III. 1866 neu belebte Institution der Generalräthe knüpfen sich alle Hoffnungen einer Decentralisation einer Wiedergeburt des Landes an. Sie wurden schon am 28. pluviose des Jahres VIII errichtet, gelangten unter der Konsular-Regierung wie unter dem 1. Kaiserreich aber nur zu geringer Wirksamkeit. Die Restauration beschränkte sie noch mehr und erst Louis Philipp gaben ihnen einen Theil ihrer Befugnisse wieder, die Napoleon III. wesentlich erweiterte. Die Generalräthe werden von den Kantons der Departements gewählt, nach dem suffrage universel auf 6 Jahre, werden von der Regierung bestätigt, was das Gesetz von 1871 aufgehoben, sie werden von der Regierung über Erhebung von Steuern befragt, sie vertheilen, erheben und verwalten die Steuern zu departementalen Zwecken, leiten den Bau der departementalen und kommunalen Straßen, nehmen zu diesem Zwecke Anleihen auf, und die überraschende Entwickelung des Straßennetzes in Frankreich ist Zeuge ihrer segensreichen Thätigkeit.

Frankreich hat 38,000 Kilometer routes impériales,

    49,000   =   routes départementales,
    85,000   =   routes de grande communication,

von denen 1871 schon 80,000 en état de viabilité waren. Außerdem leiten die Generalräthe das Armenwesen und den Bau der größeren Zahl der Vicinalwege und selbst der Wege, die ein Grundstück der Gemeinde mit den andern verbinden, und auch für diese nehmen die Departementskassen Geld auf. Die Erweiterung der Befugnisse der conseils généraux und die Straßen- und Wegeordnung, erstere vom 18. Juli 1866, sind sehr nützliche Gesetze des Kaisers gewesen. Das neue Gesetz vom 10. August 1871 über die Organisation und Bildung der conseils généraux, verändert namentlich die Stellung derselben zu den Präfekten. Gegenwärtig wird das Department in allen departementalen Angelegenheiten von einer aus dem Generalrath desselben durch Wahl hervorgegangenen Kommiſſion regiert. Der Präfekt hat nur der Kommiſſion und dem Generalrath Vorſchläge zu machen, deren Thätigkeit vorzubereiten, und deren Entſcheidungen auszuführen. Der Präfekt iſt alſo in ſeiner weſentlichen Thätigkeit ein Organ des Generalraths geworden. Es iſt der erſte folgenſchwere Schritt zur administrativen Decentraliſation Frankreichs geworden. Das Geſetz von 1871 ſagt Artikel 3, Le préfet est le représentant du pouvoir exécutif dans le département, il est chargé de l'exécution des décisions du conseil général, et de la commission départementale.

In den letzten Monaten des Krieges hörte und las man oft die Forderung, daß eine Verſammlung ſämmtlicher Generalräthe zuſammentreten und über Krieg oder Frieden, wie über die definitive Verfaſſung entſcheiden ſolle und vor wenigen Wochen wurde in der Deputirten-Kammer in Paris der Antrag gemacht, daß im Falle eines plötzlichen Regierungswechſels, wie Frankreich deren ſo viele erlebt, die Generalräthe aller Departements zuſammentreten ſollten, um über die neue Verfaſſung und Regierung zu entſcheiden. Der Antrag wurde mit nicht bedeutender Majorität abgelehnt. In der gegenwärtigen assemblée nationale ſind 250 Mitglieder Generalräthe. Daß Frankreich ſich von Paris zu emancipiren beginnt — die Belagerung von Paris, die Verlegung der National-Verſammlung nach Verſailles ſind die erſten Schritte — das iſt weſentlich den Generalräthen zu verdanken, es ſind Organe des Landes, des Volkes, nicht der Hauptſtadt und der Regierung.

Ueberall findet man in den Dörfern große, geräumige Schulhäuſer, die auf Befehl der Regierung aus dem Gemeinde-Vermögen nach demſelben Schema erbaut ſind; die ſehr praktiſche Ausſtattung der Schulſtuben iſt in allen die gleiche. Der Unterricht, l'instruction primaire, iſt unentgeldlich, aber die Eltern ſind nicht verpflichtet, ihre Kinder in die Schule zu ſchicken.

Der Religionsunterricht iſt ganz in den Händen der Geiſtlichkeit; ſeit 30 Jahren hat der Schulbeſuch bedeutend zugenommen, beſonders ſeit Duruys Miniſterium. Dennoch iſt die Zahl der Kinder, die keinen Unterricht irgend einer Art erhalten — namentlich der Mädchen — in den Departements des mittleren und weſtlichen Frankreichs überraſchend groß.

Mit Recht fordern viele Schriftſteller den unentgeldlichen und obligatoriſchen Schulunterricht; er ſei das Correlat, die nothwendige Ergänzung des allgemeinen Wahlrechts.

Sie weiſen darauf hin, was die vereinigten Staaten nach einem blutigen 4jährigen Bürgerkrieg, deſſen Koſten die Amerikaner auf 45 Milliarden Francs veranſchlagen, für die Hebung des Unterrichts gethan haben. In den Staaten des Nordens und Weſtens ſind die Koſten für den öffentlichen Unterricht ſo groß, daß auf den Kopf 12 ſelbſt 14 Francs fallen. Frankreich würde nach dieſem Maaßſtabe 400 Millionen dafür verwenden müſſen. Aber zu ſolchen Anſtrengungen iſt Frankreich moraliſch, nicht materiell, unfähig.

Der Geist ernster Wissenschaft, der Frankreich noch im 16. und 17. Jahrhundert belebte, ist durch die Aufhebung des Ediktes von Nantes und die Unterdrückung der Jansenisten gebrochen, auch der höhere Unterricht kam in die Hände der Jesuiten und wurde vorherrschend auf die mathematischen und physikalischen Wissenschaften und auf gedächtnißmäßig zu erlernendes Wissen gerichtet, vom Studium der Geschichte, von der gründlichen Kenntniß der Klassiker abgewendet.

Napoleon I. in seinem Haß gegen Alles was er Ideologie nannte, ging in seinen Unterrichtsplänen denselben Weg. Um die centralisirende Administration auch auf diesem Gebiete einzuführen, sollte der Unterricht in allen höheren Unterrichtsanstalten nach einem von der Pariser Universität entworfenen Plane ertheilt und die Innehaltung dieses Planes von ihr beaufsichtigt werden. Nicht die freie Entwickelung der Individualität war sein Ziel, sondern die Abrichtung gefügiger und brauchbarer Beamten, die als Schrauben und Stifte in der gewaltigen Staatsmaschine gute Dienste leisten konnten, als Menschen ohne Stärke des Willens — den Kern des menschlichen Wesens — ohne warme Begeisterung bleiben mußten. Das Studium der Wissenschaften wurde in erste Linie gestellt, bei denen eine exakte Methode, eine logische Beweisführung zulässig ist, von allem Wissen, das den Geist befreit und den Willen stärkt, wurde die Jugend möglichst ferngehalten. — Formale Logik und Rhetorik wurden gelehrt und wenn der französische Geist an sich zum Theatralischen neigt, so wurde dem durch die Art des Unterrichts neue Nahrung gegeben. Es zeigt sich das noch heute in der Literatur, den wissenschaftlichen Vorträgen und den Kanzelreden. Ich habe in Reims 2 Reden des geistreichen Erzbischofs Monseigneur Lenriot, in der Kathedrale fund in St. Remi gehört, die man bei uns akademische Vorträge, aber keine Kanzelreden nennen würde.

Alle Knaben in den Lyceen, die etwa unseren Gymnasien entsprechen, sind uniformirt, der Individualität der Lehrer sind sehr enge Grenzen gezogen, die Methode des Unterrichts, die Preisvertheilungen, das Alles ist geeignet die Eitelkeit zu erregen. Ein glücklicher Vater erzählte sein 13 jähriger Sohn habe im letzten Semester 16 Preise erhalten.

Da vor Allem Mathematik und Naturwissenschaften bevorzugt werden, sind selbst gebildete Franzosen in der Geographie und in der Geschichte, auch ihres Vaterlandes, staunenswerth unwissend, ebenso in der Kenntniß fremder Sprachen. In Sedan, einer reichen Fabrikstadt von 14,000 Einwohnern konnte ich in keiner Buchhandlung ein englisches Unterhaltungsbuch finden. On ne demande pas ces livres là.

Nichts bestimmt die Zukunft der Völker so sehr, als die Gesetze über das Erbrecht, und die Methode wie der Inhalt des Unterrichts. Der revolutionaire Geist, der Frankreich seit 80 Jahren beherrscht, die Frivolität des 18. Jahrhunderts, dessen Philosophie nach Renan der vollendete Ausdruck des oberflächlich gefunden Menschenverstandes war, find größentheils aus diefen Quellen herzuleiten.

Wie anders war der Geist, der im Mittelalter, die herrlichen gothischen Dome baute, deren Zahl und Größe uns in Erstaunen setzt. Nicht nur in Reims und Rouen, auch in kleinen Städten wie Bayeux und Caen, selbst Etain, — aber nur in der nördlichen Hälfte Frankreichs — find die Kirchen im romanischen und gothischen Styl aus dem 12. und 13. Jahrhundert so zahlreich, daß fie einigen Zweifel an unseren Ansprüchen, die gothische Baukunst die deutsche nennen zu dürfen, erwecken. Die innere Ausschmückung ist meist von der geschmacklosen Pracht des sogenannten Jesuitenstyls, der die Kirchen in Oesterreich und Polen entstellt, freigeblieben. Die in diesem Jahrhunderte mit reichen Mitteln gebauten Kirchen find entweder getreue Nachbildungen gothischer Kirchen, mit ihrem reichen bunten Farbenschmuck, wie notre dame du bon secours bei Rouen, oder unsäglich geschmacklos, wie St. Sulpice in Paris und die Kathedrale in Sedan. Die Macht der katholischen Kirche hat seit 20 Jahren bedeutend zugenommen; wo außer ihr und dem geistlosen Staatsmechanismus nur Atome find, nach Persignys Wort des grains de sable sans adhésion et cohérence, da muß der festgeschlossene Organismus des katholischen Klerus von schwer wiegendem Einfluß sein. Doch scheint mir der Einfluß mehr äußerlich, mehr aus der Indolenz der Bevölkerung, als aus lebendiger Theilnahme der Gemüther herrührend, — nur die Frauen, besonders der höheren Stände, schienen mir religiös; fie unterwerfen fich gern und leicht den äußeren Formen der Kirchenzucht und das etwas sentimentale, Gemüth und Phantasie erregende Christenthum der Jesuiten entspricht ihrer geistigen Natur. Die Männer find indifferent; die Religion war seit Jahrhunderten Sache des geistlichen Standes, eine lebendige Theilnahme der Gemeinden, wie fie im Reformations-Zeitalter und noch unter Ludwig XIV bestanden, war längst erstickt, die Franzosen kannten meist nur frivolen Spott in Voltaire's Manier, oder den katholischen Kirchenglauben, dem fie anhingen, ohne daß er ihr Gemüth erwärmt hätte. Wer 1863 in Frankreich reiste, sah Renans eben erschienenes Buch „la vie de Jésus" — in allen Händen, es wurde verschlungen und schien vielen eine neue Offenbarung. Selbst denen, die nicht damit übereinstimmten, erschienen seine Behauptungen neu, kühn, staunenswerth. Und doch enthält es, mit Ausnahme der hübschen landschaftlichen Schilderungen von Judäa und Galiläa nichts, was nicht vor 100 Jahren Lessing und vor 40 Jahren Strauß weit schärfer und klarer ausgesprochen, und den Gegnern wie den Anhängern dieser Richtung war in Deutschland längst bekannt, was in Frankreich neu und unerhört schien.

Es ist charakteristisch, wie ein Volk die Gräber seiner Lieben pflegt, auch hier zeigt fich die Pietät und die Innigkeit des Familienlebens. Ich fand die Kirchhöfe weniger mit blühenden Sträuchern und Blumen geschmückt, als bei uns, aber an allen Gräbern Kränze meist von Immortellen und Filigran,

Familien-Kapellen und Grabstätten mit Denkmalen von Sandstein oder Marmor, daneben dunkle Cypressen und Taxus, die Inschriften bisweilen süßlich und geschmacklos, meist ein ernstes de profundis oder in te domine speravi, non confundar in aeternum, das Flehen um Vergebung und ewigen Frieden. Wie der Geschmack in der Anlage der Gärten, so ist er auch in der Anlage der Kirchhöfe und der Pflege der Gräber, und weil der französische Geschmack nicht der unsere ist, dürfen wir nicht sagen, daß er fehlt.

Wenn Sie mir bis zu den Gröbern gefolgt sind, so mögen Sie fragen: wie sterben denn die Franzosen? Wo könnte man den Kern des Menschen freier von jeder Umhüllung der äußeren Verhältnisse erblicken, als in den Minuten vor dem Tode. Am leichtesten stirbt es sich auf dem Schlachtfelde, am schwersten auf dem Richtplatze. Daß die Franzosen im Kampfe zu sterben wissen ist ein Erbtheil ihrer celtischen Vorfahren; sie haben es auf zahllosen Schlachtfeldern in allen Erdtheilen seit 2 Jahrtausenden gezeigt. Man könnte von ihnen wie von den Polen sagen: „Ils ont su toujours mourir vaillement pour leur patrie, mais rarement vivre raisonnablement pour elle." In den Lazarethen klagten die Schwerverwundeten mehr als die meist stoischen deutschen Soldaten, aber ein unmännliches Jammern habe ich auch da nirgends gehört. Die Leichtverwundeten waren sorglos und heiter; von verhaltenem Grimm, von tiefem Gram über das Schicksal des Vaterlandes habe ich keine Spur entdecken können. Und wenn dem Schuldigen, über den das Kriegsgericht die Todesstrafe hatte verhängen müssen, der Spruch mitgetheilt wurde, ging er ohne Zittern zum Tode. Des Morgens um 5 Uhr vielleicht trat der Richter in seine Zelle, las ihm das Erkenntniß vor und fügte hinzu, daß er um 7 Uhr sterben würde, und in allen mir bekannt gewordenen Fällen zeigten die Franzosen bei der kurzen Vorbereitung durch den Priester und in den letzten Minuten Ruhe und würdige Fassung. Der physische Muth fehlt ihnen selten, der moralische oft, und wie sie sich in alles Unvermeidliche leicht und selbst heiter fügen, so auch in das Schwerste, den unabwendbaren Tod auf dem Richtplatze.

Der National-Charakter zeigt viel gute, achtbare und liebenswürdige Seiten, wenn wir das Individuum und das Verhältniß zur Familie betrachten, aber wenn wir den Blick auf das Verhältniß des Einzelnen zum Staat, zum Vaterlande richten, so gewahren wir ein ganz anderes Bild. Alle Gefahren, die Tocqueville in Folge der Jahrhunderte langen, bei jedem Wechsel der Regierungsform gesteigerten Centralisation voraussah sind eingetreten. Er zeigte in seinem unsterblichen Werke „de la démocratie en Amerique," daß die schrankenlos herrschende Demokratie, die Gleichheit, nicht Freiheit und Allgewalt des Staats fordert, nur ertragen werden könne, wenn das Volk durch Selfgovernment, durch lebendige Theilnahme an der Verwaltung der Gemeinde dazu vorbereitet sei. Wenn man der immer wachsenden Fluth der Demokratie Dämme entgegenstellt, so werden sie durchbrochen oder überfluthet, man kann sie nicht hemmen, aber leiten, — das Volk vorbereiten, um sie ertragen zu können. Wenn Frankreich, sagte der sehr konservative, streng katholische Tocqueville vor 40 Jahren, nicht durch Selbstverwaltung der Gemeinden, zur lebendigen Theilnahme an der Politik, zum Patriotismus erzogen wird, wenn der Unterricht nicht verbessert und verallgemeinert wird, wenn die Kirche nicht von der Aufsicht und scheinbaren Unterstützung des Staates befreit wird, so herrscht die Demokratie, aber nicht die Freiheit, so wendet sich das Volk nur der Pflege der Privat- und materiellen Interessen zu und das Schicksal des Vaterlandes liegt in der Hand weniger Ehrgeizigen oder Phantasten.

In Frankreich hat jeder Wähler Antheil an der Gesetzgebung des Staates, er bestimmt mit, welche Verfassung der Staat haben, welche Person an seiner Spitze stehen soll, — und er ist Sklave in der kleinsten Angelegenheit seiner Gemeinde. Er hat, wie ein französischer Schriftsteller sagt, einen Antheil an der Souverainität und erhält eine Erziehung, einen Unterricht, als wenn er zur Sklaverei bestimmt wäre. Daher ist die politische Indolenz so groß und und das Volk ist seit 80 Jahren ein Spielball von ehrgeizigen Abentheurern. In religiöser Hinsicht indifferent, politisch apathisch, ästhetisch frivol und oft cynisch, wendet es sich allein dem Erwerb und Genuß zu. Die Hebung des allgemeinen Wohlstandes unter dem zweiten Kaiserreich hat diesen Trieb um so mehr gesteigert, je mehr die Regierung das Volk von allen religiösen und politischen Interessen fern zu halten, den Luxus, die Leichtigkeit des Erwerbes zu steigern suchte. In der Gegenwart ist die Verbindung der Völker so lebendig und innig, daß man die Eigenthümlichkeiten eines Volkes theilweise, wenn auch in schwächeren Zügen, bei allen Völkern wiederfindet. Nach Georges Sand besteht der Idealismus der Franzosen darin, de bien être d'abord, ensuite mieux et toujours mieux. Der Kultur der materiellen Interessen, die Begünstigung des Handels, der Industrie, die Abwendung von allen Idealen, das sind Richtungen die den europäischen Nationen gemein sind, und welche die Franzosen le positivisme nennen. Daher imponirt nur der Erfolg; vor jeder vollendeten Thatsache beugen sich Nacken und Knie, aber ohne Treue, ohne Liebe, ohne Ehrfurcht, und jedes neue fait accompli findet dort denselben Gehorsam, dieselben lächelnden Mienen und gebogenen Knie. In der Literatur spricht sich der Mangel jedes Ideals am deutlichsten aus. Die Frivolität des Theiles der französischen Literatur, der fast allein einen Weg nach Deutschland findet, die unmoralischen und süßlich sentimentalen Romane und Schauspiele machen den Eindruck des Skepticismus und der welken Lüsternheit eines abgelebten Greises. Offenbach's Operetten mit ihrer bequemen Liederlichkeit und kalten Verhöhnung jedes Ideals sind der korrekte musikalische Ausdruck dieser Richtung.

Eine tiefe Kluft trennt die Anschauungs- und Empfindungsweise der Corneille und Racine von den Schriftstellern des 19. Jahrhunderts.

Wenn Corneille in den Horaces sagt „Chacun doit oublier ses mal-
heurs domestiques, en voyant rayonner le bonheur publique", so sprach
er nur aus, was die Besseren Frankreichs fühlten. Die unbedingte Hingabe
an den Staat, an den König, der das Wesen des Staats darstellte, erfüllte
damals die Franzosen. Dazu steht die französische Literatur der neuen Zeit
im schroffsten Gegensatz, und nicht etwa nur die des 2. Kaiserreichs. Atala
und Réné von Chateaubriand, Benjamin Constants Adolphe, die mémoires d'Outre-tombe sind ebenso unmoralisch, ebenso krank an der eitelsten
Selbstbespiegelung, dem vollendeten Individualismus als die schwächeren Romane und Schauspiele der letzten Jahre. Und auch wir tragen die Mitschuld
an den Erfolgen solcher Schriften. Corneille, Racine, Pascal waren der
Ausdruck einer höheren Kultur, als sie in Deutschland nach dem 30jährigen
Kriege zu finden war; heute lesen wir weder Toqueville noch Guizot und
Thierry, aber Faydeau und Oktave Feuillet sind in vielen Händen, die schöne
Helena und Fernande beherrschen einen Theil unsrer Bühnen, während die
ernsteren Franzosen Göthe, Schiller und Beethoven studiren.

In einem Dorf der Champagne nahm mir der Sohn des Müllers, bei
dem ich einquartirt worden, in der mehlbestaubten Blouse das Pferd ab; wir
aßen später zusammen; Vater und Sohn, beide in der Blouse, waren gebildete Leute und der Sohn spielte nach Tisch eine Sonate von Beethoven auf
dem Cello.

Zwei Gefahren, die von der Demokratie schwer zu trennen scheinen,
zeigen Frankreich und die vereinigten Staaten in gleicher Weise: — die Demoralisation der Beamten und die der Politiker von Fach. Wo Erwerb
und Genuß — in Frankreich auch die Sehnsucht nach dem rothen Bänd-
chen im Knopfloch, dessen sich 500,000 Franzosen erfreuen. sollen — den
Menschen einzig bestimmen, wo das äußere Ansehen fast allein an den Besitz
geknüpft ist, da bietet die Stellung des im Verhältniß zum Kaufmann, Fabrikanten, selbst zum Fabrikarbeiter, kärglich besoldeten Beamten, wenig Aussichten. Im Ganzen haben die neuen Regierungen in Frankreich nach jeder
Revolution sämmtliche Beamten mit übernommen, die Demoralisation der
Beamten ist also lange nicht so tief eingedrungen, wie in den vereinigten
Staaten, wo seit Jacksons Beispiel bei jedem Wechsel des Präsidenten eine
allgemeine rotation in office erfolgt, die Beamten also nur Diener einer
Partei sind. Aber die Politiker von Fach, welche die Wahlen, die Presse
großentheils leiten, stehen auch dort wie in Amerika in geringer Achtung; die
konstituirenden Versammlungen, die vom Volke gewählt, das Schicksal des
Vaterlandes bestimmen sollen, haben seit 1793 sehr selten und zum kleinsten
Theile aus den angesehensten, geachtetsten Männern des Volkes bestanden
und waren nichts weniger als der Ausdruck, seines Willens, seiner Meinung.
Das nach General Wimpffen's Ausdruck, durch die Präfekten-Wirthschaft chloro-
formirte Volk, hat alle politische Lebensfähigkeit verloren; wie Jeder, der in

der Gemeinde sich zum Herrn aufwerfen will, sie beherrschen kann, so ist es
im Staate. Es gilt nur durch eine Emeute in der Hauptstadt das Staats-
oberhaupt zu stürzen, den Knopf des Hebels der großen Centralisationsmaschine zu fassen, und ganz Frankreich gehorcht unbedingt. Schon Tocqueville
sagt, daß in so regierten Staaten wohl Revolutionen, aber kein Bürgerkrieg
möglich sei und das bewährt die Geschichte seit 70 Jahren. 1814 setzten die
Alliirten Ludwig XVIII. auf den Thron, nach Napoleons Rückkehr von Elba
wurde das Kaiserreich erklärt; wenige Monate darauf kam Ludwig XVIII.
wieder. Frankreich ertrug schweigend Louis Philipp's Vertreibung, die das
Werk einer verschwindend kleinen Minorität war, und Lamartine's Republik;
es wählte Louis Napoleon zum Präsidenten und ertrug den Staatsstreich aus
Angst vor dem spectre rouge, der im Frühjahr 1871 sein häßliches Haupt
enthüllte, — es hätte aus demselben Grunde ohne die Kriegserklärung des
Kaisers seine Herrschaft noch lange ertragen. Es gab dem Kaiser, von dem
es Erhaltung des Friedens hoffte, 7 Millionen Stimmen, und als bald darauf die Armee geschlagen, der Kaiser gefangen, die Dynastie gestürzt war, da
erhob sich keine Stimme für die Regentschaft, da ertrug das sehr friedliebende
Frankreich die Herrschaft der wenigen Männer, die den Muth oder die
Dreistigkeit hatten, die Zügel der Regierung in die Hand zu nehmen.
Ich will hiermit keinen Vorwurf gegen Favre, Trochu und Gambetta aussprechen, der Sinn, der unsere Väter 1813 belebte, fordert die Anerkennung,
daß ein Volk selbst nach solchen Niederlagen, wie sie Frankreich im Sommer
1870 erlitt, die Waffen noch nicht niederlegen darf, und nach meiner Ueberzeugung stand Frankreich trotz seiner erfolglosen Kämpfe beim Friedensschluße
würdiger da, als wenn es nach der Kapitulation von Sedan den ihm diktirten
Frieden angenommen hätte. Nur wer in ähnlicher Lage Größeres geleistet,
wie die Bewohner von Numantia und Karthago, darf lächelnd auf die Vertheidigung von Paris herabblicken; die Bereitwilligkeit und Hingebung mit
welche der kleine und mittlere Bürgerstand 5 Monate lang Gefahren und
Entbehrungen geduldig und meist heiter ertrug, verdient alle Anerkennung.
Aber der heroische Widerstand, die massenhafte Schöpfung der Heere, die im
Spätherbst 1870 aus dem Boden wuchsen, sind keine Zeugen für die nationale Erhebung, für begeisterte Kampfbegier des Volkes; sie waren von der
damaligen Regierung befohlen, von den Präfekten angeordnet und das Volk
erduldete schweigend und lenksam die Fortsetzung des Widerstandes, wie es die
Revolution vom 4. September, Napoleons Herrschaft und so viele andere
Regierungen erduldet hatte.

Der stete Wechsel der politischen Formen ist nicht die Folge der Beweglichkeit und wilden Leidenschaftlichkeit des Volkes, sondern seiner Apathie, seiner
moralischen Feigheit. Die neueste Geschichte Frankreichs zeigt keine Bürger-
kriege wie im Mittelalter und im 16. Jahrhundert, es sind nicht die Crisen
einer jugendkräftigen Nation, sondern die Zuckungen eines entnervten, greisen-

haften Volkes, an die Römer in den späteren Jahrhunderten des Kaiserreichs, an das heutige Mexiko erinnernd. Wie damals im römischen Reich leben in Frankreich treffliche Männer, voll Religiosität, ehrenwerth und tugendhaft im Privatleben, aber es fehlt an allem kräftigen Bürgersinn, an allem gemeinsamen Wirken; der Individualismus, das Privatinteresse beherrscht Alles. Daher ist der Staat kein Organismus, sondern ein Konglomerat von Atomen, die der Mechanismus der büreaukratischen Centralisationsmaschine in Bewegung setzt. Die große Majorität des Volkes ist eminent pacifique, durchaus konservativ, nicht aus Liebe zu einer politischen Form, sondern aus Gleichgültigkeit gegen jede; aber weil sie zu indolent und jeder Initiative zu abgeneigt ist, sich geltend zu machen, so bleibt ihre Kraft latent, denn nur die wirkenden Kräfte gelten.

Nur drei politisch wirkende Kräfte ließen sich bisher in Frankreich erkennen, — die Beamtenhierarchie und das Heer unter dem jeweiligen Herrscher, der katholische Klerus und die Socialisten der großen Städte, mit ihren vielverzweigten Affiliationen. Die große Masse des Landvolkes, der Bürger der Städte, selbst der Pariser épicier, fast alle Besitzenden und Erwerbenden bilden nach dem Worte des Georges Sand toute une France par le nombre, une majorité flottante entre les trois drapeaux, et prête à se rallier autour de celui qui lui offrira le plus sécurité. Das ist das Unglück Frankreichs, sagte mir ein wohlmeinender, gebildeter Franzose, daß in jedem Dorf, in jeder Gemeinde 2—3 freche, elende Gesellen sich zu Herren aufwerfen und alle honnêtes hommes tyrannisiren können. Aber warum leidet Ihr das: „Ah, on pourrait subir des inconvénients assez graves." In einem Dorfe mit 643 Einwohnern eine Meile diesseits Verdun wurde mir gemeldet, es seien uns in der Nacht 2 wollene Decken gestohlen. Ich ließ den Maire rufen, und er sagte „Gewiß hat das der Spitzbube Koch gethan." „Wer ist denn Koch?" „Ein Elsässer, der bei Beginn des Krieges hergekommen, sich in einem leerstehenden Hause einquartirt hat, im Dorf und in der Umgegend stiehlt, und für die ganze Gemeinde eine Plage und Schmach ist." „Aber warum verhaftet Ihr ihn nicht?" „Seit dem Kriege sind keine Gendarmen hier." „Warum thut Ihr es selbst nicht." „Das wäre bedenklich, er könnte sich wehren." Dabei war der Maire ein rüstiger Mann, hatte eine Meute von 14 Jagdhunden, mit denen er Wölfe und Eber in den Argonnen jagte. Die Decken fanden sich in Kochs Wohnung, er selbst war verschwunden. Ich ließ das Haus verschließen, und übergab die Schlüssel dem Maire, bin aber überzeugt, daß der Elsässer nach unserm Abmarsch wiedergekommen, das Haus bezogen und das große wohlhabende Dorf weiter beherrscht hat.

Jede solcher Gemeinden ist das Bild Frankreichs und wenn jede Gemeinde sich von irgend einem Schurken oder Narren terrorisiren läßt, so kann die Nation als solche weder Energie noch Selbstbestimmung zeigen.

Dieser Mangel an moralischem Muth, die absolute Unfähigkeit zur Selbstbestimmung und zum Ergreifen der Initiative, welche die Nation seit fast
einem Jahrhundert zum Spielball wechselnder kleiner Minoritäten machen, sie
verrathen ihre Spuren selbst bei den wildesten Freveln und Verbrechen, deren
das Volk sich schuldig macht. Die Septembriseurs, die Danton 1792 zur
Ermordung der sogenannten Aristokraten anhetzte, waren zum kleinsten Theile
forçats aus Marseille; aus den Rechnungen des Pariser Gemeinderaths hat
Sabatier nachgewiesen, daß die Mörder der Mehrzahl nach Pariser épiciers,
Barbiere, Bäcker und dergleichen waren, die für die Mordthaten bezahlt wurden und quittirten. Und nicht Haß und Wuth hat sie dazu vermocht, sondern
allein die Angst, sie fürchteten für schlechte Republikaner zu gelten, sie waren
verdächtig und mordeten aus Furcht vor der Guillotine. Und die Anklage-
akte gegen die Mörder des Erzbischofs Darboy und der Geißeln weist nach,
daß Delecluze und seine Genossen ein Kriegsgericht und die Erschießung der
Gefangenen verfügten, weil sie selbst der aufgeregten Nationalgarde verdächtig
geworden und sie ihren Kredit durch solch ein Verbrechen am besten herstellen
konnten.

Von dem Haufen trunkener Verbrecher, welche die Exekution vollzogen,
schlichen Einzelne vorher bei Seite, Andere vollführten die That mit bebenden
Knieen und Thränen im Blicke. Als in Paris ein unglücklicher Polizeiagent
gemißhandelt und dann in der Seine ertränkt wurde, verübten nur wenige den
Mord; Tausende sahen theilnehmend, aber schweigend, unthätig zu. In ähnlicher Lage wurde ein Adjutant des ermordeten Generals Thomas von einem
16 jährigen jungen Menschen, der sich ein Herz faßte, gerettet und das ließen
die Mörder wiederum geschehen.

Auf das festeste bin ich überzeugt, daß die Mehrzahl der Franzosen, die
Mehrzahl der Mitglieder der Gerichte selbst, die Freisprechung der Mörder
preußischer Soldaten gemißbilligt hat, aber wo soll eine französische Jury den
Mannesmuth finden, mit freiem Wort den forcirten Phrasen eines fanatischen
Advokaten entgegenzutreten, die von dem Beifallsgeschrei der Tribüne begleitet
worden sind?

Ich will mein Gesammturtheil über die Franzosen als Nation, im Verhältniß zum Staat, noch einmal mit Renans Worten wiedergeben:

„Eine der traurigsten Folgen der Demokratie ist es, die öffentlichen Angelegenheiten zur Beute einer Klasse von mittelmäßigen und eifersüchtigen Po-
litikern zu machen, die von der Masse wenig geachtet werden, die ihren Man-
datar von heute sich gestern vor ihr erniedrigen sah und die es weiß, durch
welche Charlatanerien er ihre Stimmen gewonnen hat. Die Regierung Napoleon III. hatte unbestritten, trotz ihrer ungeheuren Mängel, die Hälfte ihres
Programms erfüllt. Die Majorität in Frankreich war vollständig zufrieden,
sie hatte was sie wollte: Ordnung und Frieden.

Die Freiheit fehlte freilich, das politische Leben war äußerst schwach, aber das verletzte kaum den sechsten Theil der Nation und in dieser Minorität muß man noch eine kleine Zahl unterrichteter Leute von einem unwissenden, aufrührerischen Haufen unterscheiden, dessen einziges Programm darin besteht, immer in Opposition zu sein.

Die Regierung war freilich schlecht, aber wer die Rechte der Dynastie nicht in Frage stellte, litt wenig, selbst die Opposition war [mehr genirt als verfolgt. Der Reichthum des Landes nahm in unerhörter Weise zu. Wer Frankreich kennt, der weiß, daß seine Richtung seit 50 Jahren im höchsten Grade friedlich ist. 1848 begannen zwei Strömungen sich zu zeigen, die der Tod allen kriegerischen Geistes und des Patriotismus sind, — das Erwachen des materiellen Begehrens bei den Arbeitern und Bauern. Der Socialismus ist der Antipode des kriegerischen Geistes, die Negation des Patriotismus; die internationalen Doktrinen beweisen es; der Abscheu des Landvolkes vor der Conscription hat zugenommen, seitdem ihm der Weg zum Reichthum eröffnet ist, seitdem er begriffen, daß seine Industrie die lohnendste und sicherste ist. Bei einer Wahlreise 1869 lernte ich ein ganz ländliches Departement, Seine et Marne kennen, wo das Landvolk für gebildeter gilt, als in irgend einem Theile Frankreichs. Eine billige, wenig imposante und wenig belästigende Regierung, ein gewisser Wunsch nach Freiheit, ein großer Durst nach Gleichheit, eine völlige Gleichgültigkeit gegen den Ruhm des Vaterlandes, ein sehr bestimmter Wille, nur greifbaren Interessen Opfer zu bringen, so fand ich den Geist der ländlichen Bevölkerung. Die wenig zahlreiche bonapartische Partei regte den Kaiser in beklagenswerther Weise auf, die katholische Partei suchte ein fast erloschenes Feuer anzufachen, aber das berührte in keiner Weise das Land. Die Erfahrung von 1870 hat es wohl gezeigt; die Kriegserklärung wurde vom Lande mit Bestürzung aufgenommen, die einfältigen Rodomontaden der Journale, das Geschrei der Gassenjungen auf den Boulevards — das sind Thatsachen, mit denen die Geschichte nur zu rechnen hat, um zu zeigen, wie sehr ein Haufe von Narren über die wahre Gesinnung eines Landes täuschen kann."

Selbst nach den Berichten der napoleonischen Präfekten stimmten nur 17 Departements unbedingt für den Krieg; auch der Pariser Bourgeois, von dem Lärm die Straßen durchziehender Regimenter ans Fenster gerufen, sah bedenklich aus, weil er ein Schwanken der Kourse und geringeren Ertrag seiner Geschäfte voraussah, — im Uebrigen war der Krieg Sache der gut bezahlten und in früheren Kriegen bewährten Armee und ging ihn nichts an; das Landvolk an den Grenzen sah sorgenvoll die Truppen vorbeimarschiren, es schien, wie französische Offiziere schreiben, zu sagen: „Sauvez-nous, defendez-nous." Die Masse des Volkes sieht den Krieg und alle revolutionären Erschütterungen wie unabwendbare Naturerscheinungen, wie Sturm und Gewitter an. Sie ducken unter, ertragen, was sie nicht abwenden können, benutzen, was ihnen

Vortheil verspricht und wenn der Himmel wieder heiter, beginnt der tägliche Kampf um das eigene und der Familien Dasein, das Streben nach Erwerb und bequemen nicht leidenschaftlichen Genuß.

Und ein solches Volk sollte den Kaiser zum Kriege gedrängt haben, zu dem ersten Kriege, den er ohne einen Alliirten geführt, gegen einen Gegner, dessen Stärke ihm der Krieg von 1866 bewiesen hatte. Denn nachdem sich der gänzliche Mangel an Vorbereitung für den Krieg gezeigt, suchen napoleonische Schriftsteller die unbesonnene Kriegs-Erklärung dadurch zu motiviren, daß die Regierung durch die erregte Stimmung des Volks und der Kammern dazu gezwungen worden sei. Aus Benedetti's nicht widerlegter Veröffentlichung geht hervor, daß Gramont, nachdem er künstlich die sogenannte Kriegslust in der Kammer wie unter den Journalisten und Schreiern der Boulevards von Paris hervorgerufen, geglaubt hat, ihr nachgeben zu müssen, um nicht die Existenz seines Ministeriums und der Dynastie zu gefährden. Welche Persönlichkeiten in der wohl entscheidenden Nacht vom 14. zum 15. Juli dem schwachen Kaiser den Entschluß zum Kriege abgedrungen haben, das mag erst in Jahrzehnden an den Tag kommen. Seiner träumerischen, grübelnden, jeder Initiative abgeneigten Natur, lag ein solches Wagniß sehr fern; hier wie bei fast allen Krisen seines an Ereignissen, nicht an Handlungen reichen Lebens ist er durch seine Umgebung bestimmt worden. Aber die klaren, entschlossenen und gewissenlosen Männer, die ihn zum Staatsstreich bestimmten — Morny, St. Arnaud, Magnan — waren todt, Fleury in Petersburg; und unter seiner Umgebung befand sich 1870 keine politische oder militairische Kapacität. —

Die Individualität des Kaisers ist zuerst in Kinglake's Werk „Invasion in Crimea" richtig dargestellt; wie treffend seine Charakteristik gewesen, das haben die späteren Jahre bewiesen. Ein französischer Offizier erzählt, daß der Kaiser am 28. Juli 1870 bald nach seiner Ankunft in Metz das Fort St. Quentin besichtigt. Alles war unvorbereitet, kein Geschütz auf den Wällen, keine Scharte in die Brustwehren geschnitten. Der Kaiser verharrte in düsterem Schweigen, gab keinen Befehl, sprach kein Wort des Tadels aus. Voll trüber Ahnungen hat er den Krieg erklärt, er sah die für ihn und Frankreich verderblichen Folgen voraus, fand aber nicht die Kraft, der ihn bestimmenden Umgebung entgegenzutreten.

Von höheren Offizieren sollen besonders Frossard, Leboeuf und Lebrun zum Kriege gerathen haben. Auch das scheint unbegreiflich. Nach dem Kriege von 1866 war die Neubewaffnung der Infanterie und die Reorganisation durch den fähigen Kriegsminister Niel durchgeführt, wenn er auch keineswegs seinen ganzen Plan durchsetzen konnte. Aber in Niels Kammerreden, in vielen gut geschriebenen Conférences, die vom Kriegs-Ministerium aus, der Armee zugingen, war wiederholt darauf hingewiesen, wie die Ueberlegenheit der preußischen Armee in ihrer Kriegsbereitschaft im Frieden läge, daß ein Grundfehler der französischen Armee sei, ihre Regimenter im Kriegsfalle aus allen Theilen Frankreichs kompletiren, die größere Zahl ihrer Armee-Korps, Divisionen und Brigaden erst bei der Mobilmachung formiren zu müssen. Das

Oberst Stoffel Berichte über den Zustand der preußischen Armee ließen an Klarheit nichts zu wünschen übrig — freilich hatte Leboeuf an vielen Stellen des Manuskripts die Bemerkung exagération am Rande hinzugefügt. Die Wirkung des Chassepotgewehrs, so bedeutend sie ist, wie die der Mitrailleusen, scheint sehr überschätzt zu sein, ebenso hoffte man auf mindestens neutrale Haltung der deutschen Südstaaten, vielleicht auf Oesterreichs, Italiens, Dänemarks Alliance. Das Alles, besonders der Wunsch, das Prestige Frankreichs wieder zu gewinnen, erklärt hinreichend, daß ein Krieg mit Preußen gesucht wurde, und ohne Zweifel lag ein glücklicher Krieg im Interesse der Politiker von Fach, der Regierung, eines Theiles des Heeres. Aber keineswegs erklärt es, daß er ohne alle Vorbereitung, ohne Alliancen, ohne jede genügende Nothwendigkeit, unter dem frivolsten Vorwande vom Zaune gebrochen wurde.

Die Armee erwartete den Krieg damals nicht und drängte die Regierung ebensowenig dazu. In der Prätorianer-Armee, die Napoleon sich heranbilden wollte, war durch die Stellvertretung und die Dotationskasse ein sehr friedliches Element erzogen; es waren unter den Unteroffizieren und alten Soldaten viele Rentiers, die bald hofften von den Revenüen des erdienten Kapitals sorglos und unthätig leben zu können. Die Subaltern-Offiziere, großentheils aus den Unteroffizieren hervorgegangen, waren sehr viel älter als die gleichen Grade im deutschen Heere und hatten wenig von einem Kriege zu hoffen. Wenn manche der höheren Offiziere und jüngere, aus den Kriegsschulen hervorgegangen, einen Krieg um die Rheingrenze wünschten, so kannten sie doch alle Mängel der Organisation, die ein unmittelbares ins Feld rücken erschwerten. Wer die französische Armee kennt, muß lächeln, wenn er die Behauptung hört, sie hätte den Krieg gefordert, weil die Hohenzollersche Thron-Kandidatur und die Form ihrer Erledigung die National-Ehre gekränkt habe. Die Stimmung des Soldaten will ich mit den Worten eines französischen Offiziers wiedergeben. Der Kommandant David, der bei Beaumont schwer verwundet wurde, schrieb während des Rückzuges der Armee Mac Mahons von Reims nach Sedan in sein Tagebuch: „Trotz unserer Niederlage zeigt sich keine Demoralisation bei unseren Soldaten und hätten sie Brod, so würden sie fröhlich singen. Die guten Leute fühlen nicht die Gefahr unserer Niederlage für unser Vaterland, — arme Bauern ohne Unterricht und Erziehung, in deren Herzen das Wort Vaterland keine Saite erklingen läßt „le mot de patrie ne fait vibrer aucune corde en eux." Und dies Wort aus dem Tagebuche eines Todtgeglaubten wurde von allen französischen Militairschriftstellern mit voller Beistimmung als besonders charakteristisch wiederholt. Und das waren nicht Mobilgardenhaufen, die Gambetta aus der Erde stampfte, sondern im Frieden erzogene Soldaten des napoleonischen Heeres mit fünfjähriger Dienstzeit. Die Indolenz, die moralische Apathie, das auf materielles Wohlsein gerichtete Streben des ganzen Volkes mußte das Heer um so mehr durchdringen, als der Kaiser es Jahrzehnte lang von allen wissenschaftlichen und idealen Interessen absichtlich ferngehalten hatte; Niel's Reformen auch in dieser Hinsicht, waren noch nicht durchgedrungen. Bald nach der Katastrophe

von Sedan forderten fast alle Stimmen des Heeres die Einführung der allgemeinen Dienstpflicht. Neuerdings, und ich glaube mit Recht, wird die Forderung weniger laut und allgemein ausgesprochen. Wie könnte ein preußischer
Offizier den unendlichen Segen, den die allgemeine Dienstpflicht unserem Heer
und Volke gebracht, verkennen! Aber dort liegen die Verhältnisse für jetzt
anders. Einer der größten Mängel des Heeres war Insubordination und Indisziplin, selbst jetzt wo der Ersatz überwiegend aus der so lenksamen und
gutwilligen ländlichen Bevölkerung genommen wird.

Die Aufhebung der Stellvertretung würde dem Heere schwer zu discipli-
nirende, von revolutionären Geiste zersetzte Elemente zuführen.

Wenn man von den materiellen Verbesserungen absieht, die Frankreich
allerdings dem Kaiser verdankt, so erscheint seine Politik doch wesentlich negativ,
fast nur durch die Angst vor der Revolution, die seine Dynastie zu stürzen
drohte, bestimmt. Auch seine oft erfolgreiche äußere Politik war ihm nur ein
Behikel der inneren. Die Sehnsucht der Masse nach Ruhe und Ordnung,
ihre Furcht vor der socialen Revolution und vor jeder Erschütterung, die den
Erwerb stört, ohne irgend eine Verbesserung zu gewähren, wie so manche
Erfahrung es bewiesen, das waren die Begründer und die noch festen Stützen
der napoleonischen Herrschaft; die Kraft der revolutionären Partei haben er
und ganz Frankreich immer überschätzt, — ohne die Kriegserklärung, vielleicht
ohne seine Theilnahme an der Kapitulation von Sedan säße er noch auf Frankreichs Thron.

Gramont's und Ollivier's echauffirte Reden in den Kammern Anfangs
Juli überraschten das Heer ebenso, wie die am 15. angeordnete Einberufung
der Reserven. Ob ein Prinz von Hohenzollern auf dem Throne Spaniens saß
oder nicht, war der Masse der Offiziere und Soldaten absolut gleichgültig und
es war doch schwer, aus diesem Konflikt eine Verletzung der Nationalehre
herauszufinden.

Von den 8 Armee-Korps, die aufgestellt werden sollten, waren nur 4
formirt — die Armee von Paris, Lyon, Chalons und die Garde — 6 Korps
wurden längs der Grenze von Thionville bis Belfort verstreut, die Garde
und das 6. Korps in Metz und Chalons. Aus allen Theilen Frankreichs
strömten die Reserven zu den Depots der Regimenter, um nach der Einklei-
dung und Bewaffnung vom Depot zum Regiment, oder dem Sammelplatz
des Armee-Korps zu eilen.

Denn territoriale Bezirke, in denen das Regiment steht und aus denen
es seinen Ersatz zieht, durften dort nicht bestehen, um die Truppen von der
Bevölkerung fern zu halten. — Zum Beispiel stand ein Regiment in Dün-
kirchen, es fuhr etwa am 22. Juli nach Thionville, wo das 4. Korps formirt
wurde, die Reserven wohnten in der Côte d'or, den Ardennen, in Bordeaux,
und wurden nach dem Depot des Regiments in Lyon beordert, um da einge-
kleidet zu werden; sie gingen von Lyon nach Thionville. Frankreich hat nur
3 Eisenbahnen, um seine Heere an die deutsche Grenze zu werfen, darunter

eitie eingeleitige. Wer einen Blick auf das französische Eisenbahnnetz wirst, der muß erkennen, daß alle Radien nach dem Centrum Paris führen und daß keineswegs kriegerische Gelüste seine Anlage bestimmt haben. Hätte die Regierung auch nur im Mai 1870 die Absicht gehabt, einen Krieg mit Deutschland herbeizuführen, so wäre es ohne Wahnsinn unerklärlich, daß die direkte Linie von Paris nach Metz und Saarbrücken nicht vollendet wurden. Die Bahn war bis Verdun fahrbar, auch die Strecke von dort bis Metz größtentheils fertig, eine Arbeit von 2 Monaten hätte genügt, um die Hauptstadt mit der stärksten Festung und der Grenze in fast gerader Linie zu verbinden und die bequemste Operations- und Verpflegungslinie zu schaffen. Die Ueberfüllung der Eisenbahnen und die Stockungen des Verkehrs wurden noch dadurch vermehrt, daß das gewaltige, zur Mobilmachung einer Armee erforderliche Material an nur 3 Orten aufgespeichert war. Keine der Grenzfestungen war verproviantirt, den Truppen fehlte es an Verpflegung und Ausrüstung aller Art, namentlich am Train, und da die centralisirende Administration auch im Heerwesen streng durchgeführt ist und der Kriegsminister allgewaltig herrschte, die Regimenter direkt unter ihm stehen, so wendete sich alles an den ziemlich unfähigen Leboeuf, der mit seinem aide-major-général Lebrun und seinem ganzen Stabe vom Beginn der Mobilmachung an, den Kopf verloren hatte. Eine aufgefangene Depesche des Präfekten in Marseille aus jenen Tagen sagt: „Hier treffen Massen von Reserven aus allen Departements ein, — wo soll ich mit ihnen hin, Transport- und Lebensmittel fehlen, — ich werde sie nach Algerien schicken." Von den bei 4 Korps neu ernannten Brigade- und Divisions-Kommandeuren suchten viele ihre Truppen, deren Standorte sie nicht kannten. Leboeuf's Befehle, er war Chef des Generalstabes im kaiserlichen Hauptquartier, wurden oft nicht ausgeführt. Weil die Marschälle nach alt napoleonischer Tradition ungern gehorchten und nur unter dem Kaiser stehen wollten, so wurden nicht zwei getrennte Armeen formirt, sondern alle 8 Korps traten direkt unter des Kaisers Befehl. Ueberhaupt zeigen sich viele der wesentlichsten Mängel der französischen Armee des zweiten Kaiserreichs schon in derjenigen Napoleon I. Das Mißverhältniß zwischen den Marschällen und Korps-Generalen, die Indisziplin der Soldaten, der Mangel an Sicherheitsmaßregeln auf dem Marsche wie im Lager, die Unfähigkeit für den kleinen Krieg, sind 1813 so hervortretend wie 1870.

Der Gedanke eines Krieges mit Preußen ist in der Umgebung des Kaisers, unter hohen und niederen Offizieren, seit 1866 gewiß vielfach besprochen worden; der Plan war auf die schwankende Haltung der Südstaaten, vielleicht auf ihre Alliance gebaut. Zwei Armeen, bei Straßburg und Metz zusammengezogen, sollten über die Lauter und Saar in Deutschland eindringen, sich wie ein Keil zwischen Nord- und Süddeutschland schieben, sich dann vereinigen und nach gehofften Siegen sich auf Berlin wenden. Aber die Erklärungen der Könige von Bayern und Würtemberg, die am 15. Juli in Paris bekannt waren, verrückten dem Kaiser das Konzept und man kann sagen, daß er seit der Kriegserklärung gar keinen bestimmten Plan gehabt hat. Die 6 einzelnen Korps blieben unthätig an der Grenze stehen, erst nach der Schlacht bei Saarbrücken wurden 3 Korps dauernd unter Bazaine's Befehl gestellt. Hätte der Offensiv-Plan, von dem der Kaiser in einer von Wilhelmshöhe datirten Brochüre redet, bestanden, so hinderte ihn am 25. Juli nichts, sein 2., 3., 5. und Garde-Korps, die bereits vor dem Kriege formirt waren, wenn ihnen auch noch die Reserven fehlten, über die Grenze zu werfen und im Feindeslande vom Feindeslande zu leben. Aber die Tradition der napoleonischen Kriege, die Verpflegung durch Requisition, die längst in die Praxis deutscher Heere übergegangen, scheint dort vergessen worden zu sein.

Die Korpsführer, die am 30. Juli eine Bewegung ausführen sollten, meldeten, sie wären noch nicht marschbereit; die Hauptschwierigkeit lag in der Verpflegung, die aus dem Magazine in Metz bezogen werden sollte. Der Mangel an Energie und Initiative, die Abhängigkeit von Schema und Reglement, an welche die centralisirende Administration gewöhnt, zeigt sich im Kaiser und seinem Stabschef, wie in allen Generalen und dem ganzen Heer.

Am 4. August hatten die 8 Armee-Korps die etatsmäßige Stärke von etwa 270,000 Mann erreicht; die energische Offensive des deutschen Heeres ersparte es dem Kaiser und Leboeuf, weitere Kriegspläne zu fassen.

Der Mangel jeder festen oberen Leitung dauerte bis zum 12. August, wo Leboeuf zurücktrat, Bazaine die Armee von Metz, Mac Mahon wenige Tage darauf die Armee von Chalons, Palikao das Kriegsministerium übernahm. Eine centrale Leitung der einzelnen Heere, wie sie bis dahin wenigstens nominell bestanden, fehlte von da ab bis zum Frieden von Versailles vollständig.

Der Feldzug von 1870 zeigt bei staunenswerthem Mangel an Voraussicht und Ueberlegung, seltene Energielosigkeit und moralische Apathie, von welcher französische Offiziere die schlagendsten Beispiele erzählen, bei der Indisziplin auf den Märschen und im Lager, von der sich nur die mit Unrecht verrufenen Turcos frei erhielten, daß die Truppen sich oft vortrefflich geschlagen haben*). Die Division Douay bei Weißenburg, Raoul bei Fröschweiler, Laveaucoupet bei Saarbrücken, haben nur nach schweren Opfern aus ihren guten Stellungen geworfen werden können; die französische Kavallerie hat z. B. bei Wörth mit dem höchsten Muthe, wenn auch ohne jeden Erfolg, attackirt. Wo die Führer auf dem Rückzuge nach Metz und Chalons nur einigermaßen für die schwer leidenden Truppen zu sorgen, ihre Autorität geltend zu machen

---

*) Französische Offiziere sagen, daß wer lange bei den Turcos (tirailleurs indigènes) oder bei den chasseurs d'Afrique gestanden, sich schwer an den Mangel an Subordination bei den französischen National-Regimentern gewöhnen könne. Wenn auf dem Rendezvous oder im Lager die Bataillone wie ein Bienenschwarm auseinanderstoben, um Kartoffeln, Rüben oder Zwiebeln auf den umliegenden Feldern zu suchen, so bleiben nur die besser disziplinirten, bedürfnißlosen Turcos bei den Gewehren. Auch die preußischen Festungs-Kommandanten bestätigen, daß sie von allen Kriegsgefangenen am leichtesten in Ordnung zu erhalten gewesen sind. Wie unsere Schlachtenmaler die schwarzen Wüstensöhne so oft in ihren Gemälden darstellen, daß man meinen sollte, die Hälfte der französischen Armee hätte aus afrikanischen Truppen bestanden, so ließen sie sich auch in den farbenreichen Schilderungen der Feuilletonisten am wirksamsten verwerthen.

suchten, da fanden sie bei der bonhommie und Lenksamkeit des Franzosen Gehorsam und guten Willen. Haben doch Mac Mahon und Failly ihre Korps nach dem Verluste aller Trains und aller Bagage, ohne Verpflegung aus Magazinen beziehen zu können, ohne Anordnungen für Requisitionen zu treffen, endlich in Chalons wieder zusammengefunden; die Armee wurde fast in derselben Weise nach Sedan geführt; Bazaine's Armee hat in Metz in den letzten Wochen vor der Kapitulation gelitten, was sonst nur Disziplin, Patriotismus und Treue gegen den Kriegsherrn erdulden lassen, aber die Schmiegsamkeit, Indolenz und Gutmüthigkeit des französischen National-Charakters ertrug das Elend und blieb gehorsam, trotz der Versuche mancher Offiziere, zu offener Auflehnung anzureizen, trotz des sehr verbreiteten Mißtrauens in Bazaine's Absichten, der in den Tagen der Kapitulation die bedenkliche Stimmung durch Vertheilung zahlloser Dekorationen an Offiziere, die sich gerade in jenen Tagen lebhaft darum bewarben, zu beschwichtigen suchte.

Wenn man bedenkt, was die französische Armee seit dem 14. Juli 1870 bis Heute erfahren, und sieht, daß sich noch kein Prätendent in ihr erhoben, kein Pronunciamento in spanischer oder mexikanischer Weise ausgesprochen ist, keine Meuterei im größeren Styl sich gezeigt, und die Armee im Ganzen die jedesmalige Regierung unterstützt, das Vaterland zu vertheidigen gesucht, die Ordnung erhalten hat, so muß man erkennen, daß sie gewaltige Prüfungen überstanden und daß auch edlere, bessere Elemente ihr den Halt gewährt haben. Andererseits erklärt es sich aus der Apathie, der Lenksamkeit und der Unfähigkeit einen Entschluß zu fassen, die im französischen National-Charakter liegen und durch die Geschichte Frankreichs und die centralisirende Administration verstärkt sind.

Seit alter Zeit hat ein großer Theil der Ueberlegenheit Frankreichs darin bestanden, daß dessen Stärke von den Nachbarn überschätzt wurde. Unter Ludwig XIV. war Frankreich ein centralisirter Staat, die Administration des Heeres durch Louvois war für jene Zeit vortrefflich; das mußte ihm dem vielgetheilten Deutschland gegenüber die Erfolge erleichtern. Die Kriegführung Ludwig XIV. und seiner besten Feldherren stand an Energie und Genialität weit hinter der des 30 jährigen Krieges zurück. Ebenso erklären sich der Einfluß der Revolution und die schrankenlose Herrschaft, die Napoleon ausüben durfte, aus dem Prestige Frankreichs, an das wir Deutsche so gut glaubten als die Franzosen. An ihrer eitlen Selbstüberschätzung tragen wir die Mitschuld; heute können wir ohne Entrüstung, aber mit Lächeln lesen, wie in den dreißiger Jahren hervorragende Schriftsteller, wie Börne und Heyne, für Frankreich fühlten und mit welcher Vorliebe sie es Deutschland gegenüberstellten. Daher habe ich bei aller offenen Anerkennung der guten Seiten im französischen Charakter zu zeigen gesucht, wie krank, schwach und zerfallen die Nation als solche ist und wodurch sie es geworden.

Und was ist nach all' dem für Frankreich zu fürchten oder zu hoffen? Alles oder nichts! — Es hängt ganz davon ab, in welche Hände das Volk hat die Kraft, sich selbst sein Geschick zu gestalten, seine Verfassung zu be

stimmen, seinen Regenten zu wählen, hat es verloren und in be⬛
Jahren unmöglich wieder gewinnen können. Die Folgen des ⬛
10. Auguſt 1871 über die conseils généraux, des erſten Schritt⬛
centraliſation und zur Selbſtverwaltung der Departements, haben ſi⬛
geltend machen können. Die jetzige Regierung hält ſich nicht durch ei⬛
ſondern durch die Schwäche der Prätendenten und Parteien, die augenbl⬛
macht der Sozialiſten. Das Land duldet die National-Verſammlung, wel⬛
ſchwerlich der Majorität des Volkes entſpricht, und den Präſidenten,⬛
jede Regierung ertragen und ihr gehorchen würde, die es wagt das ⬛
ergreifen. Eine ſtarke Partei im Lande hat keiner der Prätendenten,⬛
jeder von ihnen und noch viele neue die ſich erheben können, ſind mögl⬛

Die ernſteren, gebildeteren Franzoſen, die ich ſprach, hielten die ⬛
der Orleans für geſichert, wenn auch nach manchen Phaſen. Dabei ⬛
ſie für die Familie gar keine wärmere Sympathie, aber Frankreich e⬛
ſich unter Louis Philipp 18 Jahre lang des Friedens und Wohlſtandes,⬛
folgte die ſoziale Revolution, das Kaiſerreich, die Invaſion und die ⬛
So ſcheint ihnen die Dynaſtie der Orleans relativ die meiſte Garant⬛
die Wiederkehr der Ruhe und Ordnung zu gewähren, während ſie ander⬛
fürchten, daß jede neue Dynaſtie ſuchen wird, ihre Macht durch einen⬛
lichen Krieg feſter zu begründen, namentlich das Heer dadurch feſter ⬛
zu ketten.

Trotz der lauten Forderung Revanche zu nehmen, Elſaß und Loth⬛
wieder zu gewinnen, bildet eben die Beſorgniß vor der Revanche eine⬛
Stützen der gegenwärtigen Regierung, weil ſie leichter als irgend eine⬛
Prätendenten dieſer Forderung widerſtehen kann. Schwankt das Voll ⬛
wie Beuillot im Univers ſagt, bei ſeiner Unterſtützung der Regierung⬛
zwiſchen faute de mieux und crainte de pire, ſieht es ſie auch ⬛
neigter Fläche abwärts gleiten, ſo vertraut es ſich ihr doch an, um⬛
jähen Sturz in die Tiefe zu vermeiden. Aber jedem fait accompli wird⬛
Frankreich beugen, wie es ſeit 80 Jahren gethan, banquerott an allen ⬛
ſchen Idealen geworden, ohne lebendige perſönliche Sympathien fordert es⬛
der Regierung nur Ruhe und Sicherheit und die wird ihm jede neue Re⬛
rung zunächſt verſprechen.

Eines ſchönen Morgens kann uns der Telegraph die Nachricht von ei⬛
Regierungs- und Verfaſſungswechſel ſo überraſchend bringen, wie wir ⬛
den 24. Februar 1848 und Gramonts kriegeriſche Rede überraſcht wurd⬛
Unberechenbar und immer gefahrdrohend iſt die franzöſiſche Nation, aber ⬛
durch ihre Leidenſchaft und Beweglichkeit, ſondern durch ihre Indolenz, ih⬛
Individualismus, der ſie zur Beute jedes Entſchloſſenen macht, der den Heb⬛
der Maſchine ergreift und mit ihr die 34 Millionen Sandkörner sans cohésion et adhèrence ſeinen Zwecken dienſtbar macht.

Beiheft

zum

Militair-Wochenblatt

herausgegeben

von

A. Borbstaedt,

Oberst z. D.

1872.

Fünftes Heft.

Berlin 1872.

Ernst Siegfried Mittler und Sohn,

Königliche Hofbuchhandlung

Kochstraße 69.

Heinrich Wilhelm von Anhalt.
Ein biographischer Beitrag zur Geschichte des Königl. Preuß. Generalstabes.

Es sei erneut hier das Andenken an einen Offizier, dessen Streben und Leben, Wissen und Können nicht nur wichtig und werthvoll gewesen ist ihm, sondern auch als hervorleuchtendes Beispiel folgenreich wurde für spätere Tage und beachtenswerth zu bleiben geeignet ist. Indem wir uns vergegenwärtigen den Lebensweg dieses „Generalstäblers“, werden wir gewahren, wie das Schicksal nicht immer ihm hold — es ließ ihn dunkle Zukunftsjahre durchschreiten, stellte seine dienstliche Leistungsfähigkeit äußerst scharf auf die Probe, zeigte ihm, daß wer hoch steige, auch tief fallen könne, und bot ihm einen Beweis dafür, daß jähes Glück viel Feinde erzeugt — aber eine Hauptgnade wurde ihm einbescheert: die andauernd tüchtige Arbeitskraft, die unermüdliche Thätigkeitslust.

Der rechtschaffene Fleiß beschenkt mit den schönsten Stunden, er bringt „die süße Lust der Müdigkeit.“ Kant sagte, der Mensch sei nicht dazu da, glücklich zu sein, sondern die Pflicht zu thun.

Bevor wir vom General v. Anhalt reden, müssen wir zurückblicken auf das Haupt und die Glieder der Heldenfamilie, welcher er — als außerehelicher Sohn — zwar nicht vollgültig angehört, aber durch seinen Schwertstreich angereiht wurde, als rühmlichst Gleichgearteter.

Des am 3. Juli 1676 gebornen, den 9. April 1747 gestorbenen „alten Dessauers“, Fürst Leopold (und der 1701 in den Reichsfürstenstand erhobenen, mit ihm im September 1698 vermählten, 1677 gebornen, 1745 gestorbenen Anna Luise Föse) ältester Sohn Wilhelm Gustav wurde geboren den 20. Juni 1699. Er verheirathete sich 1726 mit Johanna Sophie ... 1737 den 16. Dezember starb er an den Pocken als General-Lieutenant und Chef des Kürassier-Regiments Nr. 6 (Stabsgarnison Aschersleben).

Die Wittwe nebst ihren 6 Söhnen und 3 Töchtern ist 1747 vom Deutschen Kaiser in den Reichsgrafenstand erhoben worden. Daß diese sechs „Grafen von Anhalt" sämmtlich das altdessauische Soldatenblut zur Geltung brachten im Preußenheere, wird aus folgenden Notizen ersichtlich sein.

1) Wilhelm, geb. 1727, nach des Vaters Tode am großväterlichen Hofe zu Dessau erzogen, 1744 als Kapitain im preußischen Dienst angestellt, erhielt eine Kompagnie, nachdem er den böhmischen und schlesischen Feldzug mitgemacht, sowie auch den pour le mérite. Im Oktober 1756 wurde er Major und Bataillons-Kommandeur, im März 1759 Oberst-Lieutenant und Flügel-Adjutant des Königs, 1760 Kommandeur eines aus 2 Kompagnien Garde und 2 Kompagnien „Prinz von Preußen" zusammengesetzten Grenadier-Bataillons, an dessen Spitze er in der Torgauer Schlacht den Heldentod fand. Tempelhoff will wissen, der König habe sich zu seinem Flügel-Adjutanten, Graf Friedrich Anhalt, gewendet mit den Worten: „Tout va mal aujourd'hui. Mes amis me quittent; on vient de m'annoncer la mort de votre frère." — Graf Friedrich sandte brauchgemäß das gebliebenen Ordenskreuz ein; der König kondolirte jetzt schriftlich, Torgau, 5. Novbr. 1760: „Ich verlor an Eurem Bruder einen sehr braven und qualificirten Officier, dessen Verlust Ich sehr zu regrettiren alle Ursach habe." Ein eigenhändiges Königliches Postscriptum zu einem Schreiben an Prinz Heinrich Königliche Hoheit, d. d. Unkersdorf 15. Novbr., schließt den Torgauer Schlachtbericht mit dem ehrenden Nachruf: „Le brave Anhalt des grenadiers est tué."

2) Leopold Ludwig, geb. 1729. Im Feldzug 1745 Volontair-Adjutant seines Großvaters, wurde er bald nach der Kesselsdorfer Schlacht zum ältesten Stabskapitain im Regiment „Alt-Anhalt" ernannt und hier im April 1748 zum Kompagnie-Chef befördert. In der Schlacht bei Prag trafen ihn drei Musketenkugeln; die eine in die rechte Wange, die zweite in den rechten Arm, die dritte zerschmetterte den rechten Unterschenkel. Französische Pässe zu unbehinderter Hin- und Rückreise gestatteten eine Kur in Aachen. Obwohl (zeitlebens) Hinkender, fand er sich im Laufe des Jahres 1758 wieder beim Heere ein, wo er inzwischen (5. Februar 1758) zum Major aufgerückt war. Am 4. Dezember 1759 gerieth er, unter General v. Diericke, in österreichische Kriegsgefangenschaft; man beurlaubte ihn aus Krems auf Ehrenwort nach Dessau; hier mußte er unausgewechselt bis zum Friedensschluß bleiben. Er wurde 1765 Oberst-Lieutenant, erhielt 1774 den pour le mérite — 1785 zum General-Inspekteur der niederschlesischen Infanterie ernannt, 1787 bei der Revue mit dem Schwarzen Adler-Orden dekorirt, ist er als General der Infanterie 1795 gestorben zu Liegnitz; „Soldat im strengsten Wortsinn und Verehrer der Wissenschaften."

3) Gustav, geb. 1730, 17 Jahre alt „eingetreten", wurde als Grenadier-Hauptmann in der Schlacht bei Breslau durch eine Geschützkugel getödtet.

4) Der bereits genannte Graf Friedrich, 1732 geb., ist 1747 im Regiment seines Oheims Fürst Dietrich als Lieutenant angestellt worden. Adjutant (1750) des regirenden Dessauers, überbrachte er die Nachricht von dessen Ableben im Dezember 1751 nach Berlin; der König behielt ihn als Flügel-Adjutant bei sich. Nach der Schlacht von Prag wurde er als General-Adjutant und Major dem Prinzen von Preußen überwiesen; nach der Kolliner Schlacht aber erhielt er ein Grenadier-Bataillon. Er fiel im Gefecht bei Moyß, durch Musketenkugel schwer verwundet am linken Arm, in österreichische Gefangenschaft. Die Höchsten und Vornehmsten auf feindlicher Seite bezeigten ihm ihr Bedauern und schickten ihm die besten Aerzte. Die Kraft des blessirten Armes blieb (zeitlebens) gelähmt; dennoch kehrte auch er, ein echter Dessauer, wie sein Bruder Ludwig Leopold, 1758 in den Kriegsdienst zurück (nach erfolgter Auswechselung). Bei Zorndorf erwarb er sich den pour le mérite. — 1776, bereits 6 Jahre General-Major, ohne Aussicht auf baldiges weiteres Vorwärtskommen, erbat und erhielt er seinen Abschied. Er trat (1777) als General-Lieutenant in die sächsische Armee über und von hier aus (1783) in die russische, mit 12,000 Rubel Gehalt und anderweiten Vortheilen. 1794 starb er zu Petersburg als General-Adjutant der Kaiserin und General-Direktor des adligen Landkadettenkorps. — „In seinen Mußestunden stets mit den Wissenschaften beschäftigt und diesen ein bereitwilliger Förderer; mit den gelehrtesten Männern seiner Zeit im lebhaften Briefwechsel."

5) Albrecht, geb. 1735, erhielt bei Kunersdorf eine Kontusion auf der Brust, starb als Preußischer-General-Major a. D. 1802 zu Dessau. Der große König rühmt ihn in seinen Aufzeichnungen über den Krieg von 1778 (Oeuvres Tom. VI, 160).

6) Heinrich, 1736 geb., ist 1758 gestorben als Hauptmann vor Dresden in seinem Zelte an Dyssenterie, weil er durchaus nicht die Armee verlassen wollte.

Diese Grafen Anhalt sind in außerpreußischen Militairkreisen als kleine Prinzen behandelt worden; in ihrem preußischen Dienstverhältniß hat man sie wohl aus Rücksichten gegen das altdessauer Feldmarschallhaus den ersten oder zweiten Schritt zu ihrem militairischen Aufsteigen rasch thun lassen; für die weitere „Soldatenfortüne" jedoch mußten sie, wie jeder Andere, selbst sorgen, und sie konnten dies gebührendermaßen, da ihnen Befähigung oder Gelegenheit, sich auszuzeichnen, hinlänglich sich darbot.

Der große König legte auf den hochtönenden Geburtstitel keinen besonderen Werth; er verlangte und bevorzugte das persönliche Verdienst, gleichviel ob es im Konnex mit vielen oder gar keinen Ahnen. Dies zeigt sich recht deutlich bei unserm

Wilhelm v. Anhalt, alias Wilhelmi.

Sein Vater, der (wie erwähnt) 1737 verstorbene Dessauische Erbprinz hinterließ zwei uneheliche Söhne, erzeugt mit der Tochter des Superinten-

11*

denten Schardius zu Deſſau. Der Jüngere (Heinrich Wilhelm) iſt unſer Generalſtabsmann. Karl Philipp, der Erſtgeborne, unter dem Namen Philippi eingetreten 1756 bei der preußiſchen Artillerie, gehört der Geſchichte der preußiſchen reitenden Artillerie an, und zwar ebenſo wie ſein Bruder als „v. Anhalt"; er ſtarb 1806 als penſionirter General-Major zu Berlin. Die Mutter verheirathete ſich mit dem Fürſtlich Anhalt-Köthenſchen Geheimen Konſiſtorialrath Günther.

Heinrich Wilhelm ward geboren den 24. Dezember 1734 zu Kapelle bei Radegaſt im Deſſauiſchen. Er erhielt sub nomine „Wilhelm" in Deſſau eine einfach bürgerliche gute Erziehung. Sodann kam er — wie eine Sage berichtet — als Jäger in den Dienſt des Fürſten Moritz, welcher, die außergewöhnliche Begabung bald erkennend, (als Onkel Hageſtolz) den weiteren Studien des jungen Guſtavſohn — ſo nannte er ſeinen Inkognito-Neffen — Vorſchub leiſtete, indem er denſelben zu ſich nahm in die Garniſon Stargard und ihn in die Lehre gab bei dem Ingenieur-Major Petri, welcher mit Königlichen Landesmeliorationen beſchäftigt war, über die der Monarch dem Fürſten Moritz die Oberaufſicht ertheilt hatte.

Petri, geſtorben 1776 zu Freienwalde als Oberſt, war ein großer Mathematiker, ein vorzüglicher Landkartenzeichner und ein in allen Theilen der Baukunſt ſehr erfahrener Mann. Nach ſeinem Entwurf iſt das Berliner Invalidenhaus gebaut. Mit gediegen ausgeführten Waſſerbauten half er Friedrich dem Großen „ohne Blutvergießen eine neue Provinz erobern" (Neuland an der Oder für 2000 Koloniſten). 1760 entſtand durch Petri, als Rekonvaleszent in Torgau, eine ſchöne Elbbrücke. Sein letztes Werk ſind 7 Kirchen für die bei Freienwalde herangeblühte Kolonie. Von ſeinen Schriften iſt uns nur bekannt die „Ausführliche Relation der von dem Prinzen Heinrich gegen die Reichsarmee im Mai 1759 ausgeführten glücklichen Expedition in Franken" (nebſt 8 Karten).

Dieſem Manne verdankte unſer Anhalt ſeine generalſtäbleriſche Vorbildung. Die gewonnenen Baufachkenntniſſe konnte er bald in ſelbſtſtändiger Weiſe bethätigen, da Fürſt Moritz ihm die Aufgabe ſtellte, in ſeiner Herrſchaft Milow bei Magdeburg Koloniſationsarbeiten auszuführen. Die raſche Auffaſſungsgabe und befriedigenden Leiſtungen des jungen Architekten veranlaßten den Fürſten, ſeinen Schützling nach Kriegsausbruch 1756 mit Königlicher Erlaubniß als „Suitier" zu ſich ins Feld zu berufen. Auf dem Schlachtfeld von Hochkirch (14. Oktober 1758) fielen Beide, der ſchwer verwundete Fürſt-Feldmarſchall und der ihn nach Bautzen begleitende „Wilhelm" in öſterreichiſche Gefangenſchaft. Man entließ den Fürſten auf Ehrenwort nach Deſſau. Wilhem folgte ſeinem Gebieter und Wohlthäter. Des „Suitiers" Auswechslung, wenn überhaupt nöthig, wird wohl bald bewirkt worden ſein. Mit dem Fürſten aber war es „ein Anderes". Es fanden hartnäckige Einwendungen öſterreichiſcherſeits ſtatt. Schließlich ließ ſchwere Erkrankung des Fürſten Moritz Hoffnung auf Rückkehr zum Königlichen Heere völlig ſchwinden.

Das herannahende Lebensende bewog den Fürsten Moritz, seines Eleven Wilhelm Zukunft bestmöglichst anzubahnen. Bisher hatte er denselben in Dessau nur wieder mit Bauten beschäftigen können; jetzt aber schien es an der Zeit, ihm die Gelegenheit zu verschaffen, mit dem Degen sich emporzuarbeiten. Wilhelms Anstellung als Preußischer Infanterie-Fähnrich erfolgte durch Vermittelung eines nahestehenden Dritten (Major v. Kleist, ehedem Fürst Moritz' Adjutant). Bald darauf passirte der preußische General-Lieutenant v. Hülsen Dessau und machte dem unrettbar daniederliegenden Feldmarschall einen Kondolenzbesuch. Bei dieser Gelegenheit empfahl Fürst Moritz den unter dem Namen „Wilhelmi" auf dem pommerschen Kriegsschauplatz bereits mitkämpfenden talentvollen Schüler des Major Petri bestens diesem alten, beim König hoch akkreditirten Waffengefährten und anvertraute Hülsen schließlich als Geheimniß Wilhelmis Abstammung. Fürst Moritz starb den 11. April 1760.

Sämmtliche Söhne des „alten Dessauers" führten das Prädikat „Fürst"; erst die Söhne des 1751 verstorbenen regierenden Dessauers nannten sich „Prinz". In Fürst Moritz verlor das Haus Dessau eins seiner geistvollsten Mitglieder und das Preußenheer einen seiner eminentesten Generale. Er war dem befähigteren Offizieren und Offizier-Aspiranten seines Regiments ein Vorgesetzter, der sich ihre militairwissenschaftliche Vervollkommnung eifrig angelegen sein ließ (worüber Interessantes aktenmäßig feststeht). Ebenmäßig ist des Fürsten Moritz tiefe Trauer um den vielversprechenden jüngsten gräflichen Neffen (Heinrich, s. o.) ein schöner Charakterzug. (Auch hierüber ist uns Urkundliches aufbehalten.)

Wir glauben annehmen zu dürfen, daß es dem Fürsten Moritz nach dem frühen Tode dieses präsumtiven Lieblings-Neffen Herzenssache war, dem jüngsten „Halb"-Neffen „Vorspann" zu leisten für die fernere Lebensbahn, so gut wie dies die besonderen Umstände gestatteten.

Hülsen nahm den Lieutenant Wilhelmi in seine Adjutantur. Hier zog derselbe des Königs Aufmerksamkeit auf sich wegen einer Situationszeichnung, welche Wilhelmi freiwillig und rascher als der eigentlich mit dieser Arbeit Beauftragte völlig korrekt angefertigt. Der König prüfte ihn, erhielt befriedigende Antworten und übertrug ihm die Kopie einer Karte. Auch hierbei fand Wilhelmi des Königs Beifall; er wurde nun nach seinem Herkommen befragt. Er sagte der Wahrheit gemäß das aus, was Hülsen zu verschweigen sich verpflichtet hatte, nun aber auf des Königs Verlangen ebenfalls offenbaren mußte.

Der König that jetzt, was er (1758) mit Guichard, alias Quintus Icilius gethan, zum großen Verdruß des damaligen Hauptquartier-Personals. Der König nahm den „Roturier" in seine Suite, Frühjahr 1760. In gefahrdrohender Lage am Tage vor der Schlacht bei Liegnitz anvertraute er demselben die Ordnung und Sicherstellung seiner sämmtlichen Karten. Wilhelmis gute Dienste in dieser Schlacht wurden belohnt durch Ernennung zum Flügel-Adjutantur-Hauptmann, auf dem Siegesfelde.

Fortan befand sich Wilhelmi im Vollbesitz Königlicher Wohlgewogen= heit, und wurde nun andauernd zu General=Quartiermeisterstabs=Geschäften verwendet. Am Tage nach dem Torgauer Siege ertheilte der König ihm den Adel. Das desfallsige Dokument ist (nach Eintreffen des Konsens des Fürstlich Anhaltischen Familien=Seniors), auf den Namen „von Anhalt" lau= tend, am 3. Januar 1761 vollzogen worden. Das quadrirte Wappenschild erhielt als Hauptembleme: den dessauischen Bären, zwei Balken (vermuthlich auf die Leistungen im Baufach bezüglich) und einen geharnischten, das ent= blößte Schwert emporhaltenden Arm.

Der Königliche Flügel=Adjutant „Wilhelm v. Anhalt" erhielt Anfang Januar 1761 die Aufgabe, des Königs Dispositionen für ein Kooperiren preußischer Abtheilungen vom Armee=Korps des Prinzen Heinrich Königliche Hoheit und hannoverscher Truppen von der alliirten Armee in Thüringen zu inscenisiren. Der König betont in einem längeren Schreiben, d. d. Leipzig 2. Februar, an Anhalt den wünschenswerthen „glücklichen Succeß dieser Sache" und fügt eigenhändig hinzu: „Dieses muß keinem Menschen vor der Zeit communiciret werden; und während der Expedition muß Ich von Ihm alle Tage Nachricht haben." Am 14. Februar schreibt der König wieder eigenhändig: „Ich hoffe, das Ding wird gut gehen; und wenn auch der Spörke nicht gleich reüssirt, so wird doch der Prinz Ferdinand und mein Neveu leichter Spiel haben; und kriegen Die Cassel, so muß Alles laufen." (Spörke: der herbeikommende hannoversche General; Prinz Ferdinand: der Höchstkommandirende der alliirten Armee; des Königs Neveu: der Erbprinz von Braunschweig.)

Die „Sache" hatte das wunschgemäße Resultat am 15. Februar bei Langensalza. Der König rühmt in seiner Histoire de la guerre (Oeuvres T. V, 102) den mit besonderen Aufträgen beim General=Major v. Syburg befindlichen „Monsieur d'Anhalt" als Theilnehmer an einer rechtzeitigen, glänzenden Husaren=Attacke.

In Syburgs Relation heißt es: „Euer Königl. Majestät kann ich nicht umhin, die bravour und das tapfere Betragen des Hauptmann v. Anhalt zu bezeugen. Es hat sich dieser brave Officier vor 2 Escadrons Husaren und 2 Escadrons Seydlitz=Cuirassiere gesetzt und ist der Erste gewesen, der zu diesem glücklichen coup das Meiste beige= tragen hat."

Der Feind verlor in diesem Gefecht 4 Kanonen, 6 Fahnen. 70 Offiziere und 3000 Mann (meist Sachsen) fielen in preußische Gefangenschaft. Die preußische Einbuße be= trug: 1 Offizier todt, 2 Offiziere verwundet, 30 Mann Todte und Verwundete. — Die vom König gewährten Kanonen= und Fahnen=Douceurgelder gingen durch Anhalts Hand; er mußte die Vertheilung besorgen.

Anhalt wurde belohnt durch Anwartschaft auf eine Amtshauptmanns= Sinekure (realisirt 1763 mit Lebus). Die siegreichen Truppen rückten auf Königlichen Befehl in Rekreationsquartiere; Anhalt regelte die desfallsigen Details. Der König schrieb ihm eigenhändig am 22. Februar: „Ich im diquire die Quartiere; nur muß nach dem terrain, nach der Nähe des Feindes und den Umständen alles was zur Sicherheit dienet besorget werden." Uebrigens wurde Anhalt beauftragt, die Effektuirung der Kommissariats-Ausschreibungen zu leiten, sowie Rekruten zu beschaffen und Nachrichten vom Feinde. Der Schluß eines Königlichen Schreibens aus Leipzig vom 23. Februar an Anhalt lautet: „Weil Ich auch mit dem sehr guten Betragen und der rechtschaffenen, braven Conduite, so Ihr bei der ganzen dortigen Expedition gehalten, sehr zufrieden bin, so habe Ich aus eigener Bewegung resolviret, Euch zum Major zu avanciren."

Im März 1761 amtirt Anhalt wieder als Regisseur einer „Expedition" und hat hier rühmlichen Antheil bei dem Angriff seitens der Generale von Syburg und v. Schenkendorf auf Rudolstadt und Saalfeld am 2. April. Der König dekretirte Folge dessen an Anhalt: „Ich habe mit wahrem Vergnügen den glücklichen Erfolg der Expedition gegen die Reichstruppen aus Eurem Schreiben vom 2. d. ersehen. Ich danke Euch insbesondere für den Mir Eures Orts bei dieser Gelegenheit bewiesenen Diensteifer." (Es wurden nach dem Hauptquartier Leipzig eingeliefert: 16 eroberte Geschütze und an Gefangenen 85 Offiziere 3900 Mann.)

Im Uebrigen blieb Anhalt und dem General v. Schenkendorf ein Königlicher Tadel nicht vorenthalten, nach Einsendung der Verlustliste: „Der brave Major v. Hundt hätte nicht so exponirt und ihm durch Freibataillons das Attackiren erleichtert werden sollen."[*] Wenige Tage später jedoch erhielt Anhalt eine neue Belobigung aus dem inzwischen nach Breslau verlegten Königlichen Hauptquartier: „Ich habe Euer Schreiben vom 1. d. heute Vormittag erhalten, und ist Euch darauf in Antwort, daß Ihr Eure Sachen dort recht gut machet, dieweil Ihr daselbst überall die Hülfe gebet." Das eigenhändige Königliche Postscriptum zu diesem Briefe ist charakteristisch für Anhalts Verhältniß zum König. „Hier schaffen die Oesterreicher allen Vorrath aus Schweidnitz weg, verkaufen Mehl und Brot. Was soll das bedeuten?"

Anhalt empfing bei seiner Rückkehr zum König den pour le mérite, ordnete des Königs „Plankammer" und wurde Ende Juni 1761 als Generalstabs-Chef Zieten beigegeben, welcher an Stelle des soeben verstorbenen General-Lieutenants v. d. Golz das Kommando eines 20,000 Mann starken Korps übernahm, bestimmt dazu, das Vordringen der Russen nach Schlesien zu erschweren. Sodann mußte Anhalt in gleicher Eigenschaft zum Platenschen

---

[*] Gaudys Tagebuch berichtet, man habe diesem Major (vom Regiment Zieten-Husaren) gerathen, die Ankunft der übrigen Truppen abzuwarten; er sei aber ohne Weiteres draufgeritten. — Warnery hat eine Anhalt belastende Version.

Detachement, als vor Kolberg die Verlegenheiten und Schwierigkeiten sich steigerten, Ende Oktober 1761.

Anhalt betheiligte sich an dem denkwürdigen Gefecht von Spie, 12. Dezember; aber den Fall von Kolberg konnte er nicht behindern. Die Verhältnisse lagen zu ungünstig. Kolbergs Eroberung war den Russen „Ehrensache", seitdem die Oesterreicher Schweidnitz so schnell bewältigt. Sie verfolgten ihr Ziel mit Beharrlichkeit und Ueberzahl. Den Beschützern Kolbergs, unter Befehl des jungen Prinzen von Württemberg, entzog schließlich Hunger, sibirische Temperatur, ellenhoher Schnee und defektes Schuhwerk die Operationskraft. (Alle Blessirten und Maroden starben bei der grimmigen Kälte.) Der wackere Kommandant von Kolberg, Oberst v. d. Heyde, sah sich am 16. Dezember genöthigt, wegen Mangels an Munition und Lebensmitteln nach 3½ monatlicher Belagerung und zehnmaliger Aufforderung zu kapituliren.

Jetzt kehrte Anhalt zum König zurück nach Breslau. Daß dieser ihm keine Schuld beimaß an Kolbergs Verlust, ergiebt sich aus dem Umstand, daß Anhalt während des Jahres 1762 ebenso wie 1761 beschäftigt, ja sogar für weitaus heiklere Dinge bevollmächtigt wurde.

Zuvörderst mußte Anhalt in Leipzig Rekrutirungs- und Remontirungs-Angelegenheiten einleiten; im Februar kam er wieder nach Breslau, im März entsendete der König ihn nochmals nach Sachsen. Prinz Heinrich Königliche Hoheit, der dort Höchstkommandirende, hatte beim König geklagt, daß ihm für den bevorstehenden Feldzug noch Manches fehle. (Die erfolgten Ausschreibungen waren nicht mit der nothwendigen Härte und Umsicht durchgeführt worden.)

Der König erwiderte, Breslau 14. März 1762: „Si je pouvais être trois semaines en Saxe, je crois que je parviendrais à vous arranger en tout; mais comme il m'est impossible de m'éloigner d'ici deux pas, je vous enverrai Anhalt avec des ordres aux généraux pour les obliger à leur devoir" — und äußerte: „Als Ich im vorigen Jahre da gewesen bin (in Sachsen), habe ich Alles zusammengeschafft." Der Prinz war sehr erzürnt über das Drohen mit „Anhalt". Er suchte, durch Vermittelung des Königlichen Geheimen Kabinetsraths Eichel, Anhalts Erscheinen zu inhibiren, drohte mit eventueller Niederlegung seines Kommandos, konnte jedoch das Unvermeidliche nicht abwenden. Der König entgegnete auf eine pikirte direkte Kundgebung seitens seines Bruders: „..... Épargnez, Monseigneur, votre colère et votre indignation à votre serviteur." In einem späteren Königlichen Schreiben (Breslau 15. April) heißt es: „Ainsi je continuerai encore à vous écrire pour vous communiquer mes nouvelles, mais non pas pour entrer dans un autre sujet." Der Prinz beruhigte sich zwar noch nicht ob der ihm schmerzlichen Königlichen Härte; der König dagegen schwieg sich konsequent aus. Die nach dem Friedensschluß und der Allianz mit Rußland sich bessernden Aussichten auf eine im nächsten Frühjahr nicht mehr nothwendige Kriegsrüstungs-Kalamität mehrten beim Königlichen Oberfeldherrn und seinem Generalissimus in Sachsen das Verlangen, unbeirrt sich mit dem allgemeinen Haber zu beschäftigen. Somit ging denn jeder dieser beiden Herren anno 62, wie der König zu sagen pflegte, „vaquer de son côté à sa besogne."

Wir haben Ausführliches über diesen „Zwischenfall" mitgetheilt, um darzulegen, daß Anhalt bereits vollständigt „ein Mann im Staat" — obwohl erst 27 Jahre alt, eine vielbedeutende Persönlichkeit, eine Autorität, wenn er (wie wir es hier exemplifizirten) unbequem werdend, Königliche Befehle exakt und prompt erledigte.

Nachdem Anhalt ausgeführt, was ihm beim Armeetheil in Sachsen zu thun oblag, leitete er den Marsch einiger vom pommerschen Kriegsschauplatz nach Sachsen instradirten und nun für den neuen Feldzug in Schlesien zum Königlichen Haupttheere herbeibefohlenen Detachements. Demnächst funktionirte Anhalt (nach Alliirung mit den russischen Hülfstruppen) bei den am 1. Juli beginnenden Offensiv-Operationen ins schlesische Gebirge.

Der schöne Tag, der kluge Coup von Leutmannsdorf (21. Juli) brachte Anhalt das Oberst-Lieutenants-Patent. Der König sagt in den Oeuvres Tome V p. 212: „C'est Mr. d'Anhalt qui a le plus contribué à cette affaire." — Ebenso peinlich wie die Mission zum Prinzen Heinrich war für Anhalt des Königs Befehl, 8 ihm übergebene Verdienstkreuze nach seinem Ermessen den Würdigsten unter den Leutmannsdorfer Helden zu behändigen. Hatte doch das ganze bei diesem Gefecht betheiligte Korps Vorzügliches geleistet, hatten doch alle Waffengattungen wetteifernd und hingebungsvoll gewirkt!

Im September und Oktober 1762 mußte Anhalt während der langwierigen Belagerung von Schweidnitz, bei Ausführung der Befehle des ungeduldig werdenden Königs, da und dort nachhelfen. Als dieser ernst und gut vertheidigte Platz genommen war, marschirte Anhalt mit dem Graf Neuwied'schen Korps (den Leutmannsdörflern) nach Sachsen, wo er, an der Spitze Zieten'scher Husaren, ähnlich wie bei Langensalza, sich hervorthat in einem glänzenden Gefecht, von dem der große König in seinem kriegsgeschichtlichen Nachlaß sagt: „Cette belle action fit la clôture de la campagne."

Selbstverständlich verschafften die folgenden Monate bis zum Einrücken der Regimenter in ihre Friedensgarnisonen Anhalt Generalstabs-Arbeiten vollauf. Im Jahre 1764 fand er Gelegenheit, an des großen Königs Förderung des Nährstandes direkt theilzunehmen; Anhalts Kenntnisse im Baufach wurden nämlich verwerthet zur Oberaufsicht beim Bau von Kolonistenhäusern in Nowawes, ohnweit Potsdam. Die nächsten Jahre brachten Anhalt in rascher Aufeinanderfolge neue Aemter, Würden und — etwelche Dotationen. (Für letztere hatte man damals das Wort: Königliche „Zufriedenheitsmarquen".)

Im Mai 1765 wurde Anhalt (30 Jahre alt) zum General-Quartiermeister der Armee und zum Oberst ernannt, nebstbei auch im Laufe desselben Jahres zum Havelberger Domherrn. (Er verkaufte, anläßlich eines lebensgefährlich scheinenden Sturzes mit dem Pferde bei der Revue in Schlesien 1770, diese Pfründe mit Königlicher Genehmigung an einen Sohn des

Beteranen Fouqué.)*) Im Juni 1766 ertheilte der König Anhalt den seit 1757 vakanten Posten eines Hofjägermeisters, sowie die Chefstelle beim Feldjägerkorps zu Pferde; beim Fußjägerkorps war Anhalt schon 1761 Chef geworden. 1767 überwies der König „aus Eigener Bewegung" Anhalt den (durch Tod des Freiherrn v. Behlen erledigten) Nutznieß des Lehnguts Heyden im Münsterschen. 1768, als General-Major v. Krusemark das Regiment Gensdarmes übernahm, wurde Anhalt dessen Nachfolger als „erster" Königlicher General-Adjutant. 1770 den 30. Mai avancirte er zum General-Major.

Dies ist nun innerhalb 5 Jahren allerdings eine große Summe von Auszeichnungen. Jedoch, wollte man Anhalt als „Günstling" des großen Königs bezeichnen, — es ist geschehen — so wäre dies ein unrichtig gewählter Ausdruck. Friedrich hatte keine „Günstlinge", sondern nur Vertraute und Freunde, welche sich seiner besonderen Hochschätzung und Zuneigung würdig gemacht hatten durch ihre der preußischen Monarchie oder der Republik der Wissenschaften geleisteten hervorragenden Dienste.

Wenn Friedrich jenen Männern, die ihm aus schwerer Kriegszeit in gutem Andenken waren, Aufmerksamkeiten, Fürsorge, Geschenke zu Theil werden ließ, so that er es stets mit Gerechtigkeit. Machte er diesen „bisognosi di gloria" Präsente, dann gab er im Allgemeinen maßvoll, im Einzelfall aber gern reichlich, aus der Fülle des hohen Herzens dankbar mit vollen Händen.**)

Anhalt stand hoch und fest in dem Vertrauen und der Gnade seines Monarchen. Anhalt befand sich seit 1765 im Vordergrund der „Beförderer des preußischen Kriegsruhms", weil der König ihm anerkannte, daß er wacker gearbeitet zur Erledigung oberfeldherrlicher Intentionen und Dispositionen.

Anhalt fand nicht nur in dem fast täglichen Verkehr mit dem Könige, welchen er auch stets zu den Provinzial-Revuen begleitete, die mannigfaltigste Gelegenheit, seinen Geisteshorizont zu erweitern, sondern bereicherte auch seine Kenntnisse durch eine — vermuthlich auf Königlichen Anlaß, jedenfalls mit Königlicher Beihülfe — im Verein mit einigen Generalstabs-Offizieren ausgeführte Exkursion nach dem sächsischen und hessischen Kriegsschauplatz, nach den Niederlanden 2c., sodann in Franken, Schwaben, einem Theil der Schweiz, schließlich durch Savoyen, Ober-Italien und Oesterreich heimwärts — Turennes, Eugens, Friedrichs glorreiche Spuren verfolgend — eine wirkliche und erste preußische große „Generalstabsreise". Von besonderer Wichtigkeit aber war für Anhalt, daß der König 1764 eine Generalstabsschule stiftete und Höchstselbst deren Direktor- und Hauptlehrerposten übernahm.

Wir wissen, daß der große König nach dem 7jährigen Kriege meinte, Preußen besitze (für das Operiren mit 3 Armeen) zu wenig gewandte, sach-

---

*) Anhalt war seit 1768 verehelicht mit einer Tochter des Kriegsministers v. Bedell. Sie starb 1780 mit Hinterlassung eines Sohnes und einer Tochter.

**) Bisognosi di gloria, ein Wort, dessen sich der König gelegentlich einmal in seinen Schriften bedient.

gemäß eingeschulte Leute für den Generalstabsdienst. Die neuere Kriegsführung erfordere ohnehin eine gesteigerte und gründliche Wissenschaftlichkeit
im Offizierkorps. Die Feldzugspläne, obwohl durch die Konjekturalkunst in
gewisse Grenzen eingeengt, hätten viel Aehnlichkeit mit geometrischen Beweisen
(betreffs der richtigen Terrainkunde rc. und der Nothwendigkeit successiver,
wohldurchdachter Schlußfolgerungen). König Friedrich der Große äußerte in
seinen erst vor 24 Jahren veröffentlichten Darlegungen über die preußische
Staatsregierung, es sei durchaus nothwendig, daß der preußische Souverain
unabläfsig „sich melire" in Heeresangelegenheiten und selbst das Beispiel
gebe in militairischen Dingen. — Diesem Königlichen Gedanken entsprach
Friedrichs sorgsame Pflege der „einem General nothwendigen Wissenschaften"
(Generalstabswissenschaften) und die Höchstselbst übernommene Einschulung
des Generalstabes.

Der große König hat uns in seinen hinterlassenen historischen Schriften
(Oeuvres T. VI, 98) mit kurzen Worten einen Studienplan überliefert aus
seiner Generalstabs-Pépinière. Von anderer Seite ist uns außerdem Folgendes aufbehalten.

Die Unterrichtsstunden wurden abgehalten theils im Potsdamer Stadt-
schloß, theils in Sanssouci, gewöhnlich des Nachmittags, und waren in der
Regel „Doppelstunden". Der König saß, der General-Adjutant und die
übrigen Zuhörer standen um ihn her. Meistens begann der König diese
Instruktionen mit Vorlesung eines vorher von ihm entworfenen kurzen Aufsatzes, den er erst im Allgemeinen und dann durch besondere Fälle und Beispiele aus älterer oder neuer Kriegsgeschichte erläuterte. Er litt nicht nur,
sondern verlangte, daß man ihm Einwendungen mache, um dabei das Vor-
getragene noch deutlicher zu entwickeln. Diese Zurechtweisungen und diese
Belehrung überhaupt erfolgten mit bewunderungswürdigster Herablassung.
Am Schluß des Vortrags ertheilte der König Jedem ein Pensum, dessen
Ausarbeitung oder Zeichnung in der folgenden Unterrichtsstunde mitgebracht
werden mußte. Der König prüfte dann das Eingelieferte und zeigte jedem
Offizier, wo und weshalb er Fehler gemacht habe.

· Bekanntlich lag dem König außerordentlich viel daran, im gesammten Schulwesen
nicht ferner als Haupt-Unterrichtszweck die Gedächtnißbelastung, sondern die Bervollkomm-
nung des Urtheils hervortreten zu lassen (als Hauptaufgabe des Lehrers). Demnach fiel
auch bei den Potsdamer Generalstabszöglingen der Accent auf das Einexerziren gediegener
Raisonnements.

Daß in dieser Schule auch Anhalt — der junge Senior des Gene-
ralstabskorps — noch viel, sehr viel profitiren konnte, ist außer Zweifel.
Ebenso sind wir berechtigt zu glauben, daß Anhalts jedesmalige Anwesenheit
in den Königlichen Unterrichtsstunden ein unverkennbares Argument ad ho-
minem. Anhalts Aufsteigen in eine sehr hohe und gewichtige Stellung war

ja ihm die Frucht (und Andern eine Beeiferung) eines generalſtäbleri-
ſchen Dienſtfleißes.

In den Jahren 1770, 71 und 71 nöthigten Peſt, Politik und Polen
den König, einen Truppenkordon an der Warthe, Netze und Weichſel zu
poſtiren, die Armee theilweis zu augmentiren und ein Korps über die Grenze
zu ſchicken. Zum Kommandirenden des Letzteren wurde Anhalt ernannt, Anfang März 1772. Lag es ihm hierbei ob, ein paar Adelsmarſchälle „zurück-
zuſchmeißen“, ſo wurde ihm andererſeits anbefohlen, der „wüſten Wirthſchaft“
des General-Major v. Belling und ſeiner Huſaren-Offiziere Einhalt
zu thun.

Der König bekretirte, Potsdam 26. März 1772, an Anhalt: „Daß Ihr, um fernere
Unordnungen und Exceſſe zu coupiren, diejenigen, ſo ſich am ſtärkſten hierbei vergeſſen
haben, in Arreſt geſetzt habt, approbire Ich ſehr, wie auch, daß Ihr Solche, Andern zum
Exempel, noch ferner ſitzen laſſet.“ — Belling wurde, mittelſt Königlicher Ordre vom
6. April, ſeines Kommandos enthoben.

Aus des Königs Schriften iſt uns in Erinnerung, daß die Armee ſeit 1770 betreffs
ihrer Kriegstüchtigkeit dem Königlichen Kriegsherrn Nichts zu wünſchen übrig ließ. Um
ſo peinlicher mußten denſelben die mehrſeitigen Klagen über die bei den pommerſchen
Huſaren erſichtliche Entartung der Diſziplin berühren.

Von ſeiner polniſchen Miſſion zurückgekehrt zum König, verlautbarte
Anhalt, anläßlich der bevorſtehenden großen Potsdamer Schulmanöver, die
Bitte, hier und anderweit bei den Revuen eine Brigade befehligen zu dürfen.
Der König erwiderte (Potsdam 15. September 1772): „So gern Ich auch
Eurem Verlangen willfahren möchte, ſo iſt doch Solches, wie Ihr von ſelber
leicht einſehen und anerkennen werdet, mit Euren Poſtens als Mein General-
Adjutant und General-Quartiermeiſter incompatible, maßen Euch vermöge
derſelben obliegen will, daß Ihr, wo es nur die Umſtände erfordern, Euch
gleich hinbegebet und allenthalben die Hülfe zu geben ſuchet.“

Während des bayeriſchen Erbfolgekrieges dagegen ſehen wir Anhalt eine
detachirte Brigade kommandiren. Der große König pflegte im Kriege ſelbſt
das Amt des Armee-Generalſtabschefs zu verwalten. Wir erinnern an Graf
Schmettau's anderweite Verwendung ſeit Dezember 1756. Auch trat er wohl
ſeinen erſten General-Adjutanten an die Armee ab (Winterfeld, Woberſnow).
Somit findet man Anhalt erwähnt in den Oeuvres T. VI p. 149 u. 153,
10 Bataillone und 20 Eskadrons befehligend.

Fortuna ut luna; Glück und Mond haben ihre Zeit, ihren Wechſel.
Am 22. Auguſt 1778 exekutirte Anhalt eine ihm durch einen Königlichen
Flügel-Adjutanten mündlich überbrachte Ordre nicht ſo, wie dies ſeitens des
Königs geplant war.

Beſetzung eines vorliegenden, die preußiſche Stellung dominirenden Berges, unter
Mitwirkung des Erbprinzen von Braunſchweig und eines dritten detachirten Generals.
Aus den hinterlaſſenen Papieren des betreffenden Flügel-Adjutanten ſcheint es, als wenn
Anhalt, nicht wiſſend ob er oder der Erbprinz das Geſammtkommando zu übernehmen

berechtigt sei, daß sicher bevorstehende Erscheinen des Königs auf dem Gefechtsfeld habe abwarten wollen. Diese Zeitversäumniß jedoch verursachte zufällig, daß die Oesterreicher gerade auf jenem Berge eintrafen, als der König kam.

Dieser, ohnehin wahrscheinlich in übler Stimmung wegen der abgebrochenen Braunauer Friedensverhandlungen, begegnete Anhalt hart und schickte ihn in Arrest. Anhalt beantragte Kriegsgericht. Dasselbe fand statt unter Tauentziens Vorsitz. Anhalt wurde, wider sein Erwarten, zu 3 Monat Festungshaft verurtheilt. Der König ließ ihn durch einen Oberst nach Schweidnitz abführen.

In der Armee erwartete man sehr gespannt den Verlauf dieser Angelegenheit. Wird Anhalt beseitigt? (Wird der Erbprinz gedemüthigt?) Der König beschied Anhalt nach nur zur Hälfte verbüßtem Festungsarrest ins Hauptquartier Breslau, den 18. Oktober 1778, und — setzte ihn wieder in die vorige Amtsthätigkeit ein.

Anhalt war betreffs Königlicher Gnade oder Ungnade äußerst feinfühlend. Im Jahre 1766 nahm der König einmal ausnahmsweise Anhalt nicht mit in sein Reisegefolge *); Anhalt klagte sofort: der Gedanke, Se. Majestät sei mit ihm unzufrieden, drücke ihn sehr nieder. Der König dekretirte eigenhändig: „Er soll sich doch geruhig verhalten; Er wird mich doch nicht zwingen, Ihn mitzunehmen, wenn Er nicht soll.“ — An noch größeren Herzensschmerzen, wie damals, litt Anhalt nach seiner Festungsstrafe; noch am 13. November 1778 ist er mit tiefem Kummer deshalb behaftet und kann dies dem König nicht bergen. Der König antwortete umgehend: „Mein lieber p. p. G. M. v. Anhalt. Ich habe Euer Schreiben vom 13. erhalten, und bitte Ich Euch, daß Ihr doch nur ruhig sein möget, so Euch zur Antwort ertheilen wollen Euer wohlaffectionirter ....“ Trotzdem erneute Anhalt seine Lamentation und erhielt nochmals, d. d. Breslau 25. Dezember 1778, in sehr herablassender Form eine kalmirende Königliche Replik. „Ich habe Euch auf Euer Schreiben vom 24. d. hierdurch zu erkennen geben wollen, daß Ihr doch nur geruhig sein möget.“

Anhalt blieb erster General-Adjutant bis zum Jahre 1781, wo er als Chef des Infanterie-Regiments vacat Falkenhayn (Nr. 38) in die Armee versetzt wurde. Dieses Regiment garnisonirte in Breslau; der König translocirte dasselbe auf Anhalts Antrag nach Frankenstein — procul a Jove — fern von dem (groben) Breslauer General-Inspekteur Tauentzien, mit dem Anhalt sonst wohl bald einen Konflikt gehabt haben würde.

---

*) Wahrscheinlich bei der intentionirten, aber durch die Kaiserin Maria Theresia behinderten Zusammenkunft des Königs und Joseph II. in Torgau, Ende Juni 1766. Der König hatte seinen Bruder Heinrich eingeladen, ihn zu begleiten, und wohl deshalb Anhalt nicht mit in das Reiseprogramm aufgenommen. Prinz Heinrich konnte es Anhalt nie vergessen, daß er ihm anno 62 ein so unwillkommener General-Intendant.

Wir müſſen Anhalts langen Verbleib auf ſeinem Poſten in Potsdam als entſchiedenſtes Zeichen ſeiner ganz beſonderen Geeigentheit für denſelben erachten. Aus einem Königlichen Schreiben vom 22. März 1772 an Anhalt, während deſſen Abkommandirung nach Polen, erſehen wir, wie ungern der König ihn in den ihm übertragenen Aemtern vermißt. Keiner der erſten General-Adjutanten hat als ſolcher ſo lange wie Anhalt bei Friedrich dem Großen funktionirt.

Im April 1782, nach Ableben des den langwierig erkrankten oſtpreußiſchen Infanterie-General-Inſpekteur vertretenden General-Majors v. Zaſtrow, übertrug der König Anhalt ad interim die Geſchäfte bei dieſer Inſpektion. (Scharfes Regiments-Exerziren und Abhaltung der Revue bei Königsberg.) Hieran reiht ſich Anhalts Ernennung zum General-Lieutenant, 20. Mai 1782. Zur „Königsrevue" nach Weſtpreußen befohlen, reiſte Anhalt von Graudenz aus nach Schleſien zurück. Im folgenden Jahre ſtarb der General-Lieutenant v. Stutterheim (26. Auguſt); Anhalt wurde nun, d. d. Potsdam 22. September, definitiv nach Königsberg berufen, vertauſchte ſein ſchleſiſches Regiment mit dem vakanten oſtpreußiſchen und erhielt neben der General-Inſpektion die Königsberger Gouverneurſtelle, ſowie auch die 2000 Thaler jährliche Zulage eintragende Kommandantur von Memel und Pillau.

Der König citirte ein paar Mal noch Anhalt freundſchaftlich von Königsberg nach Potsdam. Vier Tage vor Friedrichs Ableben befand er ſich ein letztes Mal bei ihm.

König Friedrich Wilhelm II. beehrte, gelegentlich der Huldigung zu Königsberg, Anhalt mit einer goldenen, reich mit Juwelen beſetzten „Leibdoſe" des verſtorbenen Monarchen. Demnächſt ließ er ihn nach Potsdam kommen, behufs militairiſcher Berichterſtattungen, dekorirte Höchſelbſt ihn hier mit dem (rückſichtlich §. 6 der alten Ordensſtatuten Anhalt bisher vorenthaltenen) Schwarzen Adler-Orden; ſchließlich gewährte er Anhalt im Dezember 1786 bei erbetenem Abſchied ein Ruhegehalt von 4 (nach anderer Verſion 5) Tauſend Thalern.

Anhalt begab ſich nach ſeinem Landgut Plaue an der Havel, und nachdem er dies verkauft, richtete er ſich einen Landſitz im Städtchen Zieſar ein. Hier ſtarb er 1801, von König Friedrich Wilhem III. noch bei deſſen erſter Berliner Revue zum General der Infantie ad honores ernannt.

Obwohl Anhalt als Veteran gewohnheitsmäßig generalſtäbleriſch thätig blieb (privatim), iſt uns von ihm weder ein Tagebuch à la Gaudi, noch eine Nachtgedanken-Sammlung wie die des Grafen Moritz von Sachſen aufbehalten. Er ließ ſeine Elaborate ins Kaminfeuer werfen.

Es ist ein mühe- und arbeitsvolles Leben gewesen, welches für Anhalt ehrenreich und sorgenfrei abschloß. Namen- und vaterlos hat er durch berufseifrige Verwerthung einer hohen Begabtheit das Höchste errungen, was damals der Soldatenstand Jemand bieten konnte: das Vertrauen und die Hochschätzung seitens eines den wahren Manneswerth und das echte Verdienst ebenso stark beanspruchenden wie angemessen auszeichnenden Kriegsherrn.

Aehnlich wie bei Winterfeld waren auch für Anhalt Haß und Verläumbung unausbleiblich. Dies lag in den Umständen, in der wichtigen Stellung als „erster" Königlicher General-Adjutant. Gestaltete sich das Urtheil über Anhalt noch schärfer als über Winterfeld, so müssen wir den Neid berücksichtigen, welchen Anhalt auf sich zog; er der in 5 Jahren vom Sekonde-Lieutenant zum Oberst gestiegen; der Bastard, der „Parvenu".

Wenn behauptet worden ist, Anhalt habe nach dem 7jährigen Kriege einen erheblichen „Einfluß" auf den König geübt, so zeugt dies von vollständiger Unkenntniß des Geschäftsganges im Kabinet des großen Königs.

Als prägnante Widerlegung jener Behauptung unterbreiten wir Folgendes aus einem Briefe des ebenfalls der Ueberhebung beschuldigten (am 3. Februar 1768 nach 40jährigem Dienst gestorbenen) Geheimen Kabinetsrath Eichel an den Minister Graf Podewils, im November 1750: „Gott weiß, wie betrübend und herznagend es für mich ist, daß des Königs Majestät mich zu verschiedenen, meine Sphäre ganz übersteigenden Sachen gebrauchen und mir Dieses und Jenes zu schreiben befohlen, wovon ich mich gänzlich dispensirt zu sehen wünschte und lieber dagegen die Hälfte des Meinigen sacrificiren möchte." (Eichel war ein wohlhabender Mann.) „Euer Excellenz ist aber am besten bekannt, wie positiv des Königs Befehle darüber sind, und wie exact Sie solchen nachzukommen sehen wünschen."

Anhalts Posten war von großer Bedeutung; aber ein Mißbrauch derselben, um persönlichen Zu- oder Abneigungen Thür und Thor zu öffnen, ist Anhalt sicherlich nicht gestattet worden. Aus dem Jahre 1772 liegt uns vor eine Königliche Ordre an Anhalt, welche demselben in einer Höchstenorts eingelaufenen Beschwerdeschwerdesache nähere Untersuchung und Berichterstattung überträgt „aus gnädigstem Zutrauen zu Eurer Unparteilichkeit".

Anhalts energische Genauigkeit in Ausführung Königlicher Anordnungen und strikter Befehle wird Manchen unangenehm berührt haben. „Wo man zimmert, fallen Späne." Anhalt bethätigte einfach einen löblichen Eifer als Vertreter des Königlichen Dienstinteresses und außerdem eine edelgeartete, dankbare Anhänglichkeit für die Person seines Königlichen Gebieters und Wohlthäters. Aus diesen rühmlichen Thatsachen haben ein paar Verläsierer (Warnery und Retzow) und ein Anekdotenkrämer (Thiébault) den Stoff zu seltsamen Anklagen und Phantasiegebilden entnommen.

In Thiébaults unzuverläßigen Souvenirs de vingt ans de séjour à Berlin findet man (T. II. p. 371) eine Erzählung und einen Brief, wonach Anhalt dem Herzog Ferdinand von Braunschweig den Anlaß zum plötzlichen Ausscheiden aus dem preußischen Heere gegeben haben soll. Die Berliner Militair-Zeitung März 1805, Heft 4, bezweifelt aus inneren Gründen die Thatsache. — Der Herzog, glorreich aus seiner selbstständigen

Stellung als Feldherr zurückgetreten in ein subordinirtes Verhältniß bei der preußischen Armee, fand keinen Gefallen mehr an dem für Hohe und Niedere gleichmäßig straffen Friedensdienst. Er sehnte sich nach beschaulichem, einfachen Landleben. Hierin lag wohl das Hauptmotiv, welches den Feldmarschall in einen Cincinatus umwandelte. Fama, geschäftig immer bei dergleichen Vorkommnissen, hat sich eine anderweite spezielle causa movens konstruirt; die Einen (Mauvillon) accentuirten des Herzogs freimüthige Aeußerungen gegen des Königs neue „Tabacksregie"; die Anderen (eine Anekdote in General v. Lindenaus hinterlassenen Papieren) betonten, Anhalt habe, die Ausführung eines königlichen Befehls bei der Magdeburger Revue (1766) beeilend, den Herzog nicht genugsam respektirt und sei dafür nicht hinlänglich vom König bestraft worden.

Retzow versteigt sich zu der Aeußerung, der König hätte von Anhalts „vermeintlichen Talenten eine überspannte Idee" gehabt. Eine Phrase, die Retzow wohl nur dem Prinzen Heinrich Königliche Hoheit zu Liebe drucken ließ; denn Diesem dedicirte er seine „Charakteristik des 7jährigen Krieges."

Ein Mann, dem Friedrich der Große schon als jungem Offizier mitten in den Kriegswirren ein volles Vertrauen schenkte, ihn dann 20 Jahre lang in seiner Umgebung behielt und kurz vor seinem Ableben noch zu sich berief aus einer ganz entfernten Garnison — einem solchen Mann können wir gern geben, was ihm gebührt, und von ihm wollen wir nehmen das, was ungerechte Richter und unbillige Beurtheiler ihm Uebles nachgesagt haben, ohne Beibringung zuverlässiger Beweise. Und somit Ehre seinem Andenken!

> Man zeige mir, wo ist der Mann,
> Der Jedwedem gefallen kann? —
> Niemand wird er genannt,
> Nirgend ist sein Vaterland.

(Gr. L.)

Friedrich Wilhelm Ernst v. Gaudi.

Ist Heinrich Wilhelm v. Anhalt prototypisch für den äußern, praktischen Dienst des Feldherrngehülfen, so ist uns Gaudi denkwürdig durch seine (die Operationen vorbereitenden) Leistungen im inneren Generalstabsdepartement und durch seinen eminenten kriegshistoriographischen Privatfleiß.

Gaudy, geboren am 23. August 1725 zu Spandau, gehörte einem altadlichen, ursprünglich schottischen Geschlecht an, welches bereits mehrfach dem brandenburgisch-preußischen Staat gute Dienste geleistet hatte. Unseres Gaudi Vater wird in den Schriften des großen Königs (Tome I, p. 184 u. 185) als derjenige Offizier erwähnt, dessen Umsicht Karl den Zwölften aus der

Verschanzung bei Stralsund vertrieb.*) Sein Tod im Gefecht bei Habel-
schwerdt, 1745 den 14. Februar, als Kommandeur des Infanterie-Regiments
„v. Schlichting" (Nr. 2) wurde vom König mit dem epitheton ornans „ce
brave colonel" als schwer wiegender Verlust bezeichnet. Gaudis Mutter,
eine v. Grävenitz aus dem Hause Bagow, starb 1774.

Von drei Söhnen war Friedrich Wilhelm Ernst der älteste; der zweite
wurde 1775 Minister und starb als solcher 1789 zu Berlin. Als Friedrich
der Große sich 1786 durch sein Körperleiden behindert sah an der alljähr-
lichen Revue in Westpreußen, war es dieser Gaudy, welcher statt Seiner
dorthin reisen mußte als Civil-Feldmarschall. Der dritte Sohn starb 1784
als Kammerdirektor zu Brandenburg.

Unser Gaudi verließ 1741 das älterliche Haus, um seine Studien in
der Universität Königsberg zu vollenden. War er bisher schon mit militairischen Anschauungen und Gewohnheiten vertraut geworden, so entwickelte sich
jetzt um so entschiedener die Vorliebe für den Soldatenstand. Der Feldmarschall v. Röder, Gouverneur von Königsberg, sein Stiefgroßvater, ein
kinderloser Veteran (gest. 78 Jahre alt, den 26. Oktober 1743) mit Remi-
niscenzen an mannigfaltige Kriegserlebnisse in Spanien, den Niederlanden,
am Rheinstrom u. s. w., wurde für Gaudis Zukunft maßgebend. Im September 1743 zog der junge Musensohn ab aus Königsberg, wanderte nach
Schlesien zu seinem dort garnisonirenden Vater und wurde von diesem nach
Berlin dirigirt, um hier (am 7. Januar 1744) dem König vorgestellt zu
werden, der ihn am 18. Januar 1744 als Offizier-Aspirant vorläufig den
Unrangirten der Garde überwies, am 12. Juli genannten Jahres aber als
Fähnrich beim Infanterie „Prinz Heinrich" anstellte (Garnison Potsdam).

Gaudi marschirte bald darauf mit dieser Truppe ins Feld. Er kam
hier während des schwierigen Rückzugs der Prager Besatzung nach Schlesien,
im Winter 1744/45, in die Schule der „Standhaftigkeit".**) Der frische,
frohmüthige Krieg 1745 dagegen zeigte Gaudi den vollen Glanz der preußischen Offensivkraft.

Nach dem Friedensschluß kehrte Gaudi nach Potsdam zurück. (Abmarsch
aus Brieg den 11. Januar 1746, Einrücken in die Friedensgarnison am
4. Februar.) Der Friede wurde Gaudi eine Geduldprobe, hinsichtlich des

---

*) Wenn der illustre Autor aber sagt, Gaudi habe als Schüler beim Baden die be-
treffende Furth schon gekannt, so ist ihm darüber Irrthümliches berichtet worden. Gaudi
war gar nicht auf der Schule in Stralsund. Die Furthentdeckung verdankte er lediglich
seiner vielfältigen, sorglichen militairischen Rekognoszirung. — Eine andere Gaudische
Kriegslist findet man in Buchholz' Geschichte der Mark Brandenburg, Theil I, Seite 142
(Berlin 1775).

**) Das Regiment Heinrich verlor seinen gesammten Train und mehr als die Hälfte
seiner Mannschaft (großentheils durch Desertion). Es mußte zu seiner Rekomplettirung
ein Standquartier in Brieg beziehen.

lange auf sich warten lassenden Aufrückens zum Sekonde-Lieutenant. Erst am 24. Februar 1750 erfolgte dasselbe, und 5 Jahre später das Avancement zum „Premier". Indeß es trösteten ihn bei diesem langen Subalterndienst ehrenvolle und lehrreiche Abwechslungen: 1) die Ernennung zum Regiments-Adjutanten, den 4. Oktober 1747; 2) das Werbekommando vom 26. Juni 1748 bis 14. Juli 1755, während dessen Gaudi sich abwechselnd in Nürnberg, Augsburg, Heilbronn, an der Mosel, in Worms, im Hohenzollerschen und anderen Reichsstädten und Reichsländern aufhielt; 3) kam Gaudi inzwischen alljährlich zu den Potsdamer Manövern.

Am 2. August 1756 versetzte der König Gaudi, unter Ernennung zum Kapitain, in seine Flügel-Adjutantur. Am 20. September 1757 entsandte Er ihn zum Hauptquartier des Feldmarschall Keith. Im Juni 1759 übertrug der König Gaudi das Kommando des Fußjägerkorps (400 Mann „Guiden"). Im März 1760 berief Er denselben wieder in Seine Suite und schickte ihn im Mai desselben Jahres als Hülfskraft zum General-Lieutenant v. Hülsen. Dieser „alte Biedermann" — so nennt der König in einem Schreiben an Prinz Heinrich Königliche Hoheit vom 19. November 1761 den wackern, hochbetagten Hülsen — begann gedächtnißschwach zu werden; aber hierauf nahm der König gern und gnädig Rücksicht, denn er mochte Hülsen, seiner Energie, Einsicht und Dienstesfreudigkeit halber, nicht im Kriegswirrwar missen (Hülsen hatte 1756 vergeblich um seinen Abschied gebeten).

Gaudis Generalstabs-Dienstleistung bei diesem in Sachsen detachirt kommandirenden General ist eine mustergültig fruchtbare. Beide, Hülsen und Gaudi, ergänzten sich bestens in ihren Gaben. Gaudi besaß neben geistiger Behendigkeit und körperlicher Unermüdlichkeit im hohen Grade ein besonderes Geschick beim Entwurf gediegener Projekte (Operationspläne und Dispositionen). Ein gelehrter Zeitgenosse bezeichnet ihn als „Genie" in diesem Fach.

Gaudis Amtiren bei dem einer feindlichen Uebermacht ehrenvoll widerstehenden Hülsenschen Korps bildet den Hauptglanzpunkt seiner militairischen Laufbahn. Im Gefecht bei Strehla, 20. August 1760, erwarb sich Gaudi den pour le mérite und das Majorspatent. Andrerseits verscherzte er sich — so wenigstens lautet ein Gerücht, das wir hier reproduziren — die Aussicht auf Rückkehr in des Königs Umgebung, weil sein rücksichtslos kritisirendes Privattagebuch, unvermuthet vom König eingefordert, nichts weniger als des hohen Herrn Beifall fand.

Den 1. März 1763 wurde Gaudi — wie es scheint als Kommandeur — in das Infanterie-Regiment Sallmuth (Nr. 49) nach Wesel versetzt, avancirte hier 1767 zum Oberst-Lieutenant und erhielt drei Jahre später das Kommando des (ebenfalls in Wesel garnisonirenden) Regiments „Hessen-Cassel", dessen Chef als Souverain abwesend. Die Beförderung zum Oberst erfolgte am 20. Mai 1771.

Während des Marsches nach Sachsen 1778 hatte Gaudi das Unglück, im Hildesheimschen mit dem Pferd stürzend, ein Bein zweimal zu brechen. Er mußte hier in einem Dorfe bis zum 7. Juni genannten Jahres ausharren und traf erst am 25. desselben Monats in Dresden ein, zu dessen Kommandanten er ernannt worden. Nach Kriegsschluß marschirte Gaudi mit seinem Regiment wieder nach Wesel. Bald nach der Heimkehr wurde er zum General-Major und Chef des (durch Pensionirung des General-Lieutenant v. Britzke) in Wesel vakant gewordenen Infanterie-Regiments Nr. 44 ernannt, den 19. Juli 1779; ein Regiment, welches der fürsorglichen Aufbesserung bedurfte, weil es im einjährigen Kriege durch Desertion stark geschädigt worden. Der König belohnte die hierbei von Gaudi aufgewendete Mühe, indem er ihm den ehemaligen Gouverneurgarten in Wesel als Familien-Eigenthum schenkte. Gaudi war nämlich seit dem 17. März 1763 verheirathet, und zwar mit der Wittwe eines preußischen Majors. Aus dieser glücklichen Ehe war bei Gaudis Tode eine Tochter am Leben (1781 mit einem in Ostfriesland begüterten Grafen v. Wedel verheirathet).

Wir kennen aus des Königs Lebensabend seine Anhänglichkeit für die noch übriggebliebene kleine Zahl derer, die ihm ehedem persönlich nahe gestanden.

Fouqué, dem König der langjährigste Freund, starb 1774. v. Wylich, ein anderer alter Rheinsberger, war schon 1770 plötzlich in Potsdam aus dem Leben abberufen worden. Im Jahre 1775 starben: 1) General-Lieutenant v. Krusemark, in den schwierigsten Zeiten des 7jährigen Krieges, „erster" Königlicher General-Adjutant; 2) Quintus Icilius, dem König ein gelehrter Gesellschafter; 3) Graf Schmettau, der letztlebende spezielle Kriegsgefährte aus den schlesischen Kriegen. 1781 im November verlor der König den in Rheinsberg schon liebgewonnenen, später als Flügel- und erster General-Adjutant erprobten und als Kadetten-General hochverdienstvollen Buddenbrock. Graf Chasot mußte im Jahre 1784 aus Lübeck nach Potsdam zum Besuch kommen; mit ihm feierte der König jetzt ein 50jähriges Freundschaftsjubiläum und entließ ihn (wie die Berliner Nachrichten zur Zeit mittheilten) „mit Gnaden und Geschenken überhäuft."

Seit 1768, bei der Revue in Wesel, war (so scheint es) Gaudi nicht vom König gesehen worden. Gaudi erhielt 1781 eine Einladung nach Potsdam und hatte hier die Ehre, vom 31. Juli bis 21. August des Königs Gast zu sein. Man erzählte sich damals, der König habe ihn einmal bei Tafel gefragt, ob er sich des Roßbacher Vorkommnisses noch erinnere — ein Königlicher Zornausbruch traf im Schloß zu Roßbach, unmittelbar vor der Schlacht, Gaudis Haupt wegen eines dem König nicht glaubhaft scheinenden Beobachtungsrapports; — der alte General, sonst spitzungig und kaustisch, diesmal aber ein glatter Hofmann, erwiderte (nach dem Bericht eines ernsten und glaubhaften Mannes): „Ich erinnere mich nur, daß Ew. Majestät Sich an jenem Tage mit Ruhm bedeckt haben."

1785, den 9. April, erhielt Gaudi die Westphälische Infanterie-General-Inspektion. König Friedrich Wilhelm II. ernannte ihn 1787, den 20. März, zum General-Lieutenant und im Juni desselben Jahres zum Kommandanten von Wesel. 1787 marschirte Gaudi ein viertes Mal in den Krieg; es war ein kurzer, in Holland, aber für Gaudi — dem mit den dortigen Terrain- und anderen Verhältnissen genau bekannten und beim Entwurf der Opera- tionen betheiligten — immerhin ein erquickliches Friedens-Intermezzo.

Trotz seiner durch Feldzugsstrapazen, langjährigen Dienst und viele Reisen geschwächten Gesundheit diente Gaudi bis zum letzten Athemzuge mit unwandelbarem Eifer. Er starb plötzlich am 13. Dezember 1788 im Schloß zu Cleve, in den Armen des Kammerpräsidenten v. Buggenhagen, während der Verhandlungen wegen Einrichtung der Rekrutirungsbezirke für die drei Weseler Regimenter.

Es wird Gaudi nachgerühmt: eine rastlose Thätigkeit, eine staunens- werthe Arbeitskraft und Arbeitsschnelligkeit. Seine Tüchtigkeit in der Praxis des Generals paart sich mit hervorragenden Leistungen auf militairliterari- schem Gebiet. Das oft genannte Gaudische „Tagebuch vom 7jährigen Kriege" ist keineswegs, wie man es dem Titel nach wohl vermuthen könnte, eine bloße Aneinanderreihung eigener Reminiszenzen aus jener großen Kriegsperiode, sondern eine detaillirte Berichterstattung über alle von preußischen Streit- kräften während der Feldzüge 1756—1762 (inkl.) ausgeführten Operationen. Gaudi hat dieser (im Jahre 1778 abgeschlossenen) Arbeit einen 22jährigen Privatfleiß gewidmet. König Friedrich Wilhelm II. kaufte den Gaudischen Erben das 10 Foliobände umfassende Manuskript nebst einer Menge von dazu gehörigen Plänen ab und bezahlte dasselbe „königlich" (12,000 Thlr.). Es wurde und bleibt, als Perle in der archivalischen Schatzkammer des Königlich Preußischen Generalstabes, ein Buch der Bücher über den sieben- jährigen Krieg.

Neben diesem inedirten Hauptopus schrieb und veröffentlichte Gaudi einige zur Zeit sehr werthvolle Lehrschriften, so z. B. eine Abhandlung über den Gebrauch der Feld- und Belagerungs-Artillerie, sowie einen 1778 in Wesel gedruckten „Versuch einer Anweisung für Offiziere von der Infanterie, wie Feldschanzen von allerhand Art angelegt und erbaut, und verschiedene andere Posten in Defensionszustand gesetzt werden können"; mit 39 Kupfer- tafeln. Der amerikanische General v. Steuben bat im Jahre 1788 den vormaligen Waffengefährten Gaudi, ihm seine „Elementartaktik zur Instruk- tion der Infanterie-Offiziere" nach New-York zu senden, „um dieses Buch für meine amerikanischen Schüler ins Englische übersetzen zu können, weil die in meinen Händen befindliche Uebertragung ins Französische mir nicht genügt."

Anhalt und Gaudi wurden vom großen König so zu sagen „entdeckt"
für den Generalstabsbedarf. Anhalt war vor dem Kriege ein Civil=Bau=
meister, Gaudi ein „Werber". Jeder von ihnen hochbefähigt und redlich
strebsam; aber aus ihnen würde nicht das geworden sein, was sie wurden,
wenn nicht des großen Königs Adlerblick und Menschenkenntniß ihnen ein
Amt in höherer Sphäre des Kriegsdienstes anvertraut hätte.

Nach dem Hubertsburger Frieden trennten sich Anhalts und Gaudis
Wege. Ersterer blieb in des hohen Gebieters Umgebung, Letzterer kam in
die westlichste Garnison. Anhalt, vollauf mit dienstlichem Schreibwerk be=
schäftigt und außerdem zu Füßen eines großen Kriegsmeisters sitzend, welcher
eine rege schriftliche Thätigkeit entfaltete für das Wissen über den ver=
flossenen Krieg und das Können im nächsten, — wie hätte er mit dem
Königlichen Herrn militairliterarisch konkurriren mögen, Kohlen nach Newcastle
tragen wollen? — Ein Anderes war es bei Gaudi; der hatte Zeit, und
übrigens — von jeher gewöhnt, aus Gelesenem die Quintessenz schriftlich
aufzuzeichnen und über Selbsterlebtes sich mit der Feder Rechenschaft zu
geben — hatte er das Bedürfniß, die Kriegserfahrungen literarisch zu
verarbeiten für eigene und Anderer Belehrung. Zwar behinderte der König
das Hervortreten einer preußischen militairischen Presse insofern, als Ver=
öffentlichungen über den Verlauf seiner Kriege und über die preußische Armee
ihm unerwünscht waren. (Sehr bezeichnend für diesen Umstand ist der Titel
„Ungedruckte Nachrichten" für ein in den Jahren 1782—85 zu Dresden
im Druck erschienenes, anonym von einem preußischen Regiments=Quartier=
meister edirtes, mehrbändiges armeegeschichtliches Sammelwerk.) Innerhalb
der gegebenen Grenzen jedoch konnte Gaudi sein Autorlicht leuchten lassen,
didaktisch, für die Dienstapplikation der starken Weseler Garnison und den
Unterrichtsbedarf der Weseler Kriegsschulanstalt; somit machte er aus Wesel
ein (man gestatte uns den Ausdruck) „Klein=Potsdam". *)

Als Friedrich der Große starb, bekleideten Anhalt wie Gaudi die höchste
Stelle, welche es damals im Truppenkommando gab und eine besondere Aus=
zeichnung bedeutete, weil die „General=Inspektionen" ohne Rücksicht auf das
Dienstalter besetzt wurden. Für Anhalt schloß körperliche Schwäche, und für

---

*) Des 1751 verstorbenen General=Majors v. Stille vortreffliche Arbeit: „Cam-
pagnes du Roi de Prusse", die beiden schlesischen Kriege behandelnd, erschien 1762 ohne
Angabe des Druckorts, und 1767 in Amsterdam. — Tempelhoff begnügte sich anfänglich
mit Uebersetzung physikalischer und mathematischer Instruktionen für Artillerie=Kadetten
aus dem Italienischen und mit Verdeutschung zweier Bände des russischen Generals a. D.
Aloyb über den Krieg 1756 und 57. Sein Lehrbuch „Le Bombardier prussien" erschien
1781; seine 4 Schlußtheile über die Feldzüge des 7jährigen Krieges hat er erst 1794 zu
publiziren begonnen. — Balbis interessante Memoiren blieben unveröffentlicht. Quintus
Jcilius berichtete nur über die Kriegskunst der Alten. Des Ingenieur=Lieutenants Müller
1785 abgeschlossene „Kurzgefaßte Beschreibung der drei schlesischen Kriege" ist nach Fried=
rich des Großen Tode gedruckt worden.

Gaudi ein Soldatentod stehenden Fußes, ein vielbewegtes Dienstleben. Beide sind ein augenfälliges Beispiel dafür, daß man in der Fridericianischen Armee viel aus sich machen konnte, falls man den Willen und die Begabung, besaß, so zu arbeiten, wie diese Zwei.

Ueber Anhalt ist uns nicht viel aufbehalten, über Gaudi sehr wenig. Der Philosoph Helvetius (gest. 1771, von dem Friedrich sagte: c'était un si honnête homme que je relirai avec plaisir ses ouvrages) giebt uns den Trost, die Zahl der guten und edlen Männer sei damals so groß gewesen, daß man nicht mehr, wie es die Alten thaten, die Aufzeichnung ihrer Lebensumstände für nöthig erachtete.

(Gr. L.)

Beiträge zu einem Verzeichniß der von Friedrich dem Großen ernannten Ritter des Ordens pour le mérite.

Als Friedrich der Große den Thron bestieg, existirten in Preußen nur zwei Verdienst-Orden: der Hausorden vom Schwarzen Adler und der Orden de la générosité.

Letzterer am 8. Mai 1667 *) von dem Kurprinzen Karl Emil gestiftet, war damals im entschiedensten Verfall. Schon in den ersten sechs Jahren seines Bestehens hatten sich bei der Verleihung ꝛc. so arge Mißbräuche eingeschlichen, daß es „Ihro Durchlaucht, der Herr Großmeister undt der Senior vor höchst nothwendig sauben, daß die Ordre wieder in Auffnehmen undt Ordnung gebracht werde." (Protokoll d. d. Landsberg 7. September 1673.) Man beschloß, Nachforschungen nach der Zahl der Beliehenen anzustellen und dann „eine gewisse Zahl, über welche durchaus keine Ritter gemacht werden sollten", zu bestimmen.

Ist eine derartige Anordnung, was nicht bekannt, überhaupt getroffen worden, so ist sie jedenfalls nicht lange beobachtet. Unter Friedrich I. gelang es notorischen Abenteurern und mauvais sujets in den Besitz des Ordens zu gelangen. Friedrich Wilhelm I. ertheilte ihn Jedem, der die bestimmte Taxe zahlte.**)

---

*) S. (Fischbach) Historische politisch-geographisch-statistisch- und militairische Beyträge, die Königlich-Preußische und benachbarte Staaten betreffend. Dessau v. J. (4.) I. S. 353 ff. — Wohlbrück, Geschichte des Ordens pour le mérite giebt wenig mehr, als im Fischbach enthalten ist.

**) Ein für die Rekrutenkasse so freudiges Ereigniß pflegte der König mit den Worten „wieder einen Gimpel gefangen" zu bezeichnen.

Diesen Orden von so zweifelhaftem Werthe schuf Friedrich der Große nach seiner Thronbesteigung in einen andern um, der seitdem die erstrebenswertheste und höchste Auszeichnung des preußischen Offiziers und für andere Staaten das Vorbild zur Stiftung anderer Kriegsorden geworden ist. Es ist dies der Orden pour le mérite.

Man hat es oftmals beklagt, daß es bisher nicht gelungen ist, ein Verzeichniß der von seinem hohen Stifter, namentlich während seiner Feldzüge ernannten Ritter aufzustellen. Bei der Formlosigkeit, mit der die Verleihungen damals erfolgten, und bei dem Verluste fast aller Regiments-Akten aus der Zeit des großen Königs wird wohl die Abfassung — auch nur einer authentischen Liste der Ritter niemals gelingen, geschweige denn die Herstellung eines Werkes in der Art, wie es über den Theresien-Orden *) existirt.

So hat sich denn über die Zahl der während des siebenjährigen Krieges ernannten Ordensritter ein förmlicher Mythus gebildet. Schöning in seiner Biographie Natzmers gab sie auf 72 an, eine Behauptung, die von Vielen kritiklos hingenommen ist. Schon unsere Liste wird diese Angabe als eine durchaus irrige darthun. Und wie viele Lücken weist unser Verzeichniß auf!

Um nur einige Beispiele anzuführen, bekamen für Torgau 8 Offiziere des Baireuth'schen Dragoner-Regiments den Orden pour le mérite — wir konnten den Namen keines derselben auffinden. Für dieselbe Schlacht erhielten alle Kompagnie-Chefs des Grenadier-Garde-Bataillons und des Infanterie-Regiments Prinz von Preußen (Nr. 18) den Orden und unsere Liste weist nur drei derselben auf. Vierzehn Offiziere des heldenmüthigen **) Regiments v. Meyerinck (Nr. 26) wurden wie alle Stabsoffiziere und Hauptleute der Garde für Leuthen dekorirt: von ersteren fehlen in unserer Liste zwölf, von letzteren sind nur fünf verzeichnet. Sechs Offizieren der Regimenter Itzenplitz und Manteuffel verschaffte Prinz Heinrich diese Auszeichnung für Prag: auch deren Namen sind uns nicht vollständig bekannt geworden. Für Lowositz ertheilte der König fünfzig und einige, für Freyberg 22 „Orden", wir haben bis jetzt nur 20 bezüglich 16 ermitteln können.

Noch eine andere Sage findet durch unsere Arbeit ihre Widerlegung, daß nämlich Seydlitz der Einzige gewesen, der für Kolin dekorirt wurde. — Eilf Offiziere von Norman-Dragonern, des Regiments, das an jenem ver-

---

*) von Hirtenfeld. Wien 1857 in 2 Bänden klein 4.
**) Nach der Schlacht ließ der König dem Regiment sagen: „Daß Sie dem Regiment, welches sich bei Molwitz so verdient um die Eroberung Schlesiens gemacht, die Erhaltung Schlesiens mehr als einmal verdanken konnten, und daß es ihnen niemalen in Vergessenheit gerathen sollte." Moritz von Dessau sagte bei Leuthen zum Könige: „Ihro Majestät können dem Regiment Ihre Krone und Scepter anvertrauen. Wenn die vor dem Feinde lauffen, mag ich dorten auch nicht bleiben." 7 Kompagnien des Regiments waren wendisch, 5 deutsch.

hängnißvollen Tage mit unwiderstehlicher Tapferkeit die einzigen*), blutigen Trophäen gewann, theilten mit ihm diese Ehre.

Unsere Arbeit, das Resultat jahrelangen Sammelns, hat den Haupt-zweck, auch andere für die Geschichte unseres Heeres Begeisterte zu veranlassen, an der Vervollständigung, nöthigenfalls auch Berichtigung dieser Liste mit-zuwirken.

Wir bemerken noch, daß, wo es uns möglich war, wir die Vornamen der Ritter hinzugesetzt haben: weit über hundert andere, deren Stellung zur Zeit der Verleihung, beziehungsweise den Ort der Auszeichnung wir nicht ermitteln konnten, sind vorläufig von der Aufnahme ausgeschlossen geblieben. Sie sollen in einem späteren Nachtrag ihre Stelle finden.

Erster schlesischer Krieg 1741/42.

Erworben:

1) Stabshauptm. Joachim Ernst v. Billerbeck vom Inf. Regt. Markgraf Karl Nr. 19. **Glogau.**

2) Hauptm. Gottfried v. Hake vom Inf. Regt. Nr. 1 von Glasenapp.

3) Major Konrad Gottfried v. Buntsch, vom Inf. Regt. Markgraf Karl Nr. 19 († bei Soor).

4) Stabshauptm. Gustav Friedrich v. Zeuner vom Inf. Regt. Markgraf Karl Nr. 19.

5) Ob. Lt. Bernhard Heinrich v. Bornstädt vom Drag. Regt. v. Platen Nr. 1.

6) Ob. Lt. Georg Konrad Frhr. v. d. Goltz vom Drag. Regt. v. Möllendorf Nr. 6.

7) Hauptm. Johann Friedrich v. Baer vom Inf. Regt. Erb-prinz Leopold Nr. 27 († bei Molwitz).

8) Major Ernst Ludwig v. Goetze, Kommandeur eines Gre-nadier-Bataillons.

9) Hauptm. Christoph Ludwig v. Barleben vom Inf. Regt. Markgraf Karl Nr. 19. **Glogau u. Molwitz.**

10) Ob. Lt. Kaspar Ernst v. Schulze vom 1. Bat. Leibgarde († bei Breslau 1757). **Molwitz.**

*) Nach den im Geheimen Staatsarchiv vorhandenen Berichten hatte allerdings auch das Regiment Bevern (Nr. 7) — die Stammtruppe des 2. Bataillons 2. Garde-Regiments zu Fuß — bereits 8 Fahnen und 11 Kanonen erobert, „als es unglücklicher Weise auf allen Seiten umringt und von der Kavallerie größtentheils niedergehauen wurde", nachdem es schon von dem fliehenden Regiment Markgraf Friedrich (Kürassiere Nr. 5) niedergeritten war.

) Hauptm. Johann Ludwig v. Ingersleben vom 1. Bataillon
    Leibgarde.   Molwitz.

2) Lt. Bogislav Friedrich v. Tauentzien vom 1. Bat. Leibgarde. —

13) Lt. Joachim Friedrich v. Stutterheim vom Inf. Regt. Prinz
    von Preußen Nr. 18.

14) Sec. Lt. Heinrich Werner v. Kleist vom Inf. Regt. Sydow
    Nr. 23.

15) Major Adam Joachim Graf v. Podewils vom Drag. Regt.
    v. Platen Nr. 1.   Verfolgung von Molwitz bis Brieg.

16) Lt. Bogislav Friedrich v. Zastrow von der Artillerie.   Ottmachau.

17) Major Hans Joachim v. Zieten vom Leib-Husaren-Regt.
    Nr. 2.   ? Rothschloß.

18) Hauptm. Johann Sigismund v. Lattorf vom Inf. Regt.
    v. Truchseß Nr. 13.   Lesch.

19) Ob. Lt. Heinrich Karl Ludwig Herault v. Hautcharmoy vom
    Inf. Regt. Kleist Nr. 26 († an den bei Prag erhaltenen
    Wunden).   Molwitz u. Ottmachau.

1742.

1) Lt. Woldeck v. Arneburg vom Regt. Gensdarmes.   Schorwitz.

2) Oberst Friedrich Wilhelm Frhr. v. Kyaw vom Drag. Regt.
    Nassau Nr. 11.   Ungarisch-Hradesch.

3) Hauptm. Gabriel Monod de Froideville vom Drag. Regt.
    Nassau Nr. 11 († bei Zorndorf).   Napajedl.

4) Oberst Johann v. Brunikowsky vom Hus. Regt. Bruni-
    kowky Nr. 1.   Chotusitz.

5) Major Ludwig Anton v. Wechmar vom Hus. Regt. Bruni-
    kowsky Nr. 1.

6) Major Bernhard Asmus v. Zastrow vom Inf. Regt. Graf
    Schwerin Nr. 24 († bei Aussig 1757).

7) Ob. Lt. Friedrich Christoph Christian v. Rindtorff vom Inf.
    Regt. Prinz Leopold Nr. 27 († an seinen Wunden von
    Kesselsdorf $^{27}/_{12}$. 45).

8) Hauptm. Friedrich Franz Ernst Frhr. v. Plotho vom Inf.
    Regt. Prinz Leopold Nr. 27.

9) Oberst Georg Christoph v. Kreytzen vom Inf. Regt. Jung
    Borcke Nr. 29.

10) Major Jürgen Friedrich v. Oldenburg vom Inf. Regt. la
    Motte Nr. 17 († an seinen bei Breslau erhaltenen
    Wunden).

11) Major Georg Wilhelm v. Driesen vom Kür. Regt. Prinz
    von Preußen Nr. 2.

12) Oberft v. Katzeler vom Kür. Regt. Prinz von Preußen
Nr. 2.   Chotufitz.

13) Rittm. Jakob Friedrich v. Bredow vom Kür. Regt. Prinz
von Preußen Nr. 2.

14) Major Dubislav Friedrich v. Platen vom Kür. Regt. Geßler
Nr. 4.

15) Major Henning Otto v. Dewitz vom Huf. Regt. Brunikowsky Nr. 1.   Ullersdorf u. Eisersdorf.

Zweiter schlefischer Krieg.

1744.

1) Ob. Lt. Karl Hartwig v. Wartenberg vom Huf. Regt. Malachowsky Nr. 3.   Pleß.

2) Hauptm. Johann Albrecht v. Strantz vom Inf. Regt. Prinz
von Preußen Nr. 18 († ⁹/₅. 57 am Ziskaberge). Beraun.

3) Major Georg v. Wedell, Kommandeur der Gren. Bat. der
Garde († bei Soor).   Sulowitz.

4) Lt. Karl Kuno Friedrich v. Klitzing von der Garde. —

5) Major Michael v. Szekuli vom Huf. Regt. von Soldau
Nr. 6.   Weil er sich durch eine starke österr. Patrouille
durchgeschlagen.

6) Major v. Wangenheim von den Gren. des Regts. v. Kreytzen
Nr. 40.   Herrnsdorf.

1745.

1) Gen. Major Reimar Julius v. Schwerin vom Drag. Regt.
Louis Wirtenberg Nr. 2.   Neustadt.

2) Oberst Johann Ernst v. Ahlemann desgl.

3) Ob. Lt. Adolf Friedrich v. Langermann desgl.

4) Hauptm. Anton v. Dincklage desgl.

5) Hauptm. Johann Dietrich v. Manstein desgl.

6) Hauptm. Bogislav Ernst v. Köller desgl.

7) Ob. Lt. Hans v. Schütz vom Huf. Regt. Hallasch Nr. 8.
     In Oberschlesien, bei Habelschwerd.

8) Ob. Lt. Georg Ernst v. Nettelhorst vom Inf. Regt. Jung
Dohna Nr. 38.   In Oberschlesien.

9) Oberst August Friedrich v. Itzenplitz vom Inf. Regt. Hake
Nr. 1 († an seinen bei Kunersdorf erhaltenen Wunden).
       Hohenfriedberg.

10) Major Lorenz Ernst v. Münchow vom Inf. Regt. Hake
Nr. 1 († an seinen bei Leuthen erhaltenen Wunden). —

Erworben:

11) Hauptm. Friedrich Christoph v. Rentzell vom Juf. Regt.
Hake Nr. 1.   Hohenfriedberg.

12) Hauptm. Karl Christoph v. Zeuner vom Inf. Regt. Hake
Nr. 1.

13) Ob. Lt. Hans Kaspar v. Kleift vom Inf. Regt. Hake Nr. 1.   —

14) Hauptm. Gottfried v. Hake vom Inf. Regt. Hake Nr. 1.   —

15) Hauptm. Samuel Heinrich v. Zernikow vom Gren. Garde-
Bataillon.

16) Hauptm. Ludolf Auguft v. Braufen vom Gren. Garde-Bat.   —

17) Ob. Lt. Chriftian Gottfried v. Uchtländer vom Inf. Regt.
Braunschweig Bevern Nr. 7.

18) Major Nikolaus Laurenz v. Puttkamer vom Inf. Regt. Bevern Nr. 7.

19) Hauptm. Georg Hartwig v. Lüberitz vom Inf. Regt. Bevern Nr. 7.

20) Hauptm. Friedrich Wilhelm v. Arnim vom Inf. Regt. Bevern Nr. 7.

21) Hauptm. Joachim Friedrich v. Dequede vom Inf. Regt.
Bevern Nr. 7.

22) Hauptm. Daniel Friedrich v. Stakelberg vom Inf. Regt.
Bevern Nr. 7.

23) Hauptm. Friedrich Leberecht v. Erlach vom Inf. Regt. Bevern Nr. 7.

24) Hauptm. Joachim Chriftoph v. d. Marwitz vom Inf. Regt.
Bevern Nr. 7.

25) Hauptm. Siegmund Ernft v. Birkenhahn vom Inf. Regt.
Bevern Nr. 7.

26) Hauptm. v. Kracht vom Inf. Regt. Bevern Nr. 7.

27) Hauptm. Friedrich v. Arnftädt vom Inf. Regt. Bevern
Nr. 7.

28) Pr. Lt. Andreas Otto v. Aderkas vom Inf. Regt. Bevern Nr. 7.

29) Ob. Lt. Georg Friedrich v. Amftell vom Inf. Regt. Schlichting Nr. 2.

30) Oberft Johann Karl Friedrich Fürft v. Karolath vom Kür.
Regt. Rochow Nr. 8.

31) Major Georg Friedrich v. Winterfeld vom Kür. Regt. Rochow Nr. 8 († bei Kolin).

32) Major Bernhard v. Brummer vom Kür. Regt. Rochow
Nr. 8.

33) Rittm. v. Kechler vom Kür. Regt. Rochow Nr. 8.

34) Rittm. Johann Alexander v. Falkenhahn vom Kür. Reg.
Rochow Nr. 8.   Hohenfriedberg.

35) Oberst Johann Theodor v. Ruesch vom Hus. Regt. Nr. 5.   —

36) Lt. Christoph Karl v. Bülow vom Drag. Regt. Posadowsky
Nr. 1.

37) Oberst Otto v. Schwerin vom Drag. Regt. Baireuth Nr. 5. —

38) Major Franz Egmont Isaak v. Chazot vom Drag. Regt.
Baireuth Nr. 5.

39) Lt. Georg Balthasar v. Norman vom Drag. Reg. Baireuth
Nr. 5.   —

40) Capitain v. Schilling vom 3. Bat. Garde.   —

41) Lt. v. Nassau.   Kosel.

42) Ob. Lt. Henning Ernst v. Oertzen vom Regt. Gensdarmes
(† bei Lowositz).   Soor.

43) Gen. Major (?) Leonhard v. Beauvré.

44) Major Ernst Sigismund v. Wedell, Kommandeur eines
Gren. Bat. († bei Zorndorf).

45) Ob. Lt. Eggert Georg v. Woedtke vom Inf. Regt. Kalk-
stein Nr. 25.

46) Ob. Lt. Ernst Ludwig v. Kannacher vom Inf. Regt. Zeetz
Nr. 30.   Kesselsdorf.

47) Major Friedrich Magnus v. Horn vom Inf. Regt. Zeetz
Nr. 30.

48) Ob. Lt. Emanuel v. Schöning, Kommandeur eines Gren.
Bat. († bei Prag).

49) Ob. Lt. Christian Siegfried v. Krosigk vom Kür. Regt.
Nr. 6 († bei Kolin).

50) Gen. Major Erdmann Ernst v. Ruitz vom Drag. Reg. Ro-
thenburg Nr. 3.   Soor.

51) Hauptm. Ernst Heinrich Frhr. v. Czettritz vom Drag. Regt.
Bonin Nr. 4.   Kesselsdorf.

52) Oberst David Hans Christoph v. Lüderitz vom Drag. Regt.
Bonin Nr. 4 († bei Lowositz).

Siebenjähriger Krieg.
1756.

1) Ob. Lt. Karl Emanuel v. Warnery vom Hus. Regt. v. Puttkamer Nr. 4.   Stolpen.

2) Major Karl Friedrich v. Moller von der Artillerie.   Lowositz.

3) Hauptm. Friedrich Wilhelm v. Zbikowsky von der Artillerie
(† an seinen bei Breslau erhaltenen Wunden).

4) Hauptm. Karl Ludwig v. Lüderiz von der Artillerie.   Lowofiz.

5) Oberst Johann Friedrich v. Meerkaz von der Artillerie.   —

6) Stabshauptm. Georg Ernst v. Holzendorff von der Artillerie.   —

7) Ob. Lt. Christoph Friedrich v. Sydow vom Regt. Anhalt Nr. 3.

8) Hauptm. Maximilian v. Bornstedt vom Regt. Anhalt Nr. 3.   —

9) Hauptm. Levin Friedrich v. Hafe vom Inf. Regt. v. Winter-feld Nr. 1.

10) Grenadierhauptm. Johann Sigmund von Lestwiz vom Inf. Regt. Alt v. Braunschweig Nr. 5.

11) Hauptm. Georg Lorenz v. Kowalsky vom Inf. Regt. Beveru Nr. 7.

12) Hauptm. Jakob Rüdiger v. Zastrow vom Inf. Regt. von Itzenpliz Nr. 13.

13) Major Martin Ludwig v. Eichmann vom Inf. Regt. von Manteuffel Nr. 17.

14) Grenadierhauptm. Hans Albrecht Friedrich v. Rohr vom Inf. Regt. v. Zastrow Nr. 20.

15) Ob. Lt. Christian Wilhelm v. Zieten vom Inf. Regt. Alt v. Kleist Nr. 27.

16) Hauptm. Heinrich Gottlob v. Braun vom Inf. Regt. Alt v. Kleist Nr. 27.

17) Hauptm. Christian Friedrich v. Bandemer vom Inf. Regt. Alt v. Kleist Nr. 27.

18) Hauptm. Alexander v. Stephanowiz vom Inf. Regt. Alt v. Kleist Nr. 27.

19) Hauptm. Friedrich August Frhr. v. Erlach vom Inf. Regt. v. Hülsen Nr. 21.

20) Oberst Otto Karl v. Schwerin vom Regt. Leib-Karabiniers Nr. 11.

21) Lt. u. Gen. Adj. des Prinzen von Preußen v. Dequede.   —

1757.

1) Hauptm. v. Fock vom Inf. Regt. Prinz Heinrich Nr. 35.
20. Febr. Hirschfelde.

2) Hauptm. v. Thile vom Inf. Regt. Prinz Heinrich Nr. 35.   —

3) Ob. Lt. Johann Christian v. Münchow vom Drag. Regt. Wirtenberg Nr. 12 († an seinen bei Maxen erhaltenen Wunden).   Reichenberg und Prag.

4) Major Karl Philipp v. d. Trautenburg gen. Beyren, vom Drag. Regt. Wirtenberg Nr. 12.

Erworben:

5) Major Friedrich Karl Graf v. Schlieben, Kommandeur eines Gren. Bat.

                        Prag.

6) Major Friedrich Jobst v. Wangenheim, Kommandeur eines Gren. Bat.

7) Lt. Viktor Amadeus Graf Henckel v. Donnersmarck, Adjut. des Prinzen Heinrich, vom Inf. Regt. Prinz von Preußen Nr. 18.

8) Major Peter de Rège vom Inf. Regt. Hausen.

9) Lt. Friedrich Ernst v. Wrangel vom Inf. Regt. Bevern Nr. 7.   —

10) Hauptm. Georg Ewald v. Blumenthal vom Inf. Regt. Manteuffel Nr. 17.

11) Hauptm. Peter Christoph v. Zitzewitz vom Inf. Regt. Manteuffel Nr. 17.   —

12) Hauptm. v. Lohmann vom 2. Bat. Garde.   Belagerung von **Prag.** 24. Mai.

13) Hauptm. Friedrich Wilhelm v. Rohdich vom 3. Bat. Garde.   —

14) Lt. Johann Karl v. Raoul vom 3. Bat. Garde.

15) Hauptm. Johann Friedrich v. Stechow vom Inf. Regt. Prinz von Preußen Nr. 18.   Erstürmung des **Ziskaberges.**

16) Oberst Friedrich Wilhelm v. Seidlitz vom Kür. Regt. Rochow Nr. 8.

                        Kolin.

17) Major Leopold Johann v. Platen vom Drag. Regt. Norman Nr. 1.

18) Major Nikolaus Alexander v. Pomeiske vom Drag. Regt. Norman Nr. 1.

19) Major Leopold Sebastian v. Manstein vom Drag. Regt. Norman Nr. 1.

20) Major Johann Wenzel v. Zastrow vom Drag. Regt. Norman Nr. 1.

21) Hauptm. Karl Henning v. Papstein vom Drag. Regt. Norman Nr. 1.

22) Hauptm. Karl Siegmund v. Nimptsch vom Drag. Regt. Norman Nr. 1.

23) Hauptm. Franz Heinrich v. Puttkamer vom Drag. Regt. Norman Nr. 1.

24) Hauptm. Emanuel Christian v. Leopold vom Drag. Regt. Norman Nr. 1.

25) Hauptm. Karl Heinrich Eberhard v. Nostitz vom Drag. Regt. Norman Nr. 1.

26) Hauptm. Gottlob Ernst v. Rabenau vom Drag. Regt. Norman Nr. 1.

Erworben:

27) Lt. Hans Christian v. Barfuß vom Drag. Regt. Norman
Nr. 1.   **Kolin.**

28) Major Konstantin v. Billerbeck vom Inf. Regt. Prinz Heinrich Nr. 35. Im Juni wegen Deckung eines Lebensmitteltransports.

29) Major Johann Friedrich v. Bayer vom Huf. Regt. Szekuli
Nr. 1.   **Gotha.**

30) Major Friedrich Wilhelm Gottfried Arud v. Kleist vom Huf. Regt. Szekuli Nr. 1.

31) Major Balthasar Ernst v. Bohlen vom Huf. Regt. Szekuli
Nr. 1.

32) Hauptm. Wilhelm Heinrich Frhr. v. d. Goltz vom Inf. Reg. Alt v. Braunschweig Nr. 5.   **Roßbach.**

33) Hauptm. Georg Lorenz v. Pirch vom Inf. Regt. Alt von Braunschweig Nr. 5.

34) Hauptm. v. Lengefeld vom Inf. Regt. Alt v. Braunschweig
Nr. 5.

35) Major Friedrich Albrecht Graf v. Schwerin, Kommandeur des Regts. Gensdarmes Nr. 10.

36) Major Christ. Friedrich v. Viereck vom Regt. Gensdarmes
Nr. 10.

37) Major Georg Christoph v. Arnim vom Regt. Gensdarmes
Nr. 10.

38) Stabsrittm. Gustav Ludwig v. d. Marwitz vom Regt. Gensdarmes Nr. 10.

39) Lt. Dietrich Goswin v. Bockum gen. v. Dolffs vom Regt. Gensdarmes Nr. 10.

40) Major v. Rottwitz vom Regt. Gensdarmes Nr. 10.

41) Major v. Schweinichen vom Regt. Gensdarmes Nr. 10.   —

42) Major v. Oppen vom Regt. Gensdarmes Nr. 10.

43) Major v. Bülow vom Regt. Gensdarmes Nr. 10.

44) Rittm. v. Sydow vom Regt. Gensdarmes Nr. 10.

45) Rittm. v. Lessel vom Regt. Gensdarmes Nr. 10.

46) Rittm. v. Quast v. Regt. Gensdarmes Nr. 10.   —

47) Lt. v. Kleist vom Regt. Gensdarmes Nr. 10.   **Roßbach u. Zorndorf.**

48) Gren. Hauptm. Dionysius v. Callagan vom Inf. Regt. Münchow Nr. 36.   **Breslau.**

49) Major Friedrich August v. Schenckendorff, Kommandeur eines Gren. Bat.   **Breslau u. Leuthen.**

50) Gren. Hauptm. Sylvius Ferdinand v. Stwolinski vom Inf. Regt. Markgraf Heinrich Nr. 42.   **Leuthen u. Breslau.**

51) Major Jobst Erdmann v. Arnim vom Regt. Garde.   **Leuthen.**

52) Major Friedrich Christoph v. Saldern vom Regt. Garde.   Leuthen.

53) Hauptm. Wichard Joachim Heinrich v. Möllendorff vom Regt. Garde.

54) Hauptm. Gerhard Ernst Graf v. Lehndorff vom Regt. Garde († bei Hochkirch).

55) Hauptm. Julius Treusch v. Buttlar vom Regt. Garde.   —

56) Hauptm. Ernst Gotthilf v. Troschke vom Inf. Reg. „Meyerinck Nr. 26.

57) Stabshauptm. Karl Wilhelm v. Kreckwitz vom Inf. Rrgt. Meyerinck Nr. 26.

58) Lt. Karl Friedrich v. Mengden von der Garde du Corps.   —

59) Major Johann Dietrich v. Oginsky vom Kür. Regt. von Schmettau Nr. 4.

60) Lt. Egidius Karl Christoph v. Blankensee vom Drag. Regt. Wirtenberg Nr. 12.

61) Kornet Johann Christoph Kordshagen vom Huf. Regt. Zieten Nr. 2.

62) Oberst Paul Joseph Malachow v. Malachowsky, Chef des Huf. Regts. Nr. 7.   Kumelen.

1758.

1) Gen. Major Paul v. Werner, Chef des Huf. Regts. Nr. 6.
   Feldzug 1757/58.

2) Major Christoph Moritz v. Roell vom Huf. Regt. Szekuli Nr. 1. -   Rochlitz.

3) Oberst Buffo Christian von Blankensee, Chef eines Garnison-Regts.   Reiffe.

4) Lt. Philipp Leberecht Friedrich v. Lattorf vom Inf. Regt. Prinz Heinrich Nr. 35.   (5. Juni) Olmütz.

5) Oberst Heinrich Rudolph v. Basold vom Regt. Leib-Karab.   Wischau.

6) Fähnr. Friedrich Gottlieb v. Diebitsch vom Inf. Regt. Markgraf Karl Nr. 19.   Bautsch in Mähren.

7) Major u. Flügel-Adj. Friedrich Graf v. Anhalt, Kommandeur eines Gren. Bat.   Zorndorf.

8) Ob. Lt. Johann Ferdinand v. Stechow, Kommandeur eines Gren. Bat.

9) Major u. Flügel-Adj. Primislaus Ulrich v. Kleist, Kommandeur eines Gren. Bat.

10) Ob. Lt. Gideon Friedrich v. Apenburg vom Kür. Regt. Seydlitz Nr. 8.

Erworben:

11) Major Friedrich Albrecht Karl Hermann Graf v. Wylich u.
Lottum vom Kür. Regt. Seydlitz Nr. 8.   Zorndorf.

12) Rittm. Reimar v. Kleist vom Regt. Leib=Karab. Nr. 11.   —

13) Stabsrittm. Joachim Heinrich v. Prittwitz u. Gaffron vom
Drag. Regt. Norman Nr. 1.

14) Lt. Otto Christian August v. Beauvré vom Drag. Regt.
Czetteritz Nr. 4.

15) Fähnrich Leopold Christian v. Woedtke vom Drag. Regt.
Czetteritz Nr. 4.   Zorndorf u. Görlitz.

16) Hauptm. Hans Ehrenreich v. Bornstedt vom Inf. Regt.
Prinz von Preußen Nr. 18.   Zorndorf.

17) Pr. Lt. Kuno Friedrich v. d. Hagen vom Inf. Regt. Prinz
von Preußen Nr. 18 († bei Leutmannsdorf).

18) Ob. Lt. Heinrich Siegmund v. d. Heyde, Kommandant von
Kolberg.   Kolberg.

19) Gren. Lt. Ernst Christian v. Rohr vom Inf. Regt. Prinz
von Preußen Nr. 18.   Hochkirch.

20) Rittm. Johann Friedrich Adolf v. d. Marwitz vom Regt.
Gensdarmes Nr. 10.

21) Rittm. Franz Karl v. Kioseghy vom Huf. Regt. Kleist No. 1. Nossen.

22) Lt. Werner vom Drag. Regt. Jung v. Platen Nr. 11.   Stolpen.

1759.

1) Major Kaspar Fabian Gottlieb v. Luck vom Inf. Regt.
Zastrow Nr. 38.   Sebastiansberg.

2) Hauptm. Friedrich August Frhr. v. Erlach vom Inf. Regt.
· Hülsen Nr. 21 (erhielt den Orden zum zweiten Male).   —

3) Gen. Major Johann Jakob v. Wunsch.   Kemberg.

4) Gen. Major Johann Karl v. Rebentisch.   Pretsch.

5) Hauptm. Heinrich v. Platen.   —

6) Major Daniel Friedrich v. Lossow vom Huf. Regt. Ruesch
Nr. 5.

7) Major Ernst Friedrich v. Haugwitz vom Huf. Regt. Gers-
dorff Nr. 8.

8) Major Johann Rudolf v. Merian vom Drag. Regt. Jung
Platen Nr. 11.

9) Major Otto Balthasar v. Thun vom Drag. Regt. Jung
Platen Nr. 11.

10) Major Siegmund Friedrich v. d. Golz vom Drag. Regt.
Jung Platen Nr. 11.

11) Major Jacques Broun vom Drag. Regt. Jung Platen
    Nr. 11.

12) Hauptm. Karl Wolf v. Frankenberg vom Drag. Regt. Jung
    Platen Nr. 11.

13) Hauptm. Christian Friedrich August v. Saher vom Drag.
    Regt. Jung Platen Nr. 11.

14) Hauptm. Johann Adam v. Weiß vom Drag. Regt. Jung
    Platen Nr. 11.

15) Hauptm. Christoph Wilhelm v. Ehrenberg vom Drag. Regt.
    Jung Platen Nr. 11.

16) Hauptm. v. Barneck (?) vom Drag. Regt. Jung Platen
    Nr. 11.

17) Lt. Ernst v. Prittwitz vom Drag. Regt. Jung Platen Nr. 11.   —

18) Ob. Lt. v. Bohlen v. Regt. Leib-Karab. Nr. 11.   Hoyerswerd

19) Stabshauptm. (?) v. Tümpling vom Inf. Regt. Hülsen
    Nr. 21.   Sebastiansber

1760.

1) Oberst Kurt Friedrich v. Flans vom Kür. Regt. Schmettau
   Nr. 4.   Kosdorf.

2) Hauptm. Johann Rüdiger v. Massow vom Inf. Regt. Manteuffel Nr. 17.   Neustadt.

3) Hauptm. Ludwig v. Zastrow vom Inf. Regt. Manteuffel
   Nr. 17.

4) Hauptm. Christoph v. Kittlitz vom Inf. Regt. Manteuffel
   Nr. 17.

5) Lt. Bogislaus v. Stojentin vom Inf. Regt. Manteuffel Nr. 17.   —

6) Major Wilhelm René de l'Homme de Courbière, Kommdr.
   eines Frei-Bat.   14. Juli Dresda

7) Major Joachim Friedrich v. Rathenow, Kommdr. eines Gren.
   Bat. († an den bei Gräthen erhaltenen Wunden 1762).   Liegnitz.

8) Ob. Lt. Peter Christian v. Kleist von der Königl. Suite.   —

9) Major Jobst Friedrich Ludwig v. Stechow, Kommdr. eines
   Gren. Bat. († an den bei Liegnitz erhaltenen Wunden).   —

10) Major v. Troschke vom Regt. Nr. 31, Hülfsoffizier beim
    Regt. Anhalt Nr. 3 († bei Leutmannsdorf).

11) Major Johann Christian Wilhelm v. Steinwehr vom Gren.
    Garde-Bat., Hülfsoffizier beim Regt. Anhalt Nr. 3.   —

12) Lt. v. Prittwitz vom 1. Bat. Leibgarde.

13) Major v. Kalben vom Regt. Prinz Ferdinand Nr. 34.

14) Hauptm. v. Mosch vom Regt. Prinz Ferdinand Nr. 34.   —

15) Hauptm. Friedrich Wilhelm Siegmund v. d. Marwitz vom
Regt. Prinz Ferdinand Nr. 34.   Liegnitz.

16) Hauptm. v. Puttlitz vom Regt. Prinz Ferdinand Nr. 34.   —

17) Hauptm. v. Goetzen vom Regt. Prinz Ferdinand Nr. 34.   —

18) Lt. v. Pirch vom Regt. Prinz Ferdinand Nr. 34.

19) Major Georg Ludwig v. Wiersbitzki vom Kür. Regt. Prinz
Heinrich Nr. 2.

20) Major Joseph Nikolaus v. Kalkreuth vom Kür. Regt. Markgraf Friedrich Nr. 5.

21) Major Hermann Joachim Gottlieb v. Hundt vom Hus. Regt.
Zieten Nr. 2 († 1761 bei Plauen).

22) Ob. Lt. Friedrich Gotthilf v. Falkenhain, Kommdr. eines
Gren. Bat.   —

23) Gen. Major August Wilhelm v. Braun.   Strehla.

24) Oberst Mathias Ludwig v. Lossow, Kommdr. eines Gren.
Bataillons.

25) Hauptm. Christoph Friedrich v. Kitscher von der Artillerie. —

26) Hauptm. u. Flügel-Adj. Friedrich Wilhelm Ernst v. Gaudi.   —

27) Major Friedrich Alexander v. Rothkirch, Kommdr. eines
Gren. Bat.   Kolberg.

28) Ob. Lt. Karl Magnus v. Schwerin, Kommdr. eines Gren.
Bataillons.

29) Ob. Lt. Karl Ludwig v. Ingersleben, Kommdr. eines Gren.
Bataillons.

30) Major Heinrich Albrecht v. Köller, Kommdr. eines Gren.
Bataillons.   Köslin.

31) Major Philipp Christian v. Bohlen vom Hus. Regt. Werner
Nr. 6.   Zuckmantel u. Kanth.

32) Major Anton Leopold Frhr. v. Rosencranz vom Hus. Regt.
Werner Nr. 6.   Kolberg u. Kanth.

33) Rittm. Herbert Emil v. Holtern vom Hus. Regt. Werner
Nr. 6.   Kolberg.

34) Major Ernst Ludwig v. Pfuhl vom Inf. Regt. Mosel Nr. 10. Töpliwoda.

35) Major v. Roth vom Hus. Regt. v. Kleist Nr. 1.   Eisleben.

36) Hauptm. Friedrich Wilhelm v. Goetzen, Flügel-Adjutant.   Düben.

37) Stabshauptm. v. Francken vom Inf. Regt. Alt v. Braunschweig Nr. 5.   Torgau.

38) Ob. Lt. Anton Abraham v. Steinkeller vom Gren. Garde-
Bataillon.

39) Hauptm. Wilhelm Magnus v. Brünneck vom Gren. Garde-
Bataillon.

40) Major Karl Ludwig v. Winterfeld vom Inf. Regt. Prinz
von Preußen Nr. 18.   Torgau.

41) Ob. Lt. Karl Christian v. Ploetz vom Inf. Regt. Schenckendorf Nr. 22.

42) Ob. Lt. Döring Wilhelm v. Krockow vom Inf. Regt.
Schenckendorf Nr. 22.

43) Stabshauptm. v. Bockelberg vom Inf. Regt. Diericke Nr. 49.   —

44) Major Christoph Ernst Heinrich Frhr. v. Hoverbeck vom Kür.
Regt. v. Schlaberndorf Nr. 1.

45) Major Joseph Heinrich v. Reden vom Kür. Regt. Markgraf
Friedrich Nr. 5.

46) Major Christ. Albrecht v. Schütz vom Kür. Regt. Markgraf
Friedrich Nr. 5.

47) Major Ernst Christian v. Kospoth vom Kür. Regt. Spaen
Nr. 12.

48) Ob. Lt. Johann Friedrich v. Bayar vom Kür. Regt. Spaen
Nr. 12.

49) Ob. Lt. Georg Ludwig v. Dalwig vom Kür. Regt. Spaen
Nr. 12.

50) Major v. Reibnitz vom Kür. Regt. Spaen Nr. 12.

51) Major Paul Eberhard Frhr. v. Pfeil vom Huf. Regt. Werner Nr. 6.   Kolberg.

52) Oberst Christoph Friedrich v. Nimschefsky, Kommbr. eines
Gren. Bat.   Kolin u. Liegnitz.

53) Ob. Lt. (?) Hans Christoph v. Rosenbusch vom Huf. Regt.
v. Möhring Nr. 3.   Torgau.

1761.

1) Lt. Alexander Wilhelm v. Arnim von der Königl. Suite.   Langensalza.

2) Rittm. Karl Wilhelm v. Tschirschky vom Leib - Kür. Regt.
Nr. 3.

3) Oberst Friedrich Wilhelm Löllhöfel v. Löwensprung vom
Kür. Regt. Seydlitz Nr. 8.

4) Rittm. Karl Siegmund v. Engelhardt vom Kür. Regt. Seydlitz Nr. 8.

5) Rittm. Karl Wilhelm Friedrich v. Schmettau vom Leib-
Karab. Regt. Nr. 11.

6) Sec. Lt. Anton Wilhelm v. L'Estocq vom Huf. Regt. Zieten Nr. 2.

7) Hauptm. Heinrich Wilhelm v. Anhalt von der Armee und
Flügel-Adj.   Neustadt.

8) Sec. Lt. Erich Magnus v. Wolffrath vom Huf. Regt. Zieten Nr. 2. Plauen.

9) Ob. Lt. Karl Erdmann v. Reitzenstein vom Drag. Regt.
Finckenstein Nr. 10. Wahlstatt.

10) Hauptm. v. Rochow vom Drag. Regt. Finckenstein Nr. 10. —

1762.

1) Rittm. Johann Wilhelm Graf v. d. Goltz vom Huf. Regt.
v. Kleist Nr. 1. Uebergang über die Mulde.

2) Major v. Treskow vom Drag. Regt. Meyer Nr. 6. —

3) Major Anton Gottlob v. Stubnitz von den Kleistschen Frei-
Dragonern.

4) Ob. Lt. Nikolaus Albrecht v. Bähr, Kommdr. eines Gren.
Bataillons. Katzenhäuser.

5) Major Johann Karl Friedrich v. Eberstein gen. v. Bühring,
Drag. Regt. Plettenberg Nr. 7. Konrabsdorf.

6) Major Georg Karl v. Carlowitz, Kommdr. eines Gren. Bat. In Sachsen.

7) Oberst Henning Alexander v. Kleist vom Inf. Regt. von
Kleist Nr. 4. Leutmannsdorf.

8) Major v. Lediwary vom Inf. Regt. v. Kleist Nr. 4. —

9) Major Ludwig v. Buddenbrock vom Inf. Regt. Anhalt Nr. 3. —

10) Oberst Christoph Friedrich v. Berner vom Inf. Regt. Anhalt Nr. 3.

11) Major Philipp Wolfgang Teufel v. Birkensee vom Inf. Regt.
Finck Nr. 12.

12) Major Eberhard v. Hager vom Inf. Regt. Fürst Moritz
Nr. 22.

13) Hauptm. Karl Albrecht Friedrich v. Raumer vom Inf. Regt.
Fürst Moritz Nr. 22.

14) Oberst Christian Ludwig v. d. Mülbe vom Garnison-Regt.
Blankensee.

15) Major Georg Abraham v. Hohendorf von den Provinzial-
Husaren. Ottmachau.

16) Rittm. Georg Siegmund Schmidt von den Provinzial-Huf.

17) Major Christian Friedrich v. Wentzel von der Artillerie. Reichenbach.

18) Stabshauptm. Karl Philipp v. Anhalt von der reit. Artill. —

19) Major Heinrich Wilhelm v. Lettow vom Inf. Regt. Markgraf Heinrich Nr. 42.

20) Rittm. Immanuel Friedrich v. Bredow vom Regt. Gensdarmes Nr. 10.

Erworben:

21) Stabshauptm. Georg Oswald Frhr. v. Czetteritz vom Drag.
    Regt. Czetteritz N. 4.   Reichenbach.
22) Pr. Lt. Ernst Gottlob v. Scheelen vom Regt. Garde.   Schweidnitz.
23) Lt. v. Kleist vom Inf. Regt. Lindstaedt Nr. 27.   —
24) Hauptm. v. Koethen vom Inf. Regt. Bülow Nr. 46.
25) Lt. Ernst Friedrich Karl v. Hanstein vom Inf. Regt. Fürst
    Moritz Nr. 22.
26) Lt. v. Naumann vom Inf. Regt. Prinz Ferdinand Nr. 34.   —
27) Lt. v. Gloeden vom Inf. Regt. Prinz Ferdinand Nr. 34.   —
28) Major Joachim Wilhelm v. Merkatz von der Artillerie.   —
29) Major Johann Friedrich v. Rumland von der Artillerie.   —
30) Stabshauptm. v. Rauch vom Inf. Regt. Grant Nr. 44.   Chemnitz.
31) Major Paul v. Natalis, Kommdr. eines Gren. Bat.   Freyberg.
32) Major Alexander Friedrich v. Woldeck, Kommdr. eines Gren.
    Bataillons.
33) Major Karl Heinrich v. Poseck, Kommdr. eines Gren. Bat.   —
34) Gren. Hauptm. Otto Ernst v. Reineck, vom Inf. Regt.
    Markgraf Karl Nr. 19.
35) Hauptmann Georg Dietrich v. Pfuhl vom Inf. Regt. Jung
    von Stuttenheim Nr. 20.
36) Major Albrecht Ehrenreich v. Rohr vom Inf. Regt. Jung
    von Stuttenheim Nr. 20.
37) Major Karl August v. Backhoff vom Leib-Kür. Regt. Nr. 3.
38) Ob. Lt. Friedrich Wilhelm v. Roeder vom Kür. Regt.
    Schmettau Nr. 4.
39) Ob. Lt. Reinhold Friedrich Frhr. v. Hoverbeck vom Kür.
    Regt. Schmettau Nr. 4.
40) Major Ernst Christian v. Hohendorff vom Kür. Regt.
    Schmettau Nr. 4.
41) Stabsrittm. Christoph Wilhelm v. Tschammer vom Kür.
    Regt. Schmettau Nr. 4.
42) Stabsrittm. Ernst Christoph v. Dieringshofen vom Kür. Regt.
    Schmettau Nr. 4.
43) Stabsrittm. Christian Haubold v. Brandenstein vom Kür.
    Regt. Schmettau Nr. 4.
44) Lt. Konstanz Philipp v. Borcke vom Kür. Regt. Schmettau
    Nr. 4.
45) Hauptm. Friedrich Wilhelm v. Kracht vom Drag. Regt.
    v. Plettenberg Nr. 7.
46) Rittm. Christoph Alexander v. Franckenberg vom Hus. Regt.
    Kleist Nr. 1.

47) Lt. Freund von den Ingenieuren.

48) Lt. v. Beerfelde, Brigade-Major. —

49) Major Albrecht Dietrich Gottfried Frhr. v. Egloffstein vom
Inf. Regt. v. d. Goltz Nr. 24. Retraite von Reichstädt.

50) Pr. Lt. Georg Ludwig Aegidius v. Koehler vom Huf. Regt.
Zieten Nr. 2. Tharandt.

51) Major Teufel v. Zeilenburg (?) vom Huf. Regt. v. Möhring Nr. 3. In Oberschlesien.

1778/79.

1) Lt. Wilhelm Karl Friedrich v. Amstädt vom Huf. Regt.
Zieten Nr. 2. 5. Aug. Königinhof.

2) Oberst Gottlieb Ludwig v. Beville vom Inf. Regt. Luck
Nr. 53. Jung Buchau.

3) Ob. Lt. Karl Ernst v. Bose vom Inf. Regt. Graf Schlieben Nr. 22. Weißkirch.

4) Ob. Lt. Karl August Frhr. v. Eben u. Brunnen vom Huf.
Regt. Belling Nr. 8. Gabel.

5) Major Wolf George v. Eberstein, Kommdr. eines Gren. Bat. —

6) Major Friedrich Eberhard Siegmund Günther v. Göckingk
vom Huf. Regt. Belling Nr. 8.

7) Oberst Johann Benedikt v. Gröling vom Huf. Regt. Werner Nr. 6. Glannitz.

8) Rittm. Emanuel August Hennig vom Huf. Regt. Werner
Nr. 6. Teschen.

9) Lt. Karl Jakob v. Jutrzenka vom Inf. Regt. Hacke Nr. 8. Gabel.

10) Gen. Major u. Regts. Chef Georg Wilhelm Frhr. v. Keller.
Am Forstberge.

11) Major Karl Friedrich v. Klinkowström vom Inf. Regt.
Steinwehr Nr. 14. Schatzlar.

12) Lt. Friedrich Wilhelm v. Lichnowsky vom Huf. Regt. Zieten Nr. 2. Skalitz.

13) Oberst Heinrich Ernst v. Leipziger vom Inf. Regt. v. Keller
Nr. 37. Schatzlar.

14) Major Ludwig Ernst v. Preuß, Kommdr. eines Gren. Bat. Neustadt.

15) Ob. Lt. Friedrich Emil v. Ruitz vom Inf. Regt. v. Keller
Nr. 37. Am Forstberge.

16) Lt. Karl Bernhard v. Rosenbusch vom Huf. Regt. Werner
Nr. 6. Teschen.

17) Major Friedrich Wilhelm v. Schenck vom Drag. Regt.
Thun Nr. 3. Wbern.

18) Oberst August Ferdinand v. d. Schulenburg vom Hus. Regt.
Belling Nr. 8. **Gabel.**

19) Major Karl Eduard v. Tiedemann vom Inf. Regt. Buddenbrock Nr. 16. **Trautenbach.**

20) Ob. Lt. Johann Ernst v. Zabeltitz vom Drag. Regt. Thun
Nr. 3. **Möckern.**

21) Hauptm. v. Kameke vom Drag. Regt. Wylich und Lottum
Nr. 1. **Britz.**

22) Hauptm. v. Elster vom Drag. Regt. Lottum Nr. 1.

23) Hauptm. v. Zurson vom Drag. Regt. Lottum Nr. 1. —

24) Lt. v. Linstow vom Drag. Regt. Wirtenberg Nr. 2. **Braunau.**

25) Major v. Goetsch vom Drag. Regt. v. Thun Nr. 3. **Möckern.**

26) Sec. Lt. v. Dyhern vom Drag. Regt. v. Thun Nr. 3.

27) Sec. Lt. v. Tschammer vom Drag. Regt. v. Thun Nr. 3. **Paulwitz.**

28) Stabshauptm. v. Below vom Inf. Regt. Kleist Nr. 36. **Mähr. Ostrau.**

29) Major v. Schladen vom Inf. Regt. Prinz von Preußen
Nr. 18. **(?) Neustadt.**

30) Hauptm. v. Wülcknitz vom Inf. Regt. Ramin Nr. 25. **Weißkirch.**

31) Hauptm. v. Kameke vom Inf. Regt. Ramin Nr. 25.

32) Major v. Steinwehr vom Inf. Regt. Thüna Nr. 23.

33) Major v. Zitzewitz vom Inf. Regt. Thüna Nr. 23.

34) Hauptm. v. Thadden vom Inf. Regt. Thüna Nr. 23.

35) Hauptm. v. Irwing vom Inf. Regt. Thüna Nr. 23.

36) Lt. v. Löben vom Inf. Regt. Thüna Nr. 23.

37) Hauptm. v. Dyheru vom Inf. Regt. Prinz Friedrich Nr. 19.
Troppau u. Jägerndorf.

38) Hauptm. v. Heigel vom Inf. Regt. Prinz Friedrich Nr. 19. —

39) Hauptm. v. Zenge vom Inf. Regt. Thüna Nr. 23. **Jägerndorf.**

40) Hauptm. v. Glinsky vom Inf. Regt. Thüna Nr. 23. —

41) Lt. v. Kaselowsky vom Inf. Regt. Thüna Nr. 23.

42) Major v. Norman v. Inf. Regt. Woldeck Nr. 26. **Mösnig.**

43) Hauptm. v. Wulffen vom Inf. Regt. Woldeck Nr. 26. —

44) Lt. v. Below vom Inf. Regt. Woldeck Nr. 26.

45) Hauptm. v. Seydlitz vom Inf. Regt. Woldeck Nr. 26.

46) Lt. v. Tholzig vom Inf. Regt. Erlach Nr. 40. **Mähr. Ostrau.**

47) Lt. v. Schack vom Inf. Regt. Erlach Nr. 40.

48) Lt. v. Manstein vom Inf. Regt. Schlieben Nr. 22. **Weißkirch.**

49) Major v. Bamberg vom Inf. Regt. Schwartz Nr. 49. **Jung Buchau.**

50) Major v. Dittmann (?) vom Inf. Regt. v. Buddenbrock
Nr. 16. **Am Forstberge.**

51) Major v. Radecke vom Inf. Regt. v. Buddenbrock Nr. 16. —

52) Lt. Hirschfeld vom Huf. Regt. Zieten Nr. 2. Stalitz.

53) Lt. v. Lossow vom Huf. Regt. Lossow Nr. 5. Zwoll.

54) Major v. Trenck vom Huf. Regt. Lossow Nr. 5. 1779.

55) Stabsrittm. v. Wesenbeck vom Huf. Regt. Lossow Nr. 5. —

56) Stabsrittm. v. Usedom vom Huf. Regt. Lossow Nr. 5. 1778.

57) Lt. v. Köhler vom Huf. Regt. Lossow Nr. 5.

58) Lt. v. Meisner vom Huf. Regt. Werner Nr. 6., Gen. Adj.
des Gen. v. Stutterheim. Teschen.

59) Ob. Lt. v. Wolcky vom Huf. Regt. Belling Nr. 8 (erhielt
den Orden 2 Mal f. 1775). Gabel.

60) Major v. Löllhöfel vom Huf. Regt. Belling Nr. 8. —

61) Major v. Dehrmann vom Huf. Regt. Belling Nr. 8.

62) Rittm. v. Meseberg vom Huf. Regt. Belling Nr. 8.

63) Rittm. v. Günther vom Huf. Regt. Belling Nr. 8.

64) Stabsrittm. v. Wildberg vom Huf. Regt. Belling Nr. 8. —

Verzeichniß der während der Friedensjahre 1740—1786 mit dem
Orden pour le mérite beliehenen Personen.

Vorbemerkung. Es sind hier nur Diejenigen aufgenommen, deren Vornamen zu ermitteln waren. Die Ritter sind nach dem Alphabet geordnet.

1) 1751. Hauptm. Wilhelm Reichsgraf v. Anhalt vom Inf. Regt. Anhalt. † 3. Nov. bei Torgau.

2) 1774. Oberst Leopold Ludwig Reichsgraf v. Anhalt, Kommandeur des
Inf. Regts. Anhalt.

3) 1774. Oberst Mathias Wilhelm v. Below vom Inf. Regt. v. Schwerin.

4) 1783. Ob. Lt. Gerd Bogislav v. Below, Kommandeur eines Grenadier-
Bataillons.

5) 1751. Oberst Bernd Siegmund v. Blankensee vom Inf. Regt. Hessen-
Kassel.

6) 1774. Major Heinrich Friedrich v. Borg (?) vom Inf. Regt. Jung
Bornstädt.

7) 1747. Oberst Johann Christian v. Brandeis vom Inf. Regt. la
Motte.

8) 1743. (?) Gen. Major Karl Wm. v. Bredow, Chef eines Garnison-Regts.

9) 1748. Major Joachim Leopold v. Bridow vom Inf. Regt. Anhalt.

10) 1774. Oberst Michael Ludwig v. Diezelsky, Kommandeur des Inf.
Regts. Forcade.

11) 1746. Oberst Friedrich Wilhelm Quirin Forcade de Biaix vom Inf.
Regt. Forcade.

12) 1740. 23. Juni. Oberſt Heinrich Auguſt de la Motte Foqué vom Füſ. Regt. Camas.

13) 1783. Oberſt Karl v. Geetzkow vom Juf. Regt. v. Schönfeldt.

14) 1746. Hauptm. Henning Berndt Frhr. v. d. Goltz, Flügel = Adjutant († bei Groß=Jägerndorf).

15) 1747. Oberſt Chriſtoph Heinrich v. Grabow vom Inf. Regt. von Bredow.

16) 1775. Major Georg Dietrich v. Groeben vom Kür. Regt. v. Röder.

17) 1783. Oberſt Friedrich Georg Ludwig v. Grolman vom Inf. Regt. Brünneck.

18) 1740. 16. Juni. Oberſt Hans Chriſtoph Graf v. Hake, Gen. Adj.

19) 1774. Oberſt Johann Bernhard v. Hoefer vom 2. Artill. Regt.

20) 1741. Hauptm. Friedrich Ernſt v. Holtzmann von der Artill.

21) 1754. Gen. Major Johann Dietrich v. Hülſen.

22) 1740. Major Adam Friedrich v. Jeetze vom Inf. Regt. Forcade.

23) 1783. Oberſt Heinrich Gottlieb v. Kannenwurf vom Inf. Regt. Schön= feld.

24) 1783. Oberſt Chriſtian Ludwig v. Könitz vom Füſ. Regt. Möllen= dorf.

25) 1774. Major Heinrich Gottlieb v. Könitz vom Inf. Regt. Lengefeld.

26) 1774. Oberſt Karl Wilhelm v. Kottwitz vom Inf. Regt. Kalckſtein.

27) 1747. Oberſt Johann Friedrich v. Kreytzen vom Inf. Regt. Alt Braunſchweig.

28) 1740. Gen. Major Georg Volrath v. Kröcher, Gouverneur von Geldern.

29) 1740. Major Heinrich Adolph v. Kurſel vom Inf. Regt. Moſel.

30) 1772. Oberſt Heinrich Wilhelm v. Lettow vom Inf. Regt. Markgraf Heinrich (ſiehe 1762).

31) 1767. Major Stephan v. Lichnowsky vom Inf. Regt. Lettow.

32) 1767. Hauptm. Karl Friedrich Albrecht v. Loeben vom Inf. Regt. Prinz Friedrich.

33) 1747. Ob. Lt. Georg Friedrich v. Manſtein vom Inf. Regt. Anhalt.

34) 1774. Major Ludwig v. Meuſel vom Inf. Regt. Eckartsberg.

35) 1753. Gen. Major Friedrich Julius v. Mützſchefehl, Chef eines Gar= niſon-Regts.

36) 1774. Ob. Lt. Karl Rudolph v. Moſch vom Inf. Regt. Koſchembahr.

37) 1754. Rittm. Karl Chriſtoph v. Owſtien vom Huſ. Regt. Hoditz.

38) 1768. Oberſt Friedrich v. Pelkowsky vom Inf. Regt. Koſchembahr.

39) 1747. Oberſt Peter v. Pennavaire vom Leib-Karab. Regt.

40) 1774. Major Chriſtian Wichard v. Platen vom Inf. Regt. Renzel.

41) 1747. Ob. Lt. Chriſtoph Friedrich Stephan v. Plettenberg vom Kür. Regt. Bredow.

42) 1775. Gen. Maj. Karl v. Podjursky, Chef eines Huf. Regts.

43) 1740. 13. Juli. Oberst Karl Friedrich Graf v. Posadowsky, Frhr. v. Postelwitz vom Kür. Regt. Katte.

44) 1775. Oberst Christian Wilhelm Siegmund Graf v. Posadowsky, Frhr. v. Postelwitz vom Kür. Regt. Wiersbitzky.

45) 1754. Oberst Johann Christoph v. Priegnitz vom Inf. Regt. Bonin († bei Roßbach).

46) 1747. Oberst Hans Samuel v. Pritz vom Inf. Regt. Anhalt.

47) 1747. Ob. Lt. Friedrich Wilhelm Frhr. v. Quadt zu Wickerath, Kommandeur des Garn. Regts. v. Nettelhorst.

48) 1741. Gen. Major Maximilian v. Rampusch, Kommandant von Breslau.

49) 1774. Major Gisbert Wilhelm Frhr. v. Romberg, Kommandeur eines Gren. Bat.

50) 1781. Ob. Lt. Wilhelm Leopold v. Rosenbruch vom Drag. Regt. Finckenstein.

51) 1767. Ob. Lt. Hans Christoph v. Rothkirch, Kommandeur des Inf. Regts. Lestwitz.

52) 1767. Oberst Gerhard Alexander Frhr. v. Saß, Chef eines Garnison-Regiments.

53) 1747. Ob. Lt. Philipp Loth v. Seers vom Pionier-Regt.

54) 1774. Gen. Major Peter Heinrich v. Stojentin, Chef des Inf. Regts. Nr. 27.

55) 1774. Major Johann Leopold v. Thadden vom Inf. Regt. Anhalt.

56) 1747. Gen. Major Joachim Christian v. Treslow.

57) 1741. Oberst Johann August v. Voigt vom Inf. Regt. Markgraf Albrecht.

58) 1741. Oberst Gerhard Kornelius v. Walrave.

59) 1774. Major Balthasar Wilhelm v. Walther u. Kronegk, Kommandeur eines Gren. Bat.

60) 1740. Oberst Leopold Alexander Graf v. Wartensleben, Gen. Adj.

61) 1752. Ob. Lt. Karl Heinrich v. Wedell vom Inf. Regt. Kleist.

62) 1774. Ob. Lt. Balthasar Ludwig Christian v. Wendessen vom Inf. Regt. Ramin.

63) 1773. Ob. Lt. Christian Rudolph v. Weyher vom Drag. Regt. Baireuth.

64) 1740. 17. Juli. Hauptm. Christoph Anton v. Wobeser vom Inf. Regt. Flanß.

65) 1775. Major Friedrich Gideon v. Wolch vom Huf. Regt. Belling.

66) 1774. Oberst Alexander Friedrich v. Woldeck, Kommandeur eines Grenadier-Bataillons (siehe 1762).

67) 1755. Lt. Friedrich Wilhelm v. Wuthenow vom Leib-Karab. Regt.

68) 1776. Gen. Major Friedrich Stanislaus v. Kalinowa Zaremba, Chef eines Inf. Regts.

Folgende Civilperſonen erhielten den Orden:

1740 5. Juli.   Staatsminiſter v. Marſchall.

1747 9. April.   Maupertuis.

1747 9. April.   Kammerherr Graf Algarotti.

1748 November.   Kammerherr und Landrath des Münſterbergiſchen Kreiſes
        Ernſt Wilhelm v. Eckwricht.

1750 Oktober.   Kammerherr v. Voltaire (mußte ihn 1752 abgeben, erhielt
        ihn 1753 wieder und mußte ihn zum 2. Male abgeben).

Mittheilungen

über die Anwendung des indirekten Schusses aus den kurzen 15cm. Kanonen zum Zerstören von Mauerwerk bei der Belagerung von Straßburg im Jahre 1870.

(Mit 8 Tafeln Zeichnungen.)

Nachdruck verboten.   Uebersetzungsrecht vorbehalten.   Die Redaktion.

Seit vielen Jahren schon war bei der preußischen Artillerie der indirekte Schuß Gegenstand der eingehendsten Versuche gewesen; seine erste praktische Anwendung im Ernstfalle sollte derselbe im Kriege gegen Frankreich im Jahre 1870 bei der Belagerung von Straßburg finden.

Wenn auch die günstigen Resultate auf den Uebungs- und Versuchs-Plätzen zu großen Erwartungen berechtigten, so fehlte es doch nicht an manchen und gewichtigen Stimmen, welche eine erfolgreiche Anwendung dieser Schußart im Ernstfalle durchaus bezweifelten; die Resultate jedoch, welche durch den indirekten Schuß vor Straßburg erzielt worden sind, entsprachen nicht nur den gehegten Erwartungen, sondern haben auch die vortheilhafte Anwendbarkeit dieser Schußart evident erwiesen und somit jene entgegenstehenden Stimmen praktisch widerlegt.

Bereits im Jahre 1864 war auf die Nothwendigkeit hingewiesen worden, daß in Zukunft der indirekte Schuß häufig angewendet werden müsse, zugleich aber auch die Frage angeregt worden, ob nicht die Einführung eines erleichterten und angemessen verkürzten gezogenen 15cm. Rohres vorzugsweise zum Gebrauch mit erheblich verminderten Ladungen für den indirekten Schuß zweckmäßig sei?

Dies war die Veranlassung zu umfangreichen, bis zum Ende des Jahres 1869 geführten Versuchen, als deren Endresultat sich ergab, daß die kurze

15 cm. Kanone prinzipiell als das Hauptgeschütz für den indirekten
anzusehen ist und ihre definitive Einführung in die Festungs- und
lagerungs-Artillerie im Februar 1870 angeordnet wurde.

Es ist hier nicht der Ort, auf die Konstruktion der erwähnten
schütze näher einzugehen, dieselbe muß vielmehr durch die: „Histori
Skizze über die Entwickelung der kurzen 15 cm. Kanone" als
kannt vorausgesetzt werden, nur möge eine kurze Bemerkung über Gef
und Laffete gestattet sein.

Die kurze 15 cm. Kanone schießt die durch den Hauptmann Mi
speciell für sie konstruirte Langgranate, welche nur unbedeutend schw
ist, als die gewöhnliche Granate mit dickem Bleimantel, — im M
56—58 Pfd. oder 28—29 K., — dagegen mehr als die doppelte Spre
ladung der Letzteren enthält, nämlich durchschnittlich 4 Pfd. oder 2 K.

Die Konstruktion der Laffeten wird ebenfalls als bekannt voraus
setzt. Die vor Straßburg zur Anwendung gekommenen Exemplare dersel
hatte man aber noch mit der Richtvorrichtung für das indirekte Richten
sehen, deren Skalen es gestatteten:

a) Die einmal festgestellte Seitenrichtung ohne Benutzung weiterer Z
punkte mit vollkommener Genauigkeit festzuhalten;

b) den Treffpunkt in ähnlicher Weise, wie dies durch Benutzung
Seitenverschiebung des Aufsatzes geschieht, um jede beabsichtigte C
fernung nach der Seite zu verlegen.

Die Benutzung dieser Richtvorrichtung schließt demnach Richtungsfel
fast vollständig aus und macht die Bedienung der Geschütze unabhängig
den Einflüssen der Beleuchtung ꝛc., so daß auch bei Nacht die Seitenricht
sicher genommen werden kann.

Bei Ausbruch des Krieges waren noch keine Exemplare der kur
15 cm. Kanone fertig hergestellt, nur eine geringe Anzahl derselben,
Ersatz der im Belagerungs-Train vorhandenen schweren Haubitzen und B
benkanonen bestimmt, befand sich in Arbeit. Ihre Fertigstellung wurde
mehr so beschleunigt, daß die ersten 12 Geschütze dieser Art nebst einer
gemessenen Munitions-Ausrüstung am 31. August 1870 von Spandau
Belagerungs-Artillerie vor Straßburg abgesendet werden konnten.
3. September trafen sie im Belagerungspark bei Bendenheim ein und f
am 7. September standen einige derselben im Feuer gegen die Festung.

Da die kurzen 15 cm. Kanonen hauptsächlich für den indirekten Sch
bestimmt waren, ihre Munitions-Ausrüstung auch eine begrenzte war,
mußte davon abgesehen werden, sie für die allgemeinen Zwecke des Bela
rungskrieges zu verwenden und nur in einzelnen Fällen wurden sie zur
kämpfung feindlicher Geschütze herangezogen; dagegen fiel ihnen in erster B

die Lösung solcher Aufgaben zu, welche nur durch den indirekten Schuß ausgeführt werden konnten. Demgemäß bestand ihre Hauptthätigkeit:

1. in dem Demoliren des Reduits in der Lünette Nr. 44 (Eisenbahn-
   Lünette);
2. in dem indirekten Brescheschießen aus der Ferne.

Zu erwähnen bleibt noch, daß gleichzeitig mit den 12 kurzen 15 cm.
Kanonen der Hauptmann Müller der 2. Artillerie-Brigade, gegenwärtig Adjutant der Königlichen General-Inspektion der Artillerie, dem Kommando
der Belagerungs-Artillerie vor Straßburg zur Verwendung überwiesen war.
Diesem Offizier, welcher bei der Artillerie-Prüfungs-Kommission das Refe-
rat über die Versuche mit der kurzen 15 cm. Kanone gehabt, so wie die
Konstruktion derselben zu Ende geführt hatte und in Folge dessen die Eigenthümlichkeiten und den speziellen Gebrauch dieser Geschützart auf das Genaueste kannte, wurde von dem Kommando der Belagerungs-Artillerie die
obere Leitung bei der Verwendung dieser Geschütze in den betreffenden An-
griffs-Batterien übertragen. Seiner großen Routine im Schießen, welche er
sich bei der Artillerie-Prüfungs-Kommission erworben hatte, so wie der
kenntnißreichen und zweckmäßigen Ausführung, in welcher derselbe den Gebrauch und das Feuer dieser, den übrigen Offizieren in der Praxis noch
unbekannten Geschützart dirigirte, sind wesentlich die erlangten günstigen Resultate zuzuschreiben.

Hauptmann Müller ist einer der ersten Artillerie-Offiziere gewesen,
welche für ihre Leistungen vor Straßburg mit dem Eisernen Kreuz dekorirt
wurden.

Die in Nachfolgendem enthaltenen Detail-Angaben sind größtentheils
seinen speziellen Berichten entnommen.

1. Das Demoliren des Reduits in der Lünette Nr. 44. (Eisenbahn-Lünette.)
(Hierzu Tafel I. u. II.)

Die Lünette Nr. 44 mit ihrem Reduit war dem Vorschreiten des weiteren Angriffs von der ersten Parallele aus sehr unbequem; unter ihrem
Schutze fanden mehrere Ausfälle statt, ja es konnte von ihr aus sogar der
weitere Angriff flankirt werden. Sie mit stürmender Hand zu nehmen, erschien bei ihrer Bauart (revetirte Escarpe und krenelirte Kehlmauer) nicht
angängig, aber eben so wenig lag es in der Absicht, den förmlichen Angriff
auch auf sie auszudehnen, weil dies nicht nur sehr viel Kräfte und Mittel
absorbirt, sondern auch das Vorschreiten des Hauptangriffs in nicht wün-
schenswerther Weise aufgehalten haben würde. Deshalb wurde der Artillerie

14*

die Aufgabe gestellt, diese Lünette mit ihrem Reduit unschädlich und unschädlichbar zu machen.

Zwar war sie bisher aus mehreren Batterien der ersten Parallele lebhaft beschossen und beworfen worden, doch hatte kein nennenswerthes Resultat erzielt werden können, denn wenn auch zeitweise das Geschützfeuer aus jenem Werke verstummte und anscheinend zum Schweigen gebracht war, so trat es doch momentan immer wieder von Neuem auf. Einige heißblütige Beobachter wollten wohl mehrere Male die Bemerkung gemacht haben, die Lünette Nr. 44 sei vom Feinde verlassen und könne ohne Weiteres diesseits besetzt werden, allein die dann angestellten Rekognoszirungen hatten stets das Gegentheil ergeben.

Das Eintreffen der kurzen 15 cm. Kanonen und die gleichzeitig erfolgte Ueberweisung und Ankunft von zwei gezogenen 21 cm. Mörfern bot nunmehr die Mittel dar, energischer und erfolgreicher gegen diese Lünette aufzutreten und die vorerwähnte Aufgabe der Unschädlichmachung derselben in vollem Umfange zu lösen.

Zu diesem Behufe wurde in der Nacht vom 6. zum 7. September die bisherige Mörser-Batterie Nr. 5 in eine Kanonen-Batterie umgewandelt, mit 4 kurzen 15 cm. Kanonen armirt und ihr als Hauptzweck die Bekämpfung der Lünette 44 und die Demolirung des Reduits in derselben angewiesen.

Die obere Leitung des Feuers dieser Batterie, welches am Morgen des 7. September begann, war, wie schon erwähnt, dem Hauptmann Müller übertragen worden.

Die beiden 21 cm. Mörser waren in der Nacht vom 7. zum 8. September in der für sie besonders erbauten Batterie Nr. 35 aufgestellt worden und begannen ihr Feuer gegen die Lünette 44 am 8. September, Morgens 9 Uhr, setzten dasselbe jedoch nur noch am 9. September fort und richteten es sodann gegen die Bastionen Nr. 11 und Nr. 12. Wenn sonach diese beiden Mörser bei der Demolirung des Reduits in der Lünette Nr. 44 mitgewirkt haben und ihnen jedenfalls ein Theil des erzielten Erfolges zuzuschreiben ist, so kann hier doch nicht auf eine nähere Beleuchtung ihrer Theilnahme eingegangen werden und muß dieselbe vielmehr einer besonderen Besprechung vorbehalten bleiben, da der gegenwärtige Aufsatz sich nur mit dem indirekten Schuß aus der kurzen 15 cm. Kanone zu beschäftigen beabsichtigt.

Nach den vorhandenen Nachrichten und Plänen wußte man, daß die zwischen den beiden auf der Nordwestfront von Straßburg befindlichen Hornwerken etwa 300 Schritt vor diesen vorgeschoben, gelegene Lünette 44 aus 2 Facen und 2 kurzen Flanken besteht, vor denen sich ein 15 Schritt breiter trockener Graben befindet mit 20 Fuß hoch revetirter Eskarpe und 16 Fuß hoher Kontre-Eskarpe ohne Mauerbekleidung und daß ihre Kehle durch eine

12 Fuß hohe krenelirte Mauer und ein kasemattirtes Reduit geschlossen ist. Auf dem Wallgange jeder Face sollte sich eine Hohltraverse befinden, der Hofraum der Lünette frei und offen sein. Alle diese Angaben erwiesen sich nach der Besitznahme von Straßburg als ziemlich zutreffend, nur stießen die beiden Facen in einen viel spitzeren Winkel zusammen, als auf dem Plane angegeben und im Hofraum befand sich eine Art von Kapital-Traverse, welche wahrscheinlich zur vermehrten Deckung des Reduits erst in neuerer Zeit aufgeschüttet war. Das Vorhandensein dieser deckenden Traverse hatte man aber auch schon von der Batterie aus vermuthet, indem durch die bereits stattgehabte Beschießung der Lünette aus den hinter der ersten Parallele angelegten Batterien Theile ihrer Brustwehr weggekämmt waren, über welche hinweg man eine Erdanschüttung im Innern des Werkes wahrnehmen konnte; eine etwas später möglich gewordene genauere Rekognoszirung der Lünette von dem Dache der nahe gelegenen Eisenbahnschuppen aus bestätigte die Richtigkeit dieser Vermuthung.

Von dem Reduit wußte man nur, daß es mit seiner Längenrichtung in der Richtung der Kehle lag; über seine Profil-Verhältnisse war so gut wie Nichts bekannt.

Im Allgemeinen waren also die Angaben, welche einen Anhalt für das indirekte Beschießen des Reduit abgeben sollten, äußerst dürftig. Aus ihnen, so wie aus den Rekognoszirungen von dem Dache der Eisenbahnschuppen und sonstigen Ermittelungen kombinirte man, daß die horizontale Entfernung des Reduits von der Kapital-Traverse ca. 25 Schritt betrage, und daß, um das Mauerwerk auf der halben Höhe zu treffen, ein Einfallwinkel von 11 bis 11½ Grad erforderlich sei. Demgemäß mußte bei der bisher auf 1150 Schritt ermittelten Entfernung von der Batterie bis zur Spitze der Lünette die Ladung von 0,7 K. zur Anwendung kommen. Sie ergab einen Einfallwinkel von 11¹⁵/₁₆ Grad. Die Endgeschwindigkeit betrug für diese Verhältnisse 475 Fuß (150 m.)

Um zunächst die Entfernung genau festzustellen, wurden einige Schüsse mit der Maximal-Ladung von 1,8 K. gegen die in der Spitze des Werkes befindliche Scharte gethan und dann erst zur Ladung von 0,7 K. (1,4 Pfd.) übergegangen. Die Beobachtung und Korrektur der Schüsse war Anfangs sehr schwierig, da sich nicht genau unterscheiden ließ, ob diejenigen Schüsse, von denen die Explosion theilweise zu bemerken war und durch welche viel Erde emporgeworfen wurde, auf die deckende Traverse oder die Erddecke des Reduit getroffen hatten; erst durch spätere Beobachtungen von den seitwärts der Lünette befindlichen Tranchéen wurde Gewißheit über diesen Punkt erlangt. Auch die Seitenrichtung gegen die Mitte des Werkes, resp. gegen das Reduit, war theils wegen des spitzen Winkels, den die beiden Facen mit einander bildeten, theils wegen der Lage der Batterie in der Bestimmung der Kapitale der Lünette ebenfalls schwer festzustellen.

Trotz aller Schwierigkeiten wurde aber das beabsichtigte Resultat erreicht, denn bald nach dem Auftreten der 15 cm. Kanonen verhielt sich die Lünette fast absolut regungslos.

Es wurden deshalb am 12. September 2 Geschütze aus der Batterie Nr. 5 zurückgezogen und nach dem Park zurückgeschafft, die beiden anderen noch in der Batterie verbleibenden sollten sich nunmehr, wie es inzwischen schon theilweise geschehen, an der Bekämpfung der auf den Kavalieren der Bastionen 8 und 9 auftretenden Geschütze und der zuweilen auf der Kurtine 8—9 auftauchenden Mörser betheiligen, und ihr Feuer gegen die Lünette 44 nur zeitweise wieder aufnehmen, wenn der Feind den Versuch machte, von Neuem Geschütze in derselben zur Thätigkeit zu bringen. Das überhaupt wenig energische Feuer aller dieser Geschütze schwieg gewöhnlich wieder bald.

Die Anzahl der Schüsse, welche von den kurzen 15 cm. Kanonen speziell gegen die Lünette 44 und deren Reduit gerichtet waren, läßt sich nicht angeben, da, wie eben bemerkt, diese Geschütze inzwischen auch noch andere Ziele beschossen hatten.

Eine Besichtigung der Lünette 44 nach erfolgter Kapitulation der Festung zeigte, daß die Kapital-Traverse und die rechte Hälfte des Werkes besonders stark beschädigt war, woraus hervorgeht, daß die kurzen 15 cm. Kanonen vorwiegend gegen diese geschossen hatten; ferner war die krenelirte Kehlmauer in ihrer rechten Hälfte zu großen Oeffnungen durchschossen worden, welche die Franzosen mit einem bedeutenden Aufwand von Sandsäcken wieder zu schließen versucht hatten und endlich war der rechte Block des Reduit durchschlagen und demolirt worden. Die Figuren in Tafel II. stellen diese Beschädigungen dar, wie solche unmittelbar nach der Kapitulation aufgenommen worden sind.

Ob die Demolirung des Reduits durch die kurzen 15 cm. Kanonen oder durch die beiden 21 cm. Mörser erzielt worden ist, läßt sich nicht bestimmen, da letztere mit jenen zu gleicher Zeit das Reduit beschossen hatten. An der bedeutenden Verwüstung im Innern der Lünette haben aber jene gewiß überwiegenden Antheil gehabt und die Zerstörung der Kehlmauer rührt jedenfalls nur von ihrer Wirkung her.

2. Das indirekte Breschefchießen aus der Ferne.
(Hierzu Tafel III.)

a. Die Methode der indirekten Breschelegung.
Das indirekte Breschefchießen fand statt:

gegen die rechte Face der Lünette 53,

gegen die rechte Face der Bastion 11 und

gegen die linke Face der Bastion 12.

In allen drei Fällen verfuhr man nach derselben Methode und zwar nach derjenigen, welche bei den im November 1869 in Silberberg mit der kurzen 15cm. Kanone ausgeführten Versuchen zur indirekten Breschelegung angewendet und näher festgestellt worden war*). Die dort gemachten Erfahrungen fanden auch sonst bei der Ausführung des Brescheschießens vor Straßburg die unmittelbare und ausgedehnteste Verwerthung und darf man wohl behaupten, daß durch dieselben die Erreichung der günstigen Resultate in hohem Maße gefördert worden ist.

Für die Erzeugung der Bresche sollte das bisher allgemein gültige Prinzip festgehalten werden, zunächst einen Horizontalschnitt auf ⅓ der ganzen Mauerhöhe — von unten gerechnet — und demnächst an dessen Endpunkten aufwärts die Vertikalschnitte zu schießen.

Der schwierigste Theil der Aufgabe bestand, bei der Unmöglichkeit der Beobachtung am Ziel, in der Bildung des horizontalen Schnittes.

Diese war bei der natürlichen Streuung der Geschosse nicht, wie beim direkten Breschiren, durch Verlegung des einzelnen Schusses zu erreichen, man mußte vielmehr bestrebt sein, durch Abgabe mehrerer Schüsse mit unveränderter Richtung eine Treffergruppe zu bilden und durch Verlegung dieser Treffergruppe nach der Seite die gleichmäßige Vertiefung des Schnittes und den Durchbruch der Mauer herbeizuführen.

Vor dem Beginn des eigentlichen Breschirens mußte man sich natürlich erst einschießen und geschah dies gegen sichtbare Theile der Werke. War gegen dieses sichtbare Ziel der mittlere Treffpunkt durch eine angemessene Schußzahl ermittelt worden, so wurde derselbe mit Hülfe der in den Schußtafeln enthaltenen Daten seitwärts, resp. vertikal so weit verlegt, daß die erste Treffergruppe an dem einen Endpunkt des beabsichtigten Horizontalschnittes gebildet wurde.

Konnte man nach weiterer Beobachtung annehmen, daß die Lage dieser Treffergruppe richtig sei, so wurde die Elevation genau kontrolirt, für die ferneren Schüsse unverändert beibehalten und bei diesen nur mit dem Quadranten genommen, während die Seitenrichtung auf die Skala der Richtvorrichtung übertragen wurde. Mit Hülfe der letzteren wurde dann konsequent und gleichmäßig die Seitenrichtung geändert und dadurch die Verlegung der Treffergruppe um das beabsichtigte Maß erzielt.

---

*) Man sehe: Histor. Skizze über die Entwickelung der kurzen 15cm. Kanone ꝛc. pag. 51 und folgende.

Um dieses Verfahren gleichmäßig durchführen und stets genau kontrolliren zu können, wurde unmittelbar nach dem jedesmaligen Einschießen eine Tabelle aufgestellt, in welcher für jede Lage der abzugebenden Schüsse die Seitenrichtung angegeben war.

Diese Tabelle erhielten die Kommandeure der Batterien, welche nach derselben nun rein mechanisch in den Horizontalschnitt hin und zurück feuern ließen, ohne indessen von der Beobachtung, so weit sie eben möglich war, entbunden zu sein, da es erforderlich war, vorkommende auffallende Unregelmäßigkeiten zu kontroliren.

Für die obere Leitung war es demnächst nur erforderlich, täglich mehrere Male in den Batterien die Tabellen einzusehen, um zu erfahren, wie oft von einem Ende des Horizontalschnittes zum anderen durchgefeuert war. Auf Grund der aus den Friedens-Versuchen bekannten Wirkung des einzelnen Schusses gegen Mauerwerk, so wie auf Grund der besonderen obwaltenden Verhältnisse (Geschoßgeschwindigkeit, Trefffähigkeit, Mauerstärke 2c.) endlich auf Grund eigenthümlicher Merkmale beim Einschlagen der Geschosse in die verdeckte Mauer wurde dann beurtheilt, ob die Mauer wirklich durchbrochen sein und demgemäß zur Bildung des Vertikalschnittes übergegangen werden könne.

Indem man hierbei die Vorsicht beobachtete, etwas länger in den Horizontalschnitt zu schießen, als vielleicht nothwendig war, wurde die Sicherheit für die Erzielung des wirklichen Durchbruchs der Mauer erhöht und ist auch auf diese Weise thatsächlich in keinem Falle eine Täuschung auf die Annahme des Durchbruchs eingetreten.

Die eigenthümlichen Merkmale, welche den wirklichen Durchbruch der Mauer bekunden sollten, waren ebenfalls bei den Silberberger Versuchen bekannt und festgestellt worden. Berechtigten das Erscheinen dieser Merkmale, so wie die abgegebene Schußzahl und die sonstigen Verhältnisse zur Annahme des wirklich erfolgten Durchbruchs, so wurde systematisch noch einmal von einem Ende des Horizontalschnittes zum andern durchgeschossen und hierbei die möglichst sorgfältige Beobachtung der Schüsse, vornämlich auf den Einschlag und die Explosion der Geschosse, auf das Verhalten von etwa herausgeschleuderten Steinen und auf den aus dem Graben aufsteigenden Pulverdampf gerichtet.

Ueber die hierbei in Betracht kommenden charakteristischen, oft unbedeutend und in verschiedenen Nüancen auftretenden Unterschiede sei kurz Folgendes erwähnt:

a. Der Einschlag und der Knall des explodirenden Geschosses ist ein harter, wenn dasselbe noch auf festes Mauerwerk trifft; er ist dumpf und matt, wenn die Mauer schon bis zu einer gewissen Tiefe oder ganz durchbrochen ist und in letzterem Falle die Explosion in der Erde hinter der Mauer erfolgt.

b. Ist die Mauer noch nicht durchbrochen, so fliegen Steine und Mauertrümmer oft sehr hoch aus dem Graben heraus.

c. Die Rauchwolke des explodirten Geschosses erscheint bei noch nicht durchbrochener Mauer, je nach der Tiefe des Eindringens mehr oder weniger schnell über der Mauer, ist dabei bläulich weiß, wie eben Pulverdampf für gewöhnlich ist und in einem Klumpen zusammengeballt. Bei schon durchbrochener Mauer erscheint der Rauch spät, er ist dunkelgrau und zieht langsam, wie aus einem Schornstein aufsteigend, aus dem Graben herauf.

Ließen die Beobachtungen nun die Anzeichen für den vollendeten Durchbruch erkennen, so wurde zum Schießen der Vertikalschnitte übergegangen, welche meist schnell erzielt wurden.

b. Das Breschiren der rechten Face der Lünette Nr. 53.

(Hierzu Tafel IV.)

Der Ingenieur-Angriff war so weit vorgeschritten, daß in der Nacht vom 11. zum 12. September die 3. Parallele vor den Lünetten 53 und 52 auf 725 Schritt Länge erbaut war. Es war mithin für die Artillerie der Zeitpunkt eingetreten, die Breschelegung in der Lünette 53, in deren Besitz man sich zunächst setzen mußte, in Angriff zu nehmen. Zu dem Ende wurde die bisherige Mörser-Batterie Nr. 8 zu einer Kanonen-Batterie eingerichtet, mit 4 kurzen 15 cm. Kanonen armirt und von der 9. Garde-Festungs-Kompagnie (Premier-Lieutenant v. Ihlenfeld) besetzt.

Ueber die Profil-Verhältnisse der Lünette 53 waren nach den vorhandenen Plänen und den gemachten Rekognoszirungen folgende Angaben bekannt:

Den Kordon der Eskarpenmauer zu ± 0 angenommen, lag die Feuerlinie der Brustwehr auf $+ 12$, die Glaciskrone an der zu überschießenden Stelle auf $+ 4$, die Grabensohle auf $- 16$; die Wassertiefe sollte etwa 4 Fuß betragen, so daß der Wasserspiegel zu $- 12$ angenommen werden konnte. Der Graben, in dessen Mitte sich eine etwa 5 Fuß tiefe Künette befand, hatte eine Breite von ca. 30 Schritt; die Entfernung der Glaciskante von der Kontreeskarpe betrug ca. 15 Schritt, also von der in Bresche zu legenden Eskarpenmauer etwa 45 Schritt in senkrechtem Abstande. Das anliegende Mauerwerk der Eskarpe bestand aus rothen Sandstein-Quadern von ungefähr 9 Zoll Länge und 6 Zoll Höhe, sollte oben eine Stärke von 4 Fuß, unten von 6 Fuß haben und befand sich in gutem Zustande.

Der Winkel, in welchem die Schußrichtung von der Batterie Nr. 8 die zu breschirende Mauerfläche traf, betrug etwa 55 Grad, war mithin, wenn

auch nur um Weniges, kleiner als der bisher für den Schrägschuß nach für
lässig erachtete geringste Winkel von 60 Grad. Es war dies Verhältniß
nicht angenehm, zumal auch die anzuwendende Ladung verhältnißmäßig klein,
die Geschoßgeschwindigkeit mithin gering war und demnach bei dem festen
Mauerwerk ein Abgleiten der Geschosse, wenigstens Anfangs zu befürchten
stand. Eine Verlegung der Batterie, welche eine günstigere Schußrichtung
möglich gemacht hätte, wäre mit vielen Unzuträglichkeiten verbunden gewesen,
da sie zwischen die Häuser und Gärten von Schiltigheim gefallen wäre; es
wurde daher in Anbetracht der nur geringen Ueberschreitung der zulässigen
Grenze an der Batterie Nr. 8 festgehalten und zwar um so mehr, als die
schräge Schußrichtung andererseits den Vortheil gewährte, daß der Abstand
der zu überschießenden Stelle der Glaciskrete von der Eskarpe etwas vergrößert und so die Anwendung eines kleineren Einfallwinkels möglich wurde.
Dieser Abstand betrug, in der Schußrichtung gemessen, ca. 50 Schritt und
mußte demgemäß der Einfallwinkel für den etwa 2 Fuß über den Wasserspiegel auf — 10 zu legenden tiefsten Treffpunkt bei der Höhen-Differenz
von ca. 14 Fuß zu 7$^{12}/_{16}$ Grad angenommen werden.

Hierzu gehörte bei der Entfernung der Glaciskrete vom Geschütz von
ca. 1000 Schritt eine Ladung von 1,7 Pfd. (850 Gr.)

Die Aufgabe war immerhin für das erstmalige Auftreten des indirekten
Brescheschusses im Ernstfalle keine sehr leichte und bei den Konsequenzen,
welche man in Zukunft geneigt sein konnte, aus dem Erfolge dieses ersten
Versuches zu ziehen, mußte um so mehr Alles aufgeboten werden, die Aufgabe wirklich zu lösen.

Es lag in der Absicht, die Bresche mit ihrem rechten Flügel gegen 60
Fuß (18,8 m.) von der Spitze des Werkes anzulegen. Hier war der volle
Erddruck der darüber liegenden Brustwehr zu erwarten und außerdem war
man durch zwei, im gedeckten Wege liegende Traversen, zwischen welchen hindurch geschossen werden mußte, an diese Lage gebunden. Die Breite der
Bresche sollte ungefähr 60 Fuß (18,8 m.) betragen. Die Verlegung des
Treffpunktes von rechts nach links mußte demnach rechtwinklich zur Schußrichtung ca. 48 Fuß (14,8 m.) betragen und da die Entfernung des linken
Flügels der Bresche vom Geschütz um etwa 36 Fuß (11,1 m.) größer war,
als die des rechten Flügels, so mußte zugleich die Elevation stets von rechts
nach links entsprechend vermehrt und umgekehrt vermindert werden.

Die Breschelegung begann von der Batterie Nr. 8 aus unter der oberen Leitung des Hauptmann Müller am 14. September Morgens 7 Uhr,
Zunächst wurde durch einige Schüsse mit der Maximal-Ladung gegen die
Brustwehr in der Spitze des Werkes die Entfernung näher festgestellt und
zwar zu 1050 Schritt, sodann erfolgte das Einschießen gegen den oberen

fichtbaren Theil der Bruſtwehr mit 1,₇ Pfd. (850 Gr.) Ladung und darauf
die Verlegung des mittleren Treffpunktes nach der Seite reſp. Tiefe.

Die Beobachtung beim Einſchießen geſchah aus einer paſſend gelegenen
Tranchee zwiſchen der zweiten und dritten Parallele, von wo man wohl das
Glacis, nicht aber die zu breſchirende Mauer überſehen konnte.

Die Beobachtung von einem weiter vorgelegenen Theile der Angriffs-
Arbeiten war wegen der weit zurückfliegenden Sprengſtücke und Steine nicht
möglich; die letzteren zwangen ſogar zur Räumung jener Angriffs-Arbeiten
an der betreffenden Stelle. Von mehreren Pionieren, welche· gegen das
Verbot dieſe Stelle paſſirten, wurde einer durch ein Sprengſtück getödtet.

Das Einſchießen war ſehr zeitraubend. Da es an einer telegraphiſchen
Verbindung zwiſchen dem Beobachter und der Batterie fehlte, ſo mußte nach
jeder abgegebenen Lage die Korrektur durch eine in den Tranchéen auf-
geſtellte Poſtenkette zurückgeſchickt werden, wodurch das Feuer ſehr verzögert
wurde.

Die durch das Einſchießen endgültig feſtgeſtellte Elevation betrug 7⁹/₁₆
Grad. Sie variirte in Folge der Witterungs-Einflüſſe (häufige ſehr heftige
Regengüſſe) mehrfach um einige Sechszehntel Grade. Beſondere Schwierigkeiten verurſachte auch die Regulirung der Quadranten, bei denen ſich nicht
unbedeutende Fehler zeigten, welche feſtgeſtellt und korrigirt werden mußten.

Zu erwähnen iſt noch, daß ſowohl für dieſe, wie für die ſpäteren
Breſchelegungen die Beſtimmung der richtigen Elevation nicht in der Weiſe
geſchah, daß der mittlere Treffpunkt zugleich auf den tiefſten Treffpunkt in
der Mauer fallen ſollte, vielmehr dahin geſtrebt wurde, ihn um die zugehö-
rige mittlere Höhenabweichung höher zu legen, weil bei dieſem Verfahren der
Haupttheil der Flugbahn-Garbe, ohne Beeinträchtigung des angeſtrebten
Zweckes, über die Krete der deckenden Bruſtwehr gehoben wurde.

Das Einſchießen war erſt am Mittage des erſten Schießtages (14. September) beendet und wurde nunmehr die Bildung des Horizontalſchnittes auf
dem rechten Flügel begonnen. Da der erſte Einbruch in die Mauer ſchwie-
rig und das Abgleiten einzelner Geſchoſſe zu erwarten war, ſo feuerten in
den erſten zwei Lagen die 4 Geſchütze mit derſelben Richtung gegen
einen und denſelben Punkt. Erſt mit der dritten Lage ging man zur
Verlegung der Treffergruppe nach der Seite über und wurde hierfür feſtge-
ſetzt, daß dies immer nur um 3 Fuß ſeitlich ſtattfinden ſolle. Es geſchah
dies in der Abſicht, bei den für das Eindringen der Geſchoſſe ungünſtigen
Verhältniſſen die nächſte Treffergruppe immer auf Mauertheile zu legen,
welche ſchon durch die vorige Gruppe erſchüttert waren.

So wurde bis zum linken Flügel des beabſichtigten Horizontalſchnittes durchgefeuert (in Summa mit ¹⁰/₁₆ Grad Aenderung), ſodann in
derſelben Weiſe zurückgegangen und in dieſer Art gleichmäßig fortgefahren.

Als die Verlegung der Treffergruppen vom rechten Flügel des Schnittes ungefähr bis zur Mitte gelangt war, ging die Nachricht ein, daß ein in der dritten Parallele angesetzter Schleppschacht zur Aufsuchung von Kontreminen-Gallerien vor der Spitze der Lünette Nr. 53, deren Vorhandensein vor einigen Tagen konstatirt war, vollendet und die Kommunikation mit jenen Gallerien hergestellt sei. Von den in der Kontre-Eskarpen befindlichen Entrees dieser Minen-Gallerien aus konnte man das ganze Breschfeld genau übersehen und so die Bresche unmittelbar beobachten. Die sofort von dort aus vorgenommene Beobachtung zeigte, daß der tiefste Treffpunkt richtig lag (1—2 Fuß über dem Wasserspiegel), ferner daß die Bekleidung der Mauer auf der bisher beschossenen Strecke, in Folge der Höhenstreuung der Geschosse, in großer Höhe völlig herabgeworfen war und endlich, daß die seitwärts auf intaktes Mauerwerk treffenden Geschosse wirklich vielfach abprallten oder eine Zerstörung des äußeren Steines in nur geringem Umfange und unbedeutender Tiefe verursachten. Günstig treffende Geschosse erzeugten einen förmlichen Regen von großen Steinen, Steinsplittern und Sprengstücken.

In der Nacht vom 14. zum 15. September sollte die Krönung des Glacis vor der Lünette 53 ausgeführt werden und war dabei die Verabredung getroffen, daß der in die Schußlinie fallende Theil des Kouronnements vorläufig noch nicht gebaut werden solle. Indessen übergroßer Eifer des betreffenden Ingenieurs hatte diesen die Verabredung nicht beachten lassen und so zeigte sich denn beim Beginn des Brescheschießens am Morgen des zweiten Tages, den 15. September, der sehr unangenehme Umstand, daß das Kouronnement des Glacis an der zu überschießenden Stelle doch gebaut und dadurch die Krete um ca. 2 Fuß (0,₆₆ m.) erhöht war, so daß es für die festgesetzte Ladung und Elevation, resp. den Einfallwinkel nicht möglich war, den beabsichtigten tiefsten Treffpunkt zu erlangen. Eine Aenderung aller dieser Verhältnisse mußte vielerlei Uebelstände mit sich führen, namentlich einen großen Aufwand an Zeit erfordern, weshalb man denn kurz den Entschluß faßte, keine Aenderung vorzunehmen, es vielmehr den zu tief gehenden Geschossen zu überlassen, das Kouronnement an der betreffenden Stelle abzukämmen und zu zerstören, was auch erreicht wurde. Hierdurch gingen aber nach ungefährer Schätzung 120 Schuß für das Breschiren verloren.

Das weitere Breschiren bewirkte nun nicht, wie oben schon angedeutet worden, einen wirklichen horizontalen Durchbruch; es entstand vielmehr in Folge der Höhenstreuung der Geschosse ein Demoliren der Mauer, indem mit dem allmähligen Durchbruch in dem unteren Theile auch die oberen Mauertheile zerstört wurden und in mehr oder minder großen Trümmern herabfielen, denen successive die Erde folgte, was leider den Uebelstand hatte, daß dadurch mehrfach die Sprengwirkung der Granaten auf die Mauer selbst beeinträchtigt wurde. Eine Herstellung der Vertikalschnitte wurde daher nicht erforderlich, vielmehr genügte es, in den letzten Stadien des Brescheschießens den mittleren Treffpunkt allmählig höher zu legen, um die oberen Mauertheile gänzlich zu beseitigen. Nachdem dies erreicht war, wurde noch eine größere Zahl von Schüssen mit 2,4 Pfd. (1,2 K.) Ladung in die Erde der Brustwehr gegeben, um diese zum Herabstürzen zu bringen. Sie fiel ungefähr bis zur halben Stärke der Brustwehrkrone herab, wodurch die Steintrümmer völlig mit Erde überdeckt wurden.

Die Bresche, deren Fall gegen 35 Grad betrug, konnte bis auf den stehengebliebenen Erdteil als gangbar angesehen werden und würde dies durch das Herabschießen desselben in noch höherem Maße geworden sein. Letzteres sollte später aus der inzwischen erbauten und mit 6 kurzen 15cm. Kanonen armirten Batterie Nr. 42 erfolgen, kam aber nicht zur Ausführung, weil die Bresche bereits am Nachmittage des 20. September noch vor der völligen Beendigung des Graben-Ueberganges (bestehend in einem durch den Graben geschütteten Damme) erstiegen und die Lünette 53 vom Feinde verlassen gefunden war.

Dieser mit einem steilen, mehrere Fuß hohen Abfall stehen gebliebene innere Theil der Brustwehr kam jetzt zur schnellen Herstellung eines Logements zu Statten.

Tafel IV. zeigt Profil und Ansicht der Bresche, wie solche unmittelbar nach der Uebergabe von Straßburg aufgenommen worden sind und ist hieraus ersichtlich, daß die Eingangs erwähnten, aus den Plänen und Rekognoszirungen entnommenen Angaben nahezu richtig gewesen waren.

Die Breschelegung hat 4 Tage, vom 14. bis incl. 17. September, gedauert; es wurde täglich von 7 Uhr Morgens bis 7 Uhr Abends geschossen und hat jedes Geschütz täglich 50 bis 70 Schuß gethan. Im Ganzen sind in runder Summe tausend Schuß zur Herstellung der Bresche erforderlich gewesen.

Ungünstige Witterung und auch Unregelmäßigkeiten und Ungeübtheit der Bedienung der Geschütze hatten die Lösung der gestellten Aufgabe nicht unwesentlich erschwert.

c. Das Breschiren der rechten Face des Bastion Nr. 11.

(Hierzu die Tafeln V. und VII.)

Nachdem am 20. September die Lünette Nr. 53 in den diesseitigen Besitz gelangt war, setzte man sich in der Nacht vom 21. zum 22. September auch in den Besitz der Lünette 52 und war somit Herr derjenigen Außenwerke geworden, von denen aus die weiteren Ingenieur-Arbeiten

gegen das Haupt-Angriffs-Objekt, Baftion Nr. 11, vorgetrieben werd
konnten.

Wie überhaupt während des ganzen bisher geführten Angriffs d
Maßnahmen der Artillerie nicht nur gleichen Schritt hielten mit denen d
Ingenieurs, sondern demselben sehr häufig voraus eilten, zum Mindef
dieselben stets derartig vorbereiteten, daß ein rapides Vorschreiten des Ing
nieur-Angriffs möglich war, so zögerte die Artillerie auch jetzt keinen Aug
blick, zu dem letzten, wichtigsten Theil ihrer Aufgabe, der Breschelegung
der rechten Face des Baftion Nr. 11, durch welche man in die Festung e
bringen wollte, zu schreiten und bereits am 23. September wurde mit d
sem Brescheschießen begonnen.

Es hatte sich als nothwendig erwiesen, das direkte Geschützfeuer ge
die Baftionen Nr. 11 und 12 und die davor gelegenen Werke zu verstär
und näher an jene heranzuschieben. Zu diesem Behufe wurde in der Na
vom 13. zum 14. September zwischen der ersten und zweiten Parall
dicht hinter der sog. Kirchhofs-Kommunikation und unmittelbar östlich d
Kirchhofes St. Helene die Batterie Nr. 42 durch die 2. Garde-Festung
Kompagnie (Hauptmann v. Podewils) erbaut und mit 6 kurzen 15cm. g
nonen armirt. Für diese Batterie war gleich ein solcher Platz ausgefu
worden, daß später durch sie das Breschiren der rechten Face des Baftio
11 ausgeführt werden konnte und war, um ihr für diesen Zweck eine etw
höhere und günstigere Lage zu geben, außerdem die Anordnung
troffen worden, daß der Geschützstand nur um zwei Fuß versenkt w
den solle.

In der Zeit vom 14. bis incl. 22. September bekämpfte diese Batt
unter Anwendung gewöhnlicher Granaten, die vorbezeichneten Werke mit f
gutem Erfolge und begann mit dem 23. September ihre Thätigkeit
Breschbatterie, jedoch nunmehr mit Langgranaten.

Der Hauptmann Müller übernahm auch hier wieder die obere Leitu
des Feuers.

Von der Einrichtung und den Profil-Verhältnissen des Baftion 11 u
der vor demselben liegenden Couvre-Face war nach den vorhandenen Na
richten und Plänen Folgendes bekannt.

Das Baftion 11 hat, so wie die übrigen Baftione der Westfront, be
Beibehaltung der alten Fauffebraye, eine hohe und niedere Vertheidigun
linie; jene wird von den Franzosen Kavalier genannt und ist nur in E
aufgeführt; diese, von dem Kavalier durch einen 18 Fuß (5,70 m.) bre
Wallgang getrennt, ist revetirt.

Nimmt man den Kordon der Eskarpen-Mauer der niederen Face
±0 an, so sollte die Grabensohle auf etwa — 26 liegen, die Mauer
mithin ca. 26 Fuß (8,22 m.) betragen. Die anliegende Revetements-Ma

sollte oben eine Stärke von 5 Fuß (1,₆₆ m.), unten von 12 Fuß (3,₇₅ m.) und Strebepfeiler von 18 Fuß (5,₇₀ m.) Stärke haben, im Uebrigen aber nicht von besonderer Qualität sein. Sie war von gewöhnlichen Ziegelsteinen aufgemauert und nur der obere Theil (Tablettmauer) bestand aus Quaderstücken von rothem Sandstein. Hinter diesem oberen Theile lag unmittelbar die nur 18 Fuß (5,₇₀ m.) starke Brustwehr der niederen Face (alte Faussebraye). Das Relief des Kavaliers erhob sich bis etwa + 15.

Nach den eben angegebenen Verhältnissen war daher nur der Herabsturz der niederen Brustwehr zu erwarten.

Der über 100 Fuß breite Graben hatte in der Mitte eine Cünette von 4 bis 5 Fuß Tiefe und konnte durch die Kriegs-Anspannung mit Wasser zu einer Tiefe von etwa 6 Fuß (in der Cünette mithin von 10—11 Fuß) gefüllt werden, so daß der Wasserspiegel auf ca. — 20 anzunehmen war.

Tafel V. stellt Profil und Ansicht der Bresche dar, wie solche unmittelbar nach der Uebergabe von Straßburg aufgenommen worden sind. Im Allgemeinen waren hiernach die vorstehend angegebenen Zahlen zutreffend, nur erwies sich die Grabensohle, resp. der Wasserspiegel als um 2 Fuß tiefer liegend, wie angenommen war.

Vor dem Bastion 11 befand sich die Couvreface Nr. 11b, jedenfalls angelegt, um die Revetements-Mauer der niederen Face zu decken, indessen war ihre Höhe nicht genügend, um diesen Zweck völlig zu erreichen, denn von der Bresch-Batterie aus war ein Mauerstreifen frei sichtbar, dessen Höhe mit Hülfe des Aufsatzes auf 4—5 Fuß (1,₆₆ m.) gemessen wurde.

Die zu überschießende Krete der Couvre-Face lag ca. 60 Schritt von der Eskarpe entfernt. Der hierdurch und durch die Lage des tiefsten Treffpunktes auf ungefähr — 18 bedingte Einfallwinkel betrug gegen 4½ Grad und gehörte hierzu bei der Entfernung der deckenden Brustwehr-Krete von der Batterie von ca. 1050 Schritt die Ladung von 2,₆ Pfd.

Die Schußrichtung von der Batterie Nr. 42, welche, wie bereits erwähnt ist, mit ihren 6 kurzen 15cm. Kanonen zum Breschiren des Bastion 11 bestimmt war, bildete mit der Flucht der in Bresche zu legenden Mauer einen Winkel von 80 Grad oder etwas mehr.

Die Verhältnisse waren demnach im Ganzen recht günstig. Die Endgeschwindigkeit der Geschosse betrug 685 Fuß (216 m.) und die Trefffähigkeit des Geschützes ist für die angegebene Ladung und Entfernung eine sehr gute.

Um nicht etwa für die Annäherungs-Arbeiten der Ingenieure ungünstige Verhältnisse zu schaffen, war man genöthigt, die Bresche nahe der Spitze des Bastions zu legen. Ihr rechter Flügel sollte 30 Fuß (9 m.) von letzterer entfernt bleiben, ihre Breite gegen 90 Fuß (28 m.) betragen.

Das Breschiren begann am 23. September Morgens 7 Uhr. D[e]
Tag war schön und klar und begünstigte das Schießen sehr.

Die Batterie, welche frei und ziemlich hoch lag, erhielt beim Begi[n]
des Schießens ziemlich lebhaftes Chassepotfeuer von mehreren Werken, unt[er]
anderen von der Coureface des Bastion 11, auf der zahlreiche Schütz[e]
hinter soliden Sandsackscharten postirt waren. Als jedoch die ersten Gran[a]
ten in die Eskarpenmauer des Bastions einschlugen und zahlreiche Stei[n]
und Sprengstücke gegen die Coureface zurückflogen, verstummte das Feu[er]
sofort und für immer; ein Erfolg, der vorausgesehen wurde.

Vor dem Beginn des eigentlichen Breschirens mußte die Batterie au[ch]
hier sich natürlich erst einschießen. Dasselbe erfolgte gegen die vollständi[g]
sichtbare äußere Brustwehrböschung der Coureface. Zunächst wurde geg[en]
den unteren Theil derselben geschossen, dann der mittlere Treffpunkt in d[en]
oberen Theil verlegt und endlich derselbe so weit gehoben, daß die Krete [in]
entsprechender Höhe überschossen und die Eskarpenmauer getroffen wurd[e]
Die so ermittelte Elevation betrug 4⁶/₁₆ Grad, zeitweise 4⁷/₁₆ Grad.

Es mag hier gleich erwähnt werden, daß die täglich mehrmals ausg[e]
führte Kontrolle darin bestand, daß an Elevation ein bis zwei Sechzehnt[el]
Grad abgebrochen wurden, wodurch man immer die sicheren Anzeichen f[ür]
die richtige Lage der Flugbahngarbe gewann. Während nämlich bei der a[ls]
richtig angenommenen Elevation von 6 Schüssen je 1 bis 2 in die Krete d[er]
Coureface trafen, fielen bei einer nur um ¹/₁₆ Grad verminderten Elevatio[n]
sofort 3, 4 oder 5 in dieselbe.

Abweichend von dem bei der Lünette 53 beobachteten Verfahren, soll[te]
hier, da 6 Geschütze zur Verfügung standen, die Bildung des Horizonta[l]
schnittes gleichzeitig mit 3 Geschützen am rechten Flügel, mit 3 Geschützen [in]
der Mitte beginnen, auch hielt man, da die Schußrichtung ein Abgleiten d[er]
Geschosse nicht befürchten ließ und die Mauer weniger widerstandsfäh[ig]
sein sollte, es nicht für nöthig, wie es bei der Lünette 53 geschehen wa[r]
sämmtlich Geschütze zur Erzielung des ersten Einbruches mit ein und derse[l]
ben Richtung gegen einen und denselben Punkt mehrere Male feuern [zu]
lassen.

Es wurde vielmehr je eine Lage mit derselben Richtung gegen denselb[en]
Punkt abgegeben, dann die Treffergruppe um ²/₁₆ Grad = 5 Fuß seitli[ch]
verlegt, so bis zur Mitte, resp. bis zum linken Flügel durchgefeuert u[nd]
dann in derselben Weise nach rechts zurückgegangen, wobei aber die Tre[ff]
punkte auf die zuerst belassenen Zwischenräume gelegt wurden. In dies[er]
Art wurde systematisch bis zur Vollendung des Horizontalschnittes weiter g[e]
feuert.

Die Beobachtung der Schüsse erfolgte von der Batterie aus, meist m[it]
bloßem Auge. In der bereits okkupirten Lünette Nr. 53 wäre man de[m]

Ziele zwar näher gewesen, aber dieser Standpunkt gewährte sonst gar keine Vortheile, wogegen er dem Chassepotfeuer in nicht geringem Grade ausgesetzt war.

Obgleich die Geschosse tief hinter der Couvreface verschwanden, so war doch aus den Erscheinungen der Explosion die Beurtheilung der Wirkung möglich.

Während der Nacht wurde das Feuer eingestellt.

Am zweiten Vormittage, den 24. September, nachdem im Ganzen etwa 70 Lagen abgegeben waren, wurden schon die Merkmale erkannt, welche den Durchbruch der Mauer charakterisiren und bereits gegen Mittag, nach etwa 80 Lagen in Summa, gewann man die Ueberzeugung von dem vollständigen Durchbruch des Horizontalschnittes und konnte zur Bildung der Vertikalschnitte schreiten, von denen je einer durch drei Geschütze geschossen wurde.

Hierbei legte man nach je 3 Lagen den Treffpunkt um 5 Fuß höher.

Nach einer geringen Anzahl Lagen, die etwa in einer halben Stunde abgegeben waren, stürzte schon vom rechten Flügel ab das Mauerwerk in einer Länge von ⅔ der ganzen Breschbreite. Das Herabstürzen wurde an dem plötzlichen Verschwinden des sichtbaren Mauerstreifens und dem theilweisen Nachsturz der Erde deutlich erkannt, und das kurz darauf mächtig aufspritzende Wasser gab eine anderweitige Bestätigung.

Gegen den linken Vertikalschnitt geschahen dann noch 3 Lagen und stürzte hierauf der Rest der Mauer in den Graben, die gelbgraue Erde blieb indessen fast durchweg wie eine Mauer stehen. Zum Herabschießen derselben wurden alle 6 Geschütze zunächst gegen die rechte Hälfte der Bresche gerichtet und auf ein Kommando salvenweise abgefeuert, um durch das gleichzeitige Explodiren der Geschosse eine größere Erschütterung der Erde herbeizuführen. Die Elevation war so gewählt, daß die Schüsse in den unteren Theil, 4 bis 5 Fuß über den Horizontalschnitt fallen mußten und sie blieb konstant, um gleichsam auch einen Horizontalschnitt in die Erde zu schießen. Bald war auch das theilweise Herabstürzen der Erde bemerkbar. Das weitere Herabschießen der Erde wurde indessen vorläufig inhibirt. Diese Maßregel war hervorgerufen durch den Umstand, daß die Annäherungs-Arbeiten noch bei Weitem nicht so weit gediehen waren, um den Sturm der Bresche in kürzester Zeit ausführen zu können und daher zu befürchten war, daß die schon jetzt gangbar hergestellte Bresche in der Zwischenzeit durch den Vertheidiger abgegraben oder auf andere Weise wieder ungangbar gemacht werden würden.

Erst am 27. September Morgens wurde die Glaciskrönung vor der Couvreface 11 b. beendet und es sollte nunmehr das Herabschießen der noch stehengebliebenen Erde stattfinden, allein das am 27. September Nachmittags

5 Uhr erfolgte Aufziehen der weißen Fahne auf den Münster von Straßburg machte dies unnöthig.

Das Breschiren der rechten Face von Bastion 11 hat somit im Ganzen etwa 18 Stunden gedauert; die Gesammtschußzahl betrug rund 600 Schuß, mithin pro laufende Fuß 6—7 Schuß.

Kompetente Beurtheiler werden dieses Resultat als nicht ungünstig bezeichnen können.

Tafel VII. giebt eine gleich nach der Einnahme von Straßburg aufgenommene photographische Ansicht der Bresche in Bastion 11.

d. Das Breschiren der linken Face des Bastion 12.

(Hierzu Tafel VI. und VIII.)

Um einen größeren Druck auf den Kommandanten der feindlichen Festung und auf deren Garnison auszuüben, so wie auch um die Gelegenheit zu weiteren Erfahrungen im indirekten Brescheschießen auszunutzen, wurde von dem Kommando der Belagerungs-Artillerie der Beschluß gefaßt und vom Ober-Kommando sanktionirt, auch die linke Face des Bastion 12 in Bresche zu legen, wiewohl es vorläufig nicht in der diesseitigen Absicht lag, hier in die Festung einzudringen.

Die Profilverhältnisse des Bastion 12 waren als denen des Bastion 11 gleich angegeben, nur fehlte bei Bastion 12 die hohe Feuerlinie und es erhob sich gleich die eigentliche Brustwehr die in Bresche zu legende Mauer war durchweg von Ziegelsteinen aufgeführt und sollte einfach anliegend sein, wie bei Bastion 11.

Die Abmessungen des Grabens und die Wasserverhältnisse sollten ebenfalls dieselben sein, wie bei Bastion 11 angegeben waren.

Tafel VI. giebt Profil und Ansicht der Bresche in Bastion 12, wie solche unmittelbar nach der Uebergabe von Straßburg aufgenommen worden sind.

Um die Verhältnisse hier möglichst günstig zu gestalten, wurde beschlossen, die Bresche nahe am Schulterpunkt und die Schußrichtung in die Längenrichtung des Grabens vor der rechten Face des Ravelins Nr. 50 zu legen. Weiter rückwärts verlängert lief diese Richtung über die linke Face der Couvreface Nr. 51 und nahezu über die Spitze der Lünette Nr. 53. An der Stelle, wo diese beabsichtigte Schußlinie die 3. Parallele schnitt, wurde in der Nacht vom 23. zum 24. September die Bresch-Batterie Nr. 58 (neben Batterie Nr. 45) von der 1. Garde-Festungs-Kompagnie unter Hauptmann v. Mogilowski erbaut und mit 4 gezogenen kurzen 15cm. Kanonen armirt.

Die obere Leitung des Feuers war auch hier dem Hauptmann Müller übertragen bis zu dessen am 25. September erfolgter Abberufung und übernahm dieselbe vom 26. September ab der Hauptmann Mogilowski.

Die Entfernung der Batterie von der zu breschirenden Mauer betrug circa 950 Schritt. Die Schußrichtung traf letztere fast rechtwinklig.

Bei der großen Entfernung der deckenden Couvreface Nr. 51 von der Eskarpe (200 Schritt) und den sonstigen Verhältnissen hätte der Fuß der Mauer getroffen und die Maximal-Ladung von 3 Pfd. angewendet werden können. Da hierbei aber eine Gefährdung der Lünette 53, so wie der Ingenieur-Arbeiten vor jener Couvreface durch zu tief gehende Geschosse nicht ausgeschlossen war, so wurde absichtlich eine etwas geringere, anfänglich die von 2,4 Pfd., dann von 2,6 Pfd. gewählt. Die Elevation betrug für letztere 3⁹/₁₆ Grad, der Einfallwinkel 3¹⁴/₁₆ Grad. Die Trefffähigkeit für die genannte Entfernung ist günstig, die Endgeschwindigkeit der Geschosse beträgt 665 Fuß (210 m.)

Die Breite der Bresche war durch die Breite des Ravelingrabens bedingt, welchem entlang geschossen werden mußte. Um das Anstreifen der seitlich abweichenden Geschosse an die Grabenränder zu vermeiden, mußte die Breite der Bresche noch mehr herabgesetzt werden und um trotzdem alle Vortheile möglichst ausnutzen zu können, wurde bestimmt, daß die Geschütze derartig über Kreuz feuern sollten, daß die beiden Geschütze des rechten Flügels die linke Hälfte des Horizontalschnittes (von der Batterie aus gerechnet), die des linken Flügels die rechte Hälfte desselben schießen sollten. Die somit zu erzielende Breschweite wurde auf 36 bis 40 Fuß (12,66) angenommen.

Das Schießen begann am 24. September Morgens 7 Uhr, während die Breschbatterie gegen Bastion 11 auch noch in Thätigkeit war und wurde an jedem Tage bis Abends 7 Uhr fortgesetzt. Es kamen nur Langgranaten zur Anwendung.

Das Wetter war sehr günstig. Von der Batterie aus war das Bastion 12 nicht zu sehen; die Feststellung der Seitenrichtung für die ersten Schüsse erforderte daher besondere Vorbereitungen.

Die Beobachtung geschah von der Spitze der Lünette 53 aus, dem einzigen Standpunkte, von welchem ein Stückchen Mauerwerk, und zwar der Kordon dicht neben dem Schulterpunkt des Bastion 12 zu sehen war.

Das Einschießen erfolgte gegen die über dem Breschfelde liegende Brustwehr; der ermittelte mittlere Treffpunkt wurde dann zunächst gegen das erwähnte sichtbare Stück Mauerwerk herabgerückt und dann auf den beabsichtigten rechten Flügel des Horizontalschnittes weiter herabgesenkt. Nach einigen Lagen wurde indessen an den aufsteigenden Wassersäulen bemerkt, daß ie Schüsse vielfach den Wasserspiegel trafen, also zu tief gingen. Eine ge-

15*

ringe Korrektur der Elevation gab dann das richtige Verhältniß und als beste Elevation, wie schon oben erwähnt, 3⁹/₁₆ Grad.

Wie ebenfalls schon erwähnt, wurde der rechte Flügel der Bresche nahe an den Schulterpunkt gelegt. Zur Herstellung des Horizontalschnittes schossen das 3. und 4. Geschütz vom rechten Flügel nach links bis zur Mitte und dann zurück, das 1. und 2. Geschütz vom linken Flügel nach rechts bis zur Mitte, dann zurück und so fort. Es geschah stets eine Lage nach einem Punkte, dann wurde der Treffpunkt um 5 Fuß seitlich verlegt.

Die Beobachtung war sehr schwierig und wurde das Einschießen namentlich durch die schwierige Verbindung zwischen Beobachter und Batterie, da sie nur durch Mannschaften hergestellt werden konnte, sehr verzögert, so daß es mehrere Stunden in Anspruch nahm.

Am nächsten Tage, den 25. September, Abends 7 Uhr, nachdem im Ganzen 359 Schuß abgegeben waren, ließen die Anzeichen den Durchbruch des Horizontalschnittes erkennen, worauf am 26. September früh 8 Uhr zum Schießen der Vertikalschnitte durch je zwei Geschütze übergegangen wurde, welche nach 3 Stunden durch 106 Schuß als vollendet angesehen werden konnten. Das Verschwinden des sichtbaren Mauerstückes und das Nachstürzen eines Theiles der Erde ließ den Einsturz der Mauer mit Sicherheit annehmen.

Das vollständige Herabschießen der Erde wurde vorläufig noch ausgesetzt aus denselben Gründen, wie bei der Bresche des Bastion 11 angegeben. Es kam nicht zur Ausführung, weil bereits am 27. September die Kapitulation erfolgte.

Zur Herstellung der Bresche sind im Ganzen also 465 Schuß erforderlich gewesen.

Nach der Uebergabe der Festung fand sich, daß die Erde ebenfalls senkrecht stehen geblieben war und daß sich hinter der Mauer an der durchbrocheuen Stelle zwei Dechargengewölbe befanden, wie aus der Zeichnung auf Tafel VI. ersichtlich ist. Es zeigte sich ferner, daß die Vertikalschnitte in beiden Breschen mit bewundernswerther Schärfe geschossen waren, ein Beweis sowohl für die vortreffliche Leitung des Feuers, als auch für die gute Bedienung der Geschütze und die ausgezeichnete Leistungs-Fähigkeit der letzteren.

Tafel VIII. zeigt eine unmittelbar nach der Einnahme von Straßburg aufgenommene photographische Ansicht der Bresche in Bastion 12.

Unmittelbar nach der Besitznahme von Straßburg durch die diesseitigen Truppen wurde von dem Kommando der Belagerungs-Artillerie der Ingenieur en chef, General-Major v. Mertens um ein Urtheil über die Brauchbarkeit der geschossenen Breschen ersucht und lautete dasselbe dahin:

„daß die Bresche in der Lünette 53 nach einigen Aufraum-Arbeiten, diejenige in Bastion 11 ohne Weiteres als gangbar bezeichnet werden könne und die Bresche in Bastion 12 unvollendet geblieben sei".

Was die letztere Bresche betrifft, so möge hier nochmals darauf hingewiesen werden, daß dieselbe nur zur artilleristischen Belehrung geschossen war, und es von Hause aus nicht in der Absicht gelegen hatte, sie zu einem event. Sturm zu benutzen.

In mehreren Schriften ist vielfach an den geschossenen Breschen herumkritisirt worden; das vorstehende Urtheil, so wie die hier beigefügten Zeichnungen werden wohl hinreichen, um die ausgesprochenen Bemängelungen zu widerlegen.

Wer noch nie eine Bresche gesehen hat und sich eine solche als bequeme Straße, gleichsam wie eine Chaussee vorstellt, wird allerdings an den geschossenen Breschen Manches auszusetzen finden.

Wenn der vorstehende Aufsatz auch nur den Zweck hatte, Mittheilungen über die Anwendung des indirekten Schusses bei der Belagerung von Straßburg zu geben, so möge zum Schluß noch gestattet sein, darauf hinzuweisen, wie aus dem Dargestellten wohl unzweifelhaft resultirt:

1. daß die Breschelegung den Ingenieur-Arbeiten vorausgeeilt ist, und
2. daß diese frühzeitige Breschelegung wesentlichen Einfluß auf den Entschluß zur Kapitulation gehabt hat.

Am 24. September war die Eskarpenmauer in Bastion 11, am 25. September in Bastion 12 durchschossen; erst am 27. September Vormittags wurde die Graben-Descente in der Couvreface von Bastion 11 angesetzt, aber schon am 27. September Nachmittags wurde die Kapitulation angeboten.

General Uhrich sagt im Eingang seiner Proklamation vom 27. September 1870 an die Einwohner von Straßburg:

"Da ich heute erkannt habe, daß die Vertheidigung des Platzes von Straßburg nicht mehr möglich ist und da der Vertheidigungsrath einstimmig meine Ansicht theilte, habe ich zu der traurigen Nothwendigkeit meine Zuflucht nehmen müssen, in Unterhandlung mit dem General-Kommandanten der Belagerungs-Armee zu treten u. s. w."

und hat in einem Briefe an seinen Vetter, d. d. Basel, den 14. Oktober 1870*) geschrieben:

ꝛc. "Mein Vertheidigungsrath dachte anders und er ist gewiß, was Energie anbelangt, unangreifbar. Durch mich befragt, erklärte er einstimmig nach langer Berathung:

---

*) Siehe die Vertheidigung von Straßburg im Jahre 1870 von Moritz Brunner, pag. 69.

1. daß wir dem Sturm mit einiger Aussicht auf Erfolg nicht
   begegnen können;
2. daß der Moment zur Kapitulation gekommen ist.

Hieraus ist man nun wohl zu dem Schluß berechtigt, daß ein Sturm
erwartet, vom Vertheidiger also für möglich gehalten wurde. Da aber der
Sturm auf eine Festung wie Straßburg, ohne Bresche füglich nicht ausführbar ist, so folgert hieraus wohl ganz natürlich weiter, daß das Erschie-
ßen der Bresche wesentlichen Einfluß auf den Entschluß zur Kapitulation gehabt hat, und daß, da das Zustandebringen der Bresche verhältnißmäßig sehr
früh erfolgt war, es auch wesentlich zu dem frühen Fall der Festung beigetragen hat.

Durch eine direkte Breschelegung wäre dies Ziel erst viel später erreicht worden, da eine solche vor dem 29. oder 30. September nicht hätte
begonnen werden können; auch würde man außerdem dabei auf ganz besondere Schwierigkeiten gestoßen sein, welche indeß zu besprechen außerhalb der
Grenzen dieses Aufsatzes liegt.

Posen, im März 1872.

v. Decker,
General-Lieutenant und Inspekteur der
1. Artillerie-Inspektion.

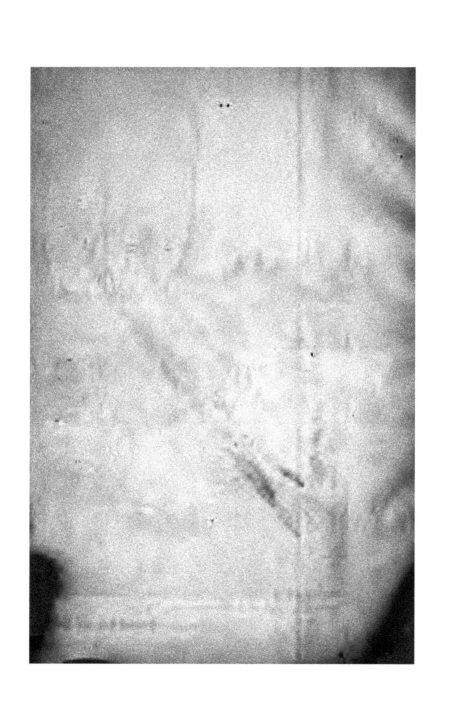

Beiheft

zum

Militair-Wochenblatt

herausgegeben

von

A. Vorbstaedt,

Oberst z. D.

1872.

Siebentes Heft.

Inhalt:

Die Kosaken. — Die Gestüte des preußischen Staates und die Landespferdezucht in Hinsicht auf den Bedarf des Heeres an Remonten und Augmentations-Pferden. — Ansichten über die Zutheilung von fahrenden Schützen zu den Reiterdivisionen, angeregt durch den Aufsatz eines Offiziers der 5. Kavallerie-Division über dasselbe Thema, abgedruckt in der Beilage zu Nr. 100 der Norddeutschen Allgemeinen Zeitung vom 1. Mai d. J.

Berlin 1872.

Ernst Siegfried Mittler und Sohn,

Königliche Hofbuchhandlung
Kochstraße 69.

Die Kosaken.

Nachdruck verboten.　　Ueberſetzungsrecht vorbehalten.　　　　Die Redaktion.

Schon oft in der Geſchichte wurden mächtige Reiche durch Auswanderer gebildet, die in Folge politiſcher und religiöſer Bedrückungen ihre Heimath verließen. — Rom und die vereinigten Staaten von Amerika ſind die bekannteſten Beiſpiele.

Auf ähnliche Urſachen iſt auch die Bildung der Kosaken zurück zu führen, dieſes außerordentlich wichtigen Faktors in der Militairverfaſſung des ruſſiſchen Reiches, aus dem man in mehr als einer Beziehung den größten Nutzen gezogen hat, noch größeren wahrſcheinlich in Zukunft ziehen wird.

Gegen Ende des 15. Jahrhunderts tauchen die Kosaken an zwei Stellen ziemlich gleichzeitig auf am Dnieper und am Don. Die religiöſe Unduldſamkeit und die Härte der polniſchen Herren trieb viele Kleinruſſen griechiſcher Konfeſſion in die Wälder, Sümpfe und Steppen am Dnieper, man nannte ſie die SaPorogen, d. h. Leute die unterhalb der Waſſerfälle wohnen.

Dieſe kleinruſſiſchen Kosaken verloren aber, — wie ich hier vorgreifend bemerken will — ſehr bald ihre Eigenthümlichkeit und Selbſtſtändigkeit.

Gleichzeitig mit dieſen Niederlaſſungen am Dnieper gründeten Auswanderer aus ganz Rußland, flüchtige Leibeigene, ihrer Strafe entfloſſene Verbrecher, zu denen zur Zeit des Schismas viele ſogenannte Raskolniks, Abtrünnige der orthodoxen Kirche, kamen, Kolonien am Don, in einem Lande das nur unter fortwährenden Kämpfen mit den Tartaren zu bewohnen war.

Lange waren ſie ohne Frauen, ſtets wie noch heute ohne perſönliches Eigenthum, Alle völlig gleich untereinander, Wahl und Stimmenmehrheit entſchieden alle Fragen — die Träume unſerer Socialiſten ſind dort ſeit drei Jahrhunderten verwirklicht.

Der Ackerbau war den Kosaken verboten, noch im Jahre 1690 stimmte ein Volksbeschluß, daß der, welcher pflügt, zu Tode geprügelt und geschunden werden soll.

Sie lebten von Raub und Plünderung, ähnlich den Normannen, die überhaupt an dem Entstehen des donischen Volkes stark betheiligt sind, wie verschiedene Ausdrücke der Kosaken, z. B. Ataman, das von dem normannischen Watman abzuleiten ist, beweisen. Der Name „Kosaken" aber ist mongolischen Ursprungs und schreibt sich von räuberischen Horden her, die in den Steppen von Mittelasien und Osteuropa nomadisirten. Russische Schriftsteller haben es natürlich versucht das in ihrem Vaterlande so populäre Kosakenthum zu idealisiren und weisen ihm eine Stellung an ähnlich der unserer christlichen Ritterorden, machen aus den Kosaken ein Volk, das seine einzige Aufgabe im Kampfe gegen die Ungläubigen erblickte und als Vorkämpfer des Christenthums christliche Kaufleute nur im Nothfall ausplünderte.

Die Herrscher von Moskau sahen sehr bald die Verwendbarkeit der Kosaken ein, traten mit ihnen in Verbindung und schon 1570 bestätigte Iwan der Schreckliche ihre Rechte, erkannte sie offiziell an und sie traten dafür unter die Botmäßigkeit des Zaren.

Das 300jährige Jubiläum dieses Tages ist im Mai 1870 in Gegenwart des Thronfolgers und seiner Gemahlin im donischen Lande mit großem Gepränge gefeiert worden.

Vom Don aus drangen die Kosaken an das schwarze Meer vor, an die Wolga und den Ural, eroberten unter Jermaks Führung Sibirien für Rußland und gründeten neue Kolonien. Auch als Seeräuber auf dem kaspischen Meer und der Wolga machten sie sich einen gefürchteten Namen.

Außer dem donischen Heere bildeten sich im Laufe der Zeit eine Masse von anderen kleinen Heeren, die von der Regierung anerkannt, später wieder aufgelöst oder mit anderen vereinigt wurden. Westlich des donischen Landes giebt es keine Kosaken mehr, aber neue Heere entstehen, je weiter Rußland in Asien vordringt.

Unter Peter I. betrug das von ihnen im Kriege gegen Schweden gestellte Kontingent schon 15,000 Mann, Katharina II. formirte die ersten wirklichen Regimenter zu 6 Sotnien, unter ihrem Nachfolger Paul betrug deren Zahl bereits 41. Während des Krimkrieges befanden sich 151 Reiterregimenter, 15½ Bataillone, 27 Batterien, verschiedene kleinere Kommandos, im Ganzen gegen 280,000 Mann im Dienst.

Augenblicklich existiren folgende Heere:

1) Die donischen Kosaken bewohnen das Land am untern Lauf des Dons. Dasselbe ist 2,800 Quadratmeilen groß, hatte im Jahr 1868

990,619 Einwohner, davon 485,857 männlichen und 504,762 weiblichen Geschlechts.

Es kommen also auf fruchtbarstem Boden, im schönsten Klima 330 Menschen auf die Quadratmeile. Die Hauptstadt Nowotscherkask, auf einem kahlen Plateau zwischen zwei wasserarmen Flüssen, in der ödesten Gegend des Landes, ist von dem berühmten Ataman Platow, der in den Freiheitskriegen sich einen großen Namen machte, wahrscheinlich deshalb hier angelegt, um die Kosaken vom Verkehr und dem Handelsvortheil, welchen ihnen der nahe Don eröffnete, zu entfernen und den kriegerischen Geist in ihnen zu erhalten.

Sie stellen

1 Leib-Garde-Kosaken-Regiment
1 Leib-Garde-Atamansches-Regiment,
      à 3 Divisionen à 2 Eskadrons,
1 Division ist immer im Dienst, sie stehen in Petersburg,
64 Kosaken-Regimenter à 6 Sotnien,
1 donisches Lehr-Kosaken-Regiment,
1 Leib-Garde-Don-Batterie zu 12 Geschützen in Petersburg,
13 reitende Batterien zu 8 Geschützen.

Die im Dienst befindlichen 16 Regimenter und 4 Batterien stehen sämmtlich in den Militairbezirken Wilna, Warschau, Kiew und Odessa und zwar meist unmittelbar an der preußischen resp. österreichischen Grenze. Im Kaukasus steht kein donisches Regiment mehr.

2) Das Kuban-Heer ist aus den alten tschernomorskischen und den kaukasischen Linienkosaken formirt am untern Lauf des Kuban und längs der Küste des schwarzen Meeres.

Hauptort Jekaterinodar.

Es hat am 8. August 1870 eine neue Organisation erhalten, stellt darnach:

Im Frieden:

2 Leib-Garde-Kuban-Kosaken-Eskadrons, Sr. Majestät Convoi.
10 Regimenter à 6 Sotnien,
5 Batterien à 4 Geschütze,
2 Fußbataillone,
1 Lehrdivision in Warschau.

Im Kriege:

30 Regimenter,
6 Fuß-Bataillone,
5 Batterien à 8 Geschütze.

3) Das Terek-Heer, dessen jetzige Organisation ebenfalls vom August 1870 datirt.

Es stellt im Frieden:

    1 Leib-Garde-Terek-Kosaken-Eskadron,

    5 Regimenter à 4 Sotnien,

    2 reitende Batterien à 4 Geschütze.

Im Kriege:

    15 Regimenter à 4 Sotnien,

    2 Batterien à 8 Geschütze.

Die Terek-Kosaken bewohnen das Land am Nordfuße des Kaukasus, am Flusse Terek mit dem Hauptort Wladikaukas.

Die Kuban- und Terek-Kosaken sind der kaukasischen Armee unterstellt und die im Felddienst befindlichen Regimenter meist längs der türkischen Grenze und auf dem Ostufer des kaspischen Mannes, auf der Halbinsel Stangischlak 2c. dislocirt.

4) Astrachan-Heer, zur Bewachung der innern Kirghisensteppe, östlich von Astrachan, stellt 1 Regiment zu 6 Sotnien.

5) Orenburg-Heer, bewohnt die Steppe östlich des oberen Ural mit dem Hauptort Troizk.

Es stellt:

    15 Regimenter à 6 Sotnien,

    9 Fußbataillone à 5 Sotnien,

    3 reitende Batterien,

    1 Lehrsotnie,

    1 Batterie ist nach Taschkent abkommandirt.

6) Ural-Heer, am untern Lauf des Ural mit der Hauptstadt Uralsk, steht ebenfalls unter dem Orenburger Militairbezirk und stellt:

    1 Leib-Garde-Ural-Kosaken-Eskadron.

    12 Regimenter à 6 Sotnien.

7) Sibirisches Heer, gehört zum westsibirischen Militairbezirk mit der Hauptstadt Omsk, stellt:

    9 Regimenter à 6 Sotnien.

8) Semiretschensk'sches Heer, im Militairbezirk Turkestan mit dem Hauptort Wörnoje stellt:

    2 Regimenter à 6 Sotnien.

9) Sabaikal'sches Heer, östlich des Baikal-Sees mit der Hauptstadt Tschita, zur Bewachung der chinesischen Grenze und zu Kommandos für Hütten- und Bergwerke.

    6 Regimenter à 6 Sotnien,

    12 Fuß-Bataillone,

    3 reitende Batterien.

10) **Amur-Heer,** in Ostsibirien:
    2 Regimenter à 4 Sotnien,
    2 Fuß-Bataillone.

Außerdem bestehen im Kaukasus noch Milizen unter verschiedenen Benennungen.

Wie viel im Frieden außer dem Don-, dem Kuban- und Terek-Heer präsent gehalten wird, ist nicht ersichtlich, hängt auch wohl von Umständen ab, besonders die im Orenburger und Turkestaner Militairbezirk wohnenden Kosaken werden ganz nach Bedürfniß eingezogen, wie gerade die Verhältnisse zu den Kirghisen und den Chaneten im Centralasien sich gestalten.

Uns interessirt nur das donische Heer, weil es vorläufig wohl ganz allein in einem europäischen Kriege zur Verwendung gelangen dürfte, daher wird auf dasselbe hier genauer eingegangen werden.

Die Rechte und Privilegien der Donier datiren theils von den ersten Zeiten ihres Bestehens, theilweise sind sie ihnen im Laufe der Zeit von den Zaren verliehen worden. Die heute noch im Wesentlichen gültige Verfassung datirt vom Jahre 1835.

Darnach ist im Großen und Ganzen noch jetzt das Land Gemeingut Aller. Ein Theil desselben wird an die einzelnen dienstpflichtigen Personen zur Nutznießung vertheilt, ein anderer von den Gemeinden, den Stanizen, ein dritter Theil endlich von der Heeresleitung, dem Woisk —, von Woisko, das Heer — verwaltet.

Man berechnet dabei den auf die Einzelnen fallenden Antheil, der ihm auf Lebenszeit gehört, wie folgt:

General	1600	Dessätinen,
Stabsoffizier	400	„
Oberoffizier	200	
Unteroffizier	100	„
Auf jeden Kosaken	30	„

Von jeher ist es aber das Bestreben der Regierung gewesen, sich im Lande einen dienstwilligen Adel zu schaffen und Theile des Bodens als erblichen Besitz an verdiente Persönlichkeiten zu übertragen. Ein solcher erblicher Groß-Grundbesitz existirt dann auch seit etwa einem Jahrhundert, wo es einigen Atamans oder deren Nepoten gelang sich erbliches Eigenthum zu sichern.

Später hat man zuweilen Offiziere das ihnen für Dienste verliehene Land als erblichen Besitz gelassen und neuerdings wurde diese Maßregel im großartigsten Maßstabe bei der Jubiläumsfeier angewendet, indem sämmtlichen Offizieren des Heeres das zeitweilig verliehene Land geschenkt wurde.

Diese besonderen Privilegien der Kosaken im Verein mit der Dienstpflicht bildeten auf der andern Seite die Hauptursache, daß keine Fremden

bisher in die donische Gemeinschaft aufgenommen wurden. Es ist selbst-
verständig, daß auf solche Weise das geistige und materielle Kapital im
donischen Lande nur eine sehr langsame Entwicklung hatte. Der russische
Kaufmann kann sich nicht entschließen, sein Kapital für ein Handelsunter-
nehmen zu opfern, wo er nicht das Recht hat, die kleinste Scholle Landes zu
erwerben. Diese Verhältnisse bilden schon seit längerer Zeit das Objekt der
verschiedensten Aenderungspläne. Man möchte den Kosaken ihre Selbstständigkeit nehmen, man ärgert sich, daß die Donier alle Nichtkosaken „Russen"
nennen, sich als ein besonderes Volk betrachten, möchte sie aber doch nicht
vor den Kopf stoßen.

Durch Ukas vom 18. Juni 1868 ist nun auch Ausländern die Möglichkeit gewährt, innerhalb des Kosakengebietes Land zu erwerben. Sie erhalten es zur erblichen Nutznießung, der Boden aber bleibt wie früher Eigenthum des Heeres, in dessen Kasse auch jährlich die darauf fixirten Abgaben
fließen.

Bis zur Zeit Peters des Großen, also 200 Jahre hindurch, wurde die
ganze Verwaltung durch die Heeresversammlungen geleitet. Alle Kosaken
kamen zusammen und Stimmenmehrheit entschied. Die Atamane und die
Esseuten (Esseuten sind noch heute die Kommandeure der Sotnien) bildeten
die Exekutivbehörden. Geschriebene Gesetze gab es nicht. Irgend ein Unterschied von Civil- und Militairressort war nicht vorhanden.

Peter I. bestätigte zuerst den Ataman; unter seiner Regierung wurde
zuerst die Macht der Heeresversammlungen gebrochen, es bildete sich eine
Oligarchie, die Herrschaft der Aeltesten oder Starschinen aus, unter dem
Präsidium des Atamans wurde die Verwaltung von den Aeltesten der verschiedenen Stanizen (Gemeinden) gebildet.

Potemkin, dessen bedeutendes organisatorisches Talent man kennen lernt,
wenn man Südrußland bereist, machte den ersten Versuch, Civil- und Militair-
gewalt zu trennen.

Für die Civilgeschäfte wurde eine Behörde eingesetzt, welche aus 2 permanenten und 4 jährlich wechselnden Mitgliedern bestand, und der alle Justiz-
und Wirthschaftsgeschäfte übertragen wurden.

Dies änderte sich noch häufig und erst im Jahre 1835 wurde die noch
jetzt im Großen und Ganzen bestehende Organisation geregelt.

Die Hauptverwaltung der Kosakenheere, sowohl die Civil- als Militair-
administration ist darnach in der Hauptverwaltung der irregulairen Truppen
in einer Abtheilung des Kriegsministeriums concentrirt. Zum Ataman aller
Kosakenheere wurde Se. Kaiserliche Hoheit der Großfürst Thronfolger ernannt.

Außerdem hat jedes Heer seinen besonderen Nakasni- (amtsführend, stellvertretend) Ataman und seine besondere Verwaltung und ist dabei in der Person des Nakasni-Atamans Civil- und Militairverwaltung vereinigt.

Der erste Nakasni-Ataman war noch ein geborener Kosak, jetzt sind es immer Generale der regulairen Armee, augenblicklich der General-Adjutant Tschertkoff.

Derselbe verwaltet also Heer und Land durch verschiedene aus geborenen Kosaken bestehende Behörden.

Es sind daher allerdings Civil- und Militair-Administration geschieden, das schließt aber nicht aus, daß die Beamten des Civilressorts jeden Augenblick wieder rein militairische Stellungen einnehmen können und umgekehrt. Auf diese Weise hat sich am Don eine Bureaukratie herausgebildet, die durchaus nicht die Interessen des Landes fördert.

Schreiber und ähnliche Leute, die nie aus den Bureaus herausgekommen sind, erhalten einflußreiche militairische Kommandos, sie sind eben stets in der Nähe der maßgebenden Persönlichkeiten in Nowotscherkask und sollen es verstehen, sich namentlich in die lukrativen Stellungen zu bringen, während alte verdiente Offiziere, die in den weitentlegenen Garnisonen stehen, übergangen werden.

Eine radikale Trennung der Civil- und Militair-Administration ist daher auch eine Forderung, die namentlich von Fadejew — dem bekannten panslawistischen Agitator — vor allen andern betont wird, aber bisher an dem Widerstande der Kosakenbureaukratie scheiterte, welche bei der jetzigen Ordnung ihren Vortheil findet.

Im Uebrigen aber hat die Regierung so ziemlich alle Macht in die Hände bekommen. Außer dem Nakasni-Ataman und seinem Gehülfen, sowie dem Stabschef, die direkt vom Kaiser ernannt werden, hat das Wählen jetzt auch bei allen Offizierstellen aufgehört. Die Offiziere werden auf Vorschlag des Atamans durch die Verwaltung der irregulairen Truppen vom Kaiser ernannt.

Die Ausgaben für die Administration des Landes, sowie für die Ausrüstung der in Dienst zu stellenden Regimenter und Batterien bestreitet der Woisk aus den Zinsen der ihm gehörenden Kapitalien (der donische hat über 5 Millionen Rubel) aus einigen indirekten Steuern und sehr unbedeutenden direkten Abgaben.

Alle Kosaken sind dienstpflichtig. Im Don-Heere sind nur Krüppel, Verwundete, sowie solche Familienväter ausgenommen, welche 3 Söhne und von 4 Brüdern einen dienen haben.

Um ferner den Wohlstand einer Familie durch die gleichzeitige Einziehung ihrer Mitglieder nicht zu zerstören, ist es gestattet, daß solche zu verschiedenen Zeiten eintreten und ihrer Dienstpflicht genügen.

Sobald die jungen Kosaken das 17. Lebensjahr erreicht haben, treten sie in die Kategorie der Minderjährigen und werden bereits zum Dienst auf den Stanizen verwendet.

Mit Beginn des 19. Jahres bekommen sie 1 Jahr Urlaub und treten dann mit dem 20. Jahre in die in Dienst gestellten Regimenter ein, auf welche sie, nachdem sie vereidigt sind, so vertheilt werden, daß jedes Regiment nicht mehr wie $\frac{1}{3}$ Rekruten bekommt. Die Kinder des Adels thun nicht erst Dienst auf den Stanizen, sondern werden gleich als Gemeine bei den Regimentern eingestellt, müssen aber das 18. Lebensjahr bereits zurückgelegt haben.

Die Dienstzeit beträgt 22 Jahre, sowohl für die Offiziere wie für die Mannschaften. Die aus den Mannschaften hervorgehenden Offiziere müssen wenigstens 6 Jahre als Gemeine dienen, die Mannschaften werden 15 Jahre zum äußern, 7 Jahre zum innern Dienst verwendet. Im Frieden ist nur etwa $\frac{1}{3}$ wirklich im Dienst, $\frac{2}{3}$ beurlaubt im Kriege ist jeder Kosak verpflichtet, die Waffen zu ergreifen. Für das Kuban- und Terek-Heer sind einige abweichende Bestimmungen seit Januar 1871 erlassen.

Die Aushebung erfolgt Stanizenweise im Laufe des Oktobers jeden Jahres und muß am 15. November beendet sein. Die Heeresverwaltung stellt für jede Stanize fest, wie viel Kosaken sie der Einwohnerzahl und den vorhandenen Minderjährigen nach zum Dienst zu stellen hat.

Die Atamane der Stanizen machen diese Repartition auf den Versammlungen bekannt und rufen dann alle 19 und die 19—25jährigen die aus irgend einem Grunde noch nicht gelost haben, zur Losung auf.

Diejenigen, welche sich freigelost haben, dienen nicht persönlich, bleiben aber 22 Jahre lang im Heeretat und zahlen Abgaben.

Freiwillige und Stellvertreter sind gestattet. Die zum Dienst bestimmten werden in die Listen eingetragen, vereidigt und bleiben noch ein Jahr vom Dienst befreit.

In allen Heeren, das Amur-Heer ausgenommen, muß sich der Kosak auf eigene Kosten ausrüsten. Für die Zeit selbst wo er wirklich im Dienste ist, erhält er nach einem bestimmten Satz Kompetenzen von der Staatskasse und von dem Woisk, Alles aber, was zur Bekleidung, Ausrüstung und Bewaffnung gehört, hat er nach wie vor auf eigene Kosten in Stand zu halten. Selbst die Kosaken, welche nicht zum Dienst herangezogen sind, aber zu der Kategorie gehören, welche für den Felddienst bestimmt ist, müssen Alles was sie für diesen Dienst brauchen in steter Bereitschaft halten. Die im innern Dienst befindlichen werden zu Transportkommandos von Arrestanten, zu Polizeidiensten und ähnlichen anderen Dienstleistungen verwendet.

Die donischen Kosaken tragen eine Art Halbrock und lange, weite Hosen, beides aus dunkelblauem Tuch, dazu kommt ein Mantel von grauem Tuch, die Stiefeln haben lange, bis zum Knie reichende Schäfte. Als Kopfbedeckung tragen sie eine Mütze von Schaffell von der Form und Höhe der Filzmütze unserer Landwehr-Husaren. Die Sattlung besteht aus dem Sattel, einer Filzdecke, Schabracke und Ueberlegedecke von Leder, zwei ledernen Satteltaschen und der Fouragirleine. Die Zäumung besteht aus einer einfachen Wassertrense.

Bewaffnet sind sie mit dem 6-Linien-Kosakengewehr, einem gezogenen Vorderlader, der Lanze und einem krummen Säbel — der Schaschka. Die Kosaken im Kaukasus haben statt der Lanze Dolch und Pistolen.

Die Kosakenbatterien führen 4pfder. Geschütze neuen Modells mit eiserner Laffete; sie sind in jeder Beziehung der regulairen Artillerie gleichgestellt, haben auch denselben Train. Bei einem Reiterregiment dagegen ist kein Train vorhanden, derselbe ist durch Packpferde ersetzt und zwar wird auf 10 Kosaken 1 Pferd gerechnet, so daß im Ganzen über 80 Pferde beim Regiment dafür bestimmt sind.

An dieser Stelle mögen auch einige Daten über die Pferde des Donlandes Platz finden.

Der Pferdereichthum Rußlands ist kolossal, nach dem Sbornik von 1871 beträgt ihre Zahl über 20 Millionen und zwar kommen auf 100 Einwohner 27 Pferde. Im Donlande stellt sich das Verhältniß noch günstiger, hier kommen auf 100 Einwohner 40 Pferde und 111 Stück Hornvieh.

Es wird aber darüber geklagt, daß dieses Verhältniß immer ungünstiger wird und der Grund davon namentlich in der größeren Parzellirung des Bodens gefunden.

Das donische Pferd stammt von der alten tartarischen Race, die in der Folge durch arabisches, persisches, tscherkessisches und türkisches Blut verbessert wurde, so daß sich am Don eine ganz besondere Race gebildet hat, welche an Schnelligkeit und Ausdauer alle übrigen Pferde Rußlands übertrifft; mit dem erbärmlichsten Futter ist es lange Zeit frisch zu halten.

Die donischen Pferde laufen wild umher und werden nur zur Zeit sehr tiefen Schnees in eingezäunte Räume zusammengetrieben, die aber selbst dann nicht eingedeckt sind; sie sind also an ein Feldzugsleben gewöhnt.

Die Pferde der Kalmücken, welche in den donischen und astrachanschen Steppen nomadisiren, gehören der mongolischen oder tartarischen Race an. Sie sind klein und häßlich, zeichnen sich durch große Ausdauer im Laufen und Apathie zur Zeit der Ruhe aus.

Früher wurden namentlich die Dragoner daraus remontirt, jetzt werden sie für die Armee nicht mehr benutzt.

Ueber die Ausbildung der Kosaken gab es bis vor ganz kurzer Zeit gar keine Vorschrift, man hielt dies nicht für nöthig; seit dem Jahre 1866 erst besteht das Lehrregiment in Nowotscherkask und die erste Instruktion über Ausbildung der jungen Kosaken datirt vom 10. Februar 1869.

Darnach werden die jungen Kosaken, welche noch nicht gedient haben, in den Herbst- und Wintermonaten im Scheibenschießen, in der Handhabung der Waffen und im Reiten auf den Stanizen und Höfen unterrichtet.

Für jede Abtheilung werden 3 Offiziere und soviel Instrukteure bestimmt, daß auf jeden 20—25 Mann kommen. Den als Instrukteurs kommandirten Offizieren und Mannschaften wird dies als aktive Dienstzeit gerechnet, die Unteroffiziere und Gemeinen erhalten aber keine Kompetenzen, sondern nur für jeden ausgebildeten Kosaken einen Rubel Gratifikation.

Den Monat Mai über werden die jungen Kosaken mit ihren Instrukteurs zu praktischen Uebungen versammelt, die Orte dazu möglichst im Centrum jeder Abtheilung.

Hier werden sie durch Generale inspicirt, die vom Nakasni-Ataman ernannt sind. Zu diesen Versammlungen erscheinen die Kosaken mit Lanze, Schaschka und Wintowka, auf eignen Pferden, aber in beliebiger Kleidung.

Die Inspicienten sollen ihr Hauptaugenmerk richten auf:

1) Gute Sattlung des Pferdes und Sitz.
2) Zusammensetzung und Auseinandernehmen des Gewehrs.
3) Scheibenschießen zu Fuß und zu Pferde.
4) Zerstreutes Gefecht.
5) Fußexerziren, Richtungen, Wendungen 2c.

Die Leute werden in „genügend" und „ungenügend" Ausgebildete getheilt und für erstere die Gratifikation von 1 Rubel bezahlt. Es sind auch Preise für die am besten Ausgebildeten ausgesetzt, Pferde, Gewehre, Uniformsgegenstände 2c., wofür die Summe von 5000 Rubeln angewiesen ist; es giebt Preise 1., 2. und 3. Klasse für jeden Gegenstand.

Besonders detaillirt sind die Bestimmungen über das Schießen zu Pferde in allen Gangarten, diesem Dienstzweig wird eine ganz hervorragende Wichtigkeit beigelegt.

Das Exerziren in geschlossenen Abtheilungen existirte anscheinend bisher gar nicht, weder in Sotnien noch in Regimentern. Die Regimenter, die zum äußeren Dienst herangezogen sind, liegen meist auf riesige Entfernungen zerstreut und sind in kleine Abtheilungen aufgelöst.

Zu den Lagerübungen werden sie jetzt herangezogen, 1870 nehmen 8 Regimenter daran Theil.

Selbst wenn diese in geschlossenen Abtheilungen, auch im Regimentsverbande manövrirt haben, so ist dies doch nur ein sehr kleiner Theil und man kann wohl sagen, daß vorläufig das eigentliche Linienexerziren für die Kosaken in der Praxis nicht existirt, daß man also nach den bisher herrschenden Ansichten auch im Kriege keine geschlossenen Attacken von ihnen erwartete, soudern sie nur zu den Aufgaben des kleinen Krieges, zu Vorposten- und Ordonnanzdienst verwenden wollte.

Um die Vorschriften des regulairen und des Kosakendienstes im Don- lande zu verbreiten, besteht das Lehr-Kosaken-Regiment in Nowotscherkask mit einer Lehrdivision von 240 Mann, welche sich jährlich mit ⅓ ablöst und einem alljährlich erfolgenden Kommando von 578 Kosaken, welches während der Sommermonate eingezogen ist.

Das Kuban-Heer hat eine Lehr-Division in Warschau.

Das Orenburg-Heer in Orenburg, das sibirische Heer in Omsk je eine Lehrsotnie.

Zwei Vortheile sind es, die Rußland aus seiner Kosakenbevölkerung zieht: es benutzt dieselbe zur Kolonisation und zu rein militairischen Zwecken.

Die Art und Weise der ersteren erscheint einem Nichtrussen kaum mög- lich, das großartigste Beispiel derselben sei hier erwähnt.

Der Kaukasus war in den Jahren 1856 — 1859 größtentheils unter- worfen, Schamyl mit dem Rest seiner Leute in dem für unersteiglich gehaltenen Gurib gefangen genommen, es blieb nur noch das Land zwischen dem Kuban und dem schwarzen Meere, ein Gebiet, welches als das schönste im rus- sischen Reiche geschildert wird, bewohnt von einem Heldenvolk, welches die Arbeit durch Sklaven verrichten ließ, selbst aber ein Leben führte, das orientalische Prachtliebe mit abendländischer Ritterlichkeit verband.

Im Anfange dieses Jahrhunderts war die Adelsherrschaft dort gestürzt und seitdem herrschte völlige Anarchie.

Die Russen gelangten zu der Ueberzeugung, daß sie sich nicht der Ge- fahr aussetzen dürften im Falle eines europäischen oder orientalischen Krieges von den mit den feindlichen Flotten in direkter Verbindung stehenden Berg- völkern in der Flanke angegriffen zu werden, und der Entschluß sie zu ver- nichten oder zu vertreiben wurde gefaßt, — ein Vorwand war bald gefun- den, der Krieg begann und wurde mit Energie durchgeführt.

Damit aber nicht genug, man wollte die Tscherkessen von der Küste entfernen und hatte einen Entwurf gemacht, wonach das ganze Land zwischen der Küste und der Laba, etwa 5 Millionen Morgen durch Kosakenkolonien bevölkert, die Tscherkessen aber in dem Terrain zwischen Laba und Kuban angesiedelt werden sollten.

Bei Kosakenansiedlungen rechnete man gewöhnlich 80 — 120 Morgen auf die männliche Seele, man brauchte also für den bezeichneten Landstrich 17,000 Familien mit etwa 100,000 Seelen beiderlei Geschlechts.

Diese forderte man von den Kosaken, und zwar:

Von den Kuban Kosaken 12,400

Von den Asow'schen 800

Von den Donischen 1,200

Kronbauern   3000
Soldatenfamilien der kaukasischen Armee 600

Außerdem 170 Kosaken-Offizier-Familien und eine unbeschränkte Zahl Freiwilliger.

In 6 Jahren sollte diese Ansiedelung ausgeführt sein. Die Familien durch das Loos bestimmt, konnten alles Bewegliche mitnehmen, das Zurückbleibende mußte der Woisk kaufen. Die Kosten für die Kolonisation trugen der Staat und die Heeresverwaltungen gemeinschaftlich.

An Ort und Stelle erhielten die Ansiedler während dreier Jahre Proviant und Portionsgelder.

Je 300 Familien sollte eine Sotnie von 140 Berittenen stellen.

Ein solches Vorschieben einer in Ruhe und Wohlstand lebenden Bevölkerung, um mitten unter Gefahren ein blutgetränktes Land zu bebauen, muß nach europäischen Begriffen als ein mit großer Härte verknüpftes Verfahren, aber auch als unmögliche Leistung erscheinen. Es sind aber wirklich 111 Stanizen mit 15,000 Familien in drei Jahren gegründet worden.

Dagegen haben sich etwa 80,000 Tscherkessen dazu verstanden, die Küste und das Gebirge gegen Ländereien in der Kuban'schen Ebene zu vertauschen, 200,000 verließen nach heldenmüthiger Vertheidigung ihr Vaterland und zogen in die Türkei, wo ein Theil am Typhus starb, und wo die Uebriggebliebenen wohl später einmal wieder den Russen entgegentreten werden.

Dieselbe Maßregel im kleinen Maßstabe ist augenblicklich wieder in Scene gesetzt, denn nach einem Erlaß vom 25. Januar d. J. wird dem Oberkommandirenden des westsibirischen Militairbezirks aufgegeben, im Laufe der Jahre 1872 und 1873 jährlich 50 Familien des sibirischen Kosakenheeres an der chinesischen Grenze anzusiedeln. Finden sich hierzu Freiwillige, so werden diese genommen, finden sich solche nicht, so entscheidet das Loos.

Es fragt sich schließlich, ob es Rußland verstehen wird, aus seinen Kosaken auch für einen europäischen Krieg den Nutzen zu ziehen, der zu der Masse und der Tüchtigkeit des Materials im richtigen Verhältniß steht.

Sind die Kosaken eine bloße Miliz oder sind sie eine der regulairen mindestens ebenbürtige Kavallerie, die nur richtig gelenkt sein will, um allen auch den höchsten Ansprüchen zu genügen?

Es steht wohl außer Frage, daß ein geborener Reiter auf gutem, kräftigen Pferde für alle Zweige kavalleristischer Thätigkeit besser zu brauchen, jedenfalls leichter zu erziehen ist, als ein Bauer, der erst während seiner Dienstzeit künstlich dressirt wird. Die ungarische Kavallerie — das geben alle unsere Kavalleristen zu — ist bei guter Führung entschieden vorzüglich. Den Kosaken aber will das Niemand zugestehen, im Gegentheil man zuckt über ihre Leistungen im Gefecht die Achseln und doch sind sie ein genau ebenso tüchtiges und tapferes Reitervolk wie die Magyaren, und der einzelne Reiter jedem Gegner gewachsen.

In Rußland scheint man dies bisher nicht angenommen zu haben, wie die ganze Art und Weise ihrer Verwendung zeigt. Fadejew erörtert diese Frage sehr lebhaft und klagt darüber, daß dieses vorzügliche Material bisher in sündhafter Weise vergeudet wurde.

Rußlands Armee ist von deutschen Offizieren organisirt, sagt er, man hat in Rußland eigentlich immer nur von Nachahmungen namentlich preußischer Institutionen gelebt, während doch gerade die militairischen Verhältnisse sich aus dem Charakter jeder einzelnen Nation heraus entwickeln müssen.

Diese Instruktoren lehrten natürlich nur das, was sie selbst verstanden und wollten von Dingen an die sie sich nicht schon in der Heimath gewöhnt hatten nichts wissen. Niemand dachte daran das vorhandene Kosakeninstitut als Basis für die ganze Kavallerie des Reiches zu entwickeln, man führte mit dem Magdeburger Stadtrecht — so sagt Fadejew wörtlich — auch eine Magdeburger Kavallerie ein, und als sie einmal eingeführt war, da wunderte sich Niemand mehr darüber, sie fuhr fort zu existiren, wie Alles einmal eingeführte. So kommt es, daß der Haupttheil der russischen Kavallerie sich ungefähr in derselben Weise rekrutirt, als wenn England, welches 700,000 Küstenbewohner hat, seine Matrosen unter den Baumwollenspinnern von Manchester suchen wollte. Den Kosaken hat man von jeher eine ganz sekundäre Rolle zugewiesen.

Fadejew findet darin den Grund daß die russische Kavallerie keine eigentlich glänzende Geschichte hat, sie hat keine Generale von europäischer Berühmtheit wie Murat oder Seydlitz hervorgebracht, die Kriegsgeschichte ist sehr arm an hervorragenden Leistungen.

Man beabsichtigt die Kosaken im Kriege mit je einem Regiment den Infanterie-Divisionen als Divisions-Kavallerie beizugeben, die sonst noch disponiblen Regimenter an die Kavallerie-Divisionen zu vertheilen, welche sonst nur aus regulairer Kavallerie bestehen. Nimmt man also an, daß die Kosaken bei vollendetem Aufmarsch der Armee in der angenommenen Stärke zur Stelle sind, so wird ihre Thätigkeit sich doch nur in dem engen Rahmen der Division bewegen, sich auf Ordonnanz- und Vorpostendienst beschränken, besonders aber wird man nach den bisherigen Erfahrungen den gewandten, folgsamen Kosak zu tausend kleinen Dienstvorrichtungen verwenden, die dem kriegerischen Zweck fern liegen.

Die eigentliche operative und Gefechtsthätigkeit aber wird den 9 regulairen Kavallerie-Divisionen zufallen, denn wenn man auch den Aufgaben der Divisions-Kavallerie eine große Wichtigkeit beilegt, so haben doch die letzten

Kriege klar erwiesen, daß ein aktives Eingreifen derselben in das Gefecht der Infanterie zu den größten Ausnahmen gehört.

Es fragt sich nun aber zweitens, ob die Kosaken überhaupt in solcher Stärke von Hause aus am Kriege theilnehmen können.

Rechnet man, daß z. B. die meisten europäischen Armeen drei Wochen nach der Kriegserklärung die Operationen beginnen können, so werden um diese Zeit nur die 16 in Dienst gestellten Regimenter der donischen Kosaken disponibel sein. Im Jahre 1863 als ein Konflikt mit den Westmächten in Aussicht stand, wurden neue Regimenter des Don-, Orenburg- und Ural-Heeres einberufen. Die donischen Regimenter standen an ihren Sammelpunkten bereit, und zwar diejenigen die im Januar einberufen wurden zwischen 27 und 37 Tagen, diejenigen die im März und April einberufen wurden, welche also Zeit hatten, sich vorzubereiten, nach 21 Tagen, die Ural- und Orenburg-Regimenter erst nach mindestens 6 Wochen. Diesen Termin kann man nach den Ansichten russischer Autoritäten als den frühesten annehmen, bis zu dem die Masse der Kosaken marschbereit auf den Sammelplätzen steht.

Von dem Donlande aus führen nach dem Westen jetzt allerdings Eisenlinien, die Bahnen Nowotscherkask—Woronesch und Taganrog—Charkow haben das Land mit dem russischen Eisenbahnnetz in Verbindung gebracht. Man kann also annehmen daß in 7 Wochen die 66 Regimenter der donischen Kosaken auf dem europäischen Kriegsschauplatze auftreten werden. Auf andere ist vorläufig nicht zu rechnen. Kuban- und Terek-Kosaken müssen im Kaukasus bleiben, so lange das Land, wie jetzt faktisch der Fall, noch nicht völlig pacificirt ist, nur wenige Regimenter des Ural- und Orenburg-Heeres die jetzt in den Kirghisensteppen und in Turkestan verwendet werden, sind vielleicht heranzuziehen, um zu Reserveformationen verwendet zu werden, ja ein Artikel des Sbornik berechnet nur sieben.

In neuester Zeit strebt man allerdings dahin — und dies Streben findet in vielen Artikeln der russischen Militairblätter Ausdruck — die Kosaken mehr nutzbar zu machen, den bedeutenden Ausgaben — sie betragen im Budget von 1870 8,269,000 Rubel — angemessen.

Augenblicklich tagt in Nowotscherkask eine Kommission, unter dem Präsidium des Chefs des Stabes des Don-Heeres.

Im Kriegsministerium scheint man aber noch nicht recht ins Klare gekommen zu sein, was man eigentlich will. Dasselbe hat wenigstens das dieser Kommission vorgelegte Programm neuerdings wieder völlig umgestoßen.

Aus dem neuen Programm sind folgende Punkte hervorzuheben:

1) Man will 60 Regimenter, davon 20 im Frieden mit 3jähriger Ablösung.

2) Einen doppelten Etat an Offizieren bei den im äußern Dienst befindlichen Regimentern, um dadurch geübte Offiziere in die neu aufzustellenden Regimenter zu bekommen.

Der Etat an Offizieren ist bei den Kosakentruppen ein außerordentlich geringer, denn während ein Dragoner-Regiment 31 Offiziere, also per Eskadron 8 hat, besitzt ein Kosaken-Regiment von 840 Pferden nur 19 Offiziere, also bei jeder der 6 Sotnien nur 3.

Die reguläre Kavallerie ist also mehr als doppelt so gut mit Offizieren versehen und doch verlangt gerade die beabsichtigte Verwendung der Kosaken viele Offiziere, die bei der in großen Massen auftretenden regulären Kavallerie nicht in dem Maße wichtig sind. Uebrigens findet das Streben, mehr tüchtige Offiziere zu bekommen auch in einer Ordre vom 10. Januar 1872 Ausdruck, wonach Kosaken des Don-, Kuban-, Terek- und Astrachan-Heeres Aufnahme in den Junkerschulen finden sollen.

3) Für die im innern Dienst befindlichen will man die persönliche Dienstpflicht durch eine Geldzahlung ersetzen.

Das Resultat der Kommissionsberathungen läßt sich noch nicht absehen. Durch diese Vorschläge des Kriegsministers aber wird der Hauptvorwurf, den man der heutigen Organisation machen muß, doch nicht beseitigt, d. h. die langsame Mobilisirung und die Aufstellung ganz neuer Regimenter, für die gar keine Kadres vorhanden sind. Ob eine Mobilisirung der donischen Kavallerie überhaupt irgendwie vorbereitet ist, darüber liegen keine Daten vor, es ist aber nicht anzunehmen, sonst wäre es doch unmöglich, daß die Vereinigung der Regimenter 6 Wochen in Anspruch nimmt, wo der Mann Alles in Bereitschaft halten muß. Dies wird aber jedenfalls nicht der Fall sein, und die Schwierigkeit liegt eben darin, in dem Lande plötzlich etwa 80,000 Pferde, die vollständig für den Krieg zu brauchen sind, zu beschaffen. Die pekuniären Mittel des einzelnen Mannes sind zu sehr entscheidend bei den unter solchen Umständen plötzlich enorm steigenden Preisen, es dringen daher Fadejew u. A. darauf, daß der Staat im Kriegsfall mit bedeutenden Summen für den Ankauf von Pferden eintritt.

Besonders wird auch die Mobilisirung dadurch verzögert, daß es gar keine Bezirke für die einzelnen Regimenter giebt, man beklagt dies auch aus dem Grunde, daß dadurch die wichtigste Grundlage fehlt, die dem Regiment Einheit und Charakter verleiht.

Nur bei den kaukasischen Kosaken repräsentirt das Regiment zugleich Fahne und Heimath.

Zum Schluß seien hier die Ansichten des Generals Fadejew über die Zukunft der Kosaken erwähnt. Obgleich derselbe in seinem Urtheil über die europäischen Armeen durchaus nicht als Autorität anzusehen ist und sich in seinem militairischen Urtheil durch seine politische, panslawistische Richtung vollständig beeinflussen läßt, so bleibt er doch ein genauer Kenner der schwachen und starken Seiten seines Vaterlandes und seine Ansichten haben ein besonderes Interesse, als das Urtheil einer Partei, die möglicher Weise in Zukunft eine gewichtige Rolle spielen kann.

Wie gesagt ist ihm die ganz der preußischen nachgeahmte Kavallerie ein Dorn im Auge. Er will die gesammte Kavallerie Rußlands aus Kosaken bilden und zwar sollen die Donier die Stelle der jetzigen regulairen Kavallerie vertreten, während für die bisher den Kosaken zufallenden Aufgaben die übrigen Heere, die Kalmücken, die kaukasischen Bergvölker ꝛc. ausersehen sind.

Er schlägt vor, von den Donieru je eine Sotnie zu den regulairen Regimentern zu kommandiren, welche gleichzeitig die vierten Eskadrons auflösen und die Offiziere auf die Kosaken vertheilen. Nach 2 Jahren käme dann die 2. Sotnie desselben Regiments. In 6 Jahren wären 3 Sotnien ausgebildet. Im 7. Jahre käme dann die erste Sotnie, die ihre Freijahre vollendet hat, zugleich mit der 4. Sotnie wieder, dann wird die 3. Eskadron aufgelöst ꝛc. Auf diese Weise würden in 10 Jahren die sämmtlichen regulairen Regimenter durch donische à 6 Eskadrons ersetzt sein, die Kavallerie wäre also um die Hälfte verstärkt. Im Frieden sollen nur 2 Eskadrons im Dienst sein, es würde dadurch also der Staatskasse ein bedeutender Vortheil erwachsen.

Außerdem muß pro Regiment noch eine Reserve-Division formirt werden, die aber erst im Kriegesfall als Ersatztruppe auftritt.

Für den jetzigen Dienst der Kosaken sollen dann die übrigen Kosaken herangezogen werden. Fadejew will auch die kaukasischen Reiterstämme für Rußlands Heer gewinnen, er will ihrer kriegerischen Leidenschaft einen Abfluß öffnen, damit sie sich nicht gegen Rußland wende.

Endlich sollen die zahlreichen Nomadenstämme der Kirgisen, Kalmücken ꝛc. verwendet werden.

Aus allen diesen Elementen rechnet sich Fadejew 80 Regimenter heraus und will dieselben im Anschluß an den Uebergang der Donier in reguläre Kavallerie formiren.

Ob diese Ideen überhaupt jemals realisirbar sind, wage ich nicht zu untersuchen, jedenfalls werden noch lange Jahre darüber vergehen, ehe eine derartige totale Umformung der russischen Kavallerie durchgeführt wäre und ehe die Krieger Schamyls auf einem europäischen Kriegsschauplatze unter russischer Fahne auftreten, selbst wenn Fadejew's Ansichten später einmal in seinem Vaterlande maßgebend werden sollten.

Die Gestüte des preußischen Staates und die Landespferdezucht in Hinsicht auf den Bedarf des Heeres an Remonten und Augmentations-Pferden.

Nachdruck verboten.   Uebersetzungsrecht vorbehalten.   Die Redaktion.

Die Wehrkraft des Staates zu steigern, erschien den Regenten unsres Landes stets als eine ihrer vornehmlichsten Pflichten; schon aus diesem Grunde mußten sie wünschen, die Landespferdezucht nicht nur im Allgemeinen nach Kräften zu fördern, sondern auch so zu leiten, daß der Bedarf des Heeres an Pferden im Inlande aufgebracht werden könnte. Zu diesem Zweck sind die preußischen Gestüte, welche ursprünglich nur dem Hof-Marstall die erforderlichen Remonten lieferten, wie aus einer Allerhöchsten Kabinets-Ordre vom 3. April 1713 und mehreren Erlassen der Staats-Regierung betreffs der Gestüte ganz unzweifelhaft hervorgeht, in Staats-Gestüte umgewandelt, vergrößert, in Haupt- und Land-Gestüte gegliedert worden. Es ist dem preußischen Staate nicht leicht geworden, die Landespferdezucht so weit zu heben, daß der Ankauf ausländischer Remonten aufhören könnte; einige unsrer Husaren-Regimenter erhielten bis zum Jahre 1826 ihre Remonten noch aus der Moldau und Walachei. Dieselben wurden heerdenartig bis Pleß getrieben, wo sie eingefangen, mit Halfter und Trense bekleidet und den Remonte-Kommandos zur Weiterbeförderung übergeben wurden, die oft schon mit Schwierigkeiten verbunden, weil ein großer Theil der Thiere schwer zu bändigen und zu zähmen war. Noch schwieriger aber war vielfach das An- und Zureiten der wilden Bestien, welche im Kampfe mit Wölfen gelernt hatten sich beißend und schlagend zur Wehr zu setzen, und die im Bocken eine so große Virtuosität zu entwickeln pflegten, daß nur zu oft der beste Reiter entkräftet und kopfüber in den Sand geschleudert wurde, bisweilen sogar mit seinem Sattel. Selbstverständlich entstanden aus diesen Eigenthümlichkeiten der Remonten mancherlei Beschädigungen derselben, wie auch ihrer Pfleger und Reiter; aber die Thiere litten überdies oft an inneren Krankheiten, deren Keime sie aus ihrer Heimath mitgebracht hatten, und kosteten — trotz des geringen Ankaufspreises — im Allgemeinen gewiß nicht weniger, als inländische Remonten gekostet hätten, wenn solche nur in ausreichender Menge vorhanden gewesen wären. Es lag also nicht allein im Interesse des Heeres, sondern zugleich in dem finanziellen des Staates und der Pferdezüchter, daß die Remontirung im Inlande ermöglicht wurde, und das wäre kaum zu hoffen gewesen, wenn nicht Staatsgestüte allen Pferdezüchtern Deck-

Hengſte zur Benutzung dargeboten hätten, welche geeignet waren, die Landes=
pferdezucht zu veredeln, und gegen ein ſo mäßiges Sprunggeld deckten, daß
nicht nur die reichen, ſondern auch die armen Landwirthe zu Remonten ge=
eignete Pferde züchten konnten. Aber es waren noch andere Hinderniſſe der
Pferdezucht zu überwinden: viele Landwirthe waren zu wenig bemittelt, um
ihre Fohlen länger als 3¹/₂ Jahre zu füttern, andere zu wenig ſachverſtändig,
um junge Pferde durch Arbeit ihr Futter verdienen zu laſſen, ohne ſie durch
Ueberlaſtung zu ſchädigen und für den Heereserſatz unbrauchbar zu machen.
Der Staat mußte ſich zum Ankauf 3¹/₂ jähriger Pferde und zur Aufſtellung
derſelben in beſonderen Remonte=Depots entſchließen, um den Regimentern
4¹/₂ jährige, geſunde und gehörig entwickelte Pferde übergeben zu können, die
ohne Verzug allmälig an= und zugeritten werden durften. So liegt denn klar
zu Tage, daß die Staats=Geſtüte der Landespferdezucht aufgeholfen, und daß
die Remonte=Depots dieſen Erwerbszweig kräftig unterſtützt haben; auch iſt
nicht zu unterſchätzen, daß namentlich die kleinen Züchter durch die Mitglieder
der Remonte=Ankaufs=Kommiſſionen vielfache Belehrung über die Bedingungen
einer erſprießlichen Fohlenzucht und über den Werth oder die Mängel ihrer
Züchtſtuten und Fohlen erhalten haben. Die Landespferdezucht hat in den
alten Provinzen faſt überall erfreuliche Fortſchritte gemacht, unbe=
friedigende nur in Weſtphalen. Marx Fugger ſagt in ſeinem Werke,
„Von der Geſtüterei", (Frankfurt 1504) „die Bergiſchen Pferde, die im
Geldern'ſchen und in Weſtphalen ſind die beſten in Deutſchland".
Beſonders im Münſterlande hatte noch im vorigen Jahrhundert eine Ver=
edlung der Land=Race durch ſpaniſche Hengſte des biſchöflichen Marſtalls
ſtattgefunden, deren Nachkommenſchaft, das „Klei=Pferd" noch ſehr geſchätzt
wird, obwohl es vielleicht nirgend mehr in ehemaliger Reinheit und Güte
exiſtirt. Es fehlte in Weſtphalen keineswegs an Pferdeſchlägen, aus welchen
mit Hülfe geeigneter Landbeſchäler gute Remonten hätten hervorgehen können,
wenn die Züchter ſich dazu williger erwieſen, und die Regierung die Er=
reichung dieſes Zieles energiſcher erſtrebt hätte, was allerdings koſtſpielig
geweſen wäre. Vornehmlich aus Rückſichtnahme auf den Koſtenpunkt ver=
zögerte ſich die Errichtung eines Remonte=Depots in Weſtphalen bis zum
Jahre 1844, und dieſe Verzögerung einer ſo wichtigen Unterſtützung der
kleinen Züchter mag viel dazu beigetragen haben, daß in dieſer Provinz die
in früherer Zeit ſehr beliebte Pferdezucht ſich vermindert hat; denn wenn
auch viele der dortigen Schulzen und Kolonen wohlhabend, und ihre in vielen
Gegenden iſolirt liegenden, geräumigen, mit Laubholzgruppen geſchmückten und
eingefriedigten Höfe für die Pferdezucht ſehr geeignet ſind, ſo koſtete doch
ſchon vor 1844 die Unterhaltung der Fohlen in den erſten 3 Jahren, alſo
ehe ſie durch Arbeit ihr Futter verdienen konnten, ſo viel, daß kein rechnen=
der Landwirth daran denken konnte, beim Verkauf 4¹/₂ jähriger Pferde an

die Remonte-Kommission ein lohnendes Geschäft zu machen. Hätte das Depot 20 Jahre früher bestanden, so wäre die Lust zur Pferdezucht vielleicht zu erhalten, deren Veredelung zu ermöglichen gewesen; im Jahre 1844 war es dazu bereits zu spät. Wiederholt eingetretene, durch Unzufriedene genährte Kriegsbefürchtungen, besonders die dadurch entstandenen Pferdeausfuhr-Verbote und Aushebungen von Augmentations-Pferden gegen ungenügende Entschädigung, hatten die Lust zur Pferdezucht schon zu sehr gemindert, deren Rentabilität überdies durch die Theilung der ehemals bestandenen Gemeinde-Hütungen und durch das sehr bemerklich gewordene Steigen aller Futter-preise in Frage gestellt war; jetzt ist sogar in einigen Theilen Westphalens der Preis des Strohes nicht selten dem des Heues gleich und im Allgemeinen so hoch, daß viele Landwirthe sich dadurch zu weit beträchtlicherem Stroh-verkauf verleiten lassen, als ihrer Wirthschaft zuträglich ist. Unter solchen Verhältnissen kann im Allgemeinen von Remonte-Zucht als landwirth-schaftlichem Gewerbe keine Rede mehr sein; die Landespferdezucht in West-phalen wird wenig mehr als den eigenen Bedarf an Gebrauchspferden auf-bringen, und die Gestüts-Verwaltung wird daselbst im Interesse der Wehr-kraft nicht mehr thun können, als die Erhaltung der Pferdeschläge möglichst zu sichern, aus welchen noch gute Augmentations-Pferde zu entnehmen sind. Mit der Darbietung diesem Zwecke entsprechender Landbeschäler allein dürfte nach erfolgter Aufhebung des Remonte-Depots indeß wenig erreicht werden, wenn nicht durch Bewilligung guter, den lokalen Verhältnissen ent-sprechender Preise für 4½ und 5jährige Remonten den Züchtern Ge-legenheit geboten wird, ihren gelegentlich eintretenden Ueberfluß an Ge-brauchspferden an die Armee abzugeben.

Aehnliche Verhältnisse sind überall zu gewärtigen und vieler Orten ja auch vorhanden, wo Bergbau und Industrie auf die Preise aller Erzeugnisse der Landwirthschaft derartig influiren, daß selbstgezogene Fohlen und Pferde theurer sind, als die vom Pferdehändler aus anderen Provinzen zu Markt gebrachten. Aus solchen Erscheinungen sollte man — unsres Erachtens — folgern, daß bei dem Umsichgreifen der Industrie in Preußen und im ganzen deutschen Reiche, die inländische Remonte-Zucht schwerlich noch viel Aus-dehnung gewinnen, vielleicht schon bald in bedenklicher Weise abnehmen dürfte, wenn der Staat diesen Erwerbszweig nicht mit allen sich als gut bewährten und ihm zu Gebote stehenden Mitteln unterstützte; aber diese Gefahr für die Wehrkraft des Vaterlandes wird von vielen sonst ganz umsichtigen Männern entweder gar nicht erkannt, oder nicht gehörig gewürdigt: es erschallt lauter und schärfer in Versammlungen der Landwirthe und Hippologen, wie auch in den bezüglichen Berichten ꝛc. Klage über die Regierung, sie thue viel zu wenig für die Zweige der Pferdezucht, welche noch mit einiger Aussicht auf Gewinn betrieben werden könnten, also in national-ökonomischer Hinsicht besondere Berücksichtigung verdienten. Einer der rührigsten Wortführer der Tadler des preußischen Gestüt-Wesens, Herr v. Wedemeyer-Schönrade hat jüngst den Mitgliedern des Hauses der Abgeordneten eine Schrift gewidmet, „Vorschläge zur Hebung der Landespferdezucht durch zweckmäßigere Verwendung der bisher auf dieselbe verwandten Mittel", in welcher er unter Anderm verlangt: a) völlige Trennung der Verwaltung der Landgestüte von den Hauptgestüten unter Mitwirkung eines zu bildenden Landgestütsraths; b) Auflösung des Friedrich-Wilhelms-Gestüts zu Neustadt a. D., c) Auflösung des rheinischen Landgestüts, d) Auflösung der Trainir-Anstalt zu Graditz und Einführung des Verkaufs der Vollblut-Jährlinge. Wir werden über diese Vorschläge erst bei Besprechung einer andern Schrift unsere Ansicht mittheilen.

Herr v. Wedemeyer ist Mitglied des ständigen Central-Ausschusses des Kongresses deutscher Pferdezüchter und vertritt offenbar des letzteren Interesse und Ansichten mit großem Eifer; daß aber diese Interessen nicht unerheblich verschieden sind von denen des Staates an der Landespferdezucht im Allgemeinen und der Remonte-Zucht im Besonderen, das muß jedem unbefangenen Leser der gedachten Schrift einleuchten, der mit den Verhältnissen und der Entwickelung der Landespferdezucht im preußischen Staate nicht ganz unbekannt ist.

Herr v. Wedemeyer behauptet, die Landespferdezucht in Preußen sei quantitativ und qualitativ zurückgegangen, und die Verwendung der zur Förderung der Landespferdezucht bewilligten Staatsmittel sei in mehrfacher Hinsicht eine verkehrte gewesen; er halte „für prinzipiell falsch", daß ein großer Theil gedachter Mittel auf die Unterhaltung der Hauptgestüte verwendet werde, um in diesen einen großen Theil der für die Landgestüte erforderlichen Beschäler zu züchten; der Staat könne bessere Landbeschäler wohlfeiler kaufen, als selbst züchten. Wie unbegründet alle diese Behauptungen sind, hat bereits der Oberst v. Krane im Novemberheft des „Landwirthschaftlichen Central-Blatts für Deutschland", Jahrgang 1871, nachgewiesen. Derselbe stellt den von Herrn v. Wedemeyer zur Unterstützung seiner Behauptungen aufgeführten Zahlen diejenigen gegenüber, welche enthalten sind in dem, Herrn v. Wedemeyer, wohl noch nicht bekannt gewesenen Werke, „die Remontirung der preußischen Armee in ihrer historischen Entwickelung und jetzigen Gestaltung als Beitrag zur Geschichte der preußischen Militair-Verfassung. Mit höherer Genehmigung und Benutzung amtlicher Quellen dargestellt von Mentzel, wirklichen Geheimen Kriegsrath und Remonte-Depot-Direktor. 2. Theil. Die Jahre 1845 bis 1870." Wir brauchen zur Berichtigung der Behauptung, die Landespferdezucht sei quantitativ zurückgegangen, nur wenige Zahlen aus dem in gedachtem Hefte enthaltenen Artikel des Oberst v. Krane „Beleuchtung von Vorschlägen zur Hebung der Pferdezucht" mitzutheilen.

Der preußische Staat hatte (alle Pferde unter 3 Jahren den Fohlen zugerechnet und für das Jahr 1867 nur die alten Provinzen in Betracht gezogen, die Zahlen abgerundet) im

Jahr	Pferde	darunter Fohlen	also pCt.
1816	1,244,000	203,000	16,₃
1834	1,415,000	244,000	17,₃
1849	1,575,000	261,000	16,₅
1864	1,857,000	370,000	19,₉
1867	1,872,000	299,000	15,₉

Durch die geringe Zahl der Fohlen im Jahre 1867 darf man sich nicht zu irrigen Ansichten verleiten lassen; in dieser Zahl sind zwei unmittelbar nach Kriegsjahren (1864 und 1866) geborene Generationen.

In wie hohem Grade dies Berücksichtigung verdient, ergiebt sich aus folgenden Zahlen der von Königlichen Landbeschälern erzeugten Fohlen im preußischen Staate; (von 1866 an incl. der neuen Provinzen)

Jahr	1864	1865	1866	1867	1868
Fohlen	27,890	24,355	28,463	25,996	28,197

Es ist kaum anzunehmen, daß das Zahlenverhältniß der von Privat-Beschälern in obigen Jahren erzeugten Fohlen von dem aus den eben mitgetheilten Zahlen zu entnehmenden erheblich abgewichen sein sollte. Es ist ja selbstverständlich, daß in jedem Kriegsjahre, namentlich in jedem ersten eine große Zahl der vorhandenen, im Frieden zur Zucht verwendeten Stuten ungedeckt bleiben; viele werden zur Augmentation des Heeres und anderweit verkauft, respektive zum Verkauf oder zu angestrengter Arbeit reservirt und deshalb nicht zum Hengst gebracht. Der Krieg übt überall auf die Landespferdezucht einen höchst nachtheiligen Einfluß aus; wo dieselbe aber, wie in Preußen sich gleich nach dem Friedensschluß erholt, da geht sie doch nicht zurück.

Daß die Qualität der Pferde sich verschlechtert habe, bestreiten wohl alle Offiziere, welche mit Aushebung von Augmentationspferden und Remonte-Ankauf beauftragt waren; überdies wird ja in den Berichten der Truppentheile die in den drei letzten Kriegen bewiesene Ausdauer und Leistungsfähigkeit der Pferde im Allgemeinen sehr gelobt. Daß jüngste Remonten und rohe Augmentations-Pferde die kolossalen Anstrengungen der jetzigen Kriegführung vielfach nicht gut ertragen haben, berechtigt nicht zu der Annahme, daß ehemals diese Klasse von Soldatenpferden mehr zu leisten vermocht habe; ehemals währten die Vorbereitungen zu den entscheidenden Kriegsereignissen länger; man hatte gemeiniglich Zeit, die Pferde durch viele kurzen Märsche allmälig an schwere Arbeit zu gewöhnen. Die Zahl der

Armeepferde ist so groß, daß man aus ihrer Qualität wohl schließen kann, wie es mit der des Pferdebestandes im Allgemeinen steht. Unter allen Armeepferden haben sich die Nachkommen der aus preußischen Hauptgestüten stammenden Landbeschäler edlen Blutes am vortrefflichsten bewährt; die Nachkommen der Beschäler des Celler Landgestüts hingegen haben mehrfach gar nicht befriedigt; mit dem billigeren Ankauf besserer Landbeschäler scheint's demnach nicht ganz sicher zu sein, denn die Celler waren ja alle angekauft und standen in gutem Ruf.

Wir haben uns nicht die Aufgabe gestellt, Herrn v. Wedemeyer's Buch zu kritisiren, sondern wollten hier nur denjenigen, welche von den Bestrebungen des „Kongresses deutscher Pferdezüchter" noch nicht viel erfahren haben, an einigen seiner Anträge zeigen, daß diese auf Aenderung von Fundamental-Einrichtungen des staatlichen Gestütwesens gerichtet sind, die — einmal ausgeführt — gar nicht wieder ausgeglichen werden könnten, selbst wenn sich herausstellte, daß sie die Wehrkraft des Staates sehr schwächten und der Mehrzahl der Pferde- namentlich der Remonte-Züchter empfindlichen Schaden zufügten.

Obwohl uns noch kein Grund zu der Besorgniß vorzuliegen scheint, die Mitglieder des Landtags könnten sich durch Herrn v. Wedemeyer's Schrift verleiten lassen, den Wünschen des Central-Ausschusses des Kongresses deutscher Pferdezüchter mehr Berechtigung zuzuerkennen, als sie verdienen, so fehlt es doch nicht an Männern, welche trotz offener Anerkennung der Leistungen der Staatsgestüte für die Wehrkraft des Landes, mancherlei Aenderungen in der Verwaltung des Gestütwesens für wünschenswerth erachten und in sehr bestechlicher Weise befürworten, indem sie ihre Forderungen ruhig und anscheinlich sachgemäß zu motiviren, auch als leicht erfüllbar darzustellen verstehen.

Zu diesen Männern gehört der als Landwirth und Hippologe wohl bekannte Herr Heinrich von Nathusius, der jüngst seine Ansichten über die in Rede stehende Angelegenheit in einer Schrift veröffentlicht hat, welche wir näher zu besprechen gedenken; sie führt den Titel: „Ueber die Lage der Landes-Pferdezucht in Preußen. Von Heinrich v. Nathusius. Verlag von Wiegandt und Hempel. Berlin 1872."

In einer kurzen Einleitung wird erklärt, was man unter „Landes-Pferdezucht" zu verstehen habe, und weshalb der Verfasser zuerst über Vollblutzucht sich ausspreche; obwohl dieselbe zur Landes-Pferdezucht selbst eigentlich nicht gehöre, sei sie für diese doch zu wichtig, um unbesprochen zu bleiben.

Das Buch ist eingetheilt wie folgt:

    I. Abschnitt. Vollblutzucht und Rennen.

    II.   „   Die Aufgabe der Pferdezucht für die Wehrkraft
                              des Landes.

III. Abschnitt. Das Pferd als Betriebsmittel.
IV. „ Die Pferdezucht als wirthschaftlicher Betrieb.
V. „ Die nächsten Ziele unserer Landespferdezucht.
VI. „ Die Staatsgestüte und die Landespferdezucht.
VII. „ Mittel zur Besserung.
VIII. „ Die neuen Provinzen.
IX. „ Schlußwort.

Wir müssen darauf verzichten, über alle Abschnitte des inhaltreichen und fesselnd geschriebenen Buches ausführlich zu berichten, wollen vielmehr des Verfassers Ansichten über die Aufgabe der Landespferdezucht hervorheben und unbefangen prüfen, in wiefern auch diese Ansichten, falls sie an maßgebender Stelle Anklang fänden, die Wehrkraft schwächen oder steigern würden.

I. Abschnitt. Die Vorzüge des englischen Vollbluts beruhen nach des Verfassers Ansicht „weit mehr in der beständigen Prüfung seiner besten Erzeugnisse, als in dem ursprünglichen Blute." — Er stützt seine Behauptung, „daß das englische Vollblutpferd sich als das geeignetste Material zur Veredlung des Gebrauchspferdes bewährt hat", auf Thatsachen, welche fast allgemein als richtig anerkannt sind und folgert daraus, daß Rennen, welche das Hauptmittel zur Erzeugung des jetzigen Vollblutpferdes gewesen, auch zu seiner Erhaltung unentbehrlich sind. Der Zusammenhang der Zucht mit den Rennleistungen wird erläutert in einer „Uebersicht der Vollbluthengste in England, von welchen in einem der 7 Jahre 1860 bis 1866 zehn oder mehr Vollblutfohlen nachgewiesen sind; nebst der Zahl der von letzteren in den Jahren 63, 64, 65, 68 und 1869 siegreich gewesenen drei- und vierjährigen Pferde; der Zahl ihrer Siege und dem Werthe der Gewinne."

Flachrennen von ¼ bis ½ Meile und mit mäßigem Gewicht, höchstens 135 Pfund sollen die sichersten Werthmesser der Eigenschaften sein, durch welche Vollblutpferde zur Veredlung der Pferdezucht alle anderen Pferde übertrafen. Daß die königliche Gestütverwaltung nicht allein auf die Rennleistungen der angekauften Hengste und ihrer Nachkommen, sondern auch darauf gesehen hat, „fehlerfreie" Pferde zu erhalten, soll der Hauptgrund sein, daß in 21 Jahren aus den königlichen Gestüten gar keine Rennpferde ersten Ranges hervorgegangen sind.

Wir sind nicht in der Lage zu beurtheilen, ob die letzte Behauptung richtig ist; aber wenn der Verfasser tadelt, daß der Ankauf eines Fuchshengstes, der durch seine eignen und seiner Nachkommen Leistungen auf der Bahn zu den berühmtesten Pferden Englands gehört, unterblieben sei wegen häßlicher Abzeichen und „Hasenhacke", welche allerdings auch seine Nachkommen geerbt hätten, so erscheint solcher Tadel doch in hohem Grade befremdend. Daß Pferde mit Hasenhacke auf flacher Bahn mit leichtem Ge-

nicht eine Reihe von Jahren hindurch glänzende Siege und hohe Preise gewonnen haben, beweist noch nicht, daß sie eine einzige scharfe Parade unter
schwerem Gewicht ausgehalten hätten, ohne lahm zu werden.

In Betreff der Abzeichen kann man allenfalls verschiedener Meinung
sein; aber Zuchthengste mit Erbfehlern für königliche Gestüte ankaufen, würde
der Landespferdezucht schwerlich zum Vortheil gereichen.   Wir erkennen
übrigens den Werth und die Unentbehrlichkeit der Rennen vollkommen an,
weil nur durch Rennleistungen ermittelt werden kann, ob die inneren Organe
des Pferdes, seine Verdauung, Gehlust, Ausdauer, Energie und Schnelligkeit zu guten Erwartungen berechtigen und halten auch einiges für beachtenswerth, was der Verfasser über die verschiedenen Arten von Rennen sagt;
aber seiner Behauptung, daß weder die Vorbereitung zum Rennen, noch die
Betheiligung daran, der Entwicklung zweijähriger Pferde schade, wenn Gewicht und Entfernung entsprechend bemessen würden, müssen wir widersprechen.
Der Verfasser giebt selbst zu, daß „die Leistungsfähigkeit auch des reichlichst
erzogenen Rennpferdes der Regel nach bis 5 Jahr zunimmt". Die Zahn-
wechsel-Periode ist bekanntlich eben so lang und zeigt deutlich genug an, daß
man vor ihrer Beendigung das Pferd sehr rücksichtsvoll zu behandeln hat,
wenn seine Entwicklung nicht gestört werden soll.   In der Vorbereitung zum
Rennen ist es schon nicht leicht, das Maß der in jeder Hinsicht erforderlichen Rücksichtnahme auf die Individualität des jungen Thieres zu nehmen;
denn es handelt sich keineswegs allein um Gewicht und Entfernung, sondern
auch um Diätetik und Aufregung.   Im Wettrennen selbst ist selbstverständlich an Rücksichtnahme gar nicht zu denken; der Jockey treibt mit Sporn
und Peitsche sein Pferd an, wenn er glaubt dadurch siegen zu können.

Es erscheint fast undenkbar, daß zweijährigen Pferden die Vorbereitung
und Betheiligung an Rennen nicht schädlich sein sollte und wir halten für
sehr wahrscheinlich, daß ein sehr großer Theil der Vollblutpferde fast nur
noch noch als Renner zu gebrauchen, zu jeder andern Verwendung aber
wenig geeignet sind, weil sie von Pferden stammen, welche in mehreren
Generationen zu früh in den Rennstall kamen und eben dadurch eine
ganz einseitige, nur auf Rennsiege gerichtete Umwandlung ihrer äußeren Gestalt sowohl, wie ihres Inneren erfuhren, welche allmälig so groß wurde,
daß ein ursprünglich sehr geschätztes Pferdegeschlecht nicht einmal den Werth
seines Blutes zu behaupten vermag, zur Zucht werthlos wird.

Des Verfassers Rath, die in königlichen Gestüten gezogenen Vollblutpferde nicht als Konkurrenten der aus Privatställen hervorgegangenen in den
öffentlichen Rennen laufen zu lassen, die kostbaren Thiere vielmehr als einjährige Füllen zu versteigern, und den Bedarf der Gestüte an Zuchthengsten
ersten Ranges durch Ankauf oder Rückkauf der am Besten eingeschlagenen
Hengste eigener Zucht zu erwerben, wird hoffentlich im Ministerio für die

landwirthschaftlichen Angelegenheiten unbeachtet bleiben; denn die bezüglichen
Maximen der großen Gestüte in England, auf welche der Verfasser sich beruft, mögen für den Geldbeutel ihrer Besitzer vortheilhafter, als für die
Veredlung der Landespferdezucht gewesen sein und nicht wenig dazu beigetragen haben, den Renner-Zucht-Kultus einzuführen, dessen üble Folgen
in überbauten, windhundartigen Vollblutpferden schon klar zu Tage liegen.
Ueberdies kennt man doch zur Genüge die in Rennen und Pferdehändeln
üblichen und schwer zu unterdrückenden Ränke und Listen, um einzusehen,
daß königliche Gestüte sich dagegen nur schützen können, wenn sie sich so einrichten, daß sie möglichst wenig zu kaufen brauchen und den Werth ihrer
Zucht selbst prüfen. Letzteres ist nur möglich, wenn die königlichen Pferde
in einer unter Leitung und Aufsicht eines sachverständigen Beamten stehenden
königlichen Trainir-Anstalt zu den Rennen vorbereitet und von gut geschulten,
unbestechlichen Leuten geritten werden. Mögen dann nach wie vor die königlichen Renner verhältnißmäßig weniger Preise gewinnen, als die aus Privat-
Ställen stammenden, so wird die Gestüt-Verwaltung doch im Stande sein
besser zu beurtheilen, ob und wie eine Vervollkommung ihrer Zucht zu erstreben wäre, als wenn sie ihren Bedarf an Beschälern und Zuchtstuten nur
durch Ankauf decken und sich dabei lediglich nach den in den Rennen erkennbar gewordenen Eigenschaften der Vollblutpferde richten müßte, sofern die
ihr zu Gebote stehenden Geldmittel dies zuließen. Bei unbefangener Erwägung aller bezüglichen Verhältnisse muß man doch — unbeschadet der Anerkennung des großen Werthes der Wettrennen — zugestehen, daß bei diesen
Prüfungen eine unergründliche Menge von Zufälligkeiten zur Entscheidung
des Sieges mitwirken, die ja oft nur davon abhängt, daß die Nasenspitze
des einen Pferdes der des andern im entscheidenden Momente um einige
Zoll voraus war, obwohl bis dahin beider Pferde Leistungen im Gleichgewicht gestanden hatten, oder gar das zweite Pferd voraus gewesen war. —
Ueberdies kann die Schnelligkeit eines Pferdes nicht allein für seinen Werth
in Betreff der Veredlung der Landespferdezucht zur Förderung der Wehrkraft maßgebend sein; und das ist doch der Gesichtspunkt, welchen die
königliche Gestüt-Verwaltung stets im Auge behalten muß, wenn sie das Recht
behalten will, die erforderliche Unterstützung aus der Staatskasse zu beanspruchen.

Der Oberst v. Krane hält Staats-Preise für Sieger in Flach-Rennen
nur unter folgenden Bedingungen für ersprießlich: Alter der Pferde, mindestens 4 Jahr; Distance, mindestens ½ deutsche Meile; Gewicht, mindestens
145 Pfd. Doppelter Sieg. Wir finden die dafür sprechenden Gründe
so einleuchtend, daß wir bedauern würden, wenn dieselben noch länger unbeachtet blieben, als durch billige Rücksichtnahme auf diejenigen Züchter ge-

boten scheint, welche ihre jungen Pferde bereits für Fohlen-Rennen vorbereitet haben.

II. Abschnitt. „Die Aufgabe der Pferdezucht für die Wehrkraft" hält der Verfasser für so befriedigend gelöst, daß man wohl sagen könne, der „Pferdebestand" der preußischen Armee sei dem „jeder andern voraus".

Zur Erreichung dieses erfreulichen Resultats hätten aber Verhältnisse mitgewirkt, welche mit der Pferdezucht an sich nichts zu thun hätten; als 1) günstige Vorbereitung, die unsere Friedenshaltung für den Krieg gewährt; und 2) die Abrichtung, welche allerdings aus ihren Erfolgen schließen lasse, daß unser Truppenpferd günstige Anlagen dazu besitze. In letzterer Hinsicht verdienten die aus Ostpreußen bezogenen Remonten den Vorzug vor allen andern, und deren zunehmende Zahl übertreffe noch die Hälfte des in neuerer Zeit beträchtlich gestiegenen Bedarfs der Armee im Frieden. Die Vortrefflichkeit der ostpreußischen Remonten sei gewiß großen Theils dem Einfluß des königlichen Gestüts zu Trakehnen auf die dortige Landespferdezucht zuzuschreiben, dessen Hengste im Jahre 1858 bereits zu 61,8 pCt., von englisch Vollblut zu 23,4 pCt. von orientalischem und zu 14,8 pCt. von verschiedenem Nicht-Vollblut abstammten.

Westphalen und Rheinland lieferten nur eine kaum nennenswerthe Anzahl Remonten. Während in Ostpreußen auf jeden aufgestellten Landbeschäler jährlich fast 10 Remonten kämen, fände die Ankaufs-Kommission in Posen, Westpreußen, Brandenburg, Pommern und Sachsen kaum 3½, in Schlesien gar nur 1½ Remonten auf je einen der aufgestellten Landbeschäler. Desungeachtet seien auch in diesen Provinzen die Hengstbestände der königlichen Landgestüte vornehmlich auf Erzeugung leichter Pferde zugeschnitten, was „wirthschaftlich bedenklich" erscheine, weil — „mit alleiniger Ausnahme von Ostpreußen" — die Erzeugung des Friedensbedarfs der Armee stets nur nebensächliche Aufgabe der Landgestüte sein könne. In der Provinz Posen sei allerdings seit mehreren Jahren die Zahl der Remonten im Steigen; in allen andern aber im Abnehmen, weil da die Nachfrage nach schweren Pferden zu groß, und der Preis derselben ein viel lohnenderer für den Züchter sei. Die königlichen Landgestüte könnten auch die Zucht schwerer Pferde mehr als bisher fördern, ohne zu der Besorgniß Anlaß zu geben, es möchte zur Kriegs-Augmentation der Armee an leichten Pferden fehlen; denn Artillerie und Train hätten den weit größesten Bedarf an Augmentation, aber einen nur geringen an Reitpferden, der für die ganze Armee kaum 15 Prozent der Augmentations-Pferde betrage, der Friedensersatz an Reitpferden betrage aber 79 Prozent der Remonten.

Des Verfassers hier nur kurz mitgetheilte Ansichten sind durch statistische Tabellen und andre geschickt verwendete Zahlen reichlich unterstützt und dürften kaum verfehlen, vieler Orten einen tiefen Eindruck zu machen; wir halten uns aber gerade darum für verpflichtet, unsre Bedenken gegen diese Ansichten nicht zu unterdrücken. — Die hervorragende Vortrefflichkeit der oftpreußischen Remonten finden wir wiederholt anerkannt in den, dem Verfasser wohl noch nicht zugänglich gewesenen Berichten der Truppentheile über die Brauchbarkeit des preußischen und des französischen Pferdes nach den Erfahrungen des letzten Krieges, welche jüngst dem Landtage vorgelegt wurden. Aber diese Anerkennung ist doch bedingt durch den Zusatz, wenn das Pferd über 7 Jahr alt ist.

Als 3½jähriges Füllen für etwa 150 Thlr. angekauft, 1 Jahr im Depot, und 1½ Jahre im Regiment mit großer Schonung dressirt, aber leider nicht so rationell, wie der Verfasser zu meinen scheint, wird die oftpreußische Remonte erst im 6. Jahre ein Dienstpferd, welches noch sehr zu leiden pflegt, wenn es im Felde nicht geschont wird, und doch nicht zurückgelassen werden kann, wenn die Ersatz-Eskadron nicht aller durchgerittenen Pferde beraubt und dadurch unfähig werden soll, Rekruten auszubilden. Daß trotz der errichteten 5. Eskadrons, die vier ausrückenden noch Augmentationspferde, die des 1. Brandenburger Dragoner-Regiments Nr. 2 sogar 238 Stück eingestellt haben, von denen nach dem Kriege nur noch 95 im Regimente verblieben sind, beweist wohl zur Genüge, daß die ständige Kriegsbereitschaft unsrer Kavallerie hinsichtlich ihres Pferdebestandes noch sehr viel zu wünschen übrig läßt. Die Ausbildung der Tragkraft unsrer jungen Pferde muß mehr, als es durch kurze Bahn-Lektionen, bei Kraftvergeudung in Seitengängen und zu schmaler Ration möglich ist, zur Hauptsache werden, um jedes fünfjährige Pferd felddienstfähig und die Einstellung von Augmentations-Reitpferden in die ausrückenden Eskadrons überflüssig zu machen. Diese Pferde haben den Anforderungen des Dienstes nur ausnahmsweise entsprochen; die Mehrzahl derselben ist trotz möglichst großer Schonung den Strapazen erlegen.

Artillerie und Train haben ihre Augmentations-Pferde im Allgemeinen wohl kriegsbrauchbar, aber doch minder rasch, kräftig und dauerhaft gefunden, als die Stammpferde; ein großer Theil der in Frankreich erbeuteten und requirirten Pferde war aber für unsre Batterien bei Weitem nicht rasch genug und selbst für Train-Kolonnen zu schwerfällig. Die Pferde aus Hannover scheinen die weichlichsten zu sein, auch mehr an Huffrankheiten, namentlich an Hornspalt gelitten zu haben, als die aus andern Provinzen.

Durch den Inhalt dieser Berichte finden wir uns in der Ansicht bestärkt, daß die königlichen Gestüte in allen Provinzen fortfahren müssen, die Pferdezucht im Interesse der Wehrkraft des Staates möglichst zu fördern. — Des Verfassers Ansicht, daß die Provinzen Ostpreußen und Posen fast allein im Stande seien, den Bedarf der Armee an Reitpferden zu decken, steht nicht allein der Umstand entgegen, daß diese Grenz-Provinzen zeitweilig in Feindes Hand gerathen könnten, was ihm selbst nicht ganz unbedenklich erscheint, sondern auch der, daß bei der Art, wie jetzt die Mobilmachung der Armee beschleunigt werden muß, jedes Armee-Korps seinen Bedarf an Augmentations-Pferden möglichst nahe zur Hand haben muß, weil sonst Verzögerungen gefährlichster Art kaum zu vermeiden wären. Ueberdies würden durch eine zu starke Lieferung von Augmentations-Pferden die Zuchtstuten-Bestände der gedachten zwei Provinzen voraussichtlich so reduzirt werden, daß dieselben während der Dauer des Krieges, wenn er ihnen selbst auch — wie dies Mal — ganz fern bliebe, bei Weitem nicht so viel Remonten zu erzeugen vermöchten, als der Staat bedürfte; geht doch aus den bezüglichen statistischen Tabellen ganz klar hervor, daß die Zahl der in den Jahren 1865 und 1867 im preußischen Staate geborenen Fohlen bedeutend geringer war, als die der in den vorangegangenen Kriegsjahren und 1868 geborenen. Und wer wagt denn wohl zu behaupten, daß fortan alle Kriege so rasch und so durchaus glücklich für uns verlaufen werden, wie die letzten gegen Oesterreich und Frankreich? Wahrlich, das deutsche Reich darf sich — trotz seiner unvergleichlichen Wehrkraft — keine Illusionen machen über seine Lage; es muß vielmehr in jeder Hinsicht darauf bedacht sein, im nächsten Kriege — er komme bald, oder erst in ferner Zukunft — eine Kavallerie blitzschnell ins Feld stellen zu können, welche der eben mit Ruhm heimgekehrten an Zahl und Leistungsfähigkeit nicht nur gleich, sondern weit überlegen ist, damit ihre Kraft auch ausreiche für den gar nicht unwahrscheinlichen Fall, daß des Feindes Macht inzwischen ebenfalls zugenommen hätte, sowohl in materieller, wie intellektueller Hinsicht.

III. Abschnitt. „Das Pferd als Betriebsmittel" betrachtet, gewinnt allerdings — wie der Verfasser behauptet — an Werth durch seine Schwere, jedoch nur in so fern es sich um Ziehen schwerer Lasten in mäßiger Geschwindigkeit handelt; wo aber bisweilen, oder gar zumeist rasch gefahren werden muß, um Zeit zu sparen, wie z. B. auf großen Gütern mit leeren Dünger- und Ernte-Wagen ⁊c., oder mit Personen-Wagen fast aller Art, da hat der Vortheil des größeren Pferdegewichts eine ziemlich enge Grenze, denn flottlaufende schwere Wagenpferde sind selten und unverhältnißmäßig theuer, sowohl im Ankauf, wie in der Unterhaltung. Es handelt sich in dieser Hinsicht keineswegs allein um das zur Ernährung erforderliche Futter, sondern auch um den Verschleiß der Pferdebeine; im Trabe auf harten Wegen leiden die der schweren mehr, als die der leichteren. Wo man Zeitgewinn gehörig würdigt, wird sich oft genug herausstellen, daß im Verhältniß zu den Kosten ein nicht gar zu leichter Halbblutschlag mehr Arbeit zu leisten vermag, als weit massigere Pferde gemeinerer Racen.

Das Reitpferd wird zu Reisen nur noch selten verwendet; Gutsbesitzer und deren Inspektoren bedienen sich desselben noch bei Beaufsichtigung der

Wirthschaft; dazu sowohl, wie auch als Luxuspferd soll es nun gemeiniglich viel größer und schwerer sein, als nöthig und zweckmäßig wäre: der Staat hat nicht die geringste Veranlassung, die Thorheiten der Mode zu berücksichtigen und die Zucht übermäßig großer Reitpferde zu fördern.

IV. Abschnitt. „Die Pferdezucht als wirthschaftlicher Betrieb" ist nach des Verfassers Ansicht nur noch gewinnbringend in dazu besonders geeigneten Gegenden, wie Ostpreußen und Posen, wo die Remonte-Kommission den regelmäßigen Absatz der dreijährigen Fohlen sichert, oder wo schwere Pferde als Betriebsmittel sehr begehrt und angemessen bezahlt werden. Abgesehen von den genannten beiden Provinzen hat sich denn auch der Pferdebestand nicht so vermehrt, wie der Viehbestand im Allgemeinen. Die Zucht edler Halbblutpferde kann ohne Verlust — nach des Verfassers Ansicht — nur von Besitzern betrieben werden, deren Eigenschaften und Neigung eine billige Abrichtung der jungen Pferde ermöglichen.

Das mag in vielen Landestheilen so sein; in allen aber keineswegs. Die Abrichtung veredelter Wagenpferde erscheint nicht allzu schwierig, wenn der Züchter selbst, oder nur einer seiner Diener die Sache versteht. Im Hannoverschen scheint die Züchtung derselben noch lohnend zu sein, und je mehr der Wohlstand und mit ihm der Luxus steigt, desto theurer werden gute Halbblutpferde bezahlt werden. Bedenklich erscheint allerdings, daß man den Preis der Pferde gar zu sehr nach ihrer Größe und Schwere zu bemessen pflegt.

V. Abschnitt. „Die nächsten Ziele unsrer Landespferdezucht", meint der Verfasser, müßten sein, jeden Pferdeschlag schwerer zu züchten; der Heeresersatz werde dadurch nicht leiden. — Ostpreußen und Posen ausgenommen, mangelt es aber doch schon in allen Provinzen an recht brauchbaren Augmentations-Pferden für die Kavallerie und berittene Artillerie, weil der Landespferdeschlag im Allgemeinen noch zu wenig veredelt, oder schon zu schwer, und eben deshalb nicht rasch und gewandt genug mehr ist.

Wohin einseitiges Streben, „jeden Pferdeschlag schwerer" zu züchten in Westphalen geführt hat, das ist aus dem höchst lehrreichen Buche des Obersten v. Krane, „Pferd und Wagen" III. Theil, pag. 142 (Verlag der Coppenrath'schen Buch- und Kunsthandlung in Münster) zu ersehen. Die schwersten Halbbluthengste des Landgestüts erschienen einigen unzufriedenen Züchtern noch nicht schwer genug, und nachdem die Gestüts-Verwaltung auf bezügliche Klagen erwiderte, sie hielten die für zu leicht erklärten Landbeschäler schon für so schwer, daß die viel leichteren Stuten der unzufriedenen Züchter kaum dazu passen dürften, beschlossen diese den Ankauf schwerer Hengste in Belgien. Die damit betraute Kommission, zu der auch zwei Thierärzte gehörten, brachte für schweres Geld 7 Hengste, die bei ihrer Ankunft großen Jubel erregten, der sich indeß bald abkühlte; die von diesen Hengsten erzeugten Fohlen waren so schlecht, daß sie Niemand befriedigten. Anstatt nun wieder die Landbeschäler zu benutzen, ließ man durch dieselbe Kommission schwere Dänen holen. Das Resultat war eben so schlecht, wie das erste. Ob diese Erfahrungen zur Berichtigung der Ansichten der unzufriedenen Züchter ausgereicht haben, vermögen wir nicht zu sagen; sie sollten aber von hippologischen Schriftstellern nach Gebühr beherzigt werden. Das Vertrauen zu der Einsicht der Gestütverwaltung zu zerstören, ist nicht gar zu schwierig, aber nicht ersprießlich.

Des Verfassers Ansicht, das einseitige Streben nach edlem Halbblut habe unsrer Pferdezucht geschadet, erscheint uns ganz unvereinbar mit seiner früher ausgesprochenen, Vollblut sei zur Verbesserung aller Pferdeschläge am geeignetsten. Wie vortrefflich das edle Halbblut sich im letzten Kriege bewährt hat, kann der Verfasser aus der bereits erwähnten Zusammenstellung der Berichte der Truppentheile entnehmen: das Garde-Husaren-Regiment z. B. berichtet, daß seine preußischen Pferde, besonders die über 8 Jahr alten, die größten Strapazen (mehrmals pro Tag 9 bis 12 Meilen, ohne Futter und Wasser bei 10 Grad Kälte) so gut überstanden haben, daß sie bei der Demobilmachung besser gewesen seien, als beim Ausmarsch. Das Regiment bezeichnet 30 edle Hengste, deren Nachkommen sich vorzüglich leistungsfähig erwiesen; andere Regimenter thun das auch, und fast ausnahmslos wird das preußische edle Halbblut für das beste Campagne-Pferd erklärt. Erwägt man nun, daß das Pferd der leichten Kavallerie durchschnittlich über 250 Pfd., das der Kürassiere aber 310 Pfd. Gewicht getragen hat, so begreift man kaum, wie ein sachverständiger Mann zu der Meinung kommt, es wäre nicht leicht, für „schwere Herren geeignete Reitpferde zu finden; wir möchten die Zahl der 200 Pfd. schweren Herren wissen, die Lust hätten, auch nur ausnahmsweise 9 Meilen an einem Tage zu reiten. — Mögen unsre Landgestüte immerhin dem Begehr nach schweren Hengsten zu entsprechen suchen, so viel das geschehen kann, ohne die der Augmentation des Heeres schuldige Rücksicht zu vernachlässigen; aber mehr nicht.

Ist es in einzelnen Gegenden wirklich wirthschaftlich geboten, so schwere Arbeitspferde zu züchten, wie man sie jetzt vieler Orten verlangt, wo leichtere edleren Schlages vielleicht noch bessere Dienste leisteten, nicht nur im Falle der Mobilmachung, sondern auch der Landwirthschaft und der mit ihr verbundenen Industrie, so werden sich auch mehr schwere Privat-Beschäler bezahlt machen, als bisher gehalten wurden. Die Ansichten über die Auswahl der auf Vergrößerung des Pferdegewichts gerichteten Zuchthengste divergiren überdies noch so sehr, daß es den Landgestüten sehr schwer werden dürfte, Beschäler aufzustellen, welche allgemeinen Beifall fänden, und fast unmöglich solche, deren innerer Werth gute Fohlen in sichere Aussicht stellte; es fehlt ja in dieser Hinsicht an der darthuenden Auskunft gebenden Rennprobe,

Das äußere Ansehen eines Hengstes von unbekannten und ungeprüften Eltern und Voreltern mag noch so gut sein, das schließt nicht aus, daß seine Nach= kommenschaft viel mehr schlechte Eigenschaften der Großeltern, als gute des Vaters erbt. Auf solcher Erfahrung beruht ja der hohe Werth guter Voll= blutpferde zur Verbesserung der Pferdezucht; Rückschläge unerfreulicher Art zeigen sich in ihrer Nachkommenschaft höchst selten. — Unter guten Vollblut= Pferden verstehen wir mehr, als Renn=Sieger; für die Landespferdezucht erachten wir dieselben erst werthvoll, wenn sie normal gebaut und frei von Erbfehlern sind, welche die Nachkommenschaft zu anstrengendem Dienste un= brauchbar machen würde, sei es ihres Temperaments, sei es ihrer Feinheit und anderer äußeren Mängel wegen.

VI. „Die Staatsgestüte und die Landespferdezucht". Der Verfasser erinnert daran, daß die Hauptgestüte als Pflanzstätten der Landgestüte, und beide zur Hebung des inländischen Heeresersatzes an Remonten begründet sind, und daß nicht nur diese Aufgabe glänzend gelöst, sondern auch mancher lokale Nebenzweck erreicht wurde. Da aber die Unzufriedenheit mit dem Zustande der Landespferdezucht ziemlich allgemein sei, so wolle er untersuchen, welcher Antheil den Staatsgestüten an dem Erreichten sowohl, wie an dem Versäumten zuzuschreiben sei. Aus den mitgetheilten statistischen Tabellen ergiebt sich daß 1859—1860 jeder Hengst des Litthauischen Land= gestüts 30,7. des Westphälischen aber nur 15,5 Fohlen zeugte; im Schlesischen 27 im Westpreußischen 25,5, im Posenschen 24,3, im Brandenburgischen 21, im Sächsischen 20; im Rheinischen 18,5 Fohlen. Da in allen Provinzen die Zahl der aufgestellten Landbeschäler, der Zahl aller daselbst erzeugten Fohlen proportional ist, so ergiebt sich aus den mitgetheilten Zahlen auch, wie verschieden der Einfluß der königlichen Hengste in den Provinzen auf die Landespferdezucht ist. — Der Verfasser glaubt, die Staatsgestüte hätten sich dadurch in eine schiefe Lage gebracht, daß sie nicht offen eingestanden, sie hielten die Forderung edler Zucht zu Gunsten der Armee für ihre Haupt= aufgabe. Wenn sich die Sache so verhielte, so dürfte die Regierung wohl nicht zögern zu erklären, daß die Förderung der Remonte=Zucht allerdings die Hauptaufgabe der Staatsgestüte ist und bleiben muß im Interesse der Wehr= kraft des Staates. Möchte eine unumwundene Erklärung der Art vielleicht die Bewilligung der zur Erhaltung der Gestüte erforderlichen Mittel seitens des Landtages erschwert haben, so lange die Ausgaben für die Armee und besonders die für die Kavallerie als unnützer Luxus verschrieen waren, so dürfte der Werth dieser Truppe jetzt allgemein anerkannt sein und nichts mehr im Wege stehen, den Widersachern der Staatsgestüte klaren Wein ein= zuschenken; Experimente mit Percheron=, Suffolk=, Clydesdale= rc. Hengsten könnte der Staat wohl denjenigen Züchtern überlassen, welche sich von solchen so große Vortheile versprechen, daß sie nicht müde werden, deren alleinige

Einstellung in die meisten unsrer Landgestüte zu empfehlen. — Was der Verfasser über die Verpflichtung der Hauptgestüte mittheilt, alljährlich 40 Pferde für den königlichen Marstall in Berlin kostenfrei abzuliefern, beweist jedenfalls, daß die Gestütsverwaltung die Interessen der Landespferdezucht mehr berücksichtigt, als die des Hof-Marstalls; denn dieser ist seit dem Jahre 1862 mehr und mehr genöthigt gewesen, anstatt der ihm zustehenden Pferde den Preis von 100 Frd'ors. pro Stück in Empfang zu nehmen und die theuersten Pferde seines Bedarfs durch Ankauf zu beschaffen. In den Jahren 1869 und 1870 fehlten je 25 Stück an der in natura zu liefernden Zahl Marstall-Remonten. Der Verfasser ist billig genug zuzugeben, daß hieraus ungünstige Folgerungen für die Leistungen des Gestüts nicht zu ziehen seien, denn die zur Erhaltung der Hauptgestüte und zur Versorgung der Landgestüte mit guten Beschälern erforderlichen Pferde würden nicht an den Marstall abgegeben und unter sehr vielen vortrefflichen Pferden ein einziges Leib-Reitpferd für des Kaisers Majestät zu finden, sei immerhin noch schwer.

VII. Abschnitt. „Die Mittel zur Besserung." Da nach des Verfassers Ansicht durch zu einseitiges Streben nach Erzeugung edlen Halbbluts eine unzweckmäßige Veredelung der Stutenstämme ohne Rücksicht auf Masse stattgefunden und dadurch der Halbblutzucht selbst der Boden entzogen ist, so hält er für geboten, ausgenommen gewisse Beschränkungen für den Heeresersatz, in nächster Zeit hauptsächlich schwerere Pferdeschläge zu erstreben, wozu auch die Staatsgestüte mitwirken sollen, sofern sie nicht nur die Zucht für die Armee, sondern die Landespferdezucht überhaupt wirklich - fördern wollen, was er für wünschenswerth hält. Die Staatsgestüte müßten, behufs Gewinnung freier Bewegung, von der Lieferung an den königlichen Marstall entbunden, dagegen das zu Neustadt in ein besonderes Hof-Gestüt umgewandelt werden. Zur Sicherung des Bedarfs an Kavallerie-Remonten genügten das Gestüt Trakehnen, das Litthauische und Posensche Landgestüt; Gradiz solle mit einiger Beschränkung als Vollblutgestüt fortbestehen und wie Trakehnen alljährlich 12,000 Thlr. zu Hengstankäufen erhalten. Im Ganzen würden 1440 Landbeschäler zu halten sein, darunter aber nur 440 als vorzugsweise für den Heeresersatz; soviel ständen nämlich in den Landgestüten Litthauens und Posens und reichten aus zur Erzeugung von jährlich 5600 Remonten; die überdies noch erforderlichen 1,200 Stück würden sich unzweifelhaft in den andern Provinzen finden, wenn der Remonte-Durchschnitts-Preis angemessen erhöht würde. Eine ▪▪▪▪ Militairpferdezucht von der übrigen Landespferdezucht sei ▪▪▪▪ hier aber angenommen, um durch die Kostenberechnung ▪▪▪▪ sofern, daß die bisher für das ganze Gestütswesen auf ▪▪▪▪ ▪▪▪▪ ausreichen würden, wenn des Verfassers Ansichten ▪▪▪▪ ▪▪▪▪ des Staates befolgt würden. Er hält aber für noch ▪▪▪▪ ▪▪▪▪ der Landes-

pferdezucht das Prinzip der Decentralisation zu acceptiren und Provinzial-
Gestüt-Verwaltungen entstehen zu lassen; also Aufhebung des Hauptgestüts-
Restes zu Grabitz und Ueberweisung der Landgestüte an die Provinzen, wie
es in Hannover schon geschehen, in Schlesien schon angebahnt, in Sachsen
erbeten — und allgemein als wünschenswerth von den höchsten Staatsbehörden
ausdrücklich anerkannt sei. Die Gefahr, für die sogenannte Bureaukratie
eine noch viel schädlichere Partei- und Vettern-Wirthschaft einzutauschen, erscheint dem Verfasser allerdings drohend; aber dennoch soll die Decentralisation nothwendig sein. „Hat man sich klar gemacht, was zur
Befriedigung des Heeresbedarfs genügt, so müssen die Gestüte als
nächste Hauptaufgabe annehmen, die Züchtung des Pferdeschlages zu unterstützen, der dem wirthschaftlichen Bedarf einer Gegend entspricht, sowohl als
Arbeitsvieh, wie als Marktwaare.“ — Dagegen hätten wir gar nichts ein-
zuwenden, wenn anzunehmen wäre, die Provinzial-Gestüt-Verwaltungen würden sich ebenso gut, wie die Staats-Verwaltung, in der auch des Kriegsministers
Stimme Geltung hat, „klar zu machen“ wissen, was das Heer bedarf,
nicht nur alljährlich, sondern auch in Zeiten der Bedrohung der Existenz des
Staates; aber nicht nur dies ist unmöglich anzunehmen, sondern nicht minder
die Geneigtheit der Provinzen zur Deckung des Bedarfs der Armee in vielleicht fern gedachter Zeit, beständig materielle Opfer zu bringen, während in
der Gegenwart andere dringlicher erscheinen. Bei aller Achtung vor dem
Prinzip, halten wir Decentralisation der Verwaltungs-Behörden
in Sachen der Wehrkraft des Staates für ganz verkehrt; die
Landespferdezucht ist aber ein so eminent wichtiger Faktor der Wehrkraft
Deutschlands, daß es uns dringend geboten scheint zu erwägen, in wie fern
das Gestütwesen als Reichs-Angelegenheit zu betrachten wäre. Was das
Reich zu seiner Sicherheit bedarf, muß auch auf Kosten des Reichs beschafft
werden. Mit Erhöhung der Remonte-Preise ist die Sache aber nicht abgemacht; dadurch allein wird sich die Landespferdezucht nicht so beeinflußen
lassen, wie es im Interesse des Reiches nothwendig ist. Mit Karrenpferden
ist nicht einmal den Train-Kolonnen, geschweige denn der Artillerie und
Kavallerie gedient; ja wir hoffen sogar, die Industrie und Landwirthschaft
werde vieler Orten die Ueberzeugung gewinnen, daß der Werth der sehr
schweren Pferde jetzt im Allgemeinen weit überschätzt wird. Wenn der
Staat aber aufhörte Landbeschäler für die Zucht geeigneter Remonten und
Augmentations-Pferde aufzustellen, so dürfte der noch vorhandene mittel-
schwere Stutenstamm rascher verschwinden, als dessen Werthschätzung sich
wieder berichtigen. Eine vollständige Trennung der Staats- und Hof-Ge-
stüte dürfte — falls die Güte und Zahl der Landbeschäler sich dadurch nicht
verminderten — für die Wehrkraft des Landes nicht bedenklich erscheinen;
ob sich das königliche Ober-Marstall-Amt für den Verzicht auf seine Rechts-

ausprüche durch· des Verfassers bezügliche Vorschläge für entschädigt halten
würde, vermögen wir nicht zu beurtheilen.

VIII. Abschnitt. „Die neuen Provinzen". Die Leistung des Celler
Landgestüts in Hinsicht auf Halbblutzucht erscheint dem Verfasser geradezu
mustergültig. Wir haben dieselbe auch von Andern sehr rühmen hören,
in den Berichten der Truppentheile über die Kriegserfahrungen aber Klagen
gefunden, die uns beachtenswerth erscheinen. Die aus der Provinz Hannover
bezogenen Pferde sollen mehr an Hornspalt gelitten haben und auch vielfach
flachhufig und weichlicher gewesen sein, als die aus andern Provinzen. Ein
fester, gut geformter Huf ist aber eine der wesentlichsten Bedingungen der
Tauglichkeit eines Soldatenpferdes, und Weichlichkeit mindert auch den Werth
desselben beträchtlich. Das Westphälische Kürassier-Regiment Nr. 4 berichtet:
„Von 54 Augmentations-Pferden erlagen 20 den Anstrengungen; sie stammten
fast alle von hannöverschen Landbeschälern des Celler Gestüts." Auch das
Westphälische Husaren-Regiment Nr. 11 verlor einen großen Theil seiner
Augmentations-Pferde hannöverscher Abstammung. Da sehr viele hannöversche Pferde von Privat-Beschälern abstammen, so läßt sich schwerlich ermitteln, ob diesen, oder den Landbeschälern die für unsere Wehrkraft uner-
freulichen Eigenschaften der hannöverschen Landespferdezucht zuzuschreiben sind;
wahrscheinlich stammen dieselben vornehmlich von den Mutterstuten, aber
diese sind doch auch großen Theils ein Produkt des Celler Landgestüts.

In den Elbherzogthümern — meint der Verfasser — wäre vornehmlich
die Zucht „schwerer Handelspferde" zu fördern, mit welchen die ganz ähnlich gelegenen dänischen Landestheile ein so lohnendes Geschäft machen. —
Nun berichtet aber das Magdeburgische Dragoner-Regiment Nr. 6. „Die
Augmentation hat sich wider alles Erwarten gut bewährt, namentlich die aus
dem nördlichen Schleswig stammende." Dieser Bericht ist unter allen andern
der Kavallerie-Regimenter der einzige, welcher die Augmentations-Pferde lobt;
aber auch im 2. Brandenburgischen Ulanen-Regiment Nr. 11 haben die zumeist aus Holstein stammenden Augmentations-Pferde den Krieg gut überstanden.

Der Staat dürfte keine Veranlassung haben, zum Verschwinden eines
so werthvollen Kriegsmaterials beizutragen; er wird es zu erhalten und
möglichst zu verbessern trachten, was auch in Hessen—Nassau geschehen muß,
sofern da noch Pferdezucht getrieben wird.

IX. „Schlußwort". Die Versicherung des Verfassers, er habe den
Schwerpunkt seiner Arbeit mehr in Darstellung der thatsächlichen Verhält-
nisse zu legen versucht, und in Besserungsvorschlägen sich möglichst kurz ge-
faßt, bedarf keiner Bestätigung; wir haben sein Buch mit um so größerer
Befriedigung studirt, als dasselbe durchweg den Eindruck einer unparteiischen
Besprechung der Landespferdezucht macht. Wir haben des Verfassers An-

sichten nur zu bekämpfen versucht, um nach Kräften dazu beizutragen, die Wehrkraft des Vaterlandes vor Schädigung zu bewahren, die — nach unsrer Ueberzeugung — wohl zu befürchten wäre, wenn die Gestütverwaltung den Forderungen der sogenannten National-Oekonomie gar zu willfährig entspräche. Reichthum seiner Bürger ist gewiß auch eine Quelle der Macht des deutschen Reiches, die nicht versiegen darf; aber damit sie nicht versiege, sondern ungestört fließe, muß die ständige Schlagfertigkeit des Heeres nicht nur erhalten, sondern thunlichst gefördert werden.

Dazu müssen neben unsrer allgemeinen Wehrpflicht und musterhaften Heeresorganisation auch in allen Provinzen möglichst viel kriegsbrauchbare Pferde vorhanden sein, damit der erste Bedarf der dahin gehörigen Truppentheile und Kolonnen nicht erst aus weit entfernten Landestheilen herangezogen zu werden braucht, und der in jedem Feldzuge eintretende Abgang an Dienstpferden aller Art, selbst in dem Falle nicht unersetzlich wird, daß einzelne Provinzen vorübergehend vom Feinde betreten werden sollten. Je mehr diese Einsicht sich unter unseren Landwirthen verbreitet, desto geneigter werden sie sein, die Pferdezucht möglichst so zu betreiben, wie es der Wehrkraft des Landes entspricht. Zwang auf die Züchter anzuwenden ist ja unmöglich; aber der Staat kann überall die Remonte-Zucht fördern durch Bewilligung angemessener Preise und durch Darbietung guter Hengste gegen niedriges Sprunggeld. Wo der lokalen Verhältnisse halber Beschälstationen nicht zweckmäßig erscheinen, lohnt es doch vielleicht, wandernde Beschäler zu halten, wenn auch zunächst nur in der Hoffnung, durch Unterstützung weniger, den Wünschen des Staates entgegenkommender Züchter Resultate zu erzielen, welche andern zur Ermuthigung dienen. Wir halten die jetzt üblich gewordene Werthschätzung der Pferde nach ihrem Gewicht für eine hippologische Verirrung, die sehr gefährliche Dimensionen annehmen könnte, wenn die Verwaltung der Staatsgestüte gar zu willfährig für schwere Landbeschäler sorgte und die zur Erzeugung brauchbarer Soldatenpferde geeigneten Landbeschäler überall eingehen ließe, wo sie nicht so stark beansprucht werden, daß die Sprunggelder den normalen Ertrag liefern und eine merkliche Vermehrung der Armee-Remonten erwartet werden kann. Der Staat kann und muß nöthigen Falls Opfer bringen zur Sicherstellung seiner Wehrkraft, die in hohem Grade gefährdet wäre, wenn die Pferdezucht ausschließlich auf Vermehrung der Masse und nicht mehr auf Veredlung der Racen gerichtet würde, die sich zu Soldatenpferden eignen.

Die im letzten amerikanischen Kriege hervorgetretene zähe Widerstandskraft der Südstaaten, gegen die viel reicheren des Nordens, deren Armeen ja numerisch weit stärker, auch an Artillerie sehr überlegen waren, erklärt sich guten Theils dadurch, daß die Kavallerie der Südstaaten fast in allen Feldzügen weit mehr leistete, als die der Nordstaaten. Auch im letzten Kriege

Deutschlands gegen Frankreich sind unsere glänzenden Siege zum Theil dem Umstande zuzuschreiben, daß unsre Kavallerie der französischen weit überlegen war im Sicherheits= und Kundschafterdienste, daß eben dadurch unsre Heeres= leitung rechtzeitig erfuhr, was sie wissen wollte, die französische aber überall über die Bewegungen der deutschen Armeen in Unkenntniß war. Ersprieß= licher Kavallerie=Dienst erheischt gute, rasche und ausdauernde Pferde, desto schwieriger pflegt der Ersatz der verbrauchten Pferde zu werden, zumal in Staaten, wo viel Industrie und wenig Pferdezucht getrieben wird. Aus alle dem folgt ganz klar, daß im deutschen Reiche überall nach Möglichkeit dafür gesorgt werden muß, nicht nur die Pferdezucht im Allgemeinen zu fördern, sondern ganz besonders die Züchtung der Pferdeschläge, aus welchen für die Kavallerie und Artillerie geeignete Remonte= und Augmentations=Pferde zu entnehmen sind. Wir haben schon im Kriege gegen Frankreich Reserve= Kavallerie=Regimenter mobil machen müssen, weil die des stehenden Heeres nicht genügten, als unsre Operations=Linien sich mehr und mehr ausdehnten; wie viel mehr Reserve=Kavallerie wäre erforderlich gewesen, wenn Frankreich einen Alliirten gehabt, oder auch nur einen beträchtlichen Theil der bei Sedan und Metz in Gefangenschaft gerathenen Reiterei zu fernerer Verwendung im Felde behalten hätte.

Auch der Umstand verdient in Erwägung gezogen zu werden, daß sich erforderlichen Falles mittelst der Eisenbahn die Infanterie viel leichter von einem Kriegsschauplatze auf den andern versetzen läßt, als die Kavallerie; diese muß also überall dem voraussichtlich eintretenden Bedürfniß möglichst genügen. Die Unterhaltung der Kavallerie im Frieden ist viel zu kostspielig, um mehr Linien=Regimenter zu errichten, als unumgänglich nothwendig sind bei der Mobilmachung des stehenden Heeres sowohl, wie auch während des Friedens zur Ausbildung der für die Reserve=Kavallerie erforderlichen Mann= schaften. Aber was hülfe uns die fürsorglichste Ausbildung derselben, wenn es in Deutschland je an geeigneten Augmentations=Pferden für die Reserve= Kavallerie fehlte? Alle unsre Heeres=Einrichtungen sind mit gleicher Sorg= falt zu pflegen und möglichst zu vervollkommnen, wenn des Vaterlandes schwer errungene Sicherheit nicht unversehens wieder illusorisch werden soll; wir bezweifeln nicht, daß dazu auch alle deutschen Pferdezüchter freudig mit= zuwirken bereit sein und ihre Wünsche in Betreff der Staats=Gestüte dem entsprechend modificiren werden. Möchte es uns nur einigermaßen gelungen sein nachzuweisen, daß unsre Landgestüte nothwendig Staatsgestüte bleiben und fortfahren müssen, die Landespferdezucht vornehmlich mit Rücksichtnahme auf des Landes Wehrkraft zu unterstützen.   110.

Ansichten über die Zutheilung fahrender Schützen zu den Reiterdivisionen, angeregt durch den Aufsatz eines Offiziers der 5. Kavallerie-Division über dasselbe Thema, abgedruckt in der Beilage zu Nr. 100 der Norddeutschen Allgemeinen Zeitung vom 1. Mai d. J.

Es ist eine überaus erfreuliche Wahrnehmung für die Regsamkeit des in der Reiterei erwachten geistigen Lebens, daß aus ihren Reihen immer zahlreichere Arbeiten an die Oeffentlichkeit treten, welche es sich zur Aufgabe stellen, Dinge zu besprechen, die das Wesen der Waffe, ihre Wirksamkeit und allseitige Verwendbarkeit nahe angehen. Nur in der gründlichen Besprechung der einschlagenden Fragen, durch Männer, welche ihre Stellung in der Waffe, ihre Erfahrung, für ein Urtheil zur Sache befähigt, können jene Fragen in ersprießlicher Weise ihre Klärung und Beantwortung finden. Zu der Reihe solcher Arbeiten gehört auch der Aufsatz, welcher nächste Veranlassung geworden, daß auch wir versucht haben, unsere Auffassungen der betreffenden Frage darzulegen.

Das in diesem Aufsatze besprochene Thema, die selbstständigen Reiterdivisionen, die Mittel und Wege diesen Divisionen „die so nöthige Selbstständigkeit und Kraft für alle Fälle zu sichern"; ist unter jenen Fragen eine der wichtigsten, da auf diesen Divisionen, dem was dieselben in den nächsten Kriegen leisten werden, wohl für lange Zeit hinaus die Zukunft der Waffe beruhen dürfte. Und nicht allein die Zukunft der Waffe, auch ein wesentlicher Theil des Erfolges der Heere überhaupt. Schon in dem letzten Kriege gegen Frankreich ist es eine, vielfach in ihrer Wichtigkeit für die Zukunft noch nicht hinreichend erkannte, gewürdigte und verstandene Thatsache geworden, daß nur durch die einerseits verhüllende, andrerseits aufklärende Thätigkeit der Reiterei im Großen, mit den heutigen Massenheeren, die Führung eines Belagerungskrieges ermöglicht wird. Viel wichtiger wird diese Verwendungsart der Reiterei, wenn auf gegnerischer Seite dieselbe Waffe ebenso gebraucht wird.

Daß wir in etwa kommenden Kriegen, wenigstens einem Versuche hierzu begegnen werden, dürfte auch wohl der vorurtheilvollsten Anschauung nicht zweifelhaft sein. Ist es daher, nicht allein für die Reiterei in ihrem eigenen Interesse, sondern auch für das Heer im Ganzen und seine Erfolge von höchster Wichtigkeit, daß die für die nöthige Selbstständigkeit und Kraft dieser Waffe erforderlichen Verhältnisse geklärt, die dafür nothwendigen Anordnungen mit allem Nachdruck baldigst zur Ausführung gebracht werden?

In der Waffe lebt hiefür ein volles Verständniß, davon ist auch der beregte Aufsatz ein Zeugniß; möchte das Interesse dafür auch in weiteren Kreisen ein recht lebendiges werden, vielleicht tragen die nachfolgenden Zeilen ein Weniges mit dazu bei.

Auch wir hatten, wie der Verfasser des mehr beregten Aufsatzes, während des letzten Feldzuges das Glück, einer der recht vielfach und vielseitig verwendeten Reiterdivisionen anzugehören und zwar in einer Stellung, welche uns gestattete, hin und wieder einen Blick in das Getriebe der größeren Heeresführung zu thun, ein etwas weiteres Gebiet der großen kriegerischen Thätigkeit zu überschauen, als dies einem Offizier vor der Front in der Regel geboten wird. Wir haben ferner in mehrjähriger Führung einer leichten Schwadron mannigfache Erfahrungen auf dem Gebiete reiterlicher Ausbildung zu machen, Gelegenheit gefunden. Endlich hat die, während des Feldzuges von 1866 von uns bekleidete Stellung es uns gestattet, ein selbstständiges Urtheil über die an einen guten Jäger und Schützen zu stellenden Anforderungen zu gewinnen.

Man möge es uns nicht als Anmaßung auslegen, daß wir uns so gewissermaßen persönlich dem Leser vorzustellen erlaubt haben; es ist geschehen um uns dem Verfasser jenes Aufsatzes gegenüber als einen solchen zu legitimiren, der, wenn auch nicht allzuviel vom reiterlichen Handwerk im besonderen, dem soldatischen im Allgemeinen versteht, so doch mancherlei von beiden gesehen, und hierdurch ein, wenn auch nicht durchweg richtiges, so doch eigenes Urtheil sich zu bilden Gelegenheit gefunden hat. Wir hielten dies für erforderlich, da wir nicht in allen Punkten mit ihm derselben Ansicht zu sein vermögen. Nachdem wir uns so als der Sache mit gleich warmem Herzen ergeben, zu einem Antheil in vielleicht nicht ganz ungleicher Weise berechtigt, kennen gelernt, wird die Verschiedenartigkeit der Ansichten zu weiterer Klärung der Frage, hoffentlich nicht zu einer Mißstimmung führen.

Doch zur Sache!

Die Verwendung der größeren Masse der Reiterei in selbstständigen Divisionen ist nach den Erfahrungen früherer (der napoleonischen) und des letzten Feldzuges, zweifellos die einzige Art, in welcher die Waffe ihrer Eigenthümlichkeit entsprechend, der Armee im Großen und Ganzen von wesentlichem Nutzen sein kann. Es kommt nun darauf an, diesen Reiterdivisionen, durch entsprechende Ausrüstung, durch eine sachgemäße und geschickte Zusammen-

setzung und Gliederung, bei höchster Beweglichkeit, größtmögliche Selbstständigkeit zu geben.

. Die erstere Aufgabe, Erreichung höchster Beweglichkeit, dürfte als gelöst
zu erachten sein, durch die Zusammensetzung und Gliederung, welche mehrere
der 1870 aufgestellten Reiterdivisionen erhalten hatten und welche hoffentlich
maßgebend für künftige derartige Gestaltungen bleiben wird.

Anders stellt sich die Sache bei der zweiten Aufgabe, — Erreichung
größtmöglicher Selbstständigkeit. Das Urtheil aller, in dieser Sache als
kompetent zu erachtenden Stimmen, vereinigt sich darin, daß diese Aufgabe
nur zu lösen sei, indem man die Reiterdivisionen befähigt, ein, wenn auch in
beschränktem Maße, so doch wirksames Feuergefecht zu führen. Wie ihnen
diese Befähigung zu geben, darüber trennen sich die Ansichten.

Die Einen, und mit ihnen der Verfasser des in Rede stehenden Aufsatzes, wollen den Reiterdivisionen, Infanterie-Abtheilungen dauernd zutheilen,
welche auf Wagen befördert werden, um den raschen Bewegungen der Reiterei
folgen zu können. Die Andern glauben, daß es genügt, wenn die Reiterei,
namentlich die leichte, mit einer weittragenden Präcisions-Schußwaffe ausgerüstet, in dem Gebrauche derselben, so wie in dem Gefechte zu Fuß gründlicher ausgebildet wird, als dies bisher geschehen. Wir möchten uns dem
Letzteren anschließen und zwar bei voller Anerkennung des überaus großen
Werthes, welchen eine zweckentsprechende fahrende Infanterie für die
Reiterdivisionen haben müßte, aus dem Grunde, weil wir uns bisher von
der Möglichkeit eine zweckentsprechende fahrende Infanterie herzustellen
nicht haben überzeugen können, aus der Ueberzeugung, daß eine weniger
zweckentsprechende fahrende Infanterie, den Reiterdivisionen eher hinderlich als fördersam sein, ihre Beweglichkeit in einem verhältnißmäßig viel
höherem Maße beeinträchtigen muß, als sie ihre Selbstständigkeit zu fördern
vermag. Die Beweglichkeit halten wir aber für diejenige Eigenschaft der
Reiterdivisionen, welche alle anderen an Wichtigkeit weit überragt. In ihr
beruht bereits ein großer Theil der Selbstständigkeit, ohne sie hören die
Reiterdivisionen, auch bei durch andere Maßnahmen erlangter höchster Selbstständigkeit auf, das zu sein, was sie sein sollen und müssen, das Auge und
Ohr, die stets bereite schneidigste Waffe des Feldherrn, wenn es sich darum
handelt errungene Erfolge auszubeuten.

Auch der Verfasser jenes Aufsatzes hat uns durch seine eingehende mit
kavalleristischer Frische geschriebene Auseinandersetzung nicht davon zu überzeugen vermocht, daß eine zweckentsprechende fahrende Infanterie herstellbar,
welche nicht der Reiterei verhältnißmäßig mehr hinderlich als fördersam
ist; daß andrerseits eine sachgemäße Bewaffnung und Ausbildung der Reiterei
für das Fußgefecht, nicht ohne Ueberbürdung der Mannschaften, ohne Nach-

theil für den reiterlichen Geist möglich, daher durch eine solche der vorliegende Zweck nicht leichter und einfacher zu erreichen sei.

Gehen wir zunächst auf einige Punkte seiner interessanten Darstellung
näher ein, um hieran eine Entwickelung unserer Ansichten darüber zu
knüpfen, was wir unter einer zweckentsprechenden fahrenden Infanterie
verstehen; welche wesentlichen Hindernisse sich der Errichtung einer solchen
nach Prüfung aller einschlagenden Verhältnisse entgegenstellen; welch' eine
Last selbst eine zweckentsprechende fahrende Infanterie immer noch für die
Reiterdivisionen bleibt. Weiter, um dasjenige anzuführen, was unserer Auffassung nach für die Möglichkeit, die Zweckdienlichkeit, einer vollkommneren Ausbildung und einer dem entsprechenden Verwendung der Reiterei für das Gefecht zu Fuß spricht.

In den Abschnitten in welchen uns Verfasser mit kurzen charakteristischen
Zügen eine farbenreiche Skizze von den Leistungen seiner Division während
des Vormarsches von Metz nach Sedan entwirft, giebt er gleichzeitig durch
seine Darstellung den Beweis dafür, daß selbst eine durch vorhergegangene
ernste und verlustreiche Gefechte mitgenommene Reiterdivision, wie die 5. nach
dem glorreichen Tage von Bionville und Mars la Tour, auch ohne Infanterie vollkommen im Staude ist, ihre Aufgabe zu erfüllen, d. h. einen
für den Gegner undurchdringlichen Schleier vor den Bewegungen des eigenen
Heeres zu ziehen, die des Feindes aber gründlich zu erforschen. Und das nicht
etwa gegenüber von Franktireur-Banden und bewaffneten Bauern, sondern
gegenüber einer regulären mit zahlreicher Reiterei versehenen Armee, einer
Reiterei, die, wenn auch der unsern an Beweglichkeit und Verständniß für
ihre Aufgaben nicht gewachsen, doch wiederholt nicht ganz erfolglose Versuche
machte, jenen Schleier zu zerreißen.

Welche Anstrengungen, ja selbst Opfer ein derartiger Dienst der Reiterei
auferlegt, kann nur beurtheilen, wer solche Zeitabschnitte, wie der in Rede
stehende, selbsthandelnd mit durchlebt. Aber sind wir denn nicht dazu da,
um uns anzustrengen, ja nöthigenfalls zu opfern? Die Anstrengungen sind
bald vergessen, in ihren unleugbar nachtheiligen Folgen bald mehr oder minder überwunden, die gebrachten Opfer verlieren bald das Ungeheuerliche
ihres ersten Eindruckes, wenn der Erfolg ein günstiger ist. Bestätigt die
fernere Erzählung von dem, was die 5. Kavallerie-Division im weiteren
Verlaufe des Feldzuges noch zu leisten vermochte, nicht am besten diese
unsere Behauptung? „Jene unter den Sätteln fast faulenden Gäule", trugen
ihre Reiter noch auf manch' schwerem Ritt bis in den fernen Westen Frankreichs. Jene vor Sedan geforderten und geleisteten Dienste waren doch nicht
in dem Maße „zu viel für Mann und Roß", geworden, als daß dieselben
nicht noch wiederholt, ähnlichen Anforderungen gegenüber, Aehnliches zu leisten
vermocht hätten.

Wo Holz gehauen wird, da fallen Späne, sagt ein altes Sprüchwort! Die Truppe, welche im Kriege gebraucht wird, wird dadurch auch theilweise verbraucht. Und sollte dieser Verbrauch sich auch von einem theilweisen bis zu gänzlichem steigern, so hat dies Nichts zu bedeuten, wenn dadurch wie hier, ein großer Zweck erfüllt, ein großes Ziel erreicht worden. Freilich, geschieht ein solcher bis zum Verbrauch sich steigernder Gebrauch zwecklos oder in Folge fehlerhafter Anordnungen und Maßregeln, mangelnden Verständnisses für die Sache, dann ist er frevelhaft, jeder Führer einer Truppe berechtigt, ja verpflichtet gegen einen solchen Gebrauch sich mit Aufbietung aller ihm dienstlich zu Gebote stehenden Mittel zu sträuben.

Diese Führer der Truppen bis hinauf zu den höchsten Stellen, die Organisatoren der Heereskörper, sind aber freilich andererseits auch verpflichtet, durch alle ihnen zur Verfügung gestellten Mittel der Führung und Organisation, dafür Sorge zu tragen, daß bei einem derartigen Gebrauch der Truppe für große Zwecke, der Verbrauch auf das möglichst geringste Maß beschränkt werden kann. Rechtzeitige Ruhe und Pflege wird gewiß wesentlich dazu beitragen, das angedeutete richtige Verhältniß zwischen Ge- und Verbrauch herzustellen, jene rechtzeitige Muße und Pflege werden wiederum vornehmlich durch eine geschickte, den bezüglichen Anforderungen entsprechende Gliederung und Zusammensetzung der Truppenkörper, auch unter schwierigen die Kräfte sehr in Anspruch nehmenden Verhältnissen, zu ermöglichen sein.

Es war im Wesentlichen wohl das Bewußtsein dieser Verpflichtungen, welches die Führer der 5. Kavallerie-Division in jener Zeit vor Sedan nach „etwas Infanterie seufzen" ließ, als ihre Truppe gründlich ge- und theilweise auch verbraucht wurde, durch den von ihr geforderten anstrengenden Dienst. Wir finden diesen Seufzer sehr erklärlich, auch in unserm Busen ist er während des Feldzuges wiederholt aufgestiegen, und haben wir ihm des Oesteren an entscheidender Stelle Ausdruck zu leihen Veranlassung gehabt, freilich größtentheils vergebens; dennoch ist es auch da, wo wir waren, gegangen ganz ohne jede Infanterie in erreichbarer Nähe, und zwar zeitweise einer ganzen feindlichen Armee gegenüber.

Ob nun aber ein fahrendes Bataillon, den Grund jener nicht ganz unberechtigten Seufzer beseitigt, ob ein solches genügt hätte, um jene „erhebliche Erleichterung" zu gewähren, welche unser Kamerad von der 5. Division sich von einem solchen verspricht, ob ein solches überhaupt hierzu in ausreichendem Maße befähigt ist, das erscheint uns nach den Erfahrungen, welche wir zu machen Gelegenheit gehabt, mindestens zweifelhaft.

Sehen wir einmal näher zu, wie unser Verfasser sich die Verwendung dieses Bataillons vorstellt. Er schreibt: „Nur eine Kompagnie Schützen, den Sicherheitsmaßregeln für die Nacht beigegeben, das Bivouakiren des

Reſtes in Repliform, eine Beſetzung der leicht verbarrikadirten Ausgänge der
Orte oder Defileen, hätte das Abſatteln und die damit nöthige Ruhe der
Thiere ermöglicht".

Die 5. Kavallerie-Diviſion zählte in 3 Brigaden 9 Reiter-Regimenter
und 2 reitende Batterien; dieſe waren in jenen Tagen ſtets auf ein Terrain
von mehreren Meilen vertheilt und fanden dem entſprechend für die Nacht in
zahlreichen Ortſchaften ihr Unterkommen. Hätten unter dieſen Umſtänden
die 4 Kompagnien nur eines Bataillons ausgereicht, um jene vom Verfaſſer
gewünſchte Verſtärkung zu gewähren? Wo hätte das von ihm gewünſchte
Repli hergenommen werden, wo auf der Meilen langen Strecke ſeine Aufſtellung finden ſollen? An einer ſpäteren Stelle ſagt er ſelber: „Auch müſſen
ſich die Führer der Kavallerie hüten, dieſe Kraft zu zerſplittern, um in
kleinen Abtheilungen bataailliren zu können. Dieſe Infanterie iſt zu koſtbar
um ſie an kleine Erfolge zu verwenden. In einer ſtarken Defenſive oder
in einem ſcharfen Druck auf den Schlüſſel der feindlichen Stellung wird ſie
Großes leiſten können."

Wäre das nun nicht ein Zerſplittern geweſen, wenn das Bataillon in
der weiter oben geforderten Weiſe verwendet worden? Hätte es in dieſer
Zerſplitterung nicht ſeine Kräfte an kleine Erfolge ſetzen müſſen, ſobald
der Feind die für ſo erwünſcht, ſo nöthig erachtete Ruhe der Kavallerie zu
ſtören verſuchte? Wollte der Verfaſſer ſich dieſes Bild in der angedeuteten
Weiſe weiter ausmalen, er würde, ſind wir überzeugt, mit uns zu dem Ergebniß gelangen, daß ein Bataillon hier, ja in den bei weitem meiſten Fällen,
nicht genügt, um der Reiterdiviſion eine Sicherheit, einen Halt zu geben,
welcher weſentlich größer iſt als der, welchen ſie in ſich ſelber zu finden vermag. Wir ſind ferner aber auch überzeugt, daß er uns beiſtimmen wird,
wenn wir annehmen, daß ein Bataillon das höchſte Maß deſſen iſt, was
eine Reiterdiviſion an Infanterie, ſelbſt auf Wagen, mit ſich führen darf,
ohne die ihrer Eigenſchaften gänzlich einzubüßen, welche er mit uns ſicher-
lich für eine der wichtigſten hält, die Beweglichkeit.

Andrerſeits giebt er ſelber zu, daß es ſeiner Diviſion auch ohne Infanterie gelungen, ſich bei genügender Sicherheit die erforderliche Ruhe zu
ſchaffen, indem er uns erzählt: „da die phyſiſchen Strapazen zu groß wurden,
mußte endlich dazu (nämlich zum Abſatteln) geſchritten werden, wollte die
Diviſion nicht jede Gefechtsthätigkeit verlieren. Um ſeine Aufgabe zu erfüllen, war man bereit ſich zu opfern". (Wir haben weiter oben bereits ausgeſprochen, wie wir über dieſes opfern denken. Der Verfaſſer wird mit uns
übereinſtimmen, wenn wir in der von ihm betonten Bereitwilligkeit ſich zu
opfern, nur eine Pflichterfüllung, kein beſonderes Verdienſt ſehen.) „Wo
es irgend thunlich, wurde die Sicherheit in den Ortſchaften durch abgeſeſſene
Mannſchaft, welche die Zugänge beſetzte und durch Patrouillen ins Vor-

terrain möglichst hergestellt. Diese Patrouillen ins Vorterrain sind eine herrliche, kaum genügend geschätzte Sicherheitsmaßregel und haben sich überall vortrefflich bewährt, ganz besonders in dem späteren Franktireurkriege in der Normandie."

Wir ergreifen diese Gelegenheit, um auch unsrerseits diese weit ausgreifenden Patrouillen in das Vorterrain als eine ganz vortreffliche Sicherheitsmaßregel, namentlich für die Reiterei, wenn sie auf sich allein angewiesen ist, angelegentlichst zu empfehlen. Sie sichern, indem sie erkennen und ermöglichen ausschließlich sowohl eine ungestörte Ruhe, als die rechtzeitige Anordnung entsprechender Maßregeln gegen feindliche Unternehmungen, welche die Störung jener Ruhe zum Zweck haben. Stehende Vorposten allein können bei viel stärkerem Kräfteverbrauch, beides nicht in gleichem Maße leisten, bei richtiger Anordnung eines derartigen Patrouillenganges aber wesentlich verringert werden. Dies fällt aber bei der Reiterei ganz besonders in's Gewicht, da ihre Kräfte außer durch häufiges Bivouakiren durch Nichts so heruntergebracht werden, als durch den Dienst der stehenden Vorposten, namentlich bei Nacht.

Aber der Verfasser will sein Bataillon nicht allein in der Defensive, sondern auch für die Offensive verwerthen und führt zur Erläuterung seiner darauf bezüglichen Forderungen folgendes thatsächliche Beispiel an: „Als die Avantgarde der Brigade Barby (Oldenburgische Dragoner Nr. 19) am 26. August bei Grand Pré auf die Arrieregarde der Mac Mahon'schen Armee stieß, war es leider in dem stark koupirten Terrain absolut unmöglich, ein Gefecht zu entriren. Durch wenige Jäger, welche das starke Bergdefilee vor Grand Pré besetzen und der Division einen Halt geben konnten, wäre ein tüchtiges Engagement, als würdiges Vorspiel für Sedan ermöglicht gewesen."

Der Paß von Grand Pré war am 26. August französischerseits besetzt durch die 1. Brigade Bordas der 3. Infanterie-Division Dumont des 7. Korps Douay, in der Stärke von 2 Infanterie-Regimentern (52. und 72. der Linie) und 2 Batterien. Sollten wenige Jäger, wir wollen selbst sagen ein ganzes Bataillon, wohl genügt haben, diese feindliche Abtheilung in dem der Infanterie und Artillerie so günstigen, der Reiterei so ungünstigen Wald- und Berg-Terrain nördlich der Aisne, speziell bei Grand Pré, in einer Weise festzuhalten, daß die Kavallerie-Division ein tüchtiges Engagement mit ihr einleiten konnte? Wir haben nach genauer Prüfung der beiderseitigen Verhältnisse diese Ueberzeugung nicht gewinnen können. Doch der Verfasser urtheilt nach eigener Anschauung, wir nur nach Berichten, und wollen wir uns daher in Betreff der Möglichkeit eines solchen Engagements seiner Ansicht fügen. Was, aber fragen wir, hätte dieses Engagement hier nützen sollen? Den Feind zu allarmiren, ihn an Unternehmungen gegen unsere Armee zu hindern, dieser Zweck war durch das bloße Erscheinen der 5. Kavallerie-Division, oder vielmehr einer ihrer Brigaden, — Barby —, vor Grand Pré, vollkommen erreicht. General Bordas meldete sofort an seinen Korps-Kommandanten, er befände sich sehr überlegenen (très supérieures) feindlichen Streitkräften gegenüber und gedächte sich zurück zu ziehen. General Douay beschloß in Folge dieser Meldung zur Unterstützung seiner Avantgarde nach Longwé zu marschiren. Andrerseits blieb die verhältnißmäßige Schwäche der preußischen Truppen dem im ersten Augenblicke überraschten französischen General nicht lange verborgen, denn er meldet noch am Abend desselben Tages, die Schätzung der vor ihm befindlichen feindlichen Streitkräfte sei übertrieben (exagéré) gewesen. Was hätte, fragen wir ferner, unter diesen Umständen, auch durch ein tüchtiges Engagement erreicht werden können? Selbst wenn wir annehmen wollen, daß es bei der damals bereits hervortretenden Muthlosigkeit der französischen Truppen, einer sehr viel schwächeren Infanterieabtheilung gelungen wäre der Kavallerie den Halt zu geben, welcher ein solches Engagement ermöglichte, so hätte Letztere vielleicht einige Gefangene gemacht, selbst einige Geschütze genommen, wäre im weiteren Verlauf aber höchst wahrscheinlich, durch das Herankommen des Generals Douay, in dem ihr, wie bereits erwähnt, äußerst ungünstigen Terrain in die Lage gekommen die erlangten Vortheile sehr theuer bezahlen zu müssen. Ihre fernere in dieser Zeit äußerst wichtige Thätigkeit hätte dadurch wesentlich in Frage gestellt werden können.

Bei dem Aufklärungs- und Sicherheitsdienste dürfen die Reiterdivisionen das Gefecht zwar nicht ängstlich scheuen, müssen ein solches sogar mit allem Nachdruck einleiten und durchzuführen suchen, wenn sie anders ihre Aufgabe, je nachdem zu sehen oder zu verhüllen, nicht erfüllen können. Gefechte suchen, nur um kleine Erfolge zu erlangen, namentlich, wenn der Ausgang dieser Gefechte sich von vorne herein als zweifelhaft erweist, ist jedoch für sie ein großer Fehler, da die Lücken, welche dadurch in dem Beobachtungskreise entstehen, daß sie bedeutende Verluste erleiden oder gar ganz aufgerieben werden, schwer wieder zu schließen sind, für die Armee verhängnißvoll werden können. Sie sollen zunächst dem Feinde dadurch Abbruch thun, daß sie ihn beunruhigen, seine Maßregeln erforschen, ihn daran hindern die unsern zu erkennen. Ihm ernstlichere Verluste zuzufügen, das steht erst in zweiter Linie, darf nur geschehen, wenn sich günstige Gelegenheiten dazu bieten, ohne die eigene Sicherheit dadurch zu gefährden.

Etwas anderes ist es, wenn Reiterdivisionen mit dem besonderen Auftrage entsendet werden, den Feind an einer bestimmten Stelle zu schädigen, dann ist das Hauptzweck und, ob sie bei Erfüllung desselben große Verluste erleiden oder auch gänzlich zersprengt werden, ist in solchem Falle unwesentlich.

In beiden Fällen aber werden ihre eigenen Kräfte, richtig verwendet genügen, die Beigabe von Infanterie mehr ein Hemmschuh als eine Erhöhung ihrer Leistungsfähigkeit sein.

Was nun das weitere der neuesten Kriegsgeschichte entnommene Beispiel betrifft, — die Möglichkeit dem von Mezières auf Paris zurückgehenden General Vinoy den Weg derart zu verlegen, „daß das 6. Armee-Korps auch diese letzten Trümmer der französischen Armee einzusacken" vermochte, so sind dem Verfasser hierbei einige kleine Irrthümer mit untergelaufen. Zunächst war es nach französischen und deutschen Berichten der 2. und nicht der 3. September, an welchem die eben angedeutete Möglichkeit obwaltete; an diesem Tage früh Morgens erreichte General Vinoy, Launois auf der Straße Sedan—Rethel belegen, mit 10½ Bataillonen, 12 Batterien und dem 6. Husaren-Regimente, wohl nicht viel über 10,000 Mann*) und nicht 30,000, wie Verfasser glaubt. Die Patrouillen der 6. Kavallerie-Division hatten diesen Marsch des französischen Generals bereits von Mezières her beobachtet, und wurden entsprechende Mittheilungen darüber an die bei Tourteron stehende 5. Kavalleriedivision gemacht. In Folge dessen brachen zwei Brigaden dieser Division die 12. Bredow und 13. Redern, jede mit einer der beiden der Division zugehörenden reitenden Batterien gegen die genannte Straße hin auf. Die 12. Brigade wurde zuerst von Puzieux aus der feindlichen Kolonne ansichtig, beschoß dieselbe aus der bei sich habenden reitenden Batterie, 1/IV., mußte aber vor dem Feuer überlegener Artillerie, welche der Feind entwickelte, ausweichen. Derselbe hatte mit seiner Spitze mittlerweile Saulces aux Bois erreicht. Die 13. Brigade war nach Chateau Bauzelles auf der großen Straße gelangt, beschoß von hier aus durch die reitende Batterie 2/X. den Feind bei Saulces, zwang ihn dadurch seinen Marsch ausweichend auf Novion Porcien zu richten und verfolgte ihn bis dort hin, von wo er bei Nacht und Nebel aufbrach und auf Umwegen nach Chaumont Porcien entkam. Die 5. Kavallerie-Division war also doch dem Feinde gegenüber nicht so „völlig machtlos", wie Verfasser annimmt, hat auch 12 und nicht 6 Geschütze zur Stelle gehabt. Wir können uns nach dieser Sachlage auch hier nicht davon überzeugen, daß ein der Kavallerie beigegebenes Bataillon wesentlich bedeutendere Erfolge herbeigeführt haben würde. Denn wenn Vinoy auch nicht 30,000 Mann mit sich führte, wie Verfasser annimmt, so befanden sich doch unter seinen 10,000 Mann die beiden Linienregimenter 35 und 42, deren vortreffliche Haltung er ganz besonders rühmt, worin man ihm um so eher einigen Glauben schenken kann, als er ganz offen die geringe Gefechtsfähigkeit seiner übrigen Truppen zugesteht. Außer-

---

*) Vinoy's siége de Paris. pag. 62. etc.

dem führte er 72 Geschütze bei sich, welche gut bespannt und reichlich mit Munition versehen waren.

So hinderlich nun auch diese Masse Artillerie seinem Marsche war, gewährte sie ihm anderntheils doch, namentlich im Verein mit seinen beiden Linienregimentern eine große Vertheidigungsfähigkeit, welche ein einzelnes Bataillon wohl kaum sehr beeinträchtigt hätte. Im Uebrigen genügten die beiden Reiterbrigaden mit ihren Batterien, nach des französischen Generals eigener Darstellung, vollkommen, um ihn aufzuhalten und zum Ausweichen zu veranlassen.

Und wie hätte nun ein Bataillon, wäre es wirklich bei der 5. Kavallerie-Division vorhanden gewesen, in dem vorliegenden Falle verwendet werden sollen? Sollte jede der beiden Brigaden einen Theil desselben erhalten haben? Das wäre eine Zersplitterung gewesen, die ja auch unser Verfasser mit dem Anathem belegt. Wenn dies nun also nicht, welcher Brigade sollte das Bataillon zugetheilt werden? Konnte man bei Entsendung dieser Brigaden bereits mit Gewißheit voraussehen, welche von ihnen dem Feinde in einer Lage begegnen würde, in der sie von der Unterstützung durch das Bataillon wesentlichen Nutzen gehabt hätte?

Wir haben diese Fragen nur aufgeworfen, um durch dieselben anzudeuten, wie schwierig die jedesmalige richtige Verwendung eines, einer Reiterdivision beigegebenen Bataillons ist, wie wenig nur e i n e s dergleichen in den bei weitem meisten Fällen genügt, um jener Division von nachhaltigem Nutzen zu sein.

Auch hier hat die Reiterei ohne Infanterie, aber in Verbindung mit a u s r e i c h e n d e r reitender Artillerie — wir verstehen hierunter 1 Batterie per Brigade, wie auch die Divisionen sämmtlicher europäischen Kavallerien, mit Ausnahme der deutschen, ausgerüstet sind — geleistet, was man unter den gegebenen Verhältnissen von ihr erwarten und verlangen konnte.

Am 3. September marschirte die 5. Kavallerie-Division, — doch sicherlich auf Grund höherer Befehle — über Rethel bis in die Gegend von Tagnon auf der großen Straße nach Reims, also in einer ganz entgegengesetzten Richtung von der, welche Vinoy eingeschlagen, und war es ihr aus dieser Lage heraus nicht mehr möglich, etwas Weiteres gegen ihn zu unternehmen.

Die Stellungen der 5. Kavallerie-Division westlich Versailles, mit dem Zwecke, die Einschließung von Paris nach dieser Seite hin zu decken, geben dem Verfasser des Ferneren Veranlassung, seinem Wunsche nach einer dauernden Verbindung der Reiterdivisionen mit Infanterie Ausdruck zu geben. Geleiten wir ihn auch hier bei seinen Betrachtungen.

Die 5. Kavallerie-Division mußte „als die Franktireurwirthschaft in der Normandie losging"; fliegende Kolonnen bilden und mit diesen Streifzüge

machen. Diesen fliegenden Kolonnen wurden „einige hundert Bayern," beigegeben. Da war ja also Infanterie. Verfasser meint aber „die Langsamkeit dieser Infanterie habe jeden Coup vereitelt". Warum setzte man dieselbe dann nicht zeitweise auf Wagen? nahm einige derselben auf den
Protzen der Geschütze mit? Eine reitende Batterie kann unserer Erfahrung
nach, 30 Infanteristen ohne jede Unbequemlichkeit auf Strecken von mehreren
Meilen, auf nicht zu schlechten Wegen mitführen.

Würde ein Bataillon, von welchem, bei der Verwendung der Verfasser
ihm auch zur Deckung der Kantonnements geben will, nur immer ein Theil
für solche „Coups" zur Verfügung stände, — würde ein solcher Theil genügt
haben; „den Feind aus den festen Euredefileen bei Dreux zu werfen?" Diese
Defileen der Art zu besetzen, daß sie nicht dauernd gefährdet blieben? Welches
Letztere doch nothwendig gewesen wäre, sollte seine Arbeit des Hinauswerfens
sich nicht alle Augenblicke wiederholen. Wir glauben dies, nach unsern Erfahrungen in ähnlichen Verhältnissen nicht, sind vielmehr überzeugt, die Kavallerie-Division würde, mit nur einem, wenn auch fahrenden Bataillon,
sich ebenfalls haben darauf beschränken müssen „dieser festen Position gegenüber an der Eure Aufstellung zu nehmen." Und was that nun diese Division ohne ein solches Bataillon? Lesen wir was der Verfasser selber
hierüber erzählt:

„Die Kavallerie blieb sich selbst überlassen und erfüllte, dem Feinde
Monate lang dicht auf dem Leibe, die an sie gestellten Ansprüche!"

Kann man mehr thun? Kann man mehr leisten? Und wenn man das
aus eigener Kraft ohne anderweite Hülfe kann, soll man sich dann eine
solche Hülfe erbitten?

Wir könnten uns versucht fühlen, an dieser Stelle, im Vollgefühl der
Leistungsfähigkeit unserer Waffe, welche sich in dem letzten Feldzuge allseitig
so glänzend bewährt, einen dithyrambischen Ton anzuschlagen, von der
Sprache des Dichters den Reichthum der Bilder, die Freiheit des Ausdrucks
zu entlehnen. Vor unserem geistigen Auge steigt das Bild jenes weiten Bogens
herauf, welchen die preußischen Reiterschaaren zogen, allein auf ihre schnellen
Rosse, ihr weit sehendes Auge, ihr scharfes Schwert angewiesen, zogen um
die Belagerungsarmee von Paris, von den Ufern der Loire, über die Seine
hinweg bis an die Gestade des Kanals. Jede Bewegung des Gegners er-
spähend, alle seine Entsatzversuche dadurch vereitelnd, daß sie stets rechtzeitig
der oberen Heeresführung die nöthige Kunde gaben, um entsprechende Gegen-
maßregeln anzuordnen. Und mit diesem Bilde erfüllt Stolz auf jene Leistungsfähigkeit die Seele, der Wunsch, dieselbe nicht selbst zu schmälern, indem wir eine Unterstützung erstreben, deren wir nicht bedürfen, wenigstens
nach diesen Erfahrungen nicht.

Daß der Angriff auf die festen Ortschaften und Fermen, welche zu seiner Zeit niedergebrannt werden mußten, um sie unschädlich zu machen, in Verbindung mit Infanterie eine „andere Gestalt" genommen hätte, wer wollte das bestreiten; daß aber jenes Niederbrennen, welches wir mit dem Verfasser als eine traurige Nothwendigkeit des Krieges tief beklagen, dadurch hätte vermieden werden können, bezweifeln wir. Ein Bataillon, welches nebenbei noch Unternehmungen mitmachte, die Kantonnements von 9 Kavallerie-Regimentern decken sollte, konnte doch wohl kaum auch noch alle jene fortartigen Oertlichkeiten der Art besetzen, daß sie dem Feinde nicht mehr zum Vortheil, uns zum Nachtheil dienten.

Der Feind geht am 14. November vor, „in hellen Haufen, sogar mit Geschützen, tanzt er über die Eure, die Kavallerie, diesen Augenblick längst erwartend," wird über den Haufen gerannt, in alle Winde zerstreut; sollten wir glauben! — Mit Nichten — sie mußte nur „die Städte räumen"! Sie hatte also bisher, trotz der drohenden Gefahr, auch ohne Infanterie, ganz behaglich in Städten gelegen, — wie wir Reiter alle zu jener Zeit und unter ähnlichen Verhältnissen. Doch sehen wir was weiter geschieht. „Schleunigst wurde Garde-Landwehr der Division zu Hülfe gesendet. Als die Franzosen durch die ersten, wenngleich sehr indirekten Erfolge und unsere passive Haltung" — in wie weit eine solche nothwendig gewesen, entzieht sich unserer Beurtheilung — „enkouragirt am 16. nochmals angriffen, wollte ihr Pech, daß grade im richtigen Moment die Infanterie eintraf, um ihnen bei La Bergère einen tüchtigen Echec beizubringen. Die Kavallerie, namentlich 13. Ulanen und 19. Dragoner, nahm mit glänzendem Erfolge die Verfolgung auf und versalzte ihnen auf lange Zeit derartige Fortschrittsgelüste!" Also wiederum einmal ohne fahrende Infanterie glänzende Erfolge von nachhaltigem Werthe. Und weiter: „Am 17. gingen wir, unterstützt vom Herzog von Mecklenburg" — soll wohl heißen, seiner Division, denn er persönlich war zu jener Zeit nicht da, und führte General-Major v. Schmidt die Division; oder ist die Armee-Abtheilung des Großherzogs gemeint? — „auf beiden Seiten der Eure zum Angriffe vor. Das glückliche Gefecht bei Dreux warf sie — die Franzosen — aus allen Positionen und die 5. Kavallerie-Division setzte die Verfolgung bis dicht vor Evreux fort, wo sie abermals Position nahm."

Und das Alles zum so und so vielsten Male, ohne fahrende Infanterie.

Der Zweck war vollkommen erreicht. Die Reiterei hatte die Bewegungen des Feindes so rechtzeitig erkannt, daß die nunmehr nothwendige Verstärkung durch Infanterie grade im richtigen Zeitpunkte eintreffen, den Feind zurückwerfen und so der Reiterei wieder Gelegenheit zu kühner und wirksamer Verfolgung geben konnte.

Später in der von Wällen und Hecken durchzogenen waldreichen Perche, sieht Verfasser in der Anwesenheit von Infanterie die ausschließliche Möglichkeit der Existenz für die Reiterei, gesteht aber doch auch zu, daß jene Infanterie, vermöge ihrer Langsamkeit „einige sehr hübsche Coups unmöglich machte."

„In Lamenay, erzählt er uns, schoß man den oldenburgischen Dragonern in die Ställe; eine Kompagnie Infanterie, welche gleich darauf eintraf, schaffte Ruhe. Die Dragoner ließen sich durch solche Scherze nicht weiter stören." Das glauben wir gerne. Auch wir haben uns lange Zeit, den ganzen Herbst und Winter über, in jenen Gegenden umhergetummelt und hierbei wahrzunehmen Gelegenheit gehabt, wie die Reiterei auch ohne Infanterie sich an dergleichen Verhältnisse gewöhnt, sie zu beherrschen lernt, namentlich, wenn sie mit einer guten Schußwaffe versehen ist. Wir sind daher überzeugt, die oldenburgischen Dragoner hätten in Lamenay Ruhe geschafft, auch wenn jene Kompagnie nicht eingerückt wäre. Freilich riefen diese Verhältnisse manches Ach und Weh, manche Seufzer nach Verstärkung und Unterstützung, ja selbst manches anfängliche Sträuben gegen die zu ihrer Bewältigung höheren Ortes getroffenen Anordnungen hervor. Aber wollte man im Kriege jedem derartigen Seufzen und Sträuben gleich in vollem Maße Rechnung tragen, würde man sehr bald mit den vorhandenen Mitteln nicht mehr ausreichen, das Kriegführen überhaupt aufgeben müssen, welches nun einmal mancherlei Unzuträglichkeiten, Unbequemlichkeiten, ja unleugbar auch Gefahren in seinem Gefolge hat.

Fassen wir nun unsere Ansichten bezüglich der Zutheilung von Infanterie zu den Reiterdivisionen kurz zusammen, so gelangen wir zu dem Ergebniß, daß Infanterie für die Reiterdivisionen, wenn diese sich auf Unternehmungen zur Sicherung des eigenen Heeres, zur Erkennung der feindlichen Maßregeln befinden, öfters erwünscht, bisweilen nützlich, nie nothwendig werden kann. Der Verfasser hat uns hiezu in seinen Andeutungen zahlreiche neue Beläge für die eigenen Erfahrungen gegeben. Die Infanterie kann aber unter Umständen, namentlich, wenn sie dauernd mit der Reiterei verbunden ist, in höchstem Maße hinderlich für dieselbe werden.

Selbst in der Gestalt als fahrende Infanterie, steht die Last, welche sie dauernd auferlegt, in keinem richtigen Verhältnisse zu dem Nutzen, welchen sie immer nur in vereinzelten Fällen zu gewähren vermag, namentlich nur ein Bataillon; und mehr noch mitzuführen, wird doch kaum Jemand empfehlen, mag er für die Sache an sich auch noch so eingenommen sein.

Anders gestaltet dies Verhältniß sich, wenn die Reiterdivisionen dazu verwendet werden, größere Landstrecken längere Zeit hindurch festzuhalten. Dann freilich ist die Unterstützung durch Infanterie eine unerläßliche Nothwendigkeit. Eine derartige Aufgabe kann aber den Reiterdivisionen doch nur im Anschlusse an größere Heeresstellungen zufallen. Hierdurch ist aber auch wieder die Möglichkeit gegeben, für solche Zeiten aus diesen Heeresstellungen Infanterie in die der Reiterdivisionen vorzuschieben, wie dies ja auch that-sächlich stets geschehen, und zwar immer rechtzeitig, wie auch die von dem Verfasser angeführten Beispiele beweisen.

Es erübrigte uns nun noch nachzuweisen, worin die Gefahr beruht, welche wir in der dauernden Verbindung der Reiterdivisionen mit Infanterie — welche selbstverständlich nur fahrende sein könnte — für die Beweglichkeit der Ersteren finden zu müssen glauben, eine Gefahr, welche wir für so groß halten, daß dieselbe durch die Vortheile, welche eine solche Vereinigung un-fehlbar in manchen Beziehungen gewährt, nicht aufgewogen wird.

Betrachten wir zu diesem Zweck ein wenig näher die Organisation eines solchen fahrenden Bataillons, die Schwierigkeiten welche aus derselben für eine Reiterdivision erwachsen, welcher ein solches Bataillon dauernd zugetheilt würde.

Eine Infanterieabtheilung, welche die Reiterdivisionen begleiten soll, muß fahren, und zwar nicht etwa auf erst zu requirirenden Bauerwagen — welche Maßregel vorübergehend auf kurze Strecken von Nutzen sein kann, wenn es sich nur darum handelt einen gewissen Punkt möglichst schnell zu erreichen — sondern ihre Fuhrmittel müssen militairisch organisirt, in ihrer Einrich-tung und Bespannung auf die Dauer eines längeren Feldzuges berechnet sein. Verfasser theilt in seinem Aufsatze mit, daß er sich im Besitze einer Zeichnung befinde, welche der Hofwagenfabrikant S. Neuß zu Berlin für einen Wagen entworfen, der 26 Mann, deren Gepäck so wie eine Kochvor-richtung trägt, nur 4 Pferde zu seiner Fortbewegung bedarf und der Reiterei überall hin folgen kann.

Bei aller Hochachtung vor der allgemein bekannten Meisterschaft des genannten Fabrikanten, hegen wir doch einiges Mißtrauen gegen die Dauer-haftigkeit und deshalb Brauchbarkeit seines Wagens für Kriegszwecke. Er-fahrungsmäßig erfordern Kriegsfahrzeuge — und das würden diese Wagen doch immer sein müssen — eine ganz ungewöhnliche Dauerhaftigkeit, da für ihre Schonung und Erhaltung, bei rücksichtslosestem Gebrauche in der Regel nichts geschehen kann.

Wir sahen Postgepäckwagen, doch gewiß dauerhaft gebaut, welche von einzelnen Offizieren für Bagagezwecke verwendet, also nicht entfernt den An-forderungen unterworfen waren, welche an die Transportwagen fahrender Infanterie gestellt werden müßten, in verhältnißmäßig kurzer Zeit vollkommen unbrauchbar werden.

Männer, welche mit der Einrichtung des artilleristischen Materials ver-traut sind und an welche wir uns gewendet hatten, um Auskunft über die

Herstellbarkeit eines für den mehr beregten Zweck verwendbaren Wagens zu erhalten, gaben die Antwort, daß ein solcher nur ür höchstens 25 Mann und dann auch nur mit verhältnißmäßig geringer Lenkbarkeit herzustellen sei. Die Herstellung eines Fahrzeuges für eine größere Mannschaftszahl stößt auf unüberwindliche technische Schwierigkeiten. Soll dasselbe eine größere Lenkbarkeit erhalten, kann es um so viel weniger Mannschaften aufnehmen.

Das Gewicht eines solchen, auf Art der Feuerwehrwagen eingerichteten und für 25 Mann berechneten Fahrzeuges, würde ohne Belastung mindestens 18 Ctr. betragen. Hierzu das Gewicht jedes einzelnen Mannes mit Gepäck, Waffen und Munition, auf durchschnittlich je 2 Ctr. berechnet, ergiebt für 25 Mann weitere 50 Ctr., also für das belastete Fahrzeug 68 Ctr. Ein solches Fahrzeug mit sechs Pferden bespannt, hätte nur die halbe Beweglichkeit eines Feldgeschützes, indem das einzelne Pferd das Doppelte von dem Gewicht in Bewegung zu setzen hätte, welches dem Artilleriepferde aufgebürdet wird. Ein solches Fahrzeug würde daher mit dieser Bespannung nur auf festen Wegen fortgesetzt im Trabe zu bewegen sein, auf tiefen Wegen oder gar außerhalb aller Wege, selbst im Schritt, sehr bald stecken bleiben.

Dies die Ansichten der Männer, welche in dieser Hinsicht über eine ebenso vielseitige als gründliche kriegerische Erfahrung verfügen.

Doch sehen wir hiervon ab und betrachten uns das fahrende Bataillon, wie es sich mit den vom Verfasser in Vorschlag gebrachten Wagen gestalten würde. Von denselben würden für jede Kompagnie 10, für das Bataillon 40 erforderlich sein. Diese 40 Wagen bedürfen zu ihrer Beförderung 160 Pferde. Außer denselben würden dem Bataillon nachfolgen müssen:

1 Munitionswagen mit 6 oder 4 Munitionskarrren mit je 2, in Summa 8 Pferden.

4 Kompagnie-Packkarren mit je 2, in Summa 8 Pferden.

An Reitpferden würden hinzutreten: für den Kommandeur 3, seinen Adjutanten und jeden der Kompagnie-Chefs je 2 in Summa 13 Pferde; für die Zugführer, den Wachtmeister, die Unteroffiziere vom Train, nach Analogie der Kolonnen, doch auch noch mindestens 21 Pferde.

Dies ergiebt in Summa 208—210 Pferde, wobei die übrigen Bataillonsfahrzeuge gar nicht in Rechnung gestellt sind.

Ein solches Bataillon würde zu einem Wagen fahrend 1000 Schritt, wenn es in Sektionen marschirt und die Wagen leer fahren 1250 Schritt Raum brauchen. Es belastet die Division mit mindestens 1100 Mann und 200 Pferden mehr, für welche Unterkommen und Verpflegung erforderlich, ohne daß dieselben für Herbeischaffung der Letzteren etwas zu leisten vermöchten. Verläßt das Bataillon seine Wagen zum Gefecht, was wohl in der Regel nicht allzu fern von dem Gefechtsfelde geschehen dürfte, da die

Reiterei bei solchen Gelegenheiten rasch vorzugehen pflegt, die Infanterie also fahren müßte um mit zu kommen, so muß der Wagentrain, schon zur Auf= rechterhaltung der Ordnung eine Bedeckung erhalten, zu welchem Zwecke eine Schwadron nur eben ausreichen und somit von der Gefechtsstärke abgehen würde. Es bedarf für Jemanden, der mit dem inneren Mechanismus eines größeren Truppenkörpers vertraut ist, wohl nur der Andeutung dieser Ver= hältnisse um darauf hinzuweisen, welche Mehrbelastung und davon untrenn= bare Hemmung ein solches fahrendes Bataillon für eine Reiterdivision im Gefolge haben würde.

Verfasser ist nun der Ansicht, „bei fliegenden, zu bestimmten Zwecken selbstständig operirenden Kolonnen, fiele der Einwurf einer schädlichen Ver= mehrung des Trains durch solch' ein fahrendes Bataillon fort."

Es ist uns nicht ganz verständlich geworden, wie er zu diesem Schlusse gelangt, denn eine Vermehrung des Trains bilden 40 Wagen mit 180 dazu gehörigen Pferden doch unter allen Umständen, und grade bei der Zusammen= setzung fliegender Kolonnen befolgt man in der Regel den Grundsatz, die= selben so leicht als möglich zu machen, läßt daher alle irgend entbehrlichen Fuhrzeuge, vor Allem die Trains zurück, wie dies ja auch von den Reiter= divisionen während des Feldzuges wiederholt geschehen ist, wenn sie zu weiter ausgreifenden selbstständigen Unternehmungen verwendet wurden.

Das von den Avantgarden großer Armeen hergeleitete Beispiel erscheint uns auch nicht ganz zutreffend, denn man pflegt auch diese so wenig als möglich mit Fuhrwerk zu belasten, ihre Trains bleiben in der Regel bei dem Gros, oder folgen doch nur mit beträchtlichem Abstande. In gewissem Maße heißt sogar die Artillerie vermehren, den Train vermehren und findet ihre Zutheilung anerkannter Maßen in diesem Verhältnisse eine ihrer Grenzen. Andrerseits stellt ein Theil der Artilleriefahrzeuge, die Geschütze, ja eine Waffe dar, und wird durch ihre Wirkung als solche, das Erschwerende, was sie für die Bewegungen haben, reichlich wieder aufgewogen. Diese Fahrzeuge der Artillerie sind außerdem sämmtlich so eingerichtet und bespannt, daß sie u n t e r a l l e n Verhältnissen den Truppen folgen können. Von der reitenden Artillerie galt sogar längere Zeit hindurch die Anschauung, daß sie leichter als die Reiterei schwierige Terrains zu überwinden vermöge.

Im Uebrigen nehmen 3 reitende Batterien nur einen Marschraum von 1200 Schritt in Anspruch, also nicht viel mehr als das vom Verfasser ge= wünschte fahrende Bataillon, wenn dasselbe sich zu Wagen befindet, weniger sogar wenn es marschirt und seine Wagen ihm leer folgen. Diese Batterien können für ihre Verpflegung ꝛc. selbstständig sorgen, fallen also nach dieser Richtung weniger zur Last als das Bataillon, welches andrerseits ihre Ge= fechtswirkung für die Reiterdivisionen doch nicht zu ersetzen vermag, weshalb auch außer demselben immer noch Artillerie diesen Divisionen wird beigegeben werden müssen.

Bei den weiter oben in Betreff eines fahrenden Bataillons gemachten Ausführungen sind nur ganz normale Verhältnisse berücksichtigt worden. Man denke sich aber schlechte Wege, die Nothwendigkeit querfeldein vorgehen zu müssen, einen eiligen, von überlegener feindlicher Reiterei bedrängten Rückzug — für eine auf sich allein angewiesene Reiterdivision immer noch keine große Verlegenheit — welche Schwierigkeiten würde unter solchen Verhältnissen ein fahrendes Bataillon schon durch seine bloße Anwesenheit bereiten. Wenn nun aber gar Wagen zerbrechen oder stecken bleiben, das Bataillon gar nicht mehr dazu gelangt dieselben zu besteigen? Soll die Reiterdivision dasselbe dann im Stiche lassen? Und wenn nicht, kann sie dadurch nicht in die allerübelsten Lagen kommen, welche, auf sich allein angewiesen, gar nicht an sie herangetreten wären? Eine Granate, welche in die Wagen schlägt, die doch kaum viel weiter vom Gefechtsfelde entfernt halten dürfen, als die Pferde einer zum Fußgefecht abgesessenen Reiterabtheilung, — wird dieselbe unter jenen nicht mindestens eine gleiche Verwirrung anrichten als unter diesen? Und nun stelle man sich diese Wagenkolonne vor, im Begriffe sich eiligst nach rückwärts zu konzentriren!

„In schlechten Wegen, schwierigem Terrain oder wenn rasches Fortkommen nöthig;" — also beim Vorgehen zum Gefecht oder eiligem Rückzuge — soll nach des Verfassers Ansicht die Reiterei Vorspann für die Wagen der Infanterie geben, „welcher entweder mit dem Lasso, oder mit stets vorräthig zu haltenden leichten Vorspannsielen angelegt wird."

Wir haben nach den mehrere Jahre hindurch bei der Schwadron angestellten Uebungen mit der Lassoanspannung, keine große Meinung von der praktischen Verwendbarkeit derselben gewinnen können; sehen wir aber auch von dieser Auffassung als einer einseitig persönlichen ab, so können wir doch mit einer derartigen Verwerthung der Reiterei als Vorspann nicht sympathisiren. Sollte dieselbe mehr reitermäßig sein als eine zeitweise Verwendung zu Fuß? Man würde für jeden Wagen doch mindestens 2 Pferde brauchen, macht in Summa 80 Pferde, also genau ebenso viel als durch eine zum Gefecht zu Fuß abgesessene Schwadron aus der Front abgehen. Würde eine solche theilweise zum Zugdienst verwendete Schwadron gefechtsfähiger sein, als eine, die nach einem Fußgefecht rasch wieder zu Pferde gestiegen? Es ist wohl nur ein Gedanke gewesen, der in dem lebhaften Geiste des Verfassers plötzlich aufgestiegen, dem er Ausdruck verliehen, um ein ihm aufstoßendes Bedenken gegen seine eigenen Pläne schnell zu beseitigen, ohne daß er die Konsequenzen desselben scharf gezogen. Wir sind überzeugt, er verschließt sich nicht dem Tragikomischen, welches darin liegt, wenn man sich eine Kürassier- oder Husaren-Schwadron, eine Ulanen-Schwadron mit wehenden

Lanzenfahnen, oder gar eine Sammlung verschiedener Reiterarten vorstellt, damit beschäftigt schwere mit Infanterie beladene Wagen, keuchend unter Hü und Ho durch tiefen Boden oder steile Höhen hinan zu schleppen! Der Herr Kamerad möge freundliche Nachsicht mit unserer gewiß sehr altväterischen Pedanterie haben, die seinem Gedankenfluge hierin nicht zu folgen vermag, aber für eine Verstärkung unserer Selbstständigkeit, welche mit dergleichen Opfern erkauft werden soll, können wir uns nicht begeistern!

Wenn Verfasser nun zu diesen fahrenden Bataillonen nur Eliteinfanterie verwendet sehen will, so stimmen wir ihm darin vollkommen bei. Sollen solche Bataillone überhaupt aufgestellt werden, so müssen sie eine für ihren Dienst nach jeder Richtung hin auf das vorzüglichste ausgebildete und befähigte Truppe darstellen. Ob aber die Infanterieregimenter und Jägerbataillone, sehr geneigt sein werden, sich dieser vortrefflichen Elemente zu entäußern, ob der Nutzen, den diese Elemente in solcher Verwendung zu schaffen vermöchten, in richtigem Verhältnisse zu dem Nachtheil steht, den ihr Abgang in den Reihen der eigentlichen Infanterie mit sich bringt, wollen wir dahin gestellt sein lassen. Diese Bataillone würden bei 9 Reiterdivisionen, welche die deutsche Armee p. p. aufzustellen vermag, bei 5 Kompagnien für das Bataillon — wie Verfasser dieselben gebildet sehen will — immerhin 11,250 Mann, also nahezu eine Infanteriedivision, darstellen.

Wir müssen bei dieser Gelegenheit noch auf einen weiteren Punkt aufmerksam machen, welcher mit in die Reihe der Gründe gehört, die der Zutheilung derartiger fahrender Bataillone zu den Reiterdivisionen, nicht günstig sind. Was soll aus diesen Bataillonen werden, wenn die Reiterdivisionen bei Gelegenheit einer großen Schlacht in die Reihen des kämpfenden Heeres eingeordnet werden, um hier bei sich bietender Gelegenheit ihre Schwerter in die Wagschale der Entscheidung zu werfen? Bei den Divisionen verbleiben, können die fahrenden Bataillone unter diesen Umständen keinenfalls, man wird sie daher in die Reihen der übrigen Infanterie hineinziehen, dann müssen sie aber ihre Wagen nicht nur, wie zu jedem Gefecht, verlassen, dieselben müssen auch weit nach rückwärts zu den Trains und Bagagen des Heeres fahren. Endet die Schlacht günstig, so werden die Reiterdivisionen die Verfolgung aufzunehmen, in weit ausgreifenden Unternehmungen auf die Verbindungen des Gegners zu wirken haben. Jene Bataillone sind in diesem Zeitpunkt ohne ihre Wagen, es wird immerhin 24 Stunden dauern, bis sie wieder in den Besitz derselben gelangen, mittlerweile sind die Reiterdivisionen weit hinweg, haben zum Theil auf gänzlich anderen Kriegstheatern eine Verwendung erhalten, die Trennung von ihren Bataillonen kann leicht für den ferneren Verlauf des Feldzuges eine dauernde werden. Noch nachtheiliger können diese Verhältnisse sich für die fahrenden Bataillone gestalten, wenn der Verlauf der Schlacht kein günstiger, es kann hier leicht ein gänzlicher

Verlust der Wagen eintreten, jedenfalls aber wird die Trennung von ihnen sich noch länger ausdehnen, als in dem eben besprochenen Falle, denn die Trains und Bagagen pflegen bei einem Mißerfolge, wenn sie nicht gänzlich verloren gehen, doch als die Ersten und ziemlich weit, sich der Einwirkung des siegreichen Feindes zu entziehen, man muß in der Regel lange Zeit auf sie verzichten.

Den Gedanken, der Reiterei ihren eigenen Ersatz an Mannschaften auf Wagen beizugeben, um diese Leute erforderlichen Falles als Infanterie zu verwenden, halten wir mit dem Verfasser für praktisch nicht empfehlenswerth und stimmen auch dem von ihm dagegen angeführten Grunde bei, daß man im Felde stets eher Pferde als Leute braucht. Wir möchten dem noch hinzufügen, daß ja dadurch, wenn diese Mannschaften zu ihrem eigentlichen Zwecke, die Lücken in den Reihen der Schwadronen zu füllen, verwandt werden, jene beabsichtigte Verwendung als Infanterie, hinfällig wird.

Entschiede man sich nun unter Erwägung all' der angeführten Verhältnisse mit uns dafür, eine dauernde Verbindung der Reiterdivisionen mit Infanterie zu verwerfen, so bliebe noch das andere im Eingange bereits bewährte Mittel, diesen Reiterdivisionen eine erhöhte Selbstständigkeit zu geben, indem man die Reiterei selber, durch Ausrüstung mit einer weittragenden Präcisionsschußwaffe, erhöhte Uebung im Gebrauche derselben sowohl auf dem Scheibenstande, als in den Bewegungen eines Gefechtes, zur Führung eines wirksameren Feuergefechtes befähigter macht als bisher.

Auch in dieser Hinsicht weichen unsere Ansichten von denen des Verfassers ab. Derselbe äußert sich über die bezüglichen Verhältnisse folgender Weise: „Wer von der Kavallerie verlangt, die Mannschaft außer im Kavalleriedienst, noch im Tiraillement, Vorpostendienst, Feldwachtdienst zu Fuß und im Schießen auszubilden, hat entweder von Kavalleriedienst, wie von der Anforderung an einen guten Jäger und Schützen nur eine sehr schwache Idee. Solche Anforderungen in drei Jahren zu erfüllen, ist für unseren jetzigen Ersatz ein Ding der Unmöglichkeit."

Wir müssen uns nun offen zu jenen Leuten von schwachen Ideen bekennen, welche es für ausführbar halten, unsere Mannschaften — auch unseren „jetzigen Ersatz", den Verfasser doch wohl ein wenig hart beurtheilt — neben dem Kavalleriedienst auch im Schießen und den Grundzügen des Tiraillements so weit auszubilden, daß sie den Dienst der Jäger und Schützen in dem Maße zu versehen im Stande sind, welches für die Leistungen bei einer Reiterdivision erforderlich ist.

Aber wir wollen unsere Ansicht nicht nur behaupten, sondern auch zu belegen versuchen. Wir haben dies theilweise bereits in einem Aufsatze gethan, welchen das Militair-Wochenblatt in der Nr. 106 vom 16. September 1871 unter dem Titel veröffentlichte: „Die Bewaffnung der leichten

Kavallerie mit weittragenden Schußwaffen ꝛc." Die in diesem Aufsatze ausgesprochenen, auf Erfahrungen beruhenden Ansichten haben sich in weiteren
kavalleristischen Kreisen, auch über die Grenzen unseres Vaterlandes hinaus,
mannigfacher Beistimmung zu erfreuen gehabt, es wäre daher wohl nicht ganz
ungerechtfertigt, wenn wir einfach auf dieselben verweisen. Nach nochmaliger
Durchsicht jener Arbeit, möchten wir aber doch noch Einiges derselben hinzufügen.

Ein wesentlicher Gewinn an Zeit, für eine wirklich ersprießliche Ausbildung der Mannschaften im Scheibenschießen, erwächst daraus, daß das
Schießen vom Pferde nach der Scheibe in Wegfall kommt. Für die Uebungen im Schützendienst, hatten wir in der von uns geführten Schwadron einige
Ergänzungen zu den Seiten 138 ff. des Exerzir-Reglements, für das Gefecht
zu Fuß gegebenen und im Uebrigen wohl ausreichenden Bestimmungen eingeführt.

Sollte die ganze Schwadron für das Fußgefecht verwendet werden, so
saßen ein für alle Mal mit ab:

Die beiden jüngsten Zugführer;

die linken Flügelunteroffiziere aller 4 Züge;

die schließenden Unteroffiziere des 2. und 3. Zuges.

Sobald die abgesessenen Mannschaften vor der Schwadron in einem
Gliede standen, erging das Kommando:

„Schützenzüge in zwei Gliedern formirt!"

Hierauf traten die Leute, welche ursprünglich im 2. Gliede geritten, einen
Schritt rückwärts; Alles schloß links bezw. rechts nach der Mitte zusammen;
die linken Flügelunteroffiziere des 1. und 2. Zuges besetzten den 1., die des
3. und 4. Zuges den 2. Schützenzug; der schließende Unteroffizier des 2.
Zuges schloß den 1., der des 3. Zuges den 2. Schützenzug.

Diese Formation könnte nun ohne Weiteres von den Leuten angenommen
werden, wenn sie abgesessen vor die Pferde treten, es würde dadurch wesentlich an Zeit erspart. Da das Reglement aber ausdrücklich das Antreten der
Mannschaften zunächst in einem Gliede vorschreibt, mußte dieser Form genügt sein, bevor eine, durch die weiteren Bestimmungen dem Führer gänzlich
überlassene Gestaltung für die entsprechende Verwendung, angenommen werden
durfte.

Nach Bildung der beiden Schützenzüge in oben geschilderter Weise erfolgte das Kommando:

„Gruppen abgetheilt!"

Jeder Zugführer theilte nun seinen Zug in 3 Gruppen, je nach der
vorhandenen Rottenzahl. Zu Führern dieser Gruppen waren ein für alle
Mal bestimmt:

Für die 1. Gruppe vom rechten Flügel ab, der rechte Flügelunteroffizier.

Für die 2. Gruppe der schließende

für die 3. Gruppe der linke Flügelunteroffizier.

Wurde eine der Flügelgruppen verwendet, so trat der schließende Unteroffizier auf den dadurch unbesetzt werdenden Flügel des Zuges.

Die fernere Verwendung geschah nach den bei der Infanterie für diese
Gefechtsweise geltenden Grundsätzen, welche ja auch in den Seite 139 des
Reglements gegebenen Anweisungen der Hauptsache nach und wohl in aus-
reichender Weise enthalten sind.

Sollte nicht die ganze Schwadron, sondern nur ein oder einige Züge
absitzen, so formirten diese nur einen Schützenzug, welcher alsdann jedoch
in mehr oder weniger als 3 Gruppen abzutheilen ist, je nach der Zahl der
mit abgesessenen Unteroffiziere. Waren z. B. 3 Züge abgesessen, so befanden
sich bei denselben 3 Flügel-, 2 schließende in Summa 5 Unteroffiziere, macht
5 Gruppen. Saß nur 1 Zug ab, — in welchem Falle stets der betreffende
Zugführer, linke Flügel- und schließende Unteroffizier mit absaßen — so zer-
fiel derselbe in nur 2 Gruppen.

Eine Schwadron auf Kriegsstärke — 15 Rotten für den Zug — würde
danach für das Gefecht zu Fuß ergeben 2 Offiziere, 6 Unteroffiziere, 80
Mann, in zwei Zügen jeder zu 3 Unteroffizieren, 40 Mann, getheilt in
3 Gruppen jede zu 1 Unteroffizier 12 bezw. 14 Mann.

Die Leute finden sich sehr schnell in diese Gliederung, sind darin leicht
zu führen und haben bald fort, worauf es ankommt. Wir haben die betreffenden Uebungen fast ausschließlich bei Gelegenheit des Exerzirens zu
Pferde vorgenommen und hiebei doch eine derartige Gewandheit und Sicherheit der Mannschaft erzielt, daß das Erreichte die Billigung 'eines aus der
Infanterie hervorgegangenen höheren Vorgesetzten erlangte, der gewohnt war
strenge Anforderungen zu stellen. Wollte man nun diesen Uebungen, in der
von uns, in dem oben erwähnten Aufsatze angedeuteten Weise ein wenig mehr
Zeit und Aufmerksamkeit zuwenden als bisher, auch durch Ertheilung einer
sachentsprechenden Instruktion, so dürften Erfolge zu erreichen sein, welche
dem vollkommen entsprechen was nach dieser Richtung hin für eine Reiterdivision erforderlich ist.

Somit gelangen wir nun zu dem, was der Herr Verfasser unseres Aufsatzes, von einer abgesessenen Reiterei verlangen zu müssen glaubt. Er stellt
hierin unseres Erachtens nach, doch wohl zu hohe Anforderungen, wenn er
verlangt, daß das geleistet werden soll, was gute Jäger und Schützen
leisten müssen.

Was brauchen wir in der besprochenen Richtung bei den Reiterdivisionen
nach den Erfahrungen früherer und des letzten Feldzuges?

Die Vertheidigung der Kantonnements durch Besetzung der Ortseingänge einzelner Theile der Umfassung, für die Vertheidigung besonders geeigneter nicht zu fern liegender, gedeckt zu erreichender Punkte im Vorterrain, die Festhaltung, von der Reiterei schnell besetzter, leicht zu schließender Defileen. In ähnlicher Weise: die Oeffnung solcher Defileen, die Wegnahme von Oertlichkeiten, welche von nicht zu starken Abtheilungen des Feindes besetzt sind.

Hierfür genügt es, wenn die Leute von dem Tirailliren so viel verstehen, um sich mit Geschick der im Terrain gebotenen Deckungen zu bedienen, auf die Leitung der Gruppen- und Zugführer zu achten, eine gewisse Feuerdisziplin zu halten und nicht blos in's Blaue hinein zu knallen; im Schießen das leisten, was sie auf dem Scheibenstande und durch angemessene Instruktion lernen können, nämlich, die Entfernungen nach gewissen Merkmalen richtig zu schätzen, auf diese erkannten Entfernungen richtig abzukommen.

Jenes Alles, was wir oben als nothwendig hinstellten, ist, während des letzten Feldzuges ausgeführt worden, und zwar größtentheils mit dem Zündnadel-Karabiner, bei der bisherigen, doch immer nur sehr dürftigen Vorbildung für eine derartige Verwendung.

Erhalten wir nun eine bessere Schußwaffe — was freilich dringend nothwendig ist und zwar so bald als irgend möglich!! —, verwenden wir die Zeit welche bisher durch das Schießen vom Pferde so gut wie verloren ging, auf wirkliche Schießübungen, einige Zeit des Fuß-Exerzirens und Parademarsches zu Fuß auf Uebungen im Tirailliren u. dgl. m., sollten sie dann nicht ohne eine Dienstüberbürdung Erfolge erzielen lassen, welche uns den beregten Verhältnissen noch mehr gewachsen machen, als wir es bereits waren?

Es liegen uns eine ganze Reihe von Beispielen aus dem letzten Feldzuge vor, in denen unsere Reiterei mit bestem Erfolge, und ganz in dem Sinne des Dienstes, welcher von ihr gefordert werden muß, billiger Weise gefordert werden kann, auch in dem Gefecht zu Fuß „schöne Coups" ausgeführt hat. Wir würden dieselben gerne als Beleg für unsere Ansichten hier aufführen, fürchteten wir nicht die Grenzen unserer Arbeit dadurch ungebührlich auszudehnen, behalten es uns aber vor sie bei späterer Gelegenheit wiederzugeben.

Den Vorpostendienst, mit all seinen Anordnungen und Unternehmungen zum Zweck der Sicherung und Aufklärung, muß die Reiterei ja unter allen Umständen thun und daher auch erlernen, es erwächst daraus ja kein neu zu erlernender Dienstzweig für unsere Leute. Der Feldwachtdienst zu Fuß dürfte sich doch nur auf die Besetzung leicht zu vertheidigender Terrainpunkte beschränken und somit mit dem zusammenfallen, was überhaupt für die Verwendung der Reiterei zu Fuß zu erlernen ist. Im Uebrigen weicht derselbe in seinen Formen von dem Feldwachtdienst zu Pferde nicht so wesentlich ab

daß, sollte er wirklich nöthig erscheinen noch eine besondere Uebung in demselben erforderlich würde, er ist im Gegentheil, weil räumlich nicht so ausgedehnt, leichter und einfacher als dieser. Ein ausgiebiger Gebrauch der
weit vorgreifenden Patrouillen genügt, wie Verfasser ja selber zugiebt, in den
überwiegend meisten Fällen, um gegen Ueberraschungen sicher zu stellen, weiter
soll ja der Vorpostendienst überhaupt, kann er namentlich für Reiterdivisionen
nichts leisten. Die zeitweisen und örtlichen Verstärkungen, welche hiebei erforderlich werden können, beruhen wesentlich in der Befähigung, feindlichen
Streifparteien, welche in bedecktem Terrain die Wirkung der Feuerwaffe in
empfindlicher Weise zur Geltung bringen, mit ähnlichen Mitteln gegenüber-
treten zu können. Hiezu genügen — eine entsprechende Bewaffnung vorausgesetzt — abgesessene Mannschaften in gut gedeckten bezw. vorbereiteten Stellungen. Stärkeren geschlossenen feindlichen Infanterie-Abtheilungen, in einem
Terrain ohne starke Anlehnungen Gefechte zu liefern, einen längeren
Widerstand entgegenzusetzen, kann wohl nie die Aufgabe der Reiterdivisionen
sein, dazu befähigt sie auch die Beigabe nur eines Bataillons nicht. In
durchschnittenem, wenig übersichtlichem Terrain, in Ortschaften welche ein
offenes Vorterrain haben, werden bei geschickter Mitverwendung der Artillerie,
auch abgesessene Reiter, selbst stärkeren feindlichen Abtheilungen gegenüber
einen hartnäckigen Widerstand leisten können.

Wie wenig eine derartige Verwendung der Reiterei ihrem Geiste widerspricht, demselben nachtheilig ist, erweist wohl die Reiterei Friedrich des
Großen, welche durchweg für den Dienst zu Fuß vollkommen reglementarisch
wie die Infanterie ausgebildet wurde, wie diese in langen Linien tadellos
avanciren, in der Abgabe glatter Salven, in dem Peloton- und Rottenfeuer
vollkommen geübt sein mußte. Einer ihrer größten Führer, einer der größten
Reiterführer, welcher überhaupt gelebt, Seydlitz, lenkte die erste Aufmerksamkeit des großen Königs auf sich, begründete seinen Ruf im Feldzuge von
1741, durch die Vertheidigung eines Dorfes in der Nähe von Ratibor, gegen
weit überlegene österreichische Infanterie, mit 30 abgesessenen Kürassieren des
Regiments Markgraf Friedrich Wilhelm von Brandenburg Schwedt Nr. 5,
in welchem er zu jener Zeit als Cornet stand. Er liebte es noch in späteren
Jahren sich dieser That zu rühmen, sie jüngeren Offizieren zur Nachahmung zu empfehlen.

Während des bayerischen Erbfolgekrieges überfielen die Oesterreicher
mit 4000 Panduren und 1000 Husaren in der Nacht vom 25. zum 26.
Oktober 1778, das in dem Dorfe Meckern kantonnirende preußische Dra-
gonerregiment von Thun Nr. 3. Zwei Schwadronen des Regiments nahmen
sofort zu Fuß das Gefecht an und zwangen durch ihre ebenso tapfere als
umsichtige Vertheidigung, den Feind nach mehrstündigem blutigem Kampfe,

mit bedeutendem Verluste zum Abzuge. Die beiden betreffenden Schwadr
Chefs erhielten den Orden pour le mérite.

Diese beiden Beispiele nur als Beweis dafür, daß jene ruhm
Reiterei, der man gewiß den ächten Reitergeist nicht streitig machen {
das Gefecht zu Fuß durchaus nicht als eine ihrer unwürdigen Sache a
daß die dabei zu Tage tretenden Leistungen die vollste Anerkennung
großen Königs fanden.

Andrerseits führte Seydlitz auf seinen kühnen Streifzügen 1757 i
sächsischen Herzogthümer — Gotha —, 1762 in die südlichen Reichsl
welche noch heute, auch, was ihre Erfolge betrifft, als Vorbilder derar
Unternehmungen gelten können, keine Infanterie bei sich.

Das Sträuben, welches sich heute — freilich ohne rechte Begrün{
— in der preußischen Reiterei, gegen ihre Verwendung auch zu Fuß, ge{
macht, bietet die beste Gewähr dafür, daß keine Gefahr vorhanden ist,
selbe könnte durch eine solche Verwendung an ihrem reiterlichen Geiste E
ben leiden. Das Pferd wird stets ihre beste Waffe bleiben, wird es
so mehr bleiben, je mehr sie danach strebt, in allen von ihr geford{
Diensten sich selbst genug zu sein!

Das Bedürfniß der selbstständig verwendeten Reiterei nach einer {
stärkung durch Infanterie hat sich in früheren Kriegen, so auch in dem le
gegen Frankreich, in hervorstechender Weise erst dann geltend gemacht, {
der Volkskrieg an Ausdehnung zunahm. Gegen die Streitmittel aber, w
diese Art der Kriegführung aufzustellen vermag, müssen in so weit es
um wirklichen Kampf handelt, die Reiterdivisionen mit ihren eigenen Kr{
auskommen können, vorausgesetzt — wir kommen wieder und immer wi{
darauf zurück — die baldigste Ausrüstung mit einer guten Schußw{
gründliche und rechtzeitige Uebung und Ausbildung in dem Gebrauch {
selben. Gegen die so zu sagen heimlichen Gefahren und Gefährdun{
welche der Volkskrieg mit sich führt, schützt auch die beste Infanterie {
sie ist ebenso dem Verrath, der Heimtücke, dem Ueberfall ausgesetzt, wie {
Reiterei, ja noch mehr, da sie nicht in der Lage ist, sich den übeln Wirkun{
derartiger Verhältnisse schnell zu entziehen.

Wir sind auf die betreffenden Punkte, namentlich auch die, von {
verehrten Verfasser, — dessen Aufsatz uns die Anregung zu vorsteh{
Zeilen gegeben — angeführten geschichtlichen Beispiele näher eingegan{
weil es uns darauf ankam nachzuweisen, wie leicht die Bezugnahme auf {
artige Beispiele zu einseitigen Anschauungen führt, wenn man nicht
äußerster Strenge gegen die eigenen Auffassungen und Meinungen, den
sachen und Entwickelungen der bezüglichen Thatsachen nachforscht, das für {
wider mit möglichster Unbefangenheit gegen einander abwägt. Es be{
hierin eine große Gefahr, welche wir als die der Erfahrungen des e{

Eindrucks bezeichnen möchten. So werthvoll, ja unerläßlich die Berücksichtigung gemachter Erfahrungen ist, wenn es sich darum handelt über den Werth neuer Schöpfungen ein Urtheil zu gewinnen, sich darüber klar zu werden, was an dem Bestehenden geändert, gefördert werden muß, ebenso leicht können Erfahrungen die Veranlassung zu gefährlichen Mißgriffen werden, wenn man an sie mit vorgefaßter Meinung, von einseitigem Standpunkte aus herantritt.

So galt es bis zum Jahre 1870 als erfahrungsmäßig erwiesen, daß die Reiterei, der neueren Bewaffnung und der auf dieser sich gründenden Art der Kriegsführung gegenüber, nur noch eine untergeordnete Rolle zu spielen im Stande sei. Heute hat man sich davon überzeugt, daß die Erfahrungen, auf denen jene Auffassungen beruhten, nicht vollkommen durchdacht worden sind, daß man sich mit oberflächlicher Anschauung der Erscheinungen begnügt, auf diese Erscheinungen sein Urtheil gegründet hatte, ohne das warum derselben genügend zu erforschen.

Die erhöhte Selbstständigkeit der Reiterdivisionen, für sie ein dringendes Bedürfniß, kann ihnen in ausreichender Weise gegeben werden, durch größere Uebung im Feuergefecht zu Fuß, eine hiefür dringend erforderliche bessere Bewaffnung. Die Beigabe von Infanterie kann ihnen diese Selbstständigkeit, in einzelnen Fällen sogar noch in höherem Maße geben, sie fügt ihnen aber, mag man diese Infanterie auch noch so leicht, noch so beweglich, noch so vortrefflich machen, ein fremdes, um nicht zu sagen entgegengesetztes Element bei, welches die Hauptgrundlage aller ihrer Leistungsfähigkeit und somit auch ihrer Selbstständigkeit, die Beweglichkeit, selbst unter den günstigsten Vorbedingungen wesentlich beeinträchtigen muß. Und dieses erste aller Lebenselemente der Reiterei darf nicht geschmälert werden, sollten für seine Erhaltung in anderen Richtungen selbst Opfer gebracht werden müssen.

Dies das Ergebniß unserer Erwägungen über die in Rede stehenden Verhältnisse. Dasselbe erhebt in keiner Weise den Anspruch auf Unfehlbarkeit, sondern nur auf die Berechtigung einer durch gründliches Forschen und ernstliches Nachdenken gewonnenen Ansicht.   8.

Beiheft
zum
Militair-Wochenblatt

herausgegeben

von

A. Borbstaedt,
Oberst z. D.

1872.
Achtes Heft.

Inhalt:

Die Reiterei in der Schlacht bei Bionville und Mars la Tour am
16. August 1870.

Berlin 1872.

Ernst Siegfried Mittler und Sohn,
Königliche Hofbuchhandlung
Kochstraße 69.

Die Reiterei in der Schlacht bei Vionville und Mars la Tour am 16. August 1870*).

Seit den Schlachten der Napoleonischen Kriege ist es der Reiterei nicht beschieden gewesen, in größeren Massen, eine so einflußreiche Rolle zu spielen, als in den Kämpfen bei Bionville und Mars la Tour. Im Anschlusse an die Erfahrungen, welche während des Feldzuges von 1870/71 bezüglich der Verwendung größerer selbstständiger Reiterabtheilungen, auf dem Gebiete des Sicherungs- und Aufklärungsdienstes gemacht worden sind, schließt der Tag von Bionville und Mars la Tour, das Bild nach der Seite der Schlachtenverwendung hin ab. Um dieses Bild in seinen Umrissen recht bestimmt, in seinen Schattirungen recht charakteristisch herstellen zu können, ist es erforderlich, daß die Thätigkeit jedes einzelnen mithandelnden Gliedes in der Kette der Ereignisse, so wahrheitsgetreu als möglich zur Darstellung gelangt, nur dann können aus dem Geschehenen Lehren für die Zukunft geschöpft, an diese Regeln für die künftige Verwendung und Führung der Reiterei in der Schlacht geknüpft werden.

Bei der nachfolgenden Darstellung der Reiterkämpfe bei Bionville und Mars la Tour, ist dahin gestrebt worden, ein derartig treues und in sich abgerundetes Bild jener Kämpfe zu geben. Obgleich aus den offiziellen

---

*) Es wird auf den Plan des Schlachtfeldes von Bionville—Mars la Tour verwiesen, welcher der Nr. 37 des Militair-Wochenblatts beigefügt war. Da auf diesem Plane einzelne Ortsnamen fehlen, welche in dem nachfolgenden Text vorkommen, so wird an den betreffenden Stellen in besondern Noten bemerkt werden, wo diese Namen zur Vervollständigung des Planes hinzuzusetzen sind.   Die Redaktion.

preußischen Quellen, den französischen Berichten, in so weit dieselben bis jetzt an die Oeffentlichkeit gelangt sind, geschöpft, wird diese Darstellung ihre Lücken und Verschiebungen des Thatsächlichen haben. Durch ihre Veröffentlichung soll allen Betheiligten Gelegenheit geboten werden, zur Ausfüllung etwaiger Lücken, Richtigstellung der Thatsachen und dadurch Vervollständigung des Bildes, ihre Beiträge zu liefern, je reichlicher diese fließen desto erwünschter kann dies im Interesse der Sache nur sein.

Die 5. preußische Kavallerie-Division*) hatte am 15. August 1870 Vormittags bereits durch die 13. Brigade bei Mars la Tour mit der französischen Reiterei Fühlung genommen.

Im Laufe des Nachmittags war die ganze Division mit der 11. Brigade bei Puxieux und Xonville, der 12. östlich Hannonville, der 13. östlich Sponville in Bivouaks gegangen. Von den beiden reitenden Batterien der Division hatte die Batterie Bode sich der 12., die Batterie Schirmer der 13. Brigade angeschlossen.

Durch die Vorposten und Patrouillen war der Aufmarsch stärkerer feindlicher Korps aller Waffen auf der Hochebene östlich Vionville, zu beiden Seiten der nach Metz führenden Chaussee beobachtet worden. Feindliche Reiterei stand bei Vionville mit Vorposten westlich davon. Ein genauerer Einblick in Stärke und Aufstellungsweise der feindlichen Korps hatte nicht gewonnen werden können.

---

*) **5. Kavallerie-Division.**
Kommandeur: General-Lieutenant v. Rheinbaben.
Generalstabs-Offizier: Rittmeister v. Heister, vom Husaren-Regiment Nr. 10.

11. Brigade.
General-Major v. Barby:
 Kürassier-Regiment Nr. 4.
 Ulanen-Regiment Nr. 13.
 Dragoner-Regiment Nr. 19.

12. Brigade.
General-Major v. Bredow.
 Kürassier-Regiment Nr. 7.
 Ulanen-Regiment Nr. 16.
 Dragoner-Regiment Nr. 13.

13. Brigade.
General-Major v. Redern.
 Husaren-Regiment Nr. 10.
  „ „ „ 11.
  „ „ „ 17.

1. reitende Batterie Artillerie-Regiments Nr. 4, Hauptmann Bode I.
2. reitende Batterie Artillerie-Regiments Nr. 10, Hauptmann Schirmer.
5,400 Pferde, 12 Geschütze.

General-Lieutenant v. Rheinbaben erstattete noch im Laufe des 15. über diese Ergebnisse der Thätigkeit der seinem Befehle unterstellten Truppe, Meldung an das General-Kommando 10. Armee-Korps. Diesem erschien eine weitere Klärung der Verhältnisse wünschenswerth, und beauftragte es daher den General am 16. möglichst früh, gegen die Stellungen des Feindes vorzugehen und nöthigenfalls mit Gewalt, näheren Einblick in dieselbe zu gewinnen. Gleichzeitig wurde eine Verstärkung an Artillerie in Aussicht gestellt.

Diese führte am frühen Morgen des 16. der Chef des Generalstabes 10. Armee-Korps, Oberst-Lieutenant v. Caprivi, in der 1. und 3. reitenden Batterie Feld-Artillerie-Regiments Nr. 10, unter Begleitung der 2. Schwadron 2. Garde-Dragoner-Regiments von Thiaucourt aus der Division zu.

Die somit bei der Division vereinigten vier reitenden Batterien wurden unter den einheitlichen Befehl des Major v. Körber, Feld-Artillerie-Regiments Nr. 10, gestellt.

General-Lieutenant v. Rheinbaben erachtete sich hierdurch hinreichend verstärkt, um gegen 8½ Uhr Vormittags zu der Ausführung des ihm gewordenen Auftrages zu schreiten.

Die 13. Brigade, bereits seit 6 Uhr früh aus ihrem Bivouak bei Sponville aufgebrochen und auf den Höhen westlich des Grundes bei Puxieux bereit stehend, erhielt Befehl die vier reitenden Batterien zu geleiten.

Die 12. Brigade, auch bereits seit Tages Anbruch zum Ausrücken fertig, wurde angewiesen aus ihrem Bivouak bei Hannonville über Mars la Tour gegen Bionville vorzugehen und nördlich der Chaussee eine geeignete Stellung zu nehmen, aus welcher es ihr möglich sei, sowohl die linke Flanke der ebenfalls auf den letztgenannten Ort vorgeschobenen Artillerie zu decken, als auch in ein weiteres Vorgehen gegen die feindlichen Stellungen in angemessener Weise einzugreifen.

Die Brigade fand diese Stellung in dem Grunde, welcher von Bionville in nord-nord-westlicher Richtung gegen Bruville hinstreicht, erreichte dieselbe gegen 9 Uhr Vormittags und war hier dem Auge, vorläufig auch dem Feuer des Feindes entzogen. Einzelne Flankeurs beobachteten denselben. Die Brigade stand in zwei Treffen in zusammengezogenen Schwadronszug-Kolonnen, im ersten Treffen rechts das Kürassier-Regiment Nr. 7, links das Ulanen-Regiment Nr. 16, im 2. Treffen drei Schwadronen des Dragoner-Regiments Nr. 13*).

Unterdessen waren die vier reitenden Batterien unter Befehl des Major v. Körber, geleitet durch die 13. Brigade und die 2. Schwadron 2. Garde-

---

*) Die 4. Schwadron des Regiments war nach Flirey detachirt.

Dragoner-Regiments, aus dem Grunde westlich Puxieux in nachstehender Ordnung vorgetrabt.

Voran drei Schwadronen, des Husaren-Regiments Nr. 10*) und die 2/X. reitende Batterie Schirmer als Avantgarde. Mit angemessenem Abstande folgten im Brigadeverbande in zusammengezogener Schwadrons-Zugkolonne, große Intervalle zwischen einander haltend, rechts das Husaren-Regiment Nr. 11, links drei Schwadronen des Husaren-Regiments Nr. 17**) welchen sich die 2. Schwadron 2. Garde-Dragoner-Regiments angeschlossen hatte. Hinter diesen Regimentern die 1/IV., 1/X. und 3/X. reitenden Batterien.

So ging es im lebhaften Trabe mit der allgemeinen Richtung auf Bionville bei Puxieux vorbei über Tronville hinaus. Bei letzterem Orte auf die Höhe gelangt, sah man in südlicher Richtung die Spitzen preußischer Infanterie- und Reiterabtheilungen die Höhen bei Chambley herabsteigen. Es war die 6. Infanterie-Division.

Von Seiten der 13. Brigade ging das Husaren-Regiment Nr. 10 in der Schlucht, welche von Bionville mit wechselnder Richtung nach Gorze hinstreicht, bis zu dem Punkte vor, wo die von Flavigny kommende Schlucht in jene mündet, schob seine Flankeurs auf den südlich belegenen Höhenrand und deckte dadurch die rechte Flanke. Die Batterie Schirmer fuhr im Galopp auf der Höhe östlich Tronville***) auf, und eröffnete ihr Feuer sofort auf ein bei Bionville sichtbar werdendes Lager feindlicher Reiterei.

Die drei andern reitenden Batterien kamen sehr bald heran und fuhren in der Reihenfolge wie sie anlangten links neben der Batterie Schirmer bis zur Chaussee Tronville—Bionville auf. Das Husaren-Regiment Nr. 11 nahm in der Schlucht hinter dem rechten Flügel der Batterien Stellung, das Husaren-Regiment Nr. 17 und die 2. Schwadron 2. Garde-Dragoner-Regiments fanden die ihre hinter dem linken Flügel, dicht nördlich von Tronville.

Bereits die ersten Granaten der Batterie Schirmer, setzten die bei Bionville lagernde französische Dragoner-Brigade Murat der Division

---

*) Die erste Schwadron war entsendet, um die Verbindung mit der III. Armee herzustellen.

**) Die dritte Schwadron war bald nach 6 Uhr früh, auf der Chaussee nach Verdun bis Maizeray entsendet, um in der linken Flanke zu beobachten, erhielt hier um 11½ Vormittags Befehl zur Rückkehr und stieß zu dem Regiment erst wieder, als für dieses die Gefechte des Tages beendet waren.

***) Auf der französischen Generalstabskarte mit der Zahl 286 bezeichnet.

Forton*), welche eben im Begriffe war ihre Pferde zur Tränke zu reiten, als befände man sich viele Meilen vom Feinde, in äußerste Verwirrung und warfen sie in regellose Flucht.

Die französischen Darstellungen erzählen hiervon in nachstehender Weise**):

„Die Kavallerie des General Forton sollte um 5 Uhr früh aufbrechen, es wurde jedoch ein Gegenbefehl gegeben, und um 9 Uhr Vormittags sattelte und zäumte man ab. Der Dragoner-Offizier, welcher auf Feldwache stand, meldete zweimal die Annäherung einer zahlreichen Artillerie und Kavallerie; ein Generalstabsoffizier wurde entsendet um den Thatbestand festzustellen. Auf seine Mittheilung hin, daß sich durchaus nichts Besorgnißerregendes zeige, wurde Befehl gegeben, drei Schwadronen jeden Regiments sollten zur Tränke reiten, während die vierte sich für alle Fälle bereit hielte.

Kaum hatte man die Tränke erreicht, als auch schon die preußischen Geschosse das Dorf und die Bivouaks durchschwirrten. Durch ihre Eklaireurs von unserer Sorglosigkeit benachrichtigt, war die preußische Artillerie im Galopp herbeigeeilt, zu beiden Seiten der Straße in Batterien aufmarschirt und schoß mit Aufbietung aller Kräfte.

Das war eine Panik in den Straßen von Bionville! — Die Reiter warfen sich auf ihre Pferde und stürzten in die Straßen auf welchen Fahrzeuge und lose Pferde sich anhäuften und stopften. Die Offiziere waren bemüht, ohnerachtet der Geschosse, welche um sie her sprangen, ihre Leute aufzuhalten, aber nur mit großer Schwierigkeit gelang es, einige Züge zu sammeln, welche den übrigen als Halt für die Ralliirung dienten und so gelangte man auf die Hochebene von Rézonville.

Die Kürassier-Brigade (de Gramont) welche am Abende vorher glücklicherweise ihre erste Aufstellung verlassen hatte, um weiter rückwärts zu

---

*) **3e Division de cavalerie de réserve.**
Général de division: de **Forton**.
Chef d'état-major: Colonel: **Durand de Villiers**.

1re brigade.

Général: prince **Murat**.
   1er régiment des dragons.
   9er   „   „   „

2e brigade.

Général de **Gramont**.
   7e régiment des cuirassiers.
   10e   „   „   „
   7e et 8e batteries du 20e régiment d'artillerie.
1600 Pferde, 12 Geschütze.

**) Campagne de 1870 — La cavalerie française par le lieutenant colonel T. Bonie pag. 59 ff.

bivouakiren, entging diesem Hagel von Kartätschen, stieg in guter Ordnung zu Pferde und, um nicht durch eine starke feindliche Reiter=Kolonne abgeschnitten zu werden, welche ihre rechte Flanke bedrohte*), zog sie sich in den Wald zurück, welcher im Osten die Römer Straße begleitet; später bei Villiers aux bois vorüberziehend debouchirte sie auf die Hochebene von Rézonville rechts von den 9. Dragonern.

Die Division Valabrègue**) welche sich vorgesehen hatte und rasch zu Pferde gestiegen war, langte ein wenig später ebenfalls bei dem Walde von Villiers an, um nicht unnützer Weise der feindlichen Artillerie als Zielscheibe zu dienen."

Soweit der französische Berichterstatter.

Eine französische Schwadron versuchte es, geschlossen nördlich des Dorfes vorzugehen, konnte aber dem preußischen Geschützfeuer. nicht Stand halten und ging eiligst ihren fliehenden Genossen nach***). Eine feindliche Batterie, welche ebenda aufzufahren sich bemühte, hatte das gleiche Schicksal.

Die preußische Reiterei gelangte später auf den Platz nördlich Bionville, wo das französische Bivouak gestanden hatte. Alle Kopfbedeckungen der Dragoner waren liegen geblieben, die Kochgeschirre standen da, voll eben bereiteten Essens, Wagen aller Art, von den eleganten Equipagen der Generale bis zu den Kassen=, Küchen= und Medizin=Wagen waren stehen geblieben, eine lange vollständig hergerichtete Tafel hatte in dem Augenblicke im Stiche gelassen werden müssen, als man sich eben zum Frühstück daran niederlassen wollte. Alles das Bild vollkommenster Ueberraschung, eiligster, regellosester Flucht.

Die drei preußischen Batterien, welche eine wenig später als die Batterie

---

*) Kann wohl nur die 12. Kavallerie=Brigade gemeint sein.

) **Division de cavalerie du 2e corps.
Général de division: vacat.
Chef d'etat major: Colonel de Cools.

1e brigade.
Général de Valabrègue.
4e régiment des chasseurs.
5e   „   „   „

2e brigade.
Général Bachelier.
7e régiment des dragons.
12e   „   „   „
1800 Pferde.

***) Wohl eine der beiden Schwadronen, welche nach der französischen Darstellung hatten gesattelt und bereit bleiben müssen.

Schirmer bei Tronville auffuhren, kamen kaum zum Schuß und wurden sogleich in entwickelter Front durch Major v. Körber weiter vorgeführt bis auf den Höhenrücken unmittelbar westlich Bionville, auf welchem die von Mars la Tour und Tronville kommenden Chausseen sich treffen.

Hier fanden dieselben sehr bald Gelegenheit ihr Feuer auf die anrückende feindliche Infanterie und Artillerie zu richten und in ruhm- und wechselvollem, sehr ungleichem Kampfe bis zum Sinken des Tages Stand zu halten.

Die Batterie Schirmer ging gleichzeitig auf den zwischen Bionville und Flavigny beginnenden und von hier gegen Westen streichenden Höhenzug vor, und betheiligte sich von hier aus an den Kämpfen um Bionville und Flavigny in wirksamster Weise.

Die 1. Schwadron des Husaren-Regiments Nr. 17 und die 2. Schwadron 2. Garde-Dragoner-Regiments, begleiteten die Batterien unter Major v. Körber in ihre neue Stellung dicht westlich Bionville, und fanden in den Alleen der Chausseen von Mars la Tour und Tronville einige Deckung gegen die immer häufiger einschlagenden feindlichen Geschosse, hatten aber trotzdem nicht unerhebliche Verluste.

Das Husaren-Regiment Nr. 10 begleitete die Batterie Schirmer bei ihrem Vorgehen in der rechten Flanke und nahm östlich des Weges Bionville—la Beauville Stellung, da, wo derselbe die Schlucht, welche von Flavigny nach Südwesten streicht (Grund von Flavigny), überschreitet. Hierher folgte ihm auch das Husaren-Regiment Nr. 11, auf Befehl des Divisions-Kommandeurs General-Lieutenant v. Rheinbaben, wurde jedoch sehr bald, gegen 10 Uhr Vormittags wieder durch den Brigade-Kommandeur General-Major v. Redern ab- und nach Tronville berufen, wo es mit zwei Schwadronen des Husaren-Regiments Nr. 17 (2. und 4.) zusammenstieß.

Die 11. Brigade war während dieser Vorgänge ebenfalls bald nach 8 Uhr in ihrem Bivouak bei Tonville allarmirt werden, hatte etwa um 9½ Uhr Befehl erhalten der 13. Brigade zu folgen, zog im Vorbeimarsche bei Puxieux das hier bivouakirende Dragoner-Regiment Nr. 19 und die von demselben ausgestellten Vorposten an sich und nahm auf dem für die ganze Division als Rendezvous bezeichneten Platze, südwestlich Tronville Stellung, als die Batterien unter Major v. Körber sich bereits in ihrer zweiten Aufstellung befanden, also nach 10 Uhr Vormittags.

Hier erhielt die Brigade bald nach ihrem Eintreffen von dem Divisions-Kommandeur General-Lieutenant von Rheinbaben den Befehl, weiter vorwärts eine Stellung zur Deckung der linken Flanke der 13. Brigade zu nehmen. Sie ging daher auf die Höhen nordöstlich Tronville vor, erhielt hier aber ein so heftiges und rasantes Feuer, von den mittlerweile nordöstlich Bionville aufgefahrenen feindlichen Batterien, daß der Brigade-Kommandeur General-Major v. Barby sie in eine mehr gedeckte Stellung hinter die nordwestlich Bionville belegenen Büsche (Tronviller Büsche) führen mußte. Diese Maßregel war um so mehr nicht nur gerechtfertigt, sondern zur Schonung der Truppe geradezu geboten, als General-Major v. Barby, der für seine Person weit vorwärts die Lage zu erforschen suchte, weder eine Bedrohung der 13. Brigade, und der ihrem Schutze besonders anvertrauten Batterien, noch ein geeignetes Angriffsobjekt für die seinem Befehle unterstellte Brigade erspähen konnte.

Während dieser Vorgänge bei der 5. Kavallerie-Division war die 6.*) ebenfalls auf dem Gefechtsfelde angelangt.

Am 15. August Nachmittags durch das General-Kommando 3. Armee-Korps auf dem rechten Mosel-Ufer um Coin sur Seille in Kantonnements verlegt, hatte die Division am 16. August 2 Uhr früh von dem genannten General-Kommando Befehl erhalten: „jedenfalls um 5½ Uhr früh die Mosel überschritten zu haben, von Gorze aus gegen die Straße Metz—Verdun vorzugehen, und auf dem Plateau von Bionville, Front gegen Metz, Stellung zu nehmen".

Trotzdem die Division sofort allarmit wurde, vermochte doch nur die 15. Brigade den Uebergang über die Kettenbrücke bei Novéant, welche der starken Schwankungen halber nur langsam und zu Einem passirt werden konnte, der Art zu bewirken, daß sie gegen 7 Uhr früh auf dem linken Moseluser zum Weitermarsch bereitstand.

Der Generalstabs-Offizier der Division, Major v. Schönfels, traf mit dem zuerst übergegangenen Husaren-Regimente Nr. 3 bald nach 7½ Uhr bei Gorze ein, das Husaren-Regiment Nr. 16 folgte, sowie es formirt war, diesem mit größerem Abstande die Batterie Wittstock und eublich die 14. Brigade, jedoch nur 10 Schwadronen stark, da die 1. und 2. Schwadron des

---

*) 6. Kavallerie-Division.
Kommandeur: General-Major Herzog Wilhelm v. Mecklenburg-Schwerin.
Generalstabs-Offizier: Major v. Schönfels.
14. Brigade.
General-Major v. Grüter.
Kürassier-Regiment Nr. 6.
Ulanen-Regiment Nr. 3.
„   „   Nr. 15.
15. Brigade.
General-Major v. Rauch.
Husaren-Regiment Nr. 8.
„   „   Nr. 16.
2. reitende Batterie Artillerie-Regiments Nr. 3 Hauptmann Wittstock
3000 Pferde, 6 Geschütze.

Ulanen-Regiments Nr. 3 in der Stellung zwischen Mosel und Seille hatten zurückbleiben müssen.

Mit der vordersten Schwadron des Husaren-Regiments Nr. 3 trabte Major v. Schönfels durch Gorze durch, erstieg den südlichen Höhenrand nördlich des Ortes auf dem nach Bionville führenden Wege, während die Division sich allmälig östlich Gorze in der Höhe von Schloß St. Catherine*) sammelte und in Rendezvous-Stellung ging.

Von jener Schwadron ging sehr bald die Meldung ein: „starke feindliche Infanterie-Kolonnen seien im Marsche auf der Chaussee von Gravelotte nach Bionville und hielten die Wälder südlich dieser Straße besetzt".

Der Regimentskommandeur Oberst v. Zieten folgte nunmehr mit den drei übrigen Schwadronen, ging auf der Hochebene vor und schob seine Plänkler bis zu dem Punkte, wo die Straßen nach Flavigny und Bionville sich gabeln. Dieselben bestätigten jene Meldungen und entdeckten ferner, an dem Nordwestrande des Waldes von Bionville eine feindliche Infanteriemasse, von mehreren Regimentern in Bereitschaftsstellung.

Während diese Wahrnehmungen, der ebenfalls auf Gorze heranmarschirenden 5. Infanterie-Division mitgetheilt wurden, erhielt General-Major v. Rauch Befehl, das Husaren-Regiment Nr. 16 dem Husaren-Regiment Nr. 3 nachzuführen und mit der Brigade gegen Rézonville vorzugehen. Die Batterie Wittstock nahm zur Unterstützung dieser Bewegung und zum Schutze der Gorze besetzt haltenden Infanterieabtheilungen, auf der Höhe dicht nördlich des Ortes Stellung.

Die 14. Brigade erhielt zunächst die Anweisung in der Richtung auf Buzières vorzugehen, um den Abmarsch des Feindes womöglich zu überholen und die Verbindung mit der 5. Kavallerie-Division aufzusuchen, über deren Verbleib und Thätigkeit man nur sehr allgemeine Andeutungen hatte. Man war der Ansicht, der Feind befände sich in vollem Abzuge auf Verdun, was man vor sich habe, seien seine letzten Kolonnen und komme es darauf an, diese soviel als möglich aufzuhalten, ihnen entsprechend Abbruch zu thun.

Die 15. Brigade, in auseinandergezogener Schwadronszug-Kolonne vorgehend, eine Schwadron zur Aufklärung voraus, erhielt bald aus der westlich vorspringenden Ecke des Waldes von Bionville so heftiges Infanteriefeuer, daß sie nicht allein den weiteren Vormarsch aufgeben, sondern auch die Hochebene gänzlich räumen und in die Schlucht nordwestlich Gorze zurückgehen mußte, wo sie demnächst der vorgehenden 5. Infanterie-Division zur Verfügung gestellt wurde. Die Brigade nahm eine Aufstellung zu beiden Seiten

---

*) Schloß Catherine liegt östlich von Gorze, ist auf dem Plan angegeben, jedoch ohne Hinzufügung des Namens.　　D. R.

des Weges Gorze—Vionville, rechts das Husaren-Regiment Nr. 16 links das Nr. 3.

Die 14. Brigade, das Ulanen-Regiment Nr. 15 voran, behielt ihre ursprüngliche Richtung auf Buzières nicht lange bei, sondern wendete sich nördlich auf Bionville, da der Kommandeur der 6. Infanterie-Division General-Lieutenant v. Buddenbrock, welcher mit dieser auf Buzières zu de= bouchiren eben im Begriffe war, wünschte, daß die Hochebene von Vionville erst durch die Reiterei geklärt werde, bevor er dieselbe mit seinen Truppen beträte.

Diese Bewegung der 14. Brigade entsprach vollkommen einem zu der= selben Zeit von dem General-Kommando 3. Armee-Korps eingehenden Be= fehle, demzufolge die ganze Division gegen Vionville vorgehen, aber mindestens ein Regiment zur Bedrohung des feindlichen Rückzuges in der Richtung auf Metz vorschicken sollte.

Der letzte Theil dieses Befehles war vom Moselthale sehr leicht aus= führbar, jetzt aber nicht mehr, da man sich über eine Meile von dort entfernt und einem jedenfalls sehr starken, wie es den Anschein gewann, überlegenen Feinde gegenüber befand; seine Ausführung unterblieb daher.

Die Brigade ging durch den Wald von Gaumont*) in der Richtung auf Flavigny vor, und vereinigte sich, auf dem Rande der Hochebene ange= langt mit der Batterie Wittstock, welche der Divisions-Kommandeur ihr von Gorze aus zuführte; sie erstieg die steile Höhe südwestlich Flavigny mit dem Ulanen-Regiment Nr. 15 im ersten Treffen, dem Kürassier-Regiment Nr. 6 rechts, den zwei Schwadronen des Ulanen-Regiments Nr. 3 links dahinter überflügelnd, drückte feindliche Flankeure leicht zurück und brachte die Batterie östlich des Weges Tronville—Gorze unfern des Punktes, wo derselbe den Weg Chambley—Rézonville schneidet ins Feuer gegen feindliche Infanterie= massen, welche zwischen Flavigny und dem Walde von Bionville vorgingen. Der über das freiere Terrain der Hochebene vorgehende Theil der feindlichen Infanterie, wurde durch die Geschosse der Batterie zu einem ziemlich eiligen Rückzuge veranlaßt, eine andere Abtheilung hingegen, begünstigt durch die vorhandenen Bodensenkungen blieb im Vorgehen, eröffnete ein sehr heftiges Feuer auf die Batterie und nöthigte dieselbe hinter die Brigade zurückzugehen, welche an dem Rande des Grundes Stellung genommen hatte, später, als das feindliche Artilleriefeuer sich mehr und mehr fühlbar machte, in denselben, nördlich der Straße Chambley—Rézonville hinabstieg.

Gleichzeitig mit der Batterie Wittstock hatten auch die unter Major v. Körber bei Vionville stehenden Batterien ihr Feuer eröffnet.

---

*) Den Wald von Gaumont bildet die nach Norden vorspringende Waldspitze, süd= lich von Flavigny.   D. R.

Es war 9 Uhr Vormittags vorüber.

Durch die Flucht ihrer Dragoner und das Feuer der preußischen Batterien in ihren Lagern allarmirt, war die bei Rézonville stehende französische Infanterie (6. und Theile des 2. Korps) rasch unter das Gewehr getreten und gleichzeitig mit den im Süden, bis zum Walde von Bionville vorgeschobenen Abtheilungen (vom 2. Korps) von allen Richtungen her gegen die preußischen Reiterdivisionen vorgegangen, welche in weitem Bogen, den Süd- und Westrand der Hochebene von Bionville besetzt hielten. Sehr bald darauf eröffneten die französischen Batterien, namentlich von Nordosten her ihr Feuer gegen die preußischen bei Bionville. Die feindliche Infanterie besetzte Bionville, bald auch Flavigny. Vor ihrem Feuer mußten die Batterien des Major v. Körber eine etwas rückwärtige Stellung nehmen, nur die 1. reitende Batterie Regiments Nr. 4 Bode, konnte sich, theilweise gedeckt durch die Alleen, an dem Punkte behaupten, wo die Chausseen von Mars la Tour und Tronville zusammentreffen.

Auch die 12. Brigade, General-Major v. Bredow, wurde in dem Grunde nördlich Bionville von den Geschossen der feindlichen Artillerie mehr und mehr erreicht, ging daher durch die Tronviller Büsche zurück und nahm westlich derselben, rechts von der 11. Brigade, welche bereits früher hierher gegangen war, Stellung.

Von der 13. Brigade hatte das Husaren-Regiment Nr. 10 seine 3. Schwadron auf die Höhe südlich seiner Stellung in dem Grunde von Flavigny, östlich des Weges la Beauville—Bionville hinaufgesendet, um Batterien des 3. Armee-Korps zu decken, welche zeitweilig ohne Begleitung anderer Truppen dort auffuhren. Dem von Flavigny aus eröffneten feindlichen Infanteriefeuer in demselben Maße weichend, als die Batterien unter Major v. Körber zurückgingen, war es mit den beiden anderen Schwadronen bis an den Punkt gelangt, wo die von Tronville und dem Pachthofe von Sauley*) herabkommenden Gründe sich treffen. Hier vereinigte sich die 3. Schwadron wieder mit dem Regimente, nachdem sie durch andere Reiterei (Dragoner Nr. 12) in der Deckung jener Batterien abgelöst worden war.

Das Husaren-Regiment Nr. 11 und zwei Schwadronen des Husaren-Regiments Nr. 17 waren, nach ihrer weiter oben erwähnten Vereinigung bei Tronville**), durch den Brigade-Kommandeur von hier aus in nordöstlicher Richtung gegen Bionville hin vorgeführt, in Zugkolonne, das Husaren-Regiment Nr. 11 voran. Der Zweck der Bewegung war, sich mit der

---

*) Der Pachthof Sauley liegt südlich Tronville und ist auf dem Plane angegeben, jedoch ohne Namensbezeichnung.   D. R.

**) Vergl. S. 231.

12. Brigade zu vereinigen und gegen die rechte Flanke des feindlichen Angriffes zu wirken. Diese Brigade war jedoch eben durch die Tronviller
Büsche zurückgegangen. Auch die Regimenter unter General-Major v. Redern
sahen sich genöthigt, eine dem feindlichen Feuer weniger ausgesetzte Stellung
zu suchen und fanden dieselbe zwischen der Chaussee Mars la Tour—Bionville und dem südlichsten Theile der Tronviller Büsche, woselbst sie absaßen.

Mittlerweile war es der von Süden und Südwesten her vorgehenden
5. Infanterie-Division, der auf den Höhen südwestlich Flavigny aufgefahrenen
Korps-Artillerie 3. Armee-Korps, und der allmälig nördlich und südlich der
Chaussee Mars la Tour—Bionville vordringenden 6. Infanterie-Division
gelungen, die feindliche Infanterie und Artillerie, namentlich südlich der genannten Chaussee zum Rückzuge, sowie zur Aufgabe von Bionville und Flavigny zu nöthigen.

Darüber war es 12 Uhr Mittags geworden.

Zu derselben Zeit erhielten die 1. Schwadron Husaren-Regiments Nr. 17,
Premier-Lieutenant v. Hantelmann und die 2. Schwadron 2. Garde-Dragoner-Regiments Rittmeister Prinz zu Sayn-Wittgenstein, welche mit geringem Wechsel ihre Stellung zur Deckung des linken Flügels der Batterien
unter Major v. Körber beibehalten und dabei einige Verluste durch feindliches Granatfeuer erlitten hatten, von dem Chef des Generalstabes 3. Armee-
Korps Oberst v. Voigts-Rhetz Befehl, die von Bionville abziehende feindliche
Infanterie anzugreifen. Diese Infanterie hatte jedoch noch so viel Haltung
und Festigkeit, daß es den beiden Schwadronen nicht gelang, in dieselbe ein-
zuhauen, sie vielmehr mit sehr beträchtlichem Verluste (die Garde-Dragoner-
Schwadron verlor die Hälfte ihrer Pferde) zurückgehen mußten.

Zu derselben Zeit und mit demselben Zwecke, wurde auch das Husaren-
Regiment Nr. 10 durch den kommandirenden General des 3. Armee-Korps
General-Lieutenant v. Alvensleben vorgeschickt, konnte jedoch in der Front
gegen den Feind nichts ausrichten, da derselbe sich an der Chaussee Bionville—
Rézonville wieder gesetzt hatte. Das Regiment wurde daher durch den Divisions-Kommandeur General-Lieutenant v. Rheinbaben um Bionville nördlich herumgeschickt um dort sein Heil gegen die rechte feindliche Flanke zu versuchen. Doch auch hier vereitelte das feindliche Artilleriefeuer jedes weitere
Vorgehen über Bionville hinaus, und nahm das Regiment daher eine Bereitschaftsstellung nördlich der Chaussee, zwischen dieser und dem südlichsten Tronviller Busche, da wo die 13. Brigade zuletzt gestanden hatte.

Diese Brigade hatte mittlerweile durch den in ihrer Nähe sich aufhal-
tenden Divisions-Kommandeur Befehl erhalten mehr rechts zu gehen und sich
auf dem rechten Flügel der 6. Infanterie-Division eine geeignete Stellung zu
suchen, aus welcher sie die Verbindung mit den übrigen, rechts davon fechten-

den Truppen des 3. Armee-Korps und dieses Korps mit der 5. Kavallerie-Division zu erhalten vermöchte.

In Ausführung dieses Befehls führte General-Major v. Redern die sechs ihm noch verbliebenen Schwadronen*) südlich um die Höhen von Bionville herum, in den Grund von Flavigny hinein, bis an diesen Ort und die in der Nähe desselben noch erbittert kämpfende Infanterie heran.

Um die Schwadronen in etwas wenigstens gegen das überaus heftige Feuer von Freund und Feind zu decken, wurden sie so nahe als möglich an die Gebäude des brennenden Ortes herangeführt.

Auf dem Marsche in diese Stellung, schlossen sich dem Husaren-Regimente Nr. 17 seine 1. Schwadron und die Reste der 2. Schwadron 2. Garde-Dragoner-Regiments an.

Bald nach 11 Uhr begann nach den französischen Berichten**) der linke Flügel des 2. Korps Frossard zu weichen.

Die preußische Infanterie hatte von dem Walde von Bionville im Süden über Flavigny und Bionville und nördlich daran bis gegen die alte Römerstraße hin überall Terrain gewonnen. Während das südlich der Chaussee Bionville—Rézonville fechtende 2. französische Korps, namentlich auf seinem linken Flügel dem Andrange der Preußen wich, hielt nördlich jener Chaussee das 6. französische Korps Canrobert nicht nur auf dem Höhenrücken nordwestlich Rézonville Stand, sondern begann mit seinem rechten Flügel, in Anlehnung an die nördlich der Römerstraße belegenen Gehölze vorzudringen während auch von St. Marcel und Bruville her frische feindliche Streitkräfte, vorläufig durch Artilleriefeuer sich bemerkbar machten:

Um jene rückgängige Bewegung seines Korps aufzuhalten, das Gefecht wieder herzustellen, beabsichtigte General Frossard den Versuch, die preußische Infanterie über den Haufen zu werfen, und sendete daher der Reiterei Befehl in Thätigkeit zu treten.

Von dieser befand sich das 3. Lanciers-Regiment***) in erster Linie, südwestlich Rézonville zwischen der Chaussee nach Bionville und dem Wege

---

*) Husaren Nr. 11, zwei Schwadronen Husaren Nr. 17.

**) Journal d'un officier de l'armée du Rhin par Ch. Fay Lieut. col. d'état major pag. 80. — Bonie, pag. 61 etc.

***) Dies Regiment gehörte eigentlich zu der 2. Brigade de la Mortière der Kavallerie-Division Brahaut des 5. Korps de Failly und war mit 1. Brigade Lapasset der 2. Infanterie-Division de Labadie d'Aydrein desselben Korps, nach Saargemünd detachirt gewesen, von hier aus aber nach dem Gefechte bei Forbach mit dem 2. Korps Frossard nach Metz zurückgegangen.

nach Chambley. Von der Kavallerie-Division der Garde*) hatte Marschall Bazaine die 1. und 3. Brigade bei den ersten preußischen Kanonenschüssen in das Thal hinabsteigen lassen, welches von Bagneux**) her in südlicher Richtung zwischen den Wäldern von St. Arnould und Ognon hinstreicht und zwar an der Stelle, wo die alte Römerstraße in dasselbe hinabführt. Die 2. Brigade dieser Division war um 6 Uhr früh als Bedeckung des Kaisers aufgebrochen und hatte denselben bis Doncourt geleitet. Dort durch die 1. Brigade Marguerite (1. und 3. Jäger von Afrika) der 1. Reserve-Kavallerie-Division du Barail abgelöst, fand sie in einem späteren Zeitpunkte des Kampfes Gelegenheit nördlich Mars la Tour in denselben mit einzugreifen.

Die Division Forton hatte sich, wie weiter oben berichtet***), bei Billiers aux bois wieder gesammelt, nachdem sie durch die preußischen Granaten aus der Gegend von Vionville vertrieben worden war. Sie erhielt nunmehr Befehl bis an die alte Römerstraße vorzugehen und: „à charger dès que l'occasion se présentera." Sie nahm Stellung in der Einsattelung, in welche nördlich der Höhe 311 die alte Römerstraße hinabsteigt. Hier gesellte sich ihr die Kavallerie-Division des 2. Korps, geführt durch General Bala-brègue zu.

Es standen somit zu dieser Zeit auf dem Terrainabschnitte von Rézonville bis Billiers aux bois†) an Reiterei französischerseits zur Verfügung:

---

*) **Division de cavalerie de la garde impériale.**
Général de division Desvaux.
chef d'état-major: colonel Galinier.
1e brigade.
Général Halna du Frétay.
régiment des guides   }
„   des chasseurs   } de la garde.
2e brigade.
Général de France.
régiment des lanciers   }
„   des dragons   } de la garde.
3e brigade.
Général du Preuil.
régiment des cuirassiers   }
„   des carabiniers   } de la garde.
3000 Pferde.

**) Bagneux liegt östlich von St. Marcel an der Chaussee Doncourt—Gravelotte, ist auf dem Plane, jedoch ohne Namen, angegeben.   D. R.

***) Vgl. S. 230.

†) 2500 Schritt Seitenausdehnung, 2500 bis 3000 Schritt von dem eigentlichen Gefechtsfelde entfernt.

das 3. Lanciers-Regiment und 3 Divisionen jede zu zwei Brigaden oder: 1 Ulanen-, 4 Jäger-, 4 Dragoner-, 4 Kürassier-Regimenter ins Gesammt 13 Regimenter, mit Anrechnung der bisherigen Verluste des Tages immerhin noch über 5000 Pferde.

Auf den oben angeführten Befehl des General Froffard „gab General Desvaux Auftrag an General du Preuil, sich mit den Kürassieren der Garde auf die südliche Seite der Chaussee und hinter die 3. Lanciers zu begeben, um diese zu unterstützen. Die Bewegung wurde sofort ausgeführt und war das Regiment, parallel zu dem Höhenrande ein wenig rückwärts aufgestellt, gegen das Feuer des Feindes gedeckt.

Einige Augenblicke nachher wurde diese Stellung geändert und man formirte sich in Kolonne zu zwei Schwadronen in Front, die fünfte in Reserve.

Gegen 12½ Uhr sagen die preußischen Berichte, gegen 11½ die französischen*) „hörte das Feuer, welches bis dahin sehr lebhaft gewesen war, ein wenig auf und man sah alsbald die französischen Schützen auf dem Höhenrücken erscheinen, die sich laufend und ohne Ordnung zurückzogen. Sie wurden dicht auf gefolgt, von den preußischen Batterien, welche alsbald die Höhen krönten und ihre Granaten der französischen Reiterei zuschickten. Zwei Schwadronen der 3. Lanciers begaben sich vorwärts, da man es jedoch versäumt hatte, ihnen ein bestimmtes Angriffsobjekt zu bezeichnen, kehrten sie zurück nachdem sie eine kurze Strecke hinterlegt hatten.

General du Preuil ließ an General Desvaux melden, da, wo er sich befände, gehe Alles zurück, in demselben Augenblick erhielt er den Befehl anzugreifen. Seine Truppe befand sich so weit von der feindlichen Infanterielinie**) daß der Mißerfolg sicher war, wenn man nicht zuvor jene Infanterie durch Artillerie erschütterte. Dieser Einwurf wurde erhoben, jedoch General Froffard erwiderte: Greifen Sie sofort an, oder wir sind Alle verloren!“

General du Preuil warf alsbald die erste Staffel vor, welche im Galopp von der Stelle anritt. Die zweite folgte mit 150 Meter Entfernung, da ihre Gangart jedoch zu rasch erschien, ließ der General dieselbe verkürzen und begab sich begleitet von den Offizieren seines Stabes auf den Flügel derselben. Während dessen hatte die erste Staffel, welche mit voller Schnelligkeit dahinjagte, viel Terrain gewonnen und ließ die zweite weit hinter sich, die preußischen Schützen sammelten sich rasch um Karree zu bilden, eine Bewegung, welche sie am Feuern gehindert hatte.

---

*) Diese Abweichung in der Zeitangabe ist wohl dadurch leicht zu erklären, daß die Franzosen das Wanken ihrer Linien früher gewahr wurden, als der Gegner davon einen Eindruck erhielt.

**) Diese hatte Flavigny noch nicht wesentlich überschritten stand also etwa 2500 Schritt entfernt.

Der Angriff gelangte bis auf gute Schußweite, ohne viele Verluste, als er plötzlich in seinem Laufe gehemmt wurde, durch eine Menge über den Boden zerstreuter Hindernisse. Es waren Zwiebacktisten, ein Bagagewagen und Lagerbedürfnisse, welche von den fliehenden Truppen in der Eile fortgeworfen waren.

Hiedurch in ihrem Vormarsche beengt, wurde die erste Staffel genöthigt nach links hin auszuweichen, je mehr nach vorwärts, desto mehr nahm der durch dies Ausweichen hervorgerufene Druck zu und endete damit, die beiden Schwadronen in Unordnung zu bringen; als sie daher auf 30 Meter durch ein furchtbares Feuer empfangen wurden, zerstreute sich die ganze Linie und ergoß sich in den durch die preußischen Karree's gebildeten Engpaß. Der Oberstlieutenant wurde schwer verwundet; der Kommandant, zum Tode getroffen, drang nichts desto weniger in das Karree, nur gefolgt von einem Adjutanten, welcher sofort niedergestochen wurde. Die Uebrigen gezwungen im Rückzuge nochmals an den Karree's vorüberzujagen, erhielten von vier Seiten Feuer und wurden vernichtet.

Die zweite Staffel war dadurch demaskirt; sie wurde auf 300 Meter durch Schnellfeuer empfangen, welches einige Reiter zu Boden streckte, sie setzte die Bewegung jedoch fort und zwar in guter Ordnung, da das Feuer einen Augenblick aufhörte; als die Staffel jedoch bis auf 100 Meter heran war, erwiderten die Preußen das Kommando: „Chargez!" mit einem entsetzlichen Regen von Kartätschen und Kugeln, welcher mehr als die Hälfte der Linie zu Boden warf. Der Rest stieß auf feste Hindernisse oder fiel in einen Graben, welcher zehn Meter vor den Karree's aufgeworfen war.

Die dritte Staffel war nicht glücklicher und wurde durch das Feuer zerstreut, wie die andern.

22 Offiziere, 208 Reiter und 243 Pferde außer Gefecht, das waren die Verluste des Kürassier-Regiments. Da es die Karree's, welche es angriff nicht einmal erschüttert (entamé angereizt) hatte, war das Ergebniß so gut wie Null."

Soweit der französische Bericht*), der preußische schildert die berührten Ereignisse in folgender Weise:

„Dieser Kavallerie-Angriff trifft in erster Linie die an Flavigny östlich vorbei vordringenden Kompagnien der 10. Infanterie-Brigade. In deployirter Stellung und mit aufgenommenem Gewehr, erwartet das zweite Bataillon Regiments Nr. 52 unter Hauptmann Hildebrandt den Angriff. Auf 250 Schritt beginnt sein Schnellfeuer, vor welchem der feindliche Stoß machtlos zersplittert. Aber rechts und links stürmen andere Reiterschaaren an dem kleinen Häuflein vorbei, das 2. Glied macht kehrt und feuert von

---

*) Bonie, a. a. O. pag. 62 rc.

hinten in den Feind. Die Füsilier-Kompagnien des Regiments Nr. 12 einerseits, die verschiedenen zwischen Flavigny und der Chaussee vorgebrochenen
Kompagnien der 6. Infanterie-Division andererseits, empfangen mit ebenso
sicherem als ruhigem Feuer die feindlichen Reiter. Weithin ist das Feld von
Todten und Verwundeten bedeckt, nur ein kleiner Rest, der mit ausgezeichneter
Tapferkeit heranstürmenden Kürassiere kann durch eilige Flucht sich dem Verderben entziehen."

Der französische Bericht*) erzählt nun die hierauf folgenden Ereignisse
dergestalt:

„Um das Sammeln der geworfenen Kürassiere zu decken, hatte Marschall Bazaine eine Batterie der Garde in die Schlachtlinie vorgehen lassen**)
und befand sich mit seinem Generalstabe zwischen den Geschützen, aufmerksam
die rückgängige Bewegung seiner Reiter beobachtend, die mit ihm bereits
in gleiche Höhe gekommen waren, als man plötzlich mitten unter ihnen und
bald auch zwischen den Geschützen preußische Husaren bemerkte, deren Annäherung bis dahin Niemand wahr genommen hatte."

Sehen wir nun, wie diese preußischen Husaren dorthin gelangt waren.
Der Chef des Generalstabes 10. Armee-Korps Oberstlieutenant v. Caprivi
hatte nämlich von der Höhe bei Flavigny aus das Herankommen der französischen Kürassiere beobachtet, und den mit einem Theile seiner Brigade***)
dort bereitstehenden General-Major v. Redern auf die günstige Gelegenheit
zum Eingreifen aufmerksam gemacht. Sofort trabte das links stehende Husaren-Regiment Nr. 17, dem sich auf dem linken Flügel die Reste der 2.
Schwadron 2. Garde-Dragoner-Regiments anschlossen, in Schwadrons-Zugkolonne vor, ging nördlich der östlich von Flavigny liegenden nassen Wiese
durch die Infanterie, welche sein Erscheinen mit lautem Hurrah begrüßte,
marschirte auf und hieb in die bereits zurückgehenden feindlichen Kürassiere
ein. In der weiteren Verfolgung derselben auf Rézonville begriffen, bemerkte der Regiments-Kommandeur Oberstlieutenant v. Rauch jene französische Batterie, von welcher oben die Rede war, und jagte gefolgt von
etwa 20 Husaren der 1. Schwadron auf dieselbe zu. Die Ueberraschung
gelang so vollständig, daß die Geschütze nicht mehr aufgeprotzt werden konnten.
Zwar wurden dieselben auf die heranstürmenden Husaren gerichtet und auf
etwa 80 Schritt noch einmal abgefeuert, was den Angriff jedoch nicht einen

---

*) Fay a. a. O. pag. 81.
**) Südwestlich Rézonville nördlich des Weges nach Chambley bis zu dem nörd-
lichen Abfall der Kuppe 311.
***) Husaren-Regiment Nr. 11, drei Schwadronen Husaren-Regiment Nr. 17,
2. Schwadron 2. Garde-Dragoner-Regiments.

Augenblick aufhielt. Die Bedienungsmannschaft setzte sich nachdrücklichst zur Wehre und wurde fast gänzlich niedergehauen. Einige Pferde der Bespannung, deren Fahrer geblieben waren, standen ruhig da und wurde der Versuch gemacht, die Geschütze vermittelst ihrer fortzuschaffen, wobei die Husaren jedoch durch feindliche Reiterei gestört wurden.

Einzelne von den Husaren, nach dem französischen Berichte namentlich ein Offizier, warfen sich auf den in der Batterie haltenden Marschall Bazaine der eiligst zu entkommen suchte, während die Offiziere seines Stabes zu ihrer Vertheidigung die Degen ziehen mußten, da die Bedeckungs-Schwadronen des Marschalls bei Rézonville zurückgelassen waren. General du Preuil bemerkte die Gefahr in welcher der Marschall schwebte und rief jene Bedeckungs-Schwadronen, eine der 5. Husaren*) und eine der 4. Jäger zu Pferde**) herbei. Ihr Eingreifen verhinderte die Husaren Nr. 17 daran die Geschütze fortzubringen, nöthigte sie vielmehr zurückzugehen, wie auch die 2. und 4. Schwadron des Regiments, welche mehr links gegen die Chaussee Rézonville—Vionville geritten und hier in sehr wirksames feindliches Infanteriefeuer gerathen waren.

Das Husaren-Regiment Nr. 11, aufgehalten durch die östlich Flavigny belegene sumpfige Wiese, welche es zunächst überschreiten mußte, gelangte etwas später als die Husaren Nr. 17 zum Aufmarsch. Nachdem es die preußische Infanterielinie durchritten hatte, stieß es den westlichen Abhang der Höhe 311 südlich Rézonville hinaufreitend, auf aufgelöste Schwärme französischer Infanterie und Reiterei, welche größtentheils niedergeritten oder versprengt wurden. Die 1. Schwadron, Rittmeister v. Baerst, betheiligte sich an dem Angriffe der Husaren Nr. 17 auf jene mehr beregte französische Garde-Batterie.

Starkes Flankenfeuer von der Chaussee Rézonville—Vionville her und das Zurückgehen der Husaren Nr. 17 nöthigten auch das Husaren-Regiment Nr. 11, welches sich ebenso wie jenes durch die Länge des Rittes in ziemlicher Auflösung befand (2500 Schritt nach der Luftlinie gemessen), bis in den Wiesengrund bei Flavigny zurückzugehen. Hier sammelte und ordnete das Regiment sich wieder, ging dann bis zu der Höhe westlich des Kirchhofes von Vionville zurück und saß dort ab.

Auch das Husaren-Regiment Nr. 17 sammelte und ordnete sich südwestlich Flavigny und blieb hier im Grunde halten, woselbst bald nach 1½ Uhr

---

*) Von der 1. Brigade de Bernis der Kavallerie-Division Brahaut des 5. Korps de Failly und wohl auch mit der Brigade Lapasset zu der Armee bei Metz gekommen. Vgl. Anmerk. Nr. 3 auf S. 237.

**) Von der 1. Brigade de Valabrègue der Kavallerie-Division des 2. Korps Frossard.

Nachmittags das durch General-Major v. Redern wieder herangezogene Husaren-Regiment Nr. 11, sowie etwas später die nach Maizeray entsendete 3. Schwadron eintrafen*).

Die Verluste waren: Bei dem Husaren-Regiment Nr. 11:

todt	—	Offizier	1	Mann	8	Pferde
verwundet	1	„	18	„	5	„
vermißt	—	„	2	„	17	„

Ins Gesammt 1 Offizier 21 Mann 30 Pferde

Bei dem Husaren-Regiment Nr. 17:

todt	—	Offiziere	8	Mann	74	Pferde
verwundet	2	„	68	„	—	„
vermißt	—	„	14	„	—	„

Ins Gesammt 2 Offiziere 90 Mann 74 Pferde.

Die 6. Kavallerie-Division sahen wir bald nach 9 Uhr Vormittags mit der 14. Brigade und der Batterie Wittstock vor dem zunehmenden feindlichen Feuer in die Schlucht östlich des Gehölzes de la Côte Fuzée**) hinabsteigen, mit der 15. Brigade in dem Thale nördlich St. Thiébault Stellung nehmen. Letztere Brigade erhielt bald darauf Befehl, sich an die 14. Brigade heranzuziehen, verfolgte in Ausführung dieses Befehls die durch den Wald von Gaumont gegen Tronville streichende Schlucht, traf bald nach 11 Uhr Vormittags bei dem Wege la Beauville — Bionville ein und nahm vorläufig hier Stellung.

Kurz nach 12 Uhr Mittags, zu der Zeit, als das 2. französische Korps theilweise fluchtartig zurückging, erhielt die 6. Kavallerie-Division von dem kommandirenden General des 3. Armee-Korps General-Lieutenant v. Alvensleben Befehl: „gegen Rézonville vorzugehen, da die feindliche Infanterie aufgelöst zurückweiche."

Unmittelbar vor Eingang dieses Befehls, war die 15. Brigade bereits wieder auf die Hochebene vorgeschoben, mit der Weisung, sich rechts an die dort im Feuer stehende Korps-Artillerie 3. Armee-Korps anzuschließen, um von hier aus mit der 14. Brigade konzentrisch wirken zu können, welche an Flavigny vorbei auf Rézonville vorgehen zu lassen bereits in der Absicht des Divisions-Kommandos lag.

Als die 15. Brigade in Ausführung dieser Anordnungen bei der Korps-Artillerie vorbeigehen wollte, wurde sie durch den Kommandeur der 5. Infanterie-Division General-Lieutenant v. Stülpnagel aufgehalten: „um das Schußfeld der Artillerie nicht zu beschränken".

---

*) Vgl. Anmerk. Nr. 2 zu S. 228.
**) Das Gehölz de la Côte Fuzée ist der nördlich vorspringende Theil des zusammenhängenden Waldes, südöstlich vom Pachthofe Saulcy. D. R.

Zusammentreffend mit diesen Bewegungen der 6. Kavallerie-Division machte sich auf der ganzen feindlichen Linie ein Vorgehen bemerkbar. Nicht also, um Fliehende zu verfolgen, sondern um einen bedrohlichen Vorstoß abzuwehren, beschloß das Divisions-Kommando nunmehr mit beiden Brigaden bei Flavigny vorbei gegen die von Rézonville her vorgehenden dichten feindlichen Massen seinen Angriff zu richten. Es war der Zeitpunkt der Schlacht, als die 13. Brigade vor den frisch und geschlossen angreifenden Bedeckungs-Schwadronen des Marschall Bazaine hatte zurückweichen müssen, geschwächt durch die Länge der Attacke und die Zersplitterung, welche eine unvermeidliche Folge der verschiedenen Einzelkämpfe war.

Auf dem rechten Flügel die 15. Brigade mit den Husaren-Regimentern Nr. 3 rechts, Nr. 16 links, auf dem linken Flügel, ein wenig zurückgehalten, so zu sagen in einem angehängten zweiten Treffen, die 14. Brigade mit dem Ulanen-Regiment Nr. 15 voran, drei Schwadronen des Kürassier-Regiments Nr. 6*) rechts, zwei Schwadronen des Ulanen-Regiments Nr. 3 links dahinter überflügelnd, — so ging es in auseinandergezogener Schwadronszugkolonne dicht südlich bei dem brennenden Flavigny vorbei.

Die 15. Brigade berührte im Vorüberreiten den linken Flügel der in heftigem Gefecht stehenden 5. Infanterie-Division und überschritt die Stellungen der früheren französischen Schützenlinien, welche sich an einer schwachen Terrainfalte durch eine lange ununterbrochene Reihe von Todten und Verwundeten kenntlich machte. Die beabsichtigte Attacke kam nicht vollständig zur Ausführung, es wurde nur Trab geritten und gar nicht aufmarschirt, da durch ein vom rechten Flügel ausgehendes Drängen nach links, sämmtliche Intervallen verloren gegangen waren, die Brigade sich daher in einer geschlossenen Masse von zusammengezogenen Schwadronszugkolonnen vorbewegte. In dieser wenig günstigen Formation gerieth die Brigade in sehr heftiges Gewehrfeuer aus naher Entfernung, von dichten feindlichen Schützenschwärmen, welche hinter einer Terrainfalte gedeckt lagen. In demselben Augenblicke wurde der Brigade-Kommandeur General-Major v. Rauch verwundet und mußte die Befehlsführung an den Kommandeur des Husaren-Regiments Nr. 16, Oberst v. Schmidt, abtreten. Die Verluste, welche unter den obwaltenden Verhältnissen sich häuften, die sichere Aussicht auf Mißerfolg, bewogen den Obersten die Angriffsbewegung nicht weiter fortzuführen. Er ließ halten, durch Rückwärtsschließen der theilweise ineinander gerathenen Schwadronen die nöthigen Intervallen wieder herstellen und nach kurzem Halt mit Zügen kehrt schwenken und im Schritt zurückgehen, da auch die

---

*) Die 4. Schwadron des Regiments verblieb als Spezialbedeckung bei der Batterie Wittstock, welche sich bereits früher der Korps-Artillerie 3. Armee-Korps angeschlossen hatte und hier auch ferner sehr wirksam an den Kämpfen des Tages betheiligte.

andere Reiterei zurückging, die Brigade in der augenblicklichen Formation (zusammengezogene Schwadronszugkolonnen) doch nicht gefechtsfähig war, weil der erforderliche Raum zur Entwickelung fehlte.

Unter andauerndem heftigsten feindlichen Infanterie- und Artilleriefeuer wurden zunächst durch Auseinanderziehen im Schritt die Aufmarsch-Intervallen wieder hergestellt, darauf im Trabe bis hinter einige Waldparcellen zurückgegangen, welche sich an dem Rande der Schlucht befinden, die nach dem Pachthofe von Sauleh hinstreicht. Die Regimenter hatten während dieser schwierigen, mit äußerster Ruhe und Kaltblütigkeit angeordneten Bewegungen die vortrefflichste Haltung bewahrt.

Bon dem Husaren-Regiment Nr. 3 waren der Kommandeur Oberst v. Zieten, die Lieutenants v. Witzleben und v. Byern schwer verwundet; beim Ordnen der Glieder fehlten 80 Mann und über 100 Pferde. Die Verluste des Husaren-Regiments Nr. 16 waren nicht ganz so beträchtlich, da jenes Regiment vornehmlich in den Bereich des feindlichen Gewehrfeuers gerathen war.

Die 14. Brigade, welche etwa 3500 Schritt Berg und Thal zu hinterlegen hatte, bevor sie überhaupt nur das eigentliche Gefechtsfeld erreichte, kam ebensowenig zu voller Verwendung.

Das Ulanen-Regiment Nr. 15, welches sich wie bekannt an der Spitze befand, setzte alle Kräfte daran, um noch rechtzeitig wenigstens zur Nachlese zu kommen. Als das Regiment bei Flavigny vorüber war, hatten die größeren feindlichen Reiterabtheilungen*) das Gefechtsfeld bei Flavigny bereits geräumt und sich unter den Schutz des von Infanterie besetzten Rézonville zurückgezogen. Ein Theil des Husaren-Regiments Nr. 17 kam gerade auf das Ulanen-Regiment zu und ging durch seine Intervallen zurück. Auf den Fersen der Husaren und bevor das Ulanen-Regiment Zeit fand aufzumarschiren, stürzte sich eine französische Husaren-Schwadron**) von rechts vorwärts auf dasselbe***). Die 1. Schwadron, Rittmeister Brix, ging zum Flankenangriff vor, schwenkte links ein und warf mit den vordersten Zügen

---

*) Die Küraſſiere der Garde, welche auf die preußische Infanterie bei Flavigny attackirt hatten.

**) Bom 5. Regiment, als Bedeckung zu Marschall Bazaine kommandirt, hatte sie denselben vor Gefangennahme durch Husaren Nr. 17 und Nr. 11 gerettet.

***) Das Regiment muß sich also zu dieser Zeit etwa zwischen dem Wege Chambley—Rézonville und dem östlichen Ende der sumpfigen Wiese bei Flavigny befunden haben, denn die Husaren Nr. 17 und die 5. französischen, kamen von jener Garde-Batterie her, welche Marschall Bazaine nördlich des genannten Weges auf der Höhe 311 hatte auffahren lassen, und in welcher er persönlich in Gefahr gerathen war, gefangen genommen zu werden.

der übrigen Schwabronen vereint, die feindliche Schwabron mit erheblich‹
Verluste zurück. Das hierauf folgende Sammeln und Ordnen des Regimen‹
geschah unter persönlicher Leitung des Regiments-Kommandeurs Ober‹
lieutenants v. Alvensleben, im wirksamen Bereiche des feindlichen Infanteri‹
feuers von Rézonville her, wobei zur Belehrung der jungen Truppe, ‹
ihrer ersten Attacke Schluß und Richtung, mit der Front nach dem Feind‹
wie auf dem Exerzirplatze hergestellt wurden. Die Brigade gab bald dara‹
Befehl zum Rückmarsche, welcher im Schritt angetreten wurde.

Im zweiten Treffen der 14. Brigade gingen, wie bereits erwähnt, di‹
Schwabronen des Kürassier-Regiments Nr. 6 links überflügelnd zuerst‹
zusammengezogener, dann in geöffneter Schwabronszugkolonne und zwar bi‹
an dem brennenden Flavigny vorbei, vor. Ein Angriffsgegenstand bot f‹
ihnen nicht, da die feindlichen Infanteriekolonnen von dem beabsichtigt‹
Angriffsstoße Abstand nahmen, und ihre vorgeschobenen Abtheilungen f‹
bei Annäherung der preußischen Reiterei eiligst in die Gräben der Chauss‹
Rézonville—Bionville warfen, von wo aus sie ein sehr wirksames Feu‹
eröffneten.

Die beiden Schwabronen des Ulanen-Regiments Nr. 3 gingen in lin‹
abmarschirter Schwabronszugkolonne, das Ulanen-Regiment Nr. 15 rech‹
überflügelnd, dicht hinter demselben vor. Beim Vorüberreiten an der südli‹
Flavigny im Feuer stehenden Artillerie mußten beide Schwabronen sich hal‹
links ziehen, kamen dadurch hinter den rechten Flügel des Ulanen-Regimen‹
Nr. 15, wurden aber sofort wieder halbrechts gezogen, als die linke Flüg‹
Batterie jener Artillerie ihr Feuer einstellte. Man sah versprengte fein‹
liche Reiterei und vielfache feindliche Schützenlinien. Letztere wählte der R‹
giments-Kommandeur Oberst Graf v. d. Gröben zum Gegenstande des A‹
griffes und ließ Galopp blasen. Plötzlich schwenkte die rechte Flügelschwabr‹
des Ulanen-Regiments Nr. 15 gegen feindliche Reiterei*) links ein und v‹
deckte dadurch die Front der eben aufmarschirenden beiden Schwabronen d‹
Ulanen-Regiments Nr. 3. Nur der 4. Zug der 4. Schwabron, der C‹
dieser Schwabron Rittmeister v. Hammerstein und sämmtliche Zugführ‹
welche sich durch das Ulanen-Regiment Nr. 15 durchdrängten, befanden f‹
mit ihrem Regiments-Kommandeur vor der Front dieses Regiments. ‹
dasselbe bald darauf auf Befehl der Brigade zurückging, blieb der Komma‹
deur des Ulanen-Regiments Nr. 3 mit dem 4. Zuge seiner 4. Schwabr‹
im heftigsten feindlichen Infanterie- und Artilleriefeuer halten, sammelte ‹
denselben seine beiden Schwabronen und folgte erst auf ausdrücklichen Bef‹

---

*) Französische Husaren-Schwabron des 5. Regiments, Bedeckung des Marsch‹
Bazaine.

den andern beiden Regimentern der Brigade und zwar im Schritt noch zwei Mal Front schwenkend.

Die 1. und 2. sowie drei Züge der 3. Schwadron des Dragoner-Regiments Nr. 9, welche als Divisions-Reiterei der 19. Infanterie-Division zugetheilt und mit dem Detachement des Obersten v. Lyncker von Rovéant aus auf das Schlachtfeld gelangt waren, hatten sich unter Führung des etatsmäßigen Stabsoffiziers Major v. Studnitz*) bereits bald nach 9 Uhr Vormittags der 6. Kavallerie-Division in ihrer Aufstellung in dem Grunde Gorze — Tronville angeschlossen und rechts neben .dem Ulanen-Regiment Nr. 15 Stellung genommen. Sie machten den so eben beschriebenen Vor-stoß in demselben Verhältniß mit und verblieben auch des Weiteren bei der Division.

Ebenso schloß sich das Dragoner-Regiment Nr. 12, als Divisions-Reiterei der 5. Infanterie-Division zugetheilt, mit der 1. und 2. Schwadron sowie zwei Zügen der 4. Schwadron**) der 6. Kavallerie-Division bei ihrem Vorstoße an und zwar links neben dem Husaren-Regiment Nr. 16, links anschließend an die drei Schwadronen des Dragoner-Regiments Nr. 9.

Beide Regimenter geriethen in das wirksamste feindliche Infanteriefeuer, kamen jedoch nicht zum Einhauen.

Obgleich von allen den hier thätigen Regimentern nur das Ulanen-Regiment Nr. 15 und auch dieses nur theilweise eingehauen hatte, war doch die gesammte Bewegung nicht ohne wesentlichen Einfluß auf den Verlauf des Kampfes gewesen. Die feindliche Infanterie gab den in südwestlicher Rich-tung begonnenen Vorstoß über die Chaussee hinaus auf und ging in ihre Schützengräben zurück, die feindliche Reiterei verschwand gänzlich von diesem Theile des Schlachtfeldes und erschien südlich Rézonville nicht wieder, die Batterien nördlich der vorgenannten Chaussee nahmen eine mehr rückwärtige Stellung, die 5. und 6. Infanterie-Division entgingen dadurch einer für den Augenblick ernstlich bedrohten Lage.

In dem Verlaufe der ganzen Bewegung hatten die Regimenter eine Entfernung von nahe an 5000 Schritt durchritten, also bis zurück auf ihren derzeitigen Sammelpunkt über eine deutsche Meile.

Bis gegen 4 Uhr Nachmittags verblieb die Division auf diesem Sam-

---

*) Der Regimentsstab die 4. Schwadron und ein Zug der 3. verblieben bei dem Detachement und schlossen sich im weiteren Verlaufe der Schlacht da an, wo sie ein Feld für ihre Thätigkeit zu finden hofften, und gelang es ihnen somit auch wiederholt, in einflußreicher Weise mit einzugreifen.

**) Die 3. Schwadron des Regiments war auf dem rechten Flügel zum 2. Ba-taillon Leib-Regiments, zwei Züge der 4. Schwadron zur 10. Infanterie-Brigade ent-sendet.

melplatze südwestlich Flavigny, bis sie das Feuer eines erneuten feindlich
Vorstoßes von Norden her (St. Marcel—Bruville) nöthigte bis in d
große Schlucht Tronville — Gorze an dem Punkte, wo der von dem Pach
hofe von Sauley kommende Grund in dieselbe stößt, zurückzugehen.

Während diese Dinge in der Zeit von 11 Uhr Vormittags bis 1 U
Nachmittags bei Flavigny und östlich davon vor sich gingen, war auch d
übrige auf dem Schlachtfelde anwesende Reiterei nicht müßig geblieben.

Wir sahen die 11. und 12. Brigade westlich der Tronviller Büsch
Deckung suchen und finden vor dem feindlichen Artilleriefeuer, welches imm
stärker und wirksamer wurde. Von hier aus war sehr bald, etwa 11 U
Vormittags, das Dragoner-Regiment Nr. 13 der 12. Brigade, dessen
Schwadron*) sich ihm eben wieder angeschlossen hatte, gegen St. Marc
und Bruville auf die Höhe 277 vorgeschoben worden, da sich, namentlich b
ersterem Orte feindliche Abtheilungen zu zeigen begannen. Auch bei Bruvil
kamen bald darauf dergleichen von allen Waffen zum Vorschein, verschwand
jedoch wieder.

Mittlerweile war die 6. Infanterie-Division mit gutem Erfolge b
Bionville und nördlich davon in das Gefecht getreten, hiedurch aber auch di
ganze 3. Armee-Korps, von dem Walde von Bionville bis zu den Tronvill
Büschen nördlich der Chaussee in den Kampf verwickelt. Der kommandiren
General, General-Lieutenant v. Alvensleben, bemühte sich daher in erhöhte
Maße für die lange Linie fortwährend Reserven bereit zu stellen und die
nach Möglichkeit zu verstärken. Hiefür boten sich zunächst die beiden Bi
gaden der 5. Kavallerie-Division die 11. und 12., welche in diesem Sinne geg
12 Uhr Mittags näher an Tronville herangezogen wurden und in de
Dreieck zwischen den Chausseen Bionville—Tronville und Bionville—Ma
la Tour, auf der nach Nordwesten sich senkenden Abdachung der Höhe 2
Aufstellung fanden. Sie nahmen die Front nach Nordosten, die 11. Brigg
rechts, die 12. links; das Dragoner-Regiment Nr. 13 dieser Brigade ve
blieb auf den Höhen südlich Bruville, sie stand somit hier nur mit zw
ihrer Regimenter, Kürassiere Nr. 7 und Ulanen Nr. 16.

Der Feind machte zu derselben Zeit erneute Anstrengungen, das ih
entrissene Terrain wieder zu gewinnen. Marschall Canrobert, welcher u
dem 6. Korps, wie wir weiter oben bereits sahen, auf der nördlichen Sei
der großen Chaussee focht, verlängerte seinen rechten Flügel und suchte b
preußischen linken zu umfassen. Das Eingreifen ganz frischer feindlich
Streitkräfte von St. Marcel her wurde von Augenblick zu Augenblick
drohlicher. Trotz aller Anstrengungen gelang es der preußischen Infanter
nicht, über die Linie Flavigny—Bionville hinaus auf die Dauer wesentl

---

*) Sie war nach Flirey entsendet gewesen. Vergl. Anm. S. 227.

an Terrain zu gewinnen. Die französischen Batterien auf der Höhe nordwestlich Rézonville vereitelten jedes Vorgehen; die in das Gehölz nördlich
der Römerstraße geworfene Infanterie der 1. Division Tixier des 6. Korps
Canrobert machte jeden Versuch gegen diese Batterien zu einem vergeblichen.

Der kommandirende General des 3. Armee-Korps, General-Lieutenant
v. Alvensleben, erkannte die Nothwendigkeit diesem Stande der Dinge Abhülfe zu schaffen, da derselbe in seiner weiteren Entwickelung verderblich zu
werden drohte. Er entsandte zunächst die drei Bataillone des Obersten
Lehmann*) in die Tronviller Büsche, um der von Norden her drohenden
Gefahr entgegenzutreten und veranlaßte den General-Lieutenant v. Rheinbaben eine seiner Brigaden dem feindlichen Vorgehen zwischen Römerstraße
und der großen Chaussee entgegenzuwerfen, eine andere aber im Zusammenwirken mit dem Detachement des Obersten Lehmann, westlich um die Tronviller Büsche herum zu entsenden, um die linke Flanke der 6. Infanterie-
Division zu decken.

In Verfolg dieser Anordnungen war es, daß gegen 2 Uhr Nachmittags
der Chef des Generalstabes 3. Armee-Korps Oberst v. Voigts-Rhetz zu
General-Major v. Bredow herangeritten kam und ihn aufforderte der zwischen
den General-Lieutenants v. Alvensleben und v. Rheinbaben getroffenen Verabredung Folge zu leisten, und an den vorliegenden Wäldern entlang —
auf die Tronviller Büsche deutend — gegen die feindliche Infanterie und
Artillerie vorzugehen. Der Oberst fügte dieser Aufforderung die Mittheilung
hinzu, daß Vionville bereits genommen sei, die feindliche Infanterie zwischen
dem Walde und der Chaussee niedergeworfen werden müsse, um der eigenen
Infanterie das Vorgehen über dasselbe hinaus zu ermöglichen. Durch ein
baldiges und nachdrückliches Eingreifen könne der General wesentlich zu einer
günstigen Entscheidung mit beitragen.

Die Aufgabe war bestimmt und zweifellos gestellt, General-Major
v. Bredow zögerte nicht mit aller Entschlossenheit an ihre Lösung zu gehen.
Die Infanterie, welche sich in den vor seinem Auge liegenden Tronviller
Büschen zeigte, hielt er für feindliche, da das Vorgehen des Obersten Lehmann ihm entgangen war, er beschloß daher zwei Schwadronen dorthin zu
entsenden, um die linke Flanke seines Angriffes zu decken. Man hielt diese
Schwadronen unter allen Umständen für geopfert und ließ daher das Loos
darüber entscheiden, welche beiden, von den acht, welche zur Verfügung standen, sich für ihre Kameraden opfern sollten. Das Loos traf die 3. des
Kürassier-Regiments Nr. 7, die 1. des Ulanen-Regiments Nr. 16. Ihre

---

*) 3½ Bataillone, 1 Batterie der 37. Infanterie-Brigade waren von Thiaucourt
aus Seitens des 10. Armee-Korps auf Chambley entsendet, um die rechte Flanke des
Korps zu decken und von hier aus in das Gefecht des 3. Armee-Korps mit eingreifen.

Aufgabe gestaltete sich jedoch im Verlaufe der Ereignisse als die weniger ge-
fahrvolle, denn jene Büsche waren, wie wir sahen, von preußischer Infanterie
besetzt, die Schwadronen geriethen zwar auch in den Bereich des feindlichen
Infanteriefeuers, hatten jedoch nur geringe Verluste und bildeten später den
einzigen festen Kern, um welchen sich die Regimenter der Brigade wieder
sammelten.

Die andern 6 Schwadronen der Brigade*) gingen in zusammengezogener
Schwadronszug-Kolonne, das Küraffier-Regiment voran, gegen Bionville vor,
überschritten westlich davon die Chaussee nach ihrer nördlichen Seite, um-
gingen eine dort im Feuer stehende preußische Batterie links, schwenkten mit
der Tete halblinks in den nördlich von Bionville gegen Bruville streichenden
Grund hinab und deplohirten hier, im wirksamsten feindlichen Artilleriefeuer,
nach der rechten Flanke.

. Das Küraffier-Regiment Nr. 7 links, 9 Züge**) in Front, 2 Züge
links angehängt, das Ulanen-Regiment Nr. 16 rechts, mit allen drei Schwadronen entwickelt, ein wenig zurückgehalten, als eine Art zweites Treffen, so
formirt machte die Brigade eine geringe Halbrechtsschwenkung und brach im
Galopp von der Stelle gegen die feindlichen Batterien vor, welche an dem
Westrande des Höhenrückens nordwestlich Rézonville im Feuer standen. ·

Major v. Körber, welcher mit seinen vier reitenden Batterien, während
der bisherigen Kämpfe die Stellungen westlich Bionville behauptet hatte,
vereinigte das Feuer seiner sämmtlichen Geschütze auf jene feindliche Artillerie-
stellung, als die 12. Brigade in den Grund hinabritt um sich für den Angriff zu formiren und bereitete dadurch diesen Angriff in sehr geeigneter
Weise vor, indem das Herausbrechen der Regimenter wesentlich erleichtert
wurde. Auch als die Brigade bereits im Vorgehen war, geleitete er sie noch
mit einigen Lagen, die er schräge an ihrem rechten Flügel vorbei, so zu sagen
vor ihren Füßen in den Feind warf.

Dieses Artilleriefeuer nahm die Aufmerksamkeit des Gegners so vollkommen in Anspruch, daß es der 12. Brigade gelang die Entfernung von
mindestens 1500 Schritt bis zu der ersten feindlichen Batterie ohne erhebliche Verluste zurückzulegen, dieselbe in überraschendem Ansturm zu nehmen.

Doch lassen wir die beiden Regimenter selber erzählen:

Der Führer des Küraffier-Regiments Nr. 7, Major und etatsmäßiger
Stabsoffizier Graf v. Schmettow***) schreibt:

---

*) 1., 2. und 4. des Küraffier-Regiments Nr. 7; 2., 3. und 4. des Ulanen-Regiments
Nr. 16.

**) Der 1. Zug der 1. Schwadron war auf Briefrelais entsendet und traf erst
nach Beendigung des Kampfes bei dem Regimente wieder ein.

***) Der Kommandeur Oberstlieutenant v. Larisch hatte bereits bei dem Marsche
durch die Pfalz bei einem Sturze mit dem Pferde einen Arm gebrochen und zurückbleiben
müssen.

„Wir drangen in die erste Batterie, welche nur zwei Geschütze zum Feuern brachte. Der Kommandeur der Batterie und sämmtliche Mannschaften wurden niedergehauen. In dem Bewußtsein, daß es vor Allem darauf ankomme, von dem zwischen Wald und Chaussee befindlichen Feinde so viel als möglich niederzuwerfen, stürmte das Regiment, links flankirt durch Infanteriefeuer aus dem Walde, auf eine zweite Batterie und eine Infanteriekolonne. Was von der Batterie nicht mehr fliehen konnte, sich auf die eigene Infanterie werfend, wurde niedergehauen. Nach der von dem General v. Bredow gegebenen Instruktion, sollten wir uns nicht damit aufhalten in dem ersten feindlichen Treffen Gefangene zu machen, sondern uns gleich auf das zweite werfen. In Ausführung dieser Instruktion ritt und stach das Regiment Alles nieder, was sich in seinem Bereiche befand. So bis zu dem Fuße des Hügels gelangt, welcher die Hauptstellung des Feindes markirte*) brachen plötzlich zwei feindliche Kürassier-Schwadronen**) dem Regiment in den Rücken, es blieb nur noch nach rechtshin ein Ausweg. Indem das Regiment diesen einschlug, ging es pêle-mêle mit französischen Kürassieren, die mit wenig Energie angriffen und von denen noch mehrere bis hinter unsere Infanterie auf durchgehenden Pferden uns begleiteten, wo sie heruntergehauen wurden."

Das Ulanen-Regiment Nr. 16 berichtet:

„Die feindliche Batterie wurde durchritten, das Regiment stieß auf den linken Flügel derselben. Die Bedienung und Bespannung wurde zum größten Theile niedergemacht, so daß die Geschütze zum Schweigen kamen. Darauf stieß das Regiment auf die hinter der Batterie, etwas nach der Chaussee auf einem Hügel postirten Infanterie-Karees, ritt zwei derselben auf den rechten Flügel fast gänzlich nieder und zersprengte die übrigen größtentheils.

Durch das feindliche Feuer und die lange Distance, waren bei den ermatteten Pferden die Schwadronen schon sehr auseinandergekommen und konnten die Führer, da bei dem Lärm des Kampfes sie nicht im Stande waren sich verständlich zu machen, die mit furchtbarer Erbitterung darauf losreitenden Leute nicht mehr zurückhalten, so daß die Attacke unaufhaltsam weiter ging und auf das auf den Höhen bei Rézonville entwickelte zweite feindliche Infanterietreffen stieß, während zu gleicher Zeit aus dem Grunde bei Rézonville und von der alten Römerstraße her feindliche Kavallerie, auf

---

*) Westlicher Abfall des Höhenrückens 311 nördlich Rézonville.
**) Vom Kürassier-Regiment Nr. 7 der 2. Brigade de Gramont der 3. Reserve-Kavallerie-Division de Forton.

unserm rechten Flügel Husaren*) und Chasseurs**), auf dem linke
Kürassiere***) hervorbrachen. Da in diesem Augenblicke eine hinter de
ersten feindlichen Infanterietreffen aufgestellt gewesene im Absahren begriffe
Mitrailleusen-Batterie eingeholt worden war, und Alles sich damit beschä
tigte die Fahrer niederzumachen, wurde der neue Feind nicht rechtzeitig b
merkt. Die Vordersten wurden zurückgeworfen, rissen die nächsten mit for
Alles wendete und nun ging es mit athemlosen Pferden in dichtem Gewü
Ulanen, Kürassiere, Husaren, Chasseurs, feindliche Kürassiere, versprengt
Infanteristen, stechend, hauend, schießend, durch und über stehen gebliebe
und umgeworfene Geschütze und Protzen zum größten Theil den gekommene
Weg zurück, bei der sich in Knäueln wieder gesammelt habenden Infanteri
an der Front der feindlichen Kürassiere entlang, unter mörderischem Grana
und Gewehrfeuer, bis hinter die nördlich Bionville postirte preußische Ba
terie, wo eigene Infanterie die Reste des Regiments und der Brigade au
nahmen. Zum Glück ging die feindliche Kavallerie nur unschlüssig nach, u
wurden ihre ausgeschwärmten Flankeurs, die sich, besonders von den Kürassiere
nur mit Schießen beschäftigten, bald durch Signale zurückgerufen. Der Re
des Regiments zog sich durch den auf Flavigny führenden Grund zurück u
hatte hier die Freude die Standarte wieder zu sehen, welche durch die Tapfe
keit von vier Unteroffizieren†) und 10 Ulanen mit genauer Noth aber do
glücklich gerettet war."

Hören wir nun, welchen Eindruck der Gegner von diesem preußische
Ritte empfangen. Oberstlieutenant Fay schreibt:

„Sie — die preußischen Kürassiere und Ulanen — „warfen sich tapfe
in den Angriff auf die Stellung — der französischen Batterien —" durch
brachen unsere Linien, und als sie auf der Höhe anlangten, welche ihnen d
Division Forton verbirgt, sehen wir sie mit der ganzen Schnelligkeit ihr
Pferde entlang der Wälder im Süden von Villiers wieder herabkomme
Die Gelegenheit für unsere Reiterei ist zu günstig; sie setzt sich alsbald m
geschwungenen Säbeln in Bewegung, unsere Dragoner-Brigade††), bal

---

*) Beruht auf einem Irrthume, französische Husaren befanden sich auf diese
Theile des Schlachtfeldes gar nicht, außer der Bedeckungs-Schwadron des Marschall B
zaine vom 5. Regiment, welche sich aber nach französischen Angaben an diesem Kamp
nicht betheiligte.

**) Division Balabrègue.

***) 2. Brigade de Gramont der 3. Kavallerie-Division de Forton.

†) Diese Braven waren Sergeant Gaebler Standartenträger, Sergeant Henſe, b
Unteroffiziere Prange und Hoppe, letzterer als Opfer seiner Treue gefallen, Gefreit
Grosch, die Ulanen Lühmann, Vogel, Zunder, Menger, Sohle und Rewes. D
Namen der drei Fehlenden haben sich leider nicht mehr festellen lassen.

††) 1. Prinz Murat der 3. Reserve-Kavallerie-Division de Forton, dieselbe wel
am Morgen bei Bionville im Lager überfallen worden.

darauf die 7. französischen Küraffiere dringen auf diese Maffe ein, überrascht durch dies unerwartete Zusammentreffen; zwei Schwadronen der 10. Küraffiere nehmen sie in den Rücken und setzen sie in vollkommenste Verwirrung, nachdem sie ihnen die bedeutendsten Verluste zugefügt."

Oberstlieutenant Bonie erzählt:

„Nachdem er — der Feind — damit begonnen hatte unsere Geschütze durch das Feuer der seinigen*) zum Schweigen zu bringen, wirft er zwei Staffeln Reiterei vor mit 100 Meter Abstand, die Küraffiere in erster Linie, die Ulanen in zweiter. Diese Kolonne kommt im Attackengalopp heran, durchbricht die Jäger zu Fuß trotz ihres wohlgezielten Feuers, säbelt die Batterien nieder und sucht hinter der letzten Linie unserer Infanterie den Rückweg. Aber sie hat die Anwesenheit unserer Reiterei nicht gekannt, welche sie überfällt und vernichtet.

Wir haben weiter oben erzählt, in Folge welcher Bewegungen die Divisionen de Forton und Valabrègue, bei dem Walde, welcher die Römerstraße entlang sich hinzieht, Stellung genommen hatten. Dort anlangend hatten die beiden Brigaden des General de Forton sich regimenterweise in Kolonne formirt, den rechten Flügel vorne und seitdem mehrere Frontveränderungen vorgenommen, um je nachdem in der Richtung von Rézonville oder Bionville die Stirn zu bieten. Nach ihrer letzten Bewegung befand die 2. Brigade**) sich in der Inversion, sowohl in Regimentern, als auch in den Regimentern in Schwadronen und wurde in dieser Formation auf die Hochebene geführt den Rücken an den Wald gelehnt, dicht bei der Römerstraße.

Als die feindliche Reiterei über unsere Batterien hinaus gelangte, ließ General Forton sie durch seine Dragoner und einen Theil der Küraffiere angreifen. Sie brachen mit entwickelten Regimentern vor und warfen sich auf die herankommenden Linien. Beim Zusammenstoße durchbrachen die 9. Dragoner die preußischen Küraffiere, welche ohne sich aufzuhalten ihre Glieder öffneten, um sich links und rechts zurückzuwerfen auf unsere Artillerie und sich demnächst mit den Ulanen wieder zu vereinigen, welche bereits vorüber waren. Am Schlusse ihres Angriffes machten diese Letzteren kehrt um zurückzueilen, aber sie waren bereits angegriffen von den übrigen Schwadronen unserer Küraffiere auf den bloßen Zuruf: „Attention les cuirassiers . . . . Partez!" Da dieser Zuruf keine Formation angab, ging man in ungeordnetem Haufen los, die Offiziere waren genöthigt die ganze Schnelligkeit ihrer Pferde aufzubieten, um an der Spitze ihrer Reiter zu bleiben, welche

---

*) Die Batterien unter Major v. Körber.
**) Brigade de Gramont 7. und 10. Küraffiere

mit verhängtem Zügel dahinstürmten. Ein fürchterliches Durcheinander entwickelte sich, die 16. Ulanen, in der Flanke gefaßt, und über den Haufen geworfen, wurden zusammengehauen und lebhaft verfolgt, bis die Kolonne der weißen Küraffiere herankam, um sie zu erlösen. Ihre Pferde waren in Folge der weiten Entfernung, welche sie im Galopp durchlaufen gänzlich außer Athem und am Ziel ihrer Kräfte. Da stürzten die Reiter der Division Balabrègue, sich mit denen des General Forton vereinigend, auf den Feind, wie ein Wirbelsturm kreiste Alles durcheinander, man focht mit Erbitterung von beiden Seiten. Die Wuth der Unsrigen war so groß, Jeder war der Art mit seinem Gegner beschäftigt, daß das Morden immer fort dauerte, obgleich wiederholt das Signal zum Sammeln ertönte. In wenig Augenblicken war die feindliche Reiterei vernichtet, der Boden bedeckt mit den Leichen der Ulanen und weißen Eisenreiter. Nur die best Berittenen, und die, welche gefangen genommen wurden, konnten dem Morden entfliehen. In diesem Zeitpunkte begann das Feuer der Infanterie von Bionville und die Gegend, in welcher die 7. Küraffiere sich schlugen mit Geschossen zu überschütten, man ließ von Neuem zum Rückzuge blasen, unsere Regimenter wurden wieder geordnet (réformés) und in die Gründe von Gravelotte geführt."

Getragen von der an Zahl wohl fünffach*) überlegenen, feindliche

---

*) Nach französischen Berichten ritten auf die 12. preußische Brigade gegen das Ende ihres Angriffes an: die Divisionen Forton und Balabrègue, jede nach den weiter oben mitgetheilten Ordres de bataille vier Regimenter stark. Bringt man nun an in Anschlag, daß die französischen Reiter-Regimenter der Zahl nach schwach waren, nach dem sie 4 oder 5 Schwadronen zählten 4 bis 500 Pferde, daß die Dragoner-Regimenter der Brigade Murat von der Division Forton bereits am Morgen bei Bionville nicht unerhebliche Verluste erlitten hatten, also wohl nicht viel über 300 Pferde in Reih und Glied rangirten, daß von dem 4. Jäger-Regiment zu Pferde der 1. Brigade Balabrègue eine Schwadron als Bedeckung zu der Person des Marschall Bazaine abkommandirt war, diesem Regimente also auch nur in 4 Schwadronen 400 Pferde blieben, — so zählten jene 8 Regimenter doch noch immer

1. und 9. Dragoner in je 4 Schwadronen à 300	=	600	Pferde.
7. und 10. Küraffiere in je 4 Schwadronen à 400	=	800	"
4. Jäger zu Pferd in 4 Schwadronen	=	400	"
5. Jäger zu Pferd in 5 Schwadronen	=	500	"
7. und 12. Dragoner in je 4 Schwadronen à 400	=	800	"

Summa 3100 Pferde.

Diesem gegenüber ritten die preußischen Reiter heran mit 23 Zügen, 11 des Küraffier-Regiments Nr. 7, 12 des Ulanen-Regiments Nr. 16.

Nach dem letzten Standesausweise der 5. Kavallerie-Division vom 11. August zählten die Regimenter derselben im Durchschnitt jedes 560 Pferde macht auf den Zug (16 per Regiment) 35 Pferde, für die hier anreitenden 23 Züge also 805 Pferde. Mit An

Reiterei, welche sich mit frischen Kräften fast von der Stelle auf sie warf, im Zurückreiten noch beschossen, von den sich wieder ermannenden Resten der feindlichen Infanterie, jagte der größere Theil der von beiden Regimentern übrig gebliebenen Reiter zwischen Flavigny und Bionville hindurch und wurde in den Gründen südwestlich ersteren Ortes gesammelt. Kleinere Abtheilungen und einzelne versprengte Reiter gelangten zu der Infanterie, welche östlich der Tronviller Büsche focht und über Mars la Tour wieder zu ihren Regimentern.

Aus den übrig gebliebenen Kürassieren wurden drei Züge gebildet. Nach Heranziehung der 3. Schwadron, welche in die Tronviller Büsche entsendet, und des 1. Zuges der 1. Schwadron, welcher auf Briefrelais abkommandirt gewesen war, formirte das Regiment 2 Schwadronen zu je 4 Zügen zu 11 Rotten, höchstens 220 Reiter mit allen Chargen.

Nach Abzug derjenigen Versprengten, welche sich in den nächsten Tagen wieder herzufanden, betrugen die Verluste des Regiments:

todt	1 Offizier	43 Mann	33 Pferde
verwundet	6 „	72 „	25 „
vermißt	— „	83 „	203 „

Ins Gesammt 7 Offiziere 198 Mann 261 Pferde.

Die Sekonde-Lieutenants v. Plötz und Graf Sierstorpff erlagen ihren Wunden; Rittmeister Meyer war geblieben.

Von dem Ulanen-Regiment Nr. 16 sammelten sich bei Flavigny im ersten Augenblick 6 Offiziere 80 Mann; 2 Offiziere 15 Mann fanden sich über Mars la Tour heran. Nach Eintreffen der gegen die Tronviller Büsche entsendeten 1. Schwadron und einiger sonstigen Detachements zählte das Regiment am Abende in Reih und Glied 12 Offiziere 210 Mann, von denen noch ein großer Theil leicht verwundet war.

Die Verluste betrugen auch hier nach Abzug der sich wieder herzufindenden Mannschaften:

todt	2 Offiziere	28 Mann	172 Pferde
verwundet	5 „	101 „	28 „
vermißt	2 „	54 „	— „

Ins Gesammt 9 Offiziere 183 Mann 200 Pferde.

Geblieben waren die Sekonde-Lieutenants Freiherr v. Roman und v. Gellhorn.

Vermißt wurden der Regiments-Kommandeur v. d. Dollen und Sekonde-Lieutenant Vogt, welche selber verwundet unter ihren todt zusammenge-

rechnung dessen nun, was diese Schwadronen bereits verloren hatten, bevor sie mit der feindlichen Reiterei zusammenstießen, und wonach sie in diesem Zeitpunkte wohl nicht mehr viel über 600 Pferde zählten, dürfte eine fünffache Ueberlegenheit der frisch gegen sie vorbrechenden französischen Reiter wohl nicht zu hoch gegriffen sein.

brochenen Pferden auf dem Schlachtfelde hülflos liegen geblieben waren u
so dem Feinde in die Hände fielen.

Der französische Bericht nennt diesen Ritt der preußischen Reiter
seiner schwungvollen Sprache einen „Todtenritt" — chevauchade de mo
— der preußische Bericht sagt in seiner auch hierin charakterisirenden, f
ausschließlich an das Thatsächliche haltenden Ausdrucksweise: „Aber L
ist geschafft — aus dieser Richtung erfolgt für heute kein Angriff mehr
Das war der Erfolg dieses Todtenrittes für die eigenen Linien; die b
Feindes waren durchbrochen — (traversé) — trotz ihres wohlgezielten Feuer
seine Batterien zusammengehauen — (sabré) —, seine den preußischen für
fach überlegenen frischen Reiter, welche doch eigentlich nur noch mit d
Spülwasser dieser Reiterwoge zu thun gehabt, mußten wieder hergestellt
(reformés) — in die eine halbe Meile vom Schlachtfelde entfernten Grün
von Gravelotte zurückgeführt werden!

Die Kürassiere Nr. 7, die Ulanen Nr. 16 sie können stolz sein a
diesen Todtenritt, die ganze preußische Reiterei kann es sein, denn jed
ihrer Regimenter hätte dasselbe gethan; dafür ist der Tag von Bionvi
und Mars la Tour ein schönes Zeugniß! —

In weiterer Ausführung des oben*) erwähnten Befehls des Genera
Lieutenants v. Alvensleben, war gleichzeitig mit dem Vorgehen der 12. K
vallerie-Brigade gegen Bionville, die 11. Brigade westlich um die Tronvil
Büsche herum gegen Bruville vorgeschoben worden, dorthin, wo das Dr
goner-Regiment Nr. 13 bereits beobachtete, um einer Bedrohung des lin
Flügels der fechtenden Truppen entgegenzutreten. Die Brigade nahm hi
rechts rückwärts des Dragoner-Regiments Nr. 13, in zusammengezogen
Schwadronszugkolonne Stellung, das Dragoner-Regiment Nr. 19 über
Höhe gegen den von St. Marcel nach Bruville streichenden Grund vorg
schoben, dahinter rechts das Ulanen-Regiment Nr. 13, links das Kürassi
Regiment Nr. 4.

Bald nachdem die Brigade in dieser Weise Stellung genommen hat
stieß die 1. reitende Garde-Batterie, Hauptmann v. d. Planitz zu ihr, u
trug wesentlich dazu bei, daß die Brigade sich so lange als es geschah, a
ihrem sehr ausgesetzten Posten behaupten konnte, was ohne Artillerie ni
möglich gewesen wäre. Die Batterie richtete ihr Feuer alsbald auf die fü
lich St. Marcel stehenden feindlichen Batterien, zog dadurch das Feuer b
selben wesentlich auf sich und von der südlich der Tronviller Büsche b
gehenden Infanterie ab, vereitelte den Vorstoß eines feindlichen Bataillon
welches ihr aus dem südlich St. Marcel belegenen Gehölze in die rec
Flanke zu gehen drohte. Das Dragoner-Regiment Nr. 19, welches im L

*) Vergl. S. 249.

sonderen mit Deckung dieser Batterie betraut worden war, warf wiederholt durch kurze Attacken starke feindliche Schützenschwärme zurück, welche von St. Marcel aus vorzugehen versuchten.

Mittlerweile rückten auch die geschlossenen Massen der feindlichen Infanterie von Bruville und namentlich St. Marcel her immer näher durch Büsche, Hecken und ein in dichten Garben stehendes Feld gedeckt; das Feuer ihrer Schützen begann die Regimenter der 11. Brigade zu erreichen, Offiziere, Leute und Pferde wurden verwundet und getödtet. Endlich, als die Soutiens des Feindes mit Salven in die Brigade zu schießen begannen, auch eine Mitrailleusen-Batterie sie unter Feuer nahm, ging sie langsam in der Richtung auf Tronville zurück. Das Dragoner-Regiment Nr. 13, eigentlich zur 12. Brigade gehörig, schloß sich der 11. an. Die Batterie von der Planitz ging in der Richtung auf Mars la Tour zurück, nahm nördlich dieses Ortes noch einmal für kurze Zeit eine Aufstellung und stieß dann zu dem 1. Garde-Dragoner-Regimente, mit welchem sie auf das Schlachtfeld marschirt war*).

Das Eintreffen der 20. Infanterie-Division bei Tronville, ihr Vorgehen gegen die große Chaussee und die nördlich derselben belegenen Büsche machte die Anwesenheit der 11. Kavallerie-Brigade an dieser Stelle überflüssig. Um sie nicht ferner nutzlosen Verlusten auszusetzen, wurde sie bis südwestlich Tronville zurückgezogen und nahm mit dem Ulanen-Regiment Nr. 13, den Dragoner-Regimentern Nr. 13 und 19 in der Ecke zwischen den Chausseen Buxières—Mars la Tour und Puxieux—Tronville, nördlich der letzteren Stellung. Das Kürassier-Regiment Nr. 4 wurde an die Südostecke von Tronville, bei dem Wege nach Gorze vorgeschoben um hier der 20. Infanterie-Division als Rückhalt, den nördlich des Ortes aufgefahrenen Batterien des 10. Armee-Korps als rechte Flankendeckung zu dienen.

Die Brigade trat hier auch mit dem Husaren-Regimente Nr. 10, eigentlich zur 13. Brigade gehörig, in Berührung, welches in die Gründe nördlich Puxieux zurückgegangen war, als seine sehr ausgesetzte Stellung zwischen der großen Chaussee und dem südlichsten Theile der Tronviller Büsche, durch das in den letzteren vorschreitende Infanteriegefecht unhaltbar wurde.

Jene Batterien des 10. Armee-Korps, durch zwei neu hinzugekommene verstärkt, gingen zunächst bis an, und später auch über die große Chaussee, zwischen Mars la Tour und den Tronviller Büschen vor**).

---

*) Vgl. weiter unten S. 258. Anm. Nr. 1.

**) Das Bois de Tronville liegt nordöstlich von Tronville zwischen der Chaussee Mars la Tour—Bionville und der alten Römerstraße..   D. R.

Der kommandirende General des 10. Armee-Korps, General der Infanterie v. Voigts-Rhetz, bereits seit längerer Zeit auf dem Schlachtfelde anwesend, befahl, zwei Schwadronen des Kürassier-Regiments Nr. 4 sollten diese Batterien nach links, gegen Mars la Tour hin decken. Es wurden die 4. und 5. hierzu bestimmt und trabten dieselben gegen 4 Uhr Nachmittags unter Befehl des etatsmäßigen Stabsoffiziers Major v. Kuhlenstjerna in der Richtung auf Mars la Tour vor, woselbst sie an der Nordwestecke des östlich belegenen Busches Stellung nahmen.

Bald darauf traf die 38. Infanterie-Brigade v. Wedell, der 19. Infanterie-Division v. Schwarzkoppen bei Mars la Tour ein, und ging in entwickelter Schlachtordnung den mittlerweile bis zu den Höhenrücken südlich des Pachthofes Greyère vorgedrungenen feindlichen Divisionen Grenier und Cissey des 4. Korps Ladmirault entgegen. Ihr heldenmüthiger Angriff zerschellte an der gewaltigen Ueberlegenheit des Gegners nach Zahl und Stellung. Die Trümmer flutheten auf Mars la Tour und über die Chaussee zurück, vom Feinde heftig verfolgt.

Und wiederum war es der Reiterei beschieden, auch an dieser Stelle der Schlacht, das Gleichgewicht wieder herzustellen, indem sie sich in die bedrohliche Lücke warf.

Die Garde-Dragoner-Brigade*), am 15. August dem 10. Armee-Korps zur Verfügung gestellt, war mit diesem am 16. früh von Thiaucourt in der Richtung auf Fresnes en Woévre aufgebrochen.

Die 2. Schwadron 2. Garde-Dragoner-Regiments hatte diesen Marsch nicht begleitet, sondern war, wie bereits weiter oben erwähnt, mit zwei reitenden Batterien des 10. Armee-Korps, unter Führung des Oberst-Lieutenant v. Caprivi, zu der 5. Kavallerie-Division marschirt und hatte im Verein mit der 13. Brigade wiederholt Gelegenheit gefunden sich an den Reiterkämpfen bei Bionville und Flavigny mit Auszeichnung zu betheiligen. Die übrigen drei Schwadronen des Regiments wurden der 19. Infanterie-Division v. Schwarzkoppen zugetheilt, deren eigentliches Reiter-Regiment (Dragoner Nr. 9) mit dem Detachement des Obersten v. Lyncker bereits auf dem Schlachtfelde thätig war, wo wir dasselbe im Verein mit der 6. Kavallerie-Division vorgehen sahen**). Jene drei Schwadronen wurden in die Avant-Garde genommen deren vorderste Spitze der 3. Schwadron, Rittmeister John, zufiel, welche einen Zug nach rechts hin entsandte, um die Verbindung mit dem Detachement des Obersten Lehmann herzustellen. Den Rest der Schwadron nahm General der Infanterie v. Voigts-Rhetz zu seiner Begleitung mit, als er von der Marschlinie der Division, welche er begleitete, abbog,

---

*) 1. und 2. Garde-Dragoner-Regiment, 1. reitende Garde-Batterie.
**) Vergl. S. 247.

um dem von Metz her herüberschallenden Kanonendonner entgegenzureiten und sich persönlich davon zu überzeugen, was derselbe zu bedeuten habe. Die Schwadron verblieb in diesem Verhältnisse auch während des ferneren Verlaufes der Schlacht, kam dabei in wirksames feindliches Feuer und erlitt einige Verluste, namentlich, als sie zeitweise eine ohne besondere Bedeckung vorgehende Batterie des 10. Armee-Korps begleitete, fand jedoch keine Gelegenheit zu thätigem Eingreifen. Zwei ihrer Offiziere, die Sekonde-Lieutenants v. Tümpling und Graf zu Stolberg wurden entsendet, um das 1. Garde-Dragoner-Regiment und die Batterie v. d. Planitz, bez. die 19. Infanterie-Division auf das Schlachtfeld zu führen.

An Stelle der 3. wurde die 5. Schwadron Rittmeister v. Trotha an die Spitze genommen. Bei Marchéville en Woëvre angelangt, nahm dieselbe zur Deckung der ins Bivouak gehenden Truppen der Division eine Vorpostenstellung. Dieselbe wurde jedoch sehr bald wieder aufgegeben und der Marsch in östlicher Richtung, auf Mars la Tour zu fortgesetzt.

Das 1. Garde-Dragoner-Regiment mit der Batterie v. d. Planitz, war der Division in der Richtung auf St. Hilaire voraufgegangen und ruhte dort, als jene eintraf. Seit längerer Zeit hatte sich hier bereits der Kanonendonner aus der Gegend von Metz her vernehmbar gemacht, demselben nachzumarschiren erschien jedoch nicht zulässig, da hierdurch die Spitze der folgenden 19. Infanterie-Division entblößt worden wäre. Als letztere bei St. Hilaire eintraf wurde die Genehmigung gegen Metz hin vorzugehen erbeten und ertheilt.

Während die 19. Infanterie-Division, bei welcher die 4. und 5. Schwadron des 2. Garde-Dragoner-Regiments verblieben waren, wie oben erwähnt bei Marchéville Vorposten ausstellte, ritten das 1. Garde-Dragoner-Regiment und die Batterie v. d. Planitz in frischem Trabe dem Kanonendonner entgegen.

Sehr bald folgte ihnen die 19. Infanterie-Division, welche von dem kommandirenden General Befehl erhielt, nach dem Schlachtfelde zu marschiren. Um die Verbindung mit dem 1. Garde-Dragoner-Regiment wieder aufzunehmen, wurde die 4. Schwadron 2. Garde-Dragoner-Regiments Rittmeister v. Hindenburg demselben sofort nachgeschickt, der Regiments-Kommandeur Oberst Graf v. Finckenstein begleitete dieselbe. Die 5. Schwadron verblieb bei der 19. Infanterie-Division und marschirte ferner an ihrer Spitze.

Etwa eine halbe Meile westlich Mars la Tour, wurde diese Schwadron in nördlicher Richtung entsendet um gegen Jarny hin zu rekognosziren. Bei Ville sur Yron bemerkte die Schwadron feindliche Reiterei in nordöstlicher Richtung und verblieb, dieselbe weiter beobachtend, in der dortigen Gegend.

Als das 1. Garde-Dragoner-Regiment und die Batterie Planitz auf ihrem Ritte, dem Kanonendonner entgegen sich Mars la Tour näherten, wurden starke Staubwolken nördlich der Wälder nach Jarny hin bemerklich. Sie konnten nur von bedeutenden Truppenmassen herrühren, welche auf der Chaussee Metz—Etain wahrscheinlich im Abzuge begriffen waren.

Die Reiterei mußte dies ergründen; sie konnte, wenn der Anschein sich bewahrheitete, wesentlich zur Hemmung des feindlichen Abmarsches mit beitragen. Das Dragoner-Regiment und die Batterie gingen daher kurz westlich Mars la Tour links heraus. Die 4. Schwadron 2. Garde-Dragoner-Regiments, welche eben, von der 19. Infanterie-Division her eingetroffen war, ritt als Avantgarde voraus, das 1. Garde-Dragoner-Regiment folgte in zusammengezogener Schwadronszugcolonne mit der Batterie Planitz, so ging es vorwärts, die auf Jarny führende Chaussee entlang.

Bei Ville sur Yron angelangt, wurde feindliche Reiterei in den nördlich jenes Ortes belegenen Waldungen sichtbar. Dieselbe beschränkte sich darauf Flankeurs vorzunehmen; dasselbe geschah von den preußischen Dragonern, da zunächst eine Aufklärung nothwendig war, der Gegner, welcher mit seinen geschlossenen Abtheilungen den Wald nicht verließ, in dieser Verfassung kein Angriffsobjekt bot.

Die Batterie Planitz, welche hier kein Feld für ihre Thätigkeit fand, andrerseits aber durch den in der Richtung auf St. Marcel bereits entbrannten Artilleriekampf angezogen wurde, erbat und erhielt die Erlaubniß dort mit eingreifen zu dürfen. Wir haben ihre sehr wirksame Thätigkeit an jener Stelle weiter oben*) bereits kennen gelernt. Die zwischen Bruville und St. Marcel immer weiter vordringende feindliche Artillerie erreichte mit ihren Geschossen mittlerweile auch die preußischen Garde-Dragoner bei Ville sur Yron.

Der französische Berichterstatter sagt hierüber**):

Bei dem Pachthof von Greyère angelangt, prüft General Ladmirault das Schlachtfeld . . . . . . er überschreitet die Schlucht, eine 12pfündige Batterie mit sich nehmend, welche durch ihr Feuer zwei preußische Dragoner-Regimenter entfernte, die sich ihr näherten."

Nicht zwei Regimenter, darin irrt dieser Bericht, sondern nur 5 Schwadronen freilich von zwei verschiedenen Regimentern.

Dieselben zogen sich langsam auf Mars la Tour zurück südwestlich des Ortes wieder Stellung nehmend. Hier stieß die mittlerweile zum Zurückgehen genöthigte Batterie Planitz mit ihnen zusammen***), auch traf bald darauf die Spitze der 19. Infanterie-Division ein.

---

*) Vergl. S. 256,
**) Bonie a. a. O. pag. 73.
***) Vergl. S. 257.

Der Kommandeur derselben, General-Lieutenant v. Schwarzkoppen, erkannte, als er sich zur Orientirung vorbegab, gegen Tronville hin die dichten
Massen der 20. Infanterie-Division; nach den Mittheilungen, welche ihm
gemacht worden waren, mußte er seine linke Flanke nach Ville sur Yron hin
durch Reiterei (5. Kavallerie-Division) für gedeckt halten. Er beschloß daher
seinen Angriff zwischen beiden hindurch östlich bei Mars la Tour vorbei,
auszuführen.

Die Garde-Dragoner erhielten dem entsprechend Befehl westlich bei
Mars la Tour vorbei vorzugehen, den Angriff der 38. Infanterie-Brigade
links zu begleiten, die Lücke zwischen ihr und der bei Ville sur Yron vermutheten Reiterei zu schließen.

In Ausführung dieser verschiedenen Anordnungen begann die 38. Infanterie-Brigade bald nach 4 Uhr ihren kühnen Vorstoß.

Gleichzeitig wurde die Batterie Planitz durch den Brigade-Kommandeur
General-Major Graf v. Brandenburg, welcher die 1. Garde-Dragoner begleitete, vorbeordert um, das Vorbrechen des Regimentes vorzubereiten und
nördlich Mars la Tour gegen dort sich zeigende feindliche Reiterei zu wirken,
welche in dichten Massen bis zu dem Pachthofe Greyère vorgegangen war.
Die 4. Schwadron des 2. Garde-Dragoner-Regiments, bei ihr der Kommandeur Oberst Graf v. Finckenstein, begleitete die Batterie.

Wenige Schüsse der Batterie, welche nördlich Mars la Tour, an der
Chaussee nach Jarny etwa bei Höhe 250 auffuhr, genügten um die feindliche Reiterei hinter die Höhe, auf welcher der genannte Pachthof liegt, zurückgehen zu lassen. Um von neuem gegen diese Reiterei wirken zu können,
ging die Batterie mit der Schwadron noch etwa 600 Schritt auf der Chaussee
im Galopp vor, schwenkte rechts, so daß sie mit der Front zu der Straße
gleichlaufend stand und eröffnete ihr Feuer gegen die französische Reiterei,
welche wieder sichtbar geworden war und die übrigen Massen des feindlichen
rechten Flügels.

Das 1. Garde-Dragoner-Regiment folgte ihr jedoch nicht, wie ursprünglich beabsichtigt war, denn ein Befehl rief dasselbe von der bereits eingeschlagenen Richtung ab. Es erhielt den Auftrag eine Stellung zu nehmen,
aus welcher es den linken Flügel der über die große Chaussee vorgegangenen
Artillerie des 10. Armee-Korps decken könnte und stieß in Ausführung dieses
Auftrages südöstlich Mars la Tour mit den zwei Schwadronen des Küraffier-
Regiments Nr. 4 zusammen, welche bereits in einem früheren Zeitpunkte
hierher entsendet waren*).

Der Angriff der 38. Infanterie-Brigade war zerschellt. Das 1. Garde-
Dragoner-Regiment erhielt in seiner Aufstellung südöstlich Mars la Tour,

---

*) Vergl. S. 258.

von dem General der Infanterie v. Voigts-Rhetz Befehl, ihre Trümmer aufzunehmen, dem Nachdrängen des Feindes einen Damm zu setzen*).

Um an den Feind zu gelangen, mußte das Regiment die Wiesengründe östlich Mars la Tour überschreiten und in der Formation zu dreien mehrere Hecken und Gräben im wirksamsten feindlichen Infanteriefeuer überspringen. Der Aufmarsch hierdurch sehr aufgehalten, konnte nur allmälig erfolgen. Noch war das Regiment nicht vollkommen aufmarschirt, als Oberst v. Auerswald die Fanfare blasen ließ. Das feindliche 13. Linien-Regiment war im Bordertreffen; der kühne Ansturm des Garde-Dragoner-Regiments wirbelte es um seine Adler. Der Angriff des Feindes stockte. Die preußische Infanterie war entlastet! — Aber weiter konnte das brave Reiterregiment gegen die dichten Massen des Feindes nichts ausrichten. Mit Zügen links schwenkend ging es in guter Haltung auf Mars la Tour zurück, durch das verfolgende Feuer des Feindes schwere Verluste erleidend:

todt	5	Offiziere	43	Mann	204 Pferde
verwundet	6	„	78	„	42 „
vermißt	—	„	6	„	— „

Ins Gesammt 11 Offiziere 127 Mann 246 Pferde.

Geblieben waren: Major und etatsmäßiger Stabsoffizier v. Kleist; die Rittmeister: Graf Westarp, Graf Wesdehlen, Heinrich XVII. Prinz Reuß; der Sekonde-Lieutenant v. Treskow. Oberst und Regiments-Kommandeur v. Auerswald und Premier-Lieutenant Graf Schwerin erlagen ihren schweren Verwundungen.

Die 4. Schwadron, welche zur Deckung der Standarte zurückgelassen war, hatte den Angriff nicht mitgemacht. Die Reste der drei anderen Schwadronen formirten eine. Mit diesen beiden Schwadronen ging das Regiment nach Tronville zurück und bezog dort am Abend Bivouaks.

Die 4. und 5. Schwadron des Kürassier-Regiments Nr. 4 schlossen sich dem Angriffe des 1. Garde-Dragoner-Regiments rechts flankirend an. In Front und Flanke von Infanterie und Mitrailleusen auf das heftigste beschossen, konnte ihr Vorgehen, trotz aller Tapferkeit keinen bedeutenderen Erfolg haben. Auch sie gingen, 3 Offiziere verwundet, einige 30 Mann und Pferde todt und verwundet auf dem Platze lassend, zurück, sammelten und ordneten sich in der Gegend von Tronville und stießen hier später am Abende mit den beiden anderen Schwadronen des Regiments zusammen.

Nach den Berichten der 5. Kavallerie-Division war es erst in diesem Zeitpunkte, daß General-Major v. Barby Befehl erhielt mit den zur Zeit unter seiner Führung vereinigten Regimentern, westlich Mars la Tour vor-

---

*) Vergl. S. 258

zugehen, um von hier aus, durch einen Druck auf die rechte Flanke des Feindes diesen an weiterem Vorgehen zu hindern.

Das am meisten links stehende Dragoner-Regiment Nr. 13 voran, dahinter zunächst das Ulanen-Regiment Nr. 13 und Dragoner-Regiment Nr. 19, dann die 1. und 3. Schwadron Kürassier-Regiments Nr. 4, sowie das Husaren-Regiment Nr. 10 und Dragoner-Regiment Nr. 16[*]), welche letzteren beiden sich anschlossen, trabte Alles in nordwestlicher Richtung, südlich bei Mars la Tour vorbei und nahm nördlich der Chaussee nach Verdun auf der westlichen Abdachung der Höhe Stellung, das Dragoner-Regiment Nr. 13 gegen die Chaussee Mars la Tour—Jarny vorgeschoben.

Im ersten Treffen: standen rechts das Dragoner-Regiment Nr. 19, dann die zwei Schwadronen des Kürassier-Regiments Nr. 4, links Ulanen-Regiment Nr. 13 nur drei Schwadronen stark; im zweiten Treffen: rechts Husaren-Regiment Nr. 10, auch nur drei Schwadronen zählend; links Dragoner-Regiment Nr. 16. Alles in zusammengezogener Schwadronszug-kolonne.

Im Vorüberreiten bei Mars la Tour war die 3. Schwadron, Ulanen-Regiments Nr. 13, Rittmeister Schlick, zu der 19. Infanterie-Division entsendet worden, da dieselbe sich ohne jede Reiterei befand und derselben dringend bedurfte, um unter ihrer Beihülfe die zersprengten Reste der 38. Infanterie-Brigade zu sammeln.

Das Dragoner-Regiment Nr. 13 kam sehr bald mit dem Feinde in Berührung. Um dies und die daran sich weiter knüpfenden Ereignisse zu verstehen, ist ein Blick auf die Ereignisse erforderlich, welche mittlerweile bei dem Feinde stattgefunden hatten.

Wir sahen bereits weiter oben[**]), daß General Ladmirault seinem, dem 4. Korps vorauseilend, welches von der Chaussee Gravelotte—Doncourt links abbiegend im Anmarsche auf Bruville war, eine 12pfündige Batterie bei dem Pachthofe Greyère gegen die 1. Garde-Dragoner ins Feuer brachte. Dies Erscheinen feindlicher Truppen in seiner rechten Flanke machte den General bei weiterem Vorgehen für dieselbe besorgt, er ließ daher das 5. Bataillon der Jäger zu Fuß, von der 1. Brigade Billecourt der 2. Division Grenier in den Grund hinabsteigen, welcher die Höhen bei Greyère von denen bei Ville sur Yron trennt und stellte dahinter in einem Gehöfte das 98. Linien-Regiment der 2. Brigade Pradier derselben Division auf. Doch auch dies genügte ihm nicht und beschloß er der Bedrohung seiner Flanke die gesammte ihm zur Verfügung stehende Reiterei gegenüberzustellen.

---

[*]) Als Divisions-Reiter-Regiment der 20. Infanterie-Division zugetheilt.
[**]) Vergl. S. 260.

„Ungefähr 500 Meter von dem Pachthofe Greyère, hinter unserem rech=
ten Flügel, erzählt der französische Bericht*); befand sich das 2. Regiment
der afrikanischen Jäger unter Befehl des General du Barail. Später kam
hierzu die Division Legrand**) mit Ausnahme der 11. Dragoner, welche
sich hinter der Infanterie in Reserve befanden. Ferner stand auf der Höhe
von Bruville General de France mit den Dragonern und Lanciers der
Garde. Endlich war die Division Clérembault***) des 3. Armee=Korps
in der Nähe des Dorfes Bruville. Ihre Jäger=Regimenter waren geschwächt
durch Detachements, welche sie an die Infanterie=Divisionen abgegeben hatten.
Die Brigade de Juniac befand sich zur Zeit bei dem Marschall Lebœuf
Kommandant des 3. Armee=Korps †)".

---

*) Bonie a. a. O. pag. 73.

) **Division de cavalerie du 4e corps.
Général de division Legrand.
chef d'état-major: colonel Campenon.

1e brigade.
Général de Montaigu.
2e régiment des hussards.
7e " " "

2e brigade.
Général de Gondrecourt.
3e régiment des dragons.
11e " " "
1800 Pferde.

***) **Division de cavalerie du 3e corps.**
Général de division: de Clérembault.
chef d'état-major: colonel Jouffroy d'Abbans.

1e brigade.
Général de Bruchard.
2e régiment des chasseurs.
3e " " "
10e " " "

2e brigade.
Général Gayault de Maubranches.
2e régiment des dragons.
4e " " "

3e brigade.
Général baron de Juniac.
5e régiment des dragons.
8e " " "
3100 Pferde.

†) Es befanden sich somit zur Zeit bei dem Pachthofe Greyère französischerseits ver=
sammelt und jeden Augenblick verfügbar, an frischer noch gar nicht im Feuer ge=
wesener Reiterei:

„Gegen 4½ Uhr Abends sonderte sich eine zu der feindlichen Reiterei gehörende Batterie ab, um uns in die Flanke zu kommen, und nahm auf der Straße Stellung, etwa in der Höhe des Pachthofes Greyère*). Um dies Feuer zum Schweigen zu bringen, ließ General Ladmirault den Generalen du Barail, Legrand und de France Befehl zugehen, seinen rechten Flügel zu entlasten. General du Barail überschritt in Folge dessen mit den 2. afrikanischen Jägern, den Grund, machte eine Linksschwenkung und warf sich in der Schwärmattacke (en fourageurs) auf die Geschütze, welche kaum Zeit hatten zu feuern, die Jäger hieben die Artilleristen nieder, welche nicht mehr Zeit hatten zu entfliehen, aber auf zu zahlreiche Massen stoßend**), wichen sie nach rechts hin aus, sammelten sich in der Ecke zwischen der Straße und dem Walde***) und boten dem Feinde durch ein sehr lebhaftes Feuer die Spitze. Nach dieser glänzenden Waffenthat erschien die Batterie nicht wieder".

Sehen wir, was es mit dieser glänzenden Waffenthat, dem Nichtwiedererscheinen der Batterie nach den preußischen Berichten für eine Bewandniß hat.

---

2. afrikanische Jäger, 5 Schwadronen	500	Pferde
2. und 7. Husaren zu je 5 Schwadronen à 500	1000	„
3. Dragoner, 4 Schwadronen	400	„
Dragoner und Lanciers der Garde zu je 5 Schwadronen à 500	1000	„
also in erster Linie	2900	Pferde
2., 3. und 10. Jäger zu Pferde, zu je 4 Schwadronen, da Detachements zu der Infanterie abgegeben waren, à 400 . . .	1200	„
2. und 4. Dragoner zu je 4 Schwadronen à 400	800	„
also in zweiter Linie	2000	Pferde
und insgesammt	4900	Pferde.

Dieser Reiterei gegenüber führte General-Major v. Barby heran, bez. befanden sich bereits in der Gegend von Ville sur Yron, Alles bereits im Feuer gewesen und seit Tagesanbruch im Sattel, berechnet nach der Durchschnittsstärke des Standesausweises vom 11. August:

Dragoner Nr. 19	560	Pferde.
Ulanen Nr. 13 (3 Schwadronen)	420	„
Kürassiere Nr. 4 (2 Schwadronen)	280	„
Dragoner Nr. 13	560	„
Husaren Nr. 10 (3 Schwadronen)	420	„
Dragoner Nr. 16	560	„
2. Garde-Dragoner (2 Schwadronen)	280	„
Ins Gesammt	3080	Pferde

ohne Anrechnung der bereits gehabten Verluste.

*) Batterie Planitz, vergl. S. 261.
**) Dragoner Nr. 13, vergl. weiter unten S. 264.
***) Es ist der Wald der Greyère nördlich Ville sur Yron gemeint.

Wir verließen die Batterie Planiß in dem Augenblicke*) als sie ihre zweite Aufstellung gegen die französischen Reitermassen bei dem Pachthofe Greyère eingenommen hatte. Sehr bald darauf schwärmte eine feindliche Kompagnie bei jenem Pachthofe aus, welche mit großer Sicherheit in die Batterie schoß**), fast gleichzeitig attackirten die 2. afrikanischen Jäger die linke Flanke derselben.

Die 4. Schwadron 2. Garde-Dragoner-Regiments warf sich ihnen entgegen und brach die Gewalt ihres Ansturms derartig, daß die Batterie Zeit gewann abzufahren und dicht bei Mars la Tour, nördlich des Ortes eine Aufnahmestellung für die Regimenter zu nehmen, welche unter Führung des General-Major v. Barby nun allmälig in das Gefecht eingriffen.

Die Erfolge der afrikanischen Jäger gegen die Batterie waren daher nicht der Art, wie sie ihnen selber erschienen sind, denn nach den offiziellen Verlustlisten, hatte die Batterie

		Mann		Pferde
todt	—		3	
verwundet	3	„	4	„
vermißt	—	„	—	„
Ins Gesammt	3	Mann	7	Pferde

und zwar, wie der Batterie-Chef in seinem Berichte ausdrücklich anführt: „nur durch das Feuer der gegen die Batterie ausgeschwärmten Infanterie".

Als Oberst Graf v. Finckenstein die große Ueberlegenheit des anstürmenden Feindes über seine einzige Schwadron wahrnahm, wohl auch das Herankommen der übrigen feindlichen Regimenter, welche sich, wie wir weiter unten sehen werden***), bald nach den afrikanischen Jägern in Bewegung gesetzt hatten, eilte er zurück, in der Richtung von Mars la Tour, wo er das Dragoner-Regiment Nr. 13 bemerkt hatte, welches den Regimentern unter General-Major v. Barby voraus†), eben bei Mars la Tour sichtbar wurde. Auf seine Aufforderung griff das Regiment sofort ein, nahm die mittlerweile durch die Ueberlegenheit des Feindes zurückgetragenen 2. Garde-Dragoner auf und warf die französischen Jäger, welche durch die Athemlosigkeit ihrer Pferde und die Auflösung der Ordnung in ihrem Angriffe fast widerstandslos geworden waren, mit leichter Mühe und so nachdrücklich zurück, daß dieselben nach der französischen Darstellung††) bis zu dem Walde der Greyère zurückgingen und sich auf ein bloßes Feuergefecht beschränkten.

---

*) Vgl. S. 261.
**) Wohl eine Kompagnie des 5. Bataillons Jäger zu Fuß, welches General Ladmirault in den Grund entsendet hatte. Vgl. S. 263.
***) Vgl. weiter unten S. 265.
†) Vgl. S. 263.
††) Vgl. S. 265.

Die braven 2. Garde-Dragoner hatten ihre heldenmüthige Aufopferung für die ihrem Schutze anvertraute Batterie theuer bezahlt. Der Chef der 4. Schwadron, Rittmeister v. Hindenburg und mehrere Dragoner waren geblieben, 3 Offiziere, eine Menge Leute und Pferde verwundet.

Bereits waren auch jene feindlichen Reiterschaaren, deren Herannahen Oberst Graf Finckenstein gesehen, im Begriff in Scene zu treten.

Während die 2. afrikanischen Jäger ihren Angriff auf die Batterie Planitz ausführten, schwenkte die französische Division Legrand, welche wir nördlich des Pachthofes Greyère stehend verließen*), mit Zügen rechts, überschritt die Schlucht und die Straße und schwenkte etwas südlich des Waldes von Greyère mit Zügen links ein, das 3. Dragoner-Regiment im zweiten Treffen, die Husaren-Brigade Montaigu rechts überflügelnd. Die Brigade de France (Lanciers und Dragoner der Garde) schwenkte gleichzeitig rechts ab, überschritt, die Lanciers voran, rechts von der Division Legrand die Schlucht, ging hinter dieser Division vorbei und schwenkte rechts rückwärts derselben links ein. Das Lanciers-Regiment im ersten Treffen, die Dragoner im zweiten rechts überflügelnd**).

In der Verfolgung der afrikanischen Jäger begriffen***), nahmen die preußischen Dragoner Nr. 13 die eben dargestellte Entwickelung der feindlichen Reiterei wahr. Der Regiments-Kommandeur Oberst v. Brauchitsch ließ sofort Appell blasen und sammelte das Regiment schnell wieder in der Höhe von Bille sur Yron.

Während dessen hatte der französische General Legrand wiederholt den Befehl seines kommandirenden Generals erhalten, ohne Zögern anzugreifen. General du Barail sagte im Hinblick auf die so schnell wieder gesammelten preußischen Dragoner: „Es ist zu spät, der Augenblick ist vorüber". Ein

---

*) Vgl. S. 264.

**) Die französische Reiterei stand sonach in vier Treffen: im ersten die Husaren-Brigade Montaigu; im zweiten, diese nach rechts überflügelnd, die 3. Dragoner; im dritten, die Dragoner rechts überflügelnd die Lanciers der Garde; im vierten, wiederum die Lanciers rechts überflügelnd, die Dragoner der Garde.

***) Vgl. S. 266.

Oberſt von den Huſaren ſuchte um die Erlaubniß nach, den Feind du
Karabinerfeuer zuvor erſchüttern und dadurch den Angriff vorbereiten
dürfen, da die Entfernung (2000 Schritt nach der Luftlinie) doch ſehr
deutend ſei. General Légrand jedoch voll brennenden Reitermuthes ri
„Non, au sabre!" und gab General Montaigu Befehl ſeine Brigade d
Feinde entgegenzuführen. Sie ſtürzte ſich im Galopp von der Stelle v
wärts.

„Die deutſchen Dragoner*) erzählt Oberſt-Lieutenant Bonie, erwarte
dieſen Angriff**) unbeweglich, auf dem Rande der Höhe haltend, ſich
die Rieſen (comme des colosses) vom Horizonte abhebend. Doch
unſere Huſaren auf wenige Schritte heran waren, erhoben die preußiſch
Dragoner ein furchtbares Hurrah! gaben Feuer***) aus ihren kurzen
Sattel befeſtigten Flinten, nahmen lebhaft die Säbel auf und ſtiegen h
in Achtung gebietender Ordnung".

Der Kommandeur der Dragoner Nr. 13 bemerkte ſehr bald, daß
feindlichen Huſaren bemüht waren, im Vorgehen, ſeinem Regimente die re
Flanke abzugewinnen. Er ließ daher, um dieſe Abſicht zu vereiteln,
Zügen rechts ſchwenken, trabte eine Strecke rechts fort, ließ einſchwenken u
warf ſich im Galopp von der Stelle mit dem Regiment auf den mittlerwe
ganz dicht herangekommenen Gegner. Die 4. Schwadron 2. Garde-Dragon
Regiments unter Führung des Oberſten Graf Finckenſtein auf dem lin
Flügel der Dragoner Nr. 13.

„Der Zuſammenſtoß war furchtbar", fährt der franzöſiſche Bericht fo
„die Maſſe unſerer kleinen Pferde, athemlos durch die Länge des Ritt
bricht ſich an der Mauer, welche der an Geſtalt weit überlegene Gegner
entgegenſetzt. Die 7. Huſaren weichen aus, theilweiſe in eine Lücke th
weiſe gegen ein raſch in geſchloſſener Kolonne herankommendes feindlich
Regiment".

Das preußiſche Dragoner-Regiment Nr. 19, wie weiter oben erwähn
auf dem rechten Flügel der unter General-Major v. Barby vorgehend
Regimenter, war zunächſt dem Dragoner-Regiment Nr. 13 gefolgt, ebenfa
etwa in der Höhe von Ville ſur Dron aufmarſchirt, und kam jetzt im Tr
heran.

---

*) Dragoner Nr. 13 und 4. Schwadron 2. Garde-Dragoner-Regiments.

**) Die franzöſiſchen Huſaren hatten außer der bedeutenden Entfernung, 2000 Sch
auch noch die Schwierigkeit zu überwinden, daß ſie bergauf attackiren mußten.

***) Iſt wohl ein Irrthum, bereits widerlegt in: „Betrachtungen über die Format
Verwendung und Leiſtungen der Reiterei ꝛc."; 1. Beiheft des Militair-Wochenblatt
1872 S. 13.

†) Vergl. S. 263.

Die französischen Husaren waren durchbrochen, ihr linker Flügel theilweise umfaßt, nach kurzem Handgemenge flohen sie dem Walde zu, von den
Dragonern Nr. 13 verfolgt. General Montaigu stürzt verwundet und wird
gefangen. Oberst Graf v. Finckenstein bleibt.

General Legrand, den Mißerfolg seiner Husaren sehend, setzte sich an
die Spitze des französischen 3. Dragoner-Regiments und warf sich mit ihm
den preußischen Dragonern entgegen. Von einem Stiche durchbohrt findet
er an der Spitze seiner Truppe einen schönen Reitertod.

Mittlerweile haben auch die preußischen Dragoner Nr. 19 zur Attacke
angesetzt mit der Absicht das französische Lanciers-Regiment der Garde anzugreifen. Ihnen fielen zwei Schwadronen der von General Legrand vorgeführten 3. französischen Dragoner in die rechte Flanke. Premier-Lieutenant
Haake, Führer der 1. Schwadron, bemerkte dies rechtzeitig, schwenkte mit
der Schwadron halbrechts, warf sich mit Marsch! Marsch! von der Stelle
den feindlichen Dragonern entgegen und durchbrach sie.

Die drei übrigen Schwadronen Dragoner Nr. 19 setzten vortrefflich
geschlossen ihren Angriff auf die Lanciers fort. Diese von General de France
in aller Hast vorgeführt, geriethen mit ihrem linken Flügel in die Dragoner
des General Legrand, ihre Mitte wurde von den preußischen Dragonern
Nr. 19 durchbrochen. Mittlerweile waren auch die drei Schwadronen der
preußischen Ulanen Nr. 13 herangekommen. Kurz nach den Dragonern
Nr. 19, aufmarschirt, wohl auf derselben Stelle wie diese und mit dem
Auftrage, des Gegners rechte Flanke zu gewinnen, stießen sie im langen Galopp daherbrausend auf den rechten Flügel der französischen Lanciers. Rittmeister v. Trzebinski warf sich ihnen mit der 1. Schwadron, durch eine geringe Halbrechtsschwenkung entgegen. Die beiden anderen Schwadronen,
2. und 4., Rittmeister v. Durant und v. Rosenberg, blieben gradeaus.
Sie trafen mit den französischen Dragonern der Garde zusammen, welche
ihnen mit nicht all' zu großem élan im Trabe entgegenkamen. Die 2.
Schwadron der Ulanen Nr. 13 ging grade auf sie los, die 4. umfaßte ihre
rechte Flanke, hierin unterstützt durch die 5. Schwadron der 2. Garde-Dragoner, Rittmeister v. Trotha*), welche links der Ulanen Nr. 13 in Zugkolonne vorgaloppirte, eine mindestens 3½ Fuß hohe Hecke übersprang, rechts
einschwenkte und um den Pachthof von la Grange nördlich herum, halb von
rückwärts in die französischen Garde-Dragoner einhieb.

---

*) Wir sahen diese Schwadron (S. 259.) von dem Marsche der 19. Infanterie-
Division zur Aufklärung in die linke Flanke entsendet, wissen, daß sie sich bisher, den
Gegner stets im Auge, in der Gegend von Bille sur Dron aufgehalten hatte. Als die
Regimenter unter General-Major v. Barby herankamen, schloß sie sich denselben auf dem
linken Flügel des Ulanen-Regiments Nr. 13 an und ging mit diesem zu gleicher Zeit,
links vorwärts desselben vor.

Die 2 Schwadronen der Küraffiere Nr. 4, ursprünglich zwischen den Dragonern Nr. 19 und Ulanen Nr. 13 stehend, waren, da das Terrain nach dem Pachthof de la Grange zu sich bedeutend verengt, rückwärts her ausgedrängt, sie kamen nicht zum Aufmarsche. Eine hinter der andern, jed für sich in Front entwickelt, warfen sie sich in das Getümmel, da wo di 1. Schwadron der Ulanen Nr. 13 mit französischen Garde-Dragonern un Lanciers focht.

In derselben Zeit warfen sich französischerseits die wieder gesammelte afrikanischen Jäger von neuem in den Kampf.

Im preußischen zweiten Treffen folgten rechts Husaren Nr. 10, link Dragoner Nr. 16. Jene, die Husaren, waren bereits vorgetrabt, als di Dragoner Nr. 13 mit Zügen rechts schwenkten, um der ihnen durch di französische Husaren-Brigade Montaigu drohenden Ueberflügelung entgegen zutreten, und deckten dadurch die Lücke, welche im ersten Augenblicke de Kampfes zwischen den Dragonern Nr. 13 und Nr. 19 bestand, sich späte aber beim Zusammenstoße mit dem Feinde, durch die Verengung des Terrain wieder von selber schloß.

Die 2. Schwadron der Husaren Nr. 10, Major v. Korff-Krokfisw fand Gelegenheit, durch eine Rechtsschwenkung einer feindlichen Schwadre Jäger zu Pferde entgegenzutreten, welche von dem Pachthofe Greyère her ankommend*), die rechte Flanke bedrohte, und warf dieselbe zurück. Di anderen beiden Schwadronen stürzten sich mit in das Handgemenge, welche etwa in der Höhe des Pachthofes de la Grange durcheinanderwirbelte.

Ebendasselbe thaten auch die Dragoner Nr. 16. Sie geben an, wesent lich mit Lanciers und 7. Husaren des Feindes zu thun gehabt zu haben Demnach dürften sie ungefähr auf den Punkt getroffen sein, wo die Division Legrand und Brigade de France in einander gerathen waren.

„Es war kein Angriff mehr, kein bloßes Gefecht, es war ein im Schwin del sich drehendes Schlachtgetümmel, ein wüthender Orkan, ein Wirbelsturm in welchem 6000 Reiter aller Farben, aller Waffen sich unterschiedslos würgten, die einen mit der Spitze des Degens, die andern mit seiner vollen Wucht".

So malt Oberst-Lieutenant Bonie mit dichterischem Schwunge die wilde Kampfgewühl auf dem mit Leichen bedeckten, von Rosseshufen zer stampften Blutgefilde.

Die französischen Lanciers wurden ihrer hellblauen Uniformen halber von ihren eigenen Landsleuten für preußische Dragoner gehalten und schonungs

---

*) Wahrscheinlich eine der Jäger-Schwadronen der Division Clérembault, welche g der Infanterie detachirt waren. Vgl. S. 264.

los niedergemacht. Unter ihren Lanzenstichen erlitten andrerseits wieder die preußischen Dragoner Nr. 19 schwere Verluste.

Die französischen Dragoner der Garde sind der Ansicht die preußischen Ulanen Nr. 13 zertrümmert zu haben (les abîment); diese erzählen über den Zusammenstoß mit den Dragonern der Kaiserin: „welch gewaltiger Unterschied! unsere Leute, denen feindliche Reiterei schon so oft ausgewichen, kaum zu halten, gingen sie bereits von Weitem mit lautem Hurrah darauf los, das Marsch! Marsch! der Schwadrons-Chefs kaum abwartend! Die französischen Dragoner machten zwar den Eindruck, als ob sie wohl den Willen hätten nicht kehrt zu machen, doch aber auch nicht die nöthige Energie zum Vorgehen finden könnten*)".

Doch wer will das heute entscheiden!? Jedenfalls brachte das preußische Ulanen-Regiment feindliche Offiziere und eine Menge anderer Gefangener und Beutepferde aus dem Gefechte mit heraus, während die bis jetzt an die Oeffentlichkeit gekommenen französischen Berichte von ähnlichen Beweisen günstiger Erfolge Nichts erwähnen.

Jenes entsetzliche Handgemenge sehend", fährt der französische Bericht fort**) „läßt General de France zum Sammeln blasen und die Unsrigen kommen in Auflösung (désordre) zurück, um sich wieder zu formiren, ungefähr an dem Punkte, von wo die Attacken begonnen hatten***). Die feindlichen Reiter hatten uns anfänglich verfolgt, aber zurückgerufen durch die Trompete, stiegen sie wieder bis zu 'dem Rande der Höhe hinauf; unsere Reiter sammelten und ordneten sich, links gedeckt durch das Feuer der afrikanischen Jäger und zwei Kompagnien des 5. Bataillons der Jäger zu Fuß, welche General Grenier hinter die Bäume der Straße nach Verdun†) aufgestellt hatte; rechts durch das der pferdelosen Reiter, welche sich an dem Waldrande zusammengefunden hatten, sowie durch das 5. Bataillon††) der Jäger zu Fuß, von der Greyère herangekommen, ferner durch das Feuer

---

*) Die Ulanen Nr. 13 wollen außer mit den Garde-Dragonern auch mit feindlichen Jägern zu thun gehabt haben, sowie einzelne Schwadronen feindlicher Küraffiere seitwärts des Waldes gesehen haben. Jenes sind die wieder gesammelten afrikanischen Jäger gewesen, welche vor den preußischen Dragonern Nr. 13 hatten weichen müssen, selber aufgelöst durch eine Schwärmattacke auf die Batterie Planitz. Feindliche Küraffiere sind auf diesem Theile des Schlachtfeldes gar nicht anwesend gewesen. Die auch von den französischen Dragonern getragenen glänzenden Helme mit wehenden Roßschweifen haben die Ulanen wohl getäuscht, es waren wahrscheinlich die Dragoner der Division Clérembault, welche sie sahen.

**) Bonie a. a. O. pag. 79.

***) Nördlich des Pachthofes Greyère.

†) Ist wohl die Chaussee von Jarny nach Mars la Tour gemeint.

††) Wohl nur noch 4 Kompagnien, denn 2 waren ja bereits an der Straße nach Verdun verwendet.

des 98., in einem Gehölze zwischen der Straße und dem Pachthof Greyère aufgestellt; endlich durch das Feuer der 12pfünder, welche General de Ladmirault aufgestellt hatte, um den Angriff zu unterstützen".

Im Allgemeinen entspricht diese Darstellung auch dem, was die Berichte der bei dem Kampfe betheiligten preußischen Regimenter über den Ausgang desselben sagen.

Nach langem erbittertem Handgemenge, welches wie einzelne Berichte meinen, wohl eine halbe Stunde angedauert hatte, floh der Gegner in Auflösung dem Walde zu, nach seiner Angabe durch Signale zurückgerufen. Die verfolgenden preußischen Reiter ebenfalls in vollkommenster Auflösung, wie sie jeder ernstliche Reiterkampf für beide Theile herbeiführt, geriethen in kreuzendes Gewehrfeuer, von der Chaussee und vom Walde her. Auch General-Major v. Barby ließ zum Sammeln blasen und seine Regimenter ordneten sich auf dem Rande der Höhe südöstlich Bille sur Pron.

Mittlerweile hatte auch General Clérembault seine Division dem Kampfplatze näher geführt. Es war versäumt worden, ihm von dem Vorgehen der Generale Legrand und de France Kunde zu geben; erst an dem Staube, welcher durch das Kampfgewühl aufgewirbelt wurde, erkannte er, den Zusammenstoß der beiderseitigen Reiterschaaren. Er brach sofort auf um an dem Kampfe Theil zu nehmen. Die Jäger-Regimenter, welche seinen rechten Flügel bildeten, wurden, als sie im Begriffe waren, in den Grund hinabzusteigen, welcher sie von dem Kampfplatze trennte, von den Husaren der Brigade Montaigu, die in Auflösung zurückstürmten, in Unordnung gebracht und theilweise mit fortgerissen. Nur die Dragoner-Brigade de Maubranches, das 4. Regiment voran, gelangte über jenen Grund. Auf den Ruf ihres Obersten: „A moi dragons!" warf sich 1. Schwadron der 4. Dragoner sich auf die letzten preußischen Reiter und hieb sie nieder.

Es sind unter diesen preußischen Reitern, wohl nur solche zu verstehen, welche die Ermattung ihrer Pferde oder sonstige Gründe in der Nähe des Waldes der Greyère zurückgehalten hatten, denn sämmtliche preußische Regimenter berichten zwar übereinstimmend das Erscheinen frischer feindlicher Reiter-Regimenter auf dem eben verlassenen Kampfplatze, aber auch ebenso übereinstimmend, daß diese Regimenter keinen weiteren Versuch zur Verfolgung gemacht hätten, obgleich das Ordnen und Sammeln der Preußen sehr lange dauerte, da die Regimenter sämmtlich vollständig durcheinander gerathen waren. Namentlich das Dragoner-Regiment Nr. 13, welches zuerst wieder in Reih und Glied war, wie beim Beginne des Gefechtes die Avantgarde, so jetzt die Arrier-Garde bildete und bis zum Eintritt der Dunkelheit in der Nähe von Bille sur Pron verblieb, hebt ganz besonders in seinem Berichte hervor, daß die vor ihm sich formirenden frischen feindlichen Reiterregimenter keinerlei Versuch gemacht hätten, dasselbe weiter zu behelligen.

Das Einschlagen feindlicher Granaten*) in die noch nicht vollständig wieder geordneten Regimenter veranlaßte den General-Major v. Barby, aus dem Bereiche derselben und näher an Mars la Tour heranzugehen.

Der General schreibt als Charakteristik des ganzen Kampfes:

„Die Attacken der Regimenter wurden mit großem Muthe und vieler Entschlossenheit durchgeführt, zu beklagen war nur, daß die Pferde nicht mehr bei Kräften waren, um die Attacken noch vehementer zu reiten. Die Anstrengungen des Tages durch das Hin- und Herreiten auf dem Schlachtfelde bei tiefem Boden und bergigem Terrain, die Strapazen der vorhergehenden Tage mit Bivouaks hatten die Kräfte der Pferde sehr mitgenommen."

Sämmtliche Regimenter der 5. Kavallerie-Division saßen seit Tagesanbruch im Sattel. Sie hatten nach ungefährer Messung, in verschiedenen Hin- und Hermärschen auf dem bergigen tiefbodigen Gefechtsfelde etwa vier deutsche Meilen hinterlegt. Der letzte Attackenritt, von dem Halt der Regimenter nördlich der Chaussee nach Verdun, bis zum Pachthofe von la Grange betrug 3000 Schritt nach der Luftlinie gemessen.

Facta loquuntur!

Kein Offizier und, soweit sich dies aus den offiziellen Verlustlisten der Regimenter feststellen läßt, nur 28 Mann blieben gefangen in den Händen des Feindes; dieser ließ dagegen in denen der preußischen Reiter: einen Brigade-General de Montaigu, schwer blessirt; einen Obersten, mehrere Kapitains und Lieutenants, eine beträchtliche Anzahl Mannschaften und Pferde. Leider sind die bezüglichen Zahlen nirgends bestimmt angegeben.

Der Verlust der betheiligten Regimenter war verschieden, im Ganzen jedoch nicht unbeträchtlich:

Bezeichnung des Truppentheils.	Todt.			Verwundet.			Vermißt.			Insgesammt.		
	Offiz.	Mann	Pferde	Offiz.	Mann	Pferde	Offiz.	Mann	Pferde	Offiz.	Mann	Pferde
Brigadestab . . .	—	—	—	2	—	—	—	—	—	2	—	—
Dragoner 13 . .	1	4	12	7	74	35	—	12	6	8	90	53
Dragoner 19 . .	4	10	—	8	94	—	—	9	95	12	113	95
2 Schwadronen Kürassiere 4 . .	—	5	20	3	12	—	—	25	—	3	42	20
3 Schwadronen Ulanen 13 . . .	1	6	24	6	36	19	—	9	18	7	51	61
3 Schwadronen Husaren 10 . . .	1	2	10	3	25	13	—	4	15	4	31	38
Latus	7	27	66	29	241	67	—	59	134	36	327	267

*) Wohl von jenen 12pfdrn. kommend, welche General Ladmirault bei dem Pachthofe von Greyère hatte auffahren lassen, um den Angriff seiner Reiter zu unterstützen. Vgl. S. 272.

Bezeichnung des Truppentheils.	Todt.			Verwundet.			Vermißt.			Insgesammt.		
	Offiz.	Mann	Pferde	Offiz.	Mann	Pferde	Offiz.	Mann	Pferde	Offiz.	Mann	Pferde
Transport	7	27	66	29	241	67	—	59	134	36	327	267
Dragoner 16.. 2 Schwadronen	1	1	8	1	11	12	—	1	22	2	13	42
2. Garde-Drag.	2	5	37	2	85	45	—	13	—	4	103	82
Insgesammt	10	33	111	32	337	124	—	73*)	156	42	443	391

Geblieben waren:

Von Dragoner 13: Premier-Lieutenant Rogalla v. Bieberstein.

Von Dragoner 19: Premier-Lieutenant Zedelius; die Sekonde-Lieutenant v. Luck, Graf v. Lüttichau, v. Unger.

Von Ulanen 13: Oberst und Regiments-Kommandeur v. Schack.

Von Husaren 10: Major und etatsmäßiger Stabsoffizier v. Hertell.

Von Dragoner 16: Sekonde-Lieutenant v. Koblinski.

Von 2. Garde-Dragoner: Oberst und Regiments-Kommandeur Graf v. Finckenstein; Rittmeister v. Hindenburg.

Es waren sonach todt auf je 3 Mann 1 Offizier, während bei etatsmäßiger Besetzung aller Stellen auf 26 Mann ein Offizier gerechnet wird.

Das Dragoner-Regiment Nr. 16 trennte sich bei Mars la Tour von den übrigen Regimentern, welche hier, mit Ausnahme des vorne haltenden Dragoner-Regiments Nr. 13 absaßen, und suchte seine, die 20. Infanterie-Division wieder auf, gleichzeitig die Gefangenen mit, und dem General-Kommando 10. Armee-Korps zuführend.

Bei Tronville eingetroffen, forderte ein Generalstabsoffizier des 3. Armee-Korps das Regiment auf, in der Richtung von Rézonville vorzugehen, um die dort errungenen Erfolge des Armee-Korps auszubeuten.

Die 4. Schwadron wurde als Avantgarde vorgenommen und trabte das Regiment in der bezeichneten Richtung an, stieß jedoch sehr bald auf das Dragoner-Regiment Nr. 9, sowie mehrere Bataillone und Batterien, wodurch der Vormarsch sehr verzögert wurde. Da bei der mittlerweile eingetretenen Dunkelheit, auf große Erfolge nicht weiter zu rechnen war, wurde die 4. Schwadron Rittmeister v. Kutzschenbach, zurückbeordert und ging das Regiment nach Tronville zurück.

---

*) Von diesen 73 Vermißten kehrten nachgewiesenermaßen später 28 aus der Gefangenschaft zu den Regimentern zurück, die übrigbleibenden 45 kehrten theilweise in den nächsten Tagen zurück, theilweise sind sie als geblieben zu betrachten.

Jene Schwadron hatte unterdessen Rézonville erreicht, stieß dort auf feindliche Infanterie und erhielt von derselben aus dem Rande des Dorfes und den Straßengräben so lebhaftes Feuer, daß sie mit Verlust von 4 Mann verwundet und 10 Pferden todt zurückgehen mußte. Sie traf um 9½ Uhr Abends in dem Bivouak des Regiments bei Tronville ein*).

Mit Eintritt der Dunkelheit führte General-Major v. Barby auch die übrigen unter seinem Befehle stehenden Regimenter weiter zurück und bezogen dieselben Bivouaks:

Die Kürassiere Nr. 4, Ulanen Nr. 13, Dragoner Nr. 19 und Husaren Nr. 10 bei Xonville; Dragoner Nr. 13 vorgeschoben bei Puxieux, ihnen schloß sich die 5. Schwadron 2. Garde-Dragoner an.

Die entsendet gewesenen Schwadronen der Regimenter Kürassiere Nr. 4 und Ulanen Nr. 13 stießen hier wieder zu ihren Regimentern.

Letztere, die 3. Schwadron Ulanen Nr. 13, von Mars la Tour aus zur 19. Infanterie-Division**) entsendet, hatte hier wesentlich dazu mitgeholfen, die Versprengten der 38. Infanterie-Brigade v. Wedell zu sammeln und dabei verloren:

todt	2	Mann	7	Pferde
verwundet	3	„	—	„
vermißt	3	„	—	„
Insgesammt	8	Mann	7	Pferde.

Die 3. Schwadron 2. Garde-Dragoner-Regiments, als Bedeckung für den General der Infanterie v. Voigts-Rhetz verwendet, suchte, von diesem Dienste entlassen, vergeblich nach ihrer Brigade und etablirte sich schließlich auf einem südlich Mars la Tour belegenen Verbandplatze. Die 4. Schwadron des Regiments fand den Anschluß an das 1. Garde-Dragoner-Regiment bei Xonville, wohin später auch die 2. Schwadron gelangte***).

Die Reste der beiden Regimenter der 12. Brigade, Kürassiere Nr. 7 und Ulanen Nr. 16, hatten sich südwestlich Flavigny in dem gegen den Pachthof von Sauley streichenden Grunde gesammelt. Sie bezogen mit dem Sinken des Tages südlich Xonville Bivouaks.

General-Major v. Redern hatte während der letzt geschilderten Vorgänge mit den Husaren-Regimentern Nr. 11 und Nr. 17 die Stellung bei Flavigny*) behauptet, bis das Infanterie-Gefecht in den Tronviller Büschen

---

*) Ihr Angriff auf Rézonville dürfte sonach mit dem Vorgehen der 6. Kavallerie-Division gegen denselben Ort zusammengefallen sein. Vgl. weiter unten S. 276.

**) Vgl. S. 263.

***) Die 5. Schwadron des Regiments hatte sich dem Dragoner-Regiment Nr. 13 bei Puxieux angeschlossen. Vgl. S. 275 weiter oben.

†) Vgl. S. 237.

so heftig wurde, daß es den Anschein gewann, die gegen Rézonville hin faſt erstorbene Schlacht werde in jener Richtung von Neuem beginnen. Die Brigade ging daher näher an Tronville heran um für alle Fälle bereit zu sein. Hier traf sie mit der 6. Kavallerie-Diviſion zuſammen. Als es völlig dunkel geworden war, geſtattete der kommandirende General des 10. Armee-Korps der Brigade nach Lachaussée zu gehen, um hier zu tränken und zu füttern.

Die Schlacht ſtarb mit dem Sinken des Tages allmälig dahin. Todes-müdigkeit lagerte ſich über die blutgetränkten Gefilde. Da erwachte der Kampf mit einem Male von Neuem. Vom rechten preußiſchen Flügel her, aus den Wäldern von St. Arnould und des Ognons ſchallte munteres Ge-wehrfeuer herüber.

Se. Königliche Hoheit der Prinz Friedrich Carl, ſeit Nachmittags auf dem Schlachtfelde anweſend, hielt den Zeitpunkt für gekommen, durch einen letzten allgemeinen Angriff eine Entſcheidung herbeizuführen. Auch das Ein-greifen der Reiterei ſchien jetzt, bevor es Abend wurde, an der Zeit. Die 6. Kavallerie-Diviſion, welche ſich bisher in der Gegend zwiſchen Flavigny und Tronville aufgehalten hatte, erhielt daher Befehl:

„Brigade Grüter hat einen Vorſtoß gegen Rézonville zu machen — die Brigade in zwei Treffen in geöffneten Strahlen, — Brigade Rauch hat den auf der Chauſſee beabſichtigten Vorſtoß der 6. Infanterie-Diviſion rechts zu kotoyiren.“

Die 14. Brigade war zu dieſer Zeit bereits rechts ab hinter die Korps-Artillerie des 3. Armee-Korps gerückt*), da es den Anſchein gewann, als ob der Gegner bei Rézonville größere Reitermaſſen ſammele. Auf Grund obigen Befehls ging die Brigade dicht nördlich des Weges Chambley—Rézonville, die Richtung deſſelben einhaltend, gegen die feindlichen Stellungen ſüdlich des genannten Ortes vor.

Die 3. und 4. Schwadron Ulanen-Regiments Nr. 3 in auseinander-gezogenen Schwadronszugkolonnen im 1. Treffen. Dahinter in der gleichen Formation, beiderſeits überflügelnd, rechts das Ulanen-Regiment Nr. 15, links drei Schwadronen des Küraſſier-Regiments Nr. 6; die Brigade rechts begleitend das Dragoner-Regiment Nr. 12.

Die vorgeſchrittene Dunkelheit geſtattete kaum noch auf etwa 20 Schritte die Gegenſtände zu erkennen. Man durchritt einen verlaſſenen feindlichen Lagerplatz, auf welchem Holzſtöße, Kochkeſſel u. dergl. m. die Bewegung er-ſchwerten. General-Major v. Grüter und Oberſt Graf v. d. Gröben ritten vor, um zu rekognosziren, da man den Feind vor ſich wohl hörte aber nicht ſehen konnte. Oberſt Graf v. d. Gröben glaubte vor ſich eine geſchloſſene

*) Auf den Bergrücken Flavigny—Gorze.

Infanteriemasse zu erkennen, und wollte eben zum Angriffe vorgehen, als General-Major v. Grüter zurückkehrte. Er hatte von rechts vorwärts her Feuer bekommen, von, wie er glaubte, in jener Gegend befindlichen feindlichen Schützenlinien. Er befahl daher diese Schützenlinien und nicht die vor der Front befindlichen Massen anzugreifen, um nicht zwischen zwei Feuer zu gerathen.

Es wurde in Folge dessen mit Zügen rechts geschwenkt und nach rechts hin fortgetrabt, bis man sich den feindlichen Linien gegenüber glaubte, dann wieder mit Zügen links geschwenkt aufmarschirt und von der Stelle im Galopp angeritten, den 1. Zug der 3. Schwadron Ulanen-Regiments Nr. 3 als rechte Offensiv-Flanke vorgeschoben.

Die feindliche Infanterie, welche durch einen Wall gedeckt war, ließ die Ulanen bis auf wenige Schritte herankommen und eröffnete dann ein höchst wirksames Schnellfeuer, welches sofort einige 40 Pferde tödtete. Die Schwadronen erhielten in demselben Augenblick auch von links her, von der oben erwähnten Infanteriemasse, Feuer, mußten zurück, machten Front außerhalb der Gewehrschußweite des Feindes, welcher nicht folgte, blieben halten und setzten demnächst Vorposten aus.

Der Feind bezog Bivouaks westlich und nördlich Rézonville.

Die andern beiden Regimenter der Brigade, sowie die Dragoner Nr. 12, kamen gar nicht weiter zur Verwendung, erlitten aber doch Verluste durch das feindliche Feuer.

General-Major v. Grüter, schwer verwundet, mußte den Befehl an Oberst Graf v. d. Gröben abtreten, welcher die Brigade um 1 Uhr früh am 17. August, in ein Bivouak südwestlich Flavigny führte, nachdem die 3. Schwadron Ulanen Nr. 15 die Vorposten übernommen hatte.

Das Dragoner-Regiment Nr. 12 hatte sich bereits um 10 Uhr Abends von der Brigade getrennt und Bivouaks an der Chaussee Gorze—Chambley unfern ersteren Ortes bezogen.

Die 15. Brigade unter Führung des Obersten v. Schmidt nebst drei Schwadronen des Dragoner-Regiments Nr. 9, war aus ihrer Stellung, welche sie nach der Attacke am Nachmittage südwestlich Flavigny genommen hatte, nach Tronville und nördlich über dieses hinaus vorgerückt, um die 20. Infanterie-Division zu unterstützen. Gegend Abend wieder in südöstlicher Richtung zurückgegangen, stand sie in der Terrainfalte östlich der Höhe 286 bei Tronville, als ihr gegen 7 Uhr Abends von dem Kommandeur der 6. Infanterie-Division General-Lieutenant v. Buddenbrock, die Aufforderung zuging, seine bei Bionville stehenden Batterien zu decken. Dieselben hatten sich fast gänzlich verschossen und befürchtete der General, einen feindlichen Reiterangriff, welcher sich bei Rézonville vorzubereiten schien, wie auch bei der weiter südlich stehenden Korps-Artillerie bemerkt worden war, weshalb

die 14. Brigade zur selben Zeit zum Vorrücken aufgefordert wurde, um
selbe zu decken*).

Oberst v. Schmidt ging sogleich mit dem Husaren-Regiment Nr. 3
Dragonern Nr. 9 in der gewünschten Richtung vor, während das Husa
Regiment Nr. 16 in der bisherigen Stellung verblieb.

Als die beiden Regimenter bald darauf bei Bionville eintrafen,
schwand die feindliche Reiterei eben hinter den Höhen von Rézonville
war nicht mehr zu erreichen.

Langsam nach der früheren Stellung zurückreitend, erhielt die Brig
jenen Befehl mit der 6. Infanterie-Division nördlich der Chaussee Bionvill
Rézonville einen Vorstoß gegen die feindlichen Stellungen bei letzterem L
zu machen.

Die Brigade blieb sofort halten, das Husaren-Regiment Nr. 16 wu
herangezogen und erhielt seinen Platz rechts, das Husaren-Regiment Nr
links. Die Spitzen der auseinandergezogenen Schwadronszugkolonnen bei
Regimenter wurden an dem Wege von Bionville nach Gorze in glei
Höhe angesetzt, das Dragoner-Regiment Nr. 9 folgte als zweites Tre
in derselben Formation.

So trabte die Brigade, das brennende Flavigny rechts lassend, süd
der Chaussee nach Rézonville in der Richtung auf diesen Ort vor.
weiteren Verlaufe des Vormarsches, sollten nach Anordnung des Brige
führers, zunächst das Husaren-Regiment Nr. 3 und demselben folgend
die beiden linken Flügelschwadronen des Husaren-Regiments Nr. 16,
Chaussee nach Norden hin überschreiten. Bald zeigten sich etwa 300 Sch
nördlich der Chaussee dichte Infanteriemassen; es war in der mittlerw
eingetretenen Dämmerung nicht mehr möglich zu unterscheiden, ob feindl
oder preußische. Sie feuerten ziemlich lebhaft nach allen Seiten und schlu
Kugeln auch in die Brigade. Oberst v. Schmidt ritt daher persönlich
um den Sachverhalt festzustellen, und erfuhr durch einen ihm entgegenk
menden Adjutanten, daß es Bataillone der 6. Infanterie-Division se
welche durch einen Angriff feindlicher Reiterei bedroht würden. In F
dessen zog Oberst v. Schmidt sogleich die ganze Brigade auf die nördl
Seite der Straße hinüber, sie ging durch die Infanterie hindurch, marsch
auf und ritt im Galopp einer dunkelen Masse entgegen, welche für
feindliche Reiterei gehalten werden mußte; die Masse wich dem Angriffe n
rechts hin aus und gleich darauf begann ein sehr heftiges Infanterief
aus nächster Nähe. Beide Husaren-Regimenter befanden sich mitten in fei
licher Infanterie, sie durchritten mehrere ausgedehnte Schützenlinien, d
Leute sich zur Erde warfen, sobald die Husaren über sie hinweg waren

---

*) Vgl. S. 276.

wieder auffprangen und ihnen in den Rücken feuerten. Hinter diefen Schützenlinien ftanden gefchloffene Trupps. Diefelben wurden von den Hufaren zum
Theil durchbrochen, zum Theil verfprengt. Die feindliche Infanterie lief
auseinander, unterhielt jedoch im Zurücklaufen ein ununterbrochenes fehr lebhaftes Feuer. Das rechte Flügel-Soutien des Feindes, welches auf einer
kleinen Erhöhung ftand und unberührt geblieben war, gab wiederholt Salven
in die wirbelnden Maffen ab, durch welche namentlich dem Hufaren-Regiment
Nr. 3 empfindliche Verlufte zugefügt wurden. Oberft v. Schmidt raffte
daher, unterftützt durch den Chef der linken Flügelfchwadron, Rittmeifter
Krell, einige 50 Hufaren zufammen und ritt mit diefen gegen jenes Soutien
an. Der kühne Verfuch, daffelbe zu fprengen mißlang jedoch. Zunächft war
bei der herrfchenden Dunkelheit doch die Stellung des Gegners nicht genau
zu erkennen, und dann hatte der Stoß keine rechte Kraft mehr. Die Pferde,
feit 2½ Uhr früh unter dem Sattel, den Tag über weder ge-
tränkt noch gefüttert, waren kraftlos, den Mannfchaften erging es beim
beften Willen nicht beffer.

Ein weiterer Erfolg war nicht zu erreichen, der Feind überall im Zurückweichen, es wurde zum Sammeln geblafen und im Schritt zurückgegangen,
nachdem die Regimenter geordnet waren, fo gut dies in der Dunkelheit fich
machen ließ.

Bei dem Durchreiten durch die eigenen Infanterielinien machte fich das
Siegesgefühl der Hufaren in einem lauten Hurrah Luft.

Nach Ausfage einiger gefangenen feindlichen Offiziere waren es das
93. Linien-Regiment und 12. Bataillon Jäger zu Fuß gewefen, auf welche
die Hufaren geftoßen, die eigene Reiterei fei hinter diefe Infanterie zurückgegangen, als fie das Vorgehen der preußifchen bemerkte.

Nach franzöfifchen Berichten find auch Zuaven der Garde an dem
Kampfes-Intermezzo betheiligt gewefen.

Das 93. Linien-Regiment gehörte zur 2. Brigade Colin der 3. Divifion
la Font de Villiers des 6. Korps Canrobert, das 12. Fuß-Jäger-Bataillon
zur 1. Brigade Pouget der 2. Divifion Bataille des 2. Korps Froffard.
Der linke bez. rechte Flügel der genannten Korps hatten während der Kämpfe
des Tages an der Chauffee Rézonville—Vionville ihre Berührung gefunden,
fehr möglich daher, daß hier auch am Abend noch Truppentheile Beider fich
zufammenfanden. Ueber den beabfichtigten Angriff ihrer Reiterei enthalten
die franzöfifchen Berichte nicht die geringfte Andeutung.

Fay fchreibt über diefen letzten Kampf des Tages:

„ . . . Marfchall Bazaine ließ die Zuaven quer über die Straße von
Rézonville auffteilen; General Bourbaki führte feine Leute vor und fchlug
einen Angriff der Reiter-Regimenter von der Divifion des Herzog v. Mecklenburg zurück".

Bonie erzählt:

„Ein letzter Angriff beendete diese lange Reihe von Kämpfen. ?
Nacht war gekommen, das preußische Heer zog sich zurück, als man auf d[
linken Flügel unserer Linien den Galopp einer Reiterschaar vernahm, wel[
mit vollster Schnelligkeit herankam. Ein Regiment rother Husaren dur[
bricht (traverse) unsere Infanterie, jedoch sich von ihrer Ueberraschung [
holend, werfen die Zuaven sich in die Gräben der Straße und zerstreu[
durch ihr Feuer diese Truppe, welche man kaum unterscheiden konnte, de[
Angriff ohne rechtes Ziel (sans but defini) wieder verschwand".

Oberst v. Schmidt war verwundet.

Das Husaren-Regiment Nr. 16 ging bei Bionville ins Bivouak, se[
Vorposten aus und schickte zahlreiche Patrouillen vor, welche erst bei Gra[
lotte auf die Stellungen des Feindes stießen.

Das Husaren-Regiment Nr. 3 bivouakirte weiter rückwärts in der N[
von Gorze, ebenda auch die drei Schwadronen des Dragoner-Regimen[
Nr. 9. Dieselben hatten den Angriff der beiden Husaren-Regimenter li[
rückwärts begleitet, von einer geschlossenen feindlichen Abtheilung in der Fro[
von einer zweiten in der linken Flanke auf 80 Schritt Feuer bekomm[
waren eine Strecke zurückgegangen und hatten dann wieder Front gemac[
Ein erneuter Versuch vorzugehen scheiterte an denselben Hindernissen, da [
völlige Dunkelheit jede Uebersicht der feindlichen Stellung unmöglich mach[

Die beiden Brigaden hatten bei diesen nächtlichen Angriffen, von [
Punkten, an welchen sie sich formirten, bis zu dem Zusammenstoße mit [
Feinde, die 14. Brigade etwa 3000, die 15. 2500 Schritt durchritten. [
Verluste beider waren nicht unerheblich, namentlich aber hatten dieselben [
Husaren-Regiment Nr. 3 betroffen. Zwei Offiziere, Rittmeister v. Gr[
und Sekonde-Lieutenant v. Klenke, waren geblieben, drei verwundet.

Da die Regimenter in ihren Berichten für dies Gefecht leider keine [
sonderen Verlustangaben gemacht; muß bezüglich derselben auf die am Schluss[
zu gebende Gesammtverlustliste des Tages verwiesen werden.

Das der 6. Infanterie-Division zugetheilte Dragoner-Regiment Nr. [
hatte zwar keine Gelegenheit gefunden in eine der größeren Attacken [
Tages thätig mit einzugreifen, die ihm gewordene Verwendung ist aber [
den Gebrauch der Divisions-Reiterei von nicht unwesentlichem Interesse [
verdient daher mit in die Darstellung der Reiter-Verwendung an die[
denkwürdigen Tage aufgenommen zu werden.

Das Regiment befand sich, als die 6. Infanterie-Division um 5 U[
früh aufbrach an deren Spitze. Von Buxières aus wurden größere fei[
liche Lager östlich Bionville beiderseits der Chaussee sichtbar. Die vorge[

---

*) Vgl. weiter unten S. 283.

den Patrouillen meldeten, daß sie von der dort lagernden Infanterie mit heftigem Feuer empfangen seien. Zur weiteren Aufklärung der Lage wurde die 3. Schwadron, Rittmeister v. Jagow, auf Bionville, die 2. Rittmeister Freiherr v. Cramm, auf Tronville vorgesendet.

Erstere erhielt, auf der Hochebene angelangt, heftiges Infanteriefeuer, kehrte in den Wald von Gaumont zurück, schloß sich vorübergehend der durch diesen vorgehenden 14. Kavallerie-Brigade an und stieß um 10 Uhr Vormittag wieder zu dem Regiment.

Die 2. Schwadron ging über Tronville nördlich hinaus, überschritt die Chaussee westlich Bionville und gewann von den Höhen nördlich dieses Ortes einen Einblick in die Lage des Feindes. Diese stellte sich ihr in der Weise dar, daß derselbe theilweise noch in der Nähe von Rézonville lagerte, starke Kolonnen jedoch bereits gegen Bionville in Bewegung wären. Auch diese Schwadron vereinigte sich um 10 Uhr Vormittags wieder mit den übrigen.

Die 1. Schwadron, Rittmeister v. Bothmer, wurde bei dem weitern Vormarsche der Division der Avantgarde zugetheilt und erhielt hier den Auftrag die Artillerie zu decken.

Die 4. Schwadron, Rittmeister v. Kraatz-Koschlau, verblieb bei dem Gros der Division. Zu ihr stießen in der Gegend von Tronville die 2. und 3. Diese drei Schwadronen erhielten von dem Chef des Generalstabes 3. Armee-Korps Oberst v. Voigts-Rhetz Befehl das Gros der Artillerie zu decken, nahmen demzufolge hinter dem rechten Flügel der 6. Infanterie-Division, südwestlich Bionville Stellung und die Verbindung mit der 5. Infanterie-Division auf. Von hier aus gingen die Schwadronen in demselben Maße vor, wie die ihrer Deckung anvertrauten Batterien.

Die 1. Schwadron machte einen kurzen Vorstoß zwischen Bionville und dem Kirchhofe hindurch um die von der Verfolgung der französischen Garde-Kürassiere zurückkommenden Husaren-Regimenter der 13. Brigade aufzunehmen. Sie ging bis in das feindliche Infanteriefeuer vor, fand keine Gelegenheit mehr zum Einhauen und kehrte zu dem Regimente zurück.

Als bald nach 3 Uhr Nachmittags das 20. und 24. Infanterie-Regiment durch den Angriff des Korps Leboeuf gezwungen wurden, die nördlich der Chaussee belegenen Tronviller Büsche aufzugeben, wurde ihnen das Dragoner-Regiment Nr. 2 zu ihrer Aufnahme entgegengesendet. Es überschritt die große Chaussee in der Höhe jener Büsche. Die 1. Schwadron machte den Versuch an dem Ostrande der Gehölze vorzugehen um das heftige Nachdrängen des Feindes zu mäßigen, dieser Versuch scheiterte jedoch an dem all zu heftigen Feuer der feindlichen Infanterie, der außerdem in dem dichten Unterholze nicht beizukommen war. Die Schwadron ging langsam auf das Regiment zurück, welches an der Chaussee halten geblieben war.

Als später die 20. Infanterie-Division erneut gegen die Tronviller Büsche vorging, wurde die 4. Schwadron zur Deckung reitender Batterien des 10. Armee-Korps, welche unter Major v. Körber bei Bionville standen, entsendet.

Das Regiment nahm in den Gründen zwischen Tronville und Bionville Stellung, wurde von hier aus noch mit zur Deckung der Korps-Artillerie des 10. Armee-Korps herangezogen und schloß sich am Abend der 15. Kavallerie-Brigade bei ihrem nächtlichen Ritte an, kam jedoch, südlich der Chaussee bleibend, nicht mehr zur Thätigkeit. Es nahm hierauf seine Bivouaks südwestlich Bionville.

Zusammenstellung der beiderseitigen Stärken und Verluste.

Es dürfte nicht ohne Interesse sein, die beiderseitig auf dem Schlachtfelde anwesenden Reiterschaaren, ihre Stärken und Verluste, welch' letztere speziell leider nur preußischerseits angegeben werden können, zum Schlusse kurz zusammenzustellen.

Bei Berechnung der Stärken sind von preußischer Seite die Durchschnittsstärken nach dem Standesausweise vom 11. August mit 560 Pferden per Regiment angenommen worden.

Für die französischen Regimenter, über deren Stärken genauere Angaben ebenso, wie über ihre Verluste fehlen, ist angenommen, daß die Garde- und leichten Regimenter zu je 5, die schweren und Linien-Regimenter zu je 4 Schwadronen, die Schwadron zu 100 Pferden am Morgen des 16. August auf das Schlachtfeld gerückt sind.

Es waren hiernach auf dem Schlachtfelde anwesend:

Von diesen französischen Regimentern kamen nicht zur Verwendung:

2	Regimenter der Garde	1000 Pferde
3	Dragoner-Regimenter	1200 „
⅖	Jäger- „	200 „
5⅖	Regimenter mit	2400 Pferde.

bleiben als wirklich zur Thätigkeit gekommen:

21⅘ Regimenter mit 9900 Pferden.

Zieht man nun preußischerseits ab die Schwadronen des Husaren-Regiments Nr. 17, der Dragoner-Regimenter Nr. 9 und 12, welche in den eigentlichen Reiterkämpfen nicht mitwirkten:

3¾ Schwadronen mit 525 Pferden

so bleiben hier:

18⁵⁄₁₆ Regimenter mit 10255 Pferde.

Es kamen somit preußischerseits 355 Pferde mehr zur eigentlichen Verwendung, obgleich französischerseits überhaupt 1520 Pferde mehr zur Verfügung standen und nicht verwendet wurden.

Die preußischen Verluste waren:

Bezeichnung der Truppentheile.	Todt.			Verwundet.			Vermißt.			Insgesammt.		
	Offiz.	Mann	Pferde	Offiz.	Mann	Pferde	Offiz.	Mann	Pferde	Offiz.	Mann	Pferde
Stab d. 11. Brig.	—	—	—	2	—	—	—	—	—	2	—	—
Kürassier Nr. 4	—	16	29	6	44	25	—	25	10	6	85	64
Ulanen Nr. 13	1	6	24	6	36	19	—	9	18	7	51	61
Dragoner Nr. 19	4	10	—	8	94	—	—	9	95	12	113	95
Kürassier Nr. 7	1	43	33	6	72	25	—	83	203	7	198	261
Ulanen Nr. 16	2	28	172	5	101	28	2	54	—	9	183	200
Dragoner Nr. 13	1	4	12	6	74	35	—	12	41	7	90	88
Stab d. 13. Brig.	—	—	—	1	—	—	—	—	—	1	—	—
Husaren Nr. 10	1	2	10	3	23	13	—	4	15	4	29	38
Husaren Nr. 11	—	1	—	—	19	—	—	2	30	—	22	30
Husaren Nr. 17	—	8	74	2	68	—	—	14	—	2	90	74
Stab d. 14. Brig.	—	—	—	1	—	—	—	—	—	1	—	—
Kürassier Nr. 6	—	—	4	1	6	5	—	—	—	1	6	9
Ulanen Nr. 3	—	7	24	1	16	20	—	2	33	1	25	77
Ulanen Nr. 15	—	6	18	3	24	12	—	2	4	3	32	34
Stab d. 15. Brig.	—	—	—	1	—	—	—	—	—	1	—	1
Husaren Nr. 3	2	28	145	6	80	34	—	50	32	8	158	211
Husaren Nr. 16	1	5	11	2	27	61	—	—	—	3	32	72
1. Garde-Drag.	5	43	204	6	78	42	—	5	—	11	126	246
2. Garde-Drag.	2	7	107	5	112	45	—	13	—	7	132	152
Dragoner Nr. 2	—	2	16	1	11	10	—	—	—	1	13	26
„ „ 9	—	—	6	—	9	6	—	1	2	—	10	14
„ „ 12	—	—	28	—	13	4	—	—	—	—	13	32
„ „ 16	1	1	18	1	15	12	—	1	22	2	17	52
Insgesammt	21	217	936	73	922	396	2	286	505	96	1425	1837

Es waren sonach todt: 1 Offizier auf je 10 Mann; von dem Gefa[...]
verlufte kommt 1 Offizier auf 15 Mann.

Von der Ausrückeftärke waren verloren: der 7. Mann, das 6. Pfe[...]

Die Gesammtftärke der am 16. Auguft im Gefecht gewefenen [...]
tifchen Streitkräfte betrug 67000 Mann, hiervon bildete die Reiterei [...]
10780 Pferden etwa den 6. Theil. Sie hat somit auch an den Wer[...]
des Tages ihren vollwichtigen Antheil. Diese Verlufte betrugen; ins[...]
fammt:

640 Offiziere, 15170 Mann

Von der Reiterei:

96 Offiziere 1425 Mann.

Es kam somit auf 6 Offiziere insgefammt, 1 Reiteroffizier, au[...]
Mann insgefammt, ein Reitersmann.

Verhältniffe, wie fie wohl selten in der Geschichte der Kriege fich [...]
holen dürften, welche einen thatsächlichen Beweis dafür geben, daß die [...]
an das Verdienft um die Erfolge diefes Tages einen vollgültigen Anf[...]
zu erheben berechtigt ift.

Kaehler,
Major im großen Generalftabe.

Beiheft

zum

Militair-Wochenblatt

herausgegeben

von

A. Vorbstaedt,

Oberst z. D.

1872.

Neuntes Heft.

Berlin 1872.

Ernst Siegfried Mittler und Sohn,

Königliche Hofbuchhandlung

Kochstraße 69.

Das neue französische Wehrgesetz.

In Nr. 131 des Militair-Wochenblatts vom 6. Dezember v. J., haben wir die Schwierigkeiten und Bedenken dargelegt, welche unserer Meinung nach in Frankreich der Einführung der allgemeinen Wehrpflicht, wie dieselbe in Deutschland aufgefaßt wird, entgegenstehen.

Kurze Zeit darauf begannen in der National-Versammlung zu Versailles die Verhandlungen über die künftige Wehrverfassung Frankreichs. Eine Kommission von 45 Mitgliedern, worunter sich 16 höhere Offiziere befanden, hatte sich nach fast einjähriger Arbeit über einen Wehrgesetz-Entwurf geeinigt und mit der Regierung verständigt, welcher der National-Versammlung mit einem ausführlichen Bericht vorgelegt und von derselben in Berathung genommen wurde.

Inzwischen ist das neue französische Wehrgesetz unter Zustimmung der Regierung in dritter Lesung definitiv angenommen, vom Präsidenten der Republik genehmigt und publizirt worden. Die großen Veränderungen, welche hierdurch die militairische Organisation eines von Haß gegen uns erfüllten Nachbarlandes erfährt, hat für uns ein naheliegendes und natürliches Interesse. Wir haben jetzt mit einer Thatsache zu rechnen, und es ist wichtig, daß wir uns über dieselbe und über alle ihre Konsequenzen Klarheit zu verschaffen suchen.

Zu diesem Zwecke müssen wir mit einem kurzen Rückblick auf die historische Entwickelung der französischen Militairgesetzgebung beginnen.

Die Revolution fand in Frankreich noch das System der freiwilligen Werbung vor, welche von den Regiments- und Kompagnie-Kommandanten in Entreprise genommen wurde. Ergänzt war dieses System seit dem Jahre

1688 durch Aufstellung einer Provinzial-Miliz, für welche jede Gemeinde ein bestimmtes Kontingent vollständig ausgerüsteter Mannschaften zu je zweijährigem Dienst zu gestellen hatte. Nach dem siebenjährigen Kriege scheint jedoch der Miliz-Organisation wenig Aufmerksamkeit mehr zugewandt worden zu sein.

Im Jahre 1789 wurde in der konstituirenden National-Versammlung zum ersten Male die Einführung der Konskription angeregt, jedoch als ein Attentat gegen die Freiheit der Bürger mit Entrüstung verworfen. Es gelang, die Reihen des Heeres zunächst noch durch freiwillige Werbung zu füllen. Im Jahre 1792 konnte die Armee durch Freiwillige erheblich stärkt werden, nachdem das Vaterland in Gefahr erklärt war. Anfangs 1 mußte man bereits dazu schreiten, von den Gemeinden die Gestellung von 300,000 Mann der Nationalgarde zur Auffüllung der Cadres des Heeres zu fordern, und im Herbst 1793 erfolgte das erste Massen-Aufgebot. Es gelang auf diese Weise, mehr als 400,000 Mann aufzustellen. Allein die angewandten Mittel versagten, als der erste Freiheitsrausch vorüber war. Im Jahre 1798 wurde die allgemeine Wehrpflicht, ohne Stellvertretung eingeführt; alle jungen Leute vom 20. bis 25. Lebensjahr wurden in die Listen der Truppen-Korps eingetragen und konnten während dieser Zeit nach Maßgabe des Bedarfs durch Gesetz zum Dienst einberufen werden. Nach vollendetem 25. Lebensjahre schieden sie aus, die Gesetzgebung behielt sich jedoch vor, auch später noch über sie zu disponiren. Aber schon im folgenden Jahre mußte die Stellvertretung zugelassen werden; weiter wurde dann bestimmt, daß Jeder, der nicht selbst dienen konnte oder wollte, und auch keinen Stellvertreter gestellte, eine nach den Vermögens-Verhältnissen bemessene Entschädigungs-Summe an die Staatskasse zu entrichten hatte, und mit dieser Modalität, sowie mit der im Jahre 1805 eingeführten Bestimmung, nach welcher die Reihenfolge der Einberufung zum Dienst durch die Loosung festzustellen war, blieb die Konskription in Frankreich bis zum Jahre 1814 in Kraft.

In dem letztgenannten Jahre war die Abschaffung der verhaßt gewordenen Konskription eine der wesentlichsten Konzessionen, mit welchen sich die Restauration einführte. Das Heer wurde aufgelöst, und man bildete aus den entlassenen Mannschaften, milizartige „Departemental-Legionen", welche sich aus denjenigen Departements, in welchen sie formirt wurden, durch Freiwillige ergänzen sollten.

Diese Organisation wurde unverändert beibehalten bis zum Jahre 1818, und es ist für uns von hohem Interesse, einen Vergleich zu ziehen zwischen der Auffassung der politischen Lage, von welcher die militairischen Maßnahmen Frankreichs nach 1815 einerseits und nach 1871 andererseits Zeugniß geben.

Erst im Jahre 1818 legte man Hand an's Werk, um sich allmählich wieder ein wirkliches Heer zu bilden. Durch das Rekrutirungsgesetz dieses Jahres, dessen Urheber der Marschall Gouvion St. Cyr ist, wurde die Sollstärke des Heeres auf 240,000 Mann, das Maximum des jährlichen Ersatzkontingents auf 40,000 Mann festgestellt. Die Armee sollte in erster Linie durch Freiwillige gedeckt und nur im Falle Mangels derselben zur Aushebung geschritten werden. Den Freiwilligen wurden weder Geldprämien noch Handgeld gewährt. Mannschaften, welche ihrer Dienstpflicht genügt hatten, konnten sich auf fernere 2 bis 5 Jahre verpflichten (rengagement); sie erhielten dadurch Anspruch auf höhere Löhnung und Aussicht auf Anstellung in der Gensdarmerie.

Die Militairdienstpflicht trat mit dem 20. Lebensjahre ein, die Reihenfolge der eventuellen Einberufung der Dienstpflichtigen wurde durch das Loos bestimmt; wer sich freiloofte, blieb definitiv vom Dienste befreit. Der Nummertausch zwischen Mannschaften desselben Jahrganges (la substitution) war jedoch ebensowohl gestattet, wie die Stellvertretung (le remplacement) durch bereits gediente Mannschaften unter 35 Jahren oder diensttaugliche, unausgebildete Mannschaften unter 30 Jahren, unter Verantwortlichkeit des Dienstpflichtigen für seinen Stellvertreter auf ein Jahr. Außerdem ließ das Gesetz zahlreiche Befreiungen vom Dienste in Berücksichtigung körperlicher Mängel und gewerblicher, häuslicher ꝛc. Verhältnisse (exemptions) sowie im Interesse des öffentlichen Dienstes (dispenses) zu. Der Unterschied zwischen den Eximirten und den Dispensirten bestand darin, daß die ersteren im Jahreskontingent nach der Loosnummer ersetzt wurden, während die letzteren von demselben einfach in Abzug kamen, das Jahreskontingent sich also um ihre Zahl verringerte. Die Dienstzeit wurde auf 6 Jahre im Heere und 6 Jahre in den Veteranen-Kompagnien festgesetzt, welche letzteren jedoch nur im Kriegsfalle formirt und nur auf Grund eines Ausnahme-Gesetzes außerhalb ihres Territorial-Bezirks verwandt werden durften.

Das Gesetz vom Jahre 1818 ließ einstweilen noch die territoriale Organisation des Heeres, die Formation in Departemental-Legionen, bestehen. Man erkannte aber bald, daß diese Organisation „zu beträchtlichen Verschiedenheiten der Truppen in Rücksicht auf ihren inneren Werth führte und daher die Homogenität des Heeres beeinträchtigte". Im Jahre 1820 wurden daher die 94 Departemental-Legionen in 80 Infanterie-Regimenter umgeformt, welche ihren Ersatz gleichmäßig aus allen Theilen des Landes erhielten, ein Verfahren, an welchem bekanntlich seit jener Zeit in Frankreich festgehalten worden ist.

Im Jahre 1824 erhöhte man die Dienstzeit im Heere auf 8 Jahre, das Jahreskontingent auf 60,000 Mann. Von diesem wurden indeß nur so viele Mannschaften wirklich eingestellt, als zur Deckung des durch Entlassung

des ältesten Jahrganges entstehenden Manquements erforderlich waren. 1
übrigen verblieben in ihrer Heimath, durften jedoch im Bedarfsfalle n
ihrer Loosnummer, mit dem jüngsten Jahrgang anfangend, eingezogen w
den. Man gewann hierdurch das Mittel, das Heer im Frieden complet
erhalten, und schaffte außerdem eine, wenn auch unausgebildete Reserve 1
den Kriegsfall. Dagegen wurde gleichzeitig das Institut der Veteran
Kompagnien aufgehoben.

Im Jahre 1832 wurde ein neues Armeegesetz erlassen, welches bis
unserer Zeit, obgleich durch Gesetzesnovellen vielfach durchlöchert, die Gru
lage der Heeres-Verfassung in Frankreich gebildet hat. Die Bestimmun
dieses Gesetzes entsprechen in allen wesentlichen Punkten denen des Gese
vom Jahre 1818, wie wir sie oben mitgetheilt haben, mit folgenden Mo
fikationen:

1) Die Ergänzung des Heeres durch Aushebung (appels) erscheint 1
Hauptprinzip, die Ergänzung durch Freiwillige erst in zweiter Linie.

2) Die Ausgehobenen werden den verschiedenen Heeresabtheilungen 1
gewiesen und in deren Grundlisten eingetragen. Sie werden jedoch n
Hause aus nach dem Loose in 2 Klassen (première et deuxième portio
eingetheilt, von welchen die erste zur Truppe einberufen wird, die zweite al
bis auf erneute königliche Verordnung in der Heimath verbleibt.

3) Die Dienstpflicht beträgt 7 Jahre. Die während dieser Zeit 1
unbestimmten Urlaub entlassenen Mannschaften können jeder Zeit, auch
periodischen Uebungen, eingezogen werden.

Die Bestimmungen über Loosung, Nummertausch, Stellvertretung u
Rengagement, über Exemptionen und Dispensationen entsprechen denen d
Gesetzes vom Jahre 1818.

Die Stärke des Heeres sollte sich richten nach dem alljährlich zu 1
lassenden Finanz- und Kontingentsgesetz. Bereits im Jahre 1830 w
nämlich bestimmt worden, daß die Ziffer des Rekruten-Kontingents alljäl
lich von der Regierung mit der Landes-Vertretung zu vereinbaren sei. E
betrug von jener Zeit an bis 1859 in Friedensjahren fast regelmäßig 80,0
Mann, reduzirte sich jedoch durch Dispensationen und andere Abgänge 1
etwa 65,000 Mann.

In der Zeit nach 1832 traten mannichfache Versuche zur Vervollstä
digung und Verbesserung des Wehrsystems hervor. Es handelte sich bei
namentlich um die Errichtung von Depots zur militairischen Ausbildung d
deuxième portion und besseren Kontrole des Beurlaubtenstandes, sou
um die Nutzbarmachung des seit 1831 bestehenden Instituts der Nation
garde im Interesse der Landesvertheidigung, besonders durch militairisc
Organisation der nach dem Gesetze von 1831 aus der Nationalgarde eva
zu formirenden mobilen Abtheilungen. Allein derartige Bestrebungen scheiten

an der wachsenden Abneigung des Landes gegen alle Lasten des Heerwesens. Diese Abneigung trat besonders hervor in der zunehmenden Zahl der Stellvertreter. Die Nachfrage nach Stellvertretern war groß, das Angebot gering; die Spekulation bemächtigte sich dieses Umstandes und durchsetzte die Armee mit unzuverlässigen Elementen.

Die Revolution des Jahres 1848 kam, sie führte zur Republik und diese zum zweiten Kaiserreiche. Die Armee, an gewaltsame Umwälzungen in ihrer eigenen Verfassung und in den politischen Verhältnissen des Landes gewöhnt, machte auch diese Wechsel unter entsprechender Theilnahme mit. Dem Kaiser Napoleon kam es vor allen Dingen darauf an, über eine politisch zuverlässige, seiner Person ergebene Armee zu verfügen, und das notorische Unwesen, zu welchem das Stellvertretungs-System ausgeartet war, gab ihm eine willkommene Handhabe zur Erreichung seines Zweckes. Durch ein Gesetz vom 26. April 1855 (Armee-Dotations-Gesetz) wurde die durch das Gesetz von 1832 festgesetzte Art des Remplacements aufgehoben. An Stelle desselben trat das Loskauf-System (exonération). Jeder Militairpflichtige konnte sich fortan durch Erlegung einer jährlich festzusetzenden Loskaufssumme vom Dienste befreien. Die Loskaufssummen flossen in eine vom Staate verwaltete Kasse (caisse de la dotation de l'armée), welche auch freiwillige Gaben annahm und Einlagen von Soldaten mit 3%, von 1858 an mit 3½% verzinste. Um die Exonerirten zu ersetzen, schloß der Staat mit Dienstpflichtigen, welche in ihr 7. Dienstjahr traten oder mit Freiwilligen, welche ihr 4. Dienstjahr beendet hatten, auf 3 bis 7 Jahre Einstandsverträge ab. Einsteher konnten bis zum vollendeten 47. Lebensjahr bei den Fahnen gehalten werden. Das erste Rengagement von 7 Jahren gab Anspruch auf eine in verschiedenen Terminen zahlbare Prämie von 2000 Frs. und auf eine höhere Löhnung (10 Centimes per Tag). Bei kürzeren Einständen wurde die Prämie verhältnißmäßig reduzirt. Nach 14jähriger Dienstzeit behielt der Einsteher nur noch das Recht auf eine höhere Löhnung von 20 Centimes per Tag. Beim Mangel an gedienten Einstehern nahm der Staat auch ungediente Leute als Einsteher unter gleichen Bedingungen an. — Gleichzeitig erhöhte man die Pensionssätze für Unteroffiziere und Soldaten um je 165 Frs. jährlich und reduzirte die zur Pension berechtigende Dienstzeit von 30 auf 25 Jahre.

Der Unfug der Remplacements-Bureaux wurde hiermit beseitigt und eine gewisse Sicherheit gegen die Zuführung unzuverlässiger Elemente als Remplaçants gewonnen. Besonders aber erreichte der Kaiser den Zweck, die Armee überwiegend aus altgedienten, durch materielle Interessen an seine Regierung gefesselten Soldaten zu bilden. Dagegen hatte das Gesetz vom Jahre 1855 auch bedenkliche Uebelstände im Gefolge. Das Bewußtsein persönlicher Pflichten gegen das Vaterland wurde durch den einfachen Loskauf

mehr? noch, als durch die Stellvertretung in der Nation zurückgedr[...]
Denn bisher mußte, wer durch das Loos zum Militairdienst berufen w[...]
und denselben nicht persönlich ableisten wollte, wenigstens selbst für ei[...]
Stellvertreter sorgen und blieb für denselben ein Jahr lang haftbar; es [...]
deukbar, daß sich nicht so viel Stellvertreter fanden, als gesucht wurden, [...]
Fall, welcher z. B. ohne das Gesetz von 1855 unzweifelhaft im Jahre 1[...]
eingetreten sein würde, wo die Begeisterung der Nation für die Idee [...]
italienischen Befreiungskrieges ihren beredten Ausdruck dadurch fand, [...]
die Zahl der Exonerirten, welche in gewöhnlichen Jahren durchschnitt[...]
23,000 betrug, bis auf 42,317 stieg. — Eine fernere nachtheilige Folge [...]
Gesetzes von 1855 war das Ueberhandnehmen der materiellen Interessen [...]
der Armee, welche das Pflichtgefühl und die Selbstverleugnung, diese Zie[...]
einer guten Armee, überwucherten. Der Rengagirte war ein Benefizi[...]
welcher an die Stelle eines Anderen trat, für welchen der Dienst im H[...]
die Erfüllung einer Pflicht gegen das Vaterland gewesen wäre. Auch [...]
Remplaçant nach der früheren Gesetzgebung diente um des Gewinnes wi[...]
aber das Gesetz von 1855 steigerte erheblich die Gewinnsucht und den H[...]
zu materiellem Leben in der Armee. Endlich aber — und dies [...]
die schwerste Folge des Gesetzes von 1855 und der zur Gewinnung ei[...]
größeren Zahl von Rengagirten getroffenen Supplementar-Bestimmungen [...]
verminderte sich durch die große Zahl der dem Unteroffizierstande ec. an[...]
hörigen Rengagirten die Ziffer des Rekruten-Kontingents, welches alljähr[...]
effektiv zur Einstellung gelangte, bis auf zwanzig und einige Tausend Ma[...]
Natürlich war auch die Zahl der ausgebildeten Mannschaften, welche [...]
unbestimmtem Urlaub in die Heimath entlassen werden konnten, entsprech[...]
gering. Man sah sich zur Verstärkung der Truppentheile bei ausbrechend[...]
Kriege fast ganz auf die deuxième portion angewiesen.

Um daher ein einigermaßen brauchbares Material zur Kompletir[...]
des Heeres für den Kriegsfall zu gewinnen, wurde im Jahre 1861 bestim[...]
daß die Mannschaften der deuxième portion im ersten Jahre ihrer Die[...]
pflicht 3 Monate, im 2. Jahre 2 Monate, im 3. Jahre einen Monat [...]
hufs ihrer militairischen Ausbildung in Instruktions-Depots zusammen[...]
zogen werden sollten. Auch traf man Bestimmungen, welche bezweckten, [...]
Zahl der Rengagirten unter den Unteroffizieren ec. zu vermindern. [...]
Ersatz-Kontingent wurde jährlich auf 100,000 Mann erhöht, wovon frei[...]
nach Abrechnung der Dispensirten, der für Exonerirte Rengagirten, des [...]
satzes für die Marine ec. nur etwa 68,000 Mann zur Verfügung [...]
Kriegsministers verblieben.

Diese Maßregeln konnten das Uebel verringern, aber nicht beseitig[...]
Im Spiegel der Ereignisse des Jahres 1866 erkannte Frankreich die U[...]
zulänglichkeit seiner Wehrkräfte. Es wurde empfindlich hierüber, als w[...]

es selbst bereits besiegt; mit der Parole „Revanche für Sadowa" ging man eifrig ans Werk, um sich zum Kampfe für die Wiedererlangung des verlorenen Selbstvertrauens zu rüsten.

Der im Februar 1867 zum Kriegsminister ernannte Marschall Niel legte noch in demselben Jahre der Landes-Vertretung den Entwurf eines Gesetzes vor, dessen wesentlichste Bestimmungen folgende waren:

1) Die ganze Klasse der Dienstpflichtigen, nach Abrechnung der auf Grund des Gesetzes von 1832 Eximirten und Dispensirten, wird alljährlich zur Verfügung der Regierung gestellt. Das jährliche Kontingent würde sich hiernach auf ungefähr 150,000 Mann erhöht haben.

2) Durch das jährliche Etatsgesetz wird das Kontingent in zwei Theile getheilt, von denen der eine der aktiven Armee, der andere der Reserve zu überweisen ist.

3) Die Dienstzeit beträgt für den ersten Theil des Kontingents fünf Jahre in der aktiven Armee und vier Jahre in der Reserve; für den zweiten Theil vier Jahre in der Reserve und fünf Jahre in der mobilen Nationalgarde, deren Organisation durch dasselbe Gesetz festgestellt werden sollte.

4) Die Dienstzeit in der aktiven Armee und in der Reserve wird vom 1. Juli des Aushebungsjahres an gerechnet. Bisher datirte sie vom 1. Januar desselben Jahres, während die Einstellung erst im Sommer oder Herbst erfolgen konnte, so daß die Armee durch die vorgeschlagene Bestimmung, abgesehen von der Erhöhung der Gesammtdienstzeit um 2 Jahre, für die erste Hälfte jedes Jahres noch um einen vollen Jahrgang verstärkt wurde.

Die Mobilgarde sollte außer den unter 3 genannten Mannschaften alle Exonerirten, sowie diejenigen umfassen, welche sich durch Stellvertretung vom Dienst in der Reserve befreiten. Für alle diese Kategorien wurde die Dienstzeit in der mobilen Nationalgarde auf 5 Jahre festgesetzt.

Niel wollte also die Exoneration beibehalten. Für den Kriegsfall aber wurde durch den Gesetz-Entwurf allen Franzosen gewisser Altersklassen ohne Unterschied die Verpflichtung zum Dienst im Heere oder in der mobilen Nationalgarde auferlegt. Es sollten ferner, unter Verkürzung der aktiven Dienstpflicht um 2 Jahre, vier Jahrgänge ausgebildeter Reserven gewonnen werden, während der Kriegsminister außerdem über vier Jahrgänge unausgebildeter Reserven (deuxième portion) verfügte. Durch Errichtung der Mobilgarde gedachte man endlich, die ganze Armee für den Feldkrieg verfügbar zu machen.

Niel führte stillschweigend bereits im Jahre 1867 die Bestimmungen des Gesetz-Entwurfs über die Dauer der Dienstpflicht im stehenden Heere und in der Reserve praktisch durch und verfügte eigenmächtig über die deuxième portion zur Verstärkung der Cadres.

Die National-Vertretung erkannte jedoch in einigen Bestimmungen des Entwurfes eine zu schwere Belastung des Landes und derselbe erfuhr daher durch das Gesetz vom 1. Februar 1868 nicht unerhebliche Modifikationen.

Durch dieses Gesetz wurde die Militairmacht Frankreichs definitiv eingetheilt in die aktive Armee, die Reserve und die mobile Nationalgarde. Die Exoneration wurde abgeschafft, Stellvertretung und Nummertausch für den Dienst im Heere jedoch beibehalten. Rengagements waren auf die Dauer von 2 bis 5 Jahren zulässig, durften aber nur im Laufe des letzten Dienstjahres bei der Fahne oder im Laufe des der endgültigen Dienstbefreiung vorangehenden Jahres abgeschlossen werden. Der Anspruch auf Prämien für das Rengagement erlosch, nur eine Soldzulage wurde gewährt. Für Exemptionen und Dispensationen blieb das Gesetz von 1832 maßgebend. Die National-Vertretung behielt sich die jährliche Festsetzung des Kontingents auch fernerhin vor; in der Regel sollte dasselbe auf 100,000 Mann normirt und nach wie vor in zwei Klassen getheilt werden. Die Dienstzeit betrug für beide Klassen 5 Jahre im stehenden Heere und 4 Jahre in der Reserve. Die deuxième portion sollte, wie bisher, drei Monate im ersten und zwei Monate im zweiten Jahre üben. Die Reserve durfte nur im Kriegsfall einberufen werden. Den Reservisten wurde gestattet, sich zu verheirathen, nachdem sie ein Jahr der Reserve angehört hatten.

Zum Dienst in der mobilen Nationalgarde waren nach dem Gesetze vom 1. Februar 1868 auf 5 Jahre verpflichtet: alle tauglichen Dienstpflichtigen, welche auf Grund ihrer Loosnummer oder durch Stellvertretung, durch Dispensation oder Exemption vom Dienste in der aktiven Armee und in der Reserve befreit blieben. Stellvertretung war in der Mobilgarde nicht statthaft, dagegen eine beschränkte Berücksichtigung häuslicher Verhältnisse. Die Ernennung der Offiziere blieb dem Kaiser, die der Unteroffiziere der Militairbehörde vorbehalten. Die Aufbietung der Mobilgarde zum Kriegsdienste konnte nur durch Gesetz erfolgen, jedoch durften die departementsweise zu formirenden Bataillone und Artillerie-Kompagnien schon 20 Tage vor Einbringung des Gesetzes in ihren Bezirken zusammengezogen werden. Die Bildung von Instruktions-Cadres für die mobile Nationalgarde wurde in Aussicht genommen; aber die Uebungen, deren im Jahre höchstens 15 stattfinden durften, sollten so eingerichtet werden, daß der Mobilgardist dadurch zu keiner längeren als höchstens je 24stündigen Abwesenheit von seinem Aufenthaltsorte genöthigt würde.

Ein Nachtrag zu dem Gesetze gestattete unter gewissen Bedingungen die Bildung von Franktireur-Kompagnien neben der Mobilgarde.

Das Gesetz von 1868 war geeignet, allmählich die Wehrkräfte Frankreichs erheblich zu verstärken. Schon in den Jahren 1868 und 1869 verminderten sich in Folge desselben die Ausfälle am Kontingent, und namentlich stieg die Ziffer der première portion, im ersten Jahre auf 40,000, im folgenden schon auf 50,490. Nach neunjähriger Wirksamkeit des Gesetzes würde die aktive Armee mit der Reserve die Stärke von etwa 800,000 Mann, einschließlich circa 150,000 Mann der deuxième portion, erreicht haben. Freilich konnte diese volle Wirkung erst Mitte 1876 eintreten, da dem Gesetze keine rückwirkende Kraft gegeben war.

Die fünf Jahrgänge der mobilen Nationalgarde bezifferten sich auf circa 550,000 Mann. Dem diese Organisation, oder richtiger Improvisation betreffenden Theile des Gesetzes wurde auch rückwirkende Kraft insofern gegeben, als die in den Jahren 1864, 1865 und 1866 nicht in das Heer eingestellten Mannschaften in die Stammrollen der Mobilgarde eingetragen werden sollten. Allein die ganze Institution erfreute sich weder des Beifalls der Bevölkerung, noch einer kräftigen Förderung Seitens der Regierung. Der ersteren erschienen die Opfer zu groß, der letzteren der militairische Nutzen zu gering. Als eine solide Organisation konnte man in der That diese 500,000, zum großen Theile widerwilligen Menschen ohne nennenswerthe Dressur, und für welche man weder gediente Offiziere noch Unteroffiziere besaß, nicht betrachten. Als der Marschall Niel im Sommer 1869 starb, war man erst mühsam so weit gekommen, die ersten Vorbereitungen zur Formation von 142 Bataillonen und 91 Artillerie-Kompagnien in beöstlichen Reichshälfte zu treffen, d. h. die Bataillons-Kommandeure und Kompagnie-Chefs — zum nicht geringen Theil aus der Civil-Bevölkerung — zu ernennen, sowie Uniformen und Ausrüstung für 100,000 Mann bereit zu stellen. Uebungen der Mobilgarde hatten fast noch gar nicht stattgefunden. Der Nachfolger des Marschalls Niel im Kriegsministerium, General Leboeuf, ließ das Institut der mobilen Nationalgarde ganz fallen, nur die Listen wurden noch fortgeführt.

Blieb der zweite Theil des Gesetzes vom 1. Februar 1868 hiernach größtentheils unausgeführt, so konnten auch, wie aus dem oben Gesagten hervorgeht, diejenigen Bestimmungen desselben, welche die Verstärkung des stehenden Heeres bezweckten, nur in beschränktem Maße wirksam geworden sein, als Frankreich im Jahre 1870, nach dem Ausspruche seines Kriegsministers archiprêt, die Gelegenheit zum Kampfe gegen den im Osten vermeintlich erstandenen Rivalen vom Zaune brach.

Es ist bekannt, wie wenig die aktive Armee Frankreichs den hohen Erwartungen der Nation zu entsprechen vermochte. Vier Wochen nach Beginn der Kriegs-Operationen war fast die ganze Armee durch Gefangennahme, durch Einschließung, welche zur Kapitulation führte, durch Tod oder Verwundung vernichtet.

Aber noch leben in Aller Erinnerung die außerordentlichen Anstrengungen, durch welche Frankreich auch nach diesen schweren Schicksalsschlägen die verlorene Sache zu retten suchte. Es ist für die Beurtheilung der gegenwärtigen und künftigen militairischen Lage Frankreichs von Wichtigkeit, einen Ueberblick über das Resultat jener Anstrengungen zu gewinnen, soweit dies nach den bis jetzt vorliegenden Nachrichten überhaupt möglich ist. Wir wollen zu diesem Zwecke in Kürze die hauptsächlichsten Maßregeln zur Aufstellung neuer Truppenkörper der aktiven Armee und zur Bildung einer Auxiliar-Armee, sowie deren Erfolg rekapituliren.

Bereits Mitte Juli wurde in jedem Depot der 100 Linien-Infanterie-Regimenter ein aktives 4. Bataillon à 4 Kompagnien, in den Depots der Jäger-Bataillone je ein Marsch-Jäger-Bataillon formirt. Durch Einberufung der Klasse von 1869 im Juli und der Klasse von 1870 im Oktober, sowie durch Heranziehung aller ausgedienten, unverheiratheten Soldaten bis zum 35. Lebensjahre füllte man die Depots wieder auf, und gewann das Material zu weiteren Neu-Formationen aus denselben. Auf diese Weise entstanden successive bis Ende Januar 1871:

93 Marsch-Infanterie-Regimenter à 3 Bataillone,
10 selbstständige Marsch-Infanterie-Bataillone,
31 Marsch-Jäger-Bataillone,

die Bataillone in einer durchschnittlichen Stärke von 500 bis 600 Mann.

In analoger Weise wurden neu gebildet:

ein 4. Zouaven-Regiment à 3 Bataillone,
drei Marsch-Zouaven-Regimenter à 3 Bataillone,
zwei Marsch-Regimenter algerischer Tirailleurs à 3 Bataillone,
ein leichtes afrikanisches Marsch-Inf.-Regt. à 2 Bataillone,
zwei Gensdarmerie-Regimenter zu Fuß à 3 Bataillone,
zwei neue Bataillone zum 1. Fremden-Regiment,
ein zweites Fremden-Regiment zu 2,500 Mann,
zehn Marsch-Bataillone Marine-Infanterie,
mehrere Bataillone Marine-Füsiliere (c. 5000 Mann),
mehrere neue Linien-Infanterie-Regimenter mit den Nummern
    alter Regimenter,
24 Marsch-Kavallerie-Regimenter,
2 Regimenter Gensdarmerie à cheval,
ein Korps d'Eclaireurs algériens,
ein Korps de cavaliers détachés (Goums),
etwa 50 Marsch-Batterien,
die Artillerie-Regimenter Nr. 21 und 22,
in Summa etwa 235,000 Mann.

Die Einberufung der mobilen Nationalgarde erfolgte bereits am 17. Juli 1871; unterm folgenden Tage wurde die Formirung provisorischer Regimenter à 3 Bataillone aus derselben angeordnet, und am 29. August bestimmt, daß die Mobilgarden-Bataillone in die aktive Armee einrangirt werden dürften. Bei der mangelhaften Vorbereitung konnte die Formation der Mobilgarde nur langsam fortschreiten. Im weiteren Verlaufe des Krieges wurden jedoch nach und nach c. 300 Bataillone in einer durchschnittlichen Stärke von 1000 Mann aufgestellt, und aus diesen bis zum 1. September 38, bis zum 16. September 67, bis zum Ende des Krieges 89 provisorische Infanterie-Regimenter, sowie 4 provisorische Artillerie-Regimenter und 1 Artillerie-Korps mit im Ganzen 52 Batterien, worunter 12 Mitrailleusen-Batterien, formirt. Außerdem befanden sich noch Mobilgarden in beträchtlicher Zahl in den Depots.

Die wirklich ins Feld gestellten Mobilgarden werden sich hiernach auf etwa 300,000 Mann belaufen haben. Neben der Mobilgarde sind noch etwa 35,000 Mann in verschiedenen einheimischen und fremden Frei-Korps aufgetreten.

Sogleich nach Ausbruch des Krieges war ferner die im Jahre 1852 von Napoleon unterdrückte garde nationale sédentaire (Bürgerwehr) wieder in's Leben gerufen worden. Ihrer Organisation wurde das oben bereits erwähnte Gesetz vom Jahre 1831 zum Grunde gelegt. Es ist bekannt, daß die sedentaire Nationalgarde von Paris im Laufe der Belagerung der Hauptstadt auf die Stärke von c. 250,000 Mann gebracht wurde, von welchen man im Monat Dezember. circa 100,000 Mann mobilisirte und in 60 Regimenter à 4 Bataillone formirte. Welche Stärke die sedentaire Nationalgarde in den Provinzen erreicht hat, ist nicht bekannt. Durch Dekret Gambetta's vom 29. September wurde die Mobilisirung aller unverheiratheten Männer und kinderlosen Wittwer von 21 bis 40 Jahren, durch Dekret vom 2. November auch die aller Verheiratheten und Wittwer mit Kindern derselben Altersklassen der sedentairen Nationalgarde, behufs Verwendung gegen den Feind, verfügt. Den Departements wurde aufgegeben, auf je 100,000 Seelen eine complete Feld-Batterie zu stellen. Dieses Massenaufgebot, welches im Lande selbst auf erheblichen Widerstand stieß, konnte nur in beschränktem Umfange zur Ausführung gebracht werden. Von den durch Dekret vom 29. September in der Provinz mobilisirten Nationalgarden sollen nach Freycinet etwa 180,000 Mann im Felde aufgetreten sein, davon jedoch nur der kleinere Theil in den Operations-Korps. Behufs Organisation und Ausbildung des Restes der zu mobilisirenden Nationalgarde ordnete Gambetta im November die Errichtung von 11 Instruktionslagern, für circa 1,500,000 Mann im Ganzen, an. Diese Lager sollten auch die in den Depots noch befindlichen Mobilgarden, die in der Formation begriffenen Frei-Korps, sowie alle sonst noch vorhandenen Depot-Truppen aufnehmen. Beim Ende des Krieges befanden sich in der That circa 700,000 Menschen in den Lagern, welchen es jedoch an dem Nothwendigsten mangelte.

Sieht man von den letztgedachten ungeordneten Massen ganz ab und rechnet überhaupt nur diejenigen Truppen, welche wirklich zur Verwendung gegen den Feind gekommen sind, so hat Frankreich in dem letzten Kriege nach Vernichtung seiner eigentlichen Feldarmee, die Ueberbleibsel der letzteren nicht eingerechnet, noch aufgestellt:

Linientruppen (Marsch-Regimenter 2c.)	235,000	Mann.
Mobile Nationalgarde und Frei-Korps	335,000	„
National-Garde von Paris	250,000	„
Mobilisirte National-Garde der Provinz	180,000	„
Summa	1,000,000	Mann.

Es ist wichtig, sich dieses Resultat einzuprägen, um ein richtiges Urtheil über die Wehrkraft Frankreichs, zu gewinnen. Der militairische Werth der aufgestellten Massen war ja ein sehr geringer, und es ist ein schätzenswerthes Resultat dieses Krieges, daß er auf's Neue und in schlagendster Weise die gewaltige Ueberlegenheit einer wohlorganisirten und geschulten Armee über improvisirte Streitkräfte klar gelegt hat. Aber man darf auch andererseits nicht übersehen, daß in Frankreich bei Aufstellung der letzteren ungewöhnliche Schwierigkeiten zu überwinden waren, weil die ganze aktive Armee bis auf einen geringen Bruchtheil verloren war — ein Ereigniß, welches sich kaum in gleicher Größe wiederholen wird —, weil man ferner im Lande nur über eine verschwindend kleine Zahl erfahrener Offiziere und gedienter Soldaten verfügen konnte, weil endlich das im Lande vorhandene Kriegsmaterial nicht ausreichend war.

Dem Mangel an Kriegsmaterial kann eine geschickte und thätige Verwaltung in verhältnißmäßig kurzer Zeit für die Zukunft vorbeugen, und wir sehen, daß in Frankreich die National-Vertretung der Regierung die Mittel hierzu mit vollen Händen überweiset, trotz der schweren finanziellen Opfer, die der Krieg erfordert hat und noch fortgesetzt fordert. Die Beseitigung der übrigen in der Wehr-Verfassung hervorgetretenen Mängel wird auf das Eifrigste angestrebt.

Die Grundlage der künftigen militairischen Organisation Frankreichs soll das soeben vereinbarte neue Wehrgesetz bilden, und wir wollen daher nunmehr zu einer eingehenden Betrachtung der wesentlichsten Bestimmungen desselben übergehen.

Das Gesetz besteht aus 80 Artikeln und zerfällt in folgende fünf Titel
I. Titel: Allgemeine Bestimmungen. (Art. 1 bis 7.)
II. „ Von der Aushebung. (des appels. Art. 8 bis 35.)
    1. Abschnitt: Von der Aufstellung der Grundlisten und von der Loosung (Art. 8 bis 15).
    2. „ Von den Exemptionen, den Dispensationen und den Zurückstellungen. (Art. 16 bis 26.)

3. Abschnitt: Von den Revisions-Behörden und den Kantonlisten
für die Rekrutirung. (Art. 27 bis 32.)
4. „ Von den Departements-Matrikeln. (Art. 33 bis 35.)
III. Titel: Vom Militairdienst. (Art. 36 bis 45.)
IV. „ Vom freiwilligen Eintritt, vom freiwilligen Weiterdienen (ren-
gagement) und von dem einjährig freiwilligen Dienst (engage-
ment conditionel d'un an). (Art. 46 bis 58.)
V. „ Strafbestimmungen. (Art. 59 bis 68.)
Am Schluß folgen: Besondere Bestimmungen (Art. 69 bis 73) und
Uebergangs-Bestimmungen. (Art. 74 bis 80.)

Die mit der Ausarbeitung des Gesetzes betraute Kommission legte der
National-Versammlung zunächst nur den ersten Titel ihres Gesetz-Entwurfes
vor, in welchem die Grund-Prinzipien des Gesetzes enthalten sind. Erst nach
Annahme dieser Prinzipien ging man an die weitere Ausarbeitung des
Details.

Wir geben die wichtigen Bestimmungen des I. Titels nachfolgend in
wörtlicher Uebersetzung, dann den weiteren Inhalt des Gesetzes im Auszuge,
und wollen endlich versuchen, die Tragweite des ganzen Gesetzes darzulegen.

Der Titel I lautet in Uebersetzung:

Allgemeine Bestimmungen.

Artikel 1.

Jeder Franzose ist zum persönlichen Militairdienst verpflichtet.

Artikel 2.

In den französischen Truppen wird weder eine Geld-Prämie noch irgend
ein anderer Preis für freiwilligen Eintritt gewährt.

Artikel 3.

Jeder Franzose, welcher nicht zu allem Militairdienst ungeeignet be-
funden wird, kann in der Zeit seines 20. bis 40. Lebensjahres nach näherer
Bestimmung des Gesetzes zum Dienst in der aktiven Armee und in den
Reserven berufen werden.

Artikel 4.

Die Stellvertretung ist unterdrückt. Die nach näherer Bestimmung des
Gesetzes zulässigen Dispensationen vom Dienst sind nicht als gänzliche Befreiungen zu betrachten.

Artikel 5.

Die bei der Fahne befindlichen Mannschaften nehmen an keiner Ab-
stimmung Theil.

Artikel 6.

Jedes organisirte bewaffnete Korps ist den Militair-Gesetzen unterworfen, bildet einen Theil der Armee und steht unter dem Kriegsminister
oder unter dem Marineminister.

Artikel 7.

Nur Franzosen werden zum Dienst in den französischen Truppen zugelassen.

Vom Militairdienst sind ausgeschlossen und können unter keinen Umständen in der Armee dienen:

1) Diejenigen Individuen, welche zu einer Leibes- oder Ehrenstrafe verurtheilt sind;

2) diejenigen Individuen, welche zu einer Korrektionsstrafe von zwei- oder mehrjährigem Gefängniß mit gleichzeitiger Stellung unter Polizeiaufsicht und Untersagung der Ausübung der bürgerlichen Rechte verurtheilt sind.

Die Artikel 8 bis 15 enthalten die Bestimmungen über die Ausführung der Vorarbeiten in den Kantons zum Zwecke der Rekrutirung. Spätestens am 15. Januar müssen sich alle Militairpflichtigen des laufenden Jahrganges auf den Mairieen anmelden. Die Maires stellen Stammrollen auf. Dann werden die Militairpflichtigen und ihre Angehörigen in jedem Kanton zu einem öffentlichen Termine zusammenberufen, welchen der Sous-Präfekt in Gegenwart der Maires abhält.

Es wird zur Loosung geschritten, wie bei uns, und sogleich die Loosungsliste angelegt, an deren Spitze diejenigen Militairpflichtigen stehen, welche wegen Versuches der Entziehung vom Militairdienst rc. die Berechtigung, an der Loosung Theil zu nehmen, verloren haben. In die Loosungsliste werden die von den Militairpflichtigen, ihren Angehörigen oder den Maires gestellten Anträge auf Exemption oder Dispensation eingetragen. Der Sous-Präfekt setzt seine Bemerkungen hinzu.

Die Artikel 16 bis 26 handeln von den Exemptionen, den Dispensationen und den Zurückstellungen. Eximirt sind diejenigen, welche zu jeder Art vom Dienst im Heere unbrauchbar befunden werden.

Dispensirt sind vom aktiven Dienst in Friedenszeiten:

1) Das älteste Mitglied einer ganz verwaisten Familie;

2) Der einzige oder älteste Sohn, oder, wenn weder ein Sohn noch ein Schwiegersohn vorhanden ist, der einzige oder älteste Enkel einer Wittwe oder eines blinden oder in das 60. Lebensjahr eingetretenen Vaters. In den Fällen unter 1 und 2 wird der zweite Sohn rc. dispensirt, wenn der älteste dauernd erwerbsunfähig ist.

3) Der älteste von zwei gleichzeitig zur Loosung gelangenden Brüdern, wenn der jüngste diensttauglich befunden wird.

4) Derjenige, welcher einen Bruder bei der aktiven Armee hat.

5) Der Bruder eines im aktiven Dienst gestorbenen sowie eines durch Verwundung invalide oder durch den Heeresdienst erwerbsunfähig gewordenen Soldaten.

Nach einem bei der dritten Lesung nach lebhafter Debatte angenommenen Zusatze finden die vorstehenden Bestimmungen nur Anwendung auf eheliche Kinder. — Ferner sind „bedingungsweise" dispensirt: die Schüler einiger akademischen Lehranstalten rc. unter der Bedingung, daß sie sich wenigstens 10 Jahre dem Staatsdienste widmen; Künstler, welche den großen Preis des Instituts davongetragen haben, vorausgesetzt, daß sie alle ihre Pflichten gegen den Staat erfüllen; die Mitglieder gewisser geistlicher Orden, sowie die Kandidaten des geistlichen Standes, unter der Bedingung, daß sie den Lebensberuf nicht wechseln und spätestens im 26. Jahre die höhere Weihe erhalten. Lehrer, welche sich auf mindestens 10 Jahre für das Lehramt verpflichtet haben und nicht geistlichen Orden angehören, müssen ein Jahr bei der Fahne oder bei einer vom Kriegsminister zu bestimmenden Schule dienen.

Endlich können in jeder Gemeinde 4% der diensttauglichen jungen Leute als Stützen ihrer Familien „vorläufig" dispensirt werden. Der Munizipalrath der Gemeinde bringt dieselben dem Revisionsrath in Vorschlag. Die vorläufig Dispensirten müssen jedoch die Militairpflichten ihrer Klasse erfüllen, sobald der Grund der Dispensation fortfällt, sowie bei ausbrechendem Kriege. Diese Bestimmung gilt für alle Dispensationen, mit Ausnahme der „bedingungsweise" zugelassenen, welche wir oben angeführt haben.

Die Zurückstellung kann für 4% der dienstbrauchbaren Militairpflichtigen, welche sich in Lehrverhältnissen befinden, die sich nicht unterbrechen lassen, auf ein bis zwei Jahre für den Frieden bewilligt werden. Auch können diejenigen Militairpflichtigen zwei Jahre lang zurückgestellt werden, welche noch nicht das vorgeschriebene Maaß von 1,54 Meter haben oder noch zu schwach zum Militairdienst sind.

Art. 27 bis 32 regeln das eigentliche Rekruten-Aushebungs-Geschäft. Alljährlich hält zu diesem Zwecke in jedem Kanton ein „Revisions-Rath" öffentlichen Termin ab; derselbe besteht aus dem Präfekten, als Präsidenten, einem Präfektur-Rath, einem Mitgliede des General-Rathes des Departements, einem Mitgliede des Arrondissements-Rathes und einem von der Militair-Behörde zu bestimmenden General oder Stabsoffizier. Zugegen sind ferner: ein Mitglied der Intendanz (Jurist), der Bezirks-Kommandant (commandant du recrutement), ein Militairarzt, der Sous-Präfekt und die Maires der Gemeinden. Die Militairpflichtigen müssen in dem Termin erscheinen, sie werden gemustert und können angeben, bei welcher Waffe sie zu dienen wünschen. Die Rekrutirungs-Vorarbeiten werden geprüft, Beschwerden über dieselben entgegengenommen, die Exemptions- und Dispensations-Gesuche erledigt. In den Fällen, wo es sich um Exemption wegen körperlicher Gebrechen handelt, wird der Arzt gehört. Die durch Stimmenmehrheit getroffenen Entscheidungen des Revisions-Rathes sind endgültig, Rekurs ist nur zulässig an den „Staatsrath für Inkompetenz und Ueber-

schreitung der Machtbefugniffe". Die Entscheidungen können auch wegen
seßverlegung angegriffen werden, aber nur Seitens des Kriegsminifters.

Nach Feststellung der Exemptionen und Dispenfationen schließt der
vifionsrath die Rekrutirungslifte für den Kanton definitiv ab. Nach
diefes Geschäft in sämmtlichen Kantons des Departements beendet ift,
der Revifionsrath, verstärkt durch noch zwei Mitglieder des Generalrath
in der Hauptstadt des Departements zusammen und entscheidet über die
träge auf Dispensation zur Unterstüßung der Familie oder auf vorläu
Zurückstellung.

Art. 33 bis 35 handeln von den Departements-Matrikel
Nachdem das Rekrutirungs-Verfahren beendet ift, wird für jedes Departen
auf Grund der Kantonsliften eine Matrikel angelegt. In diefelbe wer
sämmtliche Militairpflichtige des Jahres, mit Ausnahme der zu jeglich
Militairdienst untauglich erklärten, eingetragen. Bei jedem Militairpflicht
wird vermerkt, ob und wo er eingestellt oder in welchem Verhältniß er
laffen ift, sowie jede Veränderung, welche in feiner Stellung bis zur Ue
führung in die Territorial-Armee eintritt. Die in den Liften stehen
haben zu diefem Zwecke jeden Wechsel ihres Domizils beim Maire zu
den, welcher binnen acht Tagen hiervon Meldung zur Berichtigung der
trikel erstattet. Die Kontrole der ins Ausland verziehenden Wehrpflicht
ift Sache der Konsuln.

Der Titel III umfaßt die Artikel 36 bis 45 und präcifirt
Militairdienstpflicht.

Art. 36 lautet: Jeder Franzose, welcher nicht für jegli
Militairdienst untauglich erklärt ift, gehört:

  fünf Jahre lang zur aktiven Armee,

  vier Jahre lang zur Referve der aktiven Armee,

  fünf Jahre zur Territorial-Armee,

  sechs Jahre zur Referve der Territorial-Armee.

1) Die aktive Armee besteht, außer dem Personal, welches fich nicht
Wege der Aushebung rekrutirt, aus allen jungen Leuten der zuletzt au
rufenen fünf Altersklaffen, welche zu einem der Dienstzweige des Hee
tauglich befunden find.

2) Die Referve der aktiven Armee besteht aus allen Mannschaften
nächstälteren vier Jahresklaffen, welche gleichfalls zu einem der Dienstzw
des Heeres tauglich befunden find.

3) Die Territorial-Armee besteht aus allen Mannschaften, welche
für das stehende Heer und die Referve vorgeschriebene Dienstzeit erf
haben.

4) Die Referve der Territorial-Armee besteht aus den Mannschaf
welche ihre Dienstpflicht in diefer Armee erfüllt haben.

Die Territorial-Armee und die zweite Reserve werden nach Bezirken formirt, welche durch Verordnung zu bestimmen sind. Sie umfassen für jeden Bezirk die oben unter 3 und 4 bezeichneten Mannschaften, welche in dem Bezirk ihr Domizil haben.

Art. 37 bestimmt, daß die Marine sich in erster Reihe aus Freiwilligen ergänzt. Den weiteren Bedarf stellt der Kriegsminister aus dem Jahres-Kontingent zur Verfügung. Der Nummertausch ist gestattet zwischen den zur Marine und den zum Landheer designirten Militairpflichtigen.

Nach Art. 38 wird die Dienstzeit vom 1. Juli des Loosungsjahres gerechnet. Am 30. Juni jeden Jahres erfolgt die Versetzung der Mannschaften, welche ihre Dienstpflicht in der einen Kategorie erfüllt haben, in die nächstfolgende, bez. die gänzliche Entlassung des ältesten Jahrganges aus der Reserve der Territorial-Armee. In Kriegszeiten werden die Versetzungs-Certifikate unmittelbar nach Ankunft des Ersatzes ausgetheilt.

Wir wollen hierbei die Bemerkung nicht unterlassen, daß es doch wohl kaum in der Absicht liegen dürfte, während eines Krieges Mannschaften aus der aktiven Armee thatsächlich in die Territorialarmee zu versetzen oder aus letzterer wegen erfüllter Dienstpflicht in die Heimath zu entlassen.

Art. 39 lautet: Alle jungen Leute der aufgerufenen Klasse, welche nicht wegen Untauglichkeit eximirt oder auf Grund der Bestimmungen dieses Gesetzes dispensirt oder zurückgestellt oder der Flotte zugetheilt sind, gehören zur aktiven Armee und stehen zur Disposition des Kriegsministers.

Diese jungen Soldaten werden sämmtlich in die Listen der verschiedenen Truppentheile des Heeres eingetragen und entweder diesen selbst oder den Instruktions-Bataillonen und Schulen zugesandt.

Art. 40: Nachdem die jungen Soldaten ein Jahr den im vorstehenden Artikel enthaltenen Bestimmungen gemäß gedient haben, werden nur noch so viele von ihnen bei den Fahnen behalten, als der Kriegsminister in jedem Jahre bestimmt.

Sie werden aus dem ersten Theile der Rekrutirungslisten jedes Kantons nach der Nummer und nach dem vom Minister bestimmten Zahlenverhältniß entnommen; diese Bestimmung wird bald nach beendetem Rekrutirungs-Geschäft getroffen.

Art. 41: Unbeschadet der Bestimmungen des vorhergehenden Artikels, kann der Soldat, welcher zur Kategorie der nicht bei den Fahnen zu behaltenden Mannschaften gehört, wenn er nach dem im genannten Artikel bezeichneten Dienstjahre nicht lesen und schreiben kann und die vom Kriegsminister vorgeschriebene Prüfung nicht besteht, während eines zweiten Jahres bei der Truppe zurückbehalten werden.

Der Soldat derselben Kategorie, welcher durch die vor seinem Diensteintritt und während seiner Dienstzeit erlangte Instruktion allen Anforderungen

genügt, kann vor Ablauf des Jahres, nach sechs Monaten zu von dem
minister zu bestimmenden Zeitpunkten, nach Maßgabe des folgenden
zur Disposition beurlaubt werden.

Art. 42: Die jungen Leute, welche nach der in den Art. 40 und 4
vorgeschriebenen Dienstzeit nicht bei den Fahnen behalten werden, verbleibe
als Beurlaubte der aktiven Armee in ihrer Heimath zur Disposition d
Kriegsministers.

Sie sind zu Musterungen und Uebungen nach einem vom Minister z
erlassenden Reglement verpflichtet.

Nach Art. 43 bleiben die zur Reserve der aktiven Armee entlassen
Mannschaften in den Listen der Truppentheile. Das Nähere hierüber s
durch das Organisationsgesetz bestimmt werden. Die Mannschaften der R
serve der aktiven Armee sind zur Theilnahme an zwei Manövern v
höchstens vierwöchiger Dauer verpflichtet. — Die zu diesem Artikel gestellt
Amendements, welche darauf hinausgingen, den hülfsbedürftigen Famili
der Mannschaften des Beurlaubtenstandes bei Einberufung der letzteren zu
Kriegsdienste eine Unterstützung zu sichern, wurden verworfen.

Art. 44: Die zur Disposition beurlaubten Mannschaften und die R
servisten bedürfen zur Verheirathung keiner Erlaubniß. Die Verheirathun
hat keinen Einfluß auf ihre Dienstpflicht, jedoch sollen Väter von vier lebe
den Kindern in die Territorial-Armee versetzt werden.

Art. 45: Special-Gesetze werden die Grundzüge für die O
ganisation der aktiven und der Territorial-Armee sowie de
Reserven bestimmen.

Der Titel IV des Gesetzes handelt von dem freiwilligen Dien
im Heere.

Art. 46 bis 52. Jeder unverheirathete, diensttaugliche Franzose v
mindestens 18 Jahren, welcher sich über gute moralische Führung ausweise
sowie lesen und schreiben kann, darf als Freiwilliger in das Heer trete
Die Dauer der Verpflichtung beträgt 5 Jahre, der freiwillige Dienst wi
auf die allgemeine Dienstpflicht angerechnet.

In Kriegszeiten können Leute, welche ihrer Dienstpflicht in der aktiv
Armee und deren Reserve genügt haben, als Freiwillige für die Dauer d
Krieges in die aktive Armee eingestellt werden.

Rengagements (Kapitulationen) können auf die Dauer von mindesten
einem und höchstens zwei Jahren zugelassen werden. Sie dürfen für Korpo
rale und Gemeine bis zum vollendeten 29., für Unteroffiziere bis zum voll
endeten 35. Lebensjahre erneuert werden. Nach fünfjährigem Dienst bei d
Fahne geben Rengagements Anspruch auf Solderhöhung.

Die Art. 53 bis 58 handeln von dem einjährig freiwillige
Dienst.

Art. 53. Die jungen Leute, welche Reifezeugnisse von Gymnasien oder Realschulen (des diplomes de bacheliers ès lettres, de bacheliers ès sciences, des diplomes de fin d'études, ou des brevets de capacité, institués par les articles 4 et 6 de la loi du 21 juin 1865) erhalten haben, die Schüler der Central=Kunst= und Manufakturschule, der Gewerbeschulen, der nationalen Kunstschulen, des Konservatoriums der Musik=, der Veterinair=, der Ackerbau=, Bergbau= und Schiffsbauschulen, sowie der école des ponts et chaussées können vor der Loosung auf Grund der hierüber vorzulegenden Zeugnisse zum Dienst als einjährig Freiwillige zugelassen werden.

Art. 54. Außerdem können zum einjährigen Dienst vor der Loosung noch diejenigen jungen Leute zugelassen werden, welche die nach einem Programm des Kriegsministers abzulegenden Prüfungen bestehen. Die Zahl der Zuzulassenden wird alljährlich vom Kriegsminister bestimmt und nach dem Verhältniß der Rekrutengestellung des vorhergehenden Jahres auf die Regionen vertheilt.

Wenn die nach Art. 53 und 54 zum einjährigen Dienst zugelassenen jungen Leute im ersten Jahre des dienstpflichtigen Alters noch nicht dienstbrauchbar sind, können sie zurückgestellt werden, bis sie allen Anforderungen entsprechen.

Art. 55. Der einjährig Freiwillige wird auf seine Kosten bekleidet, beritten gemacht, ausgerüstet und unterhalten. Ausnahmen hiervon kann der Kriegsminister für Unbemittelte zulassen, wenn sie die Prüfung gut bestanden haben.

Art. 56. Der einjährig Freiwillige hat dieselben Dienstpflichten wie jeder andere Soldat zu erfüllen. Er ist den vom Kriegsminister vorgeschriebenen Prüfungen unterworfen. Wenn er nach einem Dienstjahre diese Prüfungen nicht besteht, ist er verpflichtet, ein zweites Jahr im Dienst zu bleiben. Besteht er auch dann die Prüfung nicht, so verliert er alle Vorrechte des einjährig freiwilligen Dienstes. Dasselbe tritt ein bei schweren Vergehen oder wiederholten Vergehen gegen die Disciplin. Unter allen Umständen verbleibt der einjährig Freiwillige in Kriegszeiten im Dienst. Die im einjährig freiwilligen Dienst zugebrachte Zeit kommt auf die allgemeine Dienstpflicht in Anrechnung.

Art. 57. Die zum einjährigen Dienst berechtigten Schüler der im Artikel 53 bezeichneten Lehr=Anstalten können Aufstand zum Dienstantritt bis zum vollendeten 24. Lebensjahre erhalten.

Art. 58. Diejenigen Einjährigen, welche nach vollendeter aktiver Dienstzeit alle vorgeschriebenen Prüfungen bestehen, können zu Unteroffizieren befördert oder zu mindestens gleichen Stellungen zugelassen werden.

Art. 59 bis 68 enthalten die Strafbestimmungen, [...]
Theil sehr streng sind. Wir wollen hier nur hervorheben, daß jeder [...]
Departements-Matrikeln stehende Mann, welcher die beim Durchl[...]
vorgeschriebenen Meldungen versäumt, mit Geldbuße von 10 bis 200 [...]
bestraft wird und außerdem zu 14tägiger bis dreimonatlicher Gefängniß[...]
verurtheilt werden kann. Im Kriege wird das Strafmaß verdop[...]
Jeder, der einer Gestellungs-Ordre nicht pünktlich Folge leistet, wird [...]
Frieden mit Gefängniß von 1 Monat bis zu 1 Jahr, in Kriegszeiten [...]
2 bis 5 Jahren bestraft und in letzterem Falle überdies nach verbü[...]
Strafe in eine Straf-Kompagnie eingestellt.

Die in den Artikeln 69 bis 73 enthaltenen besonderen Best[...]
mungen verordnen:

1) Daß jeder Soldat bei der Truppe, abgesehen von seiner militairis[...]
Ausbildung, Unterricht nach einem vom Kriegsminister zu erlassenden R[...]
ment erhalten soll.

2) Daß allen Militairs an Sonn- und Feiertagen Zeit und Fre[...]
gegeben werden soll, ihre religiösen Bedürfnisse zu befriedigen.

3) Daß Jeder, der 12 Jahre aktiv, darunter wenigstens 4 Jahr[...]
Unteroffizier dient, Anspruch auf Civilversorgung nach Maßgabe s[...]
Fähigkeiten und Kenntnisse erwirbt; ein besonderes Gesetz wird bestim[...]
welche Stellen für die Civil-Versorgungsberechtigten zu reserviren sind.

4) Daß Niemand vor vollendetem 30. Lebensjahre zu einem Civil- [...]
Militairamte zugelassen werden darf, wenn er sich nicht darüber ausw[...]
daß er den Anforderungen des Militairgesetzes genügt hat.

5) Daß der Kriegsminister vor dem 31. März jedes Jahres [...]
National-Versammlung über die Ausführung des gegenwärtigen Gesetzes [...]
vorhergehenden Jahre Bericht zu erstatten hat.

Am Schluß trifft das Gesetz folgende Uebergangs-Bestimmung [...]

Art. 74. Die Bestimmungen dieses Gesetzes treten für die al[...]
Armee erst mit dem 1. Januar 1873 in Kraft.

Gleichwohl wird die ganze Klasse 1871 zur Verfügung des Kri[...]
ministers gestellt; die jungen Leute dieser Klasse, welche nicht zu dem [...]
Kriegsminister bestimmten Kontingent gehören, werden der Reserve der ak[...]
Armee und nicht, wie das Gesetz vom 1. Februar 1868 bestimmt, der [...]
bilen Nationalgarde, überwiesen.

Sie bleiben in der Reserve ebenso lange, wie die zum Kontingent [...]
hörenden Mannschaften derselben Klasse sich in der aktiven Armee und [...]
der Reserve befinden. Dann gehen Beide nach den Bestimmungen [...]
Artikel 36 dieses Gesetzes in die Territorial-Armee über.

Die Dienstzeit der Klasse 1871 wird, in Uebereinstimmung mit [...]
Bestimmungen des Gesetzes vom 1. Februar 1868, vom 1. Juli 1872 [...]

rechnet; nur für diejenigen Leute dieser Klasse, welche vor dem Aufruf freiwillig eingetreten sind, datirt sie, nach dem Dekret vom 5. Januar 1871, vom 1. Januar 1871.

Art. 75 bestimmt, daß die jungen Leute, welche nicht zur Klasse 1871 gehören, auf ihren Antrag schon vor dem 1. Januar 1873 als einjährig Freiwillige zugelassen werden können, wenn sie den Vorschriften der Art. 53 und 54 genügen.

Art. 76. Die nach dem Gesetz vom 1. Februar 1868 dienstpflichtigen Mannschaften der Klassen 1867, 1868, 1869 und 1870, welche zum Kontingent der Armee gehörten, werden nach erfüllter Dienstpflicht in der Reserve in die Territorial-Armee versetzt.

Die jungen Leute dieser Klassen, welche nicht in das Kontingent eingereiht worden sind und daher jetzt zur mobilen Nationalgarde gehören, werden vom 1. Januar 1873 an zur Reserve der Armee versetzt und verbleiben darin so lange, wie die Leute derselben Klassen, welche zum Kontingent gehörten. Sie werden dann nach den Bestimmungen des Art. 36 des gegenwärtigen Gesetzes in die Territorial-Armee versetzt.

Art. 77. Die auf Grund des Gesetzes vom 21. März 1832 aufgerufenen Mannschaften der früheren Klassen, mögen sie zum Kontingent dieser Klassen gehört haben oder nicht, gehören bis zum 40. Lebensjahre zur Territorial-Armee.

Diese Mannschaften werden noch nachträglich in Bezug auf ihre Dienstbrauchbarkeit untersucht.

Art. 78. Die jungen Leute, welche, statt der mobilen Nationalgarde überwiesen zu werden oder in derselben zu verbleiben, nach den vorstehenden Bestimmungen zur Reserve gehören, werden nach einem vom Kriegsminister zu erlassenden Reglement Uebungen und Kontroll-Versammlungen unterworfen.

Art. 79. Die Bedingung, lesen und schreiben zu können, um freiwillig in das Heer zu treten oder nach einem Dienstjahre zur Disposition beurlaubt zu werden, tritt erst mit dem 1. Januar 1875 in Kraft.

Art. 80. Alle Bestimmungen der früheren auf die Rekrutirung der Armee bezüglichen Gesetze und Dekrete werden aufgehoben.

Dies der wesentliche Inhalt des Gesetzes. Dasselbe ist das Ergebniß eines nach schweren Kämpfen zu Stande gebrachten Kompromisses und trägt den Stempel dieser seiner Entstehungsgeschichte an der Stirn.

Die eine der kämpfenden Parteien strebte nach einer qualitativ so[
politisch zuverlässigen Armee. Ein stehendes Heer mit sieben- oder wo [
lich achtjähriger Dienstzeit, unter Beibehaltung der Stellvertretung, ist
der Ansicht dieser Partei, in Anbetracht der socialen und politischen [
hältnisse des Landes sowie des Charakters der Nation, allein im St[
Frankreichs Sicherheit nach Außen und nach Innen zu gewährleisten.
Heranziehung aller Klassen der Bevölkerung zum Dienst im Frieden wird a[
Dauer für undurchführbar gehalten. Auf eine starke Reserve an ausgebil[
Mannschaften im Beurlaubtenstande legt dieses System weniger Werth,
mal man in Frankreich zu allen Zeiten die Erfahrung gemacht hat, daß
beurlaubten Soldaten nur sehr widerwillig dem Rufe zur Fahne fo[
„Envoyez-nous des recrues" war das allgemeine Verlangen der f
zösischen Offiziere im Feldzuge 1859, von den aus dem Beurlaubten-[
hältniß eingezogenen gedienten Soldaten wollte man nichts wissen. Doch
glaubt man, in den mit Hülfe der langen Dienstzeit solide formirten Ca
bei ausbrechendem Kriege eine beträchtliche Anzahl von Krümpern oder
kruten mit Vortheil verwerthen zu können. Herr Thiers, einer der
schiedensten Anhänger dieses Systems, dessen Stimme sicherlich nicht
wegen seiner zeitigen hohen Stellung, sondern ganz besonders wegen
seinen, auf lange Erfahrung und historische Kenntniß gestützten Beurthei
seiner Nation die größte Beachtung verdient, — Herr Thiers äußert[
der Debatte über das neue Wehrgesetz, als er von der Unzulänglichkeit
französischen Streitkräfte in dem vorigen Kriege sprach: „Die Schuld
nicht an dem Gesetze von 1832, sondern lediglich an der Ueberstürzung;
einem Monate, welcher leicht durch Unterhandlungen zu gewi[
war, konnte man eine Million kriegstüchtiger Soldaten und [
mehr ins Feld stellen". Er kann hierbei nur starke Rekruten-Einstellu[
in jene Cadres im Auge gehabt haben, deren Solidität wir allerding[
es ist uns eine Genugthuung, unseren Gegnern diese Gerechtigkeit widerfa
zu lassen — im blutigen Ringen zu beurtheilen Gelegenheit hatten. —
Auffassungen des Präsidenten der Republik in dieser Frage finden krä[
Unterstützung in dem zeitigen Kriegsminister, General de Cissey, und we
anscheinend von der großen Mehrheit, besonders der höher stehenden Offi[
der französischen Armee getheilt.
Ihnen gegenüber steht eine numerisch zahlreiche Partei, welche die
kunft Frankreichs in der möglichst vollständigen Durchführung der [
meinen Wehrpflicht erblickt. Alle Franzosen sollen im Waffenhandwerk gl[
mäßig ausgebildet werden, und man glaubt, daß dieses Ziel durch Anna[
einer kurzen Dienstzeit zu erreichen sei, wie man sich andererseits auch
wußt ist, daß die Verkürzung der Dienstzeit die Vorbedingung für die D[
führung der wahrhaften allgemeinen Wehrpflicht sei. Ueber die nothwen[

Dauer der Dienſtzeit ſind die Anſichten ſehr getheilt, doch hält man im Allgemeinen drei Jahre für das zuläſſige Maximum.   Die in dieſer Weiſe
durchgeführte allgemeine Wehrpflicht ſoll das Hauptmittel zur Regeneration
der Nation werden; aber auch auf die dadurch zu gewinnende Maſſe von
gedienten Mannſchaften wird ein beſonderer Werth gelegt.

Wenn es überhaupt möglich geworden iſt, zwiſchen dieſen beiden diametral entgegengeſetzten Richtungen einen Kompromiß zu ſchließen, ſo kann man
dies nur dahin verſtehen, daß beide Parteien, von der Anſicht ausgehend, daß der Nation für die nächſte Zeit außergewöhnliche
Opfer zugemuthet werden müſſen und können, ſich über ein dem
entſprechendes Proviſorium geeinigt und den Austrag ihrer
Meinungs-Verſchiedenheit vertagt haben.

Die erſtgedachte Partei hat in eine proviſoriſche Herabſetzung der aktiven
Dienſtzeit auf 5 Jahre gewilligt und findet eine Entſchädigung hierfür in
dem Umſtande, daß ſie durch die allgemeine Wehrpflicht, unter Ausſchluß der
Stellvertretung, manche entſchieden beſſere Elemente, als durch das Geſetz
von 1832, in ihre Cadres bekommt.   Denn die zu fünfjährigem Dienſte
auszuhebenden Mannſchaften werden ohne jede andere Rückſicht durch die
Loosnummer beſtimmt, und es werden ſich daher viele Söhne der wohlhabenderen
und gebildeteren Klaſſen darunter befinden, welche ſich auf Grund des Geſetzes
von 1832 durch Stellvertretung vom Dienſte befreit haben würden.   Daß das angenommene Geſetz gerade mit Rückſicht hierauf auf die Dauer undurchführbar
iſt, beeinträchtigt nicht den nächſten Zweck; auf einige Zeit wird die revanche-
bedürftige Nation dieſe Laſt wohl tragen, und wenn der Zweck erreicht iſt, ſo
kann man ja wieder zur Stellvertretung und zur ſiebenjährigen Dienſtzeit
übergehen, — man iſt ja, wie wir geſehen haben, in Frankreich daran gewöhnt, das Wehrſyſtem wie ein Hemde zu wechſeln, und legt auf die Stabilität der Organiſation dort nicht denſelben Werth wie in Preußen, wo das
Wehrgeſetz von 1814 ſeine erſte und obendrein das Prinzip nicht berührende
Modifikation im Jahre 1867 erfahren hat.   Ueberdies reichen die gegenwärtig vorhandenen ausgebildeten Soldaten, wie auch von der erſteren Partei
anerkannt wird, zur Aufſtellung einer ſo großen Armee, wie man ſie ins
Feld führen möchte, nicht aus; man würde doch die première portion in
den nächſten Jahren verſtärken und zu dieſem Zwecke bei 7jähriger Dienſtzeit die älteſten Klaſſen beurlauben müſſen — warum ſollte man ſich alſo
nicht die fünfjährige Dienſtzeit proviſoriſch als Geſetz gefallen laſſen, wenn
man um dieſen Preis eine Einigung erlangen konnte? Giebt es doch überdies
keinen ſichereren Weg, die Principien des Wehrſyſtems von 1832 in der
Nation für die Zukunft wieder zur Geltung zu bringen, als die zeitweiſe
Durchführung der allgemeinen Wehrpflicht mit 5jähriger aktiver Dienſtzeit!

Wir haben, wie oben erwähnt, im Militair-Wochenblatt die Gründe [
gelegt, aus welchen uns auf die Dauer die allgemeine Wehrpflicht in Fr[
reich undurchführbar erscheint. Wir halten unsere Ansicht, welche, wie
aus den Debatten in der französischen National-Versammlung ersehen ha[
im Wesentlichen auch des Präsidenten der Republik und der Mehr[
der erfahrenen Generale in Frankreich ist, aufrecht. Herr Thiers erachte[
für unerläßlich, die französischen Truppen in stehenden Lagern, fern
fremden Einflüssen, auszubilden, und wird diese Maßregel, trotz der a[
meinen Wehrpflicht, in umfassender Weise durchführen. Er hat ferner
stimmt erklärt, daß unser Territorial-System für Frankreich unanwen[
sei. „Wenn Sie Bezirks-Armeen hätten", sagte er in der National-[
sammlung, „glauben Sie, daß dieselben nicht die politische Meinung i[
Bezirke haben würden?" Die Ansicht derer, welche gegenwärtig in Frank[
für die allgemeine Wehrpflicht schwärmen, kann nicht schlagender wider[
werden.

Uebrigens scheint die Zahl der letzteren schon jetzt erheblich in der [
nahme begriffen zu sein. Als der National-Versammlung im Anfange di[
Jahres zunächst nur die im ersten Titel des Gesetzes enthaltenen allgem[
Grundsätze zur Genehmigung vorgelegt wurden, nahm dieselbe den Art.
durch welchen die Stellvertretung abgeschafft wird, fast einstimmig an. [
der dritten Lesung des ganzen Gesetzes, Ende Juli dieses Jahres, stim[
bereits eine starke Minorität gegen denselben. Die nachfolgenden Best[
mungen des Gesetzes lassen allerdings erst die ganze Tragweite der mit [
1. Titel angenommenen Grundsätze erkennen. Wir nehmen keinen Ansta[
die Ueberzeugung auszusprechen, daß es mit jenen Bestimmungen selbst
Preußen, wo die allgemeine Wehrpflicht in Fleisch und Blut der Nat[
übergegangen ist, schwer, wenn nicht unmöglich sein würde, diese dauer[
aufrecht zu erhalten. Denn ganz abgesehen davon, daß die Gesammtdien[
pflicht in Frankreich auf 20 Jahre festgesetzt ist, während man sie in Preu[
aus gewichtigen Gründen von 19 auf 12 Jahre reducirt hat, daß ferner [
aktive Dienstpflicht in Frankreich nicht nur gesetzlich auf 5 Jahre norm[
ist, sondern nach den Erklärungen des Herrn Thiers auch thatsäch[
wenigstens für den größten Theil des Kontingents, 5 Jahre dauern w[
während sie in Preußen gesetzlich 3 Jahre beträgt und für einen erhebl[
Theil des Kontingents auf 2 Jahre reducirt wird, — abgesehen hiervo[
auch in den übrigen Bestimmungen des französischen Gesetzes den bürg[
lichen Verhältnissen durchschnittlich weniger Rechnung getragen, als in [
deutschen Wehrverfassung.

Betrachten wir zunächst die Bestimmungen über die Zulassung zum [
jährig freiwilligen Dienst, so muß es auffallen, daß der bestimmte Anspr[
auf diese Begünstigung nur denen zugesprochen wird, welche, um in unse[

Sprache zu reden, das Abiturienten-Examen auf einem Gymnasium oder auf einer Realschule erster Ordnung bestanden haben, so wie den Schülern einer kleinen Zahl höherer Kunst- ꝛc. Schulen. Bei uns erhalten diese Berechtigung bekanntlich alle diejenigen, welche mit Erfolg die Sekunda eines Gymnasiums oder einer Realschule 1. Ordnung absolvirt oder den entsprechenden Bildungsgrad auf andere Weise erlangt haben. Der französische Kriegsminister kann zwar außerdem in jeder Region einen für alle gleichmäßig festgestellten Prozentsatz der Militairpflichtigen zum einjährigen Dienst zulassen, wenn die Betreffenden den von ihm festzustellenden Anforderungen genügen. Sind aber mehr Militairpflichtige, welche den reglementsmäßigen Bedingungen entsprechen, in einem Bezirke vorhanden, so müssen sie gleichwohl fünf Jahre dienen. Aus Aeußerungen des Kriegsministers ist zu entnehmen, daß man die Zahl der zum einjährigen Dienst Zuzulassenden für die nächste Zeit bei einer Heeresstärke von 464,000 Mann auf 15,000 in jedem Jahre zu normiren gedenkt. In Norddeutschland hat dagegen die Zahl derer, welchen die Berechtigung zum einjährigen Dienst ertheilt wurde, bei einer Heeresstärke von 300,000 Mann im Jahre 1868 16,063, im Jahre 1869 12,570 betragen. Sie war allerdings in jenen Jahren größer, als gewöhnlich, weil für einen Theil der norddeutschen Bevölkerung erleichternde Uebergangs-Bestimmungen in Kraft waren. Immerhin aber wird man nicht sagen können, daß die bezüglichen Bestimmungen des französischen Gesetzes eine Garantie für genügende Berücksichtigung der wichtigsten bürgerlichen Interessen böten.

Nach einjährigem Dienste wird der Freiwillige den vom Kriegsminister vorgeschriebenen Prüfungen unterworfen. Besteht er dieselben nicht, so muß er ein zweites Jahr dienen; besteht er sie auch dann noch nicht, so wird er fünf Jahre bei der Fahne behalten. Bei uns hat jeder Einjährige im Frieden unbedingten Anspruch auf Entlassung nach einjährigem aktiven Dienste, und wenn wir diese Einrichtung auch nicht zur strikten Nachahmung empfehlen können, vielmehr eine gewisse Einschränkung des Anspruchs der Freiwilligen auf Entlassung nach einjährigem Dienste im Interesse der Gerechtigkeit und der von derselben abhängigen Disciplin dringend wünschen müssen, so scheinen uns doch die Bestimmungen des französischen Gesetzes in dieser Hinsicht zu weit zu gehen.

Auch für die sachgemäße Berücksichtigung häuslicher ꝛc. Verhältnisse bei der Aushebung ist in der deutschen Wehrverfassung mehr Sorge getragen, als in dem französischen Gesetze. Die Zahl der Fälle, welche bei uns Anspruch auf Befreiung vom Militairdienst im Frieden geben, ist erheblich größer. Nun hat man sich zwar auch in dieser Hinsicht in Frankreich damit zu helfen gesucht, daß man den Ersatz-Behörden gestattet, nach freier Wahl noch 4 pCt. aller Militairpflichtigen in Berücksichtigung häuslicher Verhältniffe frei zu laffen. Allein man wird trotzdem häufig nicht in der Lage sein, Dienstbefreiungen da eintreten zu laffen, wo dies nach unseren Beftimmungen unbedingt geschieht. Auch hat das französische Verfahren nothwendiger Weise Ungleichheiten in der Behandlung derselben Fälle bei verschiedenen Jahrgängen und in verschiedenen Gemeinden zur Folge, welche dem Gerechtigleitssinne unseres Volkes nicht entsprechen würden.

Dem Rechtsbewußtsein trägt nach unserem Dafürhalten das französische Gesetz auch in Betreff der körperlichen Unterfuchung nicht genügend Rechnung. Denn es schädigt ebensowohl das Rechtsbewußtsein, wenn Militairpflichtige von ungenügender körperlicher Tüchtigkeit ausgehoben werden und dann Schaden an ihrer Gesundheit erleiden, als wenn es Gesunden leicht gemacht wird, sich durch Simulation, Beftechung oder künstliche Mittel der Militairpflicht zu entziehen. Schon der Verdacht der Beftechung wirkt schädlich in weiten Kreisen, und er entsteht bei der ärztlichen Unterfuchung der Militairpflichtigen gar zu leicht, auch ohne jeden Grund, wenn nicht die betreffenden Einrichtungen wenigstens einige Garantie gegen Fehlgriffe gewähren.

Deshalb ift nach unserem Dafürhalten entweder eine mehrmalige Unterfuchung durch verschiedene Aerzte oder eine einmalige Unterfuchung durch eine Kommission von Aerzten nicht zu entbehren. Auch die rein militairischen Intereffen erheischen eine solche Garantie. In Frankreich aber wird jeder Militairpflichtige nur einmal von einem Arzte unterfucht. — Das ganze Rekrutirungs-Verfahren trägt einen mehr summarischen Charakter, wie er mit der allgemeinen Wehrpflicht schlecht vereinbar ift.

Das neue Wehrgefetz scheint uns nicht danach angethan, die Sympathien der französischen Nation zu gewinnen, und wir können nur unsere vorher ausgesprochene Ansicht wiederholen, daß die Mehrheit der Nationalversammlung es in dem Bewußtsein votirt hat, nicht etwas Dauerndes zu schaffen, sondern der Regierung einen außerordentlichen Menschenkredit zu bewilligen. Frankreich wird früher oder später, je nach der weiteren Entwickelung der politischen Verhältniffe, auf die Prinzipien des Gefetzes von 1832 zurückkommen; es wird dazu entweder unmittelbar aus dem durch das neue Wehrgefetz geschaffenen Zuftande übergehen, oder, nachdem es zuvor noch bittere Erfahrungen durch Annahme der allgemeinen Wehrpflicht mit kurzer Dienftzeit gemacht hat. Das Letztere wäre zu erwarten, wenn die radikale, Gambetta'sche Richtung noch einmal die Oberhand bekommen sollte.

Es erübrigt uns nun noch eine Darlegung, wie hoch sich der durch das neue Gefetz bewilligte Menschenkredit beläuft.

Die Friedens-Präfenzstärke des französischen Heeres ift, bei einer Einwohnerzahl Frankreichs von 36½ Millionen Seelen, auf 464,000 Mann (einschließlich 120,000 Offiziere, Unteroffiziere, Kapitulanten, Gendarmen 2c.)

normirt. Die Friedensstärke des deutschen Heeres beträgt, bei 40 Millionen Einwohnern, 400,000 Mann. Wollten wir es Frankreich gleichthun, so müßten wir über 500,000 Mann im Frieden unterhalten.

Alljährlich erreichen in Frankreich durchschnittlich 302,000 Mann das militairpflichtige Alter. Der Abgang an Dienstuntauglichen, Eximirten, Dispensirten, Ersatz für die Marine u. s. w. beziffert sich erfahrungsmäßig auf ca. 150,000 Mann, so daß das zur Disposition des Kriegsministers gestellte Jahres-Kontingent auf durchschnittlich 150,000 Mann berechnet wird. Das ganze Jahres-Kontingent wird in die Armee eingestellt und, wenn auch in sehr verschiedenem Maße, militairisch geübt. Betrachten wir daher zunächst nur den quantitativen Effekt, so würde sich nach vollständiger Durchführung des neuen Wehrgesetzes die Kriegsstärke der französischen Heeresmacht in folgender Weise berechnen:

1. Stehendes Heer.

Stamm (Offiziere, Unteroffiziere ꝛc.) 120,000 Mann.
5 Jahrgänge à 150,000 Mann = 750,000 Mann,
 oder nach Abrechnung von 10 pCt. für Abgang = 675,000 „
 Summa 795,000 Mann.

2. Reserve des stehenden Heeres.

4 Jahrgänge à 150,000 Mann = 600,000 Mann,
 oder nach Abrechnung von 15 pCt. für Abgang = 510,000 Mann.

3. Territorial-Armee.

5 Jahrgänge à 150,000 Mann = 750,000 Mann,
 oder nach Abrechnung von 20 pCt. für Abgang = 600,000 Mann.

4. Reserve der Territorial-Armee.

6 Jahrgänge à 150,000 Mann = 900,000 Mann,
 oder nach Abrechnung von 33⅓ pCt. für Abgang = 600,000 Mann.
 Total 2,505,000 Mann.

Prüfen wir nun den qualitativen Werth dieser formidablen Massen, soweit sich derselbe ziffermäßig berechnen läßt, so müssen wir zunächst anführen, daß es ausgesprochene Absicht ist, von dem diesjährigen Kontingent 100,000 Mann als première portion einzuziehen, so daß, nach Abrechnung von 15,000 Einjährig-Freiwilligen, welche übrigens allem Anscheine nach, über die etatsmäßige Friedensstärke eingestellt werden sollen, nur noch 35,000 Mann für die deuxième portion übrig bleiben. Da jedoch die Regierung entschieden erklärt hat, daß sie die fünfjährige Dienstzeit so viel als irgend möglich zur Wahrheit machen werde, so wird man in der Annahme kaum fehlgreifen, daß die diesjährige Feststellung der Kontingents-

Ziffer als Ausnahme-Maßregel zu betrachten sei, und das man die première portion in Zukunft etwa auf 75,000 Mann feststellen wird. Die deuxième portion beträgt dann, nach Abrechnung von 15,000 Einjährig-Freiwilligen, noch 60,000 Mann, für welche, wenn der Kriegsminister sie nur zu ½jährigem Dienste successive einzieht, 30,000 Stellen im Friedens-Etat erforderlich sind.

Es würde sich hieraus etwa folgende Zusammensetzung der aktiven Armee ergeben:

Stamm (Offiziere, Unteroffiziere ꝛc.) 120,000 Mann,	
1. Jahrgang	75,000 "
2. Jahrgang	70,000 "
3. Jahrgang	65,000 "
4. Jahrgang	58,000 "
5. Jahrgang	46,000 "
Krümper (deuxième portion)	30,000 "
Summa 464,000 Mann,	

wozu noch 15,000 Einjährig-Freiwillige kömen. Der Rest der oben berechneten Kriegsstärke des stehenden Heeres, 795,000 — 464,000 — 15,000 = 316,000 Mann, würde aus Beurlaubten bestehen, darunter etwa 55,000 Einjährig-Freiwillige und 220,000 Krümper.

In der Reserve der aktiven Armee würden sich befinden, nach Abrechnung von etwa 15 pCt. bei allen Kategorien:

Première portion	260,000 Mann,
Deuxième portion	200,000 "
Ehemalige Einjährig-Freiwillige	50,000 "
Summa 510,000 Mann.	

Analog würde sich die Territorial-Armee und die Reserve derselben zu ³/₅ aus ehemaligen Soldaten von langer Dienstzeit und ehemaligen Einjährig-Freiwilligen, zu ²/₅ aber aus Krümpern zusammensetzen.

Wir halten nun von den Krümpern sehr wenig, und sind geneigt, zumal in Anbetracht des eigenthümlichen Charakters der französischen Nation, ihren Werth eher geringer, wie höher als den frischer Rekruten zu veranschlagen. Sie sollen allem Anscheine nach — das in der nächsten Session der National-Versammlung zur Berathung kommende Organisations-Gesetz wird hierüber das Nähere enthalten — in Depots ausgebildet werden. In solchen Depots kann sich aber kein frischer militairischer Geist entfalten, und ein halbes oder auch ein ganzes Dienstjahr in denselben wird gerade genügen, um sie alle Mühen und Beschwerden des Militairdienstes kennen zu lehren, ohne ihnen die Selbstverläugnung und Berufsfreudigkeit zu eigen zu machen, welche dem Soldaten erst Werth geben, die aber für die Masse nur die Frucht einer längeren, sorgsamen militairischen Erziehung in soliden

Cadres sind. Der Haupterfolg jener kurzen Exerzirzeit wird daher in der Erregung eines gewissen Widerwillens gegen den Militairdienst bestehen, welchen die Krümper mit in die Heimath nehmen, dort verbreiten und bei ihrer Wieder-Einberufung zur Fahne im gesteigerten Maße mitbringen, während das Wenige, was sie in den Depots wirklich gelernt haben, bald genug der Vergessenheit verfällt.

Berechnen wir uns mit Rücksicht hierauf nur die Zahl der vollständig kriegstüchtigen Mannschaften der künftigen französischen Heeresmacht, mit Ausschluß Alles dessen, was vermuthlich an die Depots abgegeben wird, und zählen wir zu letzterer Kategorie sogar alle Mannschaften, welche noch nicht ein volles Jahr gedient haben, so erhalten wir nach Abzug des erfahrungsmäßigen Abganges folgende Ziffern:

1. Aktive Armee, einschl. Reserve.

Stamm, (exkl. Gendarmerie, Depot-Cadres ꝛc.)	70,000	Mann.
2. Jahrgang bei der Fahne	70,000	„
3. „ „ „ „	65,000	„
4. „ „ „ „	58,000	„
5. „ „ „ „	46,000	„
Beurlaubte der première portion der aktiven Armee, einschließlich 4 Jahrgänge Einjährig-Freiwilliger	96,000	„
Première portion der Reserve, einschließlich 4 Jahrgänge Einjährig-Freiwilliger	310,000	„
	715,000	„
2. Territorial-Armee, einschl. Reserve	720,000	„
Summa	1,435,000	Mann.

Der bei weitem größte Theil dieser Mannschaften würde eine vier- und fünfjährige aktive Dienstzeit hinter sich haben. Freilich sind nun auch 1½ Millionen gut ausgebildeter Soldaten immer noch keine gute Armee von 1½ Millionen; was insbesondere die Territorial-Armee betrifft, so müssen wir uns das Urtheil, ob sie eine ähnliche Bedeutung wie unsere frühere Landwehr 2. Aufgebots zu erlangen vermag, mindestens noch so lange vorbehalten, bis das in Aussicht genommene neue Organisationsgesetz vorliegt. Auch würden die oben berechneten Ziffern in ihrer vollen Höhe erst nach 20jähriger ununterbrochener Arbeit erreicht werden, und wir haben unsere wohlbegründeten Zweifel geäußert, ob die französische Nation 20 Jahre lang die Lasten zu ertragen vermag, welche dieses System ihr aufbürdet. Eine positive und reelle Bedeutung aber haben wir der Ziffer beizulegen, nach welcher sich die solide ausgebildeten Mannschaften der aktiven Armee und ihrer Reserve berechnen. Wir haben diese unter normalen Ver-

hältniffen, nach Ausscheidung des Stammes für die Depottruppen auf
715,000 Mann berechnet. Sie kann aber beträchtlich erhöht werden, wenn
unter Beurlaubung einer größeren Zahl von Mannschaften des 4. und 5.
Dienstjahres das Jahres-Kontingent der première portion von 75,000
auf 100,000 Mann verstärkt wird, wie es in diesem Jahre geschieht. Die
Stärke der aktiven Armee, einschließlich Reserve und ausschließlich der Depots,
berechnet sich dann folgendermaßen:

Stamm   70,000 Mann,

8 Jahrgänge première portion à
100,000 Mann, nach Abrechnung von
12 pCt. für Abgang   704,000   „

8 Jahrgänge Einjährig-Freiwillige à
15,000 Mann — 12 pCt.   106,000   „

Summa 880,000 Mann.

Ohne alles Bedenken kann eine so formirte Armee sich durch eine Anzahl von Mannschaften der Depots, welche noch kein volles Jahr dienen,
verstärken und so würde Frankreich nach 9jähriger Wirksamkeit des Gesetzes
im Stande sein, eine sehr solide zusammengesetzte Feld-Armee von mindestens 1 Million Streiter aufzustellen und auch thatsächlich ins Feld zu führen, da die Territorial-Armee und die Depottruppen immerhin für Be-
satzungs- 2c. Zwecke ausreichen werden.

Wir haben nun schließlich noch einen Blick auf die Uebergangs-Bestimmungen des neuen französischen Wehrgesetzes zu werfen. Es muß als eine
auffallende und nicht unwichtige Thatsache betrachtet werden, daß
dem Gesetze eine fast absolut rückwirkende Kraft gegeben worden
ist, der Art, daß selbst Hunderttausende von Mannschaften, welche
längst aus jedem Militair-Verhältniß definitiv entlassen waren,
plötzlich wieder für dienstpflichtig erklärt werden.

Auf Grund der Uebergangs-Bestimmungen gehören vom 1. Januar
1873 an, außer dem Stamm (Offiziere, Unteroffiziere, Gendarmen 2c.) zur
aktiven Armee und deren Reserve:

1) die Kontingente von 1863—71, première und deuxieme portion;
2) sämmtliche Mannschaften der Klassen 1867, 1868, 1869 und 1870,
    welche nicht in das Kontingent eingereiht worden sind und daher
    der mobilen Nationalgarde angehörten. Der Kriegsminister kann
    diese Mannschaften nach einem von ihm zu erlassenden Reglement
    zu Uebungen einziehen.

Es ist schwer, hiernach den Bestand der aktiven Armee und deren Reserve auch nur annähernd zu berechnen. Denn alle diese Mannschaften, mit alleiniger Ausnahme eines Theiles der Klasse 1871,
haben während des letzten Krieges gedient, theils in den alten, theils

in den neuformirten Linien-Regimentern, theils in der Mobilgarde, und der durch Tod, Verwundung 2c. eingetretene Abgang ist nicht bekannt. Vielleicht wird man aber nicht sehr fehlgreifen, wenn man die Gesammt-Kopfzahl annähernd auf eine Million taxirt. In gewisser Hinsicht werden nun freilich die Mobilgardisten 2c. durch ihre Kriegs-Erfahrung an soldatischem Werthe nicht gerade gewonnen haben; andererseits aber darf man nicht vergessen, daß wir in Folge des eigenthümlichen Verlaufes des Krieges den Franzosen ihre Stamm-Soldaten in unserem Lande unterhalten mußten, während wir von unseren besten Kräften, noch erhebliche weitere Opfer zu bringen hatten.

Alle Mannschaften, welche nach dem neuen Gesetze in der aktiven Armee oder deren Reserve dienstpflichtig sind, treten successive in die Territorial-Armee und deren Reserve über.

Die Territorial-Armee wird aber auch sofort formirt werden, denn nach Art. 77 des neuen Wehrgesetzes gehören zu ihr vom 1. Januar nächsten Jahres an alle auf Grund des Gesetzes vom 21. März 1832 aufgerufenen Mannschaften der früheren Klassen, mögen sie zum Kontingent dieser Klassen gehört haben oder nicht, bis zum 40. Lebensjahre. Eine nachträgliche Untersuchung soll die Dienstbrauchbarkeit dieser Leute feststellen. Es ist nahezu die levée en masse, welche Gambetta im November 1870 dekretirte, welche er aber wegen des entschiedenen Widerstrebens der Bevölkerung nur in beschränkter Weise zur Ausführung bringen konnte.

Die französische Nation macht kein Hehl daraus, daß sie von glühendem Haß gegen uns erfüllt ist und auf Revanche sinnt. Die militairischen Vorgänge jenseits der Vogesen haben daher ein natürliches Interesse für uns, und wir müssen uns möglichst über dieselben unterrichtet erhalten. Wir betrachten sie mit nüchternem Auge und suchen sie auf ihre wahre Bedeutung zurückzuführen; andererseits aber könnte es keinen größeren Fehler geben, als wenn wir unsern Gegner unterschätzen wollten. Die Armee hält sich, wir wissen es, von diesem Fehler frei; sie pocht nicht auf ihre Siege, sie arbeitet still und geräuschlos, aber mit ganzem Ernst an ihrer Vervollkommnung. Möge man sich auch in weiteren Kreisen nicht in falsche Sicherheit wiegen!

Die deutsche Artillerie in den Fünfundzwanzig Schlachten und Treffen des deutsch-französischen Krieges 1870—71.

Von

Alt,   **Gustav Lehmann,**
Hauptmann im Kaiserlichen See-Bataillon.   Lieutenant a. D. u. Kammer-Gerichts-Referendar.

——

Die nachfolgenden Blätter sind der deutschen Artillerie zu dem hundertjährigen Stiftungstage des Ostpreußischen Feld-Artillerie-Regiments Nr. 1 gewidmet.

Ihre Thaten in dem glorreichen Kriege von 1870—71 sind in Aller Munde: sie ist der Schrecken unseres Feindes geworden.

Was sie geleistet und was sie gelitten, das bekunden eindringlicher als es die längsten Lobreden vermöchten, die von uns ermittelten Zahlen. Allein der Tag von Bionville und der Kampf um Amanvillers in der Schlacht am 18. August 1870 haben ihren Namen unsterblich gemacht.

Möge es den deutschen Heeren, wenn das Geschick sie wieder zum blutigen Waffengange aufruft, nie an einer so heldenmüthig tapferen und ausdauernden Artillerie fehlen, wie die von 1870—71 gewesen ist.

———

Der nachfolgende Aufsatz ist der Vorläufer einer ausführlichen Stammliste der preußischen Artillerie, deren Bearbeitung sich der Hauptmann Alt unterzogen hat, und die unter Anderem auch ausführliche, regimenterweise geordnete Munitions-Verbrauchstabellen aus den Feldzügen 1864, 1866, 1870—71 enthalten wird. Ihr Erscheinen wird sich aber in Folge der verfügten neuen Organisation der Artillerie bis Anfang nächsten Jahres verzögern.

Die zu diesem Zweck auf Bitte des Verfassers mit hochgeneigter Unterstützung der königlichen General-Inspektion der Artillerie gesammelten Akten sind für die Betheiligung der Preußischen Artillerie an den Schlachten und Treffen des Feldzuges von 1870—71 die Hauptquelle dieses Aufsatzes geworden.

Durch die außerordentliche Liberalität der Kriegs-Ministerien der Königreiche Bayern, Sachsen und Württemberg ist die Ausdehnung der vorliegenden Arbeit, die sich ursprünglich auf die Preußische Artillerie beschränken sollte, auf die Artillerien dieser drei Staaten ermöglicht worden.

Wo sich in dem gesammelten Materiale nicht ausfüllbare Lücken vorgefunden haben — und dies ist glücklicher Weise nur bei der vormaligen 2. reitenden Batterie Hessischen Feld-Artillerie-Regiments Nr. 11, deren nähere Schießberichte für den Feldzug verloren gegangen sind, sowie der schweren Reserve-Batterie IV. und den Reserve-Batterien V. Armee-Korps der Fall — ist dies jedesmal ausdrücklich angezeigt. Möge unserer mühevollen Arbeit der Beifall des deutschen Heeres werden.

Schlacht bei Woerth.
6. August 1870.

Es kamen durchschnittlich ins Gefecht:

Geschütze:

Vom Niederschlesischen Feld-Artillerie-Regiment Nr. 5	2 reit.	6 schwere	6 leichte Batt.	= 36 6pfdge. 48 4pfdge. (excl. 1 reitende).
„ Hessischen	11 „	2 „	6 „	= 36 6pfdge. 48 4pfdge. (excl. 2 reitende).
„ 2. Bayrischen	2 „			= 12 4pfdge. (1. 2. reitende).
„ 4. „		1 „	1½ „	= 6 6pfdge. 9 4pfdge. (½.2.3.4pfdge.5.6pfdge.).
„ 1. „		2 „	2 „	= 12 „ 12 „ (1.3.4pfdge.5.7.6pfdge.).
„ Württembergischen		2 „		= 12 „ (5. 8.4pfdge.).
	6 reit.	15 schwere	17½ leichte Batt.	= 90 6pfdge. 141 4pfdge. = 231 Geschütze.

Es wurden verbraucht:

		6pfdge.			4pfdge.			Gesammtschuss-zahl per Geschütz.
		Gran.	Kart.	Schrapn.	Gran.	Kart.	Schrapn.	
Vom Niederschlesischen Feld-Artillerie-Regiment Nr. 5		6499	64	—	1898	—	—	ca. 77,4
„ Hessischen	11	2253	—	—	684	—	64	ca. 27,8
„ 2. Bayrischen		50	—	—	65	—	—	4,1
„ 4. „		149	—	12	377	12	—	9,9
„ 1. „		711	—	—			334	30,1
„ Württembergischen		114	—	—	—	—	114	9,6
		9776	64	12	3028	12	6748	64	42,3

Den größten Munitionsverbrauch hatten:

Beim Niederschlesischen Feld-Artillerie-Regiment Nr. 5		3. reit. 676 Gran. — Kart.	3. schwere 449 Gran. — Schrapn.	6. leichte 1218 Gran.
„ Hessischen	11	1. „ 252 Gran. 31	2. „ 270	1. „ 897
„ 2. Bayrischen	1. „ 30 —	5. „ 65 —	3. „ 80
„ 4. „		—	7. „ 219 11	3. „ 299
„ 1. „				
„ Württemberg.		5. 4pfdge. 79 Granaten.		

Es verloren an Offizieren, Mannschaften und Pferden:

	Offiziere		Mann		Pferde
bei Niederschlesische Feld-Artillerie-Regiment Nr. 5	5 Offiziere,		77 Mann,		106 Pferde,
, Hessische , ,	11	7 ,	51 ,		167 ,
, 1. Bayrische ,		,	5 ,		19 ,
, 2. ,		,	2 ,		7 ,
, 4. ,		,	2 ,		7 ,
, Württembergische ,		,	2 ,		1 ,
	12 Offiziere,		137 Mann,		300 Pferde.

Von der 3. reit. Batterie V. explodirte ein Munitionswagen.

Den größten Verlust hatte:
die 6. l. Batt.: 1 Off. 13 M. 10 Pf.
, 3. reit. : — — 12 , 70 ,

Schlacht auf den Spicherer Höhen.
6. August 1870.

Es waren preußischerseits im Gefecht:

	Gefechte:			Geschütze:		
vom Ostpreußischen Feld-Artillerie-Regiment Nr. 1	— schw.	1 leichte Batt.	=	— 6pfdge.	6 4pfdge.	(4. leichte).
, Brandenburg , , 3	2 ,	2 ,	=	12 ,	12 ,	(3. 4. schwere, 3. 4. leichte).
, Westphälischen , , 7	2 ,	4 ,	=	12 ,	24 ,	(1. 2. schwere, 1. 2. 5. 6. leichte).
, Rheinischen , , 8	1 ,	1 ,	=	6 ,	6 ,	(6. schwere, 6. leichte).
	5 schw.	8 leichte Batt.	=	30 6pfdge.	48 4pfdge.	= 78 Geschütze.

Es wurden verbraucht:

		6pfdge.		4pfdge.		Schüsse per Gesch.
		Gran. — Kart.		Gran. — Kart.		ca 8
vom Ostpreußischen Feld-Artillerie-Regiment Nr. 1	— schw.	17 Gran. — Kart.		17 Gran. — Kart.		ca 8
, Brandenburg. , 3	475	259		216		19,8
, Westphälischen , 7	1449	501		948		40,8
, Rheinischen , 8	433	285		148		86
	2874 Gran. — Kart.	1045 Gran. — Kart.		1829 Gran. — Kart.		30,4

Den größten Munitionsverbrauch hatten:

Beim Ostpreußischen Feld-Artillerie-Regiment Nr. 1	—	3. schwere 172 Granaten, 3. leichte 164 Granaten.
. Brandenburg.	3 7 2.	320 , 1. , 510 ,
. Westfälischen	7	
. Rheinischen	8	—

Es verloren an Offizieren, Mannschaften und Pferden:

	Offiz.	Mann	Pferde	den größten Verlust hatten:
das Ostpreußische Feld-Artillerie-Regiment Nr. 1	3 5.	35. —	43. 3 Pferde,	3. schwere 4 Off., 11 M., 17 Pf., 3. leichte 18 M. 18 Pf.
. Brandenburg	7 2.	29	42	3. schwere 1 Off., 18 M. 8 Pf.
. Westfälische	8	10	17	6. leichte 1 Off., 9 M. 13 Pf.
. Rheinische				
	7 Off.	77 Mann	105 Pferde.	

Die drei Schlachten vor Metz.

A. Schlacht bei Colombey — Borny.

14. August 1870.

Es kamen preußischerseits ins Gefecht:

				Geschütze:
Vom Ostpreußischen Feld-Artillerie-Regiment Nr. 1	3 reit.	6 schw.	4½ leichte Batt.	= 36 6pfdge. 44 4pfdge.¹)
. Westfälischen	3 ,	2½(6) ,	2½(3) ,	= 13 6pfdge. 32 4pfdge. (5. 6. schw. 5. 6. leichte.)
. Schlesw.-Holst.	9 ,	1 ,	1 ,	= 6 6pfdge. 6 4pfdge. (2. schw. 2. leichte.)
	6 reit.	9½ schw.	7½ leichte Batt.	= 55 6pfdge. 82 4pfdge. = 137 Geschütze.

Es wurden verbraucht:

	6pfdge.		4pfdge.		Schußzahl der Gefechte.
	Gran.	Kart.	Gran.	Kart.	
Vom Ostpreußischen Feld-Artillerie-Regiment Nr. 1	2069	6	1526	6	26
. Westfälischen	678	—	466	—	15
. Schlesw.-Holst.	102	—	76	6	8,5
	2849	6	2068	6	13,5

¹) Die 3. 4. leichte Batterie thaten nur je 1 Schuß.
²) Die 1. leichte Batterie that nur 5, die 4. schwere nur 1 Schuß.

Den größten Munitionsverbrauch hatten:

beim Ostpreußischen Feld-Artillerie-Regiment Nr. 1 1. reitende 227 Granaten, 1. schwere 163 Granaten, 6. leichte 315 Granaten
,   Westphälischen   ,   ,   7 3. , 68 ,   6. , 189 ,   5. 6. , je 184 ,

Es verloren an Mannschaften und Pferden:

das Ostpreußische Feld-Artillerie-Regiment Nr. 1 7 Offiziere 92 Mann 99 Pferde davon die 1. leichte 3 Offiziere 24 Mann 28 Pferde
,   Westphälische   ,   ,   ,   7 5 , 45 , 57 ,   , 5. schw. 4 , 17 , 28 ,
,   Schlesw.-Holst.   ,   ,   9 — , — , 8 , ausschließlich 2. leichte Batterie.

          12 Offiziere 137 Mann 159 Pferde.

B. Schlacht bei Vionville.

16. August 1870.

Es kamen preußischerseits ins Gefecht:

		schwere	leichte	6pfdge.	4pfdge.	Geschütze:
Von Garde-Feld-Artillerie-Regiment	1 reit. Batt.	—	—	= —	6	(1. reitende)
, Brandenburg. Feld-Artillerie-Regiment Nr. 3	3.	6	6	= 36	54	(1. reitende)
, Magdeburg. , , 4	1.	—	1	= 12	6	
, Rheinischen , , 8	—	6	6	= 36	6	(5. 6. schwere, 5. leichte)
, Hannoverschen , , 10	3.	6	6	= 36	54	
, Großherzoglich Hessischen Artillerie-Korps	—	1	1	= 6	6	(2. schwere, 1. leichte)
	8 reit. Batt.	15 schwere	14 leichte	= 90 6pfdge.	132 4pfdge.	= 222 Geschütze.

Es wurden verbraucht:

		6pfdge. Granaten	6pfdge. Kart.	4pfdge. Gran.	4pfdge. Kart.	Schußzahl per Geschütz:
Von Garde-Feld-Artillerie-Regiment		85	18	85	—	14,1
, Brandenburg. Feld-Artillerie-Regiment Nr. 3		12743	4684	8109	18	141,6 max. 280,5; min. 69,5
, Magdeburg. , , 4		589	498	589	—	98,1
, Rheinischen , , 8		898	—	400	—	49,9 , 66,4; 85,1
, Hannoverschen , , 10		6421	1745	4676	67	71,34 , 174,6; 28,6
, Großherzoglich Hessischen Artillerie-Korps 10		105	88	67	—	9,7 , 11,1; 6,8
		20841	6915	18996	18	18 c. 94.

Den größten Munitionsverbrauch hatten:

Vom Brandenburgischen Feld-Artillerie-Regiment Nr. 3 2. schwere Batt. 1080 Gran. 2. leichte 1383 Gran. 3. reitende 1164 Gran.

" Rheinischen " . . . 8 6. . . 287 . 5. . 400 — . .

" Hannoverschen . . . 10 1. . . 597 . 1. . 677 . 1. . 1048 . .

Es verloren an Offizieren, Mannschaften und Pferden:

— Offiziere 3 Mann 7 Pferde.

Des Garde-Feld-Artillerie-Regiment Nr. 8 28 . 365 . 560 . davon erlitt den größten Verlust 2. leichte Batt. 5 Offz.

Brandenburg. Feld-Artillerie-Regiment Nr. 8 . 4 2 . 23 . 35 . 45 Mann 44 Pferde.

Magdeburg. " . 8 2 . 48 . 63 . davon erlitt den größten Verlust 5. leichte Batt. 1 Offz.

Rheinische " . " . . 29 Mann 37 Pferde.

. 10 12 . 242 . 327 . davon erlitt der größten Verlust 1. reitende Batterie 3

Hannoversche " . — . 1 . 1 . Offiziere 43 Mann 36 Pferde.

Großherzoglich Hessische Artillerie-Korps — . 1 . 1 . ausschließlich die 2. schwere Batterie.

44 Offiziere 682 Mann 993 Pferde.

C. Schlacht bei St. Privat la Montagne.
18. August 1870.

Es kamen deutscherseits ins Gefecht:

	Batterien			Geschütze:			Bemerkungen
	reitende	schwere	leichte	6pfdge.	4pfdge.	Gesch.	
vom Garde-Feld-Artillerie-Regiment	3	6	6	=	36	54	(1. reitende, 6. leichte.)
" Ostpreußischen Feld-Artillerie-Regiment Nr. 1	1	6	1	=	—	12	(ie 1 Gesch. 2. 3. schwere, 1. leichte, je
" Pommerschen	2	1/3	1 1/3	=	2	10	1 Zug der 2., 3. leichten Batterie.
" Brandenburg.	3	5	2	=	30	24	(1.3. reit, 1, 2, 3, 4., 6. schw., 3. 4. leichte.
" Magdeburg.	4	1 —	5 1/2	=	—	6	(die 1. reitende).
" Westphälischen	7	2	6 5 1/2	=	36	44	(von der 4. leichten 1 Zug u. excl. 1. reit.)
" Rheinischen	8	8	6 6	=	36	54	
Summe	18	28 1/3	22 28 1/3	=	140	204	

Batterien:	reitende	schwere	leichte	6pfdge.	4pfdge.	
Transport	12	23⅓	22	140	204	
von Schl.-Holst. Feld-Artillerie-Regiment Nr. 9	1		4	4 =		(2. reit.; 1. 2. Fußabtheilung.)
, Hannoverschen , , , . 10	3	4	6 =	24	30	(2. reit.; 1. 2. Fußabtheilung.)
, Sächsischen , , , . 12	2	5⅓	6 =	32	54	(von der 1. schweren 2 Geschütze).
, Hessischen Artillerie-Korps	1	8	3 =	48	48	
	1	2	=	12	24	
	19	42⅔	41 =	256	360 = 616 Geschütze.	

Es verfeuerten:	Gran.	Shrapn.	Kart.	6pfdge. Gran.	Shrapn.	Kart.	4pfdge. Gran.	Shrapn.	Kart.	Schuß per Geschütz.
das Garde-Feld-Artillerie-Regiment	8449	—	—	3177	—	—	5272	—	—	93,9
, Ostpreußische Feld-Artillerie-Regiment Nr. 1	783	—	—	—	—	—	783	—	—	65,3
, Pommersche , , 2	25	—	—	2	—	—	23	—	—	2
, Brandenburg. , , 3	2863	—	—	880	—	—	1983	—	—	53
, Magdeburg. , , 4	183	—	—	—	—	—	183	—	—	30,5
, Westphälische , , 7	3216	16	—	1512	—	—	1704	16	—	40,4
, Rheinische , , 8	6149	—	—	2362	—	—	3787	—	—	68,3
, Schlesw.-Holst. , , 9	4986	4	—	1715	—	4	3271	—	—	92,4
, Hannoversche , , 10	1487	—	—	371	—	—	1116	—	—	17,5
, Sächsische , , 12	2040	196	—	967	44	—	1083	152	—	23,3
, Hessische Feld-Artillerie-Korps	4447	—	—	1215	—	—	3232	—	—	128,5
	34628	196	20	12191	44	4	22437	152	16	56,5

Den größten Munitions-Verbrauch hatten:

		2. schwere 704 Gran. —	Shrapn.	4. leichte 756 Gran. —	Shrapn.	2. reit. 798 Gran. —	Shrapn.
beim Garde-Feld-Artillerie-Regiment . 1	2.	—		1. . 90		1. . 698	
, Ostpreuß. Feld-Artill.-Regt. Nr. 1	2	—		6. . 15			
, Pomm. , , 2	3	4. . 461		4. . 496		3. . 852	
, Brandenb. , , 3	7	2. . 470		6. . 430		3. . 243	
, Westphäl. , , 8	4. . 591		1. . 597		1. . 848	
, Rheinischen , , 9	1. . 822		2. . 1108		2. . 425	

beim Hannöv. Feld-Art.-Regt. Nr. 10 . . 5. schwere 157 Gran. — 11 . — Schrapn. 5. leichte 228 Gran. — Schrapn. 3. reit. 269 Gran. — Schrapn.

Sächsischen . . . . . 12 . 8. . 173 . 6. . 198 . 6. . 321 . 6 .

Hessischen Artillerie-Corps . . 1. . 651 . 2. . 960 . 2. . 576 . — .

Es verloren an Offizieren, Mannschaften und Pferden:

		— Mann	— Pf.;				
Artillerie-Stab der 2. Armee	. 1 Offiz.		295 .	den größten Berlust hatte 2. l. Batt.	2 Offiz.	26 Mann	35 Pf.
Garde-Feld-Art.-Regt. . .	19 . (incl. 2 Führr.) 188 .		32 .	ausschließlich die reitende Batt.			—
Ostpreuß. Feld-Art.-Regt. Nr. 1	3 . 19 .		20 .	den größten Berlust hatte 4. l. Batt.	— .	2 .	53 .
Pomm. . .	2 — . 4 .		99 .	. 3. r.	3 .	26 .	73 .
Brandenb. . .	3 2 . 49 .		222 .	. 3.	3 .	35 .	29 .
Westphäl. . .	7 18 . (incl. 1 Berzt) 100 .		42 .	. 2.	2 .	11 .	29 .
Rhein. . .	8 3 . 41 .		528 .	4. schw.	3 .	45 .	49 .
Schl.-Holst. .	9 27 . (incl.1 Bicefeldw.) 281 .			2. r.	2 .	36 .	102).
Hannöv. . .	10 4 . 20 .		76 .	1.	2 .	6 .	10 .
Sächsisches . .	12 5 . 33 .		69 .	5. l.	2 .	14 .	26 .
Hessisches Feld-Artillerie-Corps	8 . 99 .		99 .	— r.	2 .	30 .	72 .

85 Offiz. 884 Mann 1477 Pferde.

1) 87 Pferde todt. Es gingen verloren:
2 Geschütze der 4. schweren Batterie Schleswig-Holsteinischen Feld-Artillerie-Regiments. (Berlust s. o. Munitions-Berbrauch: 145 Granaten.)
2 Borrathswagen der 2. schweren Batterie Schleswig-Holsteinischen Feld-Artillerie-Regiments.
In Folgen explodirten: 1 der 5. schweren Garde-Batterie. (Munitions-Berbrauch: 580 Granaten.) 2 der 1. leichten Batterie Hessischen Regiments Nr. 9. (Munitions-Berbrauch: 864 Granaten.)
1 Berschluß der 1. reitenden Batterie Regiments Nr. 1 zersprengt. 4 Berschlußstücken der 1. schweren Batterie Hessischen Feld-Artillerie-Corps verbrannt.

Schlacht bei Beaumont.
30. August 1870.

Es kamen durchschnittlich ins Gefecht:

Geschütze:

		2 reitende	6 schwere	6 leichte Batt. =	36 6pfdge.	48 4pfdge.	(2. 3. reitende)
von Magdeburgischen Feld-Artillerie-Regiment Nr. 4	12	2 ,	12 ,	, , =	36 6pfdge.	48 4pfdge.	(2. 3. reitende)
, Sächsischen	,	8 ,	5 ,	3 , , =	40 ,	42 ,	(excl. 3. leichte)
, 1. Bayrischen	,	4 ,	3 ,	, , =	24 ,	18 ,	(excl. 1. 4pfdge.)
, 3. Bayrischen	,	1 ,	,	, , =	,	6 ,	(1. reitende)
		5 reitende	18 schwere	14 leichte Batt. =	108 6pfdge.	114 4pfdge.	= 222 Geschütze.

Es wurden verbraucht:

		6pfdge. Gran.	Schrapn.	4pfdge. Gran.	Schrapn.	Gran.	Schrapn.	Schußzahl per Geschütz
von Magdeburgischen Feld-Artillerie-Regiment Nr. 4	12	4557	101)	1606	10	2961	—	54,3
, Sächsischen	, 12	1338	91	933	42	405	49	c. 15,9
, 1. Bayrischen	,	659	—	273	—	386	—	15,7
, 3.	,	8	—	—	—	8	—	1,3
		6562	101	2812	52	3750	49	30

Den größten Munitions-Verbrauch hatten:

von Magdeburgischen Feld-Artillerie-Regiment Nr. 4	12	die 3. reitende 876 Gran., die 3. schwere 817 Gran., die 3. leichte 506 Gran. — Schrapn.			
, Sächsischen	, 12	, 2. , 81 ,	- , 8. , 209 ,	- , 2. , 149 ,	- , 2
, 1. Bayrischen	,	- ,	- ,	- , 6. 6pfdge. 183 ,	- , 4. 4pfdge. 210 , - , ,

Es verloren an Offizieren, Mannschaften und Pferden:

das Magdeburgische Feld-Artillerie-Regiment Nr. 4	12 Offiz.	192 Mann	168 Pferde	(davon die 4. leichte 3 Offiziere 29 Mann 34 Pferde)
, Sächsische	, 12	— ,	3 ,	7 ,
, 1. Bayrische	, 12	— ,	5 ,	4 ,
	12 Offiz.	140 Mann	174 Pferde.	

1) Verfeuert von der 4. schweren Batterie.

Schlacht bei Sedan.
1. September 1870.

Es kamen deutscherseits ins Gefecht:

	Geschütze: reitende	schwere	1. Batt.	6pfdge.	4pfdge.	
von Garde-Feld-Artillerie-Regiment	8	6	6	= 36	54	(2. 3. reit. u. 3., 4., 5., 6. Batt.)
Magdeburgischen Feld-Artillerie-Regiment Nr. 4	2	4	4	= 24	36	(excl. 2. schwere 2. leichte Batt.)
Niederschlesischen	3	5	5	= 30	48	
Hessischen Nr. 11	11	3	6	6 = 36	54	
Sächsischen Nr. 12	12	2	8	6 = 48	48	
1. Bayrischen		2	4	2⅓ = 24	14	(2. 4. leichte ⅓ 3. leichte; alle schw. Batt.)
2.			6	6 = 36	12	
3.			6	6 = 36	—	
4.			3	3½ = 18	21	(1. ½ 2., 3., 4. (4pfdge.) 6., 7., 8. (6pfdge.)
Württembergischen		1	3	6 = 6	18	(4., 7., 8. (4pfdge.) 9. (6pfdge.) Batt.)
	15	49	36⅚	294	305 = 599 Geschütze.	

Es verfeuerten:

	6pfdge. Gran.	Brand-gran.	Shrapn.	Kart.	4pfdge. Gran.	Brand-gran.	Shrapn.	Kart.	Schußzahl per Geschütz.
das Garde-Feld-Art.-Regt.	5207	—	—	1	3393	—	—	—	ca. 57,9
Magdeb. Nr. 4	974	—	—	—	607	—	—	—	16,26
Niederschl. Nr. 5	4683	—	3	14	2994	—	—	—	60
Hessisch. 11	7418¹)	11	1060	14	4962	—	3	3	84,5
Sächs. 12	6376	32	121	—	2670	—	646	—	ca. 78
1. Bayr.	1222	354	44	24	222	—	—	—	ca. 86,2
2.	3434	76	15	8	1088	107	—	—	ca. 79
3.	923				691	76	—	3	29
4.	1124				66				ca. 81,3
Württ.	76								3,1
	31487	517	1274	56	16473	183	649	6	55,3

¹) excl. 2. reitende Batterie, siehe S. 818.

Den größten Munitionsverbrauch hatten:

	reit.	Gran.	Brbgr.	Shrapn.	[schw.]	Gran.	Brbgr.	Shrapn.	Kart.	leichte	Gran.	Shrapn.
von Garde-Artillerie-Regiment	1.	197	—	—	5.	473	—	—	—	1.	694	—
„ Magdeb. Feld-Art.-Rgt. Nr. 4	2. 3.	137	—	—	3.	122	—	—	1	3.	207	—
„ Niederschl.	5 3.	645	—	—	6.	439	—	—	—	6.	456	—
„ Hessischen	11 —	420	—	50	1.	580	—	96	—	1.	753	3
„ Sächsischen	12 2.	—	—	—	4.	692	—	106	—	3.	680	112
„ 1. Bayr.					5. 6pfdg.	702	32	—	—	2. 4pfdge.	179	—
„ 2.	1.	871	68	—	5.	566	65	—	—	—	—	—
„ 3.					6.	448	32	—	24	—	—	—
„ 4.					7.	180	—	—	—	4.	362	—
„ Württemb.					9.	10	—	—	—	7.	87	—

Es verloren an Offizieren, Mannschaften und Pferden:

	Off.	Mann	Pferde			Off.	Mann	Pf.
das Garde-Feld-Artillerie-Regiment	5 Off.	48 Mann	67 Pferde; davon erlitt den größten Verl. 5. leichte Batt.			2 Off.	14 Mann	16 Pf.
„ Magdeburg. Feld-Art.-Regt. Nr. 4	1	6	7	„	3.		5	5
„ Niederschles.	5 4	33	71	„	6.		13	14
„ Hessische	11 10	114	310	„	1. schwere	2	22	32[1]
„ Sächsische	12 4	101	143	„	4. leichte		14	11
„ 1. Bayr	6	67	118	„	6. schwere		14	46
„ 2.		10	10	„	8. 6pfdge.u.2reit.je.	2	2	1
„ 3.		26	37	„	7.		14	14
„ 4.		24	30	„	3. 4pfdge.		8	16
„ Württemb.	1	1	7	„	7.	ausschließlich die		

30 Off. 430 Mann 800 Pferde.

Bei der 1. reitenden Batterie 2. Bayrischen Artillerie-Regiments sprang ein gußstählernes 4pfdges. Rohr.

1) 3. reitende: 14 Mann 71 Pferde.

Schlacht bei Noisseville.
31. August und 1. September 1870.

Es kamen preußischerseits zum Schuß:

Geschütze:

	reitende	schwere	leichte Batt.	= 6pfdge.	4pfdge.	
von Ostpreußischen Feld-Art.-Regt. Nr. 1	2	6	5	= 36	42	(excl. 1 reitende, 5 leichte)
„ Westphäl.	7	1	. .	= 6	6	(1 reitende, 3 schwere)
„ Schl.-Holst.	9 —	2	1	= 12	6	(1. 3. schwere, 2. leichte)
„ Hessischen Artillerie-Corps		1	2	3	= 12	24
„ Reserve-Batt. des V. Armee-Corps		2	1	= 12	6	
„ XI.		—	3	= 18		
	4 reitende	13 schwere	13 leichte Batt.	= 78 6pfdge.	102 4pfdge.	= 180 Geschütze.

Es verfeuerten:

		6pfdge.			4pfdge.		Schuß der Geschütz
das Ostpreußische Feld-Artillerie-Regiment Nr. 1	3622 Gran. 28 Kart.	3938 Gran. 15 Kart.		4684 Gran. 13 Kart.			110
„ Westphälische 7	344 „	252 „		92 „			28,6
„ Schl.-Holst. 9	464 „	166 „		308 „			26
„ Hessische Artillerie-Corps	589 „	60 „		529 „			16,3
„ Reserve-Batterien V. Armee-Corps	214 „	? „		? „			12
„ XI.	435 „	? „		435 „			24,1
	10668 Gran. 28 Kart.	4406 Gran. 15 Kart.		6048 Gran. 13 Kart.			ca. 59,6

Den größten Munitionsverbrauch hatten:

von Ostpreußischen Feld-Artillerie-Regiment Nr. 1 2. reit. Batt. 949 Gran. 5. schwere 981 Gran. 2. leichte 775 Gran. 10 Kart.
von Hessischen Artillerie-Corps . . . . . „ — „ , 97 1. „ , 36 2. „ , 186 „ — „
von den Reserve-Batt. XI. Armee-Corps . . . 3. leichte 300 Granaten.

Es verloren an Offizieren, Mannschaften und Pferden:

Ostpreußisches Feld-Artillerie-Regiment Nr. 1 . . . 13 Off. 187 Mann 174 Pferde, davon hatte den größten Verlust: 5. schw. 2 Off. 21 Mr. 17 Pf.
Schl.-Holst. . . . . 9 — 1 . 8 . ausschließlich bis 2. leichte.
Die Reserve-Batt. V. Armee-Corps . . . . — 2 . 2 .
- „ XI. . . . . — 7 . 7 . ausschließlich bis 3. leichte.

13 Off. 147 Mann 191 Pferde

1 Lafette der 3. schweren Batterie Regts. Nr. 1 wurde demontirt.

Schlacht bei Amiens.
27. November 1870.

Es kamen preußischerseits ins Gefecht:

Geschütze:

von Ostpreußischen Feld-Artillerie-Regiment Nr. 1 2 reit. 5 schw. 4 l. Batt. = 30 6pfdge. 36 4pfdge. (2. 3. reit., 1. 2. 3. 4. 5. schwere,
- „ Westphälischen . . . . . . 7 1 . . . — . 6 . (1. reitende).   3. 4. 5. 6. leichte.)
- „ Rheinischen . . . . . . 8 8 . 4 . 4 . . — . 24 . (reitende, 1. 3. Fuß-Abteilung).

6 reit. 9 schw. 8 l. Batt. = 54 6pfdge. 84 4pfdge. = 138 Geschütze.

Es verfeuerten:

	6pfdg.	4pfdg.	Schuß per Gesch.
das Ostpreußische Feld-Artillerie-Regiment Nr. 1 7 1 . .	2708 Gran. — Kart. 741 Gran. — Kart.	1962 Gran. — Kart.	40,9
- „ Westphälische 7	128 . — . 128 .	— .	20,5
- „ Rheinische 8	3943 . 1050 .	2193 .	49,1
	6059 Gran. — Kart. 1791 Gran. — Kart.	4278 Gran. — Kart.	ca. 4

Den größten Munitions-Verbrauch hatten:

vom Ostpreußischen Feld-Artillerie-Regiment Nr. 1 2. reitende 192 Gran. 5. schwere 880 Gran. 5. leichte 598 Gran.
- „ Rheinischen . . . . . . 8 2. . 391 . 6. . 450 . 5. . 688 „

Es verloren an Offizieren, Mannschaften und Pferden:

des Ostpreußische Feld-Artillerie-Regiment Nr. 1 5 Off. 102 Mann 86 Pferde. Davon hatte den größten Verlust: 4. leichte Batterie: 1 Off. 22 Mann 13 Pferde.

, Westphälische . . . . . 7 — . 1 . 5 .

, Rheinische . . . . . 8 . 6 . 59 . 110 . Davon hatte den größten Verlust: 5. leichte Batterie: 1 Off. 16 Mann 14 Pferde.

11 Off. 162 Mann 201 Pferde.

1 Protze der 2. schweren Batterie Regiments Nr. 1 explodirte.

Schlacht bei Beaune la Rolande.

28. November 1870.

Es kamen preußischerseits ins Gefecht:

Geschütze:

vom Ostpreuß. Feld-Artillerie-Regiment Nr. 1 1 reit. — . (schw. — 1. Batt. — 6pfdge. 6 4pfdge. (1. reit.)

, Brandenb. . . . . . 3 2 . 2 . 2 . 12 . 24 . (1. 3. reit., 1. Fuß-Abtheil.)

, Hannöv. . . . . . 10 2 . 3 . 4 . 18 . 36 . (1. 3. reit., 1. 2. 3. schw., 1. 3. 5. 6. leichte).

5 reit. 5 schw. 6 l. Batt. 30 6pfdge. 66 4pfdge. = 96 Geschütze.

Es verfeuerten:

	6pfdge.		4pfdge.		Schuß per Gesch.
	Grun.	Kart.	Grun.	Kart.	ca.
des Ostpreußische Feld-Artillerie-Regiment Nr. 1	287 Grun.	— Kart.	287 Grun.	— Kart.	48
, Brandenburg	3 . 451	. 5	. 192	. 319	12,5
, Hannöversche	10 . 2078	. 5	. 705	. 1373	88,6
	2816 Grun. 5 Kart.		887 Grun. 5 Kart.	1979 Grun. — Kart.	ca. 29,4

Den größten Munitions-Verbrauch hatten:

vom Brandenburgischen Feld-Artillerie-Regiment Nr. 3 3. reit. 25 Grun. 2. schwere 91 Grun. — Kart. 1. leichte 209 Granaten

, Hannöversche . . . . . 10 1. . 388 1. . 279 . 5 . 1. . 365 ,

Es verloren an Offizieren, Mannschaften und Pferden:

das Ostpreußische Feld-Artillerie-Regiment Nr. 1 1 Off. 5 Mann 11 Pf.

, Brandenburg. . . . . 3 — . 6 . 6 .

, Hannoversche . . . . 10 1 . 58 . 140 . Die 3. schwere 16 M. 18 Pf., die 1. reit. 14 M. 54 M.

3 Off. 69 Mann 157 Pf.

Es ging verloren:

1 Geschütz der 3. schweren Batterie Hannöv. Feld-Artillerie-Regiments Nr. 10 (M.-S. 277 Granaten).

Schlachten bei Villiers und Champigny.

30. November und 2. Dezember 1870.

Es kamen deutscherseits ins Gefecht:

Batterien:	reit.	schw.	leicht	6pfge.	4pfge.	Geschütze:
Vom Pommerschen Feld-Artillerie-Regiment Nr. 2¹)	2	4	5	= 24	42	(2. 3. reit., 1. 2. 3. 4. 5. leicht)
, Sächsischen . . 12²)	—	3	3	= 18	18	(4. 7. 8. schwere, 3. 4. 6. leicht).
, Württemberg. ³) .	—	2	6	= 12	36	(1. 6. 6pfdge., 2. 3. 4. 5. 7. 8. 4pfdge.)
	2	9	14	= 54	96	= 150 Geschütze.

Es verfeuerten:

		Gran.	Brdgr.	Schrapn.	Kart.	Gran.	Brdgr.	Schrapn.	Kart.	Gran.	Brdgr.	Schrapn.	Art.	Sch. der Gesch.
		6pfdge.				4pfdge.								
des Pomm. Feld-Art. Regiment Nr. 2		2841	—	2	—	1329	—	24	—	1512	—	—	43	43
, Sächs. . .	12	1012	169	3	—	296	—	3	54	776	115	—	89,8	
, Württ. . . .		4620	218	3	8	1282	3	3	—	3388	215	8	100,2	
		8473	218	8	8	2847	3	8	54	5656	115	8	66,1	

Den größten Munitions-Verbrauch hatten:

		Gran.	Brdgr.	Schrapn.	Kart.	Gran.	Brdgr.	Schrp.	Kart.	Zus.
von Pomm. Feld-Artillerie-Regt. Nr. 2		2. reit. 144 Gran. 1. schw. 419 Gran.	— Schrp.	— Schp.	— Kart.					
, Sächs. .	12	—	4. 166 ,	—	54		8 .	460	21	215 Schrp. 8
, Württ. . . .		L.(6pfd.)1008	L.(6pfd.)1006		8	2.(4pfd.)1580	2.(4pfd.)1580			

Es verloren an Offizieren, Mannschaften und Pferden:

					Davon hatte den größten Verlust	
des Pomm. Feld-Artillerie-Regiment Nr. 2	7 Off.	80 Mann	152 Pf.		3. leichte	1 Off. 19 Mann 24 Pf.
„ Sächs. „	12 „ 1	39 „	27 „		„	4 „ 1 „ 16 „ 8 „
„ Württ. „	3 „	75 „	107 „		3.(4pfdge.)—,	22 „ 11 „
	11 Off.	194 Mann	286 Pf.			

Eine Probe der 8. (schweren und 1 Munitionswagen der 3. reitenden Batterie Regiment Nr. 2 explodirten; je 1 Rohr der 2. 3. (4pfdge.) Batterie Württembergischen Feld-Artillerie-Regiments wurden am 30. November demontirt.

Schlachten um Orleans.
2., 3., 4. Dezember 1870.

Es kamen deutscherseits zum Feuern:

	Batterien:					Geschütze:		
	reit. 12pfdge.	schwere 12pfdge.	leichte 12pfdge.	6pfdge.	4pfdge.	6pfdge.	4pfdge.	
vom Pommerschen Feld-Artillerie-Regiment Nr. 2[1]	1	—	6	6	—	—	6	(1. reitende)
„ Brandenburg.	3[2]	—	6	6	—	36	54	
„ Niederschles.	1[3]	—	—	—	—	—	6	(1. reitende)
„ Schlesischen	1[4]	—	6	6	—	—	6	(3. reitende)
„ Hessischen	2 2/3[5]	—	6	6	—	36	52	
„	1[6]	—	2	4	—	12	30	(2. reit. 3. 4. schw., 3.4.5.6.l.)
„ Hessischen Artillerie-Corps[7]	1	—	2	3	—	12	24	
„ 1. Bayrischen Artillerie-Regiment[8]	2	1	5	4	—	30	24	
„ 3. „[9]	—	—	1	—	6	36	12	
„ 4. „[10]	—	—	—	1	—	—	6	(10. 6pfdge.)
	12 2/3/3	1	28	23	6	168	214 = 388 Geschütze.	

1) In allen 8 Tagen. 2) Davon am 2. reit. bei Chevilly le Roi, die 2. leichte bei Bellegarde, am 3. alle Batterien bei Bellegarde, am 3. leichte bei Baumainbert; 1/s1. 2. 6. schwer, 2. leichte. 3) In allen 3 Tagen. 4) Desgl. 5) Davon am 2. bei Loigny bis 1. 3. reitende und bis 8. Fuß-Abtheilung. 6) Am 2. 3. Dezember. 7) Am 8. Dezember. 8) Am 2. alle Batterien, am 3. 1. 4pfdge. 7., 1/s9. 6pfdge.; am 4. 2. 3. 4. 4pfdge. 6. 8. 6pfdge. (?) 9) Am 2. alle Batterien, am 3. 1. 2. reit., 3. 4. 6pfdge. (?) 10) Am 2. 3. Dezember bei Bazoches le Hautes und Artenay.

Es verfeuerten:

	6pfdge. Gran.	Shrp.	Brdgr.	Kart.	4pfdge. Gran.	Shrp.	Brdgr.	Kart.	12pfdge. Gran.	Brdgr.	Kart.	Schuß Gefch.
das Pommersche Feld-Art.-Regt. Nr. 2	170	—	—	—	170	—	—	—	—	—	—	28,3
„ Brandenb. „ „ „ 3	2695	—	961	—	1784	—	—	—	—	—	—	29,9
„ Niederschles. „ „ „ 5	701	—	—	—	701	—	—	—	—	—	—	116,8
„ Schlesische „ „ „ 6	328	—	—	—	328	—	—	—	—	—	—	54,6
„ Schlesw.-Holst. „ „ „ 9	9493	—	3704	23	5789	—	—	9	—	—	14	108
„ „ „ „ „ 11	4894¹	—	1695	13	3199	—	16	—	—	—	13	186,3
„ Hessische Feld-Artillerie-Korps	2068	—	521	—	1567	—	—	—	—	—	—	68
1. Bayrische Feld-Artillerie-Regiment	5408	382	3019	13	2384	909	186	119	—	—	13	110,7
„ 3.	3740	330	2170	20	1570	456	212	9	400	70	—	80,7
„ 4.	528	90	528	10	—	—	—	—	—	—	—	108
	30040	752	12698	59	17442	343	96	128	400	70	40	80,9

¹) exl. 2. reitende Batterie.

Den größten Munitions-Verbrauch hatten (an allen 3 Lagen):

		Gran.		Gran.	Shrp.	Brdgr.		Gran.	Brdgr.
vom Brandenburg. Feld-Artillerie-Regiment Nr. 3	3. reitende	171	2. schwere	270	—	—	1. leichte	397	—
„ Schlesw.-Holst. „ „ 9	3. „	1060	1. „	757	—	—	2. „	911	18
„ Hessischen „ „ 11	?		4. „	869	—	—	5. „	920	—
„ Hessischen Artillerie-Korps	—	571	2. „	318	—	—	3. „	461	18
„ 1. Bayrischen Feld-Artillerie-Regiment	5. 6pfdge.	909	186	16			4pfdge.	1096	109
„ 3.	2.	620	8. 6pfdge.	456	224	96			—

Es verloren an Offizieren, Mannschaften und Pferden:

	Offiz.	Mann	Pferde	
das Pommersche Feld-Artillerie-Regiment Nr. 2	—	—	1	
„ Brandenb. „ „ 3	5	39	52	davon die 2. rett. 2 Off. 12 M. 14 Pf.
„ Niederschles. „ „ 5	—	4	26	
„ Schlesische „ „ 6	?	?	?	
„ Schlesw.-Holst. „ „ 9	14	99	178	davon die 6. leichte 18 M. 18 Pf.
Eins	19 Off.	142 M.	257 Pf.	

	Offz.	Mann	Pferde	davon die
Transport	19	142	257	3. schwere 1 Off. 16 M. 13 Pf.
das Hessische Feld-Artillerie-Regiment Nr. 11	3	69	96	2. leichte 2 Off. 5 M. 1 Pf.
Hessische Feld-Artillerie-Korps	2	13	17	2. 4pfdge. 15 M. 20 Pf.
1. Bayrische Artillerie-Regiment	6	63	103	5. 6pfdge. 14 M. 26 Pf.
3. ⹂ ⹂ ⹂	3	88	125	
4. ⹂ ⹂ ⹂	—	17	24	
Hannöv. Feld-Artillerie-Rgt. Nr. 10	—	2	—	
	33	389	622	

Eine Lafette 4. leichte Batterie Feld-Artillerie-Regiment Nr. 9 demontirt.
- ⹂ 2. reit. - 3. Bayr. Feld-Art.-Regiment - (am 2. Dezbr.)

Schlachten um Beaugency und Cravant.

7., 8., 9., 10. Dezember 1870.

Es kamen deutscherseits ins Gefecht:

		Batterien:				Geschütze:		
		reit.	12pfdg.	schw.	leichte	6pfdg.	4pfdg.	
vom Pommerschen Feld-Artillerie-Regiment Nr. 2[1])		1	—	—	—	—	6	(1. reitende)
⹂ Niederschles. ⹂ ⹂ ⹂ 5[2])		1	—	—	—	—	6	(1. reitende)
⹂ Schlesischen ⹂ ⹂ ⹂ 6[3])		1	—	—	—	—	6	(3. reitende)
⹂ Schl.-Holst. ⹂ ⹂ ⹂ 9[4])		2	—	—	6	36	48	(excl. 2. reitende)
⹂ Hannöv. ⹂ ⹂ ⹂ 10[5])		2	—	—	2	12	24	(1. 3. reitende, 3. Fußabtheilung)
⹂ Hessischen ⹂ ⹂ ⹂ 11[6])		1	—	2	4	12	30	(2. reit. 3. 4. (schw., 3., 4., 5., 6. leichte)
Summe		8	—	10	12	60	120	= 180 Geschütze.

1) In allen Lagen. — 2) Desgl. — 3) Desgl. — 4) Am 7. bei Meung: 1. 3. reitende, 3. Fußabtheilung; am 8. bei Beaugency alle
Batterien excl. 2. 3. reitende, am 9. bei Villorceau 3. reitende; am 10./12. bei Villejouan: 3. reitende, 5. (schwere, 5. 6. leichte.
— 5) Am 9. 10: 1. 3. reitende, 3. Fußabtheilung. — 6) Die beiden schweren Batterien an allen 3 Tagen; desgl. die 4. 6. leichte; die 8. leichte
am 8. und 10.; die 5. leichte am 8.

24*

Batterien:	reit.	12pfdg.	ſchw.	leichte	12pfdg.	6pfdg.	4pfdg.	
Transport . . .	8	—	10	12	—	60	120	(1. 3. leichte)
vom Heſſiſchen Feld-Artillerie-Korps¹ . . .	—	—	—	2	—	—	12	
- 1. Bayriſchen Artillerie-Regiment²) . . .	—	—	5	4	—	30	24	
- 3. -³) . . .	—	⁵/₆	6	—	5	36	—	(excl. 1. 2. reitende)
- 4. -⁴) . . .	—	—	1	—	—	6	—	(10. 6pfdge.)
	8	⁵/₆	22	18	5	132	156 = 298 Geſchütze.	

Es verfeuerten:		6pfdge.				4pfdge.		12pfd.	Sch. per
	Gran.	Schrpn.	Brbgr.	Kart.	Gran.	Schrpn.	Brbgr.	Gran.	Brbgr.	Kart.	Gran.	Geſchütz
das Pommerſche Feld-Artillerie-Regiment Nr. 2 . . .	192	—	—	—	192	—	—	192	—	—	—	32
- Niederſchleſ. - 5 . . .	390	—	—	—	330	—	—	330	—	—	—	55
- Schleſiſche - 6 . . .	196	—	—	—	196	—	—	196	—	—	—	39,6
- Schl.-Holſt. - 9 . . .	5616	—	—	7	1373	—	—	4143	—	7	—	65,7
- Hannöv. - 10 . . .	969	—	—	—	391	—	—	568	—	—	—	26,6
- Heſſiſche - 11 . . .	5091⁵)	—	—	—	2531	—	—	2560	—	—	—	141,4
- Heſſiſche Feld-Artillerie-Korps . . .	86	—	—	—	86	—	—	86	—	—	—	7
- 1. Bayriſche Artillerie-Regiment . . .	6777	346	527	—	3628	346	307	3249	220	—	—	141,1
- 3. - . . .	3862	254	438	—	3690	254	438	—	—	—	172	111
- 4. - . . .	1029	90	55	—	1029	90	55	86	—	—	—	194,x
	24038	690	1090	7	12542	690	800	11324	220	7	172	89,x

Den größten Munitionsverbrauch (an allen 4 Tagen zusammengerechnet) hatten:

vom Schlesw.-Holst. Feld-Art.-Regt. Nr. 9	3. reit.	1138 Gran.	— Brbgr.	801 Gran.	— Brbgr.	— Schrpn. 5. leichte	776 Gran.	— Brbgr.
" Hannoverschen	10 3.	165 —		239		5.	226	
" Hessischen	11 —	4.		1416		3.	938	
" 1. Bayr.		7.6pfdg. 658	285		262	2.4pfdg. 1560	185	
" 3.		4. 563	206		116	—	—	

Es verloren an Offizieren, Mannschaften und Pferden:

das Niederschlesische Feld-Art.-Regt. Nr. 5 — Off. 1 Mann 14 Pf.; davon erlitt den größten Berl. 6. leichte Batt. — Off. 8 Mann 9 Pf.

Schlesische	6 —		24	— 55		4. schwere	2 — 14	— 19
Schl.-Holst.	9 1		5	— 26		"	2 — 2	—
Hannoversche	10 —		55	— 62		8. 6pfdg.	2 — 28	— 49
Hessische	11 5		2	—		8.	3 — 18	— 30
Hessische Artillerie-Corps	11 —		110	— 143				
1. Bayrische Artillerie-Regiment	8 —		76	— 107				
2.								
4.	—		7	— 2				

25 Off. 280 Mann 409 Pf.

Demontirt wurden 1 Rohr der 6. 6pfdgn. und 1 Lafette der 7. 6pfdgn. Batterie 1. Bayrischen Feld-Artillerie-Regimente. (S. Note.)

Operationen gegen Le Mans, 6—12. Januar 1871.

Schlacht bei Le Mans.

11, 12. Januar 1871.

Es kamen preußischerseits ins Gefecht:

Geschütze:

vom Ostpreuß. Feld-Art.-Regt. Nr. 1[1]) 1 reit. — schw. — l. Batt. — 6pfdg. 6 4pfdg. (1. reitende)
  Brandenb. — 3[2]) 1 - 6 - 6 - 36 - 42 - (excl. 1. 3. reitende)

Summa 2 reit. 6 schw. 6 l. Batt. 6 6pfdg. 6 L Batt. 36 6pfdg. 48 4pfdg.

1) Am 6./1. bei St. Amand, am 8./1. bei Billeprécher. — 2) 2. reit. am 6./1. bei St. Amand; am 6./1. bei Agay und Magangé alle
Feld-Batt. excl. 6. leicht; am 7./1.: 1. Zug 6. leichte Batt. am Brane Bach; am 8./1. bei Parum: 2. reit.; am 8/1. bei Montaillé: 1. Zug 6.
leicht; am 9./1. bei Pidrmeny je 1 Zug 6. schw. und 6. leicht; 10./1. bei Champé 6./1. Fußabtheilung, je 1 Zug der 5. 6. leichten; bei Le Mans
am 11./1.: 2., 5., 6. schw., 1. leicht; 1. Zug 5. leichte und 2. 3. Zug 6. leichte; bei le Mans 12./1.: 2. reitende, 2. schwere, 1. leichte.

	reit.	schw.	l. Batt.	6pfdge.	4pfdge.	(1. reitende)
Transport	2	6	6	36	48	(1. reitende)
vom Niederschlesischen Feld-Art.-Regt. Nr. 5[1]	1	1	—	24	30	(1. 3. reit., 1., 2., 5., 6. schw., 1., 2., 5. leichte)
- Schlesw.-Holst. . . . . . . 9[2]	—	2	4	—	24	36 (1. 3. reit., 1. 2. Fußabtheilung)
- Hannoverschen . . . . . 10[3]	2	4	4	24	36	(1. 3. reit., 1. 2. Fußabtheilung)
- Hessischen . . . . 11[4]	1	3	1	18	12	(2. reit., 3., 5., 6. schwere, 1. leichte)
	8	17	14	102	132 = 234 Geschütze.	

Es verfeuerten:

		6pfdge.		4pfdge.		Schuß per Geschütz.
		Gran.	Kart.	Gran.	Kart.	
das Ostpreußische Feld-Artillerie-Regiment Nr. 1		564	—	564	—	94
- Brandenb. 3		2570	1221	1349	—	33
- Niederschlesische 5		252	—	252	—	42
- Schl.-Holst. 9		1165	481	684	—	21,5
- Hannoversche 10		1098	414	679	1	18,9
- Hessische 11		452	415	37	—	15
		6096	2531	3565	1	26

Den größten Munitionsverbrauch hatten:

vom Brandenburgischen Feld-Artillerie-Regiment Nr. 3	2. reitende	180 Gran.	— Kart.	2. schwere	502 Gran.	5. leichte	301 Gran.	
- Schlesw.-Holstein. 9	3. -	255 -		2. -	152 -	2. -	126 -	
- Hannoverschen 10	3. -	186 -	1. -	4. -	218 -	2. -	178 -	
- Hessischen 11				6. -	194 -	1. -	37 -	

1) Am 5., 6./1. bei La Fourche und 11./1. bei Le Mans. — 2) 1 Zug 5. leichte bei La Ferté Bernard am 7./1.; 3. reitende bei Bibraye und Commercé 8., 9./1.; 3. reitende, 6. schwere am 10./1.; 1. reitende, 1. Fußabtheilung, 5. schwere und 5. leichte am 11. u. 12. — 3) Am 6./1. bei Montoire: 1. 3. reitende, 2. schwere, 2. leichte, 3. Fußabtheilung; am 6./1. bei St. Amand: 1. leichte, am 7./1. bei St. Amand 1. schwere, 1. leichte; am 7./1. bei Trois Bornes: 3. reitende; am 8./1. bei Bildesporcher 1. leichte; am 9./1. bei Chahaigne 3, 1/3 4. schwere, 4. leichte; am 11. und 12./1. und 12./1. bei Le Mans: 3. reitende, 4. schwere, 2. 4. leichte Batterie; am 8./1. bei Bauce 3. reit.

Es verloren an Offizieren, Mannschaften und Pferden:

	Nr.	Offiz.	Mann	Pferde	
das Ostpreußische Feld-Artillerie-Regiment	1	1	9	14	
- Brandenburg.	3	10	70	81	davon die 2. schw. 2 Offiz. 19 Mann 19 Pferde.
- Niederschles.	5	—	—	3	
- Schlesw.-Holst.	9	—	14	23	davon die 2. schw. 5 M. 11 Pf.
- Hannöversche	10	3	11	9	
- Hessische	11	—	6	15	
		14 Offiz.	110 Mann	145 Pferde	

Schlacht vor Belfort.
15—18. Januar 1871.

Es kamen deutscherseits zum Schuß:

		Batterien:			Geschütze:	
		reit.	schwere	leichte	6pfdge.	4pfdge.
a. Feld-Artillerie.						
Schwere Reserve-Batterie	I. Armee-Corps	—	1	—	6	—
1. leichte	II.	—	—	1	—	6
1. 2.	III.	—	—	2	—	12
Schwere, 1. 2.	IV.	—	1	2	6	12
1. 2.	VI.	—	1	2	6	12
Schwere	VII.	—	1	—	6	—
2. leichte	XII.	—	—	1	—	6
Badisches Feld-Artillerie-Regiment		1	5	4	30	30
Aushülfs-Batterie Rainach des 2. Bayrischen Artillerie-Regts.[1]		—	1	—	4	—
		1	10	12	58	78 = 136 Geschütze.

1) Zählte nur 4 6pfdge. Bronce-Geschütze.

b. Belagerungs-Artillerie¹):
Magdeburgisches Festungs-Artillerie-Regiment Nr. 4   8. Kompagnie 7 12 cm. Geschütze
.   .   .   .   .   .   - 15.   5 15 cm.   -
.   .   .   .   .   .   2 12 cm.   -
.   .   .   .   .   .   4 9 cm.   -
.   .   .   .   .   .   2 12 cm.   -
Badische Festungs-Artillerie-Abteilung   -

= 5 15 cm., 9 12 cm., 4 9 cm. Gesch.
= 2 -   -   -   -
  5 15 cm., 11 12 cm., 4 9 cm. Gesch.

Es verfeuerten:

a. Feld-Artillerie.

	Gran.	Schrapn.	Brbgr.	Kart.	6pfdge. Gran.	Schrapn.	Brbgr.	Kart.	4pfdge. Gran.	Schrapn.	Brbgr.	Kart.	Schuß per Geschütz
Reserve-Batt. I. Armee-Korps	407	—	—	—	407	—	—	—	—	—	—	—	67,3
- II.	137	—	—	—	—	—	—	—	137	—	—	—	22,3
- III.	1726)	—	—	—	—	—	—	—	1726	—	—	—	143,7
- IV.	686)	—	—	—	—	—	—	—	686	—	—	—	56,3
- VI.	2780	—	—	—	812	—	—	—	1968	—	—	—	154,4
- VII.	288	—	—	—	288	—	—	—	—	—	—	—	39,3
- XII.	466	151	—	—	—	—	—	—	466	151	—	—	103
Badisches Feld-Artillerie-Regiment	3852	20	67	—	2388	20	67	—	1464	—	—	—	65,3
Bayrische Batterie	409	30	15	—	409	30	15	—	—	—	—	—	118,5
	10700	201	82	—	4254	50	82	—	646	151	—	—	ca. 80,7

b. Belagerungs-Artillerie.

	15 cm Gran.	Brbgr.	Schrapn.	12 cm Gran.	Brbgr.	Schrapn.	9 cm Gran.	Schrapn.
Magdeburg. Frstgs.-Art.-Regt. Nr. 4, 8. Komp.	407	16	63	407	16	25	298	37
- 4 15.	874	—	—	114	—	—	—	11
Badische Festungs-Artillerie-Abteilung	178	—	11	178	—	—	—	—
	1459	16	78	699	16	25	298	48

¹) Ob diese Angaben vollständig sind, läßt sich nicht feststellen. d. R.

Reserve-Batterien III. Armee-Korps	reit. Batt.	— Gran.	schwere — Gran.	1. leichte	994 Gran.
. . . IV.	.	— .	— .	2. .	374 .
. . . VI.	.	— .	— .	2. .	1484 .
. . .	194 .	3. .	878 .	1. .	500 .

Badisches Feld-Artillerie-Regiment

Es verloren an Offizieren, Mannschaften und Pferden:

Reserve-Batterien I. Armee-Korps	Off. —	Mann 4	Pferde 14	
. . . III.	3 .	19 .	26 .	Davon die 2. leichte 2 Off. 16 Mann 18 Pferde.
. . . IV.	— .	5 .	13 .	„ „ 2. . 1 . 4 . 6 .
. . . VI.	1 .	25 .	33 .	„ „ 2. . 1 . 12 . 11 .
. . . VII.	— .	7 .	7 .	
. . . XII.	1 .	7 .	57 .	(?) Davon die 4. schwere 2 Off. 17 Mann 24 Pferde.
Badisches Feld-Artillerie-Regiment	4 .	57 .	57 .	
Bayrische Batterie Keinath	— .	6 .	1 .	
	9 Off.	128 Mann	163 Pferde (?).	

Es explodirten je 1 Protze der 1. leichten Reserve-Batterie III. und IV. Korps, 1 Lasette 5. schweren Badischen Batterie demontirt.

Schlacht bei St. Quentin.
19. Januar 1871.

Es kamen deutscherseits zum Schuß:

	Batterien: reit. schwere	leichte	Geschütz: 6pfdge.	4pfdge.	Geschütze.
Vom Ostpreußischen Feld-Artillerie-Regt. Nr. 1	— . 3 .	3	= 18 .	18	(Die 3. 4. 5. (schwere), 3. 4. 6. (leichte).
- Westphälischen . . . . . Nr. 7	1 . 6 .	6	= — .	6	(1. reitende).
- Rheinischen . . . . . Nr. 8	3 . 6 .	1	= 36 .	54	
Die Reserve-Batterien V. Armee-Korps .	— . 2 .	1	= 12 .	6	
Vom Sächsischen Feld-Artillerie-Regt. Nr. 12	2 . — .	—	= — .	11[2]	(1. 2. reitende).
	6 . 11 .	10	= 66 .	95	= 161 Geschütze.

Rgtl. schwere Reserve-Batterie. 2) 1 Geschütz der 2. Batterie war am 29. Novbr. beim Ueberfall von Etrepagny verloren gegangen.

Es verfeuerten:

	6pfdge.			4pfdge.			Sch. p. Gesch.
	Gran.	Schrapn.	Kart.	Gran.	Schrapn.	Kart.	
das Ostpreußische Feld-Artillerie-Regiment Nr. 1	2186	—	—	1324	—	—	60,7
- Westphälische - - - - 7	224	—	—	224	—	—	37,3
- Rheinische - - - - 8	3734	—	2	1682	—	—	41,5
die Reserve-Batterien V. Armee-Korps	559	—	—	?	—	—	31
das Sächsische Feld-Artillerie-Regiment Nr. 12	471	106	—	471	106	—	52,4
	7174	106	2	3651	106	—	45,3

Den größten Munitions-Verbrauch hatten:

vom Ostpreußischen Feld-Artillerie-Regiment Nr. 1 — rett. — Gran. — Schrapn. 3. kam. 353 Gran. 4. leichte 557 Gran.

- Rheinischen - - - 8 1. - 159 - 1. - 449 -
- Sächsischen - - - 12 1. - 330 - 1. - 487 -

Es verloren an Offizieren, Mannschaften und Pferden:

das Ostpreußische Feld-Artillerie-Regiment Nr. 1 5 Off. 68 M. 61 Pferde, davon die 6. leichte 2 Off. 34 M. 26 Pferde.

- Rheinische - - - 7 - 4 - 3 -
- Westphälische - - - 8 7 - 87 - 101 -
die Reserve-Batterien des V. Armee-Korps - - 2 - 4 -
das Sächsische Feld-Artillerie-Regiment Nr. 12 - 5 - 11 -

12 Off. 166 M. 180 Pferde.

Treffen bei Weißenburg.
4. August 1870.

Es kamen deutscherseits zum Schuß:

	Batterien:				Geschütze:		
	reit.	schwere	leichte		6pfdge.	4pfdge.	
Vom Niederschles. Feld-Artillerie-Regiment Nr. 5	—	4	3	=	24	18	(1. 2. 3. 4. schwere, 1. 2. 3. leichte Batterie.)
- Hessischen - - - - 11	2	1	1	=	6	18	(1. 3. reitende, 2. schwere, 1. leichte Batt.)
- 4. Bayr.	—	2	2	=	12	12	(1. 2. 4pfdge, 5. 6. 6pfdge.)
	2	7	6	=	42	48 = 90 Geschütze.		

Es verfeuerten:

	Gran.	Brbgr.	Schrapn.	6pfdge. Gran.	Brbgr.	Schrapn.	4pfdge. Gran.	Brbgr.	Schrapn.	Sch. per Gesch.
das Niederschles. Feld-Artillerie-Regmt. Nr. 5	556	—	—	192	—	—	364	—	—	13,4
- . . . 11	329	—	—	163	—	—	166	—	—	18,7
- Hessische . . .	482	13	19	263	13	19	219	—	—	21,4
- 4. Bayrische . . .										15,5
	1367	13	19	618	13	19	749	—	—	

Den größten Munitions-Verbrauch hatten:

vom Niederschles. Feld-Artillerie-Regiment Nr. 5 — 3. schwere 67 Gran. — Schrapn. — Brandgr. 1. leichte 200 Gran.
- Hessischen - - - 11 3. reit. 30 Gr. — 6. 6pfdge. 197 . 19 - 1. - 121 .
- 4. Bayrischen - - - - 13 - 2. 4pfdge. 126 -

Es verloren an Offizieren, Mannschaften und Pferden:

das Niederschlesische Feld-Artillerie-Regiment Nr. 5 1 Off. 9 Mann 16 Pferde,
- Hessische - - - 11 1 - 2 - 11 -
- 4. Bayr. - - 9 - 22 -

3 Off. 20 Mann 49 Pferde.

(Die 6. 6pfdge. 1 Off. 6 M. 13 Pf.)

Treffen bei Bicêtre und Plessis-Piquet.
19. September 1870.

Es kamen deutscherseits zum Schuß:

	Batterien:				Geschütze: 6pfdge.	4pfdge.
vom Niederschlesischen Feld-Artillerie-Regiment Nr. 5 -	6	2 reit. 2 schw. 3 leichte	=		12	30
- Schlesischen - - -	-	2 - 1	=		6	6
- 2. Bayrischen - - -		2 - 2½ -	=		12	—
- 4. - - - -		2 - 2½ -	=		12	13
		2 reit. 6 schw. 6½ leichte			36	49 = 85 Geschütze.

(2. 3. reit., 1. 2. schw., 1. 2. 3. L.)
(6. leichte)
(5. 7. 6pfdge.)
(1/3. 3. 5/st. 4pfdge., 7. 8. 6pfdge.).

Es verfeuerten:

		6pfdg.			4pfdg.			Gesammtzahl pr. Gesch.
	Gran.	Schrapn.	Brdgr.	Gran.	Schrapn.	Brdgr.		
das Niederschlesische Feld-Artillerie-Regiment Nr. 5	1072	—	—	260	—	—	812	25,5
- Schlesische	6	12	—	198	—	—	12	2
- 2. Bayrische	198	—	36	838	11	36	1070	16,5
- 4.	1903	11	36	1291	11	36	1894	78
	3185	11	36	1291	11	36	1894	88

Den größten Munitions-Verbrauch hatten:

vom Niederschlesischen Feld-Artillerie-Regiment Nr. 5 3. reit. 109 Gran. 1. schwere 186 Gran. — Schrapn. — Brdgr. 2. leichte 411 Gr.
- 4. Bayrischen 8. 6pfdge. 476 - 11 - 36 - 3. 4pfdge. 960 -

Es verloren an Offizieren, Mannschaften und Pferden:

des Niederschlesl. Feld-Artillerie-Regiment Nr. 5 3 Off. 36 Mann 50 Pferde, davon die 2. leichte 14 Mann 12 Pf.
- 2. Bayrische 4 -
- 4. 2 - 23 - 42 - davon die 3. 4pfdge. 1 Off. 9 Pf. 19 Pf.

 5 Off. 59 Mann 96 Pferde.

Kämpfe vor Metz am 7. Oktober 1870.

Treffen bei Ladonchamps, Woippy, Bellevue.

Es kamen preußischerseits zum Schuß:

	Batterien: reit.	schw.	leichte		Geschütze: 6pfdge.	4pfdge.	
vom Ostpreußischen Feld-Artillerie-Regiment Nr. 1	2	4	2	=	24	24	(2. 3. reit., 3. 4. 5. 6. schwere, 3. 4. leichte).
- Brandenburg. - 3	—	1	—	=	6	—	(2. schwere).
- Westfälischen - 7	—	2⅔	2	=	14	12	(2. ½b. 6. schwere, 5. 6. leichte).
- Hannoverschen - 10	1	4	3	=	24	24	(1. reit., 3. 4. 5. 6. schwere, 3. 4. 6. leichte).
die Reserve-Batterien des V. Armee-Korps	—	2	1	=	12	6	
- XI.	—	—	3	=	—	18	
	3	10⅔	11	=	80	84	= 164 Geschütze.

Es verfeuerten:

	Granaten.	6pfdg.	4pfdg.	Schußzahl pr. Geschütz.
das Ostpreußische Feld-Artillerie-Regiment Nr. 1	455	363	92	9,5
- Brandenburg - - - - 3	117	117	—	19,6
- Westphälische - - - 7	79	48	31	3
- Hannöversche - - - 10	1150	516	634	24
die Reserve-Batterien V. Armee-Korps	906	?	?	50,3
- - - XI. -	1349	—	1349	75
	4056	1044	2106	25,7

Den größten Munitions-Verbrauch hatten:

vom Hannöverschen Feld-Artillerie-Regiment Nr. 10 3. schwere Batt. 296 Granaten, 3. leichte Batterie 474 Granaten

von den Reserve-Batterien XI. Armee-Korps 1. leichte 635 Gran.

Es verloren an Offizieren, Mannschaften und Pferden:

das Hannöversche Feld-Artillerie-Regiment Nr. 10	3 Offiziere	7 Mann	17 Pferde.
die Reserve-Batterien V. Armee-Korps	—	5	-
- - - XI. -	-	18	- 22 -
	3 Offiziere	25 Mann	39 Pferde.

Treffen bei Orleans.

11. Oktober 1870.

Es kamen deutscherseits ins Gefecht:

	Batterien:		Geschütze:		
	schwere	leichte	6pfdg.	4pfdg.	
vom Hessischen Feld-Artillerie-Regiment Nr. 11	1	3 =	6	18	(3. schwere, 3. 4. 5. leichte)
- 1. Bayr. -	3	2 =	18	12	(2. 4. 4pfdg., 6. 8. 9. 6pfdg.)
- 3. -	4	=	24	—	(5. 6. 7. 8. 6pfdg.)
	8	5 =	48	30 = 78 Geschütze.	

Es verfeuerten:

	6pfdg.				4pfdg.				Schußzahl der Geschütz
	Gran.	Brdgr.	Schrapn.	Kart.	Gran.	Brdgr.	Schrapn.	Kart.	
das Hessische Feld-Art.-Regt. Nr. 11	1776	—	—	493	—	—	1283	2	74
- 1. Bayr.	727	30	2	382	11	—	345	19 ' 2	25,8
- 3. -	1433	37	51	1433	37	51	—	—	63,4
	3986	67	51	2308	48	51	1628	19 · 2	52

Den größten Munitionsverbrauch hatten:

beim Hessischen Feld-Art.-Regt. Nr. 11 — 3. leichte Batt. 460 Gran. — 6pfdg. — Gran. — Brandgr.
- 1. Bayr. - - - - - - - - - 4. 4pfdge. - 210 - - 6. - 160 - 11 -
- 3. - - - - - - - - - - - - - 7. - 760 - 9 -

Es verloren an Offizieren, Mannschaften und Pferden:

das Hessische Feld-Art.-Regt. Nr. 11 — Offiz. 17 Mann 24 Pferde, davon die 5. leichte — Offiz. 10 Mann 6 Pferde
- 1. Bayr. - - - - - - - 1 - 14 - 17 - - 4. 4pfdge. 1 - 8 - 13 -
- 3. - - - - - - - - - 1 - 8 - 14 - - 8. 6. - 1 - 4 - 6 -
2 Offiz. 39 Mann 55 Pferde.

1 Geschütz 3. schwere Batt. Regts. Nr. 11 demontirt.

Treffen bei Coulmiers.
9. November 1870.

Es kamen deutscherseits zum Schuß:

	reit. Batt.	schw. Batt.	leichte	Kartbatt.	Geschütze:		
					6pfdg.	4pfdg.	
vom Pommerschen Feld-Art.-Regt. Nr. 2	1	—	—	—	—	6	(1. reitende)
- Schlesischen	6	—	—	—	—	6	(3. reitende)
- 1. Bayr.	—	4	3⅔	1	24	22	4 Kartätschgeschütze
- 3. -	2	6	—	1	36	12	4 Kartätschgeschütze (b. 1. 4pfdgen. 2 Züge)
	4	10	3⅔	1	60	46	4 Kartätschgeschütze = 106 (110) Geschütze.

Es wurden verfeuert:

	Gran.	Brbgr.	Schrapn.	Kart.	6pfdge. Gran.	Brbgr.	Schrapn.	Kart.	4pfdge. Gran.	Brbgr.	Schrapn.	Kart.	Schußzahl per Geschütz
vom Pommerschen Feld-Art.-Regt. Nr. 2	188	—	—	—	188	—	—	—	—	—	—	—	31,3
- Schlesischen - 6	271	—	—	—	271	—	—	—	—	—	—	—	45,1
- 1. Bayrischen -	2948	133	224	4	1832	106	224	2	1116	27	—	2	71,9
- 3. -	3334	42	24	—	1307	39	24	—	2027	3	—	—	70,8
	6741	175	248	4	3189	145	248	2	3602	30	2	2	67,8

Den größten Munitionsverbrauch hatten:

	4pfdge. Batt.	Gran.	Brbgr.	Schrapn.	Kart.		6pfdge. Gran.	Schrapn.	Brbgr.	Kart.
vom 1. Bayrischen Feld-Art.-Regt.	4.	499	2	2	2	8.	522	154	92	2
- 3. - reit.	2.	1019	—	—	—	7.	447	—	11	—

Es verloren an Offizieren, Mannschaften und Pferden:

	Offiz.	—	Mann	4	Pferde
das Pommersche Feld-Art.-Regt. Nr. 2	—	6	?	—	?
- Schlesische -	—	2	21	—	39
- 1. Bayr. -	—	3	31	—	61

davon die 4. 4pfdge. 9 Mann 17 Pferde.
- 2. reit. 11 - 17 - 17.

5 Offiz. 62 Mann 104 Pferde.

Es wurden demontirt je 1 Lafette der 6. 6pfdgn. Batt. 1., und der 6. 7. 6pfdgen. Batt. 3. Regts. sowie 1 Wagen des Stabes der 3. Art.-Reserve-Division.

Im Lage nach dem Treffen wurde die Munitionskolonne der 2. Infanterie-Division gefangen; dabei sind der Feind 2 Reservegeschütze, 4 Reserve-Lafetten, 12 Munitions-Wagen und 4 andere Fahrzeuge.

Ausfallskämpfe bei Paris.
Treffen bei Le Bourget, Ville Evrart, Maison Blanche, Epinay.
21. Dezember 1870.

Es kamen deutscherseits zum Schuß: Geschütze:

vom Garde-Feld-Art.-Regt. 2 reit. 5 schw. 2½ leichte Batt. = 30 6pfdge. 26 4pfdge. (2. 3. reit., 1. 2. 4. 5. 6. (schw., 4. 5. ¹/₃6. leichte.)
- Magdeb. - - - 1 - = 6 - (4. schwere)
- Nr. 4 - - 1 - 2 - = 6 - (9. 6pfdge., 7. 8. 4pfdge.)
- Württ. - - - 2 - = 12 -

= 2 reit. 7 schw. 4½ leichte Batt. = 42 6pfdge. 38 4pfdge. = 80 Geschütze.

Es verfeuerten:

	6pfdge.		4pfdge.		Schußzahl per Geschütz
	Gran.	Brbgr.	Gran.	Brbgr.	
das Garde-Feld-Art.-Regt.	3817	—	1304	—	2513	—	68,1
- Magdeb. - -	140	—	140	—	—	—	28,3
- Nr. 4 - -	644	1	141	—	503	1	36
- Württ. - -	4601	1	1685	—	3016	1	57,5

Den größten Munitionsverbrauch hatten: 3. reit. 760 Gran. 6. schwere 580 Gran. 5. leichte 686 Gran. — Brbgr.
vom Garde-Feld-Art.-Regt. 7. 4pfdge. 429 - -

Es verloren an Offizieren, Mannschaften und Pferden:
vom Garde-Feld-Art.-Regt. 33 Mann 55 Pferde, davon die 4. leichte Batt. 10 Mann 16 Pferde.
das Garde-Feld-Art.-Regt. - - - 5 - 8 -
- Württ. - - - 38 Mann 63 Pferde.

Treffen an der Hallue.
23. 24. Dezember 1870.

Es kamen preußischerseits zum Schuß:

	Batterien:			Geschütze:	
	reit.	schwere	leichte	6pfdge.	4pfdge.
vom Ostpreußischen Feld-Artillerie-Regiment Nr. 1	1	—	7	—	6 (6. leichte)
- Westphälischen	—	1	7	—	6 (1. reitende)
- Rheinischen	3	8	8	36	54
	4	6	7	36	66 = 102 Geschütze.

Es verfeuerten:

	Granaten.	6pfdge.	4pfdge.	Schußzahl per Geschütz.
das Ostpreußische Feld-Artillerie-Regiment Nr. 1	129	—	129	21,5
- Westphälische	48	—	48	8
- Rheinische	3488	943	2545	ca. 38,8
	3665	943	2722	ca. 36

Den größten Munitions-Verbrauch hatten:
vom Rheinischen Feld-Artillerie-Regiment Nr. 8 die 2. reitende 578 Gran., 1. schwere 506 Gran., 2. leichte Batterie 645 Granaten.

Es verloren an Offizieren, Mannschaften und Pferden:
das Ostpreußische Feld-Artillerie-Regiment Nr. 1 1 Offizier 7 Mann 6 Pferde,
- Rheinische 6 - 61 - 56 - davon die 2. leichte 20 Mann 9 Pferde.

7 Offiziere 68 Mann 62 Pferde.

Treffen bei Bapaume.
3. Januar 1871.

Es kamen preußischerseits zum Schuß:

	Batterien:			Geschütze:	
	reit.	schwere	leichte	6pfdge.	4pfdge.
vom Westphälischen Feld-Artillerie-Regiment Nr. 7	1	—	—	—	6 (1. reitende)
- Rheinischen	3	5	3	30	36 (1. 2. 3. reit., 1. 2. 3. 4. 6. schw., 1. 2. 6. leichte)
	4	5	3	30	42 = 72 Geschütze.

Es verfeuerten:

	Gran.	6pfdge.	4pfdge.	Schußzahl per Geschütz
das Westphälische Feld-Art.-Regt. Nr. 7	46	—	46	7,6
- Rheinische - - - 8	2155	778	1877	c. 32,7
	2201	778	1923	c. 30,6

Den größten Munitionsverbrauch hatten:

vom Rheinischen Feld-Art.-Regt. Nr. 8 1. reitende Batt. 396, 1. schwere 313, 1. leichte 426 Gran.

Es verlor an Offizieren, Mannschaften und Pferden:

das Rhein. Feld-Art.-Regt. Nr. 8 3 Offiz. 34 Mann 97 Pferde; davon die 1. schwere 2 Offiz. 17 Mann 36 Pferde.

Treffen am Mont Valerien.
19. Januar 1871.

Es kamen preußischerseits ins Gefecht:

	Batterien:			Geschütze:		
	reit.	schwere	leichte	6pfdge.	4pfdge.	
vom Magdeburgischen Feld-Art.-Regt. Nr. 4	1	1	2	6	18	(3. reitende, 5. schwere, 5. 6. leichte)
- Niederschlesischen - - - 5	—	4	4	24	24	(1., 2., 4., 5. schwere, 1., 2., 3., 5. leichte)
Reserve-Batterien des Garde-Korps	—	2	1	12	6	
	1	7	7	42	48	= 90 Geschütze.

Es verfeuerten:

	6pfdge.		4pfdge.		Schuß per Geschütz Granaten
	Gran.	Schrapn.	Gran.	Schrapn.	
das Magdeburgische Feld-Art.-Regt. Nr. 4	266	14	14	252	11
- Niederschlesische - - - 5	2173	85[1]	1129	1044	47
Reserve-Batterien des Garde-Korps	293	—	156	137	16,3
	2732	85	1299	1433	31,3

[1] Verfeuert von der 4. schweren Batterie Niederschlesischen Feld-Artillerie-Regiments Nr. 5.

Den größten Munitionsverbrauch hatten:

beim Magdeburgischen Feld-Art.-Regt. Nr. 4   3. reit. 101 Gran. 5. schw. 14 Gran. 5. leichte 97 Gran.
- Niederschlesischen   -   -   5   -   -   1. - 548   -   5. - 357   -   -
bei den Reserve-Batt. des Garde-Korps   -   -   -   1. -   79   -   —   —   —   —

Es verloren an Mannschaften und Pferden:

das Magdeburgische Feld-Art.-Regt. Nr. 4   — Mann   4 Pferde
- Niederschlesische   -   -   5   10   -   13 -   (die 1. schwere: 3 Mann 7 Pferde)
                                              10 Mann 17 Pferde.

Die Belagerung von la Fère im November 1870,

von einem preußischen Artillerie-Offizier.

(Mit einem Plan.)

Die Redaction.

Vorwort.

Wenn die sonst ziemlich unbedeutende Belagerung im Allgemeinen i dem großen Kriegsdrama der Jahre 1870—71 nur eine untergeordnet Rolle spielte, so war sie doch nicht ohne Einfluß auf die folgenden Ereigniß namentlich im Norden von Paris durch Eröffnung einer neuen Eisenbahn linie im Rücken der 1. Armee. Auch verringerte die Wegnahme der Festun inmitten einer reichen Umgegend das Feld des Franktireurs-Wesens sehr er heblich.

In die artilleristischen Details ist mit Vorliebe eingegangen, und hoff Verfasser namentlich den jüngeren Herrn Kameraden der Waffe einen kleine Dienst erwiesen zu haben.

Möge die kleine Schrift in militairischen Kreisen wohlwollend aufge nommen werden.

In der Einleitung ist mehrfach das berühmte Werk des Major Blum benutzt. Die Details über die Mitwirkung der Infanterie verdankt beson ders den Mittheilungen eines jüngeren Kameraden des 45. Infanterie-Regi ments der

Verfasser.

Die Belagerung von la Fère 1870.

Einleitung.

Bevor auf die eigentliche Belagerung eingegangen wird, sei es gestattet, mit wenigen Worten die allgemeine Kriegslage dieser Periode zu berühren und demnächst die Gründe darzuthun, welche den Besitz von la Fère bringend wünschenswerth, ja nothwendig machten.

Nach der Kapitulation von Sedan am 2. September 1870 traten die 3. und die Maas-Armee am 4. den Vormarsch auf Paris an, an welchem Tage das 6. Korps mit der ihm vorübergehend zugetheilten 5. Kavallerie-Division schon Reims besetzte.

Am 9. kapitulirte Laon vor der 6. Kavallerie-Brigade und am 15. standen beide Armeen schon bis auf wenige Tagemärsche von Paris, während die beiden zur Gefangenen-Bewachung bei Sedan zunächst zurückgelassenen Korps, das 11. bis Reims, das 1. bayerische bis Epernay gelangten.

Die württembergische Division erreichte an diesem Tage Château Thierry, das große Hauptquartier kam am Nachmittag dieses Tages nach Meaux. Vormittags war schon der Befehl zur Cernirung von Paris ergangen, welche im Allgemeinen am 19. und 20. ausgeführt wurde, wobei die deutschen Vorposten eine Linie von ca. 11 Meilen Länge einnahmen.

Bei der Mobilmachung war für jede der 3 zu formirenden Armeen eine General-Etappen-Inspektion behufs Regelung der rückwärtigen Verbindungen errichtet. Nachdem die Maas-Armee aus der 2. Armee ausgeschieden war, wurde auch für jene eine besondere Etappen-Inspektion gebildet. Zur Sicherung der Etappenstraßen war bald nach Beginn der Offensiv-Bewegungen jeder der Armeen eine gewisse Zahl von Besatzungstruppen überwiesen worden. Außerdem erhielt jede General-Etappen-Inspektion eine Festungs-Pionier-Kompagnie und die Abtheilungen, welche zur Herstellung und zum Betriebe der Eisenbahnen und Telegraphen bestimmt waren.

Schon am 23. September war die Bahn von Saarbrücken bis Nancy (mit dem zur Umgehung von Metz eingeschobenen 5 Meilen langen neuen Bahnstück Remilly—Pont à Mousson), sowie die von Weißenburg nach Nancy wieder im Betriebe. Toul, welches die Fortsetzung dieser wichtigen Linien sperrte, war am 23. August vergeblich von der Korps-Artillerie 6. Armee-Korps beschossen, und ebenso wenig Erfolg hatte ein ähnlicher Versuch Seitens des 12. Korps gegen Verdun am 24. August. Beide Festungen, namentlich Toul, in feindlichen Händen waren für die rückwärtigen Verbindungen sehr unbequem. Pfalzburg und Bitsch waren von mehr untergeordneter Bedeutung.

Je weiter die Armeen gegen Paris vorrückten, desto schwieriger wurden gesicherte Verbindungen in dem großentheils insurgirten Lande (die Insurrection stützte sich besonders auf die Festungen), und um die ersteren nicht zu schwächen, schied man das 13. Korps unter dem Großherzog von Mecklenburg-Schwerin aus der 2. Armee aus, welches zur Besetzung des Gebietes zwischen Metz und Paris bestimmt wurde. Eine Division sollte Toul nehmen, die andere auf Châlons f. M. und Reims vorgehen. Auch das Detachement des Generals von Bothmer (später von Gayl) wurde dem Großherzog unterstellt, und letzterer am 16. September zum General-Gouverneur für alle neu occupirten Bezirke, außer Elsaß und dem jetzigen Deutsch-Lothringen, mit dem Sitze in Reims ernannt.

Am 12. September traf die 17. Division vor Toul ein, welches am 23. kapitulirte. Am 28. schon konnte die Eisenbahn bis Nanteuil f. M.*), 8 Meilen von der Cernirungslinie vor Paris in Betrieb gesetzt werden. Da die Cernirungslinie um Paris immer noch sehr schwach war, so wurde am 29. September die 17. Infanterie-Division von Reims nach Paris beordert. Auch der Großherzog von Mecklenburg wurde zur Armee nach Paris berufen und ihm diese und die württembergische Division unterstellt. Zum Stellvertreter des Großherzogs in Reims wurde der General-Lieutenant v. Rosenberg—Grusczinsky ernannt, der die 2. Reserve-Division und das Detachement v. Bothmer zur Verfügung behielt.

Am 29. September war auch noch die bei Straßburg freigewordene Gardelandwehr-Division nach Paris beordert.

Die oben erwähnte einzige Eisenbahn-Verbindung genügte natürlich dem Bedarf für die großen Armeen nicht, und es ist klar, welche Bedeutung der Mangel an anderen Bahnverbindungen mit der Ausdehnung des Kriegstheaters gewinnen mußte, während dem Feinde zahlreiche Linien südlich, nördlich und jenseits Paris, sowie die Küsten zur Disposition standen.

Mit Recht richtete daher die deutsche Heerführung ihr Augenmerk auf Erweiterung ihrer Schienen-Verbindungen, und es wurden nunmehr in erster Linie der Besitz der Bahnen Châlons—Reims—Soissons—Paris und Reims—Laon—la Fère—Paris erstrebt. Später beabsichtigte man den Betrieb von Reims—Mézières—Thionville—Metz—Saarbrücken zu eröffnen, um eine zweite durchgehende Verbindung nach Deutschland zur Verfügung zu haben.

Es handelte sich also zunächst um den Besitz von Soissons und la Fère.

Soissons, wohin der preußische Belagerungstrain von Toul, verstärkt durch 6 französische Mörser 4—23cm. und 2—27cm. geschafft worden

---

*) Nicht zu verwechseln mit Nanteuil an der Bahn Soissons—Paris.

kapitulirte nach viertägiger Beschießung am 15. Oktober und am 21. November*) konnte der Betrieb von hier bis Mitry aufgenommen werden, während an demselben Tage die Hauptbahn bis Lagny eröffnet wurde.

Nach der Kapitulation von Metz am 27. Oktober hatte das Oberkommando der 1. Armee, seit diesem Tage dem General der Kavallerie Freiherrn v. Manteuffel übertragen, das 7. Korps zur Besetzung von Metz und zur Belagerung von Thionville, später Montmédy, bestimmt. Vom 8. Korps erhielt das Belagerungs-Detachement von Verdun Verstärkungen, die nach dem Falle dieser Festung am 7. November zum Korps zurücktraten.

Stärkere feindliche Banden, die in den Argonnen und gegen das Beobachtungs-Detachement vor Mézières Unternehmungen ausführten, zogen sich vor der 3. Kavallerie- und 1. Infanterie-Division zurück. Letztere löste die Landwehr-Division v. Selchow vor Mézières am 12. November ab, wurde aber am 21. desselben Monats wiederum durch das Detachement v. Senden aus Metz ersetzt.

Am 5. November hatte die 1. Armee telegraphisch den Befehl erhalten eine Infanterie-Brigade zur Belagerung von la Fère, wozu das vor Soissons verwendete Belagerungs-Personal und Material disponibel war, auf der Eisenbahn nach Soissons vorauszusenden. Hierzu wurde die 4. Infanterie-Brigade, General-Major v. Zglinitzki, bestimmt.

Mit dem 8. Korps und den noch übriggebliebenen Theilen des 1. Korps endlich trat General v. Manteuffel am 7. November den Vormarsch nach Westen an und am 21. und 22. d. M. konzentrirte sich das 8. Korps bei Compiègne, das 1. bei Noyon, die 3. Kavallerie-Division streifte über Ham und Montdidier gegen Amiens.

Durch den gleichzeitigen Vormarsch der 2. Armee von Metz gegen die mittlere Loire und der 1. gegen Amiens war nunmehr die Cernirung von Paris gesichert, und es konnte mit erneuter Energie zur Eröffnung neuer Bahnlinien nach Paris geschritten werden, die sowohl zur Verpflegung der Armeen als auch zur Heranschaffung eines großartigen Belagerungsparkes von äußerster Bedeutung waren, während speziell die Linie la Fère—Amiens für die 1. (Nord-) Armee eine Nothwendigkeit wurde.

Die in Soissons disponibel gewordene Belagerungs-Artillerie hatte schon früher einmal die Bestimmung erhalten, gegen la Fère verwendet zu werden und das Kommando der Belagerungs-Artillerie, Oberst Bartsch, war bereits am 19. Oktober von Soissons mit einem Rekognoszirungs-Detachement dorthin abgegangen. Aber schon am 21. traf die Ordre ein, daß der Belagerungspark für Mézières auf der Eisenbahn verladen werden sollte. Wegen

---

*) Die Aufräumung des gesprengten Tunnels bei Vierzy verzögerte die Herstellung so lange.

Mangel an Waggons ging dies Verladen sehr langsam von Statten, und erst am 5. November konnte der 1. Train über Reims nach Rethel abgelassen werden. In Rethel erfuhr der den Train begleitende Major und Kommandeur der Belagerungs-Artillerie-Abtheilung Gärtner, daß der nach Mézières vorausgeeilte Oberst Bartsch nach Reims zurückgekehrt sei. Am 5. Abends traf in Reims ein Telegramm ein, daß diesseits von der Belagerung von Mézières Abstand zu nehmen, die von la Fère dagegen sofort wieder aufzunehmen sei. Der Belagerungs-Train kehrte daher am 6. November nach Soissons zurück, um hier wieder ausgeladen, und demnächst per Landmarsch nach la Fère dirigirt zu werden.

Belagerung von la Fère.

1. Kapitel.

Vormarsch auf und Cernirung von la Fère.

Der 4. Infanterie-Brigade, General-Major v. Zglinitzki, aus dem 4. Ostpreußischen Grenadier-Regiment Nr. 5 und dem 8. Ostpreußischen Infanterie-Regiment Nr. 45 bestehend, war die 4. Eskadron Ostpreußischen Dragoner-Regiments Nr. 10 und die 6. schwere Batterie Ostpreußischen Feld-Artillerie-Regiments Nr. 1 (Premier-Lieutenant Pulkowski) zugetheilt. Sie wurde von Pont à Mousson per Bahn nach Soissons befördert, und blieb dort bis zum 13. November stehen. Der Brigade wurde hier die 2. Festungs-Pionier-Kompagnie 9. Armee-Korps (Hauptmann Reußner) sowie das Artillerie-Kommando (Oberst Bartsch) und die Belagerungs-Artillerie-Abtheilung des Major Gärtner zugetheilt:

Am 14. trat die Brigade den Vormarsch an, und erreichte am 15. die Umgegend von la Fère. Sie war wie folgt eingetheilt:

Avantgarde: Major v. d. Dollen, Füsilier-Bataillon 5. Regiments, die Eskadron Dragoner und ein Zug Pioniere.

Gros: Oberst v. Mützschefahl, 1. und 2. Bataillon 45. Regiments, und die Batterie. Der Marsch erfolgte über das bergige Terrain bei St. Gobain.

Rechtes Seiten-Detachement: 2. Bataillon Regiments Nr. 5 (war bereits am 12. von Soissons nach Laon marschirt) ging am 15. von Laon auf der Chaussee nach la Fère vor.

Linkes Seiten-Detachement: 1. Bataillon 5. Regiments und ein Zug Pioniere. Es wurde über Chauny an der Oise dirigirt, um über Tergnier-Fargnier von Westen her la Fère zu erreichen.

Das Füsilier-Bataillon 45. Regiments blieb einstweilen in Soissons zurück, um den Belagerungstrain zu eskortiren.

Avantgarde und Gros erreichten am 14. unbehindert St. Gobain, wo Kantonnements bezogen und Sicherheits-Maßregeln gegen Franktireurs ꝛc. ergriffen wurden, und Tags darauf Bertaucourt, von wo das Füsilier-Bataillon 5. Regiments über Andelain nach Charmes, das 1. Bataillon 45. Regiments gegen Danizy vorgingen. 2 Kompagnien 2. Bataillons folgten nach Andelain*). Das Bataillon des rechten Seiten-Detachements schloß sich rechts rückwärts dem 1. Bataillon 45. Regiments am Schloßpark nörd-lich Danizy an.

Alle Abtheilungen sollten so viel wie möglich Verbindung unter ein-ander halten und im Falle eines Angriffs sich gegenseitig unterstützen. Erst wenn das 1. Bataillon 5. Regiments (linkes Seiten-Detachement) in Farguier angekommen wäre, sollte von da, von Andelain und Danizy gleichzeitig zur Rekognoszirung der Festung vorgegangen werden.

Der Vormarsch ging ohne Störung vor sich, da die auf dem linken Ufer der Oise fast bis an die Festung reichenden Ortschaften vom Feinde gar nicht besetzt waren. Um 12 Uhr Mittags verkündete das nach allen Seiten gerichtete Feuer der Festung das Eintreffen des Detachements in den befohlenen Stellungen. Die Truppen konnten überall trotz heftigem aber unschädlichem Geschütz-, Wallbüchsen- und Gewehrfeuer bis auf ca. 800 Schritt an die Wälle heranrücken. Die sofort vorgenommene flüchtige Re-kognoszirung, wobei Offiziere und kleinere Abtheilungen zur Besetzung der Vorposten unter heftigem Feuer bis dicht an's Glacis kamen, ergab, daß die Festung rings mit mehrfachen Wassergräben, nördlich westlich und südlich mit bedeutenden Inundationen umgeben und sämmtliche Straßen und Zu-gänge abgegraben und gesperrt, die äußeren Brücken abgebrochen waren. Von Pallisadirungen war nicht viel zu bemerken.

Am 16. erfolgte eine erneute speziellere Rekognoszirung, die in artille-ristischer und fortifikatorischer Beziehung durch den Obersten Bartsch und den Hauptmann Reußner erfolgte.

.

2. Kapitel.
Beschreibung der Stadt und Festung la Fère.

La Fère ist eine kleine unbedeutende Stadt von fast 5000 Einwohnern an der oberen Oise, welche dieselbe in breiter Niederung in mehreren Armen um- und durchfließt. Der hier noch nicht schiffbare Fluß, welcher dicht ober-

---

*) Die beiden andern Kompagnien waren zur Begleitung der Bagage des Detache-ments kommandirt.

halb die Serre von links aufnimmt, steht mittelst des Oise-Sambre-Kan
mit der Sambre und durch den Crozat-Kanal mit der Somme, sowie letz
durch den Kanal von St. Quentin mit der Schelde in Verbindung.
Eisenbahn Reims, Laon, la Fère, Amiens-kreuzt 5 Kilometer westlich
Fère bei Terguier die Hauptbahn Paris—Erquelines—Lüttich—Cöln.
erstere Bahn überschreitet die Niederung mittelst eines Dammes, der v
fach Brücken und Durchlässe aufweist. Im Westen erhebt sich das Terr
sehr allmälig und unbedeutend, während östlich und südöstlich Erhebungen
nahe an die Niederung und Festung herantreten, welche das Wiesenterr
um 60—75 Fuß überhöhen.

La Fère wird französischerseits zu den Festungen II. Klasse gerech
ist aber als befestigtes Depot, nur bedeutend durch ein großartiges Artille
Etablissement und die Artillerie-Werkstätten, in welchen besonders Wagen u
Laffetten gebaut, und die gezogenen Geschosse mit Ailetten versehen werd
Es ergänzt gewissermaßen Douay. Berühmt ist die dortige Artillerieschu
welche auch Napoleon I. besucht hatte.

Die Befestigungen bestehen hauptsächlich aus einer 15 Fuß hohen 3 F
starken crenelirten Mauer mit flankirenden halbthurmartigen Vorsprüng
welche nach Innen Kragsteine zu Schafaudagen haben. Vor dem nas
Graben liegt ein gedeckter Weg mit abermaligem nassen sumpfigen B
graben.

Innerhalb der Mauer liegt an der Nordostecke ein sehr großes
deutendes gut defilirtes Erdbastion Nr. 1, ebenso an der Südwestecke
kleineres Nr. 5. An der Südseite liegt ein kleines Erdwerk Nr. 6 inn
halb, ein anderes Nr. 7 vor der Mauer.

Nach Osten, der am meisten gefährdeten Seite, vor dem Laoner Th
liegt nur ein kleines Erdravelin Nr. 8 mit nassem Graben vor der Mau
Vor dem St. Quentiner Thor liegt ein unregelmäßiges kleines Ravelin u
eine Lünette in Erde, vor der Faubourg St. Firmin ein großes bedeutend
Hornwerk mit Bastion 3 und 4 ohne Ravelin. Das Hornwerk ist südl
der Vorstadt durch lange Anschlußlinien mit ausspringenden Winkeln mit
Lünette verbunden.

Der hohe Bahndamm führt dicht südlich der Stadtbefestigung vorüb
Der Bahnhof, wie die ganze südliche Seite ist durchein neu angelegtes groß
Kronen-Werk von 3 Bastionen 10, 11 und 12, in Erde aber mit nass
Graben ohne Raveline, geschützt.

Am nördlichen Ausgange liegt im gedeckten Weg noch eine kleine E
fläche, eine etwas größere Lünette ist südlich des Hornwerks fast bis Beau
zwischen der Oise und dem Kanal vorgeschoben. Zu letzterer führt ein lang
doppelter Erdkoffer.

Zwei Hauptschleusen liegen, die eine am nördlichen Ausgange, die andere hinter dem Ravelin am westlichen. Außerdem können sämmtliche Arme der Oise und die Kanalschleuse gestaut werden, wodurch das breite Wiesenthal oberhalb weit zu inundiren ist. Auch südlich und südwestlich zwischen den Oise-Armen und dem Kanal liegen nasse unpassirbare Wiesen.

Der östliche Zugang zur Stadt und die außerhalb der Befestigungen liegende Vorstadt Notre Dame, wo das höhere Terrain nahe herranreicht, ist grade am wenigsten gesichert, und ist daher hier unbedingt die Angriffs-front zu suchen. Zwar sind die Erdwerke ziemlich defilirt, aber vor dem Laoner Thor liegen nur 3 nasse Hindernisse, während von Westen her außer der größeren Zahl stärkerer Werke 7 nasse Gräben zu passiren sind, und die Festung von Norden und Süden her gänzlich unzugänglich ist.

Permanente bombensichere Räume und Kriegspulvermagazine fehlen gänzlich, nur das Schloß und theilweise das Arsenal könnten zur Noth dazu hergerichtet werden. Keller sind des Grundwassers wegen nur an wenig höher gelegenen Stellen vorhanden.

Das Hornwerk und das Kronenwerk waren mit guten provisorischen Unterkunftsräumen und Pulvermagazinen versehen, ebenso das Ravelin und die Lünette am St. Quentiner Thor. Auch das große Bastion I hatte einige gut angelegte, aber noch nicht vollendete Hohlräume, während das Ravelin am Laoner Thor nur eine Pallisadirung mit Ausfallthor besaß. Die hier abgegrabene Chaussee war mit einem leichten Bohlenbelag über-brückt, welchen die Franzosen benutzten, um bis in die Vorstadt ihre Vor-posten vorzuschieben.

Sonst war der gedeckte Weg nur noch am nördlichen Ausgang leicht pallisadirt, und vor dem äußern Thor nach Westen, vor dem Hornwerk ein starker Waffenplatz in Balken und Erde errichtet.

Die Profile der Hauptwerke sind auf dem Plane zu ersehen. Das sonst feste, jetzt inundirte Wiesenterrain liegt auf + 2 Fuß, ist aber vielfach von 3—5 Fuß tiefen Entwässerungsgräben durchzogen. Die nassen Hauptgräben haben überall die militärische Wassertiefe, die Vorgräben meist 5 Fuß Wasser.

Die Stärke la Fère's liegt also eigentlich nur in der völligen Sturm-freiheit durch die Inundation und die vielen Wassergräben. Damit ist aber der große Nachtheil verbunden, daß Ausfälle und Rekognoszirungen fast un-möglich sind. Man hat nur nöthig die beiden einzigen hierzu benutzbaren Ausgänge im Auge zu behalten, um sie gänzlich zu hindern.

Man sagte, daß la Fère durch den dritten Ausgang nach Norden auf dem mitüberschwemmten Wege mit der Umgegend in Verbindung geblieben. Jeden-alls wurde unser Batteriebau hierdurch aber nicht verrathen.

Anmerkung. Es war sehr zu bedauern, daß der erste Befehl, la Fère schon gegen den 20. Oktober einzuschließen, nicht zur Ausführung kam, denn es wurden viele Geschütze, Munition und anderes Material, welches der Nordarmee Faidherbe's gewiß sehr zu Statten kam, in die nördlichen Festungen gerettet. Dennoch war die Kriegsbeute für die kleine Festung an Geschützen, Munition, Metall verschiedener Art und Nutzholz ꝛc. sehr bedeutend.

3. Kapitel.
Vorposten-Aufstellung und Kantonnirung des Detachements.

Die Situation la Fère's in der Ueberschwemmung machte die Vorposten-Aufstellung ziemlich einfach. Die Laouer Chaussee theilt die Ostseite des Terrains vor der Festung in 2 Abschnitte. Den nördlichen hielten, mit dem rechten Flügel an die Oise gelehnt, 2 Bataillone, das 2. und Füsilier-Bataillon, 5. Regiments besetzt. Zwei Kompagnien waren auf Vorposten, eine am westlichen Ausgang von Danizy, eine im Polygon. Eine 3. Kompagnie in Danizy in Reserve hatte Allarmhäuser bezogen.

Der Rest des rechten Flügels, 5 Kompagnien, kantonirten in Rogecourt und Versigny.

Der linke Flügel-Abschnitt südlich der Laoner Chaussee, mit dem linken Flügel wiederum anlehnend an das ungangbare Wiesenterrain der Oise, hatten ebenfalls 2 Bataillone, das 1. und 2. des 45. Regiments besetzt, und je eine Kompagnie in Andelain und Charmes auf Vorposten mit einer Kompagnie in Reserve in Charmes. Die übrigen 5 Kompagnien kantonirten in Bertaucourt, Deuillet und Servais. Die Vorposten hatten Feldwachen vorgeschoben, die sich eingruben.

Auf der Westseite stand das 1. Bataillon 5. Regiments mit 2 Kompagnien in Tergnier, 2 in Fargnier. Es hatte den Auftrag die Festung von dieser Seite zu beobachten und durch Entsendung von Patrouillen in der Richtung auf Ham und St. Quentin zu rekognosziren. Dem Bataillon war der eine Zug Pioniere geblieben. Eine Kompagnie lag auf Vorposten und hatte Feldwachen gegen die Festung vorgeschoben, die sich ebenfalls eingegraben. Die Pioniere hatten durch Anlage von Schützengräben zu beiden Seiten der Chaussee nach Tergnier Stellungen gegen etwaige Ausfälle nach dieser Seite vorbereitet. Das Füsilier-Bataillon 45. Regiments war mit dem Belagerungstrain von Soissons noch nicht eingetroffen.

Zwei Züge 10. Dragoner kamen nach Servais, zwei nach Versigny, die 6. schwere Batterie 1. Feld-Regiments, die Proviant-Kolonne und 40 Mann der 3. Festungs-Kompagnie, welche mit dem Detachement zur Einrichtung des Belagerungspark-Platzes vorausmarschirt waren, kantonirten in Bertaucourt. Der Oberst Bartsch, welcher den artilleristischen Angriff leitete, hatte sich ebenfalls dem Detachement von Soissons aus angeschlossen zur vorläufigen Rekognoszirung. (Siehe S. 357.)

Der Major Gärtner hatte den Befehl von letzterem erhalten den Belagerungstrain mit dem ihm unterstellten kombinirten Belagerungs-Artillerie-Abtheilung von Soissons nach la Fère zu transportiren.

Anmerkung. Die Verpflegungs-Angelegenheiten des Detachements wurden durch die Proviant-Kolonne, sowie aus Laon, wohin täglich ein kleiner Train von Versigny aus ging, geregelt.

4. Kapitel.
Heranziehung des Belagerungs-Parkes von Soissons.

Die Artillerie-Abtheilung war zusammengesetzt aus der 3. und 4. Kompagnie Pommerschen Festungs-Artillerie-Regiments Nr. 2, der 9. Kompagnie Magdeburgischen Festungs-Artillerie-Regiments Nr. 4*), der 8. Kompagnie Hessischer Festungs-Artillerie-Abtheilung Nr. 11**). Dazu waren am 8. November in Soissons, von der Belagerung von Straßburg kommend, die 1. und 9. Garde-Festungs-Kompagnie getreten. Diese 6 Kompagnien waren zum Theil mit Chassepot-, zum Theil mit Tabatière-Gewehren bewaffnet, und hatten 20 Patronen pro Kopf empfangen.

Vor Soissons waren an Belagerungs-Geschützen in Thätigkeit gewesen: 10 lange 15 cm., 16 12 cm. Kanonen preußischen Materials und 6 französische 23 und 27 cm. Mörser, die von Toul aus mitgebracht waren. (Außerdem hatten die schwere und 2. leichte Reserve-Batterie Hannoverschen Feld-Artillerie-Regiments Nr. 10 dort mitgewirkt.)

Von den genannten Belagerungs-Geschützen, die wie erwähnt schon zwei wenn auch kurze Belagerungen mitgemacht, wurden 2 lange 15 cm. und 4 12 cm. in Soissons zurückgelassen, da es mit der Munition etwas knapp stand. Dagegen wurden 6 französische 33 cm. Mörser mit neuer Munition kompletirt mitgenommen.

Vom 7.—10. November wurde der von Rethel nach Soissons per Bahn zurückgekehrte Belagerungstrain wieder aus den Waggons ausgeschifft und neu geordnet. Am 11. waren 500 Landwagen und 24 lose Gespanne à 6 Pferde requirirt, welche theilweise schon am 12. eintrafen, nach dem Bahnhofe dirigirt und dort beladen wurden.

---

*) Die genannten 3 Kompagnien hatten schon die Belagerung von Toul und Soissons mitgemacht.

**) Hatte Soissons mitbelagert.

Am 14. und 15. wurde je nach dem Eintreffen der Fuhrwerke mit i
Verladung fortgefahren und das Aufgeladene in einen großen Park zusamme
gestellt, welcher dem Füsilier-Bataillon 45. Regiments zur Bewachung übe
geben wurde.

Der Park war in drei Abtheilungen getheilt; die erste enthielt vorzug
weise Batterie-Baumaterial, Schanzzeug, fast die Hälfte der noch vorhand
gezogenen Munition, 2250 — 23cm. französische Bomben, Zündungen u
60 Centner französisches Pulver. Die zweite Abtheilung enthielt Baumater
aller Art und die noch übrige Munition, die dritte die Geschütze, Gerät
Maschinen ꝛc. und den Rest des Parkes.

Die erste Abtheilung des Belagerungstrains marschirte, 270 Wag
stark, incl. einiger zur Reserve über 800 Pferde, am 15. früh 8 Uhr unt
dem Schutze von zwei Kompagnien des genannten Füsilier-Bataillons, beglei
von der 3. und 4. Kompagnie 2. Festungs-Artillerie-Regiments und der
Kompagnie 11. Festungs-Artillerie-Abtheilung, auf der Chaussee nach La
ab. Die Kolonne war, trotzdem zwei Wagen nebeneinander fuhren, üb
½ Meile lang, da dieselben meist mit drei Pferden voreinander bespan
waren. Der Aufmarsch bei Chavignon zum Bivouak Abends 6½ U
dauerte gegen 1 Stunde*). Um das große Carree waren Wachen ausg
stellt. Niemand durfte das Bivouak verlassen.

Am anderen Morgen stellte sich heraus, daß die Bauern Munition
mitten im Parke abgeladen und vergraben hatten. Dies wurde aber lei
bemerkt, da jeder Wagen mit Kreide seinen Inhalt bezeichnet und ein
Artilleristen als Begleiter erhalten hatte. Mit den Betreffenden wurde ni
gerade glimpflich verfahren.

Bei Crepy an der Laon — la Fèrer Chaussee wurde am 16. Abend
bivouakirt, und am 17. Mittags der zum Belagerungspark ausgewähl
Platz zwischen Fressancourt und Rogécourt erreicht, wo man sofort mit de
Abladen und der Einrichtung des Parkes begann. — Der ersten Kolonne hat
sich den Abtheilungsstab angeschlossen. Derselbe kam in der Ferme Maise
rouge westlich Fressancourt ins Quartier, die 3. und 4. Kompagnie 2. Artilleri
Regiments nach Versigny, die 8. Kompagnie 11. Abtheilung in Fermen b
Rogécourt.

Am folgenden Tage traf die 2. Kolonne des Trains begleitet von d
9. Garde-Festungs-Kompagnie und einer Füsilier-Kompagnie ein, 175 Wag
stark. Die Garde-Kompagnie bezog die Zuckerfabrik bei Fressancourt.

---

*) Die Bauergespanne waren mit Futter auf drei Tage versehen. Zur Tränke Abend
und Morgens wurden die Pferde zu einem Bache zwischen einer Postenkette geführt, w
jedesmal ast zwei Stunden Zeit kostete.

Vom 18. ab wurden in dem Bois de Rogécourt Straucharbeiten, im Park besonders Munitionsarbeiten vorgenommen.

Am 18. Abends war die Abtheilung durch den Obersten Bartsch benachrichtigt worden, daß laut Meldungen Entsatztruppen von Nordwesten gegen la Fère anrückten; deshalb war das ganze Detachement allarmbereit. Allarmplatz für die Belagerungs-Artillerie war der Parkplatz. Die Nacht verlief ruhig.

Für den 19. November war eine artilleristische Rekognoszirung behufs Festlegung der Batterie-Bauplätze durch den Obersten Bartsch angeordnet, wobei sich der Major Gärtner und die schon eingetroffenen Kompagnie-Kommandeure zu betheiligen hatten. Nachdem der Oberst Bartsch unter Vorlegung eines älteren Planes von la Fère einen kurzen Ueberblick über die Situation gegeben, wurde in der Richtung auf das Polygon vorgeritten. Die Rekognoszirung, die sich auf den ganzen Vormittag erstreckte, war des großen Nebels wegen erfolglos. Es erboten sich daher Premier-Lieutenant Schmidt, Kommandeur der 8. Kompagnie 11. Abtheilung, und Premier-Lieutenant v. Jhlenfeld, Kommandeur der 9. Kompagnie Garde-Festungs-Regiments die Rekognoszirung allein weiter fortzusetzen. Sie gelangten südlich der Vorstadt Notre Dame bis dicht an die Festung, wurden entdeckt und durch heftiges Geschütz- und Gewehrfeuer vertrieben, aber erst als sie im Allgemeinen sich hinreichend orientirt hatten. Die Uebersicht war sehr erschwert, da überall in der Jnundirung lange Pappelreihen und auf dem Glacis ꝛc. Gebüsche standen.

Lebhaftes Geschütz- und Gewehrfeuer verkündete gegen 11 Uhr Vormittags, daß das bei Tergnier und Fargnier kantonirende Bataillon das 1. 5. Regiments angegriffen sei. Gegen dasselbe waren von Ham aus, aber durch die eigenen Patrouillen rechtzeitig benachrichtigt, etwa 6 Kompagnien und 4 Geschütze vorgegangen. Es empfing dieselben in vortheilhafter Stellung bei Tergnier, und warf sie sofort unter Zurücklassung ihrer Todten und Verwundeten ohne eigenen Verlust zurück. Es wurden 20 Gefangene gemacht und ein Munitionswagen erbeutet. Der feindliche Führer war gefallen.

Gleichzeitig war von der Festung aus ein Ausfall gegen dies Bataillon gemacht in Stärke von etwa 4 Kompagnien. Dieselben kehrten aber eiligst zurück, als sie halbwegs bis Tergnier gekommen, den Rückzug der Entsetzungstruppen auf Ham wahrnahmen.

Am 21. Mittags traf der dritte Theil des Belagerungsparkes, namentlich die Geschütze und ca. 90 Wagen mit dem Rest des Materials unter den Hauptleuten Schilde und Mogilowski in Begleitung der 9. Kompagnie 4. Regiments und der 1. Garde-Kompagnie unter dem Schutz der letzten Füsilier-Kompagnie ein. Die Garde-Kompagnie kam nach Bertaucourt, die 9. Kompagnie 4. Regiments in die Fermen nördlich Versigny ins Kantonement. Die vier nach und nach in Begleitung des Belagerungsparkes eingetroffenen Kompagnien des Füsilier = Bataillons 45. Regiments kamen nach Fressancourt.

Für den Park, welcher unter dem Befehl des Hauptmann Audouard, Chef der 3. Kompagnie 2. Regiments, stand, wurden viel Arbeiter auch von der Infanterie gestellt, und da dieselbe auch die Wachen daselbst übernahm, so waren die Vorposten im Osten um zwei Kompagnien seit dem 17. verringert. Dies konnte um so eher geschehen, da die Beobachtung des einzigen Ausganges der Festung nach Osten sehr leicht war.

Bis auf 200 der besten Bauerngespanne wurde das übrige Fuhrwerk in die Heimath entlassen.

5. Kapitel.
Anordnungen für den Batteriebau und Ausführung desselben.

Am 20. wurde eine erneute Rekognoszirung behufs Anlage der Batterien vorgenommen, und die Ansicht der oben genannten beiden Artillerie=Premier=Lieutenants im Allgemeinen adoptirt. Es wurde die Anlage von 6 Batterien und eines Geschützemplacements für die Feldbatterie beschlossen. Zwar war es an diesem Tage auch sehr neblig über la Fère und den großen Wasserflächen, aber man erkannte ziemlich deutlich das große Bastion I, das Laoner Thor und Einiges von der Bahnhofsbefestigung, die auf dem alten Plane noch nicht angegeben war.

Am 22. vertheilte der Major Gärtner die 6 Batterien und wies den neu angekommenen Kommandeuren die Bauplätze an, wie folgt:

Batterie I.   4 lange 15cm. Kanonen, Hauptmann Sonnenberg, 4. Kompagnie 2. Regiments, Demontier=Batterie gegen linke Face Ravelin 8, 2200 Schritt, gegen Bastion 7, sowie event. zur Aushülfe gegen Bastion I Spitze und linke Face, 1900 Schritt. Später sollte die Batterie event. als Breschbatterie gegen Mauerbastion 9 dienen.

Batterie II. 4—12cm. Kanonen, Lieutenant Otto, 3. Kompagnie 2. Regiments, Demontier = Batterie bestimmt gegen linke Face Mauerbastion 9, 2200 Schritt und gegen die Spitze vom Bastion I 1900 Schritt.

Hat vorzugsweise gegen Bastion I und gegen 2 Geschütze im gedeckten Weg zwischen Bastion 9 und Ravelin 8, dann auch gegen 2 Geschütze in der Erdflesche vor dem nördlichen Ausgang gewirkt.

Batterie III. 4—12cm. Kanonen, Hauptmann Schilde, 9. Kompagnie
4. Regiments, bestimmt als Demontir-Batterie gegen Spitze
und rechte Face von Bastion I, 1900 Schritt, Ricochett-Batterie
gegen rechte Flauke von Bastion I—2000 Schritt und Contre-
Batterie gegen rechte Flauke von Mauerbastion II—2200 Schritt.

Batterie IV. 4—12cm. Kanonen, Premier-Lieutenant Schmidt, 8 Kompagnie 11. Abtheilung, Demontir-Batterie gegen rechte Face von
Bastion I—1900 Schritt.

Batterie V. 6—23cm. Mörser, Hauptmann Mogilowski, 1. Garde-
Festungs-Kompagnie, Wurfbatterie gegen die Stadt, hauptsächlich
gegen die Kasernen 15—1700 Schritt.

Batterie VI. 4 lange 15cm. Kanonen, Premier-Lieutenant v. Ihlenfeld, 9. Garde-Festungs-Kompagnie, Demontir-Batterie gegen
linke Face und Flanke von Bastion XII—1800 Schritt, Demo-
litions-Batterie gegen Laoner Thor 1750 Schritt und Aushülfe
gegen die starke rechte Face von Bastion I—1600 Schritt.

Batterie VII. Geschützemplacement 6—9cm. Feldgeschütze Demontir-
Batterie gegen linke Flauke von Bastion XI—2000 Schritt und
linke Face von Bastion XI—2000 Schritt und linke Face von
Bastion XII—1800 Schritt. Premier-Lieutenant Pulkowski, 6.
schwere Batterie des 1. Feld-Regiments.

Mit einem Offizier der Pionier-Kompagnie wurde an demselben Morgen
die Verbindung zwischen den Batterien I—IV durch Laufgräben, sowie ein
kurzer Schlag rückwärts hinter die ersten Häuser Danizy's sowie die Verbindung von Batterie VI und VII mit einer rückwärtigen Kommunikation
verabredet. Zur Batterie V konnte man ziemlich gesichert durch Garten-
mauern in einer Dorfstraße gelangen.

Zu gleicher Zeit wurde das Niederlegen einer langen Pappelreihe, welche
zwischen den Batterien I—III und Bastion I meist in der Inundation
lag, und die diesseitigen Granaten zum vorzeitigen Krepiren gebracht hätte,
durch die Pioniere für die Nacht des Batteriebaues angeordnet.

Durch Detachementsbefehl vom 23. November wurden für den Nachtbatteriebau ꝛc. an Aushülfe-Mannschaften von der Infanterie kommandirt:

a) 4 Offiziere, 20 Unteroffiziere 600 Mann für die Artillerie,

b) 2 Unteroffiziere, 50 Mann für die Pioniere.

Sämmtliche bauenden Mannschaften und die auf Vorposten bei Danizy
liegenden Kompagnien erhielten für den 24. November doppelte Portionen.

Bis zu diesem Tage hatte sich nichts an der Vorposten-Aufstellung geändert. Durch das Eintreffen der verschiedenen Abtheilungen des Belagerungstrains war nach und nach das Füsilier-Bataillon 45. Regiments mit vor
la Fère eingetroffen. Dennoch war der Vorpostendienst äußerst anstrengend,

da die Infanterie viel Arbeiter und Wachen für den Park stellen
und beim Nachtbatteriebau ein ganzes Bataillon mit verwendet wurde.
Ablösung war vom 23. ab auf den Abend verlegt, und daher kam es,
die Vorposten einmal 36 Stunden stehen mußten, trotzdem aber nach
Stunden wieder an die Reihe kamen. Dennoch hielten die Leute bei
guten Verpflegung vortrefflich aus. Vom 24. ab participirte dann ein
taillon des südlich der Laauer Straße gelegenen Abschnitts an den Vorp
des nördlichen, um den anzulegenden Batterien größeren Schutz zu gewäl

An das 1. Bataillon des 45. Regiments waren auf Befehl 150 Ch
pot-Gewehre mit Munition von der Festungs-Artillerie leihweise abgegeb

Am 23. November 9 Uhr Vormittags wurden im Park die Batt
Bau-Materialien verladen, batterieweise geordnet und beim Dunkelwe
in der Reihenfolge der Batterien auf dem chaussirten Wege von Rogé
über den Eisenbahnübergang nach Danizy abgerückt. Die Batterie-De
wurden überall mit Ausnahme von Batterie V ca. 100 Schritt hinter
Bauplätzen gut gedeckt eingerichtet. Für Batterie V mangelte es an Raum
kam das Depot ca. 400 Schritt rückwärts in einer breiten Dorfstraße zu lie

Am 24. Nachmittags 4¾ Uhr waren die 6 Artillerie-Festungs-K
pagnien und die Batterie Pulkowski im Park angetreten, und wurden
vom Major Gärtner die Aushülfe-Mannschaften der Infanterie verth
Die Batterien I, III, IV, V, VI erhielten je 80, Batterie II 110
Batterie VII 90 Mann. Um 5½ Uhr begann der Vormarsch zu
Depots und sofort der Batteriebau gegen 6¼ Uhr Abends. Derf
wurde durch den Feind ganz unbehelligt gelassen und am 25. früh zwis
2 und 5 Uhr waren sämmtliche Batterien armirt und schußfertig.
Boden war dem Bau sehr günstig, obgleich er durch Regen und Nebel zi
lich naß war. Wir fanden etwas lehmigen Ackerboden, theils Gartenbol

Zum Heranfahren der Geschütze hatte die schwere Batterie ihre säm
lichen Gespanne gestellt, für die 15cm. à 6 für die übrigen Geschütze
Pferde. Die gezogene Munition wurde in Geschoßkasten, die Bomben b
Kartuschen, Pulver und Zündung in Tonnen auf Landfuhren in die R
der Depots herbeigeführt, und sofort nach Vollendung der Geschoßräu
und Pulverkammern in dieselben untergebracht.

Des aufgeweichten Gartenbodens wegen bot nur die Armirung
Batterie VI Schwierigkeiten. Die 15cm. versanken bis an die Achsen.
Pferde versagten und es mußten per Geschütz bis 60 Mann an Tauen ne
helfen und Bohlengeleise gelegt werden. Diese Batterie war daher erst
5 Uhr früh fertig. Es fehlten ihr wie auch den anderen Batterien an
vollen Arbeiterzahl, hier speciell ca. 80 Mann.

Einige Notizen   ben Batteriebau dürften nicht uninteressant sein.

Sämmtliche schwere Kanonenbatterien erbaute man ganz ohne Scharten. Auf die fast vollständig eingegrabenen Grundfaschinen wurden in der ganzen Flucht Körbe gesetzt, dagegen die Bettungen der Feuerhöhe von 70 Zoll wegen möglichst hoch gelegt, während der übrige Batteriehof die normale Tiefe hatte. Ueber den Schartenkorb, wenn man so sagen darf, war nur wenig Erde gebracht, der übrige Theil der Kasten aber mit Erde möglichst aufgehöht, so daß auf der Krone eine muldenförmige flache Erdscharte entstand.

In der Mitte der Batterie wurde 3 Fuß von der Brustwehr eine Traverse stehen gelassen resp. mit Körben erbaut, deren rückwärtige Seite einen Geschoßraum etwas größer als gewöhnlich erhielt. Die Traversen waren 18 Fuß lang und 10 Fuß breit und hatten hinten beim Geschoßraum einen mit Holz geblendeten Umgang. Der vordere Umgang um ca. 1½—2 Fuß vertieft, war 2 Fuß unter der Krone mit Holz eingedeckt und in gleicher Höhe mit Brustwehr und Traverse mit Erde bedeckt. Die Batterieflucht war der Traverse wegen um 5 Körbe verlängert. Auf einer Seite der Batterie wurde ein zweiter Geschoßraum angelegt und auf der andern die Pulverkammer, Modell I. Diese letzteren waren 1 Fuß tiefer als gewöhnlich in die Erde gebaut, wodurch außerordentlich an Arbeit und Schutz gewonnen wurde. Bei Soissons hätten wir beinahe schlechte Erfahrungen mit den des Felsbodens wegen sehr wenig tief angelegten Pulverkammern gemacht. Auf Wasser konnte man nicht stoßen, wie die Untersuchung ergaben, und gegen Eindringen von etwaigem Regenwasser suchte man den Eingang zu sichern. Ladeblindagen erbaute man gar nicht.

Die Mörserbatterie, welche für den 1. Tag auch mit geladenen Bomben ausgerüstet wurde, die Zünder waren für 1800 Schritt tempirt, baute auf jedem Flügel einen großen Geschoßraum für je 150 Bomben und auf dem rechten Flügel rückwärts die Pulverkammer. Die großen Geschoßräume erlaubten, in ihnen die Bomben für den 2. Tag zu laden.

Das Emplacement für die 9cm. Batterie VII war halb Emplacement halb Batterie mit flachen Scharten. Der rechte Flügel derselben war etwas zu tief gekommen und mußten deshalb 3 Geschützstände in der folgenden Nacht etwa 30 Schritt mehr vor in eine die Aussicht hemmende flache Erhebung gelegt werden. Ihr Hauptziel, das Kronenwerk, konnte sie aber unbehindert fassen.

Die Bettungen wurden erst genagelt, als die Geschütze in die Batterien eingebracht waren, diesmal eine unnöthige Vorsicht.

Für den 1. Tag war jedes 15cm. Kanon mit 50 Granaten und 5 Shrapnels, die 12cm. mit 60 Granaten und 4 Shrapnels, die Mörser mit je 50 Bomben ausgerüstet, die Feldbatterie mit ⅓ ihrer Munition.

Gleichzeitig mit den Batterien wurden von den Pionieren bis
bungslaufgräben und die beiden kurzen rückwärtigen Kommunikations
Zwischen 4 und 5 Uhr Morgens früh am 25. fielen die großen in
Nacht eingesägten Pappeln vor den rechten Flügelbatterien mit großen Ge
räusch in das Wasser, aber auch dies wurde von der Festung nicht bemerkt.
Der Wind stand nach den Batterien, deshalb konnte man Musik und Zither
aus den Wirthshäusern der Stadt die halbe Nacht hindurch gut vernehmen.
Batterie IV, VI und VII hatten einige Obstbäume, die in den Schuß
richtungen lagen, selbst beseitigt. Ein Kanonier der Batterie IV arbeitete
noch am Morgen, als die Granaten schon sich kreuzten 400 Schritt vor
seiner Batterie an einem unbequemen Kirschbaum.

Um 5 Uhr früh waren sämmtliche Arbeiter aus den Batterien ge
lassen, und nur die Bedienungs-Mannschaften mit einigen Reserven, — sie hatten
die Nacht nicht mitgebaut sondern nur den Transport der Geschütze begleitet, —
erwarteten mit Ungeduld den Tagesanbruch.

6. Kapitel.

Beschießung der Festung und Bombardement der Stadt.

Am 25. November um 7½ Uhr gab der Major Gärtner unter drei
maligem Hurrah auf Se. Majestät aus Batterie IV durch den 1. Schuß
das Zeichen zum Beginn des Geschützkampfes. Der erste war zu hoch[*],
das 2. Geschütz korrigirte danach und seine Granate saß in der vordersten
der 8 Scharten der rechten Face von Bastion 1.

Die übrigen Batterien hatten nur auf den Beginn des Feuers ge
wartet, und eröffneten dasselbe nunmehr sofort mit sichtlichem Erfolge.

Der Feind war vollständig überrascht. Erst nach etwa 20 Minuten
wurde das diesseitige Feuer aber nur schwach erwidert. Zuerst antwortete
Bastion 1, dann Ravelin 8, neben welchem links ein Paar leichte gezogene
Feldgeschütze in Thätigkeit traten, dann linke Face und Flanke von Bastion
XII und XI. Zuletzt tauchten 2 Geschütze auf der vor dem nördlichen Aus
gange liegenden Flesche auf.

Die Bahnhofsbefestigung wandte sich besonders lebhaft von 8½ Uhr
an gegen Batterie VI, welche mehrere Granaten in die Brustwehr erhielt.
Die Laufgrabenbrustwehr nach Batterie VII wurde fast ganz weggeschossen.
Es gelang aber der Batterie VI in Verbindung mit Batterie VII, und

---

*) Es war entgegengesetzt dem Schießen im Felde befohlen anfangs nicht zu hoch
zu schießen.

Feuer nach Verlauf von etwa 2 Stunden vollständig zu dämpfen. Linke Face und Flanke von Bastion XII waren vollständig demontirt.

Aus der ganzen feindlichen Geschützaufstellung ergab sich später, daß man den diesseitigen Angriff von Südosten von den Höhen von Charmes und Andelain, die etwas mehr sich erheben, als die von Danizy, erwartet hatte. Dorthin war in den letzten Tagen auch mehr geschossen worden, sowie längs des Eisenbahneinschnittes und nach dem Polygon.

Die Mörserbatterie richtete ihr Feuer gegen Bastion I, Bastion XII und später gegegen die Kasernen und militairischen Gebäude. Doch war ihr Feuer mit den konzentrischen Bomben sehr unsicher, und richtete gegen die diesseitigen Intentionen auch mehrfach Schaden in der Stadt an. Die französischen Zünder brannten sehr unregelmäßig. Bei der dritten Lage sprang die eine eiserne Wand des ersten Mörsers, so daß die Batterie von da an nur mit 5 Geschützen weiter feuern konnte.

Die rechten Flügelbatterien hatten vom feindlichen Feuer sehr wenig zu leiden. Die Franzosen schossen hier von Hause aus sehr unsicher und gegen 11 Uhr erlosch auf der ganzen feindlichen angegriffenen Front das Geschützfeuer. Nur den beiden Geschützen in der nördlichen Flesche konnten wir kaum beikommen, da dieselbe sehr niedrig und durch Gebüsch versteckt lag, doch schwieg die Flesche vor dem konzentrischen Feuer aus Batterie II und III bald nach Mittag. Das diesseitige Feuer ging nunmehr in ein Bombardement über unter möglichster Vermeidung der Kirchen und Privatgebäude, und bald brach an 4—5 Stellen Feuer aus, wobei namentlich die Kasernen fast total ausbrannten und die Artillerie-Schule sehr litt. Auch sonst wurde in der Stadt, besonders durch das unsichere Feuer der Mörserbatterie, — die Franzosen haben keine exzentrischen gepolten Bomben, — viel Schaden angerichtet, doch brannte nur ein Privathaus nieder.

Nachmittags eröffneten die Franzosen von Neuem das Feuer aus der nördlichen Flesche und aus 4—5 kurzen gezogenen 15cm. Kanonen aus dem Ravelin und der Lünette vor dem St. Quentiner Thor. Dieses indirekte Feuer aus den umgedrehten Geschützen über die ganze Stadt hinweg, besonders gegen Batterie III und IV gerichtet, war aber ohne jeden Erfolg meist viel zu weit. Diesem letzten Feuer konnten die diesseitigen Batterien nichts anhaben, da man gar nicht erkennen konnte, woher dasselbe kam und jeder Maßstab für die Entfernung fehlte. Die kleine Flesche war aber bald wieder beruhigt.

In der Stadt brannte es die ganze Nacht.

Die Batterien hatten verfeuert am 1. Tage bis zur Ablösung Abends 6 Uhr:

Batterie I 184 Granaten 4 Shrapnels.

„ II 180 „ 5 „

Batterie III 230 Granaten 6 Shrapnels.

    „   IV 165   „   3   „

    „   V 216 Bomben —   „

    „   VI 169 Granaten 9

    „   VII 165   „   „   „

Die Nacht hindurch wurde aus jeder Batterie mit einem Geschütz etwa alle 20 Minuten mit Granaten und besonders Shrapnels ein Schuß abgegeben, um die Franzosen zu hindern Ausbesserungen zu machen und neue Geschützaufstellungen zu nehmen. Die bekannten Vorrichtungen für das Nachtschießen waren getroffen. Zur Beobachtung des diesseitigen Feuers hatte man seitwärts der Batterien an geeigneten Punkten gewandte Leute aufgestellt, welche ihre Beobachtungen durch verabredete Zeichen signalisirten. Es wurden hierzu besonders die Mauer des Schloßparkes und geeignete Häuser in Danzig benutzt. Auch bei den Batterien waren theilweise gesicherte Beobachtungsstände erbaut.

Es war ferner befohlen, nach je 15 Schuß die Stahlplatten und Kupferliederungen zu wechseln und die Verschlüsse gut zu reinigen. In Folge dessen traten nirgends Ladehemmungen ein. Am Abend wurden die Rohre, welche die Nacht nicht schossen, eingefettet und am nächsten Morgen ausgeflammt, ein jedenfalls sehr zu empfehlendes Mittel zur Reinhaltung der Seele.

Hauptmann Mogilawski löste am Abend den Major Gärtner in der Batterie du jour ab, der älteste Hauptmann Schilde war in der Nacht des Batteriebaues erkrankt.

Am 26. Morgens war es wieder sehr neblig und es konnte erst zwischen 9 und 10 Uhr das Feuer lebhaft aufgenommen werden, während das feindliche von 9 Uhr ab gänzlich schwieg. Später erfuhr man, daß um diese Zeit weiße Fahnen in der Festung aufgezogen worden waren, die aber diesseits nicht bemerkt werden konnten. Der Major v. Seelemann vom 45. Infanterie-Regiment hatte am 25. spät Abends vom Adjunkten der Mairie von Danzig erfahren, daß la Fère bestimmt am anderen Morgen kapituliren würde, und war, natürlich erfolglos, gebeten worden, das diesseitige Feuer aufhören zu machen. Die Verbindung mit der Festung nach außerhalb ist also wohl nicht ganz abgeschnitten gewesen. Am 26. wurde gegen 11 Uhr zuerst dieser Offizier, der die Vorposten kommandirte, auf einen Parlamentair mit Fahne und Trompeter aufmerksam, und theilte dem Obersten Bartsch, der, wie Tags zuvor, die Batterie gerade inspizirte, dies mit, und letzterer befahl die Einstellung des Feuers. Es begannen Nachmittags die Kapitulations-Verhandlungen, welche in der Nacht vom 26. zum 27. abgeschlossen wurden. Die Besatzung wurde kriegsgefangen nur die Offiziere behielten Seitengewehr und ihr Eigenthum.

7. Kapitel.

Schluß.

Trotz des öfteren heftigen Feuers aus der Festung, selbst gegen einzelne Leute wurde häufig mit Geschützen geschossen, und während des, wenn auch kurzen Artilleriekampfes, waren nur einzelne wenige und leichte Verwundungen diesseits vorgekommen, darunter der Hauptmann Brinkmann vom 45. InfanterieRegiment. Die Artillerie hatte gar keinen Verlust zu beklagen. Die Franzosen hatten dagegen 60 Todte und Verwundete, namentlich in Bastion I und der Bahnhofsbefestigung. Darunter befanden sich 1 Offizier todt und 3 verwundet.

Am 27. um 11 Uhr Vormittags stand das Detachement bei der Ferme Montfrenoy zum Einzuge in la Fère bereit, nachdem die 78 Offiziere und etwas über 2200 Mann starke Besatzung, oft in recht trunkenem Zustande aber sehr gut equipirt, ausmarschirt und kriegsgefangen abgeführt war. Der Einmarsch erfolgte erst Nachmittags gegen 2 Uhr, da noch mehrfach Hindernisse zu beseitigen waren, die Artillerie unter Führung des Obersten Bartsch an der Tete.

Festungswerke und Stadt waren sehr arg mitgenommen. Allein 5 demontirte Geschütze, 2 in Bastion I, 3 am Bahnhof, wurden vorgefunden. Die französische Artillerie hatte so viel Verluste auch an Offizieren gehabt, daß, wie später ein Chef d'Escadron mittheilte, die Bedienungsmannschaften nicht mehr an die Geschütze zu bringen gewesen waren.

Als eigenthümlicher Zufall mag erwähnt werden, daß die erste preußische zu hoch gegangene Granate im Pianino des Artillerie-Offiziers vom Platz krepirte.

Auf den Wällen wurden 69 Geschütze vorgefunden, außerdem ca. 30 schwere gezogene Bronze-Röhre und ein eisernes Marine-Geschütz im Arsenal, dann sehr bedeutende Vorräthe an Nutzholz, halbfertigen Laffeten, Rädern und Wagentheilen, Eisen, Kupfer, Zink und sonstigem Material, und große Quantitäten gezogener Geschosse, die theilweise noch nicht mit Ailetten versehen waren.

In den nächsten Tagen wurde mit Herstellungen aller Art begonnen, und die Festung von Neuem gegen den gewaltsamen Angriff armirt. Hauptmann Audouard wurde zum Artillerie-Offizier vom Platz ernannt. Das diesseitige Material wurde nach dem Arsenal geschafft, wo einige Werkstätten nothdürftig zu Reparaturen ꝛc. in Gang kamen. Die Batterien wurden eingeebnet.

Die Brigade Zglinitzki marschirte am 29. November nach Noyon ab, und ließ einstweilen das Füsilier-Bataillon 5. Infanterie-Regiments als Besatzung

rück. Letzteres wurde aber schon am 30. Nachmittags durch das 2. ?
taillon 81. Regiments abgelöst.

Alsbald wurde mit der Wiederherstellung der Eisenbahn im Rücken :
1. Armee begonnen, und somit war der Hauptzweck der Belagerung ¡
schnell erreicht.

Die rasche Kapitulation war noch aus einem anderen Grunde sehr :
wünscht. Die Munition für unsere Geschütze hätte, trotzdem für den
Tag schon eine geringere Ausrüstung befohlen war, kaum noch auf 4 Ti
gereicht, und schneller Ersatz war nicht zu erwarten.

Am 6. Dezember marschirte die 8. Kompagnie 11. Festungs-Abtheilu:
Premier-Lieutenant Schmidt, mit einem kleinen Belagerungstrain, aus fri
zösischem Matèrial zusammengestellt, unter Infanterie-Bedeckung nach Amiei
und schied aus dem Verbande der Abtheilung. Am 7. traf der Befehl e
den preußischen Belagerungstrain für Paris bereit zu stellen, während !
3. Kompagnie 2. Regiments als Artillerie-Besatzung für la Fère bestim
blieb.

Am 9. Dezember wurde bekanntlich ein Theil 3. Feldeisenbahn-¿
theilung nebst 50 Mann Infanterie von Franktireurs in Ham überfall
aufgehoben und so die Eisenbahnverbindung nach Amiens auf kurze 3
wieder unterbrochen.

Nachdem der Oberst Bartsch am 10. ein Telegramm von Versaill
erhalten hatte, schleunigst mit dem nöthigsten Personal nach der Ostseite v
Paris vorauszugehen, fuhr am 12. der erste Theil des Belagerungstrai
unter dem Major Gärtner über Laon und Reims nach Paris ab, und ¡
reichte derselbe am 13. Nachts 11½ Uhr den Bahnhof Sevran. In !
Nacht vorher vom 11. zum 12. hatte die Garnison von la Fère allarmbe:
gestanden, um einem wahrscheinlichen Ueberfall französischerseits zu begegn:
Hierbei hatte eine Artillerie-Kompagnie die Geschütze besetzt, zwei andere ¡
Infanterie die Bahnhofs- und Ostfront; zwei Kompagnien Artillerie un:
Major Gärtner und die Pionier-Kompagnie standen als Reserve-Infante
auf dem Kasernenplatz.

Jenseits des Bahnhofs Tergnier hatte am Abend des 11. ein Gefe:
einer der vier Kompagnien der Infanterie-Besatzung la Fère's mit ¡
überlegenen feindlichen Truppen stattgefunden. Die Kompagnie war ¡
Verlust zurückgeworfen und einige Leute abgeschnitten worden.

Der Frontal-Angriff der Infanterie.

Nachdruck verboten.   Ueberſetzungsrecht vorbehalten.   Die Redaktion.

Der Krieg gegen Frankreich hat über ſieben Monate gedauert. Jeder Truppentheil iſt in der Lage geweſen, an mehreren Kämpfen Theil zu nehmen, die Praxis der Friedensübungen auf dem erſten Schlachtfelde zu verſuchen, die dort gewonnenen, blutigen Erfahrungen in den ſpäteren Gefechten zu verwerthen, und ſo eine echte Kriegspraxis heranzubilden und immer wieder zu erproben.

Es dürfte daher von Intereſſe ſein, mit der Theorie der Armee auf dieſem Wege zu folgen, und ſich klar zu werden: was hat dieſer Krieg gezeigt? wie können wir ſeine Lehren für den nächſten Feldzug benutzen?

Die Gefechte und Schlachten wurden, der ſtrategiſchen Situation und der alten Tradition unſrer Armee entſprechend, faſt immer offenſiv geführt. In Bezug auf den Angriff machten wir alſo die ausgedehnteſten Erfahrungen. Da wir wohl auch für die Zukunft unſrer bewährten Tradition treu bleiben werden, ſo dürfte eine auf den letzten Krieg baſirte Studie über den Infanterie-Angriff von allgemeinem Intereſſe ſein.

Dieſelbe wird ſich auf den reinen Frontal-Angriff beſchränken, da gerade bei dieſem die durch die verbeſſerten Feuerwaffen bedingte Aenderung in der Auffaſſung des Infanteriegefechts am ſchärfſten hervortritt. Er macht ferner die größten Anſprüche an die Leiſtungsfähigkeit einer Truppe, alſo auch an ihre Ausbildung.

In Wirklichkeit wird man den Frontal-Angriff zwar möglichſt vermeiden, oder wenigſtens mit Flankenangriffen zu kombiniren ſuchen. Doch Rückſichten auf Zeit, eigenen Rückzug, ferner der Platz in der Schlachtlinie werden auch in Zukunft noch zum reinen Frontal-Angriff zwingen.

Zunächſt wollen wir ſehen: welche Anſichten und welche taktiſche Formen brachte unſre Infanterie auf das erſte Schlachtfeld mit?

Wie änderten sich diese bei der nie geahnten, furchtbaren Feuerwirkung

Wie schlug man sich in den späteren Schlachten, bei theilweise se anormalen Verhältnissen auf feindlicher Seite?

Wie werden wir im nächsten Kriege wohl angreifen?

Wie daher im Frieden unsere Infanterie ausbilden?

Das zerstreute Gefecht, nach 1806 von den Franzosen angenommen, ka nur sehr langsam bei uns zur Geltung.

Erst in den letzten Dezennien hatten das Zündnadelgewehr, die Kom pagnie-Kolonne und die Erfolge der französischen Tirailleurs auf den Schlach feldern Italiens dasselbe zu einer der geschlossenen Fechtart sich nähernde Bedeutung gebracht.

Doch diese blieb bei Weitem die Hauptsache. Die Theorie lehrte zw die innigste Verbindung der beiden Gefechtsarten als Quintessenz der Infan terie-Taktik, aber dabei hatte das zerstreute Gefecht immer nur die unter geordnete Stelle. Es war der unentbehrliche Nothbehelf zum Einleiten un Vorbereiten des Angriffs, zum Beschäftigen, zum Verfolgen. Vor dem ge schlossenen Feuergefecht, der geschlossenen Attacke trat es demüthig in de Hintergrund.

Der Krieg 1866, gegen Vorderlader und Stoßtaktik, war nicht seh geeignet, unsre Anschauungen zu modificiren.

Wo die zerstreute Fechtart zu sehr hervorgetreten war, natürlich mit de ihr anklebenden Mängeln, galt dies bei Vielen eben für fehlerhaft.

Noch schlechter erging es dem zerstreuten Gefecht in der Praxis.

Das Gefechtsexerciren hatte von dem Schulexerciren, von welchem e sich mit der fortschreitenden Entwickelung der Infanterie-Taktik immer meh entfernen mußte, noch zu viel beibehalten. Mit genau festgehaltenen Abstand und scharfer Richtung bewegen sich Schützen und Soutiens. Seh wenig wird aufgelöst, feuert kurze Zeit; dann gehen die Bataillone in ent wickelter Linie zur Salve, in der Kolonne nach der Mitte zum Bayonett angriff vor.

Als Schluß wird ein Kompagnie-Kolonnen-Manöver durchgemacht Bei einzelnen Korps wurde allerdings im Terrain mit Kompagnie-Kolonnen viel exercirt.

Bei den Felddienstübungen zwangen die Anforderungen des Gefecht und des Terrains, in dem Ausschwärmen viel weiter zu gehen, oft wider die eigentliche Absicht. Die Kritik legte den Hauptaccent stets darauf, wi viel man geschlossen zur Entscheidung brachte; die Gefechtswirkung de Schützen ließ man nicht recht gelten.

Sehr geringe Diſtancen, ungedecktes Vorgehen im ſtärkſten feindlichen Feuer, Attacken in der Angriffskolonne gegen eine vorzüglich poſtirte Schützenlinie kamen mitunter ungetadelt durch. Wenu nur Haltung, Ruhe in den Truppen war.

Stillſchweigend behielt man ſich allerdings dabei vor, im Gefecht es doch wohl etwas anders zu machen.

Obgleich nun zwar das Losmachen von der Friedensgewohnheit nicht ſo leicht iſt, wie wir in den erſten Gefechten ſehr bald merkten, ſo war uns in der äußerſt biegſamen Gefechtsweiſe mit Kompagnie-Kolonnen doch das Mittel an die Hand gegeben, unſre Taktik nach den Erfahrungen des erſten Schlachtfeldes mit größter Leichtigkeit zu modificiren.

Was aber auch in unſrer Armee in Bezug auf taktiſche Anſichten und Bewaffnung (Zündnadel gegen Chaſſepots) etwa mangelhaft war, wurde reichlich ausgeglichen durch den echt kriegeriſchen Geiſt, der das ganze Heer in allen ſeinen Theilen durchdrang, und über alle Schwierigkeiten ſiegreich hinwegführen mußte. Das offenſive Element war auf das höchſte entwickelt, die Ueberzeugung, daß nur raſcher, kühner Entſchluß, energiſches Handeln im Kriege die Situation beherrſchen laſſen und ſichere Erfolge geben, war überall lebendig; Strategie wie Taktik bekamen dadurch in gleicher Weiſe den Impuls.

Im direkten Gegenſatz hierzu hatte bei den Franzoſen ſeit der Annahme des Chaſſepots das defenſive Element vollſtändig die Oberhand gewonnen, und damit für dieſelben jede auf ein poſitives Ziel gerichtete offenſive Thätigkeit beinahe ganz aufgehört.

Was zeigen uns nun die erſten Schlachten?

Der durch den allgemeinen Enthuſiasmus noch geſteigerte Geiſt der Offenſive, welcher am 6. Auguſt zwei Schlachten ohne höheren Befehl engagiren und mit Hülfe der auf den Kanonendonner herbeieilenden Truppen glücklich durchführen läßt, verleitet vielfach zu überſtürzten und dadurch unnöthig erſchwerten Angriffen.

Ohne der Artillerie genügende Zeit zur Wirkung zu laſſen, wirft ſich die Infanterie mit ihren Maſſen in das Gefecht. Von unten, aus den kampfbegierigen Bataillonen, kommt die Stimmung der Neigung der Führer entgegen und reißt dieſelben um ſo leichter fort.

Das genaue Rekognosciren von Stärke und Stellung des Feindes, ohnehin durch das furchtbare Feuer ſehr erſchwert, das Feſtſtellen eines beſtimmten Plans leiden unter der Eile des Moments, unter der ungezügelten Begierde, an den Feind zu kommen.

Ohne langes Beſinnen geht es kühn vor gegen deſſen feſteſte Stellungen.

Doch auf einen solchen Kugelregen waren wir nicht vorbereitet.

In richtiger Beurtheilung der Verhältnisse dringen unfre Schü ben sich sehr rasch auflösenden Soutiens im schnellsten Tempo bis au same Zündnadelschußweite vor. Es entspinnt sich ein äußerst heftiges gesecht, in welches binnen kürzester Zeit eine Menge Truppen verwick völlig aufgelöst werden.

Dazu trugen neben der Alles nach vorwärts ziehenden Kampfl im Wesentlichen noch folgende Verhältnisse bei:

1. Die geringen Abstände der Exercirplätze übertrugen sich a Gefecht. Es konnte aber eine in die Sphäre der Chassepotkugeln eingetretene Truppe, wenn das Terrain einigermaßen ungünstig war, | Theilnahme am Kampfe nicht lange entziehen. Für das unthätige waren die Verluste zu groß.

2. Durch die schnelle Durchführung des Angriffs bei Friedensü ist den Führern die Anschauung nicht geläufig, daß ein längeres, all mit sorgfältiger Terrainbenutzung näher herangebrachtes diesseitiges gesecht erst den Feind erschüttern muß. Man erkannte den durch das bare Feuer gebotenen Halt des ersten Angriffs nicht für eine natur; Phase auch des siegreichen Offensivgefechts, sondern sagte gleich: „Da . wir mehr Truppen einsetzen, also zweites Treffen vor zc."

3. Die vorne in der ersten Linie kämpfenden Führer verlangte bald dringend nach Unterstützung, theils weil die feindlichen Kugeln t furchtbare Lücken rissen, theils weil die eigene Situation ihnen viel schl erschien, als sie wirklich war.

Sie waren gewohnt, nur das für gefechtsfähig zu halten, was s stens noch eine Art von Ordnung, noch einen festen Kern bewahrt nun sahen sie sehr bald ihre ganzen Kräfte in einen wirr durcheinand würfelten, jeder Ordnung und Leitung anscheinend spottenden Schützenfc total aufgelöst.

Dies mußte natürlich ihr Urtheil befangen machen und einschü Jede Unterstützung, die sie herberiefen, verfiel aber sehr rasch dem Loose. —

So sehen wir nach und nach ganze Divisionen sich in eine Schütz auflösen.

Am schlimmsten wurden die Verhältnisse, wo die vordersten Tr sich sehr heftig engagirt hatten, bevor genügende Unterstützungen zur c waren, und sie nun in die größte Gefahr geriethen. Da drängte fi Führung statt der Verfolgung eines positiven Zieles natürlich der c Gedanke auf, möglichst rasch zu helfen, wo die Noth am größten. W Bataillone aus der Marschcolonne hervorquellen, werden sie tropfenwe das Chaos des Gefechts hineingeworfen, ohne zu wissen, wie die Verhä

liegen, was sie sollen; die Zeit drängt eben. Die heldenmüthigste Tapferkeit, die größten Verluste bringen dann für die höhere Führung, den Fortgang des Gefechts oft gar keinen Vortheil. Ohne gegenseitige Unterstützung,
in derselben fehlerhaften Weise wiederholen sich nutzlos die blutigsten Angriffe.
Das isolirte Vorgehen tritt namentlich am 16. August bei den Angriffen
gegen Rezonville hervor, wo allerdings die Verhältnisse dazu zwangen.
Der organische Verband der Truppen ist in einer solchen Situation natürlich
auch sofort vollständig zerrissen.

————

Die vorne kämpfende Linie zeigte die Nachtheile, welche die Theorie dem
zerstreuten Gefecht vorwirft: Mangel an Ordnung und Leitung, sowie an
moralischer Kraft in hohem Maße.

Die Schützen befanden sich aber auch in einer ungewohnten Formation,
lange durcheinander gewürfelte Schützenlinien, ohne geschlossene Abtheilungen
in der Nähe, die im Frieden ihnen nie gefehlt, welche für die Hauptsache bei
dem Gefecht zu halten sie sich gewöhnt hatten.

Sie waren theilweise erst durch mehr oder minder starke Verluste zu
der aufgelösten Ordnung gezwungen worden (je länger trotz der Verluste versucht worden war, die geschlossene Formation beizubehalten, desto mehr hatte
natürlich die moralische Kraft gelitten), die Offiziere waren in großer Zahl
gefallen; daß trotzdem diese aufgelösten Linien überall den vorzüglichen Stellungen der Franzosen gegenüber die glänzendsten Erfolge errangen, spricht für
die ausgezeichnete Tüchtigkeit unsrer Infanterie, wobei wir freilich die wirksame Unterstützung durch die Artillerie nicht vergessen dürfen.

Ein charakteristisches Gefechtsbild giebt folgende Schilderung aus der
Schlacht von Wörth:

„Bald erhielt unser Regiment den Befehl zum Vorgehen. Das Füsilier-Bataillon, bei dem ich stand, wurde in Kompagnie-Kolonnen auseinander
gezogen und ging gegen den Sauerbach vor. Als wir in den Bereich des
feindlichen Feuers kamen, schwärmte der Schützenzug meiner Kompagnie, den
ich führte, aus, die beiden anderen Züge folgten auf einiger Entfernung geschlossen.

Vor uns war bereits eine Schützenlinie, welche die ersten Höhen des
nach Elsaßhausen liegenden Hügellandes genommen zu haben schien. Nach
Ueberschreitung des Sauerbaches, wo ich den Rest der Kompagnie aus den
Augen verlor, mußten wir über die breite Wiese, welche zwischen der Sauer
und den Uferhöhen liegt. In der Nähe der ersten Höhen angekommen, sah
ich, wie die Schützenlinie vor mir in vollem Lauf die Höhen herunterkam,
offenbar, wie ich glaubte, von dem Feinde auf dem Fuße gefolgt. Ich ließ

meinen Zug eine Aufnahmestellung nehmen, um den verfolgenden Fei
lichst aufzuhalten. Als die geworfenen Schützen uns erreichten u
machten, erfuhr ich durch einen Mann — ein Offizier war nicht in
mittelbaren Nähe — daß die Franzosen sie mit großer Uebermacht a
fen und gezwungen hätten, zurückzugehen. Vergebens aber warteten
Franzosen auf der Höhe erscheinen zu sehen, es kam Niemand; nu
500 Schritt halblinks vor uns waren Feinde zu sehen. Trotzdem
die Leute, was sie konnten; ich suchte es möglichst zu hindern.

Da kam von rechts her die Linie entlang die durch Winke der L
gegebene Aufforderung, zu versuchen die Höhen zu stürmen. Die L
gaben das Zeichen zum Vorgehen, und die ganze Schützenlinie unter
und ein fabelhaftes Schnellfeuer abgebend, den Berg hinauf.

Oben angelangt, sahen wir dichte feindliche Schützenlinien in ein
fernung von ungefähr 400 Schritt, mit möglichster Schnelligkeit davo
und hinter der nächsten Erdwelle verschwinden. Warum die Franzo
unserer dünnen Linie ließen, begriff ich gar nicht.

Wir folgten so schnell als möglich, die Leute schon so aufgeregt,
gar nicht mehr zu hindern waren, in's Blaue hinein zu schießen. Da
plötzlich das Vorgehen, wir waren gerade in einer Terrainfalte, d
Uebersicht gestattete; ehe ich mich überzeugen konnte, woran das Stoch
drehte plötzlich unsre ganze Linie um, hörte auf keinen Befehl mehr
davon, ohne daß man für diese Erscheinung eine sichtbare Erklärun
finden können.

Die Franzosen hatten nämlich ihrerseits einen Angriff mit ver
Schützenschwärmen gemacht, den wir jedoch gar nicht einmal gesehen
der aber unseren rechten Flügel zurückgeworfen hatte. Nach etwa 200
gelang es uns, die Linie zum Stehen zu bringen; ich sah eigentlich
noch keinen Feind, obgleich wir ununterbrochen ein sehr starkes Feuer er
Nun gingen wir, nachdem wir die Leute möglichst beruhigt, wieder vo

Dieses Mal ließen uns die Franzosen bis etwa auf 200 Schritt
und schossen; es war ein sehr kritischer Moment. Da aber machte die
liche Linie auf einmal Kehrt und lief davon, wir folgten, immerfort sch
und Hurrah rufend. Wir waren nun vielleicht bis auf 500 Schritt
Dorf Elsaßhausen, den Stützpunkt der Franzosen, herangekommen, lin
uns der Niederwald. Hier bekamen wir aber ein solches Feuer, d
Vordringen unmöglich wurde, und Alles Deckungen suchte. Es entspa
nun ein längeres Feuergefecht; unsere Lage wurde immer unangenehm
Leute sahen sich ängstlich um, ob denn gar keine Unterstützung käme,
bens. Kaum konnten die Offiziere die Leute noch in der Stellung
Sie waren durch den Verlust der vielen Kameraden und durch den nu
mehrere Stunden dauernden Kampf gänzlich herunter.

Da sahen wir deutlich, wie einige französische Bataillone geschlossen zum Angriff heranrückten. Das war zu viel für die Leute. Sie kehrten um, vergebens waren alle Anstrengungen, sie zu halten.

Wir liefen zwar nicht fort, aber langsam ging die ganze Linie zurück. Wir wichen Schritt für Schritt, gefolgt von den angreifenden Feinden.

Ich hielt die Schlacht für verloren, da durchaus keine Reserven zu sehen waren, die uns hätten unterstützen können. Wir hatten uns auf diese Weise schon 150 Schritt zurückgezogen, da hörten wir auf einmal „das Ganze avanciren" blasen, von allen Seiten nahmen die Hornisten das Signal auf. Das gab den Leuten neuen Muth, die Rückwärtsbewegung hörte auf. In demselben Augenblick sahen wir einige geschlossene Bataillone Württemberger herankommen.

Dies genügte, um Alles wie neu belebt vorgehen zu lassen. Wir gingen gegen den Feind mit immer größerer Schnelligkeit, die Franzosen drehten um und liefen nun davon."

Groß waren die Verluste, mit denen wir unsere siegreichen Angriffe bezahlten. Die Minderung der Kopfzahl ist aber nicht die einzige Folge solcher blutigen Schlachten, die Minderung des inneren Werthes der Truppen ist ebenfalls ein sehr schwer wiegender Nachtheil. Die Idee von der Vortrefflichkeit der schlachtengewohnten Bataillone ist in unsrer Armee verschwunden. Nach den allgemeinen Erfahrungen gehen die Leute mit dem größten Eifer, ohne Kanonenfieber, in das Gefecht, — bis sie einmal sehr starke Verluste erleiden. Dann kann aber selbst das erhebende Bewußtsein des Sieges den Eindruck nicht verwischen, welchen solche blutige Erfahrung auf den Geist der Truppen gemacht hat; nach Monaten ist das Gefühl noch nicht ganz überwunden.

Dazu wirkt freilich ferner mit, daß gerade die Tapfersten vorzugsweise gefallen sind, weil sie sich in der Schützenlinie am meisten exponirten, daß namentlich sehr wenig Offiziere übrig geblieben sind.

Bei vielen Regimentern ist das Verschmähen jeder Deckung von Seiten der Offiziere sehr übertrieben worden. Der Offizier muß allerdings mehr als der gemeine Mann die Rücksicht auf die eigene Sicherheit zurückdrängen, um die Uebersicht, die Kontrole zu behalten, um in dem ersten gefährlichen Moment zu imponiren.

Doch was helfen unnöthige Opfer, was soll aus der Armee ohne Offiziere werden?

So kommt ein Lieutenant mit seinem Zug aus dem Walde an die Lisière, findet dort eine Schützenlinie im heftigsten Feuer mit dem Feinde; die Leute liegen auf der Erde, die Offiziere stehen aufrecht da. Der erste Gedanke des Offiziers, nachdem sein Zug ausgeschwärmt, war, sich nun auch

zu decken, aber er schämt sich vor den Andern. Nach kaum e[...]
liegen zwei verwundet, einer todt da, im nächsten Augenblick hat a[...]
seine Kugel.

Die furchtbaren Verluste zwangen zu einer andern Taktik i[...] den
ren Schlachten.

Man suchte mehr durch die Artillerie zu wirken, hielt die Haupt[...]
der Infanterie länger zurück. Dieses Bestreben tritt bei Sedan und [...]
in allen späteren Kämpfen sehr hervor.

Geschlossene Abtheilungen dem feindlichen Infanteriefeuer auszu[...]
vermied man ferner nach Möglichkeit.

Außerhalb desselben löste man große Schützenschwärme auf, die [...]
schlossen auf nahe Distance vorgingen, und dann, oft nach sehr kurzem [...]
gefecht, mit Hurrah die Franzosen trotz großer Ueberlegenheit in die [...]
trieben. Die Verluste waren in der Regel sehr unbedeutend.

Dabei darf man aber nicht übersehen, was für Truppen uns gege[...]
standen: zusammengeraffte Haufen ohne Ausbildung, ohne tüchtige Offi[...]
schlecht ausgerüstet und verpflegt, daher jeden inneren Gehalt entbe[...]
Nur einzelne Truppentheile, besonders bei der Armee von Faidherbe, [...]
man hiervon ausnehmen.

Gegen solchen Feind durften auch geschlossene Angriffe ohne nen[...]
werthe Verluste gemacht werden, wie der von zwei Kompagnien Infan[...]
Regiments Nr. 29 bei St. Quentin.

„Nur langsam konnten die circa 200 Mann, der Führer (Prei[...]
Lieutenant v. Graberg) zu Pferde voran, in dem furchtbar aufgewei[...]
Boden vorwärts. Den meisten Leuten blieben die Stiefeln stecken. [...]
Franzosen, hinter Erdhaufen liegend, unterhielten ein sehr heftiges Feuer, [...]
die Kolonne auf 20 Schritt heran war; da erst machten sie Kehrt und [...]
ben nun von dem Tetenzug vollständig zusammengeschossen. Diese[...]
Verlust: drei Verwundete."

Auch bei dem geschlossen ausgeführten Angriff von vier Kompagnien[...]
und einer Kompagnie 40. Regiments auf den vom halben zweiten Chas[...]
Marsch-Bataillon besetzten Wald von Hélécourt am 27. November (Sch[...]
von Amiens) kommt der größte Theil der verhältnißmäßig geringen Ver[...]
auf den Nahkampf in der Lisière.

Bei genauer Betrachtung werden wir dafür jedoch fast immer [...]
besondere Gründe finden, z. B. hier, daß Nebel die Fernsicht hinderte, [...]
Feind die Lisière sehr schwach besetzt und seine Unterstützungen so weit zu [...]
postirt hatte, daß sie erst nach Wegnahme der Lisière erschienen.

Im Allgemeinen haben wir uns vor zu raschen und optimistischen Folgerungen aus den Kämpfen in der zweiten Periode gegen die Truppen der Republik zu hüten.

Wir müssen uns stets bewußt bleiben, daß wir im nächsten Kriege wieder fest organisirte Truppen zu bekämpfen haben werden, denen ähnlich, welche uns in den ersten Schlachten so blutigen Widerstand geleistet haben, und mit einer im Schießen sorgfältiger ausgebildeten Infanterie, mit einer besseren Artillerie.

Wie werden wir gegen diese den Angriff ausführen?

———————

Wir wissen jetzt, was es heißt, Frontalangriff gegen eine von Hinterladern vertheidigte Position.

Wenn wir uns zu dieser, ohnehin schwersten und blutigsten aller Aufgaben, die der Infanterie gestellt werden können, entschlossen haben, dann müssen wir wenigstens die sorgfältigsten Vorbereitungen treffen, um uns die möglichsten Chancen zu sichern.

Das ungestüme Vorwärtsstürzen allein thut es nicht, die größte Tapferkeit kann an einer Feuerzone von 1000 Schritt scheitern. Die Zeit, die wir darauf verwenden, den Angriff gut zu disponiren und einzuleiten, ist nie verloren. Auf viertel und halbe Stunden wird es sehr selten ankommen — wenn der Angriff noch nicht begonnen hat.

Also völlig klar durchdachte Disposition, die namentlich auf eine genaue Rekognoscirung des Terrains basirt ist. Der Vertheidiger sucht sich natürlich eine seine Feuerwirkung möglichst begünstigende Position aus. An vielen Stellen wird es dem entschlossensten Heldenmuth nicht möglich sein, gegen dieselbe vorzukommen, einzelne schwache Punkte hat aber jede Stellung. Diese mit scharfem Blick sofort herauszufinden, kann allein den Erfolg des Angriffs mit geringen Opfern möglich machen, während die größten Verluste unvermeidlich sind, wenn der Angreifer auf den richtigen Punkt erst durch die blutig abgeschlagenen Versuche hingewiesen wird, an anderen weniger günstigen Stellen vorzudringen.

Der Führer muß sich Zeit nehmen, die Unterführer genau zu orientiren und zu instruiren, und namentlich nicht die späteren Abtheilungen mit dem unbestimmten Befehle zur Unterstützung einzugreifen, in das Chaos hineinwerfen. Sollen diese ihre volle Gefechtskraft im Sinne der Führung verwerthen, so müssen ihre Kommandeure genau wissen, wie die Situation momentan liegt und welche Aufgabe ihnen mit Rücksicht dara gestellt wird.

Am besten ist es, wenn möglich, alle zur Durchführung des
griffs zu Gebote stehenden Truppen vorher bereit zu stellen

Dann können sich die Führer der später vorrückenden Abtheilungen
orientiren und in der richtigen Weise eingreifen — und zur rec
Zeit. —

Ein energisch ausgeführter Angriff reibt die Gefechtskraft einer Tr
enorm rasch auf. Sind daher die Unterstützungen nicht bei der Hand
kann es vorkommen, daß die engagirten Abtheilungen völlig geschlagen
den, bevor frische Kräfte anlangen, und so alle mit großen Verlusten er
ten Vortheile verloren gehen. Welche nachtheiligen Folgen aber selbst
günstigere Fall, daß die Truppen sich dem Feinde gegenüber noch bis zur
kunft der Verstärkungen halten können, für den ganzen weitern Verlauf
Gefechts hat, haben wir schon als eine Erfahrung des letzten Krieges her
gehoben.

Da durch den Einfluß des wechselnden Gefechts, die allgemeine A
sung der vordern Linie, die vielen Verluste an Offizieren und den fu
baren Kugelregen die Führung der kämpfenden Truppen so sehr erschwert
so muß bei der Disposition und während des ganzen Gefechts das Ha
augenmerk darauf gerichtet werden, den organischen Verband
Truppen, die gewohnten Kommandoverhältnisse möglichst zu
halten. Das Durcheinanderkommen verschiedener Truppentheile darf
Folge des heftig hin- und herwogenden Gefechts sein, die Führung muß
derselben Richtung grundsätzlich Theile desselben Truppenkörpers verwen

Dann werden die verschiedenen Kommandobehörden selbst im heftig
Gefecht noch funktioniren können, und außerdem wird das Sammeln
erleichtert sein.

Aus diesem Grunde wird sich jede größere Truppenabtheila
in die Tiefe gliedern, z. B. die Regimenter einer Brigade neben (
ander, mit den drei Bataillonen hinter einander.

Es liegt dabei allerdings auch eine gewisse Gefahr in dem en
Truppenverbande, dem Gefühl der Zusammengehörigkeit. Die rückwärt
Abtheilungen und der Kommandeur sind natürlich sehr geneigt, die vo
nothleidenden Kameraden zu unterstützen und vorzurücken, bevor es eigentl
nothwendig ist.

Andererseits ist man aber dadurch wieder mehr gegen ein zu spä
Eingreifen der Unterstützungen gesichert, was bei dem raschen Verbrauch
Truppen und den größeren Distancen jetzt auch leicht eintreten kann.

Von Anfang an darf ferner nicht zu viel eingesetzt werde
Die in den Kampf verwickelten Truppen erhalten ihre Direktion
Wesentlichen vom Feinde. Von rückwärts kann die Führung nur durch d
Einsetzen frischer Truppen auf den Fortgang des Gefechts Einfluß üben.

Der Angriff verbraucht nun aber sehr rasch die Gefechtskraft der engagirten Truppen, die Verhältnisse wechseln schnell und vielfach. Hier gilt es
einen drohenden Unfall abzuwenden, dort eine Linie zu unterstützen, die nicht
vorwärts kommt, dort einen errungenen Vortheil weiter auszunutzen; es
schmelzen der Führung die disponibeln Kräfte mit überraschender Geschwindigkeit zusammen.

Will sich dieselbe daher die Möglichkeit sichern, das Gefecht in der Hand
zu behalten, nach den sich entwickelnden Verhältnissen den eigenen Plan trotz
aller Querstriche von Seiten des Feindes weiter zu führen, und zur schließ-
lichen Entscheidung genügende Kräfte übrig zu behalten, so muß sie sich von
Anfang an möglichst viele Truppen reserviren.

Dem steht freilich entgegen, daß dann der Angriff, wenn man nicht sehr
überlegen ist, nur matt, ohne den nöthigen Nachdruck ausgeführt werden
kann — sofern man den Hauptstoß nicht auf eine schmale Front
beschränkt.

Letzteres steht unserer bisherigen Gefechtspraxis, wo wir uns weiter und
immer weiter ausdehnten, um den Feind zu überflügeln, zu umfassen und so
den schwierigen Frontangriff durch den Druck auf die Flanke zu erleichtern,
diametral entgegen. Diese Praxis setzt uns aber entschieden der Gefahr aus,
unsere langen, vom feindlichen Feuer erschütterten Linien durch einen energischen Stoß des Vertheidigers leicht gesprengt zu sehen, wenn wir uns nicht
durch die schmale Front des Hauptangriffs die genügenden Reserven sichern.

Wenden wir uns nun zur Ausführung des Angriffs.

Neben wenig Infanterie muß eine möglichst starke Artillerie
vorgehen und vorarbeiten, die feindlichen Geschütze zum Schweigen
bringen, die Deckungen zerstören, die Infanterie erschüttern. Später muß
sie mit der Infanterie weiter vorgehen bis an die Grenze des Gewehrfeuers,
um bis zum letzten Moment möglichst mitzuwirken, und sowohl die dem
Infanterie-Angriff so sehr fehlende Feuerwirkung zu ersetzen, als auch ihm
den nöthigen moralischen Nachdruck zu geben.

Liegen Hindernisse vor der feindlichen Front, so müssen
auch die Pioniere vorarbeiten.

Nach 1866 warf man ihnen ihre Unthätigkeit am Tage von Königgrätz
vor. Um für die Zukunft die Möglichkeit ihrer Verwendung zu erleichtern,
machte man die Kompagnien selbstständig, gab stets Pioniere in die Avantgarde. Die Sauer am 6. August 1870 erinnert sehr an die Bistritz vom
3. Juli 1866. — Die Infanterie schaffte sich trotzdem ihre Uebergänge selbst.

Hat die Artillerie hinreichend vorgewirkt, sind alle übrigen Vorbereitungen getroffen, etwaige Umgehungen genügend vorgeschritten, so tritt die In-
anterie als Hauptwaffe in das Gefecht.

27*

Damit steigert sich der Einsatz, große Verluste sind unvermeidlich
langsames Vorgehen kann dieselben nur vermehren. Je rascher der A
ausgeführt wird, desto eher bewahrt er sich den ihm eigenthümlichen Be
der Initiative. Die Entscheidung wird gegeben, bevor die Gegenmaß
des Vertheidigers zur Wirkung kommen.

Deshalb größte Energie in der Durchführung eines ei
begonnenen Angriffs; ohne jedoch Gefechtsleitung, Zusammen
Terrainbenutzung aufzugeben.

Zuerst macht sich unserer Infanterie die feindliche Artillerie beme
Im nächsten Kriege werden uns schwerlich wieder Geschütze gegenüberf
wie in dem vorigen, in deren Feuer unsere geschlossenen Bataillone
erhebliche Verluste vorrückten. Kleinere Kolonnen, Aufmarschiren in
gedecktes Heranschieben, selbst wo Umwege nöthig werden, müssen und
Vorkommen erleichtern. Die französischen Kolonnen wurden durch
Artilleriefeuer sehr oft auseinandergesprengt, und zwar schon in der
Periode des Krieges, die Truppen des Kaiserreiches.

Die Schützen gehen gleich auf wirksame Schußweite
selbst wenn wir ein sehr weittragendes Gewehr bekommen.

Das Feuer auf große Entfernung hat dem gut gedeckten Verthei
gegenüber geringe Wahrscheinlichkeit der Wirkung; die Munition wird u
verschwendet.

Unsere in dem Volkscharakter, wie in der sorgfältigen Ausbildung
gründete Ueberlegenheit im Feuergefecht kommt nicht zur Geltung.
erfahrungsmäßig geht die Ruhe bei den Leuten immer mehr verloren
länger sie selbst schießen. Eine Truppe, die auf weite Entfernung das F
beginnt, ist nur schwer und langsam näher heranzubringen. Die Ver
sind auch nicht geringer als wenn sie sofort auf wirksame Schußweite
gegangen wäre. Dabei hat sie, soweit vorgekommen, die Ruhe zu ziele
Feuer schon lange verloren.

Die Truppe dagegen die auf wirksame Entfernung erst das Feuer
öffnet, wird sicher Resultate und zwar in vielen Fällen sichtbare Resu
ihres Schießens erzielen und dadurch eher Vertrauen und Ruhe bewa
können. Auf den Feind macht das entschlossene Herangehen und das
beginnende wirksame Feuer einen nicht zu unterschätzenden, moralischem
druck.

Die erste Schützenlinie muß hinreichend stark sein, um bei
unvermeidlichen Verlusten den inneren Halt zu energischem Vorwärtsg
nicht einzubüßen.

In den Gefechten der zweiten Periode lösten wir stets ganze Kompag
außerhalb Gewehrschußweite auf und gingen in dichten Schwärmen vor;
drei Kompagnien aufgelöst nebeneinander, die vierte in Kolonne folgend.

Die Erfahrung hatte gezeigt daß die früher angewandte Formation, die Kompagnien mit einem oder zwei Zügen als Soutien ihren Schützen mit geringem Abstand folgend, Vieles gegen sich hat.

Die Soutiens hatten starke Verluste, die Zusammengehörigkeit mit der Schützenlinie zog sehr nach vorne, namentlich wenn der Kompagnieführer in der Schützenlinie war; sehr bald befand sich auch das Soutien in derselben. War der Kompagnieführer bei dem Soutien, um dieses nach dem Terrain zu dirigiren, so kamen die vorgerückten Schützen, welche sich nur nach dem Feinde richteten, dem Soutien nach wenigen hundert Schritt gewöhnlich aus den Augen. Doch das starke Auflösen von Anfang an, hat auch seine Nachtheile.

Die langen Schützenlinien sind fast ganz unlenksam; sie gehen in derselben Richtung vor, in welcher sie angesetzt sind, ändern dieselbe höchstens in der Art, daß sie sich durch das starke Feuer des Feindes anziehen lassen. Dieses ist aber meistens die allerungünstigste Richtung und hat die größten Verluste zufolge. Haben die Kompagnieführer in ihren Soutiens noch einen Theil ihrer Leute in der Hand, so werden sie diese nach der feindlichen Aufstellung und der Gestaltung des Terrains, wie es beim Vorwärtsgehen ihnen Vortheile zeigt, dirigiren und dadurch oft mit sehr geringen Verlusten nach solchen Punkten vorbringen können, von denen aus die Stellung des Feindes wirksam zu beschießen ist. Daß dabei die zuerst ausgeschwärmten Schützen von dem Soutien abkommen, wird allerdings manchmal nicht vermieden werden können.

Bei einigermaßen deckendem Terrain dürfte daher wohl unsere frühere Art des Vorgehens den Vorzug verdienen, um unsere Linie bis auf ca. 500 Schritt an den Feind in einer solchen Aufstellung heranzubringen, daß das Feuergefecht nun auch einen wirklichen Erfolg hat und daß zugleich die beste Richtung für ein weiteres Vorgehen durch die Gestaltung der Schützenlinie schon angezeigt wird.

Den Führern vorne stellt sich das Terrain oft ganz anders dar, wie es von weiter rückwärts erscheint; sie werden dann auf das fernere Vorgehen sehr vortheilhaft einwirken können.

Fürchtet man bei ganz offenem Terrain zu große Verluste für die nachfolgenden Soutiens, so wird man ganze Kompagnien in die Schützenlinie auflösen, diese aber nicht so dicht machen, um dann unter deren Schutze weitere Kompagnien vorzuschieben, die nun ein dem Terrain entsprechendes Zurechtrücken der ersten Schützenlinie zu möglichst günstiger Führung des Feuergefechts zu erreichen suchen.

Die Entfernung der einstweilen zurückbehaltenen Truppen von der kämpfenden Linie darf ziemlich groß sein, da letztere einem direkten feindlichen Vorstoß gegenüber, die Defensivkraft des Hinterladers für

sich hat. Nur in Bezug auf die Flanken ist sie sehr empfindlich, jeder D
darauf pflanzt sich successive auf die ganze Linie fort; dieselben mü
daher stets durch rückwärtige Abtheilungen gesichert werden.   Sind
Schützen einmal mit dem Feinde in Feuergefecht verwickelt, dann wer
die geschlossenen Abtheilungen mit geringeren Verlusten vorkommen kön
Bei St. Quentin am 19. Januar wurden auf dem rechten Flügel der
Division 2 Kompagnien 8. Rheinischen Infanterie-Regiments Nr. 70 i
gezogen, um die Batterien der Division vor feindlichem Infanteriefeuer
schützen. Ein Zug jeder Kompagnie ausgeschwärmt, zwei Züge geschlo
auf 100 Schritt folgend, erlitten diese in einer Entfernung von 800 Sch
beim Paffiren einer Höhe sehr starke Verluste, in wenigen Minuten 1/6 i
Effektivbestandes.   Die eine Stunde später über dieselbe Höhe vorgezoge
zwei andere Kompagnien des Bataillons verloren dagegen fast Nichts,
gleich die französische Aufstellung genau dieselbe geblieben war.   Die 1
merksamkeit der Franzosen war jetzt vollständig durch das Feuergefecht,
400 Schritt etwa, gefesselt.

Bei sehr offenem Terrain müssen die geschlossenen 2
theilungen sprungweise von Deckung zu Deckung avancir
Dabei stehen sich zwei Rücksichten gegenüber: man will mit möglichst gerin
Verlusten vorkommen, man will die Truppe fest in der Hand behalten. 2
erster Beziehung sind außer der umsichtigsten Benutzung des Terrains hau
sächlich die Schnelligkeit der Bewegung und die Verkleinerung des Ziels i
Wirkung. Je mehr man dem feindlichen Feuer ausgesetzt ist, desto m
muß man sich daher in kleinere Abtheilungen auseinanderziehen, ja selbst I
zur völlig aufgelösten Ordnung, wodurch auch das rasche Vorwärtskomm
befördert wird.

Mit jeder Theilung vermindert sich aber der Einfluß des Führers, m
muß daher stets von diesem Gesichtspunkte aus die momentane Beschaff
heit der Truppe mit in Betracht ziehen, daß man darin nicht zu weit ge
Bestimmte Vorschriften lassen sich für diese Art von Avanciren nicht geb
Alles hängt von der Umsicht und Ruhe der Führer, von der Gewandth
und Gefechtsdisziplin der Leute ab.

Ein pedantisches Festhalten bestimmter Formen und Abstände ist dur
aus verwerflich; es handelt sich ja vorläufig nicht um sofortiges Eingreif
in das Gefecht, sondern nur darum, mit möglichst wenig Verlust näher h
anzukommen, um dann vielleicht noch stundenlang hinter einer Deckung
warten. In einem Falle gingen bei dem Vorrücken einer Brigade ein
Kompagnien des rechten Flügels, um das Strichfeuer der Artillerie zu v
meiden, ca. 100 Schritt rechts, wo außerdem eine flache Mulde Decku
gewährte. Der Abstand dieser Kompagnien schien aber zu groß, man ho
sie näher heran und sie mußten nun in richtiger Entfernung ohne Deck

marschiren, wobei sehr bald eine Granate einschlug. Nachdem die Brigade 800 Schritte vorgerückt war, blieb sie über eine Stunde unthätig stehen. So sehr wird die Deckung wohl selten fehlen, daß die geschlossenen Abtheilungen, nachdem sie in irgend einer Formation rasch einige hundert Schritte freies Terrain überschritten haben, nicht eine Stelle fänden, wo sie, — und wenn sie sich hinlegen müßten, — vor dem feindlichen Feuer geschützt sind, um sich wieder zu formiren, Athem zu schöpfen und für neues Vorgehen zu orientiren.

Feindliche Kavallerie muß in aufgelöster Ordnung empfangen werden.

Im freiesten Terrain kann sie so abgeschlagen und vernichtet werden. Denn welchen Kugelregen schleudert nicht eine aufgelöste Kompagnie in zwei Minuten auf ein so kompaktes Ziel wie eine Eskadron, ein Kavallerieregiment? Nun halte man das andere Bild dagegen: sobald die Kavallerie erscheint, hört alles Schießen auf, die Infanterie läuft ängstlich in Knäuel zusammen, jeder andere Gefechtszweck ist nicht für zwei, nein für die nächsten zehn Minuten wenigstens aufgegeben. Denn so rasch ist in dem eingeschüchterten Knäuel der Eindruck der Attacke nicht abgeschüttelt, die frühere Formation und Thätigkeit nicht aufgenommen. Die Kavallerie wird abgeschlagen, doch ihre Verluste sind unerheblich bei der geringen Front, die zum Feuern kam. Dafür bieten aber die Knäuel der feindlichen Infanterie ein willkommenes, kaum zu verfehlendes Ziel.

So erging es den österreichischen Jägern bei Nachod im Gefecht mit unseren Dragonern und der Infanterie. Bei Wörth und Sedan haben unsere Schützenlinien die französische Kavallerie vernichtet. Theilweise blieben sie freiwillig aufgelöst, begünstigt durch das Terrain, theilweise machten sie aus der Noth eine Tugend. Die Kavallerie brach an mehreren Stellen so überraschend vor, daß an ein Zusammenlaufen gar nicht mehr zu denken war; auch waren einzelne Schützenschwärme durch rasches Vorgehen im feindlichen Gewehrfeuer so athemlos und so erschöpft, daß sie liegen bleiben mußten.

Was der Zufall gefügt, bewährte sich auf das Beste. Die Kavallerie wurde zusammengeschossen, unser Angriff ging dann sofort weiter.

Gegen die allein gefährlichen Attacke von der Flanke muß die Schützenlinie durch eigene Kavallerie oder nahe hinter den Flügeln folgende Infanterie gesichert werden.

Die Schützen suchen von der ersten Aufstellung auf 4—600 Schritt immer weiter vorzudringen, sobald ihr Feuer gewirkt hat, und es möglich erscheint. Dies geschieht bei ganz freiem Terrain sprungweise. Auf den Pfiff und das Beispiel des Führers springt Alles auf, läuft möglichst rasch bis zu einem vorher bezeichneten Punkte vor, wirft sich

dort nieder und eröffnet wieder das Feuer. In vielen Fällen wird
empfehlen, daß ein Theil, der eine günstige Stellung hat, liegen bleib
durch sein Verbleiben das Vorgehen der Anderen schützt.

Bei energischem Vorgehen in dieser Weise wird man den Berth
sehr rasch physisch wie moralisch erschüttern, so daß seine Feuerwirkun
ab- als zunimmt, wie uns die Schlachten des letzten Krieges stets be
haben. Je näher man herankam, desto schlechter schossen die Franzosen
sie die Ruhe verloren und losknallten ohne zu zielen.

Zu diesem Vorgehen wird es öfter nöthig sein, die Gefechtskraf
kämpfenden Linie durch neue Truppen aufzufrischen. Denn es ist sehr s
die aus einer Deckung feuernde Schützenlinie ohne den Impuls einer
Verstärkung vorzubringen.

Im Allgemeinen wird es sich dabei empfehlen, die Unterstütz
neben den kämpfenden Truppen in Thätigkeit zu bringen, um so konze
das Angriffsobjekt zu umfassen.

Dieses giebt bei geringeren Verlusten in der Regel eine raschere
kung als das direkte Hineinwerfen in die Gefechtslinie. Letzteres
verschiedene Truppentheile durcheinander und erschwert die Führung.
Ziel wird für den Feind kompakter und damit ganz sicher dessen Feuer
samer. Ob auch das eigene an Wirkung zunimmt, dürfte einem gutged
Vertheidiger gegenüber sehr fraglich sein.

Frische Truppen werden fast immer in aufgelöster Ordi
in den eigentlichen Kampf eingreifen.

Das feindliche Feuer würde sie sonst doch in kürzester Zeit auf
wie der letzte Krieg überall gezeigt hat; dem bloßen Versuch geschloss
bleiben, hat man dann den besten Theil der Gefechtskraft der Trupp
opfert. Die Möglichkeit, eine Salve zu geben, ist von so vielen gün
Umständen abhängig, daß es in Wirklichkeit fast nie dazu gekommer
Geschlossene Angriffe wurden auch nur unter ganz besonderen Verhält
nicht auseinandergesprengt.

Die Entscheidung wird durch das Vorstürmen der ga
kämpfenden Linie gesucht, in Form der Schwärmattacke.

Sehr gut ist es, wenn man dazu die nächsten geschlossenen Abtheil
heranzieht, um so mit der Aufmunterung durch die eben eingetroffene
stärkung auf den Feind loszugehen. Der Moment zum Vorstoß ist
kommen, sobald man sieht, daß der feindliche Widerstand unter dem
der immer näher sich heranschießenden Tirailleurs anfängt zu erlahmen,
dieser Moment muß sofort ausgenutzt werden.

Das Signal zum Angriff ist: „Das Ganze avanciren", aufgenou
von allen Hornisten; das Schlagen aller Tambours, allgemeines H
müssen helfen. Alles was vorne ist geht mit, Nichts bleibt zurück.

muß eben zur Entscheidung Alles einsetzen, was zur Stelle ist. Die Rücksicht auf ein Mißlingen lähmt die Energie des Angriffs. Gegen einen Rückschlag sichern die weiter zurück befindlichen Abtheilungen, die auf: „das Ganze avanciren;" ebenfalls antreten und dem Angriff die nöthige moralische Stütze geben. In allen Erzählungen spiegelt sich das unheimliche Gefühl ab, mit dem die Schützenlinien vorgingen, wo keine geschlossenen Abtheilungen als Rückhalt folgten, andererseits dagegen die gehobene Stimmung, sobald letztere nur in der Ferne ihre Bayonette zeigen.

Mit geschlossenen Kolonnen als eigentlichem Angriffskörper und Schützen als nebenbei wirkende Unterstützung wird man wohl nur unter ganz besonderen Umständen vorgehen dürfen.

Dagegen wird es sich oft bei der Schwärmattacke empfehlen, daß die Leute bei dem Vorwärtsstürmen zugleich nach ihren Offizieren zusammenschließen.

Die Leute fühlen sich dadurch kräftiger, es wächst jedem Einzelnen der Muth in der Brust; auf den Feind macht die geschlossene Masse einen größeren Eindruck. Die moralischen Faktoren sind aber in diesem Moment allein entscheidend.

Auch hat der Offizier dadurch nach gelungenem Angriff sofort Etwas für weitere Thätigkeit in der Hand. Dies ist zum Ausbeuten und zur Sicherung des errungenen Vortheils, namentlich bei unübersichtlichen Oertlichkeiten, wo sich die Leute so leicht verlieren, äußerst wichtig.

Nach Erreichung des Gefechtszwecks ist das Sammeln von höchster Bedeutung.

Der energisch durchgeführte Angriff bringt die dabei betheiligten Truppen in die vollständigste Auflösung, in der sie den vorliegenden Gefechtszweck zwar noch verfolgen, aber in jeder anderen Richtung ganz unverwendbar sind. Jeder untere Führer muß daher, sobald für seine Trennung kein Grund mehr vorliegt, sofort den Truppenverband aufsuchen; die höheren Führer haben ihrerseits als erste Nothwendigkeit nach jedem Gefecht das Absenden von Adjutanten ꝛc. ins Auge zu fassen, um die Truppen zu sammeln, wieder bereit zu stellen. Nach einer Entscheidung treten gewöhnlich längere Pausen ein, in denen leicht gar nichts geschieht, während doch das Gefecht jeden Augenblick wieder neue Anforderungen machen kann.

Die Truppen, die sich aus dem Terrain allmälig zusammenfinden, bekommen frischen Kampfesmuth, wenn sie sich wieder in großen Haufen sehen. Jeder abgekommene Trupp hält sich für den Rest seiner Kompagnie, seines Bataillons; der Kommandeur mit einer Hand voll Leute fühlt seine Ohnmacht. Sammelt sich nun aber Alles, was sich im Terrain weit zerstreut hat, so kehren mit der Masse und der Ordnung auch Muth und Thatkraft

den Leuten wie den Führern zurüd
mit der fie rechnen kann.

Der Frontal-Angriff gegen [
zwar keine neuen, aber doch viel fd
er eine ganz andere Auffaffung
Defenfive günftigen Terrain ift
die Bataillons-Kolonne, beim Ang
und Bewegung von Truppen, fom
wehrfeuer fchützen. Im Bereich
Ordnung anzuwenden, und noch
600 Schritt vom Feinde. Im Gege
ebenen Terrain das zerftreute G
in coupirtem Terrain die gefchlo
als Gegengewicht gegen die allg
wenden ift.

Der gefteigerten Bedeutung
auf die Ausbildung der Infanteri
werden, damit diefe feine Vortheil
winden lernt.

Durch das Löfen des Zwang
Kommandos, kommt die Selbftft
Körper- und Geiftesfräften zur G
defto mehr fteigert fich durch die
Leiftungsfähigkeit einer Truppe.

Deshalb möglichfte Ausbildu
Offiziers, in jeder Richtung, die [
Kräfte zum felbftftändigen Handel

In diefer Beziehung thun wi
Schießen, Felddienft und Inftrukti
letzten Schritt. Die mit größter
Leute nicht felbftftändig im Gefech

Zu diefem Zweck müßte ihre
Denken angeregt werden. Der Un
Wie oft wird derfelbe aber nicht [
digbehalten das einzige Ziel fchein
befördert wird.

Der Sicherheitsdienft, den un

hat, ist fast das Einzige, was zum Denken anregend, vom Offizier vorgetragen wird. Ueber das Gefecht selbst, erfährt der Soldat gar nichts darin.

Warum soll man aber nicht, anknüpfend an vorhergegangene Uebungen im Terrain oder an detaillirte Gefechtsschilderungen, dem Soldaten einzelne Gefechtsverhältnisse klar zu machen suchen. Z. B. Wirkung des Flankenfeuers, Bedeutung eines Defilees u. s. w.

Der Hauptzweck dabei ist, daß der Verstand geschärft, daß der Mann gezwungen wird sich in die Uebungen des Tages wieder hineinzudenken, sich taktische Verhältnisse vorzustellen, ein Urtheil zu bilden. Dabei wird man auch auf die Hebung der moralischen Kräfte, des Ehrgefühls, Patriotismus ꝛc. einwirken können, die doch im Ernstgefechte eine sehr hervorragende Rolle spielen.

Die Hauptsache bei der individuellen Ausbildung sind natürlich die Uebungen im Terrain, wo sich der Schütze selbstständig zu benehmen lernt. Dabei sind die Gruppenführer oft eine gefährliche Klippe.

Nur mit ihrer Hülfe glauben wir die zerstreuten Schützen in der Hand behalten zu können. Wir betrachten daher die Gruppe als niederste Einheit, und wenden uns zu wenig an das Verständniß der einzelnen Leute. Diese erfahren meisten gar nicht, um was es sich handelt, worauf es hauptsächlich bei dem eben Geübten ankam, welche Fehler gemacht wurden. Sie gewöhnen sich, am Gängelbande geführt zu werden, sie haben ja den Gruppenführer, der für sie denkt.

Im Offensivgefecht giebt es aber nach wenigen Minuten keine bestimmten Gruppen mehr. Hier genügt zufällig eine Deckung für zwei Rotten, die andern finden Deckung bei der Nebengruppe; einzelne fallen, die Muthigen dringen rascher vor. Es hieße der Spannkraft des zerstreuten Gefechts die schwersten Fesseln anlegen, wollte man pedantisch an der äußern Form festhalten. Jeder Einzelne ist im Wesentlichen auf seine eigene Kraft gestellt, er handelt, wie Verstand und Muth es ihm eingeben. Hier und da bilden sich neue Gruppen im Wechsel des Gefechts, bei denen aber nicht immer ein Unteroffizier ist, um das Kommando zu übernehmen. Dann fällt es von selbst dem tüchtigsten Manne zu, welchem die Andern in dem Bedürfniß nach Leitung gern gehorchen. Dies kann sehr leicht in Momenten oder an Punkten sein, die entscheidend ins Gewicht fallen.

Hat man nun durch Theorie und Praxis die Leute zu selbstständiger Thätigkeit im Gefecht heranzubilden gesucht, so wird, wenn nicht Mangel an Zeit und den zum Ausbilden geeigneten Kräften oder die Beschaffenheit des Ersatzes zu sehr im Wege standen, sich in jeder Kompagnie ein genügender Prozentsatz von solchen finden, die nach Charakter, wie Verstandesentwickelung für das richtige Handeln der ganzen Schützenlinie eine wesentliche Hülfe bieten.

Die Wichtigkeit der Unteroffiziere beruht wohl weniger in der Führ
von bestimmten Gruppen, als in dem durch Stellung, Erfahrung und ge
teren Charakter gesicherten Einfluß auf die in ihrer Nähe befindlichen Sch
Sie sind die Hauptstütze des Offiziers für seine Einwirkung auf die Sch
linie, sind die Ersten, die ihm folgend durch ihr Beispiel die Leute fortre
sie müssen ihn eventuell vertreten können.

Dazu gehört, daß man im Frieden ihr Verständniß für taktische &
hältnisse und das Terrain zu entwickeln, und sie auch geistig und mora
zu heben sucht.

Für die vollste Entfaltung aller Kräfte des zerstreuten Gefechts
aber namentlich die Zug- und Kompagnieführer von der größten Wichtig
Sie müssen von dem regsten Trieb zu selbstständiger Thätigkeit durchdrun
sein, um jede Gelegenheit zum Handeln sofort zu ergreifen. Sie müssen
entwickeltes, taktisches Urtheil haben, damit sie die Gefechtsverhältnisse ü
sehen und danach disponiren resp. in das Gefecht richtig eingreifen köm
wo sich eine günstige Gelegenheit zum Unterstützen anderer Abtheilungen,
Benutzen einer Blöße bei dem Feinde bietet. Sie müssen endlich einen sc
fen Blick für das Terrain haben, um auch in der Aufregung des Kamp
die geringsten Vortheile, welche es bietet, herausfinden zu können.

In dieser Beziehung wäre namentlich eine bessere Heranbildung der
serve-Offiziere von größter Wichtigkeit. Sie müssen sofort einen Zug,
der ersten Schlacht, bei bedeutenden Verlusten selbst die Kompagnie in
ferneren Schlachten führen.

Doch diese individuelle Ausbildung zur Selbstthätigkeit birgt zugl
für das Ganze eine große Gefahr in sich.

Die Leitung des zerstreuten Gefechts ist schon durch die Ausdehnung
Raume, namentlich bei coupirtem Terrain, und durch die fast totale In
spruchnahme der Schützen von Seiten des Feindes, äußerst erschwert.
mehr nun jeder Einzelne zu selbstständigem Handeln herangebildet ist, b
näher liegt ihm die Versuchung, sich von der Führung zu emanzipiren
seine Selbstständigkeit möglichst auszunutzen. Ordnung und Leitung sind
durch natürlich um so gefährdeter.

Diese müssen aber durchaus erhalten werden, soll die größere Krafte
wickelung durch die individuelle Ausbildung wahrhaft nützlich werden.

Beide einander widersprechenden .Gesichtspunkte hat also die Ausbildu
in's Auge zu 'fassen.

So ganz gehen dieselben indessen doch nicht auseinander; denn abgese
davon, daß überhaupt die Selbstthätigkeit der unteren Glieder die Führ
von aller Sorge für die Details der Ausführung entlasten muß, sind ger
durch die größere, individuelle Ausbildung der Einzelnen diese in den St
gesetzt, da, wo die Führung im Laufe des Gefechts momentan verloren

gangen ist, im Sinne derselben handelnd, sie zu ersetzen; wo sie sich geltend zu machen sucht, kommt ihr das Verständniß auf halbem Wege entgegen. Letzteres ist aber so sehr wichtig, da in der eigentlich kämpfenden Linie der Führer fast allein auf das eigene Beispiel und Einwirkung auf die nächsten Leute beschränkt ist, und höchstens noch Befehle die Linie entlang weiter gegeben werden können.

Vielfach ist die Ansicht verbreitet, daß gerade wegen des jetzt so vorherrschenden zerstreuten Gefechts die Truppe noch mehr als bisher im strammsten Schulexerciren zusammengearbeitet werden muß, um die Disciplin und das Gefühl der Zusammengehörigkeit möglichst zu verstärken. Sicherer und rascher dürfte aber doch der direkte Weg zum Ziele führen, daß eine gut eingedrillte Truppe nun auch in aufgelöster Ordnung dem Führer in die Hand arbeitet, und man so eine weniger äußerlich sichtbare, aber doch im Gefecht viel wirksamere Disciplin und zuverlässigere Ordnung schafft.

Es tritt daher als zweites, viel schwerer zu erreichendes Ziel der Ausbildung, nachdem die Truppe in geschlossener Formation disciplinirt und auf die schärfste Ausführung der bestimmten Kommandos einexercirt worden ist, die Disciplinirung ohne Hülfe der Form hervor, und die Ausbildung für geordnetes, selbstständiges Handeln bei viel loserer Einwirkung der Führung.

Dieses Ziel läßt sich am besten durch die nach der ausgezeichneten Methode von Waldersee betriebenen Gefechtsübungen erreichen.

Mit den kleinsten Abtheilungen beginnend, bildet man systematisch Leute, Unteroffiziere, Offiziere in jedem Terrain, zu vollster Befähigung für alle Anforderungen des Gefechts aus. Man übt jeden einzelnen Gefechtsmoment so lange, bis Alles mit Ruhe, Ordnung und Zusammenhang ausgeführt wird, bis man sieht, daß Jeder an seinem Platze selbstthätiges Urtheil und Handeln mit der Unterordnung unter die Führung richtig zu vereinigen weiß.

Ein markirter Feind oder eine größere Abtheilung, die aber nur nach den Weisungen des Führers handelt, helfen die taktischen Voraussetzungen und den Zweck der Bewegungen den Leuten möglichst klar zu machen, das Verständniß für das „Warum" jeder einzelnen Bewegung zu wecken. Große General- und Spezial-Ideen sind nicht nothwendig.

Die Verhältnisse muß man natürlich denen des Ernstgefechtes möglichst ähnlich machen.

Die Aufstellung des Feindes, unser Platz in der Schlachtlinie, weisen uns ein bestimmtes, oft sehr wenig prononcirtes Terrain an. Deshalb suche man in der Garnison für die weiter vorgeschrittenen Friedensübungen nicht so eifrig nach ganz scharf ausgeprägten, günstigen Terrainformationen. Man bestrebe sich im Gegentheil, die Truppen so auszubilden, daß sie auch dem ungünstigsten Terrain seine vortheilhafte Seite abzugewinnen verstehen.

Dies wird im Ernstgefecht dem auf die **Stärke des Terrains** ver
den Feinde doppelt imponiren. Es ist auch allein im Stande, den
das Terrain genügend zu entwickeln, ferner der Sorge abzuhelfen, wo
Terrain zu den Friedensübungen finden könne.

Das Ernstgefecht wird in sehr langen Schützenlinien geführt, die ver
schiedensten Truppentheile mischen sich bei längerer Dauer durcheinand
Solche Verhältnisse muß man daher auch absichtlich hervorrufen, um einig
maßen Ordnung und Zusammenhang einzuüben, und wenigstens den Gei
der Führer wie der Leute auf die in schwierigem Gefecht unvermeidlich
scheinbar aller Leitung spottende Unordnung vorzubereiten.

Dann wird diese im wirklichen Gefechte nicht so leicht verblüffend u
entmuthigend wirken; Alles wird sich leichter in die Lage finden und au
den erschwerten Verhältnissen so viel als möglich zu leisten suchen.

Ein nur an die Exercirplatz-Ordnung gewöhnter Kompagnieführer wol
von einer Waldlisiere aus eine feindliche zur Attacke gegen diesseitige Kava
lerie auf 300 Schritt vorbeisausende Schwadron beschießen. Die Kompagr
sollte sich rasch zur Salve in Linie entwickeln.

Es machten aber die durch den Anblick der Kavallerie im höchsten Gra
aufgeregten Leute der hinteren Züge zu früh die Frontwendung, bevor f
die ganzen Züge Platz gewonnen war. Die Gelegenheit zur Salve auf d
Feind ging ungenützt vorbei, weil zuerst die vollständige Ordnung wied
hergestellt werden mußte.

Die Gefechtsübungen werden vielfach den Charakter von Gefechtsexerci
tien annehmen, um eben Ordnung und Zusammenhang bei den Bewegung
möglichst einzuüben; manche Sachen werden auch förmlich einexercirt werd
müssen, z. B. das abwechselnde Vorlaufen und Hinwerfen der Schützen zu
Avanciren in offenem Terrain, das zerstreute Vorgehen der Soutiens u
ihr Sammeln in einer vorausbezeichneten Deckung rc.

Ein scharfer Unterschied zwischen Gefechtsübungen und Gefechtsexercir
läßt sich überhaupt nicht machen. Unser jetzt gebräuchliches Gefechtsexercir
muß mehr den Charakter solcher Uebungen annehmen.

Was heißt überhaupt Gefechtsexerciren?

Ueben von Bewegungen mit untergelegter Gefechtsidee.

Diese Bewegungen werden aber doch möglichst so zu üben sein, wie
sie auch im Kriege machen würden.

Da nun aber ein Terrain, wie es der Exercirplatz bietet, im Ernstg
fechte äußerst selten vorkommen wird, so kann ein Gefechtsexerciren im streng
sten Sinne des Worts auf dem Exercirplatz kaum stattfinden, wenigsten
müssen wir es nur als vorbereitende Stufe, das Gefechtsexerciren im Te
rain als die Hauptsache betrachten.

Wie anders instruktiv ist ein nach dem Terrain ausgeführter Flanken-angriff einer Kompagnie-Kolonne, als der des Exercirplatzes?

Im Terrain allein können die Kolonnen die für das Gefecht so noth-wendige Uebung erlangen, auf schwierigem Boden in Ordnung ohne unnützen Kraftaufwand rasch eine größere Strecke zurückzulegen, was für ein gut ein-gedrilltes Bataillon so leicht scheint und so schwer ist.

Hier allein kann der Bataillons-Kommandeur die Hauptleute einüben, seine Gefechtsideen rasch und genau aufzufassen und völlig durchzuführen, und doch dabei mit voller Bethätigung des eigenen Urtheils nach Terrain und Feind ihre Kompagnien zu leiten.

Bei unserer jetzigen Ausbildungsweise gehen wir vom Exercirplatz fast ohne Zwischenstufen sofort zu den Felddienstübungen mit dem speziellen Zweck der Ausbildung der Führer über, zu den Unteroffiziers- und Offiziers-Auf-gaben. Bei denselben glauben wir allerdings noch als zweiten Zweck die Ausbildung der Truppen im zerstreuten Gefecht erreichen zu können.

Doch diese kommt in der Regel zu kurz. Es wird auf die richtige Auf-fassung der allgemeinen Situation und des Spezial-Auftrages, eine entspre-chende Disposition und gute Einleitung des Gefechts gewöhnlich das Haupt-gewicht gelegt. Sind die Truppen aneinander, so wird die Uebung abgebro-chen, um ein unnatürliches Bild zu vermeiden, oder weil die Unordnung zu groß ist. Der Führer hat ja schon gezeigt, ob er einen Auftrag richtig auf-fassen kann.

Außerdem herrscht bei allen diesen Uebungen eine große Abneigung, Viel aufzulösen.

Man weiß eben, wie rasch die im Terrain so wenig geübten Truppen aus der Hand kommen. Wird auch wirklich bei größeren Uebungen ein Ge-fecht völlig durchgekämpft, so überwiegt natürlich die Rücksicht auf den zu-gleich handelnden Gegner und auf die ungestörte Ausführung der einmal ge-troffenen Dispositionen so sehr alles Andere, daß es nicht möglich ist, irgend eine Bewegung, die unordentlich, übereilt, mit mangelhafter Benutzung des Terrains, Ignoriren des feindlichen Feuers, ausgeführt worden ist, noch ein-mal zu machen. Man ist zufrieden, wenn es nothdürftig geht, und vergißt ganz, daß im Frieden sehr gut geübt sein muß, was auf dem Schlachtfeld irgend erträglich ausgeführt werden soll. Namentlich mit unseren Leuten im-provisirt sich sehr schlecht.

Auch ist die Ausführung selbstständiger Aufträge im Kriege doch nur Ausnahme, und die Ausbildung der niederen Chargen zu dieser vollen Selbst-ständigkeit, einer Art Feldherrnthätigkeit, daher nicht so wichtig. Die Haupt-thätigkeit der Truppen besteht immer darin, einen einzelnen Gefechtsmoment neben andern Truppen, und vor oder nach denselben durchzukämpfen, und die Ausbildung hierfür ist sicher die erste Nothwendigkeit.

Dann erst haben die eigentlichen Feldbienstübungen und Manöver
vollen Nutzen. Die Führer können sich dann mit der Führung
beschäftigen, werden nicht mehr durch die Fürsorge für die Art der
rung abgezogen, finden im Gegentheil brauchbare, selbstthätige Werkze
Die Unterführer und die Truppen selbst bekommen die letzte, abgesehen
den Kugeln, ganz kriegsgemäße Ausbildung.

Indem wir in dieser Weise unsere Infanterie zu befähigen suchen,
den geringsten Verlusten, und größter Entfaltung aller Kräfte im Zusam
wirken auf ein Ziel das Gefecht zu führen, erreichen wir zugleich, daß ei
andern Nachtheil des zerstreuten Gefechts entgegengearbeitet wird, der ge
gen moralischen Kraft der Schützenlinie.

Die menschliche Natur ist so organisirt, daß Jeder im engen Zusam
sein mit Andern sich sicherer fühlt, mehr Muth hat.

Wie das schon im gewöhnlichen Leben vielfach hervortritt, so nam
lich auf dem, alle menschlichen Schwächen so gewaltsam hervorziehen
Schlachtfelde.

Die Schützenlinien haben sowohl zum Angriff, als auch zum Sta
halten gegen feindliche Vorstöße wenig innern Halt. Dies hat uns der l
Krieg in der ersten Periode, wo uns noch tüchtige Soldaten gegenüberstand
vielfach gezeigt.

Die moralische Kraft einer Truppe, ihre Fähigkeit, die Eindrücke
Gefechts zu überwinden, beruht, wenn wir von dem erwähnten Einfluß
Formation (geschlossen oder aufgelöst) absehen, auf der geistigen Beschaff
heit des Einzelnen, auf der Disciplin und auf der Gewohnheit der taktis
Form, in welcher die Truppe kämpft.

Je tüchtiger der Einzelne in geistiger und moralischer Beziehung
worauf die drei Jahre Friedensausbildung so sehr einwirken können, be
eher wird er des dichten Zusammenseins mit Andern entbehren können, u
in seiner eigenen Mannhaftigkeit und Willensstärke die Kraft finden, e
Anwandlungen von Unsicherheit und Furcht zu unterdrücken, seine sinnl
Natur zu beherrschen.

Um so leichter wird dies aber sein, wenn sich die Truppe im kritis
Momente in einer Formation befindet, welche ihr im Frieden zur Gewo
heit geworden ist, in der sie bei Scheingefechten die schwierigsten Aufgaben
erfüllen gelernt hat.

Wenn im Frieden der Schützenlinie nie das Soutien fehlt, welches
drohendem Angriff sofort vorrückt, wenn weitere geschlossene Abtheilung
stets bei der Hand sind zum Salvenfeuer und Gegenstoß, wie soll sich
Kriege eine auf sich ganz allein angewiesene aufgelöste Linie zu dem Geda
ken erheben können, daß sie in ihrem Feuer völlig genügende Kraft besit
um jeden Angriff zurückzuweisen?

Wenn Schützen nur gewohnt sind, Attacken zu machen als Begleitung von geschlossenen Massen, wenn sie erzogen sind zu dem Gedanken, ihre Wirkung als Nebensache, die Kolonnen als die Hauptsache zu betrachten, so ist es eine kolossale Zumuthung an ihre moralische Kraft, wenn sie, nur auf sich selbst angewiesen, zur Attacke vorgehen sollen.

Consuetudo est altera natura, sagten die schlachtenerfahrenen Römer. Nur die Gewohnheit kann der in der Natur des Menschen begründeten Schwäche entgegenarbeiten.

Im letzten Kriege hing übrigens die moralische Schwäche der Schützen viel mit den großen Verlusten zusammen, welche sie vorher in den geschlossenen Formationen erlitten hatten.

Die schwerste Anforderung im zerstreuten Gefecht, das Aufstehen, Vorgehen aus einer Deckung, müßte nach bestimmten, reglementsmäßigen Kommandos vollständig einexercirt werden, damit es die Leute maschinenmäßig ausführen, und die moralische Kraft an der Gewohnheit und dem Kommando eine Stütze findet. 154.

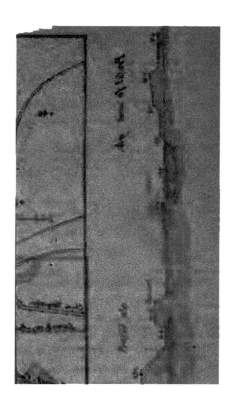

Betrachtungen über die Verhältniſſe der preußiſchen Pferdezucht und die an ſie zu ſtellenden Forderungen.

Nachdruck verboten. Ueberſetzungsrecht vorbehalten. Die Redaktion.

Wir ſind ſeit einiger Zeit wieder in eine der Perioden eingetreten, in denen beſtimmte Themata auf die Tagesordnung geſetzt ſind, Gegenſtand lebhafter Verhandlung bilden und die Gemüther der Intereſſirenden oft über Gebühr erregen.

So hat der gegenwärtige Stand der Pferdezucht Anlaß geboten, von den verſchiedenſten Geſichtspunkten aus betrachtet und öffentlich erörtert zu werden. So war es ſchon in den Dreißiger Jahren, als der Werth des Vollbluts als Zuchtmaterial und der Renner als Prüfungsmittel, zur Anerkennung kam, dabei jedoch von hochgeſtellten Enthuſiaſten gleich ſo übertrieben und rückſichtslos angeprieſen wurde, daß alles Andere für werthlos gehalten werden ſollte. „Vollblut und Rennen“ war die ausgegebene Parole, wer ihr nicht folgte, war ein Stümper oder Ignorant, wurde verlacht und verhöhnt.

Preußens gute Natur hat auch über dieſen gefahrdrohenden Sturm hinweggeholfen. Dem Vollblut iſt ſein Recht wiederfahren, es hat überall da wo es hinpaßte und Nutzen ſtiften konnte, Anwendung gefunden; die Rennen haben in gebührenden Grenzen eine geſunde Entwickelung erlangt und den Schaden nicht geſtiftet, der bei übertriebener Ausdehnung gewiß entſtanden ſein würde.

Ueber alle dieſe Dinge iſt damals und ſpäter viel debattirt und geſchrieben worden. Eine Zeit lang war Waffenſtillſtand. Die heutige Welt kann aber Ruhe nicht vertragen, es muß immer wieder etwas auf's Tapet gebracht, zum Widerſpruch und zur Diskuſſion angeregt werden.

Erfahrungsmäßig beginnt die Sache mit Angriffen auf das Sein
dessen schwache Seiten mit Geschick, zum Theil auch mit richtiger Sad
niß dargelegt werden, woran sich alsdann die dem erfinderischen Kop
sprungenen Verbesserungs-Vorschläge anknüpfen.

Andersgläubige suchen hiernächst die aufgestellten Thesen zu entl
also zu bekämpfen und so entsteht die Debatte, die sich dies Mal nie
die Literatur beschränkt hat, vielmehr ihren Kampfplatz in engere, e
Bestimmungen gewidmete Räume verlegt hat.

Den Fachmännern sind ebensowohl die in geschlossenen Räume
pflogenen Verhandlungen, als die auf dem weiten Gebiete der Pre
Tage geförderten sehr abweichenden Anschauungen hinlänglich bekannt, n
hier nochmals wiederholen und speziell besprechen zu sollen.

Wir beabsichtigen die Bedürfnißfrage, als vorwaltend wichtig, nä
Betracht zu ziehen und aus ihrer Beantwortung erst die Folgerunge
ziehen, welche die Maßregeln betreffen die zur Befriedigung jener B
nisse erforderlich sind, womit sich eine Beurtheilung und Besprechung
bereits vorhandenen Grundlagen, also des Zuchtmaterials, der Bet
weisen und ihrer Hülfsmittel, von selbst verbindet.

Die Pferdezucht ist ein Betriebszweig der Landwirthschaft, bei we
gleich wie bei hundert andern Gewerben, auf einen Ueberschuß über di
zeugungskosten, also auf eine Rente, einen Gewinn gerechnet wird.

Von dieser allgemeinen Regel wird aber doch oft abgewichen, wei
Pferd mit seiner Schönheit und seinen edlen Eigenschaften sich über e
Produkte erhebt, Gegenstand spezieller menschlicher Neigung ist und be
nicht mit Unrecht, bei Erwägung der Finanzfrage ein Auge zudrücken l

Wir sagen „nicht mit Unrecht" und glauben diese Annahme
motiviren zu können, daß die Pferdezucht in der That vielen Genuß
Befriedigung gewährt, wofür der Züchter schon eine mäßige Summ
das Konto Kredit stellen oder einen Verlust als dadurch ausgeglicke
trachten kann. Es giebt ja noch andere Produktionszweige, wo gleiche
schieht und bei denen dem rein kaufmännischen Kalkül sein Recht nich
geräumt wird, wir weisen nur auf Kunst und Wissenschaft, wie au
Gärtnerei hin. Auf die hohe Freude die dabei genossen wird, muß
mitgerechnet werden, man kann sie nicht umsonst verlangen. Wer n
wohl bestreiten daß die Zucht schöner Pferde, ihre Benutzung und Be
lung, hohen Genuß bereitet?

Selbst der weniger an edlere Genüsse gewöhnte kleine Züchter,
Bauer, hat sein Wohlgefallen an seinen Pferden, freut sich herzinnig
ihm ein hübsches Fohlen geboren wird, wenn es sich gesund und kräftig
wickelt; lange Zeit beschäftigt ihn der Gedanke an die einstige Ver

ober Selbstbenutzung; beim unerwarteten Mißlingen richtet die Hoffnung sich bald auf ein anderes Exemplar — die Geduld reißt nicht ab.

Wer mit den Verhältnissen der Pferdezucht in großen Kreisen vertraut ist, wird zugeben müssen, daß unter den Tausend und aber Tausenden von Züchtern sich eine beträchtliche Zahl befindet, die vorstehende Ansicht rechtfertigt.

Der Erwerbsgewinn d. h. die Einträglichkeit des Betriebszweiges, wird und muß selbstverständlich die Regel bleiben, von der jedoch gerade bei der Pferdezucht, wie eben erwähnt, zahlreiche Ausnahmen vorkommen und ferner vorkommen werden, weil der Faktor der Annehmlichkeit mit in Berechnung tritt.

Wenn nun dieser Regel nach, die Pferdezucht in der Absicht betrieben wird, aus den Produkten Einnahmen zu erzielen, welche die Herstellungskosten decken und auch noch einen Ueberschuß abwerfen, dann handelt es sich zunächst um die spezielle Art oder Gattung von Pferden, die gezogen werden sollen. Diejenige wird allemal die meiste Aussicht auf Vortheilhaftigkeit gewähren welche am begehrtesten ist und deshalb am höchsten bezahlt wird.

Dabei sind einerseits die gegebenen Verhältnisse: Boden, Nährmittel und schon vorhandenes Zuchtmaterial, andererseits, wenn letzteres fehlt oder erneut werden soll, die disponiblen Geldmittel maßgebend. Beides kommt jedesmal im speziellen Falle in Betracht, kann aber bei Besprechung der Zuchtrichtung im Allgemeinen noch nicht mit berücksichtigt werden.

Das begehrteste Pferd wird immer das sein, welches bestimmten Zwecken und Anforderungen am meisten entspricht, es mag dieser oder jener Gattung angehören.

In welchem Maße die eine mehr als die andere begehrt ist, oder späterhin sein wird, läßt sich im Großen und Ganzen nie feststellen, um dauernd zutreffende Pläne darauf gründen zu können. Es findet vielmehr ein stetes Schwanken statt, auf das die jeweiligen Ansichten der Konsumenten (Pferdegebrauch) mächtigen Einfluß ausüben. Selbst die Mode spielt eine Rolle dabei.

Dieser Wechsel tritt nicht in kurzen Fristen, wohl aber in Decennien ein, immerhin in Zeiträumen, die nicht lang genug sind, um den Producenten, namentlich den großen, Garantie zu bieten, daß die einmal gewählte Art, auch dauernd die begehrte, bestbezahlte bleiben wird.

Vor langen Jahren stand die Kenntniß des Pferdes beim großen Publikum noch auf sehr niedriger Stufe, von harmonischem Bau, Kraft und Gängigkeit war wenig die Rede. Feinbeinigkeit galt als gutes Zeichen und Stallwuth steigerte das günstige Urtheil. Später kam die Größe, die Kraft und elegante Form mehr zur Anerkennung; in neuerer Zeit genügte letztere immer weniger, weil die Anforderungen an die Bewegung schwerer Lasten

mächtig stiegen, mit ihnen die an Größe, Breite und
lich resultirende mehrere Kraft.

Damit begann die Periode der starken Nachfrage und
Vorliebe für die Zucht der schweren Arbeitsschläge.

Man hat mit Dänen angefangen, sie auch wiederholt ver
erfolgreiche Versuche mit Suffolks gemacht und dann in erhebli
französische und belgische Hengste gekauft; die sogenannten Per
besonders beliebt.

Wohl mehrte sich auf diesem Wege die Menge der ins G
den, fleischigeren, breiteren und dickbeinigeren Pferde, neben
aber eine Unzahl von Bastarden, die in die Kategorie der Ke
hörten. Solche Produkte hatte Niemand beabsichtigt, sie wa
erklärliche Resultat der Paarung ganz heterogener Thiere, plu
weise nur Masse darbietender Hengste mit Stuten schon
feineren, schmaleren und ganz entgegengesetzt geformten Schlag

Mit der Zeit kann der geschickte Züchter in mehreren Gene
ein vorgestecktes Ziel erreichen — die Zeit dauert aber zu l
rechte Geschick ist nur selten vorhanden, darum kamen die
Percherons bald in schlechten Ruf, es wurde auch von Sachsen
daß diese letztere sogenannte Race, als eine konstante, recht ve
gar nicht existire. Gewandte, die günstige Konjunktur benu
hatten ganze Mengen von schweren Hengsten des normännische
die deutschen Märkte geworfen, deren Käufer durch die M
wurden und sich wenig darum kümmerten, welcher französische,
gar rheinische Bauer den Gaul aus obskuren Eltern gezogen

Da pflegt die Strafe für Nichtbeachtung fest angeerbter
nicht auszubleiben. Es sind mitunter Produkte in die Welt
denen die Frage aufgeworfen werden konnte: ob nicht in der
Elephant oder Kameel einmal mitgewirkt habe, d. h. ein Ver
den neuern Naturphilosophen angenommenen Zusammengehörigkei
arten resp. deren Abstammung von einer Art, darin zu finden

Daß mit Geschick und Aufwendung von viel Zeit und G
anfänglich heterogenen Schlägen gute Mittelformen erzielt wo
läßt sich wissenschaftlich nicht bestreiten und ist häufig prakti
Die älteren, hochintelligenten Züchter Englands geben die schla
spiele davon und zwar vorzugsweise in den verschiedensten Gebr
So erhaben ihre Leistungen im Vollblut sind, so haben sich
nicht auf die Bildung konstanter, für den einen oder andern Z
weise geeigneter Formen, sondern hauptsächlich nur auf
des Blutes ausgedehnt.

Der große Vortheil den die Rennen darboten, veranlaßte zur Kultivirung der die Schnelligkeit und dazu nöthigen Kraft bedingenden Eigenschaften, ohne besondere Rücksichtnahme auf Form und Leistung für gewöhnliche Gebrauchszwecke. Wenn durch die Rennen und die mit ihnen zu erzielenden Gewinne, nicht ein so mächtiger Einfluß auf die Ausbildung der speziell dafür erforderlichen Eigenschaften ausgeübt worden wäre, dann hätte das schöne Material Gelegenheit genug geboten, konstante Formen auch im Vollblut zu bilden, die sich für den einen oder andern Zweck bestimmter eigenen. Die Träger solcher Formen, mit denen die Leistungen selbstredend übereinstimmen müßten und würden, dürften ohne Zweifel auf sehr hohe Preise und zwar ohne die Chance des Mißrathens, die bei der Zucht für die Rennbahn nicht ausbleibt, zu rechnen gehabt haben.

Welch' hohen Werth hätten nicht Zuchtpferde solchen Ursprungs? Von ihnen könnten unsere Gestüte weit sicherer wirksame Erfolge erwarten, als von manchem berühmten im Pedigree und der Rennleistung hervorragenden ebenfalls theuer zu bezahlenden Thiere, von dem nicht vorauszusetzen ist, daß seine Eltern und Voreltern ihm glichen, also für die Wiederkehr derselben Formen und Eigenschaften Gewähr leisten.

Die von neuern Hippologen aufgestellte Lehre, wonach es nur auf das Individuum und seine Wirkung ankomme, die Konstanz nur zweifelhaften Werth habe, wollen wir an dieser Stelle, wo es sich nicht um wissenschaftliche Prinzipien handelt, unerörtert lassen, wir wollen nur beiläufig bemerken daß diese Lehre für Dauerzucht d. h. nach bestimmten Prinzipien und Zielen fortzüchtende Gestüte, höchst schädlich sein und nur für solche passen kann, in denen die Befestigung bestimmter Eigenschaften nicht beabsichtigt, vielmehr nur die Erzeugung leicht verkäuflicher Waare angestrebt wird. In letzterem Falle ist es dem Züchter freilich gleichgültig, welchen Zuchtwerth seine Produkte haben. Wer da für den Zuchtzweck kauft, kann bitter getäuscht werden.

Auch unsere Provinz Preußen kann sich rühmen gute Mittelformen hergestellt und erhalten zu haben. Das ursprünglich nur kleine und leichte, wenn auch zähe und flinke Pferd, wie der weniger intelligente Bauer es mitunter noch heute hat, ist durch die königlichen Landbeschäler zu einem kräftigen und meist eleganten großen und mittlern Schlage herangebildet.

In großer Menge sind schon seit vier bis fünf Decennien, die herrlichen Remonten für die schwere Garde-Kavallerie und andere Küraffier-Regimenter, sehr viele Luxus- und auch große Zuchtpferde, aus diesem Landestheile ausgeführt worden. Jedermann weiß die Größe, Leistungsfähigkeit, Ausdauer und Schönheit dieser preußischen Produkte zu schätzen.

Es hat sich dort schlagend bewährt wie groß und nachhaltig die Wirkung guter Vaterpferde ist. So wichtig auch der Mutterstamm, allein kommt er

nicht vorwärts und mit gemeinen, sogenannten [...]
überall am wenigsten erreicht.

Daß aber auch aus gemeinen schweren Mütter[n]
nach und nach gute Pferde gezogen werden können, hat [...]
Zeit bewiesen. Napoleon III machte sich die Hebung [der tief]
liegenden Pferdezucht zur Aufgabe, die er mit großen [...]
durchführte. Wer die dortigen Landespferde vor 30 [Jahren]
und dagegen die große Menge starker, kräftiger, dabei [...]
gängiger Thiere neuerer Zucht ins Auge faßt, der wird [...]
der Fortschritt ein bedeutender ist. Er wurde erzielt du[rch]
gebauter edler Hengste, meist Vollblut, auf nicht allz[u]
männischer Race.

Mit jeder Generation, bei der stets nur edle [...]
stieg die Harmonie in den Formen und der Werth d[...]
Prämien, die der Kaiser gern aufwendete um die wicht[ige]
und seine Kriegsheere mit einem bessern Hauptmaterial [...]
je besaßen — dieses Förderungsmittel hat neben den [...]
edler Beschäler, jenes Ziel erreichen lassen. Die Priva[...]
bedeutend geholfen, jedoch meist nur auf Grund der [...]
Staats-Subventionen.

Das sehr verbreitete Streben nach Masse im Pfe[...]
verflossenen Decennien die natürliche Folge gehabt, daß [...]
gewisses Uebergewicht gewonnen hat; man hört nicht a[...]
an mittleren und leichten Pferden für den Reit- und lei[...]
sondern der mit dem Angebot und der Nachfrage nach [...]
traute überzeugt sich in neuester Zeit von der Begründu[ng]
Zeit ist vorüber in der unsere Ostprovinzen, Preußen [...]
wiegend Reitpferde lieferten. Wenn auch keine Karre[...]
Carrossiers und Artillerie-Zugpferde werden dort in ga[...]
hältnissen als vormals, gezogen.

In den mittlern Provinzen, außer Schlesien, w[...]
noch prädominirt, war der Wagenschlag schon immer [...]
den Reitdienst fiel wenig ab. Durch die neuere Rich[...]
dies Verhältniß sich noch mehr zu Gunsten des erster[...]

Wie eine Oase, mitten im Herzen Deutschlands, [...]
insbesondere nach Westen hin, in denen der Wagenschl[ag]
Frachtpferd schon immer bevorzugt wurde, konservirt[...]
guten Wagenpferden für den Luxus, noch am längsten [...]
schlag bei dem die Züchter wegen vermehrter Nachfrag[...]
nicht schlecht standen.

Bei dieser Gelegenheit mag bemerkt werden, was älteren Hippologen wohl bekanut ist, nämlich daß in Hannover, gleichwie in Mecklenburg, sehr lange Zeit hindurch ein viel berühmtes, in weite Fernen vertriebenes hoch-elegantes kräftiges Wagen- resp. Kürassierpferd gezogen wurde. In der Periode, in der die allein Vortheil bringen sollende Lehre der Vollblutzucht mit Rennen aufkam und von höchster wie von spekulativer Seite zur Geltung gebracht und lebhaft gefördert wurde, begann eine gewisse Vernachläßigung des hochedlen großen Wagenschlages. Die bevorzugten Vollbluthengste leisteten für die Hebung des letzteren zu wenig, die werthvollen Formen verloren sich und mancher Bauer beklagte das Eingehen auf die neuen Ideen und den daraus hervorgegangenen Rückschritt. Die hocheleganten und gern theuer bezahlten Paßpferde für den Kutschwagen des Reichen, hatten allmälig abge-nommen.

Wir wollen der hannöverschen Zucht an dieser Stelle keinen Vorwurf machen, wir schätzen das dort heimische edle Blut und die schönen Formen aus alter Bekanntschaft sehr hoch; wahrer Fortschritt, wie er von dem be-rühmten Landgestüt Celle, das allen andern namentlich den altpreußischen so überschwenglich als Vorbild empfohlen wurde, erwartet werden sollte, läßt sich jedoch schwer beweisen. Es fehlt dort eben noch die Zähigkeit und Aus-dauer, die das preußische Pferd selbst unter großen Strapazen auszeichnet.

Nach diesen nur flüchtig hingeworfenen Vorbemerkungen, kommen wir auf die eigentliche Aufgabe gegenwärtiger Abhandlung, nämlich auf eine Er-örterung dessen, worauf es bei unserer Landespferdezucht hauptsächlich an-kommt.

Unter Landespferdezucht verstehen wir die unseres Vaterlandes in ihrem ganzen Umfange, vorzugsweise aber die in quantitativer Beziehung weit überwiegende der Bauern und kleinen Züchter, auf welche die zum Besten des Landes vorhandenen Staats- und Privat-Stammgestüte, eben nur als die nothwendigen einflußreichen Faktoren fördernd einwirken, ohne jene allge-meine (oder Durchschnitts-) Zucht allein zu repräsentiren.

Die Aufgabe der Züchtung geht zunächst dahin:

> sich selbst zu erhalten, zu ergänzen und durch Verwendung der vorzüglichsten Produkte, zu heben,

sodann:

> den möglichst höchsten Gewinn aus diesem Betriebszweige zu er-zielen, sei es durch Verkauf oder Selbstbenutzung der Pro-dukte.

Die erste Aufgabe ist im Interesse des einzelnen Züchters wie in dem der Gesammtheit, also der Wehrkraft und der National-Wohlfahrt die be-deutsamste; ihre Lösung hängt von dem richtigen Verständniß derselben, wie von Sachkenntniß, guter Haltung und rationellem Betrieb überhaupt ab.

So wie über die Streitfragen in Betreff der Züch[...] empfehlenswerthesten Racen und Schläge, der vom Staate zu [...] Hülfen u. s. w. schon sehr viel geschrieben worden ist, so fehlt es [...] an oft recht guten Lehrbüchern über Pferdezucht.

Der größere und gesellschaftlich höher gestellte Züchter pflegt seine Praxis nur beschränkten Nutzen daraus zu ziehen, er baut [...] die selbstgemachten Erfahrungen und eigene Einsicht. Der weniger namentlich bäuerliche Züchter liest Lehrbücher gar nicht, höchstens freundeter Hand ihm zugesteckte Brochüren oder Abhandlungen in de[...] presse — ein rechtes Verständniß gewinnt er dabei aber nicht.

Etwas wirksamer, wenn auch nur bei wißbegierigen, empfängl[...] denkenden Leuten, sind die mitunter in die ländlichen Schichten ver[...] (besser noch geschenkten) kurzen Anweisungen über Aufzucht, Behandl[...] Ernährung der Pferde. Sie werden doch oft gelesen, mit Nach[...] sprochen und in einzelnen als nützlich erkannten Punkten beherzigt.

Wohl würde es sich empfehlen in dieser Richtung mehr zu th[...] Privaten kann es nicht verlangt werden, da solche Schriftstellerei i[...] meinen wenig einbringt, dem Sachkundigen nicht zusagt und dem un[...] Lohnschreiber am wenigsten überlassen werden kann.

Bei dem Interesse, welches der Staat an dem Gedeihen der [...] zucht zu nehmen hat, dürfte es ihm vor Allem obliegen für solche [...] bündige Lehrschriften zu sorgen. Es würde sich empfehlen einen [...] den Preis dafür auszusetzen. Die Kosten werden nicht groß sein [...] schwindend gegen den Nutzen wahrhaft guter, aber durchweg popu[...] auch für den Bauer verständlich gehaltener Belehrungen solcher Art.

Unverkennbar hat die Kenntniß des Exterieurs, des normalen od[...] haften Ganges und der mannigfaltigen den Gebrauchswerth verri[...] Fehler, in neuerer Zeit auch beim kleinen Mann sehr zuge[...] Ueberall, besonders in den pferdereichen Gegenden findet sich ein [...] tigeres Verständniß vom Pferde wie ehedem. Sachkundige und dab[...] wollende Züchter der Nachbarschaft, die Beamten der Staatsgestüte [...] wo der Remonte-Ankauf besteht, die Mitglieder der Ankaufs-Komm[...] haben dazu erheblich beigetragen und gebührt ihnen Allen dankbar [...] kennung.

Zu dieser gehobenen Sachkenntniß gesellt sich noch die zunehmen[...] sicht von dem Werthe guter Mutterstuten; der verständige Bauer [...] nicht mehr durch hohe Gebote so leicht zum Verkauf verleiten — e[...] die als zuchtwürdig erkannte junge Stute.

Leider ist es nicht überall so; wenn sich bessere Einsichten aber [...] Bahn gebrochen haben, dann pflegen sie sich weiter auszubreiten; nur nicht durch häufiges Schwanken in den Ansichten der maßg[...]

Züchtungsregionen, durch Theoretisiren, zweifelhafte Verbesserungsprojekte und dergl. störend eingewirkt werden.

Nach dem vorhin Gesagten läßt sich annehmen, daß der eben vorangestellten Aufgabe mehr und mehr entsprochen werden wird.

Wir kommen zur folgenden Aufgabe, die Rentabilität betreffend.

Bei ihr steht der merkantile Standpunkt allerdings obenan, er findet aber einige Milderung in den Annehmlichkeiten, die das Objekt gewährt und in der patriotischen Rücksicht auf die Wehrhaftigkeit des Vaterlandes.

Es unterliegt keinem Zweifel, daß die Pferdezucht unter allen landwirthschaftlichen Produktionen die am wenigsten gesicherte Rente gewährt.

Betrachtet man die Lage anderer Betriebszweige, so scheint darin ein schwer lösbares Problem zu liegen.

Nach den einfachen, für Produktion, Zwischenhandel und Konsumtion bestehenden Gesetzen, bilden Angebot und Nachfrage die maßgebenden Faktoren. Wenn letztere abnimmt, ist Mangel an Verwendung vorauszusetzen, die Preise sinken; nimmt sie zu, so ist der gesteigerte Verbrauch die Veranlassung und die Preise ziehen an.

Umgekehrt: nimmt das Angebot ab, weil zu wenig producirt wird, sei es wegen erhöhten Erzeugungskosten oder aus andern Ursachen, so wird die Nachfrage nicht befriedigt und muß höhere Preise anlegen; das Entgegengesetzte tritt ein, wenn das Angebot steigt, weil zu viel produzirt wird.

Bei alle diesen fortgesetzt schwankenden Verhältnissen ist deren Einwirkung auf die Pferde-Produktion, für unsere Betrachtung vom größten Gewicht.

Obenan steht die Nachfrage. Vor circa 50 Jahren war dieselbe äußerst gering. Die Wohlhabenheit war nicht so groß, das Geld nicht so wohlfeil wie heute; der Bedarf des Luxus ganz unerheblich, der gewerbliche und landwirthschaftliche theils durch billigen Ankauf, theils durch Selbstaufzucht leicht gedeckt. Militairischer Bedarf trat in der Friedenszeit nur in mäßigen Grenzen auf. Im Pferdehandel war wenig Geschäft. In den wenig produzirenden mittlern und westlichen Theilen der Monarchie kam es darauf auch nicht an; als Erwerbsquelle wurde die Pferdezucht hier nur sporadisch und in kleinem Umfange betrieben. Die Fuhrwerksbesitzer und nicht selbst züchtenden Landwirthe, sowie die Posthalter, mußten sich ihren an sich nicht umfänglichen Bedarf, von benachbarten Züchtern und Händlern zu beschaffen und letztere bezogen ihre Waare aus Mecklenburg und Hannover (für reichere Kunden) oder aus Oldenburg und Holstein, leichte Pferde aus Preußen und Polen.

In der Provinz Preußen nahm der Remonte-Ankauf die erste Stelle ein, weil wegen der Tüchtigkeit der Pferde und ihrer Billigkeit dort am liebsten gekauft wurde, um so mehr als die Regierung die Pflicht richtig er-

kannte, den höchst gedrückten dortigen landwirthschaftlichen Ver___
Zuwendung von Staatsgeldern nach Kräften aufzuhelfen.

Je mehr die Staats-Verwaltung dieser Pflicht eingedenk wurde und
Verringerung und allmäliger gänzlicher Aufgabe des Remonte-Ankauf
Auslande, ihre Ankäufe in Preußen von Jahr zu Jahr mehr ausde
desto wirksamer wuchs der Faktor der Nachfrage, an der sich bald an
Anerkennung des Werths der Waace, der Privatbedarf betheiligte.

Damit stiegen die Preise und die Neigung für die Zucht.

Die zunehmende Wohlhabenheit und die aufblühende, sich in g
Dimensionen auf das Land verbreitende Industrie steigerten auch im H
und Westen des Landes den Bedarf an Pferden, vornämlich an starker
Beförderung schwerer Fabrikatslasten geeigneten. Darum stiegen auch
die Preise.

Die Aufstellung einer vergleichenden Berechnung zwischen der dame
und heutigen Konsumtion an Pferden, also der Nachfrage und des Han
verkehrs, wäre von hohem Werth. Beim Mangel an faßbaren Unter
entzieht sie sich aber der Inangriffnahme Seitens der sonst so thätigen
durch ihre Erfolge so werthvollen vergleichenden Statistik.

Ob sich nun auch der Bedarf um das Doppelte, oder Mehrfach
steigert haben mag — wer kann es nachweisen — soviel steht fest be
sehr bedeutend gestiegen ist und günstigen Einfluß auf die Pferdezucht
hat, namentlich in letzter Zeit. Stagnations-Perioden kommen überall

Wie sich mit der vermehrten Nachfrage und dem dadurch genä
lebhafteren Handel, die Preise immer höher gestellt haben, weiß Jeder
diesem Gebiet nur irgend Heimische.

Diesen für den Betriebszweig an und für sich äußerst günstigen Ver
niffen, stellte sich aber ein mächtiger Faktor feindlich entgegen. Das u
die gleichfalls gestiegenen Erzeugungskosten und, was nicht übersehen we
darf, deren genauere Berechnung, die manchen Züchter überzeugte, daß
wenn er alle Aufwendungen in Ansatz bringe, oft nur wenig Gewinn l
bleibe.

Das hat allerdings manchem Züchter seine Freudigkeit genommen, se
Eifer abgekühlt und zur Einschränkung der Fohlenzucht oder mitunter l
zur Aufgabe eines bisher renommirten Gestüts bewogen.

Wenn die über solche Vorkommenheiten Klage Führenden, darin fü
unzulängliche Rentabilität der Pferdezucht schlagenden Beweis finden w
und vielfach darauf hinweisen, so werden sie doch nicht umhin können
Wahrheit die Ehre zu geben und zuzugestehen, daß die Einschränkung
Zucht aus diesem Grunde in der That nur sporadisch vorgekommen un
mächtige Dimensionen nicht angenommen hat, wie man glauben m
möchte.

Der geehrte Leser wolle gestatten zur mehreren Klärung des Kosten-
punktes, ein in der Mehrzahl sicherlich zutreffendes generelles Bild des
Zuchtbetriebs vorzuführen.

Die Zucht hochedlen Vollbluts und für den Rennzweck, liegt außerhalb
der Grenzen unserer Betrachtung. Sie ist Sache des reichen oder hochge-
stellten Mannes und wird bei Herstellung wirklich werthvoller Waare, trotz
aller großen Kosten rentiren. Das ist Sache der immer noch nicht sehr
zahlreichen Züchter dieser Klasse; die Landespferdezucht im Ganzen interessirt
dabei nur in so weit, als aus solchen Zuchten Vaterpferde hervorgehen die
in einigem Umfange auf die übrige vaterländische Zucht nützlichen und för-
dernden Einfluß ausüben.

In nächster Linie kommen die großen Privatgestüte in Betracht, die
vorzugsweise in der Provinz Ostpreußen (überwiegend in Litthauen) vereinzelt auch in Posen, Pommern, Schlesien und selbst in Sachsen, bestehen.
In diesen Gestüten befindet sich ein sehr werthvolles Zuchtmaterial, der
Kapitalwerth desselben und die Kosten seiner Unterhaltung belasten das Konto
der Pferdezuchtsbranche bedeutend. Die Produkte sind aber vortrefflich und
finden hohe Preise, namentlich seit einigen Jahren. Da werden ab und zu
ein Paar Zuchthengste für ca. 800 und mehr Thaler, einige Luxuspferde
für 5 oder 600 Thlr. verkauft; die Mehrzahl mit Einschluß von mehr oder
weniger hinzugekaufter Bauernfohlen geht der Remonte-Ankaufs-Kommission
zu und wird, da die ganze Masse gut ist und nur um wenige Exemplare
durch höhere Verwerthung vermindert ist, ebenfalls noch sehr anständig mit
200 bis 250 Thlr. im Durchschnitt bezahlt.

Der dortige Züchter kennt die Anforderungen der Käufer genau, zurück-
gewiesen werden deshalb nur wenige Stück mit Fehlern, die dem Verkäufer
entgangen sind. Diesen Auswurf verwendet man im Arbeitsgespann oder
bringt ihn sonst ganz gut an den Mann.

So stellt sich thatsächlich das Verkaufsgeschäft. Ziehen wir nun auch
die Kosten in Betracht.

In früherer Zeit waren dieselben sehr mäßig, selbst in den größeren
litthauischen Gestüten, die bei dieser Züchterklasse die erste Stelle einnehmen.
Wie die nicht arbeitenden edlern Mütter, so waren auch alle Fohlen vom
Frühjahr bis Spätherbst auf Weidegang angewiesen. Die Winterver-
pflegung war so einfach als billig. Der verständigere Wirth, der den günstigen Einfluß guter Ernährung im ersten Lebensjahre kannte, gab wohl
jedem abgesetzten Fohlen neben Heu, Stroh und Scheunenabfällen, eine halbe
oder ganze Metze (1½ Kilogr.) Hafer. Mancher scheute aber auch diesen
Aufwand. Im zweiten und dritten Winter wurde meistens gar kein, oder
ausnahmsweise nur etwas Hafer gereicht.

Freilich wurden damit nicht so große und wohlgenährte
und dem dortigen Hauptkäufer, der Remonte-Ankaufs-Kommission
wie dies heute in Folge weit besserer Ernährung der Fall ist.

Diese letztere kostet aber doch recht viel, besonders wenn die Körner
bei nicht gespart werden; der Züchter findet hohe Genugthuung darin,
Waare so groß und kräftig ausgebildet wie möglich vorzuführen und
Nachbaren zu überflügeln.

Ob dabei aber finanziell ganz richtig verfahren wird, möchten wir
kann mit den jetzigen und früheren Verhältnissen, doch bescheiden in Zi
ziehen.

Wenn diese Pferde, also die dreijährigen Fohlen, ein Jahr älter w
dann würden sie bei ihrer vorgeschrittenen körperlichen Ausbildung, schon
in Dressur genommen resp. in Dienstthätigkeit gesetzt werden können, die
einjährige Pflege in den Remonte-Depots wäre entbehrlich.

Die Natur läßt sich aber nicht meistern; im dritten Jahre ist tro
reichter Größe und üppiger Fleischmasse die nothwendige Festigkeit der
chen und Sehnen, die Straffheit der Muskeln, die Stärke der Nerven
nicht vorhanden.

Dazu gehört mindestens noch ein Jahr guter Pflege, sorgsamer Beh
lung und intensiv kräftiger Ernährung.

Das frühe Treiben, was bei Pflanzen wohl gerechtfertigt sein mag
es nicht bei Thieren, deren Entwickelungsprozeß ein ruhiger und langsa
sein muß. In andere Verhältnisse versetzt, fällt das geile Fleisch ab.
Kosten, die seine Herstellung verursacht, sind meist unnütz aufgewendet.
Privatmann, der in der Lage ist, seinen Pferdebedarf schon im Alter
drei Jahren zu befriedigen, kann wohl durch das schöne Exterieur, den
ten Futterzustand und die scheinbar vollendete Entwickelung des Körpers
stochen werden; wenn er aber nicht dennoch seinen Acquisitionen noch ein J
Ruhe läßt, wird die in früher Verderbniß oder erheblicher Kostensteiger
bestehende Strafe nicht ausbleiben.

Wenn wir hier vorzugsweise die pferdereiche Provinz Preußen im A
haben, deren bessere Erzeugnisse zum sehr großen Theil zur Remontirung
Armee gebraucht werden, dann darf auf die in den Remonte-Depots
machte Wahrnehmung hingewiesen werden, nach der das Treiben und S
schwemmen der jungen Thiere vor ihrem Verlauf ihren Werth seinesn
steigert. Sie verfallen wie alle solche junge Pferde, die in andere Leb
und Ernährungsverhältnisse versetzt werden, den unvermeidlichen Jugendkr
heiten, der Druse und Bräune. Da geht alles üppige Fleisch verloren. A
in fetten Pferden mehr Material zur Steigerung der Entzündungen
Fieber vorhanden ist, treten jene Krankheiten häufig auch bösartiger auf,
bei nur mittelmäßig genährten mageren.

In der schon vorhin erwähnten älteren Zeit kamen die jungen Pferde, der vorgängigen körperlichen Ernährung entsprechend, mager, oft sogar recht dürftig in die Depots. Da schlug die bessere Haltung sichtlich an, von Monat zu Monat war Zunahme an Masse und Kraft erkennbar; die Größenzunahme betrug meist zwei Zoll im Durchschnitt, bei einzelnen Exemplaren bis sechs Zoll in dem einen Jahre. Das ist jetzt nicht mehr so, weil der Aufbau des ganzen Körpers vorzeitig anticipirt, die künftige Form schon ziemlich erreicht ist, die Hüllen der Gefäße und Muskeln schon ausgedehnt sind.

Wenn, anscheinend mit Recht, gemeint wird, daß ein möglichst großes und wohl genährtes, zum Kauf präsentirtes junges Pferd besser beurtheilt und höher geschätzt wird, dann mag dies wohl im Privathandel zutreffen; beim Remonte-Ankauf aber nicht. So viel wir zu beobachten Gelegenheit gehabt haben, verstehen die Mitglieder der Remonte-Ankaufs-Kommissionen sehr wohl auch den Werth des unreifen dürftigen Pferdes zu beurtheilen. Sie wissen beim Wiedersehen derselben Thiere in den Depots, insbesondere bei deren Abgabe an die Truppen, sich genau zu erinnern, wie sie beim Kauf ausgesehen haben, und lernen damit die Entwickelungsfähigkeit kennen.

Sehr viele junge Pferde von guter Abkunft, aber beim Ankauf dürftig und unentwickelt, sind während des Aufenthalts im Depot zu Kürassier- oder Offizier-Pferden avancirt.

Der Sachkundige kauft ein weniger stark genährtes Pferd schon deßhalb lieber, weil er es genauer beurtheilen kann, mancher verborgene Fehler nicht durch Fett oder Stallmuth gedeckt wird.

Irren wir nicht, so geht der Zweck bei dem frühen Treiben und guten Futtern vor dem Verkauf nur nebensächlich darauf hin, die Thiere in gutem Zustande zu präsentiren, vielmehr gilt es die Erreichung höherer Körper-, zumal Größen-Maße, durch welche die Einschätzung in die höheren Waffengattungen erwartet wird. Das hätte wohl einen praktischen Boden; einestheils steht dem aber die Sachkenntniß der Kommissionen, die sich nicht leicht verblenden lassen, anderntheils die Steigerung der Herstellungskosten entgegen.

Auf das hohe Maß der Militairpferde wird in neuerer Zeit nicht mehr so gesehen, wie vormals. Das Maximum der Größe ist längst erreicht, und so großen Werth einzelne Regimenter noch heute auf recht große Pferde legen, so geht die allgemeine Meinung doch dahin, daß allzu große und schwere Pferde, namentlich im Kriege, weniger zu leisten vermögen, als die mittleren und kleinen; sie ermangeln der leichtern Beweglichkeit, Schnelligkeit und Widerstandsfähigkeit gegen Entbehrung und schädliche Einflüsse, wodurch die letzt-

genannten beiden Kategorien sich allezeit, vorzüglich in den letzten
bewährt haben.

Voraussichtlich werden die neuern Erfahrungen Anlaß geben, der
vallerie veränderte Aufgaben zu stellen, wobei auch das Material nicht
berücksichtigt bleiben kann. Die Zeit der mächtigen Kolosse ist vielleicht n
mehr von langer Dauer.

Um noch einmal auf den Kostenpunkt zurückzukommen, muß zugestan
werden, daß die Aufzucht jetzt viel theurer ist, als ehedem, weil eben
zu frühzeitige Ausbildung der jungen Thiere erstrebt wird. Wird ihnen a
auch wirklich in allen drei Wintern täglich eine Metze (1½ Kilogr.) H
gewährt, was beim Vorhandensein andrer Futtermittel nicht überall der
sein wird, so kann das höchstens im Ganzen 50 volle Scheffel (1250 Kilo
betragen, Heu und Stroh dürfen doch niemals nach den Marktpreisen
rechnet werden, denn sie bilden in der Regel keinen Verkaufsartikel;
Kosten der Selbstgewinnung beim Heu genügen und das Stroh compen
der Dünger. In den vom großen Verkehr entlegenen Gegenden ist
Verwerthung durch anderes Nutzvieh nicht so sicher, daß dem Fohlen desh
das Rauhfutter erheblich zur Kost gestellt werden könnte. Dieselbe Bewan
niß hat es mit Weide und Grünfutter.

Jetzt ist noch der kleineren Zucht zu gedenken, welche von den Bauern
anderen Besitzern mittlerer oder kleiner Grundstücke betrieben wird und
quantitativer Beziehung das Uebergewicht hat, deshalb auch für die Nation
Oekonomie und die Landesvertheidigung von höchster Bedeutung ist.

Sie unterscheidet sich von der der großen Gestüte durch größere Wo
feilheit. Zwar besitzen viele kleine Gutsbesitzer und Bauern, besonders
Litthauen, ebenfalls vorzügliche Mutterstuten, die einen ansehnlichen Kapit
werth vertreten. Eine Zinsrechnung kommt aber hier wohl nur selten v
und die Unterhaltungskosten werden durch Arbeitsleistung ersetzt.

Die Ernährung der Fohlen stellt sich sehr billig, weil das neuere Syst
des Treibens und Aufschwemmens beim Bauer noch nicht überall Einga
gefunden hat, höchstens wird kurz vor dem Verkauf zur Erzielung eines b
seren Aussehens, stärker gefuttert. In kleinen Wirthschaften findet sich hi
und da ein verwendbares Futtermittel, es fällt mehr ab, wie in große
Die Liebhaberei des Wirths und seiner Angehörigen steckt den jungen Thi
ren gern Leckerbissen zu, es findet sich dazu in der Scheune, auf dem B
den, selbst in Küche und Keller mancherlei Genießbares. Das beste H
kommt den Fohlen zu Gute. Verabreichung von Hafer findet wohl als Au
nahme, aber nicht als Regel statt.

Bei so geringem Aufwande ist der Preis von 130 bis 160 Thlr. f
das dreijährige Fohlen schon ein ganz befriedigender. Im Einzelnen stellt

fich noch höher, wenn hervorragende Eigenschaften da find und die Mutter, oder die Abkunft überhaupt, zur Empfehlung beiträgt. In großem Umfange findet der Verkauf von Abfaßfohlen ftatt, und mancher Bauer findet dabei feine Rechnung beffer, weil er mit der Erzährung auch das Rifiko los wird und an Stelle ein-, zwei- und dreijähriger Fohlen eine oder zwei Mutterfuten mehr halten kann; will's Gott kann er dann jährlich zwei Abfaßfohlen verkaufen und dafür ungefähr daffelbe löfen, wie für ein dreijähriges. Mancher andere Bauer hält es aber feiner Ehre zuwider, feine Produkte fo früh zu verkaufen, er will als echter Pferdefreund und Züchter deren weitere Entwickelung felbft beobachten und mit Stolz ein ausgebildetes Pferd zum Verkauf ftellen; er meint auch das, was der Käufer von Abfaßfohlen zu verdienen hofft, felbft verdienen zu können.

Die Hauptkäufer folcher Abfaßfohlen find die größeren Züchter der Umgegend; fie wählen fich ftets die wohlgerathenften und beftgezüchteften aus, kennen Vater und Mutter genau, reifen auf die Stuten-Konfignations- und Fohlenbrenn-Termine und auf den Bauernhöfen umher und fchließen den Handel ab.

Andere zahlreiche Käufer kommen aus weiterer Ferne, aus verfchiedenen Provinzen und fchleppen eine große Zahl von Fohlen weg. Sie kaufen meiftens auf den mit einigen taufend jungen Fohlen befchickten Märkten, unter denen Gumbinnen und Darkehmen obenanftehen.

In den vorftehenden Betrachtungen find verfchiedene Einfichten in mancherlei äußere Verhältniffe der Pferdezucht eröffnet worden, ohne deren mehr inneres Wefen, die Zuchtprinzipien und die Racen mit ihren Unterabtheilungen genauer zu berühren. Es gehört dies auf ein anderes, eigentlich wiffenfchaftliches Feld.

Dennoch darf der Gegenfaß zwifchen zwei Hauptgruppen der gewöhnlichen Gebrauchspferde, über die fchon lange lebhaft geftritten wird, hier nicht unerwähnt bleiben. Es handelt fich um die fchweren und um die leichten Pferde.

Jene haben in großen Kreifen, man kann wohl fagen, faft überall ihre Lobredner gefunden, felbft Autoren, denen ein befferes Verftändniß des Bedürfniffes, klare Einficht und Vorurtheilsfreiheit zugetraut werden follte, fchwärmen für fie und möchten vorzugsweife nur fchwere Waare gezogen wiffen, weil fie nach ihrer Anficht noch zu fehr fehlt.

Im Einzelnen mag letzteres nicht beftritten werden, wohl aber im Großen und Ganzen. Worin beftehen denn die gepriefenen Vorzüge? Wefentlich darin, daß die großen, breiten, dicknochigen, überhaupt maßigen Pferde im Kummet oder Siehlen vor dem Laftwagen entfchieden mehr leiften wie die leichteren. Ihre eigene Laft fteht zu der, die fie bewegen follen, in we-

niger ſchrof bivergirendem, vielmehr günſtigerem Verhältniß; ſ
wicht, was ſie ſelbſt in's Geſchirr bringen, nimmt einen Theil
auf ſich. Hierauf reducirt ſich wirklich der ganze Vorzug. In w
behnung findet derſelbe nun aber ſeine praktiſche Anwendung und voll
nutzung?

Zunächſt und allerdings in großem Umfang und mit großem
theil beim Frachtfuhrweſen; nicht allein im Handelsverkehr, ſondern i
jetzt ſo ungemein verbreiteten, auch auf dem Lande blühenden Fa
Jedermann, auch der Verehrer edleren Bluts, freut ſich der koloſſalen
normanniſcher, engliſcher (Suffolk) oder auch däniſcher Abſtammung,
ruhigem Tempo die hohen Frachtwagen mit Handelswaare, oder vom
Zucker, Spiritus und dergleichen, in ausgedehntem Maße Kohlen x
feſten Straßen, oft mit 20 bis 30 Centner pro Pferd, vorwärts br
Da ſieht man Leiſtung und erkennt ſie gern an.

So groß der Bedarf an ſolchen Pferden auch iſt, ſo bildet er do
einen Bruchtheil des Geſammtbedarfs. Der ausgedehnte Konſum i
Landwirthſchaft, in der Armee und im leichten Fuhr= wie im geſa
Reitdienſt nimmt ganz andere Dimenſionen an.

Es iſt zwar vielſeitig gemeint worden, daß beim landwirthſchaf
Betriebe die ſchweren Schläge ebenfalls mit Vortheil angewendet u
könnten und an einzelnen Orten findet man ſie auch in Gebrauch. Au
ſchwerem Boden und auf ſchlechten ſumpfigen Wegen mag dies richtig
Im Allgemeinen iſt die Meinung aber falſch. Für die Pflugarbeit k
Boden überwiegend nicht ſchwer genug, um die Anwendung ſo ſtarker
zu rechtfertigen. Ein Theil ihrer Kraft, die doch nur durch ſtärkere
rung, alſo mit größerem Koſtenaufwand, hergeſtellt wird, bleibt u
genutzt.

Bei den meiſten ländlichen Ackerarbeiten und Fuhren leiſtet ein mit
und häufig ſogar ein leichtes ganz daſſelbe wie ein ſchweres; es hat
einen viel raſcheren Schritt. Das empfohlene Einſpännigpflügen wird u
ſtens im Norden und Oſten Deutſchlands wenig Eingang finden, be
paßt nicht in die Gewohnheiten, die auch beachtet werden müſſen, auch
die Futtererſparniß bei einem ſchweren Pferde gegen zwei leichte gerade
ſehr in die Wagſchale fallen. Das Eggen mit ſchweren Pferden emp
ſich nicht, weil es dabei auf ſchnelle Bewegung ankommt.

Etwas anderes iſt es beim Fahren nicht ſchwerer Laſten, da kann
ein Pferd geſpart werden; dazu bedürfen unſere Erndte= und Düngern
aber erſt einer zweckmäßigeren Konſtruktion.

Das ſchnelle Fahren, worauf in der Ernte großer Werth gelegt u
fällt dabei aber weg.

Im Allgemeinen wird behauptet werden können, daß mit Ausnahme der Bewegung schwerer Lasten für unsere gewöhnlichen landwirthschaftlichen Arbeiten die mittleren und leichten Pferde vorzuziehen sind, weil sie schneller arbeiten, ein geringeres Ernährungs-Bedürfniß haben, in mannigfacherer Weise verwendet werden können und billiger zu ersetzen sind.

Ihnen gesellt sich nun der auch nicht gering anzuschlagende Bedarf an Kutsch- und Reitpferden zu.

Wird dies alles recht erwogen, dann ergiebt sich gewiß, daß die Empfehlung der Zucht schwerer Pferde übertrieben wird, und daß die Befriedigung des viel größeren und mannigfaltigeren Bedarfs an mittlern und leichten Pferden dadurch beeinträchtigt werden kann.

Mag auch der verhältnißmäßig höhere Preis schwerer Pferde gegenwärtig zu deren Zucht anreizen, ihre Aufzucht ist doch entschieden theurer und die Nachfrage kann über kurz oder lang wieder nachlassen.

Merkwürdig genug wird noch in allerneuester Zeit (Milit.-Woch.-Blatt Nr. 69 v. 17. Aug. 1872) behauptet, leichte Pferde seien für den Remonte-zweck noch immer im Ueberfluß vorhanden, nur an schweren fehle es. Wer die bezüglichen Zustände genauer kennt, kann in der That nicht begreifen, wie so etwas gesagt werden kann. Schlechte leichte Waare im landwirthschaftlichen Gebrauch giebt es freilich noch genug, auf ihr beruht aber die Zucht nicht. Gerade in den zum Verkauf kommenden Klassen haben die leichten Pferde, seit der Bevorzugung der schweren, überall auffallend abgenommen; ja! es wird schon Mangel an guten Pferden des Husaren- und Dragonerschlages bemerkt, am empfindlichsten außerhalb der Provinzen Preußen und Posen.

In dem Glauben an das allein richtige Dogma der Größe und Schwere der Pferde, hat man, vornämlich im Westen und Süden Deutschlands, das leichte Pferd im Zuchtbetrieb fast gänzlich gestrichen. Ein bequemes und angenehmes Wagen- und Reitpferd findet man dort selten, es muß aus dem Norden und Nordosten bezogen werden, denn die früheren, ganz östlichen Quellen: die Donaufürstenthümer, Ungarn und Südrußland fließen nicht mehr wie früher, wo die dortigen Züchter auf einen regelmäßigen Absatz nach dem Occident zu rechnen hatten. Die Aufzucht hat dort mächtig nachgelassen und mit ihr der Handel. Die dortige Waare würde den hierländischen Ansprüchen auch nirgends genügen. Jedermann will nicht blos ein zähes, sondern auch ein wohlgeformtes, hübsch aussehendes und dabei frommes Pferd haben.

Unsere süddeutschen Brüder, die sich im letzten großen Kriege in Tapferkeit und andern Beziehungen so ebenbürtig als tüchtig bewiesen haben, beklagen nur das Zurückstehen ihres Pferdematerials, weil in ihren Ländern eben keine oder doch nur sehr wenige Reitpferde gezogen werden, und die im

Auslande gekauften leider nur zu mangelhaft find. Auch fie werden
neuerer Zeit nach den deutschen öftlichen und nördlichen Schlä[...]
das rationell gezogene, gute und doch ausdauernde Reitpferd noch
den ift.

Dem Auffteller der vorhin fchon erwähnten auffälligen Behaupt[...]
ein Ueberfluß an leichten Pferden beftände, kann bei diefer Gelegenh[...]
Grund guter Information, verfichert werden, daß die Remontirung der
Kavallerie in der That gerade umgekehrt jetzt fchon recht fchwierig [...]
ziemliche Menge überzähliger, für die fchwere Reiterei defignirter Pfer[...]
zur Deckung des Bedarfs den leichten Waffen zugetheilt werden.

Es liegt mit darin, daß die Zahl der Dragoner-Regimenter vo[...]
22, die der Hufaren von 13 auf 18 geftiegen ift, während die K[...]
nicht vermehrt wurden.

Die große Veränderung in der Befchaffenheit der Pferde, feit [...]
günftigung der modern gewordenen fchweren Schläge, ift eben noch n[...]
gemein genug in ihren auch fchädlichen Wirkungen erkannt.

Gehen wir auf diefem abfchüffigen Wege weiter, fo werden wir
große Annehmlichkeit eines Fuhrwerks mit flotten Pferden, des Reit[...]
einem bequemen, folgfamen, höchft ausdauernden, wohlgebauten und h[...]
in jeder Allüre gängigen Pferde verzichten müffen — vielleicht auf
dicken Müllergaul langfam fchleichen, oder auf einer Kracke à la Do[...]
zote unfere Gliedmaßen in Gefahr bringen. Gott wolle geben, da[...]
nicht auch die oftdeutfche Frifche, Beweglichkeit und Ausdauer zum
geht — die braven Kavalleriften nicht ihre Luft und Freudigkeit verl[...]

Sollen wir die blühende Pferdezucht unferes Vaterlandes a[...]
Behme der modernen Induftrie, dem Fabrikkalkül, verfallen fehen? -
noch mit Zollftock und Waage ermitteln, welche Laft getragen oder [...]
werden kann? — Mit diefer entfetzlichen Profa hörte alle Poefie a[...]
feit Jahrtaufenden den Menfchen mit dem edelften der Thiere in geg[...]
befriedigendem Kontakt erhalten hat!

Unfer herrliches Pferd, der alltägliche treue Träger und Führe
Genoffe in Kampf und Tod, käme unter dem Schoßhund zu ftehen!

Sei es geftattet, noch einmal die Schläge in engerer Zufammen[...]
zu befprechen, auf die es bei unferer vaterländifchen Pferdezucht we[...]
ankommt.

An fchweren Laftpferden, wie der Handels- und Fabrik-Verkehr,
gewiffen Umftänden auch die Landwirthfchaft, fie braucht, ift bei der
gen, fie begünftigenden Richtung der Zucht kein Mangel mehr — man
in und mit ihr nur in angemeffenen Grenzen und am rechten Ort ei[...]
funde, möglichft konftante Zucht konferviren, dagegen die gerade bei

Schlägen gefährlichen Kreuzungs-Versuche aufgeben. Nur im ersteren Sinne ist Empfehlung und Förderung am Platz, in's Blinde hinein nicht.

Die kräftigen Mittelpferde, die vor der Kultivirung jener schweren als die Repräsentanten der großen und starken Schläge galten und den Anforderungen an Kürassier-, kräftige Wagen- und Artillerie-Zugpferde entsprachen, sind Gegenstand umfassender Nachfrage und werden es immer bleiben, denn sie verbinden mit der ihrer Körperlichkeit entsprechenden, auf dem eignen Gewicht beruhenden ansehnlichen Zugfähigkeit auch die aus edlerem Blut entspringende größere Lebhaftigkeit, Beweglichkeit, Ausdauer und ansprechendere Formen. Ragen letztere Eigenschaften hervor, dann eignen sie sich auch zum schweren Reitdienst.

Seit mehrer Berücksichtigung der Körpergröße auch in Gestüten edlern Blutes, fehlt es an entsprechenden Beschälern für diese Waare und an ihr selbst nicht mehr.

Eine zweite Klasse mittlerer Pferde, die bisher mit der Bezeichnung als leichterer Wagen- oder starker Reitschlag erkennbar gemacht wurde, entspricht ungefähr dem Durchschnitt unserer gesammten Landes-Produktion; sie steht zwischen den vorgedachten gemeinern und edlern schweren Schlägen und den nachher zu besprechenden leichten. Ihr gehört die Mehrzahl unserer Landespferde, so weit sie zur Zucht verwendet werden, an. Ihre Leistungen genügen mannigfachen Ansprüchen, sie sind deshalb um so mehr begehrt, als sie, weil in großer Zahl producirt, verhältnißmäßig nicht zu theuer erkauft werden können.

Endlich kommt der leichte Schlag, der in Deutschland, mit den geographischen Längengraden nach Osten hin zunehmend, am stärksten vertreten ist.

Wie in allen noch weiter nach Osten belegenen außerdeutschen Ländern (Polen, Ungarn, Donaufürstenthümer, Südrußland und Türkei), herrschte früher das kleine und schlanke Pferd vor. Nach Maßgabe der darauf gewendeten Kultur wurde es in Form und Verwendbarkeit verbessert; Preußen ist dabei am frühesten und energisch vorgegangen. Das wärmere Blut und vor allem die Beweglichkeit und Zähigkeit, blieben als ursprünglich naturwüchsige, also langangestammte (konstante) Eigenschaft möglichst erhalten, nur mehr Größe, Breite und dem Geschmack zusagendere Formen wurden angezüchtet. Wohl hat mancher Bauer, vorwaltend der masurische und polnische, noch seine kleinen Thiere, die mit ihrer wunderbaren Trag- und Zugkraft und ihrer großen Ausdauer bei nur mäßiger Haltung ihn befriedigen. Auch hier wird indeß schon viel für Verbesserung gethan; der kleine Masur und Doppellitthauer hat schon größere und ansprechendere Formen gewonnen und bildet einen gesuchten Artikel.

Beim oftdeutschen, auch dem polnisch redenden
Schlag im eignen Gebrauch noch am stärksten vertreten; seit
geht aber seit einer Reihe von Jahren ebenfalls auf Körpervergrößer
danach wählt er seine Mutterstuten und entsprechende Beschäler.

In der großen Masse der verkäuflichen Waare verliert sich so
sogenannte leichte Schlag immer mehr. Der umfängliche Bedarf der
und der Privatkonsumenten wird im Augenblick in Preußen zwar noch
Während vormals Ueberfluß war, wird die Beschaffung von Jahr z
doch immer schwieriger, besonders weil diese Gattung im Westen und
fast ganz fehlt, also z. B. die Remontirung der zahlreichen Dragon
Husaren-Regimenter, immer mehr auf die östlichen Landestheile an
werden muß. Dabei tritt der schon oben angeführte Uebelstand ei
diesen Waffen immer größere Pferde gegeben werden müssen, als
paffen. Dem Privatmann kommt es weniger darauf an, an Stel
recht bequemen kleinen Pferdes, ein größeres reiten zu müssen.

Der wirklich Sachkundige wird mit voller Ueberzeugung der Beh
beitreten, daß der Ueberfluß an guten leichten Pferden thatsächlich nic
besteht, wohl aber bald Mangel an seine Stelle treten wird.

Das Verdrängen der arabischen Zuchtpferde straft sich jetzt sch
ihnen stammten die hoch-eleganten Reitpferde, die immer seltener wer

Es giebt so gewandte Pferdehändler, die viel Betriebsmittel un
wärts Unteragenten haben, denen in den letzten Kriegen so viel P
zufloß und die ihr Bezugsfeld noch sehr ausdehnen könnten; warum
die alten Quellen im ferneren Osten aufsuchen und wieder ergiel
machen suchen, das erklärt zu sehen, wäre ganz interessant.

Der vorangehenden langen Rede kurzer Sinn geht in der Ha
dahin, nachzuweisen:

1) daß die Verwendung werthvolleren Zuchtmaterials und f
   Futterung, zusammen mit vermehrter Nachfrage, die Pferde
   gemacht hat; daß aber

2) in Betreff der Ernährung des schon im Alter von drei Jahr
   Verkauf kommenden Theils in gewissem Grade Verschwend
   trieben wird. Ferner:

3) daß für die Zucht der schweren Schläge nachgerade genug ge
   die Grenze erreicht und ein Weitergehen bedenklich ist. Endl

4) daß jedem Züchter zwar überlassen werden muß, nach M
   seiner Kenntniß, seines Materials und seines Absatzgebietes z
   ten, welche Gattung er will, dagegen aber vom Standpu
   National-Wohlfahrt aus, mit Hülfe der jetzt so wirksamen
   ernstlich auf die wichtigen Gesichtspunkte hinzuweisen ist, die

Pferdezucht im allgemeinen staatlichen und ebenso im Interesse der vielseitigen Bedarfsarten nicht unbeachtet bleiben dürfen.

In dieser Beziehung wird wohl jeder wahre Patriot sich der Ueberzeugung anschließen, daß die Wehrkraft, die Vertheidigungsfähigkeit des Vaterlandes, die erste Berücksichtigung erfordert, zumal unter politischen Verhältnissen, die auf einen wahrhaften und dauernden Frieden sehr wenig rechnen lassen. Das alte Sprüchwort: si vis pacem, para bellum, wird immer seine Geltung behalten, denn ein starkes Kriegsheer ist das sicherste Bollwerk gegen den Krieg und das alleinige Mittel, ihn abzuwehren, wenn er gewaltsam von außen aufgedrängt wird.

Ein Kriegsheer kann aber weder von Haus aus leistungsfähig noch nachhaltig wirksam sein, wenn es der brauchbaren Pferde entbehrt. Nächst den Mannschaften ist das Pferd das wichtigste Erforderniß. Alles andere Material kann von langer Hand vorbereitet und in Vorrath aufgespeichert, oder mehr oder weniger schnell, selbst von weit her, herangeschafft werden. Nicht so ist es mit den lebendigen und fressenden, vielen Krankheiten und dem Tode verfallenden Pferden. Im Frieden wird schon auf Grund sorgfältiger Berechnungen Bedacht darauf genommen, nur so viel dieses kostbaren Artikels präsent zu halten, als zur Ausbildung der Mannschaften und der Pferde für den Kriegsfall unumgänglich erforderlich ist. Im Kriege selbst steigert sich der Bedarf um mehr als das Doppelte, vorzüglich bei der Artillerie, dazu noch das ausgedehnte Fuhrwesen und die Administrations-Branchen.

Wie schwer derselbe zu beschaffen ist, haben die letzten Kriege bewiesen. Jeder Einsichtige weiß es. Auf Heranziehung vom Auslande ist nicht zu rechnen, ergiebige leicht zu benutzende auswärtige Quellen brauchbarer Waare giebt es gar nicht, sie könnten auch leicht verschlossen sein. Schon die weite Entfernung wäre, der heutigen Bedingung schneller Kriegsbereitschaft gegenüber, ein großes Hinderniß. Dazu denke man sich die Beschaffenheit solchen Materials und dessen Zustand nach dem weiten Transport!

Die Nothwendigkeit liegt vor, daß jedes Land oder Gebiet, so gut wie die Mannschaften, auch die Pferde selber stelle — sich nicht auf Aushülfe von anderswoher oder auf Lieferung verlasse.

Die letzten Kriege haben genügend bewiesen, welcher Leistungen eine gute Kavallerie und Artillerie, aber auch das mannigfache und ausgedehnte Fuhrwesen, fähig ist — welchen unschätzbaren Werth es hat, das dazu nöthige Material im Lande zu besitzen. Ein guter Theil des Uebergewichts der deutschen Armeen kann hierin gefunden werden. Vorzugsweise gebührt den norddeutschen Pferden die Ehre des auf dieses Material fallenden Theiles der glänzenden Erfolge.

Freilich war nicht Alles so gut oder mustergültig, wie
wurde und normalmäßig eigentlich sein sollte; nur zu viel Mangel
mit unter; das liegt aber in der Natur der Sache. Wenn auf der
Seite, in Folge vorgeschrittener Zucht, auch sehr viel vorzügliche Pfer
Feld rückten, so machten sich doch schlecht gebaute, schlaffe, weder ausd
noch leistungsfähige Thiere bei der Augmentation in Menge bemerklich
am allermeisten fehlte es an flotten, leicht beweglichen Reitpferden
zahlreichen Felddienst-Beamten. Das neuere Streben nach mehr körp
Masse ist hierbei recht fühlbar gewesen.

Wenn das Vaterland fernerhin seine Grenzen schützen und vo
feindlichen Invasion bewahren will, so werden Regierungen und Lan
tretungen sich die Aufgabe zu stellen haben, die Pferdezucht in dem U
zu erhalten und zu fördern, welcher erforderlich ist, um die nöthige Z
Pferden für den laufenden Ersatz des Friedensstandes und für die
dehnte Augmentation im Mobilmachungsfalle in jedem Bundeslande f
liefern. Hierbei wird auch besondere Aufmerksamkeit darauf zu richte
daß die den verschiedenartigen Waffen und Dienstanforderungen entsp
den Schläge im richtigen Verhältniß vorhanden sind, denn der Man
leichten Reitpferden kann durch Ueberschuß an schweren eben so wenig
glichen werden wie umgekehrt, obschon ein Distrikt mit seinem Ueberflu
nicht zu fern belegenen bedürftigen aushelfen kann.

Die Lösung jener Aufgabe erfordert allerdings ein einiges und e
sches Zusammenwirken der Regierungen, Parlamente und der Züchter
denn ohne beträchtlichen Aufwand wäre das Ziel nicht zu erreichen, bes
in jetziger Zeit, in der mit der Mehrzahl aller Gebrauchs-Artikel a
Pferde immer theurer werden.

Ohne Pferde ist einmal kein Krieg zu führen oder der Bewaffr
Zustand zu erhalten, mit dem er abgewendet werden soll. Die Pferde
sen aber auch gut, wahrhaftig kriegstüchtig sein, wie sie sich ja auch
schon bewährt haben.

Je mehr die Landespferde sich für den Kriegsdienst eignen, desto
ter kann die Augmentation im Kriegsfalle erfolgen.

Ist hierauf sicher zu rechnen, dann läßt sich der Friedensstand a
den zulässig engsten Grenzen halten. Fehlt die Kriegstüchtigkeit der La
pferde, dann ist ein höherer Friedensstand mit allen seinen Kosten dur
geboten, wenn die Wehrkraft nicht ungenügend bleiben soll.

Dabei ist der Ankauf im Alter von drei Jahren nothwendig; ohn
würde der Friedensstand sehr bald von seiner Güte herabkommen, zu
auch die Pferdezucht, wenigstens in quantitativer Beziehung erheblich
lassen, denn die um ein Jahr längere Haltung würde selbstredend jedem
ter gelingen, jährlich eine entsprechende Zahl von Fohlen weniger aufzuzu

Was der Ankauf sogenannter volljähriger Pferde bringt, das hat sich bei den deutschen wie allen fremden Armeen, die englische nicht ausgenommen, gezeigt. Ueberwiegend mangelhafte, durch vorherige Anstrengungen schon verdorbene, für neue Strapazen nicht mehr hinreichend geeignete Thiere, von denen ein viel höherer Prozentsatz als bei der jetzigen Einrichtung alljährlich in Abgang kommt.

Ein Land, welches den jährlichen Bedarf an Remonten für die ihm angehörenden Truppen zu liefern vermag, wird meistentheils auch in der Lage sein, zur Mobilmachung die nöthige größere Zahl von Pferden zu gestellen, denn wo die Zucht blüht und überhaupt Produkte erzeugt, die den Anforderungen an Kriegstüchtigkeit schon im Frieden genügen, da wird es auch im Kriegsfalle an brauchbarer Waare nicht fehlen.

Jede Regierung, die mit Befriedigung auf die Erfolge ihrer und ihrer Vorgänger Maßnahmen zurückblicken kann, wird und darf sich eines wirksamen Einflusses auf die Pferdezucht ihres Landes nicht entschlagen. Mit Erhaltung der Staatsgestüte, denen die Landeszucht von je her ihr Aufblühen zu verdanken hat, und mit Gewährung reichlicher Prämien und sonstiger Unterstützungen vermag die Regierung mächtig auf die Richtungen der Zucht einzuwirken, das vorhandene Gute sorglich zu conserviren, wahrhaft gute Neuerungen zu fördern — auf unsichere Theorien, hin und her schwankende Projecte und meist sehr zweifelhafte Verbesserungs-Vorschläge darf sie sich, wenigstens ohne strenge Prüfung, nicht einlassen. In Anerkennung dessen, was geleistet worden ist, darf überall auf die Zustimmung der Landes-Vertretungen gerechnet werden.

In diesem für vielseitige, vorab aber für die Interessen der Wehrkraft, so hochwichtigen Punkte hat die neueste Geschichte leider beklagenswerthe Thatsachen zu verzeichnen. Das Großherzogthum Baden hat sein meist recht wohl besetztes und gern benutztes Landgestüt aufgehoben; den dabei maßgebend gewesenen finanziellen Motiven mögen sich wohl noch andere beigesellt haben — die Wehrkraft, die gerade in dortiger Grenzmark so hohe Beachtung verdient, scheint aber nicht mit in Anschlag gebracht zu sein.

Zeitungs-Nachrichten erwähnen eines ähnlichen Vorgehens in Bayern. Möchten doch unsere einsichtigen südlichen Brüder mit aller Kraft dagegen ankämpfen, damit im dortigen großen und schönen Bundeslande die Wehrkraft nicht gemindert werde, für die brauchbare Pferde ein so hervorragendes Bedingniß sind. Soll Deutschland groß, geachtet und gefürchtet bleiben, so darf die Plage der Neuzeit, die Finanzrücksicht, nicht die allein maßgebende Macht sein!

Mit der Abnahme des Geldwerthes werden alle Dinge theurer; die früheren Zahlen haben ihre Gültigkeit verloren. Mögen die Pferde auch

noch koſtbarer werden, zu entbehren ſind ſie einmal nicht, weder f
Vertheidigung, Landwirthſchaft, Gewerbe, Handel, noch Luxus.

Zum Schluß ſei noch erwähnt, daß der Verfaſſer leider er
die vorſtehenden Betrachtungen im Weſentlichen niedergeſchrieben
der vortrefflichen Abhandlung über die Geſtüte des preußiſchen S
die Landespferdezucht in Hinſicht auf den Bedarf des Heeres K
halten hat, welche das Beiheft zum Militair-Wochenblatt, 1872
Heft gebracht hat.

Dem Inhalt derſelben kann unſrerſeits nur überall beigetre
ja wir ſtehen nicht an, dieſe Arbeit für weit beſſer, klarer und üb
als unſere eigne zu erklären; in ihr werden die gemeinſamen A
durchſchlagender motivirt.

Die Schlacht von Beaune la Rolande am 28. November 1870.

Vortrag, gehalten in der militairischen Gesellschaft zu Berlin am 25. Oktober 1872
von dem Major im Generalstabe v. Scherff.

(Mit einer Skizze.)

Die nach dem Falle von Metz in breiter Front gegen die mittlere Loire in Bewegung gesetzte II. Armee hatte mit dem 24. November diejenigen Positionen erreicht, aus welchen sie vorläufig der ihr durch Befehl aus dem großen Hauptquartier vom 15. desselben Monats gewordenen Aufgabe, die Cernirung von Paris gegen Süden zu decken, gerecht zu werden hoffen konnte.

Vom rechten Flügel allmählig einrückend, hatte das 9. Armeekorps am 17. November Angerville an der großen Straße Orleans-Paris erreicht und war am 22. und 23. in die Linie Allaines-Toury, mit der 2. Kavallerie-Division als Vorposten davor, eingerückt. Das 3. Korps, am 20. November um Pithiviers konzentrirt, hatte am 21. durch die 6. Infanterie-Division Bazoches les Gallerandes, durch die 5. in Verbindung mit der 1. Kavallerie-Division den Rayon südlich Pithiviers okkupirt und seine Vorposten, rechts im Anschluß an das 9. Korps von Liphermeau Fe. über Crottes, Attray, Escrennes bis Ascoux, später auf Wunsch des 10. Korps bis Courcelles gezogen. Das 10. Korps, als äußerster linker Flügel im großen Bogen über das Plateau von Langres, dann über Joigny marschirt, war am 21. und 22. in Montargis eingerückt, wo ihm der Befehl aus dem Armee-Hauptquartiere zuging: „am 23. mit der Tete und dem Hauptquartier nach Beaune la Rolande zu rücken und am 24. sich um diesen Ort zu konzentriren." Während das Generalkommando und die 38. Brigade am 23. Beaune ohne Kampf besetzen konnte, hatten die am 24. nachrückenden beiden anderen Brigaden erst am Abend, die 37. Brigade nach dem glänzenden Gefecht bei Ladon, wo sie sich durch eine feindliche Division hindurch den Weg gebahnt, die 39. und die Korpsartillerie, nachdem sie eine andere, über Maizières im Vormarsch begriffene, zurückgeworfen hatten, dort aufschließen können. Am 25. war dann dem General von Voigts-Rhetz der Auftrag geworden, „unter Aufrechterhaltung der Verbindung mit der Armee, den

linken Flügel (gegen Ladon und Montargis) nach ████████
decken." Die Vorposten des Korps, über Batilly in ████████
des 3., zogen sich dem entsprechend von St. Michel über Orme, █
ville, Juranville, Lorcy, Corbeilles um die linke Flanke herum. Wen
darnach seit dem 25. November die unmittelbare Berührung ihrer drei
wiederhergestellt war, so befand sich doch die II. Armee in einer 6 !
langen dünnen Linie auseinandergereckt, dem nahen und, wie man
numerisch bedeutend überlegenen Feinde gegenüber in einer außeror█
kühnen Aufstellung, deren Schwierigkeit im Hauptquartier des █
Feldmarschalls die größte Aufmerksamkeit in Anspruch nahm.

Die Verhältnisse an der mittleren Loire hatten über die Zeit be
marsches der Armee von Metz auf Orleans immer größere Dimension█
genommen. Hatte man aus dem Hauptquartier Sens am 16. Nov█
noch der Hoffnung Raum geben können, der gestellten Aufgabe dur█
nach Heranziehung des 10. Korps an die beiden anderen, auszufü█
Wiedernahme von Orleans entsprechen zu können, so hatten seitde█
von allen Seiten gesammelten Nachrichten über den Feind der Ueberz█
Platz machen müssen, daß es zu einer entscheidenden Offensive der █
stützung der westlich auf die Straße Le Mans-Chartres abdirigirten █
Abtheilung des Großherzogs von Mecklenburg bedürfen würde. Diese
wendig erkannte Verstärkung war denn auch durch Befehl des großen █
quartiers vom 25. dem Prinzen Friedrich Karl überwiesen und an █
rechten Flügel heran, vorläufig mit der Direktion auf Beaugency b█
worden.

Die Resultate einer Reihe auf der ganzen Linie der II. Arme█
ordneter Rekognoscirungen am 24. November hatten aber bald die █
wendigkeit erkennen lassen, den Großherzog direkt auf Toury a█
9. Korps heranzuziehen, wo seiner Ankunft zum 28. entgegengesehen █

Die erwähnten Vorstöße nämlich hatten allerdings den Feind a█
ganzen Front der Aufstellung der II. Armee gegenüber, von Chevilly
Neuville aux bois bis Boiscommun in vollendeter Defensive eifrig b█
tigt, seine Positionen zu verstärken, gemeldet und nichts hatte hier di█
sicht einer nahen Offensive verrathen oder auch nur angedeutet. An█
seits aber war doch das Vorhandensein sehr bedeutender feindlicher █
vor der Front unzweifelhaft nachgewiesen und bei den kleinen Re█
konstatirt, daß die französischen Neuformationen mindestens in der De█
ziemlich gute Haltung gezeigt hatten.

Trotzdem erschien der Entschluß, im Vertrauen auf die Güte der ei█
Truppen und die Schwierigkeiten, welche der durch lange Regen außer█
lich aufgeweichte Boden der Beauce jedem Offensiv-Unternehmer b█

des entgegenfetzen mußte, fich bis zur Ankunft des Großherzogs in der innehabenden Stellung rein defensiv zu verhalten, in diesem Momente um so gerechtfertigter, als ein verunglückter Vorstoß des Gegners nur die beste Vorbereitung für die bald intentionirte Offensive sein konnte.

Durfte man fich somit im Hauptquartiere Pithiviers, was die Front der Armee anging, einer wohlbegründeten Zuversicht hingeben, so war doch das, was fich am 24. November beim 10. Korps ereignet und seitdem durch eine Menge fernerer Anzeichen bestätigt hatte, darnach angethan, die ent= schiedenste Aufmerksamkeit auf den linken Flügel der Armee zu richten.

Bereits von Montargis in den Tagen des 22. und 23. war in Er= fahrung gebracht, daß von Südosten her auf Briare und Gien bedeutende feindliche Maffen, man sprach von 60—100,000 Mann in Bewegung seien und die letzten Patrouillen der 19. Division bei ihrem Abmarsch von Mon= targis am 24. früh hatten das Vorschieben der feindlichen Vortruppen von Briare gegen diese Stadt gemeldet. Das Gefecht von Ladon aber hatte durch die glückliche Auffindung der Brieftasche eines gebliebenen General= stabsoffiziers die Anwesenheit eines bis jetzt noch nicht bekannt gewesenen XX. Korps von drei Divisionen mit über 35,000 Mann bei Bellegarde konstatirt, deffen Vorrücken auf Beaune nur durch die Gefechte von Ladon und Maizières verhindert worden war.

Weitere Nachrichten stellten dann am 25. und 26. die Wiederbesetzung von Ladon und von Montargis (hier fogar mit südlich gelagerten Maffen) feft; es wurde mehr und mehr zur Gewißheit, daß auch das bis jetzt bei Tours vermuthete XVIII. französische Korps von dort vielleicht per Eisen= bahn auf den feindlichen rechten Flügel geschoben sei. Mehrfache gegen die Vorposten des 10. Korps aus diesen Richtungen vorgetriebene Rekognoscirun= gen legten Zeugniß von einer gegnerischen Thätigkeit an dieser Stelle ab, welche in schroffem Gegensatze zur Passivität in der Front stand.

Angesichts dieser Anzeichen, welche noch durch die gemeldete Rechts= schiebung französischer Kräfte vor der Front des 9. Korps bekräftigt wurden, trat die Erwägung in den Vordergrund, daß die feindliche Loire-Armee der schwierigen Ueberwindung des ihr in Front gegenüberstehenden Hinderniffes ausweichend, den Entsatz von Paris durch eine auf Gien (Bourges-Nevers) geftützte Umgehungs=Operation zwischen Loing und Yonne verfuchen könne.

Dem gegenüber faßte der Prinz=Feldmarschall, wesentlich gestützt auf die ihm durch am 26. November vom 10. Korps auf Chateau-Landon diri= girte Detachements zugegangenen, seine allgemeine Auffassung der Dinge be= stätigenden Meldungen, am 27. November den, wie man sehen wird, ebenso rechtzeitigen, als wichtigen Entschluß: den Schwerpunkt der II. Armee nach ihrem linken Flügel zu verlegen.

Für den 28. November ward demgemäß angeordnet:

„1. Vom 3. Korps konzentrirt sich die 5. Infanterie-Division in (
    Frühe bei Dabonville, um von dort entweder auf Befehl
    Feldmarschalls K. H. nach Boynes und nächster Umgegend
    lozirt zu werden, oder eine Verwendung gegen den Feind
    finden. Dafür rückt die 6. Infanterie-Division und die Ko[
    artillerie in die bisherigen Quartiere der 5. um Pithiviers.
    Vorposten bleiben wie bisher stehen, die der 5. sind früh d
    die der 6. Infanterie-Division abzulösen. Letztere werden
    gegen,

„2. durch das 9. Korps früh übernommen. Es hat dieses K[
    eine Infanterie-, eine Kavallerie-Brigade und eine Batterie [
    Bazoches und Gegend zu disloziren."

In Aussicht genommen war die Vollendung resp. Fortsetzung d[
Linksschiebung durch Nachziehen des 9. Korps, sobald die — um einen [
später zu erwartende — Armeeabtheilung am 29. die große Straße
Etampes erreicht haben würde.

Was das Oberkommando für die Armee im Ganzen, hatte gleich[
am 27. General von Voigts-Rhetz für sein Korps im Speziellen
geordnet.

Während seit dem 24. Abends die 38. Brigade Beaune und Umge[
belegt und so die Straße Bellegarde und Boiscommun—Pithiviers off[
hatte, war der 39. die Besetzung der Straßen von Bellegarde und L[
auf Beaumont zugetheilt gewesen; die 37. Brigade und die Korpsartil[
hatten nördlich Beaune — also mehr hinter dem rechten Flügel — bis [
in Kantonnements gelegen.

Vom Korps befand sich unter Befehl des Generalmajors von Kr[
Roschlau, Kommandeurs der 20. Division, die seinerzeit vor Langres zu[
gebliebene 40. Infanterie-Brigade mit den beiden 4. Batterien des [
Regiments Nr. 10., 2 Eskadrons Dragoner Nr. 16. und einer Pionier-K
pagnie erst im Anmarsch auf Montargis und war voraussichtlich noch [
weit über Joigny hinaus. Dem General war auf Befehl des Oberkomm[
dos, gleichzeitig als Rekognoszirung gegen Montargis, am 26. ein Deta[
ment unter Oberstlieutenant von Woltenstern, bestehend aus den beiden [
ten Bataillonen Nr. 56. und 79., zwei Geschützen der 3. leichten Bat[
und zwei Eskadrons hessen-barmstädtischer Reiter auf Chateau-Landon
gegengesendet.

Dem General von Voigts-Rhetz standen somit am 28. früh
    nur 17 Bataillone Infanterie (nicht viel über 8500 Gewehr[
    11²/₈ Batterien mit 70 Geschützen,

und — da ihm seit Montargis noch 6 Eskadrons der hessen = darmstädtischen Kavallerie-Brigade zugetheilt waren, —

10 Eskadrons mit circa 1200 Pferden

zur Verfügung;

dazu 2 Pionier-Kompagnien.

Um dem immer wahrscheinlicher werdenden Vorgehen des Feindes gegen den linken Flügel der Armee seinerseits erfolgreich entgegentreten zu können, war — wie oben angedeutet — durch Befehl des General-Kommandos vom 27. Abends für den 28. früh ein Kantonnementswechsel für die 37. Brigade und die Korpsartillerie derart nach dem linken Flügel zu angeordnet, daß die beiden Stäbe nach Marcilly, das Allarm = Rendezvous für die beiderseitigen Truppentheile nach Bahnhof Beaune verlegt werden sollte.

Der trübe und neblige Morgen des 28. November fand somit das Korps vertheilt wie folgt:

Die Vorposten des äußersten rechten Flügels hielten mit einer hessischen Reiterfeldwache auf der Straße Batilly—Nancray die Verbindung nach der 1. Kavallerie-Division, resp. dem dritten Korps. Vorwärts Batilly stand mit der 3. Kompagnie in St. Michel, der 4. in Galveau, der 2. in Quechevelle in erster Linie, mit der 1. Kompagnie als Repli in Batilly, das 1. Bataillon Nr. 57. (Major von Schöler). Links anschließend mit der 7. Kompagnie vorwärts, mit der 5. Kompagnie in Orme auf der großen Straße Beaune—Boiscommun folgte das 2. Bataillon Nr. 57. (Major von Wehren), dessen 6. Kompagnie mit zwei Feldwachen südwestlich von, einem Zuge in Jarrisoy sich links anschloß; die 8. Kompagnie hatte einen Zug in das Gehöft La Grange bis auf 400 Schritte an das vom Feinde besetzte St. Loup herangeschoben und stand mit einem Zuge in Jarrisoy, mit dem dritten in dem nahen Orminette auf Repli. Es folgte mit Feldwachen der 9. Kompagnie über die Fe. Arquemont, einer Feldwache der 11. auf der Straße Beaune—Ladon, mit der 10. und dem Rest der 11. Kompagnie dahinter in Foucerive das Füsilier-Bataillon Nr. 57. (Major von Gerhardt). Die 12. Kompagnie hielt Vergouville besetzt und reichte mit einer Feldwache in der Fe. la Jarry den Vorposten der 39. Brigade die Hand.

Zwei Eskadrons hessischer Reiter waren den Vorposten der 38. Brigade zugetheilt, deren Kommando der Kommandeur des Regiments Nr. 57., Oberst von Cranach, führte.

Die große Straße Bellegarde—Beaumont, südlich les Côtelles coupirend, rechts hin in Verbindung mit der 12. Kompagnie Nr. 57., stand in vier Feldwachen ziemlich breit auseinandergezogen die 1. Kompagnie Regiments Nr. 79; hinter ihr als starkes Repli hatte das Füsilier-Bataillon Nr. 79

(Major von Steinäcker) les Côtelles belegt. Statt neben ber ……
wachen in der Richtung auf Maizières und auf Labon stand ……
ranville die 2. Kompagnie Nr. 79; als Repli in Juranville die 4…
pagnie Nr. 56. Major von Schmidt vom 1. Bataillon Nr. 79 füh…
Befehl über diesen Abschnitt der Vorposten.

An ihn schloß links rückwärts umbiegend, vorwärts Lorcy, …
3. Jäger-Kompagnie als Repli im Orte hinter sich, die 3. Komp. …
dann weiterhin vorwärts Corbeilles, welches die drei anderen Jäge…
pagnien Nr. 10 (Major von Przychowski) besetzt hatten, die 4. Komp.
sich an.

Entsprechende Kavallerie war mit im Ganzen zwei Eskadrons …
ner Nr. 16 zugetheilt.

Auf der ganzen zwei Meilen langen Linie der Vorposten be…
stand man sich mit dem Feinde auf nächste Nähe, meist nicht viel ü…
unter 1000 Schritt gegenüber. Man wußte im Allgemeinen, daß be…
commun, Bellegarde namentlich, und Labon größere feindliche Läger …
seien. Das ganze Vorterrain mit einzelnen Höfen, kleinen Waldparzell…
einzelnen Baumgruppen besetzt, war im höchsten Grade unübersichtlich …
stens gegen Osten vor Lorcy—Corbeilles etwas freier; die Linie sel…
Vertheidigung, namentlich der Artilleriewirkung in hohem Maße ungün…

Hinter den sonach inklusive Replis von den 17 Bataillonen …
6¼ Bataillone beanspruchenden langen Linie waren zunächst disponib…
dem rechten Flügel der Rest der 38. Brigade: von Wedell, 3 Ba…
Nr. 16 mit der 1. schweren und 1. leichten Batterie und der 1. P…
Kompagnie der 19. Division und zwei Eskadrons hessischer Reit…
Beaune la Rolande selbst; Summa 3 Bataillone, 2 Eskadrons, 1 …
schütze, 1 Kompagnie.

Hinter dem linken Flügel der Rest der 39. Brigade (Führer:
von Valentini), das Füsilier-Bataillon und drei Kompagnien 1. Bat…
Nr. 56 (Oberst von Block), die 2. Pionier-Kompagnie und die 10 G…
der beiden 3. Batterien der 20. Division; Summa 1¾ Bataillone, 1 …
schütze, 1 Kompagnie.

Als Reserve des Korps verblieben dann noch die 37. B…
(Oberst Lehmann): Regimenter Nr. 78 (Führer: Oberstlieutenant von W…
und Nr. 91 (Oberstlieutenant von Hagen) mit den beiden oldenbur…
2. Batterien und dem Dragoner-Regiment Nr. 9; ferner die Korpsar…
(Oberst Baron von der Golz) mit 4 Fuß- und 2 reitenden Bat…
Summa 6 Bataillone, 48 Geschütze, 4 Eskadrons. Beide Truppen…
wie bereits erwähnt, am Morgen des 28. im Begriff, ihre Kantonn…
befohlenermaßen zu wechseln.

I. Der Kampf auf dem linken Flügel des 10. Korps von 8—2 Uhr.

Es war gegen ¹/₂8 Uhr früh am 28., als die Patrouillen der Feldwachen vorwärts les Côtelles und Juranville ein massenhafteres Vorgehen
feindlicher Schützenschwärme aus der Richtung von Maizières her meldeten;
kurz darauf war der linke Flügelposten der 1. Kompagnie heftig angegriffen
und bald die ganze Vorpostenlinie der 1. und 2. Kompagnie Nr. 79 im
lebhaftesten Gefecht gegen bedeutende feindliche Kräfte verwickelt. Unterstützt
von der 4. Kompagnie Nr. 56 und das dem Schützengefecht günstige Terrain;
wichen die schwachen Abtheilungen nur ganz allmählig der auf sie drückenden
Uebermacht. Erst nach anderthalbstündigem Gefecht war es dem Feinde gelungen, sich in den Besitz von Juranville zu setzen.

Während die 1. Kompagnie auch auf ihrem rechten Flügel längs der
Chaussee von Bellegarde her durch vorgehende Kolonnen bedroht, sich in
westlicher Richtung über Venouille zurückzog, um die Front von les Côtelles
frei zu machen, hatte die 4. Kompagnie Nr. 56 aus Juranville weichen
und die dadurch in ihrer rechten Flanke bedrohte 2. Kompagnie Nr. 79 um
Dorf und Busch östlich herum zurückgehen müssen. Der Feind folgte zunächst nicht direkt auf les Côtelles, vorwärts welchen Dorfes die dort kan-
tonnirt gewesenen 4 Geschütze der 3. leichten Batterie (Hauptmann Burbach)
eine Position genommen und ihn, wie es schien, mit Erfolg beschossen hatten. Er dirigirte vielmehr seine Kolonnen halbrechts auf Juranville, aus
diesem Dorfe gegen Norden debouchirend. — Sofort auf die ersten Meldun-
gen·des feindlichen Vorgehens hin war die 39. Brigade allarmirt worden.

Sie stand — les Côtelles vor der Front durch das Füsilier-Bataillon
Nr. 79 besetzt — mit noch 1³/₄ Bataillonen, 10 Geschützen (die 4 Geschütze
der 3. leichten Batterie waren, als sie vorwärts Côtelles nicht mehr wirken
konnten, hierher zurückgegangen), 1 Eskabron Dragoner Nr. 16, drei Zügen Dragoner Nr. 9, die sich vom Marsche in's neue Kantonnement ihr angeschlossen,
auf dem Allarmplatz östlich Venouille bei den Windmühlen, als die langsam
weichenden Vorposten von rechts und links auf die Stellung zurückkamen,
und der Feind bald darauf in und sogar über den Busch von Juranville
nachzudrängen begann. — Zur Aufnahme der Vorposten ließ nun — etwa
9¹/₂ Uhr — Oberst von Valentini die drei Kompagnien des 1. Bataillons
Nr. 56 (Major von Lindeiner) gegen Juranville vorgehen. Bald darauf,
als auch die Vorposten aus Lorcy meldeten, daß sie aus der Richtung von
Labon stark angegriffen und auf ihrem rechten Flügel durch das Vorgehen
auf Juranville bedroht, auf Chateau Lorcy gewichen wären, wurden auch

ihnen unter dem Schuße der sieben Züge Dragoner 2 Geschüße
ten Batterie zur Unterstüßung entgegengesendet.

Die in der Stellung unter Deckung des Füsilier-Bataillons Nr.
rückgebliebenen 8 Geschüße resp. der 3. schweren (Hauptmann
3. leichten Batterie fanden Gelegenheit, zwischen les Côtelles und den
von Juranville durchfeuernd auf die aus diesem Dorfe immer zahl
vorbringenden feindlichen Kolonnen zu wirken.

Major von Linbeiner war inzwischen mit großer Bravour wieder
gedrungen und schlug sich mit hartnäckiger Zähigkeit gegen den
massenhafter auftretenden Feind. Unter dem Schuße dieses Kampfes
sich die beiden rechten Flügel-Kompagnien des 1. Bataillons Nr. 7
Bogen wieder zusammengefunden, ihre Munition ergänzt und dann
der großen Straße nördlich les Côtelles gelegenes Gehöft, als linker
schuß der bei den Windmühlen aufgefahrenen Artillerie, beseßt.

Etwas weiter zurück am Moulin des hommes libres war um 1
das 2. Bataillon Nr. 91 (Major von Kienih) in Reserve aufgestellt.
seinem Marsche aus dem alten Kantonnement nach Marcilly hatte
seiner Ankunft dort von der 37. Brigade den Befehl erhalten, sich
des hörbar gewordenen Gefechtes dem Obersten von Valentini zur Disp
zu stellen, war deshalb auf Venouille abgebogen und dann vom Cl
an der bezeichneten Stelle vorläufig in Reserve placirt worden. De
der wie bekannt im Quartierwechsel begriffenen Brigade Lehmann u
Korpsartillerie hatten, als sie auf ihren Marschrichtungen das imme
hafter werdende Gefecht vorn vernommen, sich nach dem befohlenen A
plaß, Bahnhof Beaune, hin wieder zusammengezogen und standen seit
9 Uhr früh dort zur Disposition des kommandirenden Generals.

Im Korps-Hauptquartier Beaune la Rolande waren etwas nach
die ersten, noch nicht sehr dringlich lautenden Meldungen der Brigad
lentini eingegangen. Es war auch dort zwar sofort allarmirt worden,
läufig aber blieb es doch noch — namentlich da Allarmirungen seit
26. nichts Neues waren — zweifelhaft, ob, respektive wo, die seith
kannt gewordenen feindlichen Bewegungen einen wirklichen Hauptan
einleiten sollten.

Kurz nach 8 Uhr nämlich hatte auch von der Höhe bei St. Lou
eine feindliche schwere Batterie ein allerdings sehr langsames Feue
immense Entfernung gegen Beaune eröffnet und gleich eine der ersten
naten das vom kommandirenden General bewohnte Quartier getroffen.

Da aber von den Vorposten der 38. Brigade noch keinerlei bede
lautende Meldung gekommen, auch jene eine Batterie, deren Feuer nat
nicht erwidert wurde, ihre Granaten immer vereinzelter und immer ver

herübersandte, während vom linken Flügel der Kampflärm von Minute zu
Minute stieg, begab sich bald nach 8¹/₂ Uhr der General von Voigts-Rhetz
über Marcilly nach Bahnhof Beaune.

Nicht lange nach seiner Ankunft dort hatte der Feind, welcher, wie bekannt, seinen rechten Flügel schon gegen Lorcy ausgedehnt hatte, noch weiter östlich ausholend, etwa um 9¹/₂ Uhr auch die vorwärts Corbeilles stehende
4. Komp. Nr. 79. mit bedeutenderen Kräften angegriffen und war den aus
Lorcy auf Corbeilles abziehenden beiden Kompagnien folgend, etwa gegen
10 Uhr aus südlicher Richtung gegen dieses Dorf selbst vorgedrungen. Um
für alle Fälle die Verbindung nach den abdetachirten Theilen des Korps
offen zu halten, entsandte der kommandirende General zunächst zwei Kompagnien des Füsilier-Bataillons Nr. 78. (Major v. Wins) mit der 4. Eskabron Dragoner Nr. 9. nach Bordeaux zur eventuellen Aufnahme der
Jäger.

Inzwischen war bei Juranville der Kampf immer schwieriger geworden.
Mehr und mehr trotz der hartnäckigsten Zähigkeit verloren die Kompagnien
des 1. Bataillons Nr. 56. wieder an dem vorher gewonnenen Terrain und der
Moment, wo sie ihre errungenen Vortheile wieder würden aufgeben müssen,
war nahe bevorstehend. Immer nachdrücklicher drängte der Feind aus und
östlich Juranville vorbei; die zwei Geschütze und die Kavallerie bei Lorcy
mußten, von feindlicher Infanterie beschossen, zurück und dem weit überlegenen Angriff auf den Ort hatte auch die schwache Infanterie — wie erwähnt — in nördlicher Richtung nach dem Eisenbahndamm, respektive Corbeilles weichen müssen.

Der kommandirende General, durch vorgesendete Generalstabs-Offiziere
über den Verlauf des Gefechtes orientirt, hatte bereits bald nach 10 Uhr
das Füsilier-Bataillon Nr. 91. (Hauptmann v. Taysen) auf der Chaussee
der Brigade Valentini zur Unterstützung gesendet und ließ demselben kurz
darauf auch das 1. Bataillon des Regiments (Hauptmann v. Gayl) folgen.

Als Oberst v. Valentini der nahen Unterstützung gewiß war, zögerte
er nicht, auch das letzte Bataillon seiner Brigade im Gefecht vorwärts zu
verwenden.

.Das Füsilier-Bataillon Nr. 56. (Major v. Kölichen) erhielt gegen
11 Uhr Befehl, das vorne kämpfende, hart gedrängte 1. Bataillon, welches
im anderthalbstündigen Gefecht sich fast ganz verschossen hatte, abzulösen.
Von links nach rechts mit der 11., 10., 12. Kompagnie im ersten Treffen,
der 9. dahinter, avancirte das Bataillon westlich längs der Büsche vorbei,
und drang trotz heftigsten feindlichen Gewehrfeuers gegen die Nordlisiere von
Juranville vor.

Die 11. Kompagnie, welche das Dorf östlich umfaßte, sah sich bald

ihrerseits auf's heftigste von dicken feindlichen Tirailleurschwärmen aus
Richtung von Lorcy her angegriffen und von mehreren Bataillonen in
linken Flanke bedroht.

Auch der 10. und 12. Kompagnie gegenüber leistete der Feind
nackigen Widerstand; auf der ganzen Linie mußten dichte feindliche Schü
schwärme oft mit dem Bayonnet gegen die Lisiere zurückgedrängt werden
als dieselbe von der 12. Kompagnie mit dem Premier-Lieutenant Je
an der Spitze, auf dem Eingange von les Côtelles her erreicht war,
es, sich auch ferner den Weg von Haus zu Haus zu bahnen.

Inzwischen war dem Bataillon, geführt vom Regiments-Komman
Oberstlieutenant von Hagen, das Füsilier-Bataillon Nr. 91, wie oben
merkt, vom kommandirenden General der Brigade Valentini zugesendet,
Aufenthalt zu machen, gefolgt.

Bei les Côtelles östlich vorbeigehend, wandte sich das Bataillon
vorgezogener 9. und 10. Kompagnie gegen die West- und Südwestli
von Juranville, gleichfalls starke feindliche Schützenschwärme vor sich
treibend. Die 12. Kompagnie verlängerte bald den rechten Flügel, ge
von der geschlossenen 11.

Als die Umfassung weit genug vollendet, warfen sich die Kompag
mit aller Macht gegen die Südlisiere des Dorfes, während gleichzeitig
neben ihnen Major von Kölichen auch seine 9. Kompagnie der von der
gewiesenen Bahn tambour battant folgen ließ.

Von drei Seiten arbeiteten sich die Oldenburger und Westfalen in
auf's hartnäckigste vertheidigten und mit französischer Gewandtheit in
glaublich kurzer Zeit in Vertheidigungszustand gesetzten Dorfe vorw
Haus für Haus ward erstürmt, Barrikade auf Barrikade, der besetzte K
thurm genommen und endlich der Feind — etwa um 12¼ Uhr — g
lich aus dem Dorfe geworfen. 250 unverwundete Gefangene, nur Lü
truppen angehörend, konnten die siegreichen Bataillone zurücksenden, die
glänzenden Erfolg gegen bedeutende Ueberlegenheit mit einem Verlust
circa 200 Mann erkauft hatten.

Während aus der Lisiere die 11. Komp. Nr. 91 und Abtheilungen
anderen Kompagnien den in südöstlicher Richtung weichenden Feind
ihr Feuer verfolgten, hatte sich indessen nordöstlich des Dorfes gegen
11. Komp. Nr. 56 die Situation immer bedenklicher gestaltet.

Aus der Richtung von Lorcy her waren neue Verstärkungen mit Artil
vorgebracht und hatten, als der Kampf in Juranville noch tobte, den
schon in nordöstlicher Richtung umgangen. Oberst von Valentini, in
richtigen Erkenntniß, daß es bei seiner numerischen Schwäche nicht
sei, den vorgeschobenen und exponirten Posten von Juranville

momentanen·Wiedereroberung zu behaupten, hatte dem Ansuchen der Oberstlieutenant von Hagen um Verstärkung mit dem Rückzugsbefehl in die Hauptposition geantwortet.

Er hatte die Zeit, welche ihm der glückliche Vorstoß der Füsiliere verschafft,
dazu benutzt, seiner Position auf den Windmühlen von Venouille die möglichste
Stärke zu geben, das 1. Bataillon Nr. 91 hatte in der Mühle des hommes libres
das 2. Bataillon des Regiments in Reserve ersetzt, welches auf den rechten
Flügel gezogen, nun das Windmühlengehöft von Venouille besetzte. Das zu-
rückgezogene 1. Bataillon Nr. 56 übernahm mit den beiden Kompagnien des
1. Bataillons Nr. 79 den linken Flügel an der Chaussee.

Während, dem gegebenen Befehle entsprechend, die Füsiliere Nr. 56 nicht
ohne lebhaftes Gefecht mit dem seine Ueberflügelung immer weiter ausdeh-
nenden Feinde zurückgingen und auf dem rechten Flügel der Position hinter
der Windmühle von Venouille in Reserve gestellt wurden, hatte das Füsilier-
Bataillon Nr. 91 das Dorf Juranville zur Deckung des Abzuges noch kurze Zeit
besetzt gehalten. Die 10. und 11. Kompagnie setzten zunächst das Feuer
aus der Lisiere gegen den wieder vordringenden Feind fort, bis Hauptmann
von Taysen die beiden andern Kompagnien seines Bataillons geschlossen bis
an die nächsten Büsche zurückgeführt hatte, wo sie dann wieder eine Aufnahmestellung für die beiden ersteren nahmen.

Mit großer Ruhe und Präzision setzte dann trotz des verfolgenden
Feindes das Bataillon bei les Côtelles wieder vorbei seinen Abzug fort,
ohne daß der Feind es wagte direkt aufzudrängen.

Es war etwa 2 Uhr, als es bei der Stellung des 2. Bataillons des
Regiments an den Windmühlen von Venouille eintraf und in die Schlachtordnung eindoublirte.

Während dieser mehrstündigen Vorgänge um Juranville war französischerseits das Vorgehen gegen les Côtelles gänzlich eingestellt geblieben. Es
ist oben erwähnt, wie eine bei Beginn des Gefechtes auf der Chaussee gegen
diesen Ort vorgehende starke Kolonne sich alsbald dem Feuer der Batterie
Burbach entziehend, halbrechts auf Juranville gewendet hatte. Nur eine
schwache Tiailleurlinie war seitdem gegen das Dorf auf etwa 800 Schritt
von der Südlisiere in einem Graben gedeckt liegen geblieben und hatte von
dort wohl ununterbrochen, aber fast ganz ohne Erfolg, das Feuer unterhalten. Major von Steinäcker hatte die ihm gelassene Muße benutzt, die
Vertheidigungseinrichtungen möglichst zu verstärken und die Besetzung zu
regeln. Die tiefe Lage von les Côtelles am Westabfall eines zwischen dem
Dorfe und Juranville gelegenen Rückens hatte die dortigen Ereignisse sowohl
den Blicken, als der Mitwirkung der Besatzung entzogen. Major von Steinäcker hatte die Südfront des Dorfes gegen Bellegarde mit der 9. und 1 Zug

ber 10. Kompagnie, als der Feind gegen Juranville vorbrang, die ...
2 Zügen 10. und der 11. Kompagnie besetzt, die 12. Kompagnie ...

Als die Vorposten aus Juranville wichen, war Premier-Lieuten...
Sczymonski mit einem Zuge seiner 11. Kompagnie in den Weinfel...
der Höhe über Juranville vorgegangen und hatte von dort flankiren...
das feindliche Vorgehen aus Juranville gewirkt. Als diesseits die ...
abgezogen, war auch der Zug wieder näher an les Côtelles herang...
dann bei der dem erneuten Vorgehen der Füsiliere durch eine ...
östlich Côtelles Unterstützung bringenden Batterie Burbach stehen...
schließlich aber, als diese Batterie nach kurzem Feuer durch das ...
der Infanterie maskirt, in die alte Position zurückkehrte, gleichfalls ...
Stellung an der Lisiere wieder eingerückt.

Erst nachdem Juranville zum zweiten Male geräumt, auch be...
östlich vom Feinde wieder besetzt war, unternahm derselbe endlich ...
kurzen Pausen hintereinander zwei Anläufe gegen das Dorf, die be...
mit bedeutendem Verluste für ihn abgewiesen wurden, obgleich sein...
Schwärme jedesmal erst auf kaum 200 Schritt von der Lisiere gese...
beschossen werden konnten. Premier-Lieutenant von Ledebur, Fü...
10. Kompagnie, hatte in diesem Kampfe den Tod gefunden.

Nicht minder erfolglos als dieses erste Unternehmen gegen da...
schobene Côtelles sollte der weiter östlich ausholende mit bedeutend...
ten unternommene Versuch des Gegners bleiben, den ihm durch die ...
lige Wiederräumung von Juranville zugefallenen Vortheil durch ein...
gemeinen Angriff gegen den linken Flügel der diesseitigen Haup...
auszubeuten.

Bereits war auch hier durch den kommandirenden General ...
Vorkehrung getroffen, die Brigade Valentini — oder jetzt wohl rich...
Regiment Nr. 91 — zu sekundiren.

Als General von Voigts-Rhetz aus dem Verlaufe der Dinge ...
Brigade Valentini und den Waldungen von Corbeilles her — au...
Vorgänge zurückzukommen ist — erkannt hatte, daß die feindlichen ...
kräfte zwischen Juranville und Lorcy konzentrirt und von dieser ...
die Hauptanstrengungen zu erwarten seien, hatte er gegen $\frac{1}{2}$2 ...
Obersten Lehmann mit dem 2. Bataillon (Major von Preuß) und ...
pagnien des 1. Bataillons Nr. 78 (Führer: Major von Tresckow) ...
2. schweren Batterie (Premier-Lieutenant Zarnack) seiner Brigade ...
auf der Chaussee in Bewegung gesetzt und ihm auch die 5. (Ha...
Berendt) und 6. leichte Batterie (Hauptmann Richard) der Korps...
nachgesendet.

Da bereits früher auf die ersten Meldungen des Jägerbataillo...

stärkeren Anbrängen des Feindes auf Corbeilles dem Major von Winß auch die anderen beiden Kompagnien seines Füfilierbataillons und die 2. leichte Batterie nach Borbeaux nachgesendet worden waren, verblieben jetzt bei Bahnhof Beaune als einzige Reserve des Korps nur 2 Kompagnien des 1. Bataillons Nr. 78 und die beiden schweren Batterien der Korpsartillerie — in einem Momente, wo, wie wir sehen werden, die Schlacht auch auf dem äußersten rechten Flügel bei Beaune la Rolande den Gipfelpunkt der kritischsten Lage erreicht hatte.

Als Oberst Lehmann mit der Tete seiner Kolonne die Höhe von Long Court erreicht hatte, begann gerade der Gegner seinen durch lebhaftes Artilleriefeuer unterstützten Angriff durch das Vorgehen dichter Tirailleurmassen aus der Richtung zwischen Juranville und Lorcy her einzuleiten.

Unter dem Schutze der beiden links herausgeschobenen Kompagnien des 1. Bataillons Nr. 78 fuhr die 2. schwere Batterie sofort östlich der Chaussee auf und eröffnete auf 1900 Schritt ihr Feuer. Wenig Minuten darnach schlossen sich ihr links die beiden leichten Batterien der Korpsartillerie an.

Rechts vorwärts der drei Batterien an der Chaussee den Bachlauf und die Mühle besetzt haltend, stand das 1. Bataillon Nr. 91; dahinter auf der Höhe von Long Court das 2. Bat. Nr. 78. Auf dem Windmühlenberg von Benouille schwenkten die 10 Geschütze der Brigade Valentini links, die Front nach Osten nehmend. Ihren rechten Flügel deckten, wie erwähnt, die beiden andern Bataillone Nr. 91 und vorwärts das Bataillon in les Côtelles.

Die schon am Morgen so hart engagirt gewesenen Bataillone Valentini (1. und Füsilier-Bataillon Nr. 56 und 1., 2. Kompagnie Nr. 79) waren auf die Höhe von Long Court zurückgenommen.

In der Front von dem heftigen Feuer der drei Batterien Lehmann empfangen, in der linken Flanke von der Artillerie Valentini gefaßt, deren einheitliche Leitung der Brigadekommandeur von der Decke und Oberst von der Golz übernommen, vermochte der Feind bald keine Fortschritte mehr zu machen. Zwar versuchte er mit dichten Massen seine Schützenschwärme vorwärts zu stoßen, aber vergebens; nach kaum halbstündigem Versuch wirbelte er in wilder Unordnung zurück, — um für heute von dieser Seite nicht mehr wiederzuerscheinen. Es war zwei Uhr vorbei! —

Wir haben die Ereignisse auf dem äußersten linken Flügel der Stellung nachzuholen.

Es ist oben erwähnt, wie etwa gegen 10 Uhr auch die auf Vorposten von Lorcy gewesene 3. Kompagnie Nr. 79 und die ihr als Repli dienende 3. Jäger-Kompagnie sich auf Corbeilles hatten zurückziehen müssen und daß auch die hier auf Vorposten gestandene 4. Kompagnie Nr. 79 sich vorwärts nicht mehr hatte behaupten können.

Die in Corbeilles kantonnirenden drei anderen Jägerkompagnien waren schon frühzeitig durch das lebhafte Feuer bei Juranville allarmirt worden. Major von Przychowski hatte durch die 2. Jägerkompagnie den Eisenbahn-übergang an der Straße Corbeilles-Lorcy besetzen lassen und die von Vor-posten kommenden Abtheilungen dort aufgenommen. Als der Feind von Süden aus gegen Corbeilles vordrang, ward auch die erste Jägerkompagnie an den Eisenbahndamm vorgeholt, nur die 4. bei Corbeilles in Reserve gehalten.

Seinen rechten Flügel durch die Infanteriekompagnie verlängernd, mit der 3. Jägerkompagnie eine Offensivflanke bildend, wies Major von Przy-chowski zwei Stunden lang die immer wiederholten Angriffe dichter Schützen-schwärme und Kolonnen jedesmal mit bedeutendem Verluste des Feindes er-folgreich ab.

Es war 12 Uhr geworden, als endlich die dem kleinen Häuflein in Front gegenüberstehenden 5—6 Bataillone aus einer schon lange beobachteten außer Schußweite gestandenen Infanteriemasse von mehreren Bataillonen durch den Versuch einer weit östlich ausholenden Umgehung von 2 Batail-lonen unterstützt wurden.

Die vierte Jäger-Kompagnie aus der Reserve bildete eine defensive Flanke im Park von Corbeilles, unter deren Schutz jedoch Major von Przy-chowski, um nicht in nachtheilige Gefechtsverhältnisse im Dorfe Corbeilles verwickelt zu werden, den Abzug längs des Dammes in westlicher Richtung hinter den Rolandebach antrat.

Der Feind, wohl durch die bedeutenden erlittenen Verluste abgeschreckt, ließ das Abbrechen des Gefechtes ruhig geschehen und cotoyirte nur mit zwei Bataillonen auf weite Entfernung die die Arrieregarde bildende 4. Kom-pagnie, um aber auch diese Bewegung bald einzustellen. Seine Massen zogen sich wieder näher auf Lorcy, wo über ihr späteres Auftreten bereits berichtet.

Als der Kampf hier gerade im Erlöschen begriffen, traf beim Bataillon um 12½ Uhr der Befehl des kommandirenden Generals ein, jedem über-legenen Angriff auszuweichen und sich nach Long Court heranzuziehen, wo das Detachement ohne weitere Belästigung eintraf, als dort der oben er-wähnte Angriff gerade abgewiesen war.

Das Jägerbataillon hatte einen Verlust von 2 Todten und 18 Ver-wundeten, als es aber andern Tages Corbeilles wieder besetzte, hat sein Stabsarzt dort allein an 150 verwundete Franzosen verbunden!

Während so von 8 Uhr bis um 2 Uhr auf dem linken Flügel des Korps sich ein hartnäckiger hin- und herschwankender Kampf bis zu einem gewissen Abschlusse abgespielt hatte, war auf dem durch die Mulde und die Büsche von Marcilly ganz selbstständig abgetrennten Gefechtsfelde des rechten Flügels ein nicht minder heißes Ringen entbrannt und stand grade eben noch auf dem Höhepunkte seiner Krisis!

II. Der Kampf auf dem rechten Flügel des 10. Korps von 10—2 Uhr.

Wir haben die Halbdivision von Woyna in ihrer Allarmstellung bei Beaune la Rolande verlassen, als etwa um 8½ Uhr der kommandirende General von dort dem lebhafter gewordenen Gefecht des linken Flügels zugeritten war.

Bereits seit dem 26. war der schon von der Natur dafür begünstigte Ort Beaune.durch alle Mittel der Kunst zu einer hartnäckigen Vertheidigung eingerichtet. Starke Barrikaden sperrten die beiden in der Flanke der Vertheidigungslinie vorhandenen einzigen Eingänge von der feindlichen Seite — von Boiscommun und von Bellegarde-Ladon her; die die Südfront bildende zusammenhängende, stellenweise 6—12' über das Außenterrain sich erhebende Mauer war je nach Bedürfniß durch Scharten oder Echaffaubagen eingerichtet, Querverbindungen durch die hinterliegenden Gärten hergestellt u. s. w.

Zur Besetzung der Stadt war das Regiment Nr. 16 (Führer: Oberstlieutenant Sannow) bestimmt, welches (in derselben kantonnirend) Zeit gehabt hatte, sich vollständig zu orientiren.

Dem 1. Bataillon (Hauptmann von Natzmer) war die Westfront vom Eingange von St. Loup her bis inklusive des der Nordwestecke vorliegenden Kirchhofes anvertraut; verhältnißmäßig die schwächste Linie, weil nach dieser Seite keine zusammenhängende Lisiere existirt und die einzelnen Gehöfte abwechselnd vor- und zurückspringen. Einen guten Standpunkt, gleichzeitig zur Flankirung der Lisiere, bildete der erwähnte Kirchhof mit seiner 4' hohen, aus Felssteinen erbauten Mauer.

Das Bataillon hatte seine 2. Kompagnie in Reserve.

Die starke Südfront, vor deren Mauerenceinte auf etwa 30 Schritt Abstand noch der Rolande-Bach in Form eines tiefen, steilrändigen Grabens, freilich mit Buschwerk bestanden, als Hinderniß sich hinzieht, war dem Füsilierbataillon (Hauptmann Woltmann) überwiesen, welches seine 12. Kompagnie in Reserve gestellt hatte.

Das 2. Bataillon (Major von Zülow) besetzte mit der 5. und 8. Kom-

pagnie die gleichfalls offene Oftlifiere refp. die derfelben vorliegenden
zelnen Gehöfte, fich längs des Weges nach Marcilly mit dem linken Fl
über die an der Höhe liegenden Kalköfen bis zu den Windmühlen aus
nend, fo die Zugänge zum Orte von diefer Seite, aus überhöhender E
lung günftig flankirend.

Die 6. Kompagnie blieb als Generalreferve auf dem Marktplatz;
7. Kompagnie war überhaupt zur 1. Trainftaffel ganz abkommandirt.

Die beiden Batterien der Brigade von Wedell, waren refpektive
1. fchwere (Premierlieutenant Frels) unter Bedeckung eines Zuges der 1. K
pagnie Nr. 16 nordweftlich des Kirchhofes zur Flankirung des rechten §
gels; die 1. leichte (Hauptmann Knauer) bei den erwähnten Kalköfen
Deckung der linken Flanke poftirt.

Als einzige äußere Referve ftand nördlich Beaune die 1. Feldpion
kompagnie (Hauptmann von Kleift) und etwas links rückwärts auf Mar
zu, zwei Eskadrons heffen-darmftädtifcher Reiter (Major von Bufeck).

Die Generale von Woyna und von Wedell hielten bei den Windmüh
füdöftlich der Stadt.

Auffallend kontraftirte mit dem immer wachfenden Schlachtgetöfe
dem entfernten linken Flügel die abfolute Stille vor der eigenen Fro
Jene oben erwähnte Batterie vor St. Loup hatte bereits lange ihr unnü
Feuer eingeftellt; von den Vorpoften war keinerlei Meldung eingegangen.

Es war ½ 11 Uhr geworden, als vom rechten Flügel her der e
Schuß der erften fchweren Batterie ertönte und bald darauf die Meld
einlief, daß das 1. Bataillon Nr. 57 von Batilly her durch bedeutende fei
liche Kräfte gedrängt, fich zurückziehen müffe.

Der entfcheidende Angriffe hatte auch gegen den rechten Flügel
Korps begonnen!

Die Feldwachen des Regiments Nr. 57 hatten, feit auch fie, durch t
Feuer von Juranville her, am Morgen allarmirt worden, in ihren Verth
bigungspofitionen gelegen, ohne daß der, wie man aus nächtlich gehört
Geräufch fchließen konnte, hinter St. Loup und Boiscommun angefammt
Feind fie angegriffen hätte.

Gegen 10 Uhr endlich aber waren auch hier, namentlich von Montb
rois gegen Orme und Quechevelle bedeutende feindliche Schützenfchwä
vorgedrungen und hatten fich allmählich immer weiter links ausgedehnt.

Vor dem feindlichen, bald durch Kolonnen und Artillerie von den Hö
unterftützten Andrange wich die weitgedehnte Poftenlinie langfam und f
tend zurück.

Das 1. Bataillon, durch den Vorftoß auf der Chauffee in feiner lin
Flanke bedroht und beforgend, leicht mit feinem rechten Flügel von Bea

abgedrängt zu werden, nahm die Flügelkompagnien von Batilly und Galveau in allmählicher Rückwärtsschwenkung zurück, als auch aus dem Walde südlich St. Michel feindliche Infanterie vorbrach.

Die 2. Kompagnie anfangs als Pivot bei Quechevelle zurücklassend, führte Major von Schöler seine Kompagnien langsam in eine neue Position im Haken auf den rechten Flügel der 1. schweren Batterie, welche, wie erwähnt, ihr Feuer eröffnete, als feindliche Batterien von den Höhen vorwärts Montbarrois gegen Orme in Thätigkeit traten.

A cheval der Cäsarstraße (mit der 1. Kompagnie nördlich, der 3. südlich derselben) Front gegen Westen, mit der nachgezogenen 2. Front gegen Süden sich an die Batterie Frels anschließend (mit der 4. in Reserve), nahm das Bataillon auf den sanften Hängen eine neue konzentrirtere Gefechtsstellung.

Mittlerweile waren die Feldwachen der 7. Kompagnie (Hauptmann Feige) vom Repli der 5. Kompagnie (Premierlieutenant Lancelle) in Orme aufgenommen, von bedeutend überlegenen Kräften gedrängt, längs der Chaussee auf Beaune zurückgegangen.

Sich abwechselnd aufnehmend, gingen die beiden Kompagnien hinter den Rolande-Graben, in gerade nördlicher Richtung so ausweichend, daß die verbarrikadirte Front von Beaune demaskirt wurde. Sie hielten hier so lange ein stehendes Feuergefecht gegen den über Orme nachdrängenden Feind, bis daß derselbe durch westlich ausholende Umgehung sie in der rechten Flanke bedrohte. .

Hauptmann Feige führte dann die kleine Abtheilung auf die Westlisiere von Beaune selbst zurück, wo wir sie später in hervorragender Weise an der Vertheidigung theilnehmend wieder finden werden.

Während nach der Gewinnung von Orme der Gegner in der Front nur ein hinhaltendes Gefecht, namentlich auch mit Batterien dicht bei Orme und westlich davon vorwärts Galveau geführt, hatte sich sein linker Flügel immer weiter nordwestlich ausgedehnt und bemühte sich fort und fort das 1. Bataillon Nr. 57 weiter zu umfassen.

Die ersten Versuche, aus dem Busche von la Leu zu debouchiren, hatte zwar die Batterie Frels aus ihrer ursprünglichen Position rechts schwenkend und avancirend abgewiesen, um sich dann wieder gegen die südlichen Batterien zu wenden. Als aber der Feind etwa um $\frac{1}{2}$ 12 Uhr auch eine Batterie nördlich des Busches la Leu auf der Römerstraße in Thätigkeit brachte und die diesseitige somit von zwei Seiten unter Feuer genommen wurde und mit zwei Geschützen wieder dorthin Front machen mußte, ward es nöthig, hier eine Unterstützung eintreten zu lassen.

Obgleich nun zwar um diese Zeit auch gegen die linke Hälfte der Vor-

posten ein feindlicher Angriff sich bereits geltend gemacht hatte, vor wel
dieselben langsam weichen mußten und die 1. leichte Batterie schon Gele
heit gefunden hatte, gegen östlich ausholende feindliche Umgehungskolo
zu wirken, entschloß sich General von Woyna doch, vom mißlichen S
der Dinge auf dem rechten Flügel unterrichtet und da andere Verstär
nicht geleistet werden konnte, vier Geschütze der 1. leichten Batterie, von
Position an den Kalköfen nach dorthin zu entsenden.

Während diese Vorgänge sich auf dem rechten Flügel vollzogen,
nämlich der. Feind etwa eine Stunde später auch gegen den linken Fl
in Thätigkeit getreten.

Gegen 11 Uhr waren von St. Loup aus die Feldwachen der 6. (Ha
mann Soest) und 8. Kompagnie (Hauptmann von Tiedemann) Nr. 57 b
starke feindliche Schwärme (Zuaven), gefolgt von Kolonnen und unter§
durch den schneidig unternommenen, aber mit großem Verlust abgewiese
Anprall einer Chasseursschwadron angegriffen worden.

Die Kompagnien hatten, nachdem sie einige Zeit sich in Jarriso
halten, vor der auf beiden Flügeln sie umfassenden Uebermacht zurückge
müssen und zogen sich über den Windmühlenberg südöstlich Beaune auf
hinter dem Orte gelegene Höhe an den Kalköfen ab.

Wie es bei der ausgedehnten Stellung und der Unübersichtlichkeit
Terrains, sowie den ungleichzeitig erfolgenden Angriffen des Gegners n
hatte anders sein können, kamen hier die Züge der Kompagnien, denen
noch je ein Zug der 5. und der 7. Kompagnie zugesellt hatte, welche
Verbindung mit ihrem Truppentheil nicht mehr hatten herstellen könn
ziemlich vereinzelt hinter Beaune an. Bei dem raschen Nachdrängen d
Feindes jetzt auch gegen die Front und die Ostlisiere von Beaune war b
der nächst dahinter liegende Raum von drei Seiten her unter kreuzent
Chassepotfeuer gekommen und dadurch die Aufstellung und Formation ei
äußeren Reserve für Beaune aus diesen vereinzelten Abtheilungen in ei
mehr rückwärtigen zweiten Mulde umsomehr angezeigt, als vom Füsili
bataillon Nr. 57 noch gar nichts zu sehen war, die Umgehung des rech
Flügels aber immer bedenklichere Ausdehnung annahm.

Bereits bald nach der Detachirung der vier Geschütze vom linken n
dem rechten Flügel, waren auch die zwei Eskadrons hessischer Reiter u
dem Auftrage dorthin dirigirt worden, die Verbindung mit der bei Barv
vermutheten 1. Kavalleriedivision aufzusuchen und schriftliche Meldung und A
forderung zur Unterstützung an sie zu befördern.

Als kurz darauf die Sache auf dem rechten Flügel immer kritisch
wurde, das 1. Bataillon sich gegen die immer verstärkten feindlichen Masse
welche jetzt schon auf 6—8 Bataillone geschätzt werden konnten, nicht me

zu halten vermochte und zu weichen anfing, wurden auch noch die beiden letzten Geschütze des linken Flügels dorthin dirigirt, wo für den Moment die Hauptgefahr lag.

Hauptmann Knauer hatte den Weg vom linken nach dem rechten Flügel mit seinen 4 Geschützen im Trabe zurückgelegt, war, die Chaussee von Barville schon unter heftigem Artillerie- und Infanteriefeuer kreuzend, im Galopp zwischen den von starken feindlichen Tirailleurlinien gedrängten drei Kompagnien eindoublirt und hatte auf 8—900 Schritt gegen dichte feindliche Tirailleurschwärme abgeprotzt, welche laufend und sich abwechselnd hinwerfend gegen die schwachen Abtheilungen der 57er avancirten.

Als der Feind seinen linken Flügel immer weiter ausdehnend in der Richtung auf Pierre percée vordrängte, hatte das schon seit längerer Zeit von drei Seiten beschossene Bataillon den Widerstand auf der schutzlosen Plaine aufgeben müssen und war in der Richtung auf die Büsche am Schnittpunkt der Cäsarstraße und der großen Chaussee zurückgegangen. Der 2. Kompagnie war speziell die Bedeckung der 1. schweren Batterie Frels anvertraut, welche sich ihrerseits nur mit Mühe der in Front von Süden und in Flanke von Westen vordringenden Infanterie in Hakenstellung erwehrte.

Erst als die feindlichen Tirailleurs auf 400 Schritt nahe waren, ohne daß das Feuer der vier Geschütze die bedeutende Ueberlegenheit hätte aufhalten können, ließ Hauptmann Knauer aufprotzen, um mit den letzten Schützen zurückzugehen. Es gelang nach den vorhergegangenen schweren Verlusten nicht mehr, das eine Geschütz an die zurückstehende wegen momentanen Verlustes mehrerer Pferde unbewegliche Protze mit den übrig gebliebenen wenigen Bedienungsmannschaften heranzubringen; der Zugführer (Vizefeldwebel Aly) und der mit einigen Leuten der 3. Kompagnie herbeigeeilte Major von Schöler konnten es zwar noch zum Aufprotzen bringen, als aber in demselben Moment der Zugführer, der einzige noch unverwundete Stangenreiter und noch ein oder zwei Mann verwundet wurden, mußte dennoch die Rettung aufgegeben werden.

Auch die Büsche von Pierre percée, von Norden umfaßt, mußten verlassen werden, die drei Kompagnien gingen längs der Römerstraße auf die Höhen südlich Romainville zurück, mit ihnen die mit ihrem ersten Zuge wieder vereinigte Batterie Knauer. Oberstlieutenant Schaumann, welcher bis zu dem vorher angegebenen entscheidenden Angriff der Franzosen gegen den rechten Flügel des Bataillons Schöler, auf dessen linken mit der Batterie Frels und der 2. Kompagnie gegen die von Batilly und Orme vordringenden Abtheilungen gewirkt hatte, sah sich jetzt, in Flanke und sogar Rücken beschossen, gleichfalls genöthigt, gegen die Höhen hinter Beaune zurückzugehen.

31*

General von Woyna, dem in diesem kritischen Momente außer den e[
aus dem Vorpostengefecht zurückgekommenen zwei Kompagnien 57er nur [
Pontonnierkompagnie Kleist als einzige Reserve zur Disposition stand, [
ben Major von Wehren mit denselben zunächst eine Aufnahmestellung [
der Höhe nördlich Beaune sowohl gegen Westen, als gegen Südosten n[
men, von wo, aus dem Thale von Marcilly heraufsteigend, eben die Ko[
paguien das Füsilierbataillons in lebhaftem Gefecht gleichfalls zurückkame[

Es war klar, daß mit diesen geringen, bereits ausnahmslos in me[
stündigem Gefecht gewesenen, außerdem beiderseits bereits überflügel[
Kräften, auf diesen, weder Deckung noch Flügelanlehnung bietenden Höl[
bem schon so dicht aufgedrängten Feinde gegenüber, an eine Herstellung [
Gefechtes nicht gedacht werden konnte. Die Verbindung nach dem 3. Kor[
schon halb verloren, mußte definitiv aufgegeben werden, wenn man n[
auch noch der mit dem eigenen Korps verlustig gehen, in Beaune eingefpo[
sein wollte. Die mit der steigenden Krisis noch mehrfach nach Barville[
pedirten Meldungen ließen außerdem in nicht allzu ferner Zeit eine, — n[
in den Rücken der feindlichen Umgehung führende — doppelt entscheide[
Hülfe erwarten. Es kam dazu, daß die Mittheilung, welche die vom [
neralkommando abwechselnd zur Aufrechterhaltung der Verbindung entsende[
Generalstabs-Offiziere, um diese Zeit — gegen 1 Uhr — über den St[
des Gefechtes auf dem linken Flügel, machen konnten, nur dahin lautet[
daß derselbe gleichfalls gegen große Ueberlegenheit mit Zähigkeit St[
halte.

Es erschien dringend geboten, die kleine, viel zu weit auseinandergere[
Macht zunächst in einer mehr rückwärts gelegenen, festere Stützpunkte [
währenden Stellung zu konzentriren, um dort den Widerstand unter gün[
geren Verhältnissen wieder aufnehmen zu können.

Für diesen Zweck markirten sich ziemlich deutlich die Höhen von [
Boussier, welches Dorf selbst auf seiner dem Feinde zugekehrten Südwest[
ein von starken Mauern umschlossenes Gehöft zeigte, das als glückliche [
lehnung des rechten Flügels benutzt werden konnte, während südöstlich [
Dorfes die Batterien eine gute überhöhende Position, der linke Flügel [
den Büschen am Cäsarwege mindestens einigen Halt finden konnten.

General von Woyna hatte eben dem 1. Bataillon Nr. 57 und [
Batterien die neu einzunehmende Stellung angewiesen und auch dem C[
trum und dem linken Flügel entsprechenden Befehl ertheilt, als, vom Gener[
kommando entsendet, Major Körber mit den beiden reitenden Batterien [
Korpsartillerie auf der Römerstraße angetrabt kam.

Die Batterien, südlich Rue Boussier von der Cäsarstraße links abbiege[
gingen vorwärts, der langsam zurückgehenden Schützenlinie des Major [

Wehren entgegen, während rechts von ihnen der Rückzug des ersten Bataillons und der Fußbatterien gegen Rue Bouffier sich gleichzeitig vollzog.

Mit der 1. reitenden (Premierlieutenant Krätschell) rechts einschwenkend, eröffnete Major Körber sofort das Feuer gegen die Büsche von Pierre percée, aus welchen die abprotzende Batterie heftiges Infanteriefeuer bekam, bald verstärkt durch Granatfeuer zweier Batterien, welche südlich der Römerstraße bis nahe an jene Büsche avancirt waren.

Die 3. reitende (Hauptmann Saalmüller), in südlicher Richtung verblieben, war sehr bald mit aus Südosten gegen die Höhe vordringender feindlicher Infanterie in's Gefecht gekommen und hatte auf 800 Schritt die den Füsilierkompagnien Nr. 57 nachbringenden dichten feindlichen Haufen durch ihr glückliches Feuer abgewiesen, dieselben in der Richtung auf Ormetrou durch Granaten verfolgend.

Das Erscheinen der reitenden Batterien, in diesem Moment von einflußreichster Bedeutung, hatte doch nicht sofort vermocht, die theils ausgeführte, theils im Gange befindliche Rückzugsbewegung zum Halten zu bringen, zumal die zuerst von ihnen gewählte Position bereits in Flanke und Rücken beschossen werden konnte. Sie mußten, obgleich in diesem Moment und wohl Dank ihrem Auftreten, der Feind sein seither durchgeführtes Aufdrängen für den Augenblick aufgegeben hatte, wenn auch widerwillig in die Position neben den Fußbatterien zurück, wo jetzt durch das Herankommen der Füsiliere das Regiment Nr. 57 im Wesentlichen wieder versammelt war.

Das Füsilier-Bataillon, wie oben erwähnt, vorwärts Foucerive auf Vorposten, war am spätesten angegriffen worden. Es hatte erst, als die 6. und 8. Kompagnie rechts neben ihm zurückgedrängt worden waren, etwa nach 12 Uhr seine dadurch exponirte Flügel-Kompagnie auf Foucerive zurückgenommen und bald nun auch seinerseits von Osten her gedrängt seinen vorher bestimmten Rückzug auf die Höhen hinter Beaune unter lebhaftem Gefecht angetreten. In der Richtung über Ormetrou, westlich Marcilly vorbei, die Höhen ersteigend, war Major von Gerhardt mit den beiden als Schützen folgenden Kompagnien oben angekommen, als eben die Batterie Saalmüller abgeprotzt und in das Gefecht eingegriffen hatte. Der allgemeine Befehl auf Rue Bouffier sich heranzuziehen, war auch ihm mittlerweile zugegangen.

Während dieser ganzen Vorgänge, welche naturgemäß die Aufmerksamkeit des Divisions-Kommandeurs an den rechten Flügel seiner Truppe gefesselt hatten, war über den Stand der Dinge bei Beaune selbst keinerlei Nachricht eingegangen.

Als der General von Woyna sich zum Zurückgehen auf Rue Bouffier genöthigt gesehen hatte, war der zweite Divisions-Adjutant Premier-Lieutenant

von Bermuth zurückgesendet worden, um über die Situation des 16. J
ments Erkundigung einzuziehen.

Derselbe kehrte jetzt mit der Meldung zurück, daß Beaune, obgleich
drei Seiten umfaßt noch vollständig behauptet werde und der Feind es
jetzt jedenfalls noch nicht gewagt habe, sich zwischen die Stadt und die
seitige Abtheilung hineinzuschieben.

Angesichts dieser Thatsachen und des Umstandes, daß über das, r
auch nur schwache, so doch wieder konzentrirte Detachement jetzt einhe
disponirt werden konnte, daß ferner die Truppen, welche seit 10, 11
12 Uhr im Gefecht gewesen, ihre Munition wieder hatten ergänzen
wenn auch nur kurz hatten ruhen können, entschloß sich General von W
sofort und ohne das Eingreifen des 3. Korps zu erwarten, wieder zur
fensive überzugehen, um selbst das schwer bedrängte Regiment seiner
vision zu begagiren.

Es war zwei Uhr, als er diesen Gegenstoß auf dem linken Fl
dem General von Wedell und Obersten von Cranach übergebend, ihn
dem rechten Flügel persönlich anordnend, die vier Batterien zwischen be
Kolonnen eindoublirend, den Befehl zum erneuten Vorgehen gab. S
Generalkommando ward gemeldet, daß man nach Eintreffen der reite
Batterien das Gefecht ohne weitere Unterstützung jedenfalls bis zum
treffen des dritten Korps hoffe halten zu können.

Der Kampf um die Stadt Beaune war mittlerweile mit all' der
tigkeit entbrannt, der diesen heutigen Vorstoß der Franzosen überhaup
besonders charakterisiren sollte.

Nach glücklich ausgeführter Umfassung des diesseitigen rechten Flüg
sich allmählich, wie wir es in den Vorpostengefechten verfolgt, immer w
rechts ausdehnend, bis endlich auch der linke Flügel umfaßt war, hatte
neral Crouzat sein **XX.** Korps bis etwa gegen 1 Uhr im Bogen um
Städtchen in Schlachtordnung gebracht. Seine Schützen waren fast rings
auf 6 und 800 Schritt an die Lisiere herangeschoben und seine nachgerü
Batterien beschossen in ununterbrochenem Feuer von drei Seiten den Or

Während südlich und von Osten her die Franzosen die Besatzung
nächst nur beschäftigten und namentlich nachdem der erste direkte Anla
versuch von Foucerive her durch die Batterie Saalmüller, die Füsiliere Nr.
und das Feuer von den Kalköfen her, so unsanft abgewiesen war, hier
ein hinhaltendes Gefecht führten, erfolgte bald noch 1 Uhr ein erster
scheidender Vorstoß von Westen, im unmittelbaren Anschluß an die, wie o
beschrieben glücklich erzwungene Abfahrt der diesseitigen Batterien.

Es ist berichtet, daß die Vertheidigung dieser Seite speziell dem Hau
mann von Natzmer mit dem 1. Bataillon Nr. 16 übergeben war und

Hauptmann Feige sich demselben mit den beiden von ihm zurückgeführten (jede nur zwei Züge starken) Kompagnien (5. und 7.) des Regiments Nr. 57 angeschlossen hatte; ein Entschluß, zu welchem derselbe trotz des ihm zuge= gangenen Befehls, sich an das Regiment heranzuziehen, Angesichts der mo= mentanen Sachlage für eben so berechtigt als verpflichtet sich gehalten.

Wir wissen, daß die Westlisière von Beaune für die Vertheidigung am ungünstigsten geartet war und ihre Hauptstütze nur in dem vorgeschobenen Kirchhofe fand, zu dessen Besetzung aber die Kräfte des einen Bataillons kaum ausreichten.

Hauptmann von Natzmer hatte mit zwei Zügen der 1. Kompagnie (Hauptmann von Haeften [der 3. Zug war zur Geschützbedeckung abkom= mandirt]) die Häuser am Ausgange nach Orme und die Barrikade besetzt; links daneben in der Südwestecke des Ortes stand hinter Mauern placirt die 4. Kompagnie (Premier=Lieutenant München). Hinter einem die rechts der ersten Kompagnie befindliche Lücke der Lisière absperrenden Schützen= graben lag ein Zug der 3. Kompagnie (Hauptmann von Nerée), ein anderer hatte die folgende Häuserreihe am nördlichen Eingange von Batilly, der 3. den Kirchhof besetzt.

Die 2. Kompagnie bildete, wie erwähnt, die Reserve.

Die Ankunft und die Bereitwilligkeit des Hauptmanns Feige mit seinen vier Zügen unterstützend einzutreten, war Angesichts der bereits in's Werk gesetzten Umfassung der Lisière durch den Gegner von höchster Bedeutung.

Während die 5. Kompagnie Nr. 57 mit anderthalb Zügen den einen Zug der 3. Nr. 16 in den Häusern ablöste und diesen für den Kirchhof disponibel machte, warf Hauptmann Feige die verbleibenden 2½ Züge seines Detachements gleichfalls in denselben, so daß jetzt dort unter den Haupt= leuten Feige und von Nerée 2 Züge 7. Kompagnie Nr. 57, 2 Züge 3. Kompagnie Nr. 16 und ein Halbzug 5. Kompagnie Nr. 57, im Ganzen noch keine 200 Gewehre vereinigt waren.

Es war 1 Uhr, die eben beschriebenen Anordnungen kaum vollendet, als der Feind nach lebhaftester Kanonade mit dichten Tirailleurschwärmen und Kolonnen auf dem ganzen Bogen von der Straße von Orme bis zu der von Batilly mit aller Vehemenz zum Angriff schritt. Auf 4 und 300 Schritt höchstens empfing ihn das Schnellfeuer der Musketiere, ganze Reihen niederstreckend. Mit hervorragendem Elan drangen die Franzosen vorwärts; als aber die Vertheidigung überall ihre Soutiens in die erste Linie zieht, stutzt der Angreifer, schwankt, macht Kehrt und wirft sich — auf 250, 200 Schritt herangekommen — in Auflösung zurück!

Sofort begann das feindliche Artilleriefeuer, von drei Seiten mit er= neuter Heftigkeit zu wirken, die Häuser am Eingange von Batilly standen

bald in hellen Flammen, die Kirchhofsmauer zeigte an verschiedenen
klaffende Breschen. Obgleich schon offenbar umgangen, von der Verb
mit dem Rest der Division anscheinend ganz abgeschnitten, erlahm
Muth der Vertheidigung nicht. Mit größter Ruhe empfing sie nad
halbstündiger Pause den diesmal in der Hoffnung auf die Wirkung
Artillerie womöglich mit noch lebhafterer Energie geführten zweiten
Oberstlieutenant Sannow hatte bereits die 6. Kompagnie (Haup
Mitschke) aus der Generalreserve hinter die erste am Ausgang nach
dirigirt, die zweite (Hauptmann Ohly) war dadurch als Soutien fi
Ausgang nach Batilly disponibel geworden.

Abermals gelingt es nicht, auf nähere Entfernung als 200 Sch
die feuerspeiende Linie heranzukommen, abermals in wildester Unor
stürzen die bis dahin wüthend vorgestürmten Franzosen zurück, ab
beginnt die heftigste Kanonade!

Während dieser Vorgänge an der Westlisiere waren auch von
und Osten her die Gegner nicht unthätig gewesen. Zwar verbot, wie be
die Oertlichkeit an der Südlisiere den entscheidenden Vorstoß, aber
Tirailleurlinien und von vorwärts St. Loup wirkende Batterien hielter
hier den Vertheidiger in Athem, ihn hindernd, Verstärkungen nad
Flanken zu entsenden.

Des ersten gegen die Ostlisiere und die dieselbe verlängernde Lii
den Windmühlen geführten, abgewiesenen Vorstoßes ist bereits gedacht.
dem hatte der Feind sich zunächst gleichfalls mit einer lebhaften Kan
und Füsilade begnügt, aber die Bewegung von Massen aus der Ri
von St. Loup nach Foucerive ließ auch hier auf baldige Wiederh
schließen.

Ein weiter Feuerhalbkreis umschloß den von noch nicht 1500 Gem
vertheidigten Ort, der auch im Innern schon an verschiedenen Stell
Brand geschossen war. Munitionsmangel begann mindestens an der West
lebhaft fühlbar zu werden.

Trotz dieser im höchsten Grade kritischen und jedenfalls ihm in
vollen Bedeutung klaren Lage schwankt Oberstlieutenant Sannow nich
Sich bis auf den letzten Mann zu halten, gebieten Ehre, Pflicht, Noth
digkeit, — und die Gewißheit, daß man ihn nicht im Stich lassen n
giebt auch in diesem Moment noch Hoffnung!

Und dennoch zwei lange, bange Stunden sollten noch vergehen, ge
nur durch die eigene Thätigkeit, die nach rasch vorübergehender Paus
Feind wieder so lebhaft in Anspruch nimmt.

III. Das Erlöschen des Kampfes auf dem linken Flügel des 10. Korps. 2—5 Uhr Nachmittags.

Es ist nothwendig, auf den linken Flügel des Korps zurückzukommen, wo wir um diese Zeit — etwa 2 Uhr — den Versuch eines entscheidenden Vorstoßes des XVIII. französischen Korps über Juranville hinaus, wesentlich am Artilleriefeuer der Position vor Long Court haben scheitern sehen.

Eine Gefechtspause war eingetreten, nur durch ein mäßiges Artilleriefeuer aus weiter Entfernung von französischer Seite ausgefüllt.

Obgleich an der entscheidenden Stelle mit sehr bedeutenden Verlusten abgewiesen, wollten doch auch auf diesem Flügel die französischen Führer ihren Angriff noch nicht definitiv aufgeben.

Es war 3 Uhr geworden, als gegen das Füsilierbataillon Nr. 79, in les Côtelles, das, wie berichtet, den von Juranville unternommenen ersten Versuch glänzend abgewiesen hatte, diesmal von Süden resp. Bellegarde her neue Massen sich in Bewegung setzten. Während mehrere Bataillone (auch afrikanische Truppen) rechts und links der Chaussee gegen die Südlisiere des Ortes avancirten und durch Artilleriefeuer, welches diesseits der Terrainconfiguration wegen nicht erwidert werden konnte, unterstützt den Angriff einleiteten, zogen sich andere Kolonnen, den linken Flügel immer mehr westlich ausdehnend, in der Richtung auf Venouille, um den Ort herum, dessen schmale Südspitze bald ganz umfaßt war.

Auf die erste Nachricht von dem neuen feindlichen Angriffe hin war von der 3. schweren Batterie ein Zug zur Unterstützung des Bataillons vorgesendet worden, welcher auf die Straße nach Juranville aus dem Dorfe ausbiegend, eine günstige Position auf der südöstlich vorliegenden Höhe genommen, ehe noch der sofort als Spezialbedeckung nachgesendete Infanteriezug aus Côtelles dort hatte eintreffen können.

Die zwei Geschütze waren alsbald das Objekt des Massenfeuers der vordringenden feindlichen Tirailleurs geworden und als in kürzester Frist die starken Verluste die vorgeschobene Stellung für die schwache Infanterie unhaltbar machten und Lieutenant Stolterfoth mit den Geschützen zurückgehen wollte, war es nicht mehr möglich, das eine Geschütz, dessen sämmtliche Pferde zusammengeschossen waren, fortzubringen. Trotz rühmlichster Anstrengungen des bald mit einer anderen Protze zurückkehrenden Offiziers, der Bedienung und der Infanterie, welche des zu bedeutenden Verlustes wegen inhibirt werden mußten, verblieb es im feindlichen Besitz.

Als der gegnerische Angriff mit solch' überlegenen Kräften sich voll-

ständig entwickelt und bereits auf einige hundert Schritt der [...]
fassend genähert hatte, ließ Major von Steinäcker das Signal zum Rück[...]
geben. — Der vor die Hauptstellung vorgeschobene, zudem zur Verthei[...]
ungünstig tief gelegene Ort hätte nur die Wirksamkeit der Hauptstellung
Venouille und Long Court beeinträchtigt.

Die Kompagnien gingen längs der Chaussee, von dem nur lang[...]
nachrückenden Gegner nicht gedrängt, hinter die Höhen zurück, wo das [...]
taillon sich den andern, wie wir gesehen haben, bei Long Court in Re[...]
stehenden Bataillonen der Brigade Valentini wieder anschloß. Der F[...]
begnügte sich mit der Besetzung des Dorfes; nur eine Eskadron Lanc[...]
(Colonel Renaubot) jagte durch den Ort nach, überritt einen in [...]
verspäteten Zug der Füsiliere und nahm einige 40 Mann gefangen.

Der Versuch einer Umgehung und des vielleicht beabsichtigten Angr[...]
gegen Venouille war mittlerweile von der Artillerie der Brigade Valen[...]
vollständig abgewiesen worden. Der Feind hatte es nur stellenweise [...]
mocht, bis in das diesseitige Infanteriefeuer vorzukommen, welches aus
auf die drohende Gefahr hin rasch durch zwei Kompagnien Nr. 91 besetz
Süblisiere von Venouille auf ihn gerichtet war. Seine Kolonnen zogen
bald südlich aus der Feuerwirkung zurück, und nur bis zum Dunkelwerd[...]
unterhielten seine Batterien auf sehr weite Entfernung ein resultatloses [...]
unerwidertes Feuer.

Gegen 4 Uhr schlief das Gefecht auf der ganzen Linie ein; die ein[...]
brochene Dunkelheit fand den linken Flügel des Korps im siegreichen Be[...]
seiner Hauptposition. In achtstündigem Kampfe hatte das 25,000 Ma[...]
starke XVIII. französische Korps gegen überhaupt höchstens 8 (eigentl[...]
nur 6) zu Schuß gekommene Bataillone und 28 zu Schuß gekommene G[...]
schütze nur vermocht, die äußerste Vorpostenstellung der Brigade Valen[...]
abzuringen, einen Erfolg, den der dafür zum Gambetta'schen General bef[...]
derte Generalstabschef und provisorische Führer des Korps, Oberst Bi[...]
wohl im Gefühl des ihm bevorstehenden Lobes, que le XVIII. corps av[...]
bien mérité de la patrie — andern Morgens freiwillig wieder au[...]
geben hat!

Um 5½ Uhr waren preußischerseits die neuen Vorposten ausgese[...]
die Truppen des linken Flügels, die nothwendig erkannten Bereitschaftsst[...]
lungen — da auf dem rechten der Kampf noch andauerte — ausgenomm[...]
in Bivouaks und Kantonnements gerückt. —

Kehren wir nach dem rechten Flügel zurück.

———————

VI. Der Kampf bei Beaune von 2—4 Uhr.

Als General von Woyna um 2 Uhr Mittags den Befehl zum erneuten Avanciren gab, waren seine 11 Kompagnien durch die vorhergegangenen Ereignisse vertheilt, wie folgt: auf dem rechten Flügel (in und resp.
vor la Rue Boussier) die 1., 3., 4. Kompagnie Nr. 57, Major von Schöler,
und die 6. Kompagnie, Hauptmann Soest, welchem die abgekommenen Züge
der 5. und 7. Kompagnie angeschlossen waren; auf dem linken Flügel das
Füsilier-Bataillon Nr. 57 am weitesten nach Beaune zu vorgeschoben, dann
die 2. und 8. Kompagnie und die Pionier-Kompagnie von Kleist.

Vom General von Wedell und Oberst von Cranach geführt, erreichten
diese letztgenannten sieben Kompagnien, wenngleich bei ihrem Erscheinen auf
der Höhe von feindlicher Artillerie lebhaft beschossen, ungehindert durch die
schwachen, jetzt rasch zurückweichenden feindlichen Kräfte, welche eine Umgehung von Ormetrou—Marcilly her versucht hatten, die östlich vorspringende
Ecke von Beaune an den Kalköfen und Windmühlen, um fernerhin bis zum
späten Abend hier gemeinsam mit den beiden Kompagnien des 2. Bataillons
Nr. 16 an der Vertheidigung des Ortes in dieser Richtung mitzuwirken.

Der anfänglichen Zurückhaltung des Feindes an dieser Stelle war bald
ein um so hartnäckigeres Bestreben gefolgt, coûte qu'il coûte die Stellung
von Beaune zu nehmen. Die Anläufe wiederholten sich in kürzesten Pausen
und drangen trotz der — wie wir sehen werden — ausgiebigen Unterstützung der Batterie Saalmüller, mehr als einmal selbst bis in das wirksamste Gewehrfeuer vor, ohne jedoch auch hier, wie auf der Ostfront der
Stadt, der ruhigen und sicheren Vertheidigung gegenüber nur einen Fußbreit
Terrain gewinnen zu können.

Weniger leicht, als auf dem linken, gestaltete sich auf dem rechten Flügel
das erneute Avanciren auf Beaune!

Mit der 1. und 4. Kompagnie, bald gefolgt von der 3., welche das
große Gehöft von Rue Boussier besetzt gehabt hatte, war Major von Schöler
auf dem rechten Flügel der im Trabe südlich gegen die Höhen avancirenden
Fußbatterien des Oberstlieutenant Schaumann vorgegangen. An der Römerstraße angekommen, schwenkten die Kompagnien rechts, gegen die Südecke von
Romainville und die stark besetzten Büsche davor sich wendend.

Romainville selbst wurde zwar bald vom Gegner zum Theil in der
Richtung auf Pierre percée geräumt, aus den Büschen aber setzte er auf's
Hartnäckigste den Widerstand fort. Ein länger anhaltendes Feuergefecht ent-
spann sich, — aus der Lisiere von Romainville durch die vom Major von
Wehren, als Unterstützung der Kompagnien des 1. Bataillons, aus ihrer

urfprünglichen Richtung auf Beaune dorthin abdirigirte Abtheilung
Hauptmanns Soeft und durch die 1. Kompagnie, — in füdlicher ███
durch die 4. und 3. Kompagnie mit dem angeschlossenen Zug der 1. █
pagnie Nr. 16 aus dem Graben des Wegs nach Beaune geführt.

Unter dem Schutze diefer Poftirung hatten Oberftlieutenant Scho██
und Major Körber mit den Batterien der Infanterie vorauseilend die █
über Beaune auf's Neue gekrönt.

Während auf dem äußerften rechten Flügel die 1. schwere Batt██
der Römerftraße südfüdöftlich Romainville abprotte, hatte die 1. leichte
links neben ihr die 1. reitende auf den Höhen nördlich Beaune eine █
etwas weiter zurückliegende, dafür aber überhöhendere Pofition gen███
Theils wegen zu tiefer Stellung, theils wegen der bedeutenden Verlufte
den noch nicht genommenen Büschen hatte bald auch die 1. schwere auf
rechten Flügel der 1. leichten zurückgenommen werden müffen. Aus █
gegen Weften gewendeten, ununterbrochen im feindlichen Infanteriefeue██
legenen, von feindlicher Artillerie aus jenfeits der Chauffee von Ba█
ftehenden Batterien beschoffenen Pofition, unterhielten die drei Batterien
bald nach 2 Uhr bis nach 4 Uhr ein fortdauerndes Feuer, theils gegen
von Batilly auf der Römerftraße vorgehende Kolonnen, theils gegen
Büsche von Pierre percée, theils gegen die sich noch mehrmals wiederhole
Angriffe von Weften auf den Kirchhof von Beaune.

Ihr Feuer legte die feindliche Umfaffung des Ortes vollftändig █
und verhinderte erfolgreich die aus Nordweft und Norden beabficht█
Rückenangriffe gegen das Städtchen.

Was fie nach diefem Flügel, — leiftete der öftlichen Umfaffung ge
über, die von Rue Bouffier gerade füdlich, fo ziemlich in ihre erfte Pof█
wieder vorgegangene 3. reitende Batterie. Von ihrer überhöhenden, b
eine vorliegende Mulde gegen das feindliche Artilleriefeuer gut gede█
Stellung aus, hat fie gleichfalls bis zur Dämmerung in ununterbroch█
Kampfe theils allein, theils in Verbindung mit der vor ihr poftirten
fanterie die immer und immer wiederholten Verfuche des Feindes, mit
lonnen und Schützenschwärmen von der Richtung um Foucerive aus vo

ben Anlauf zu sprengen, der meist mit 2—3 Bataillonen in Linie, Tirailleurschwärme vor sich, unternommen wurde, hat doch nicht selten das Schnellfeuer der Infanterie, namentlich gegen die Angriffe von Süden, entscheidend
eintreten müssen, welche mehrmals bis an die Windmühlen südöstlich der
Stadt vorgedrungen sind.

Auf dem rechten Flügel hatten mittlerweile die Kompagnien des 1. Bataillons Nr. 57 vergebliche Anstrengungen gemacht, sich in den Besitz der für
die Artillerie so nachtheiligen Büsche zu setzen.

Längs der Römerstraße war es zwar einige Male gelungen, bis nahe
an die Lisiere heranzulaufen, das Massenschnellfeuer aber des dicht ange-
sammelten Feindes und der Umstand, daß die Lisiere hier aus einer dichten
Dornhecke bestand, hatten später die vergeblichen Versuche aus dieser Richtung aufgeben lassen.

Es war drei Uhr vorbei und von der heiß ersehnten Hülfe von Barville her noch keine Nachricht eingegangen. Der mehr und mehr unbequemen
Situation, welche namentlich der rechten Flügelbatterie bereitet wurde,
mußte ein Ende gemacht werden, auch ohne das 3. Korps abzuwarten.

Aus der Südwestecke von Romainville ward ein neuer Vorstoß angeordnet, den rechts hin Hauptmann Soest mit seinen fünf Zügen unterstützen
sollte. Das Vorbrechen aus Romainville selbst scheiterte zwar abermals an
der dichten Besetzung der gegenüberliegenden Lisiere, aber der gewandten und
energischen Führung des Hauptmann Soest, welcher zunächst ein Stück Weges
westlich fortgezogen und dann direkt von Norden her sich auf die Büsche geworfen hatte, gelang der Einbruch!

Während die auf Romainville zurückgeworfenen Schützen sich eines lebhaften Nachstoßversuches aus den Büschen zu erwehren hatten, während Hauptmann Soest mit Bayonnet und Kolben sich den Eingang in die Nordlisiere
der Büsche erkämpfte, ertönte von Norden her der erste vernehmbare Kanonendonner der entscheidenden Hülfe!

Es war 4 Uhr! Auf der Chaussee von Barville her hatte die Avantgarde der 5. Division in's Gefecht eingegriffen, ihre Batterien um diese
Zeit auf den Höhen westlich des Fossé des Prés über Bretonnière hinaus
in Position gebracht.

Es ist nachzuholen, was im Laufe des Tages längs der Chaussee von
Beaune nach Pithiviers sich ereignet hatte.

V. Die 1. Kavallerie- und 5. Infanterie-Division bis 4 Uhr Nachmit

Die, wie bekannt, in diesem Rayon kantonnirte 1. Kavallerie-Di
war gegen 9 Uhr durch den General von Lüderitz, Kommandeur der 1.
gade, deren Stabsquartier in Boynes sich befand, auf Grund der Nachri
aus Beaune alarmirt worden. Der Divisions-Kommandeur Generallieute
von Hartmann in Pithiviers davon benachrichtigt, hatte sich zunächst mit
kommandirenden General des 3. Armeekorps, dessen Hauptquartier auch in P
viers, in's Vernehmen gesetzt und war um 10¼ Uhr bei Boynes angekom
wo die Division mit 14 Eskadrons und einer Batterie inzwischen versam
war. Ihre Ulanen-Regimenter Nr. 9 und 12 waren resp. zur 6. und 5. In
terie-Division abkommandirt, von dem Ulanen-Regimente Nr. 8 war
Eskadron nach Nemours detachirt, während von den Ulanen Nr. 4 eine
kadron gegen Nancray auf Vorposten stand. Von dieser letzteren w
Meldungen über den starken Anmarsch des Feindes aus jener Richtung
Batilly eingegangen. Gleichzeitig war eine telegraphische Meldung des
nerals von Voigts-Rhetz über die Angriffe auf Lorcy und Corbeilles
Beaune via Boynes bekannt geworden, der umfassende Angriff gegen
10. Korps damit konstatirt.

Um ¾12 Uhr hatte die Station Beaune-Bahnhof ihren Dienst ei
stellt, um 12 Uhr aber war ein dorthin entsendeter Offizier mit der Auf
derung des kommandirenden Generals an General von Hartmann zurü
kehrt, den rechten Flügel des Korps durch Vorgehen in südlicher Rich
zu unterstützen. In demselben Sinne lauteten die vom General von W
durch Vermittelung der hessischen Reiter gestellten Ansuchen.

Die Division setzte sich vorwärts in Bewegung und marschirte jen
(südlich) Barville hinter der Butte de l'Ormeteau auf, die Batterie v
dem Schutze von 3 Eskadrons Ulanen Nr. 4. in der Richtung auf Ba
vorschiebend.

Der tiefe aufgeweichte Boden und häufige Weinfelder erschwerten e
so sehr die Bewegung, als zahlreiche einzelne Obstbäume und die trübe
die Uebersicht der Kavallerie.

General von Hartmann, die 4. Ulanen links ziehend und sie bei
mittlerweile gegen Batilly abgeprotzten Batterie durch die 8. ersetzend,
mit den unter General Baumgarth zu einer Brigade vereinigten zwei K
sier-Regimentern Nr. 2 und 3 südlich gegen die Straße Batilly-Beaune
Als die Meldungen der Spitzen besagten, daß der Feind auf der W
straße schon ziemlich weit gegen Pierre percée vorgedrungen sei, zog er
Batterie auf den linken Flügel, wo sie bald mit feindlicher Artillerie ins

der Römerstraße und von der Windmühle von Batilly in's Gefecht kam, während feindliche Schützen im Fossé des Prés gegen sie vordrangen. Gleichzeitige Meldungen brachten die Nachricht, daß auch Courcelles und Arconville auf dem rechten Flügel der Division vom Feinde besetzt seien.

Unter diesen Umständen ging General von Hartmann wieder nach der Butte zurück, nur die Ulanen zur Beobachtung zurücklassend.

Es war 2 Uhr vorbei!

Das Erscheinen der Division hatte wenigstens das weitere Ausgreifen des feindlichen linken Flügels zum Stutzen gebracht und dadurch General von Woyna, wie oben berichtet, indirekt — von ihrem Eingreifen war bei der 19. Division nichts bekannt geworden — die Wiederergreifung der Offensive ermöglicht.

Gegen drei Uhr erschien südlich Barville auf der Höhe von Ormeteau die Spitze der 5. Infanterie-Division.

Generallieutenant von Stülpnagel hatte dem ihm in der Nacht zugegangenen Befehl gemäß am 28. früh 7 1/2 Uhr seine Division bei Dadonville vereinigt, wo sie, wie oben berichtet, zur Disposition des Prinzen-Feldmarschalls stehen sollte.

Von 9 Uhr an, hatte man vorwärts beim 10. Korps Geschützfeuer gehört, da aber keinerlei beunruhigende Meldungen eingingen, General von Stülpnagel außerdem höhere Befehle zu erwarten hatte, blieb die Division vorläufig im Rendez-vous, bis ihr um 11 1/2 Uhr die Ordre des Generals von Alvensleben zuging, bis zu dem eine halbe Meile in der Richtung auf Boynes vorliegenden Ravin von Rougemont vorzurücken und dessen jenseitigen (östlichen) Rand 1/4 Meile vor Boynes durch die Avantgarde zu besetzen.

Als aber der Kanonendonner immer heftiger, die von Beaune nach Pithiviers entsendeten Meldungen, welche die Aufstellung der Division passirten, immer dringlicher wurden, entschloß sich General von Stülpnagel um 1 Uhr auf eigene Verantwortung aufzubrechen, um das, wie es scheinen mußte, bei Beaune eingeschlossene 10. Korps zu begagiren. Dem Entschluß folgte fast unmittelbar auch der bezügliche Befehl des Generalkommandos, welchem auf die ersten Meldungen des Generals von Voigts-Rhetz hin, vom Oberkommando mit der Weisung „auf's Nachdrücklichste in das Gefecht von Beaune einzugreifen" die Disposition über seine Division wieder übergeben worden war.

Mit dem Antreten der Division erschien bei derselben auch der Prinz Friedrich Karl, um 12 1/2 Uhr von Pithiviers aufgebrochen, um nunmehr fortan die Oberleitung zu übernehmen.

Angesichts der Meldungen aus der rechten Flanke, daß Courcelles vom

Feinde besetzt, war der Anmarsch auf der einen Straße g̶
der Front des Feindes entlang nicht ohne Bedenken. Zu
entsendete der Prinz ein zur Hand befindliches Bataillon Nr. 9
bei Courcelles sich den Tag über gegen die dorthin vorgedrungenen C
lineau'schen Franktireurs und Abtheilungen des XV. französischen Korr
schlagen hat, ihr weiteres Vorgehen verhindernd. Nach Möglichkeit vor
strebend, war um 2 Uhr mit der Avantgarde Boynes passirt und vo
Windmühle südöstlich dieses Ortes erhielt nunmehr General von Stülz
den Befehl Seiner Königlichen Hoheit respektive des kommandirenden Gen
mit der 5. Division über Barville auf Beaune in den Kampf einzugreife
Gleichzeitig ward der Befehl an die 6. Infanterie-Division expedirt
möglichst in der Richtung auf Boynes zu konzentriren.

Gegen 3 Uhr hatte die Avantgarde der 5. Division Barville passi
war südlich des Ortes auf derselben Höhe mit der 1. Kavallerie-Di
aufmarschirt. Generalmajor von Schwerin, seither zur Führung des
kommandirt, erhielt nunmehr den Auftrag, den Angriff gegen das vom ?
besetzte Terrain von Pierre percée und Bretonnière zu leiten. Die zu
disponiblen Truppen bestanden aus dem Regiment Nr. 52 (Oberst von Wu
dessen Füsilier-Bataillon jedoch der Kavallerie-Division von Hartma
Barville schon früher zur Disposition gestellt, momentan auf die falsche
dung, daß Egry vom Feinde besetzt sei, sich dorthin abdetachirt fand,
von dessen 1. Bataillon noch zwei Kompagnien auf Vorposten bei N
zurück waren. Dann das 3. Jägerbataillon (Major von Norbeck) un
1. leichte Batterie (Hauptmann Stöphasius) mit dem Dragoner-Regiment N
Das zur 10. Brigade (Schwerin) gehörige Regiment Nr. 12 (Obersi
nant von Kalinowsky) befand sich an der Queue der Division, war
jetzt gleichzeitig mit den drei anderen Batterien der Divisionsar
(Major Grabe) vom General von Stülpnagel vorbeordert worden.

Da auch das Ulanen-Regiment Nr. 12 und die reitenden Batteri
Korpsartillerie von hinten vorgeholt, an der Marschkolonne der Di
vorbeigingen, wurde die 9. Infanterie-Brigade (Oberst v. Conta) so w
der Avantgarde getrennt, daß sie, wie hier gleich vorgreifend erwähnt
mit Ausnahme von zwei Kompagnien Regiments Nr. 48, welche spät
den Jägern gemeinsam die rechte Flanke gegen Batilly—Courcelles
mußten, überhaupt nicht mehr zum Gefecht kam, sondern bei Pierre
das Bivouak bezog, als der Kampf um Beaune sein Ende

Bereits ehe General von Schwerin, erhaltenem Auftrage
Kommando der Avantgarde übernommen, hatte ihr seitheriger F
von Wulffen die 2 Kompagnien des 1. Bataillons seines Regi
(Major Graf v. Schlippenbach), gefolgt vom 2. Bataillon (

westlich der Chaussee entwickelt. Rechts (westlich) der 1. und 3. Kompagnie ging das Jäger-Bataillon mit vorgezogenen Kompagnien auf gleicher Höhe vor, während dazwischen die Batterie Stöphasius und die beim Passiren der Kavallerie auf Ersuchen zugestandene reitende Batterie Selle avancirten.

Etwa 1000 Schritt südlich Barville protzten die beiden Batterien ab, gegen die an der Chaussee auf der Höhe von Bretonnière und am Wiesen-graben sichtbar gewordene feindliche Infanterie das Feuer eröffnend, welches der 19. Division die erste Nachricht von der ersehnten Hülfe bringen sollte.

Im raschen und energischen Avanciren südwärts bleibend, welchem sich bald östlich der Chaussee das Füsilier-Bataillon (Major Blum), über Egry kommend, angeschlossen, hatte General von Schwerin die Höhen unmittelbar über dem linken Ufer des Grabens erreicht, aus welchem der Feind sich schleunigst auf die hinterliegenden Büsche abzog, als ihm durch den General-stabsoffizier der 19. Division die ersten bestimmteren Nachrichten über die Gefechtslage und namentlich über die Wichtigkeit der Römerstraße von Batilly zu-ging — und so um 4 Uhr etwa die positive Verbindung zwischen dem 10. und dem 3. Korps hergestellt war.

Fortan konnte der Erfolg des Tages als gesichert betrachtet werden, wenngleich es noch mehrstündiger Arbeit bedurfte, um die volle, leider durch zu frühe Nacht beschränkte Ernte einzuheimsen.

Ehe wir die Dinge bis zum Schlusse von Beaune weiter führen, sei hier eine gewissermaßen selbstständige Episode eingeschaltet, welche sich — ähnlich wie die des 10. Jäger-Bataillons auf dem äußersten linken Flügel der Schlacht — hier im wesentlichen mit den 3. Jägern auf dem äußersten rechten abspielte.

Es ist berichtet, wie dieses Bataillon beim Avanciren von der Butte aus den rechten Flügel der vorgehenden Avantgarde gebildet. Beim weite-ren Vorgehen hatte es plötzlich den Befehl erhalten, gegen eine westlich, fast schon rückwärts liegende, parallel mit der Straße gehende Höhe sich zu wen-den, da der Feind im Begriff sei, die den Rücken krönenden Büschchen mit Infanterie zu besetzen.

Die bereits auseinandergezogenen Kompagnien schwenkten rechts, schwärm-ten in der neuen Richtung aus und Major von Norbeck vertrieb im ersten Anlauf den Feind aus den eben erst okkupirten Büschen, bis zur jenseitigen Lisiere vordringend.

Von hier aus hat denn das Bataillon in einer über 700 Schritt lan-gen Frontentwickelung, selbst noch stellenweise um günstigere Wirkung zu er-zielen, auf's freie Feld gegen Batally—Arconville sich vorschiebend, nur von der bald, unter Deckung der 12. Dragoner und 8. Ulanen nachgesendeten 2. schweren Batterie (Hauptmann Knobbe) unterstützt, von gegen 4 Uhr bis

zur vollen Dunkelheit im lebhaften feindlichen Infanteriefeuer von den Höhen, Höfen und Büschen zwischen Batally und
aus, den rechten Flügel der Division gegen die mehrfach zu erne
griffsverfuchen vorgehende, 5—6 Bataillone und eine Batterie ftar
liche Brigade Buiffon erfolgreich gedeckt und mit dem gleichfalls dem
gar nicht zu vergleichenden Verlufte von nur 14 Mann fich behaupt

(General Buiffon ward anderen Tages fchwer verwundet im
von St. Michel gefunden, wo er bald darauf feinen Wunden erleg

---

VI. Das Ausbrennen der Schlacht. 4—8 Uhr Abends.

Es ift oben berichtet, daß Hauptmann Soeft in das erfte
von Romainville eingedrungen war, als eben die Brigade Schu
Bretonnière in's Gefecht eingriff. Der mehrere Bataillone ftar
Büschen fteckende Feind wehrte fich verzweifelt und wies, namentl
Parzelle an der Chauffee dicht zufammengedrängt und ihr Verlaffe
fichts der Artillerie des 3. Korps doppelt scheuend, die weiteren
der 57er fo lange ab, bis auch die 52er von Norden her ihn dort u
angriffen.

Hauptmann Soeft, der feinen wichtigen Erfolg, die diesfeitige
von dem läftigen Feuer der feindlichen Infanterie befreit zu haben,
Verluft von faft einem Dritttheil feiner Stärke bezahlt hatte, über
weitere Vollendung den auf der ganzen Linie fiegreich vordringend
pagnien des 52. Regiments, mit denen (fpeziell der Kompagnie Be
meinfam er jedoch vorher noch das am Morgen ftehen gebliebene
der Batterie Knauer den Franzofen, welche daffelbe gleichfalls nich
fortschaffen können, wieder abjagte.*)

Er fammelte feine Abtheilung bei Romainville und rückte v
ebenfo wie das in feiner Aufgabe durch das Vorgehen des 3. Kor
löfte Bataillon Schöler nach einiger Zeit an die Weftecke von Bea
wohin General von Woyna fich felbst begebend, die Abtheilungen
rechten Flügels heranrief.

Mittlerweile hatten Graf Schlippenbach und Major Blum den

vollständig aus den Büschen vertrieben, der, den weiteren Widerstand aufgebend, in heller Flucht sich zurückwarf, verfolgt von dem Kreuzfeuer der Batterien des 10. Korps bei Beaune und der auf Anordnung der Generale von Stülpnagel und von Alvensleben, resp. durch die 1. schwere und 2. leichte, sowie die nach einem Gewaltmarsch auf dem Gefechtsfeld erschienenen beiden reitenden Batterien der Korpsartillerie auf 6 Batterien verstärkten Artillerie der Avantgarde des 3. Korps.

Es war 4½ Uhr, bereits dämmerig, als die erste Linie Schwerin die Römerstraße erreicht hatte. Das Füsilier-Bataillon Nr. 52, welches die Büsche genommen hatte, bildete den linken Flügel und hielt auf desfallsigen Befehl dieselben besetzt, während das mittlerweile nachgerückte Regiment Nr. 12 darüber hinaus vorging. Westlich der Büsche war Oberst von Wulffen mit den 6 Musketier-Kompagnien bereits über die Römerstraße zur Verfolgung des Feindes avancirt. Mit der linken Flügelbatterie an die Büsche sich lehnend, fuhren nach einander die Batterien des 3. Korps und der 1. Kavallerie-Division an der Römerstraße auf, den Kampf gegen die feindlichen Batterien südlich und südwestlich aufnehmend, welche durch lebhaftes Feuer den Rückzug ihrer Infanterie zu decken suchten.

Generalmajor von Schwerin hatte um diese Zeit (gegen 4 Uhr) die großen Anstrengungen, welche das rasche Avanciren im tiefen aufgeweichten Boden seinem ersten Treffen bereitet hatte, würdigend, die Ablösung desselben durch das auf der Chaussee bis an die Büsche gefolgte Regiment Nr. 12 und die Zusammenziehung des Regiments Nr. 52 am Schnittpunkte der Chaussee und Römerstraße befohlen.

Ehe diese Anordnung jedoch auf dem rechten Flügel hatte Folge gegeben werden können, war Oberst von Wulffen nördlich des Busches von la Leu noch einmal in lebhaftes Gefecht mit dem Feinde gekommen, bis es dem Major von Natzmer mit der 4., 5. und 7. Kompagnie gelungen war, den von hier aus das weitere Vorgehen flankirenden Gegner (85. Regiment der Brigade Buisson) auch von dort zu vertreiben. Die aus Veranlassung dieses Kampfes allmählig dort konzentrirten sechs Kompagnien des 1. und 2. Bataillons verblieben unter Graf Schlippenbach, den rechten Flügel der 12er deckend, bis zum vollständigen Aufhören des Gefechtes in dieser Stellung.

Oberstlieutenant von Kalinowsky war inzwischen mit seinem Regimente in gerade südlicher Richtung durch die 52er Füsiliere vorgehend, gegen die Straße Batilly—Beaune avancirt.

Das 1. Bataillon (Major von Brun) mit vorgezogener 1. und 2. Kompagnie, das andere Halbbataillon dahinter, gefolgt von dem in zwei Halbbataillonen formirten Füsilierbataillon (Major von Altrock) überschritt in der

Richtung auf Orme die Straße von Batilly, den weichenden Feind re
vor sich hertreibend. Als, gegen ½6 Uhr etwa, erneutes lebhaftes Feuer
Beaune hörbar wurde, zog Oberstlieutenant von Kalinowsky die beiden B
taillone an den Westeingang der Stadt heran, den Gegner in südlicher Ri
tung nur durch Detachements verfolgend.

Der 6. und 7. Kompagnie des Regiments (die 5. und 8. waren
Nemours abdetachirt) unter Hauptmann Polchau war vom Brigade-Ko
mandeur die Richtung längs der Chaussee direkt auf Beaune angewiesen,
welches der Kampf immer noch lebhaft tobte und von wo man wußte, t
es an Munition bedenklich mangele.

Es ist Zeit, daß wir nach diesem Brennpunkte der Schlacht zuri
kehren.

Wir haben die standhaften Vertheidiger des Ortes bis gegen 2 U
die energischen Angriffe des Feindes erfolgreich abweisen sehen, auch bere
berichtet, wie die Versuche gegen den Osteingang sich immer und imm
wiederholend, mit Unterstützung der rechtzeitig dort wieder eingetroffer
Kompagnien des Generals von Wedell und die Batterie Saalmüller verei
worden. Als auf dem rechten Flügel durch das Eingreifen und Vorge
des 3. Korps sich die Gefahr vermindert hatte, war auf Anordnung t
Oberstlieutenants Schaumann die in dieser Richtung überzählig geword
Batterie gleichfalls nach links neben die reitende Batterie Saalmüller
rigirt worden, um so die Abwehr nach jener Seite zu unterstützen.

Während von Foucerive her die Franzosen durch häufigste Wiede
holung ihrer Anläufe zum Ziele zu gelangen strebten, zeichnete sich geg
die Westlisiere der Angriff durch längere Pausen der Artillerievorbereitu
und dann um so konzentrirteres Auftreten aus.

Dreimal noch in der Zeit von ½3—½5 Uhr führte der Feind sei
Massen zum Sturm, dreimal noch wies ihn die unerschütterliche Ruhe t
Westfalen ab. Die Häuser der Lisiere waren ein rauchender Trümmerha
fen geworden, die Kirchhofsmauer hatten die einschlagenden Geschosse rings u
die vier Seiten fast vollständig niedergelegt; nur die äußerste Ueberwachu
des Feuers, seine Abgabe nur auf wirksamste Entfernung und die jedesm
sofort wieder eintretende Ausgleichung und soweit angängig Ergänzung t
Munition aus Abgaben weniger bedrohter Seiten her, hatten es ermögl
daß, als der Abend dämmerte, noch jeder Mann — etwa drei Patro
nen hatte!

Man sieht, es war Zeit, daß die Hülfe sich nahte. Ein letzter — ab
wie sich zeigen sollte, nicht einmal allerletzter Versuch erfolgte, als eine s
Büschen von Pierre percée her die vorderste Linie des 3. Korps erreicht h
avancirte und sich dem Orte näherte. — Aus der Stellu

Beaune hatte Major Körber, als der feindliche linke Flügel zu weichen begonnen, die 1. reitende Batterie bis dicht an die Chaussee von Barville vorgeführt, von da aus den Rückzug auf Batilly beschießend, jetzt war die Batterie nochmals bis nahe an den Kirchhof (etwa wo am Morgen die 1. schwere gestanden) avancirt und in die Dunkelheit hinein, blos nach dem Geschrei und den aufblitzenden Schüssen sich richtend, beschoß sie den neuen Anlauf der Franzosen, dem die 16er und 57er ihre letzten Kugeln auf die letzten 100 Schritt aufgehoben hatten.

Auch der fünfte Angriff war gescheitert!

Auf der Chaussee von Barville rückten am Kirchhof vorbei die Kompagnie Polchau in die Stadt. Selten wird ein freudigeres Hurrah der Kameradschaft ertönt sein, als an jenem Abend aus den Kehlen der heldenmüthigen Vertheidiger den Helfern in der Noth entgegenschallte. Mit „Revanche für Mars la Tour!" begrüßten die Brandenburger die Westfalen, so die dort geschlossene Waffenbrüderschaft erneuernd, welche zum zweitenmale in ernstester Stunde das 3. und 10. Korps Arm an Arm sehen sollte!

Von St. Loup her prasselte noch Granate auf Granate in den brennenden Ort, als General von Woyna die beiden Kompagnien 12er auf dem Marktplatz in Reserve stellte, und von ihnen schleunigst Mannschaften mit gesammelten Patronen in den Helmen an die bedrängten Punkte sendete, wo jetzt in der Dunkelheit eine Ablösung nicht gerathen erschien.

Schon zwar glaubt Niemand mehr Angesichts der Umfassung durch das 3. Korps an die Möglichkeit eines nochmaligen Angriffs, da kommt von der Barrikade von Orme her die Nachricht, der Feind sei dort eingebrochen. Während die 6. Kompagnie Nr. 12 sofort Gewehr in die Hand nimmt, um den Gegner mit dem Bayonnet wieder hinauszuwerfen, ist konstatirt, daß ein faktischer Einbruch nicht erfolgt ist, während aber noch die Offiziere die 16er ermahnen, ja nicht in der Dunkelheit auf hörbares Geräusch zu feuern, weil das 3. Korps, den Ort umgehend, vordringe, ertönt aus nächster Nähe ein erneutes en avant! en avant!

Ein Schnellfeuer von wenigen Minuten — und Alles ist abgemacht! Der kommende Morgen zeigte am Fuß der Barrikade und wenig Schritte davor die übereinandergestürzten Leichen von 10—12 Franzosen, darunter drei mit ihren Pferden hier erschossene Mobilgarden-Offiziere!

Es war das diesmal allerletzte Aufflackern des Kampfes auf dieser Seite. —

Seine K. H. der Prinz-Oberbefehlshaber hatte bis zur sinkenden Nacht dem Kampfe auf der Höhe südlich Barville beigewohnt, er ließ jetzt dem General von Alvensleben den Befehl zugehen, so weit irgend thunlich, den errungenen Sieg durch Verfolgung auf allen Straßen auszubeuten.

chon beim Vorgehen der 5. Division auf Beaune, als das Zurück-
des feindlichen linken Flügels erkennbar und die Hoffnung rege ge-
war, durch rasches Nachdrängen ein gut Theil der bei Beaune engagir-
dlichen Macht im Rücken faffen zu können, hatte der kommandirende
der Kavallerie-Division die Aufforderung zugehen laffen, durch ihr
en die „Trophäen des Sieges zu ernten."

ie oben schon berührten Schwierigkeiten des Terrains hatten diese
ag unausführbar erscheinen laffen.

unmehr war nur das Füsilier-Bataillon Nr. 12 noch in der Lage,
Aufgabe nachkommen zu können.

uf die brennenden Ortschaften Orme und Orminette dirigirt, hat
von Altrock die dort sich aus dem heißen Kampfe des Tages fam-
Franzosen durch energische Angriffe verjagt und maffenhafte Gefan-
macht. Auch die 6. Kompagnie Soest des 57. Regiments, aus dem
fecht von Romainville gesammelt, und nach der Westecke von Beaune
war, als die Angriffe dort abgewiesen waren, wieder auf Orminette
rrison vorgedrungen, hatte gleichfalls Hunderte von Gefangenen ge-
ihren am Morgen verwundet dort liegen gebliebenen Feldwebel be-
ab um 8 Uhr Abends — wie gleichzeitig neben ihr auch die vom
von Wehren vorgeführten anderen Kompagnien seines Bataillons —
m Vorposten wieder bezogen.

ährend diese Vorgänge westlich und südlich Beaune sich abspielten, war
f der Ostseite der definitive Abzug des Feindes erzwungen.

eneral von Voigts-Rhetz hatte, als die Gefahr für seinen äußersten
Flügel etwa um 2 Uhr Nachmittags als beseitigt betrachtet werden
das wie bekannt auf Bordeaux entsendete Detachement wieder nach
f Beaune herangerufen. Um 3½ Uhr wieder dort eingetroffen, hatte
von Wins um 4 Uhr den Befehl erhalten, durch die Besetzung von
y die Verbindung zwischen dem linken und rechten Flügel des Korps
erzustellen.

egen 5 Uhr dort angelangt, hatte das Füsilier-Bataillon Nr. 78 sich auf
erung des Generals von Wedell über die Mühle von Beaune mit
en in direkte Verbindung gesetzt und so durch sein Erscheinen und
fen in die letzten Stadien des Gefechtes auch dort den Rückzug des
entschieden.

uch der Angriff des **XX.** französischen Korps war auf der ganzen
ollständig gescheitert!

er Morgen des 29. November sah die Vorposten vor Beaune —
t noch in der Nacht nach Marcilly gegangenen 10. Brigade Schwe-
ext — wieder in ihrer alten Stellung.

Die französischen Quellen über die Schlacht sind im höchsten Grade dürftig. Nur im Allgemeinen geht aus ihnen hervor, daß der Angriff der beiden Korps von Gambetta selbst aus Tours angeordnet worden war, ohne den Oberbefehlshaber der Loire-Armee, General de Palladine, rechtzeitig davon in Kenntniß zu setzen. Die intentionirte Unterstützung einer Division des XV. Korps von Neuville au bois auf Pithiviers ist daher auch nur matt durch die Cathelineau'sche Detachirung auf Courcelles erfolgt, ihr faktisches Eingreifen würde Angesichts der 6. Division wohl wenig am Verlauf der Schlacht geändert haben.

General des Pallières, Kommandirender des XV. Korps, rechtfertigt die ihm in dieser Richtung vorgeworfene Unthätigkeit mit dem Hinweis auf seine weit auseinandergedehnte schwache Linie im Centrum der Loire-Armee dem nahen Feinde gegenüber und der Bemerkung: „daß er den General Crouzat mit 60,000 Mann und 138 Geschützen für stark genug gehalten habe, den von ihm beabsichtigten Angriff auf die nach seiner Mittheilung von 10,000 Mann mit 40 Geschützen besetzte Stellung bei Beaune alleine durchzuführen!"

Man sieht, die Franzosen waren nicht ganz schlecht bedient: in der That, ihrem Angriff auf das 10. Korps waren keine 10,000 Mann mit 70 Geschützen freilich entgegenzusetzen, im Laufe des Tages aber sind faktisch preußischerseits nicht mehr als circa 10,000 Gewehre und 96 Geschütze beider Korps in's Gefecht gekommen!

Trotzdem muß anerkannt werden, daß die Angriffe der Franzosen am 28. einen Elan bewiesen haben, wie er nur zu ihren besten Zeiten sich gezeigt. Und selten ist ein ungerechtfertigteres Wort gefallen, als das Freycinet'sche an den General Crouzat nach seinem Bericht über die Nothwendigkeit einer Retablirungsruhe, das Wort: vous me paraissez bien prompt à vous décourager!

Freilich Herr Freycinet lebt noch heute in der angenehmen Illusion, daß der Prinz Friedrich Karl von den französischen Erfolgen des 28. so sehr impressionirt gewesen sei (nos avantages étaient tels), daß er noch in der Nacht freiwillig Beaune geräumt und seine zur Vertheidigung verwendbaren Baulichkeiten in Brand gesteckt habe!!

Anhang.

Es ist erwähnt, wie wenig die bis jetzt vorhandenen französischen Quellen über die Details, namentlich die Truppenverwendung in der Schlacht vom 28. November 1870 gebracht. Spezialbeschreibungen fehlen ganz, obgleich: „la bataille de Beaune la Rolande" eine gewisse Rolle in allen französischen Erzählungen über die Loirearmee spielt. — Vielleicht bringt die in Aussicht stehende Publikation des General Billot: „Le XVIII. corps d'armée de la Loire" etwas mehr.

Vorläufig ist man in dieser Richtung nur auf dasjenige angewiesen, was, aus den im Laufe des Feldzuges für das XX. französische Korps, wie erwähnt, ausführlich, für das XVIII. nur sehr allgemein bekannt gewordenen Ordres de bataille dieser beiden Korps und den Angaben der Truppen über das, was ihnen gegenüber gefochten hat, sich im Allgemeinen schließen läßt.

Indem wir diese Ordres de bataille hier mittheilen, werden wir daneben Dasjenige bemerken, was sich über die muthmaßliche Verwendung der aufgeführten Truppen in der Schlacht etwa zu ergeben scheint.

Ordre de bataille.	Muthmaßliche Verwendung.
XX. Korps: General Crouzat	hat den Angriff beider Korps geleitet.
1. Division. General de Polignac.	
1. Brig. (Buisson)	von Nancray auf Batilly.
85. Linien-Regiment (4. und 5. Bataillon) . .	am Fossé des Prés gegen die Kav.-Div., dann die Musketiere Nr. 52. bei dem Busch la Leu.
11. Mobilgarden-Regiment (Loire)	
55. " (Jura)	bei Batilly und Arconville gegen des 3. Jäger-Bataillon.
2. Brigade (?)	über St. Michel-Batilly.

24. Mobilgarben (Haute Garonne)
67.   „   (Loire)
4. Bat. Mobilg. Saône et Loire . . . . .

2. Marsch-Lanciers-Regiment , ... ?
2 Fuß-Batterien . . . . , . . 1 bei Batilly.
(1 Mitrailleusen-Batterie?) . . . . bei den Büschen von Romain-
ville konstatirt.

2. Kompagnie Genie.

gegen das 1. Bat. Nr. 57, dann in den
Büschen von Romainville und
Pierre percée gegen 57er und
die Füsiliere Nr. 52.

2. Division General Thornton . . . . scheint von St. Loup — Bois-
commun aus vorgegangen.

1. Brigade (?)
2. Marsch-Infanterie-Bataillon
34. Mobilg.-Reg. (Deuz-Sévres) . . . . .
Mobilg. du Haut-Rhin

über Galveau längs der Straße
Batilly gegen Beaune.

2. Brigade (Bivenot)
3. Marsch-Zuaven-Regiment
Mobilg. de la Savoie (2. Bataillon) . . . über Orme gegen Batilly.
7. Chasseurs-Regiment . . . . Attacke bei Jarrisoy.
2 Fußbatterien . . . . bei Orme—Galveau.
Genie-Mineurs de la Loire.

3. Division: General Ségard.
1. Brigade (?)
47. Marsch-Infanterie-Regiment
78. Mobilgarden-Regiment
Mobilgarden von Corsica (2 Bataillone)
   „   de la Meurthe (1 Bataillon)
Légion d'Antibes

von Bellegarde (?) über Fouce-
rive — Ormetrou gegen Füsi-
liere Nr. 57 u. s. f.

2. Brigade.
Mobilg.-Reg. 58 (2. Bataillon des Vosges)
   „   „   des Pyr. orient. (2 Bataillone)
   „   „   de la haute Saône (1. Bat.) . .
   „   „   Volont. Franc. Comtois
   „   „   Franctireurs de Nice
   „   „   „   de Cannes . . .

östlich bei St. Loup vorbei ge-
gen den Ost-Eingang, von
Beaune (?)

gegen die Südfront von Beaune (?)

2 Fußbatterien . . . . bei Foucerive.
1 Eskadron Lanciers Nr. 2.
Artillerie-Reserve (?) . . . . obgleich in der Ordre de ba-
taille nicht aufgeführt, waren
mehr als 6 Batterien beim
Korps (138 Geschütze bei bei-
ben Korps).

XVIII. Korps.

Kommandeur für den noch nicht eingetroffenen General Bourbaki: der Generalstabschef Billot.

   Dazu gehörig genannt: 3 Divisionen

     eine Brigade (Leclaire)

       "   (Robert)

     9. Marsch-Jäger-Bataillon

    42 Marsch-Infanterie-Regiment   *(zu einer Division gehörig?)*   von Ladon gegen Lorcy — Corbeilles (?) und zum Hauptangriff um 2 Uhr.

    19. Mobilgarden-Reg. (Cher)

    82.   "   " (Vaucluse)

    44. Marsch-Infanterie-Regiment

ferner:

    1 Bataillon 79. Infanterie-Regiments

    1   "   d'Inf. lég. d'Afr.   *(wohl eine 2. Division)*   in Juranville und zum Hauptangriff später gegen les Côtelles.

    3. Turcos-Marsch.-Reg. (Constantine)

    37. Mobilgarden-Regiment u. s. w.

Dann eine dritte Division? . . . . . .   möglicherweise in Reserve, dann vielleicht gegen Benouille oder auch über Foucerive noch gegen Beaune (?) (es sollen dort Theile des XVIII. Korps gefochten haben).

   Kavallerie-Division (Michel)

    5. Marsch-Kürassier-Regiment

    5.   "   Dragoner   "

    3.   "   Lanciers   "   . . . . . .   Attacke von les Côtelles.

   Marsch-Cavallerie (früher Garde)

    Artillerie? . . . .   cf. oben beim XX. Korps.

Speziellere Verlustliste

einiger in der Schlacht besonders engagirter Truppentheile:

vom 10. Corps			
Regt. Nr. 91 . .	2 Off.	82 M.	
" " 16 . .	6 "	85 "	
" " 57 . .	4 "	160 "	
1. Fußabth. Nr. 10.	— "	18 "	31 Pf.
Regt. Nr. 56 . .	10 "	223 "	
" " 79 . .	4 "	162 "	
2. Fußabth. . . .	— "	19 "	27 "
Reitende Abth. . .	1 "	25 "	75 "

vom 3. Corps

liegt nur die Gesammtverlustliste vor.

Lightning Source UK Ltd.
Milton Keynes UK
UKHW041246180119
335297UK00007BA/328/P